Christopher Paolini

ERAGON

Die Weisheit des Feuers

Buch

Die Schlacht auf den Brennenden Steppen haben die Rebellen gewonnen – aber der Sieg hätte Eragon und seinen Drachen Saphira beinahe das Leben gekostet. Doch schon lauern im finsteren Helgrind, wo Rorans geliebte Katrina gefangen gehalten wird, neue Gefahren. Allerdings fordert nicht nur Roran Eragons Unterstützung, sondern auch die Rebellen brauchen seine Stärke und magischen Fähigkeiten verzweifelt wie nie. Als unter den verbündeten Zwergen Clankriege auszubrechen drohen und Galbatorix einmal mehr versucht, Eragon zum Spielball seiner finsteren Interessen zu machen, muss der junge Drachenreiter handeln. Seine Mission führt ihn bis über die Grenzen des Königreichs. Und dann verändert ein schreckliches Opfer auf einmal alles …

Eragon ist die letzte Hoffnung der freien Völker Alagaësias. Doch kann er allein die Elfen, Varden und Zwerge vereinen und den schwarzen Tyrannen stürzen?

Autor

Als Jugendlicher entdeckt Christopher Paolini, der nie eine öffentliche Schule besuchte, die Welt der Bücher. Hingerissen verschlingt er J.R.R. Tolkien, Raymond Feist, die nordischen Heldensagen – und erschafft mit 15 Jahren eine ganz eigene, komplexe Fantasy-Welt. »Eragon« erscheint zunächst im Eigenverlag und avanciert durch Mundpropaganda zum heimlichen Bestseller. Durch den Schriftsteller Carl Hiaasen auf das Buch aufmerksam gemacht, veröffentlicht Random House USA im September 2003 die Buchhandelsausgabe, die seitdem alle Rekorde bricht: »Eragon« stürmte die Bestsellerlisten, Hollywood kaufte die Filmrechte, die Presse liegt Paolini zu Füßen – und die Leser fiebern bereits dem dritten Teil der Trilogie entgegen.

Bei Blanvalet ebenfalls erschienen:

Eragon – Das Vermächtnis der Drachenreiter (37010)
Eragon – Der Auftrag des Ältesten (37011)

Christopher Paolini

ERAGON
Die Weisheit des Feuers

Aus dem Amerikanischen
von Joannis Stefanidis

blanvalet

Die Originalausgabe erschien 2008 unter dem Titel »Brisingr or The Seven Promises of Eragon Shadeslayer and Saphira Bjartskular. Inheritance Book Three« bei Alfred A. Knopf, New York.

Verlagsgruppe Random House FSC-DEU-0100
Das für dieses Buch verwendete FSC-zertifizierte Papier
Holmen Book Cream liefert Holmen Paper, Hallstavik, Schweden

1. Auflage
Taschenbuchausgabe April 2010
bei Blanvalet, einem Unternehmen der Verlagsgruppe
Random House GmbH, München
Copyright © der Originalausgabe 2008 by Christopher Paolini
Copyright © der deutschsprachigen Ausgabe 2008 by cbj Verlag,
München, in der Verlagsgruppe Random House GmbH
Published by arrangement with Random House Children's Books,
a division of Random House, Inc.
Lektorat: Luitgard Distel und Susanne Evans
Innenillustrationen: © 2002 Christopher Paolini
Umschlagillustration: © 2008 John Jude Palencar
Umschlaggestaltung: HildenDesign, München
LF · Herstellung: René Fink
Druck und Einband: GGP Media GmbH, Pößneck
Printed in Germany
ISBN: 978-3-442-37459-5

www.blanvalet.de

WIE IMMER *ist dieses Buch für meine Familie.*
Und ebenso für Jordan, Nina und Sylvie,
die hellen Sterne einer neuen Generation.
Atra Esterní ono thelduin.

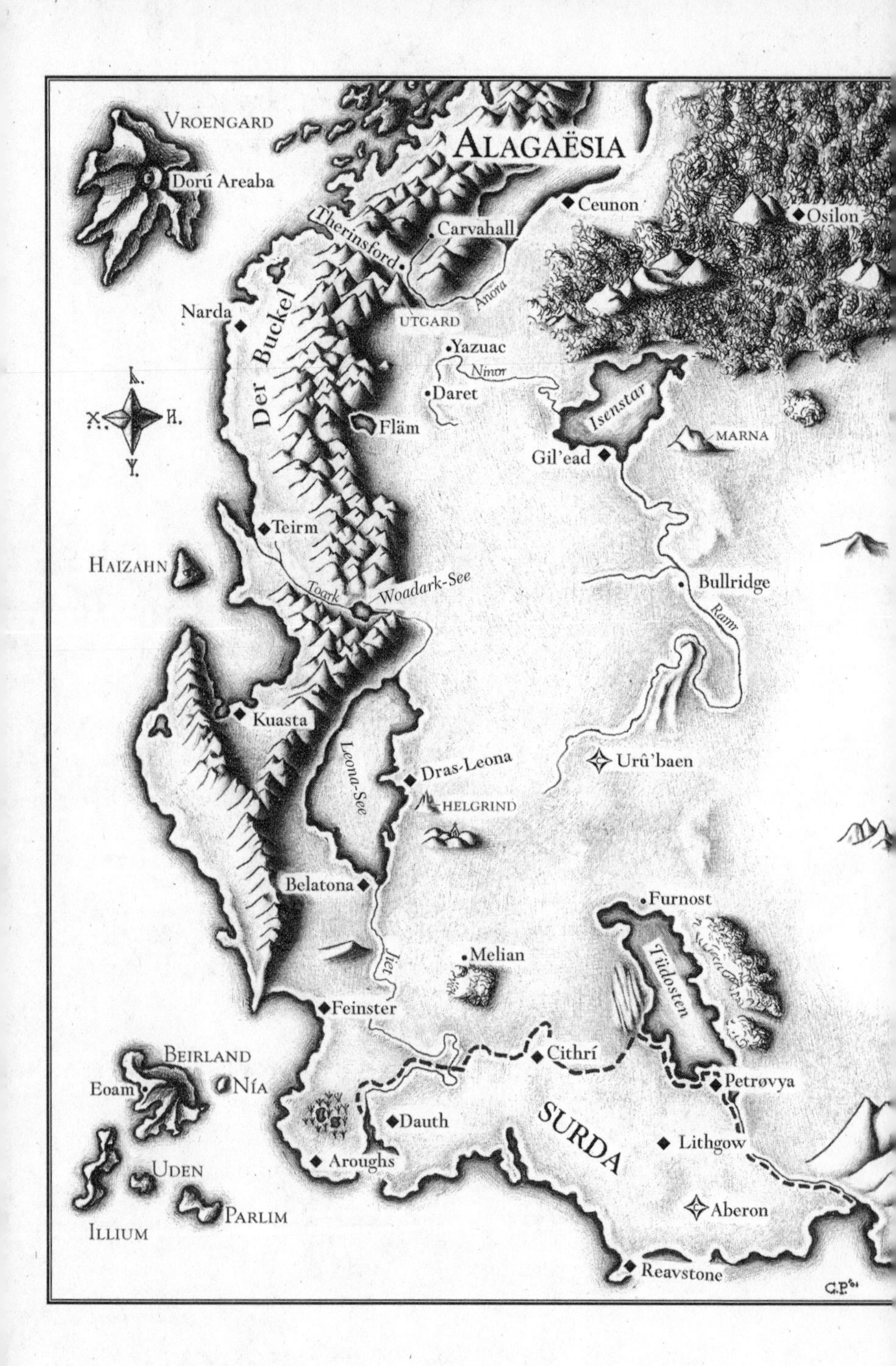

VROENGARD
Dorú Areaba
ALAGAËSIA
Ceunon
Osilon
Therinsford
Carvahall
Anora
Narda
Der Buckel
UTGARD
Yazuac
Ninor
Daret
Fläm
Isenstar
MARNA
Gil'ead
Teirm
HAIZAHN
Toark
Woadark-See
Bullridge
Ramr
Kuasta
Leona-See
Dras-Leona
HELGRIND
Urû'baen
Belatona
Furnost
Tüdosten
Melian
Jiet
Feinster
Cithrí
BEIRLAND
Eoam
NÍA
Petrøvya
Dauth
SURDA
Lithgow
Aroughs
UDEN
PARLIM
ILLIUM
Aberon
Reavstone

Ellesméra
Du Weldenvarden
Nädindel
Röna
Kirtan
Sílthrim
Arduen
Gaena
Eldor
Hadarac-Wüste
Ceris
Ília Fëon
Edda
Hedarth
Az Ragni
Buragh
Tarnag
FARTHEN DÛR
Orthíad
Bärenzahnfluss
Beor-Gebirge
Dalgon
Galfni

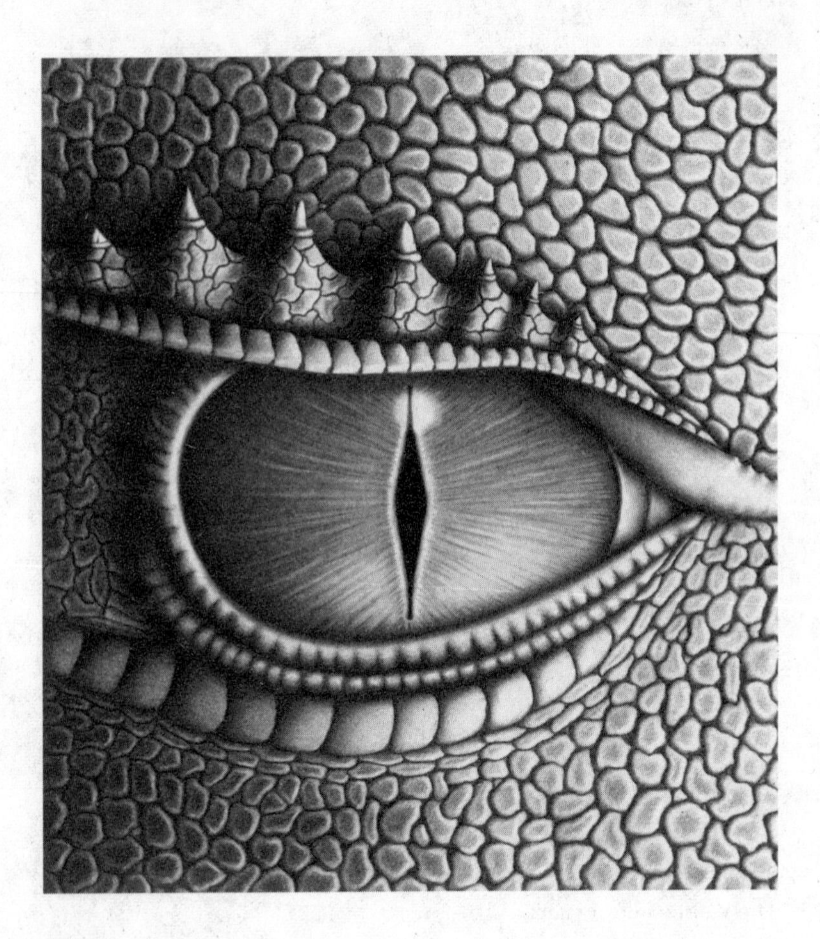

Rückblick

auf »ERAGON – Das Vermächtnis der Drachenreiter«
und »ERAGON – Der Auftrag des Ältesten«

Eragon, ein fünfzehnjähriger Bauernjunge, fällt während der Jagd im Buckel ein glänzender blauer Stein vor die Füße. Er nimmt ihn mit nach Carvahall, wo er mit seinem Cousin Roran auf dem Hof seines Onkels Garrow lebt. Garrow und seine verstorbene Frau Marian haben Eragon großgezogen. Über seinen richtigen Vater ist nichts bekannt. Seine Mutter Selena, Garrows Schwester, verschwand nach Eragons Geburt spurlos.

Wenig später platzt der vermeintliche Stein auf und ein Drachenjunges kommt zum Vorschein. Als Eragon es berührt, erglüht auf seiner Handfläche ein silbriges Zeichen, und zwischen den beiden ist eine unwiderrufliche geistige Verbindung geknüpft, die Eragon zu einem der legendären Drachenreiter macht.

Die Drachenreiter waren ein paar Tausend Jahre zuvor, nach dem großen Krieg der Elfen gegen die Drachen, aufgestellt worden, um dafür Sorge zu tragen, dass es zwischen den beiden Völkern nie wieder zu Feindseligkeiten kommen würde. Sie wurden zu Friedenswächtern, Erziehern, Heilern, Naturkundigen und zu mächtigen Zauberern – denn die Verbindung mit einem Drachen verlieh ihnen magische Kräfte. Als die ersten Menschen in Alagaësia auftauchten, wurden bald auch aus ihren Reihen Auserwählte zu Drachenreitern ausgebildet. Unter ihrem Schutz und ihrer Führung erlebte das Land ein goldenes Zeitalter des Friedens.

Dann jedoch töten die ungestalten und kriegerischen Urgals den Drachen eines jungen menschlichen Reiters namens Galbatorix. Halb wahnsinnig durch diesen Verlust und durch die Weigerung der Ältesten, ihm einen neuen Drachen zur Verfügung zu stellen, beschließt Galbatorix, die Drachenreiter zu stürzen.

Er stiehlt einen Drachen, Shruikan, zwingt ihn sich zu Diensten und versammelt eine Schar von dreizehn Verrätern um sich: die Abtrünnigen. Mithilfe dieser grausamen Anhänger wirft Galbatorix die Drachenreiter nieder, tötet ihren Anführer Vrael und erklärt sich zum neuen Herrscher über Alagaësia. Allerdings bleiben die Völker der Elfen und Zwerge in ihren geheimen Schlupfwinkeln eigenständig und im Süden Alagaësias gründet eine Gruppe von Menschen das unabhängige Surda. Jahrzehntelang herrschen Krieg und Verwüstung, hervorgerufen durch den Untergang der Drachenreiter, und auch der derzeitige Friede wird nur durch ein zerbrechliches Gleichgewicht der Kräfte aufrechterhalten.

In diese heikle politische Situation wird Eragon hineinkatapultiert. Er muss um sein Leben fürchten, denn es ist weithin bekannt, dass Galbatorix jeden Drachenreiter umbringt, der ihm nicht die Treue schwört – und so versteckt Eragon den Drachen vor seiner Familie und zieht ihn heimlich groß. Er gibt seinem Schützling den Namen Saphira, nach einem Drachen, den Brom, der Geschichtenerzähler des Dorfes, einmal erwähnt hatte. Bald darauf verlässt Roran den Hof, um in Therinsford Geld zu verdienen und dann endlich Katrina, die Tochter des Metzgers, heiraten zu können.

Saphira ist inzwischen größer geworden als Eragon, als zwei bedrohliche Fremdlinge, Ra'zac genannt, in Carvahall auftauchen und nach dem Drachenei suchen. Zutiefst verängstigt flüchtet Saphira mit Eragon in den Buckel. Er schafft es zwar, sie zur Rückkehr zu bewegen, aber in der Zwischenzeit haben die Ra'zac sein Zuhause dem Erdboden gleichgemacht. Gefoltert und schwer verwundet, liegt Eragons Onkel Garrow unter den Trümmern. Als er kurz darauf stirbt, schwört Eragon Rache. Er will die Ra'zac aufspüren und vernichten.

Als er aus dem Dorf schleicht, stellt sich ihm Brom in den Weg. Der alte Mann hat längst geahnt, dass er in Eragon einen neuen Drachenreiter vor sich hat, und bietet ihm seine Hilfe an. Denn

Brom ist mehr als nur ein einfacher Geschichtenerzähler … Er beginnt, Eragon zu unterweisen. Neben den Grundbegriffen der Magie unterrichtet er ihn in der alten Sprache. Er erklärt ihm die Namen der Dinge und zeigt ihm, wie man sie für magische Zwecke nutzen kann. Es dauert nicht lange und Eragon kann Gegenstände allein mit der Kraft seines Geistes bewegen, Feinde mit Zauberei abwehren und Wunden heilen. Als er all dies gelernt hat, überreicht Brom ihm ein Schwert, das von den Elfen gefertigt wurde und einst einem Drachenreiter gehörte.

Die Spur der Ra'zac verliert sich bald, und so suchen sie in der Stadt Teirm Broms alten Freund Jeod auf, von dem sie sich Hilfe versprechen. In Teirm prophezeit die Kräuterhexe Angela Eragon, dass mächtige Kräfte darum kämpfen, sein Schicksal zu bestimmen. Außerdem sagt sie ihm voraus, dass er sich in eine Adelige verlieben und eines Tages für immer aus Alagaësia fortgehen werde und dass es in seiner eigenen Familie einen Verräter gebe.

Brom vertraut ihm schließlich an, dass er ein Agent der Varden sei, einer Rebellenschar, die es sich auf die Fahne geschrieben habe, Galbatorix zu stürzen – und dass er sich in Eragons Dorf versteckt gehalten habe, um auf die Ankunft eines neuen Drachenreiters zu warten. Er erzählt ihm auch, dass er einst zusammen mit Jeod Saphiras Ei aus den Fängen von Galbatorix gestohlen und dabei den Abtrünnigen Morzan getötet habe. Es existieren nur noch zwei weitere Dracheneier, die sich beide in Galbatorix' Besitz befinden.

Eragon, Brom und Saphira ziehen zum Helgrind, wo sich der Unterschlupf der Ra'zac befindet. Die Gefährten geraten in einen Hinterhalt. Unverhofft kommt ihnen ein junger Krieger, Murtagh, zu Hilfe, der ebenfalls eine Rechnung mit den Ra'zac zu begleichen hat. Dennoch wird Brom tödlich verwundet. Mit seinen letzten Atemzügen eröffnet er Eragon, dass er selbst einmal ein Drachenreiter gewesen sei, der seinen Drachen verloren habe. Bevor er stirbt, nimmt Brom Eragon das Versprechen ab, Saphira mit seinem Leben zu beschützen.

Für Trauer bleibt keine Zeit. König Galbatorix weiß inzwischen, dass es einen neuen Drachenreiter gibt, und er wird alles tun, um Eragon in seine Gewalt zu bringen. Eragon und Murtagh beschließen, nach Gil'ead zu reiten, wo sie sich Informationen über die Varden erhoffen.

In Gil'ead wird Eragon gefangen genommen. Doch Murtagh und Saphira gelingt es, ihn und eine verletzte Mitgefangene, die Elfe Arya, zu befreien. Unterdessen ist das ganze Reich hinter ihnen her und Eragon weiß nur noch einen Ausweg: Sie müssen durch die große Hadarac-Wüste zum Beor-Gebirge gelangen, das außerhalb der Reichsgrenzen liegt.

Mühsam schleppen sie sich durch die Wüste. Murtagh, der nur widerwillig mit zu den Varden geht, sieht sich gezwungen, Eragon zu gestehen, dass er Morzans Sohn ist. Allerdings verurteilt er die Untaten seines Vaters und ist Galbatorix' Herrschaft entflohen, um seinen eigenen Weg zu finden. Er zeigt Eragon eine lange Narbe am Rücken, die Morzan ihm zugefügt hatte, indem er sein Schwert Zar'roc nach ihm warf, als Murtagh noch ein Kind war. So erfährt Eragon, dass das Schwert in seinem Besitz einst Morzan gehörte, der die Drachenreiter an Galbatorix verriet und viele seiner ehemaligen Kameraden niedermetzelte.

Nach tagelangem Marsch erreichen sie endlich Farthen Dûr, den Stützpunkt der Rebellen, einen hohlen Berg von zehn Meilen Höhe und zehn Meilen Breite. Er beherbergt auch die Zwergenhauptstadt Tronjheim. Während Murtagh aufgrund seiner Abstammung gefangen genommen wird, erhält Eragon eine Audienz bei Ajihad, dem Anführer der Varden. Eragon wird auch Ajihads Tochter Nasuada und dem Zwergenkönig Hrothgar vorgestellt. Von den Zwillingen, zwei kahlköpfigen und ausgesprochen boshaften Magiern in Ajihads Diensten, wird er auf die Probe gestellt. Und Arya, die sich inzwischen wieder erholt hat, erzählt ihm schließlich ihre Geschichte: Brom brachte das Drachenei, das er Galbatorix entwendet hatte, nach Tronjheim. Daraufhin entbrannte ein Streit zwischen den Menschen und den Elfen, wer den nächsten

Drachenreiter stellen solle. Schließlich beschloss man, dass das Ei ein Jahr lang bei den Elfen und im nächsten Jahr bei den Varden bleiben solle, damit gleichberechtigt in beiden Völkern nach einem neuen Drachenreiter gesucht werden könne. Arya habe sich mit dem Ei gerade auf dem Rückweg von Ellesméra nach Tronjheim befunden, als sie von Häschern des Königs angegriffen wurde, und kurzerhand das Ei durch Magie an den einzig sicheren Ort befördert, der ihr einfiel: in Broms Nähe, dessen Zufluchtsort sie kannte. Und so gelangte das Ei zu Eragon und Saphira erkannte ihren Reiter …

Nun, erklärt Vardenführer Ajihad, sei Eragon ihre Hoffnung, ein Symbol für Stärke und Macht und Magie. Er ermahnt den Jungen, sich dieser Verantwortung bewusst zu sein. Er müsse nun entscheiden, ob er seinen vorbestimmten Weg weitergehen und hierfür seine Ausbildung bei den Elfen vollenden wolle.

In diese Situation platzt die Nachricht, eine Armee Urgals nähere sich Farthen Dûr durch die Zwergentunnel. In der darauf folgenden Schlacht wird Eragon von Saphira getrennt und muss allein gegen den Schatten Durza, Galbatorix' rechte Hand, kämpfen. Weitaus stärker als jeder Mensch, überwältigt Durza Eragon mit Leichtigkeit und schlitzt ihm den Rücken auf. Da sprengen Saphira und Arya das Dach der zentralen Kammer – einen sechzig Fuß breiten Sternsaphir – und lenken Durza damit gerade lange genug ab, dass Eragon ihm das Herz durchbohren kann. Von Durzas finsterem Einfluss befreit, lassen sich die Urgals in die Tunnel zurücktreiben. Eragon fällt in tiefe Bewusstlosigkeit.

Da nimmt ein Wesen telepathisch Kontakt mit ihm auf, das sich selbst als Togira Ikonoka, der unversehrte Krüppel, bezeichnet. Er bietet Eragon Antworten auf all seine Fragen und drängt ihn, zu den Elfen nach Ellesméra zu kommen, um von ihm zu lernen.

Als Eragon aus der Bewusstlosigkeit erwacht, stellt er fest, dass ihm trotz Angelas Heilkunst eine riesige Narbe am Rücken geblieben ist – genau wie Murtagh. Mit Bestürzung wird ihm klar, dass er Durza nur durch reines Glück besiegt hat und dringend seine Fertigkeiten vervollkommnen muss, wenn er den nächsten Kampf gegen die finsteren Mächte überleben und seinem Vermächtnis gerecht werden will.

Der Auftrag des Ältesten setzt drei Tage nach Eragons Sieg über Durza ein. Die Varden erholen sich von den Strapazen der Schlacht um Farthen Dûr, während Ajihad, Murtagh und die Zwillinge Jagd auf die Urgals machen, die nach dem Kampf in die Zwergentunnel geflohen sind. Bei dem Überraschungsangriff einer Gruppe Urgals stirbt Ajihad. Murtagh und die Zwillinge verschwinden spurlos. Der Ältestenrat der Varden ernennt Nasuada zur Nachfolgerin ihres Vaters und zur neuen Anführerin der Rebellen. Eragon leistet Nasuada einen Treueschwur und ist fortan ihr Vasall.

Eragon und Saphira beschließen, dass es an der Zeit ist, nach Ellesméra zu gehen, um ihre Ausbildung bei dem unversehrten Krüppel zu beginnen. Vor ihrer Abreise bietet Zwergenkönig Hrothgar Eragon an, ihn in den Clan der Ingietum und in seine Familie aufzunehmen. Eragon akzeptiert, was ihn zum vollwertigen Clanmitglied macht und ihm das Recht gibt, an den Versammlungen der Zwerge teilzunehmen.

Arya und Orik, Hrothgars Stiefsohn, begleiten Eragon und Saphira auf ihrer Reise ins Land der Elfen. Unterwegs machen sie Halt in der Zwergenstadt Tarnag. Die meisten Bewohner sind den Besuchern wohlgesinnt, doch Eragon muss bald erfahren, dass ein Clan ihn und Saphira aus der Stadt vertreiben will. Es sind die Az Sweldn rak Anhûin, die alle Reiter und Drachen hassen, seit Galbatorix und seine Abtrünnigen so viele ihres Clans getötet haben.

Schließlich erreichen die Gefährten Du Weldenvarden, den Elfenwald, und bald darauf die Stadt Ellesméra. Hier begegnen Eragon und Saphira der Elfenkönigin Islanzadi, die, wie sie erfahren, Aryas Mutter ist. Islanzadi führt sie zu Oromis, dem unversehrten Krüppel, ihrem uralten elfischen Lehrmeister. Auch er ist ein Reiter. Oromis und sein Drache Glaedr haben ihre Existenz die letzten hundert Jahre vor Galbatorix geheim gehalten, während sie nach einem Weg suchten, den Tyrannen zu stürzen.

Aufgrund alter Verletzungen können Oromis und sein Drache nicht selbst gegen Galbatorix in den Kampf ziehen – Glaedr fehlt ein Bein, und Oromis, der von den Abtrünnigen gebrochen wurde, ist nicht fähig, größere Mengen an Magie zu kontrollieren. Er erleidet immer wieder schwächende Anfälle.

Eragon und Saphira beginnen mit ihrer Ausbildung sowohl gemeinsam als auch getrennt. Eragon lernt mehr über die Geschichte der Völker Alagaësias, über den Schwertkampf und über den Gebrauch der alten Sprache, die alle Magier benutzen. Zu seiner Bestürzung entdeckt er während seines Studiums der alten Sprache, dass ihm ein furchtbarer Fehler unterlaufen ist, als er gemeinsam mit Saphira das kleine Waisenmädchen in Farthen Dûr segnete. Weil er bei seinem Zauber ein falsches Wort benutzte, hat Eragon die Kleine nicht vor Unheil bewahrt, sondern sie dazu verdammt, das Leid der sie umgebenden Menschen zu spüren und um jeden Preis zu versuchen, sie davor zu beschützen. Eragon schwört, alles zu tun, um dem Mädchen zu helfen.

Saphira macht große Fortschritte bei ihren Lektionen mit Glaedr, aber Eragon wird durch die Verwundung, die er in seinem Kampf gegen Durza erlitten hat, immer wieder zurückgeworfen. Eragon fühlt sich durch die Narbe an seinem Rücken nicht nur entstellt, sie löst auch regelmäßig schmerzhafte Anfälle aus, die ihn stundenlang außer Gefecht setzen. Er weiß nicht, wie er sich unter diesen Umständen als Magier und Schwertkämpfer verbessern soll.

Während seines Aufenthalts bei den Elfen wird sich Eragon seiner Gefühle für Arya bewusst und gesteht ihr seine Liebe, aber die Elfe weist ihn ab und kehrt wenig später zu den Varden zurück.

Kurz darauf feiern die Elfen die elfische Blutschwur-Zeremonie, den Agaetí Blödhren, bei der Eragon eine magische Verwandlung erlebt: Fortan ist er halb Mensch, halb Elf, die riesige Rückennarbe ist verschwunden und er besitzt nun die gleichen übermenschlichen Kräfte wie die Elfen. Auch sein Aussehen erinnert jetzt an sie.

In dieser Situation erfährt Eragon, dass die Varden kurz vor der entscheidenden Schlacht gegen das Imperium stehen und dringend seine und Saphiras Hilfe benötigen. Während seiner Abwesenheit hat Nasuada ihr Volk von Farthen Dûr nach Surda geführt, das Land an Alagaësias Südgrenze, das sich die Unabhängigkeit von Galbatorix bewahrt hat.

Nachdem sie Oromis und Glaedr versprochen haben, so schnell wie möglich zurückzukehren und ihre Ausbildung zu vollenden, verlassen Eragon und Saphira gemeinsam mit Orik Ellesméra.

In der Zwischenzeit erlebt Eragons Cousin Roran seine eigenen Abenteuer. Galbatorix hat die Ra'zac und einen Soldatentrupp nach Carvahall entsandt. Sie sollen Roran entführen, damit der Tyrann ihn als Druckmittel gegen Eragon einsetzen kann. Doch Roran kann zunächst in die nahen Berge fliehen. Dann versuchen er und die anderen Dorfbewohner, die Soldaten zu verjagen. Dabei sterben mehrere Dörfler. Als der Metzger Sloan – der ihn hasst und gegen Rorans Verlobung mit seiner Tochter Katrina ist – ihn an die Ra'zac verrät, überfallen ihn die Finsterlinge mitten in der Nacht im Schlafzimmer. Roran schlägt die Angreifer in die Flucht, doch es gelingt ihnen, Katrina zu verschleppen.

Roran überzeugt die Menschen von Carvahall, ihr Dorf zu verlassen und sich mit ihm zu den Varden nach Surda durchzuschlagen. Sie ziehen westwärts über den Buckel zur Küste, in der Hoffnung, von dort nach Süden weitersegeln zu können. Es sind entbehrungsreiche Wochen, in denen sich Roran als ausgezeichneter Anführer erweist. In der Hafenstadt Teirm begegnet er Jeod, der ihm eröffnet, dass Eragon ein Drachenreiter ist. Außerdem erklärt er ihm, warum die Ra'zac ursprünglich nach Carvahall gekommen waren: wegen Saphira. Jeod bietet Roran und den Dorfbewohnern an, ihnen zu helfen, nach Surda zu gelangen. Sobald sie sicher bei den Varden angekommen seien, erklärt ihm Jeod weiter, könne Roran seinen Cousin um Hilfe bei der Befreiung Katrinas bitten. Und so kapern Roran, Jeod und die Dorfbewohner ein Schiff und machen sich auf den langen Weg zur Südküste.

Eragon und Saphira treffen bei den Varden ein, die sich auf die Schlacht gegen Galbatorix' Truppen vorbereiten. Nun erfährt der junge Drachenreiter auch, was aus dem von ihm gesegneten Mädchen geworden ist: Sein Name lautet Elva, und obwohl die Kleine eigentlich noch ein Säugling ist, hat sie das Aussehen einer Vierjährigen und spricht und verhält sich wie eine des Lebens überdrüssige Erwachsene. Sie leidet furchtbar unter Eragons Segen, der ihr zum Fluch wurde.

Dann bricht der Kampf auf den Brennenden Steppen los. Seite an Seite mit den Varden stürmen Eragon und Saphira den Imperiumstruppen entgegen. Zu ihrem grenzenlosen Erstaunen taucht auf der Seite des Feindes ein Reiter auf seinem roten Drachen auf. Der Unbekannte tötet den Zwergenkönig Hrothgar und es kommt zum Zweikampf zwischen den beiden Drachenreitern. Als es Eragon gelingt, seinem Gegner den Helm vom Kopf zu reißen, blickt er zu seinem Entsetzen in Murtaghs Gesicht.

Murtagh, so stellt sich heraus, wurde bei dem Hinterhalt in den Zwergentunneln unter Farthen Dûr nicht getötet. Der Überfall durch die Urgals war von den Zwillingen arrangiert worden, um Ajihad zu ermorden und Murtagh gefangen zu nehmen und ihn zu Galbatorix zu bringen. Der Tyrann zwang ihn und seinen frisch geschlüpften Drachen Dorn, ihm in der alten Sprache Treue zu geloben, und machte sie damit zu seinen willenlosen Sklaven. Eragon fleht Murtagh an, sich von Galbatorix loszusagen und sich den Varden anzuschließen, doch gegen den Schwur, den er und sein Drache geleistet haben, ist der neue Reiter machtlos.

Mit seinen außerordentlichen Kräften gelingt es Murtagh, Eragon und Saphira zu überwältigen. Aufgrund ihrer einstigen Freundschaft lässt er die beiden jedoch ziehen. Bevor er davonfliegt, nimmt er Eragon sein Schwert Zar'roc ab. Als ältester Sohn Morzans hält er sich für den rechtmäßigen Erben der Waffe. Beim Abschied eröffnet er Eragon, dass er – Murtagh – nicht der einzige Sohn des abtrünnigen Drachenreiters ist: Eragon und er sind Brüder, beide geboren von Selena, der Geliebten Morzans. Herausgefunden haben dies die Zwillinge, als sie bei Eragons Ankunft in Farthen Dûr sein Gedächtnis untersuchten.

Die Wahrheit über seine Herkunft bestürzt Eragon. Trost spendet ihm in dieser schweren Stunde nur das Wiedersehen mit Roran und den Bewohnern Carvahalls. Diese waren gerade rechtzeitig auf den Brennenden Steppen eingetroffen, um den Varden in der Schlacht beizustehen. Roran kämpfte heldenhaft, und es gelingt ihm sogar, die verräterischen Zwillinge zu töten. Nun will er seinen Frieden mit Eragon machen. Er verzeiht seinem Cousin die Rolle, die er bei Garrows Tod gespielt hat, und bittet ihn um Hilfe. Eragon verspricht, alles daranzusetzen, Rorans geliebte Katrina aus den Klauen der Ra'zac zu befreien.

ERAGON

Die Weisheit des Feuers

Die Pforten des Todes

Eragon starrte auf den düsteren Granitberg. Dort versteckten sich die Ungeheuer, die seinen Onkel Garrow umgebracht hatten.

Er lag auf dem Bauch, hinter der Kuppe eines Sandhügels, der mit spärlichen Grashalmen, Dornenbüschen und kleinen rosenknospenartigen Kakteen gesprenkelt war. Die Stängel, die nach der letztjährigen Blüte vertrocknet waren, stachen ihm in die Handflächen, als er ein Stück vorwärtsrobbte, um eine bessere Sicht auf den Helgrind zu haben. Das Ungetüm überragte die Landschaft wie ein aus dem Erdinneren herausgestoßener schwarzer Dolch.

Die Abendsonne überzog die niedrigen Berge mit langen Schattenstreifen und spiegelte sich – weit im Westen – auf der Oberfläche des Leona-Sees, der dadurch wie ein schillernder Goldbarren wirkte.

Links von sich vernahm Eragon die gleichmäßigen Atemzüge seines Cousins Roran. Das normalerweise kaum wahrnehmbare Strömen der Luft schien Eragon aufgrund seines geschärften Gehörs übernatürlich laut. Eine der vielen Veränderungen, die während des Agaetí Blödhren, der elfischen Blutschwur-Zeremonie, über ihn gekommen waren.

Im Moment schenkte er dem keine große Beachtung. Er beobachtete die Menschenkolonne, die sich auf den Fuß des Helgrind zubewegte. Anscheinend kamen die Leute aus der nur wenige Meilen entfernten Stadt Dras-Leona. Die Spitze wurde von einer Gruppe von vierundzwanzig Frauen und Männern gebildet, die schwere lederne Umhänge trugen und sich merkwürdig bewegten: Sie hinkten und schlurften, humpelten oder robbten über den Boden, sie schwangen sich auf Krücken vorwärts oder zogen sich mit rudernden Armbewegungen auf seltsam kurzen Beinen voran, denn jedem der vierundzwanzig fehlte ein Arm oder ein Bein oder beides.

Ihr Anführer thronte aufrecht in einer Sänfte, die von sechs eingeölten Sklaven getragen wurde. Eragon fand die Körperhaltung überaus bemerkenswert, denn der Mann oder die Frau – er konnte nicht erkennen, was es war – bestand nur aus einem Rumpf und dem Kopf, auf dem eine hohe verzierte Lederhaube saß.

»Die Priester des Helgrind«, raunte er Roran zu.

»Beherrschen sie Magie?«

»Wahrscheinlich. Ich traue mich nicht, den Helgrind mit meinem Geist zu erkunden, bis sie verschwunden sind. Denn falls tatsächlich Magier unter ihnen sind, werden sie die Berührung bemerken, wie leicht sie auch ist, und dann wissen sie, dass wir hier sind.«

Hinter den Priestern marschierte eine Zweierreihe junger, in goldene Gewänder gehüllter Männer. Jeder von ihnen trug einen rechteckigen Metallrahmen mit zwölf Querstreben, an denen kohlkopfgroße Eisenglocken hingen. Die Hälfte der Männer schüttelte die Gestelle, wenn sie mit dem rechten Fuß einen Schritt machten, worauf sich eine wehklagende Kakofonie von Tönen erhob. Die andere Hälfte tat das Gleiche bei jedem Schritt mit dem linken Fuß. So schallte ein einziges klagendes Geläute über die umliegenden Hügel, wenn die eisernen Zungen gegen die eisernen Kehlen stießen; begleitet vom ekstatischen Geschrei und Gestöhne der Messdiener.

Die Nachhut der merkwürdigen Prozession bildete ein Kometenschweif von Einwohnern aus Dras-Leona: Adlige, Kaufleute, Händler, mehrere hochrangige Befehlshaber der Armee sowie eine bunte Mischung aus weniger vom Glück Verwöhnten, wie Arbeiter, Bettler und gemeine Fußsoldaten.

Eragon fragte sich, ob auch der Stadtherr von Dras-Leona, Marcus Tábor, darunter war.

Am Rand des Geröllfelds, das den Helgrind umgab, blieben die Priester stehen und versammelten sich um einen rostfarbenen Felsblock mit glatt polierter Oberfläche. Als schließlich die ganze Kolonne bewegungslos vor dem groben Altar verharrte, regte sich das Wesen auf der Sänfte und stimmte einen Sprechgesang an, der genauso grässlich klang wie das Glockengeläut. Der Vortrag des Schamanen wurde immer wieder von heftigen Windböen weggetragen, doch Eragon schnappte Wortfetzen in der alten Sprache auf. Sie war jedoch völlig verdreht, falsch ausgesprochen und angereichert mit Zwergen- und Urgalausdrücken, verbunden durch einen archaischen Dialekt der Menschen. Was er verstand, ließ ihn schaudern. Die Predigt handelte von Dingen, die besser unausgesprochen blieben: von verzehrendem Hass, der jahrhundertelang in den dunklen Tiefen der Menschen geschwelt hatte, bevor er in Abwesenheit der Drachenreiter erblühte; von Blut und Wahnsinn und von abartigen Ritualen, vollzogen unter einem schwarzen Mond.

Am Ende der lästerlichen Predigt eilten zwei Priester herbei, hoben ihren Meister – oder ihre Meisterin – aus der Sänfte und setzten ihn auf den steinernen Altar. Dann gab der Hohepriester einen knappen Befehl. Zwei stählerne Klingen funkelten wie Sterne, als sie in die Höhe schnellten und wieder herabsausten. Rinnsale aus Blut quollen dem Hohepriester aus den Schultern, flossen den ledergewandeten Rumpf hinab und sammelten sich auf dem Felsen, bis das Blut über den Rand lief.

Zwei andere Priester sprangen hinzu und fingen den karmesinroten Strom in Kelchen auf. Sobald diese randvoll waren, wurden sie den Anwesenden gereicht, die begierig daraus tranken.

»Uaah!«, sagte Roran leise. »Du hast vergessen zu erwähnen, dass diese kranken, widerwärtigen, völlig hirnlosen Anbeter von was auch immer *Kannibalen* sind.«

»Nicht ganz. Das Fleisch rühren sie nicht an.«

Nachdem alle Anwesenden ihre Kehlen benetzt hatten, setzten die unterwürfigen Novizen den Hohepriester zurück in die Sänfte und legten ihm an den Schultern weiße Leinenverbände an. Augenblicke später verfärbten feuchte Flecken den jungfräulichen Stoff.

Die Verletzungen schienen dem Hohepriester nichts auszumachen. Er wandte den gliederlosen Körper seinen Anhängern zu und sprach: »Jetzt seid ihr wahrhaftig meine Brüder und Schwestern, denn hier, im Schatten des allmächtigen Helgrind, habt ihr vom Saft meiner Adern gekostet. Auf immer sind wir nun durch das Blut verbunden. Und wenn diese Gemeinschaft Hilfe benötigt, so steht unserer Kirche bei und auch jedem anderen, der die Macht und Herrlichkeit unseres Schreckensgottes anerkennt... Um dem heiligen Triumvirat unsere ewige Treue zu geloben, sprecht mit mir die Neun Schwüre... Bei Gorm, Ilda und Fell Angvara geloben wir, ihnen mindestens dreimal im Monat in der Stunde vor Sonnenuntergang zu huldigen und ein Opfer von uns selbst darzubringen, um den ewigen Hunger unseres Schreckensgottes zu stillen... Wir geloben, die Regeln zu befolgen, so wie sie im Buch des Tosk geschrieben stehen... Wir geloben, immer unseren Bregnir am Leib zu tragen, uns vor den Zwölfen der Zwölf zu hüten und uns von vielknotigen Seilen fernzuhalten, damit...«

Der plötzlich auffrischende Wind trug den Rest der hohepriesterlichen Litanei mit sich davon. Dann sah Eragon, wie die Zuhörer ein kleines gebogenes Messer hervorzogen, sich damit in die Armbeuge ritzten und den Altar mit ihrem Blut einrieben.

Einige Minuten später legte sich der störende Wind und Eragon verstand den Priester wieder: »... und als Belohnung für euren Gehorsam wird euch all das gewährt werden, wonach es euch verlangt und gelüstet... Damit endet unsere Messe. Sollte es jedoch unter euch einen geben, der tapfer genug ist, uns die wahre Tiefe seines Glaubens zu demonstrieren, dann soll er nun vortreten!«

Die Zuschauer schraken zusammen und blickten sich gespannt um; dies war offenbar, worauf sie gewartet hatten.

Eine ganze Weile schien es, als würden sie enttäuscht werden. Aber dann trat einer der Messdiener vor und rief: »Ich tue es!«

Mit einem freudigen Aufschrei begannen seine Brüder, wild die Glocken zu läuten, und peitschten damit die Zuschauer derart auf, dass sie wie von Sinnen herumsprangen und brüllten. Die rohe Musik entzündete einen Funken der Erregung in Eragons Herzen – trotz seines Abscheus – und weckte einen primitiven animalischen Teil in ihm zum Leben.

Nachdem er sein goldenes Gewand abgestreift hatte, unter dem er nichts trug außer einem ledernen Lendenschurz, sprang der dunkelhaarige Jüngling auf den Altar. Neben seinen Füßen spritzte das Blut auf. Er wandte sich zum Helgrind. Im Rhythmus der Eisenglocken zitterte und bebte er wie unter einem Anfall von schweren Krämpfen. Der Kopf schleuderte wild herum, Schaum sammelte sich in seinen Mundwinkeln, die Arme wedelten wie Schlangen. Schweiß rann ihm über den nackten Leib, bis er im schwindenden Licht glänzte wie eine Bronzestatue.

Bald erreichte das Läuten ein rasendes Tempo und die Töne verschmolzen miteinander. Das war der Moment, als der Jüngling eine offene Hand hinter sich streckte, in die ein Priester den Knauf einer bizarren Waffe gleiten ließ: einschneidig, zweieinhalb Fuß lang mit einem geschuppten Heft, kurzer Parierstange und einer flachen Klinge, die sich zur Spitze hin verbreiterte und einen leichten Wellenschliff aufwies; sie erinnerte entfernt an eine Drachenschwinge. Es war ein Werkzeug, das nur zu einem einzigen Zweck geschaffen worden war: um durch Rüstungen, Knochen und Sehnen so leicht zu schneiden wie durch einen prall gefüllten Wasserschlauch.

Der junge Mann hob die Waffe und zeigte damit auf den höchsten Gipfel des Helgrind. Dann sank er auf ein Knie nieder und ließ die Klinge mit einem irren Schrei auf sein rechtes Handgelenk herabschnellen.

Blut bespritzte die Steine hinter dem Altar.

Eragon zuckte zusammen und wendete sich ab, konnte den gellenden Schreien des Jünglings jedoch nicht entfliehen. Nicht dass

Eragon Ähnliches nicht schon im Kampf gesehen hätte, aber es schien falsch zu sein, sich freiwillig zu verstümmeln, wo doch das Leben jeden Tag genug Gefahren für einen bereithielt.

Grashalme raschelten, als Roran sein Gewicht verlagerte. Er stieß einen leisen Fluch aus, der in seinem Bart verhallte, dann verfiel er wieder in Schweigen.

Während ein Priester die Wunde des jungen Mannes versorgte – er stillte die Blutung mit einem Zauber –, winkte ein Messdiener zwei Sklaven von der Sänfte des Hohepriesters heran und legte ihre Fußknöchel in Eisenschellen, die am Altar befestigt waren. Dann zogen alle Messdiener zahlreiche kleine Päckchen unter den Gewändern hervor und stapelten sie auf dem Boden, außerhalb der Reichweite der beiden Sklaven.

Damit endete die Zeremonie. Die Priester und ihr Gefolge verließen den Helgrind in Richtung Dras-Leona, sangen den ganzen Weg über und läuteten ihre Glocken. Der nun einhändige Eiferer folgte gleich hinter dem Hohepriester. Ein seliges Lächeln lag auf seinem Gesicht.

»Also«, sagte Eragon und stieß den angehaltenen Atem aus, als die Prozession hinter einem Hügel verschwand.

»Was also?«

»Ich habe lange Zeit bei Zwergen und Elfen verbracht, aber nie habe ich so etwas Absonderliches erlebt wie das, was diese Leute, diese *Menschen,* tun.«

»Sie sind so grausam wie die Ra'zac.« Mit dem Kinn deutete Roran auf den Helgrind. »Kannst du jetzt herausfinden, ob Katrina in dem Berg steckt?«

»Ich versuche es. Aber halte dich bereit, auf der Stelle zu fliehen.«

Eragon schloss die Augen und schickte nach und nach seinen Geist aus, ließ ihn von einem lebendigen Wesen zum nächsten wandern wie Wasser, das durch Sand sickert. Er berührte geschäftig wimmelnde Insektenstaaten, zwischen warmen Steinen verborgene Echsen und Schlangen sowie verschiedene Gattungen von Singvögeln und zahllose kleine Säugetiere. Eifrig bereiteten sich Insekten und Tiere auf die schnell herannahende Nacht vor, indem sie sich in ihre diversen Höhlen zurückzogen oder – dies galt für die nachtaktiven Geschöpfe – gähnten, sich streckten oder sonstwie anschickten, auf Jagd und Futtersuche zu gehen.

Eragons Fähigkeit, das Bewusstsein anderer Lebewesen zu berühren, nahm mit zunehmender Entfernung ab wie seine anderen Sinne auch. Als seine geistige Erkundungstour den Fuß des Helgrind erreichte, konnte er nur noch die größten Tiere wahrnehmen, und selbst die nur schwach.

Er ging mit allergrößter Behutsamkeit vor, stets darauf gefasst, sich in Sekundenschnelle zurückziehen zu müssen, falls er auf den Geist der Gesuchten stieß: den der Ra'zac und der Lethrblaka – der gigantischen Flugrösser, die gleichzeitig die Eltern der Finsterlinge waren. Eragon war nur deshalb bereit, sich auf diese Weise zu zeigen, da die Gattung der Ra'zac nicht über Magie verfügte und er nicht glaubte, dass sie Geistbrecher waren: Nicht-Magier, die mithilfe von Telepathie kämpfen konnten. Die Ra'zac und ihre Rösser brauchten nicht zu einer solchen List zu greifen, wo doch allein der Hauch ihres Atems den stärksten Mann betäuben konnte.

Obwohl Eragon riskierte, durch seine Nachforschungen entdeckt zu werden, *mussten* er, Roran und Saphira unbedingt herausfinden, ob die Monster Katrina – Rorans Verlobte – im Helgrind gefangen hielten. Davon hing nämlich ab, ob es sich bei ihrer Mission um eine Befreiungsaktion handeln würde oder ob sie einen Ra'zac schnappen und verhören mussten.

Eragon suchte lange und intensiv. Als er in seinen Körper zurückkehrte, starrte Roran ihn an wie ein hungriger Wolf. In seinen grauen Augen brannte eine Mischung aus Wut, Hoffnung und Verzweiflung. Diese Gefühle waren so stark, dass es schien, als würden sie jeden Moment aus ihm herausbrechen, alles um ihn herum in Brand setzen und selbst die Steine zum Schmelzen bringen.

Eragon verstand ihn.

Katrinas Vater, der Metzger Sloan, hatte Roran an die Ra'zac verraten. Als es den Ungeheuern nicht gelang, ihn gefangen zu nehmen, hatten sie stattdessen Katrina aus Rorans Zimmer entführt, sie aus dem Palancar-Tal verschleppt und es König Galbatorix' Soldaten überlassen, Carvahalls Bewohner umzubringen oder zu versklaven. Da er Katrina nicht folgen konnte, hatte Roran die Dörfler – gerade noch rechtzeitig – davon überzeugt, ihre Heimat zu verlassen und ihm zu folgen; erst über den Buckel und danach an Alagaësias Küste entlang nach Süden. Dort hatten sie sich den rebellischen Varden angeschlossen. Sie hatten viele schreckliche Mühen und Entbehrungen auf ihrem Weg ertragen müssen. Aber wie verschlungen dieser auch gewesen war, er hatte Roran zu Eragon geführt, der den Unterschlupf der Ra'zac kannte und seinem Cousin versprochen hatte, ihm dabei zu helfen, Katrina zu befreien.

Roran war nur deshalb erfolgreich gewesen, weil seine Leidenschaft ihn zu Extremen trieb, vor denen andere zurückschreckten. So war es ihm gelungen, seine Gegenspieler zu überraschen, wie er später einmal erklärte.

Das gleiche Feuer brannte auch in Eragon.

Wenn jemand in Gefahr schwebte, der ihm wichtig war, trotzte er allen Gefahren ohne Rücksicht auf sein persönliches Wohlergehen. Er liebte Roran wie einen Bruder, und seit Roran sich mit Katrina verlobt hatte, gehörte auch sie für Eragon zur Familie. Diese Einstellung schien wichtiger denn je zu sein, da Eragon und Roran die Letzten ihres Geschlechts waren. Denn nachdem Eragon jede Verbindung zu seinem leiblichen Bruder Murtagh gelöst hatte, gab es nur noch sie beide und nun auch Katrina.

Edle verwandtschaftliche Gefühle waren jedoch nicht das Einzige, was die beiden Krieger – den sterblichen Mann wie den Drachenreiter – antrieb. Sie waren von einem weiteren Ziel besessen: *Rache!* Ebenso wie sie Katrina aus der Gewalt der Ra'zac zu befreien hofften, dürstete es die beiden danach, König Galbatorix' abscheuliche Schergen zu töten. Denn sie hatten Rorans Vater Garrow, der auch für Eragon wie ein Vater gewesen war, gefoltert und umgebracht.

Deshalb waren die Informationen, die Eragon gesammelt hatte, für ihn genauso wichtig wie für Roran.

»Ich glaube, ich habe sie gespürt«, sagte er. »Ich bin mir nicht ganz sicher, denn wir sind ein gutes Stück vom Helgrind entfernt und ich habe ihren Geist noch nie zuvor berührt. Aber ich *glaube,* sie steckt in dem einsamen Gipfel, irgendwo ganz oben.«

»Ist sie krank? Ist sie verletzt? Komm schon, Eragon, spuck's aus: Haben sie ihr etwas angetan?«

»Im Moment hat sie keine Schmerzen. Mehr als das vermag ich nicht zu sagen, denn es hat mich all meine Kraft gekostet, ihr Bewusstsein überhaupt wahrzunehmen; mit ihr kommunizieren konnte ich nicht.« Allerdings behielt Eragon für sich, dass er noch eine zweite Person gespürt hatte, jemanden, dessen Identität er erahnte und dessen Gegenwart, falls sie sich bestätigen sollte, ihn in höchstem Maße beunruhigte. »Aber ich habe weder die Ra'zac noch ihre Flugrösser entdeckt. Selbst wenn ich die Ra'zac irgendwie übersehen habe, sind ihre Eltern doch so riesig, dass ihre Lebenskraft lodern sollte wie ein Steppenbrand, so wie bei Saphira auch. Außer Katrina und einigen wenigen anderen trüben Lichtpunkten ist der Helgrind schwarz, schwärzer als schwarz.«

Roran schaute finster drein, ballte die linke Hand zur Faust und starrte auf den Granitberg. Purpurne Schatten umhüllten die schroffen Gipfel und ließen sie allmählich in der Dämmerung verschwinden. Mit tonloser Stimme, als rede er mit sich selbst, sagte Roran: »Es spielt keine Rolle, ob du richtigliegst oder nicht.«

»Wieso?«

»Heute Nacht können wir ohnehin keinen Angriff wagen; nachts sind die Ra'zac am stärksten. Es wäre töricht, gegen sie zu kämpfen, wenn wir im Nachteil sind. Richtig?«

»Ja.«

»Dann warten wir bis zum Morgengrauen.« Roran deutete auf die Sklaven, die an den blutbesudelten Altar gekettet waren. »Sollten die armen Kerle bis dahin verschwunden sein, wissen wir, dass die Ra'zac zurückgekommen sind, und gehen vor wie geplant. Falls nicht, verfluchen wir unser Pech, dass sie uns entwischen, befreien die Sklaven, retten Katrina und fliegen mit ihr zurück zu den Varden, bevor Murtagh Jagd auf uns macht. Allerdings bezweifle ich, dass die Ra'zac Katrina lange unbeaufsichtigt lassen; nicht wenn Galbatorix sie lebend will, um sie als Druckmittel gegen mich zu benutzen.«

Eragon nickte. Am liebsten hätte er die Sklaven sofort befreit, aber das würde ihren Feinden verraten, dass etwas nicht stimmte. Auch wenn die Ra'zac kamen, um ihre Mahlzeit zu holen, konnten er und Saphira nicht einschreiten. Ein Kampf in offenem Gelände zwischen einem Drachen und Geschöpfen wie den Lethrblaka würde im Umkreis von mehreren Meilen die Aufmerksamkeit jeden Mannes, jeder Frau und jeden Kindes erregen. Und Eragon glaubte nicht, dass er, Saphira oder Roran es überleben würden, falls Galbatorix erfuhr, dass sie sich ganz allein in seinem Imperium aufhielten.

Er wandte den Blick von den gefesselten Männern ab. *Um ihretwillen hoffe ich, dass sich die Ra'zac am anderen Ende von Alagaësia befinden oder dass sie zumindest heute Nacht keinen Hunger haben.*

In stummer Übereinkunft robbten Eragon und Roran rückwärts von dem Sandhügel, hinter dem sie sich versteckt hatten. Dann wandten sie sich nach Süden und rannten geduckt zwischen zwei Hügelketten hindurch. Die Senke ging allmählich in eine enge, durch einen längst versiegten Wasserlauf entstandene Schlucht über, deren Ränder gebrochene Schieferplatten säumten.

Während er den knorrigen Wacholderbäumen in der Schlucht auswich, sah Eragon kurz auf und erblickte zwischen dem Nadelwerk die ersten Sternbilder am samtenen Abendhimmel. Sie wirkten kalt und klar, wie schillernde Eiskristalle. Dann konzentrierte er sich wieder darauf, nicht zu stolpern, während er und Roran zu ihrem Lagerplatz eilten.

Am Lagerfeuer

Das heruntergebrannte Feuer pulsierte wie das Herz eines riesigen Tieres. Gelegentlich lösten sich goldene Funken, die über das Holz hinwegrasten, bevor sie in einem weiß glühenden Spalt verschwanden.

Die glimmenden Reste des Feuers, das Eragon und Roran geschürt hatten, warfen einen schwachen rötlichen Schein auf die Umgebung. Er ließ einen Streifen steiniger Erde erkennen, einige pulvergraue Sträucher, die schattigen Umrisse eines etwas abseitsstehenden Wacholderbaums und dann nichts mehr.

Eragon hatte seine nackten Füße dem rubinroten Glutnest entgegengestreckt und genoss die Wärme. Mit dem Rücken lehnte er an den knorrigen Schuppen von Saphiras breitem rechten Vorderbein. Roran saß ihm gegenüber auf der eisenharten, sonnengebleichten, vom Wind abgewetzten Rinde eines uralten Baumstumpfs. Wenn Roran sich bewegte, gab der Stumpf jedes Mal ein klagendes Ächzen von sich, bei dem Eragon sich am liebsten die Ohren zugehalten hätte.

Im Augenblick jedoch herrschte Stille. Selbst das Holz schwelte lautlos. Roran hatte nur längst abgestorbene, völlig trockene Äste gesammelt, damit das Feuer nicht rauchte, was feindliche Späher vielleicht bemerkt hätten.

Eragon war gerade damit fertig, Saphira die Ereignisse des Tages zu schildern. Normalerweise brauchte er ihr nicht zu erzählen, was er erlebt hatte, da alle Gedanken, Empfindungen und Sinneseindrücke zwischen ihnen hin und her flossen wie Wasser von einem Seeufer zum anderen. Dieses Mal war es nötig, denn Eragon hatte seinen Geist auf ihrer Erkundungstour sorgfältig abgeschirmt. Nur bei seinem Vorstoß in den Unterschlupf der Ra'zac war er ungeschützt gewesen.

Nach einer längeren Gesprächspause gähnte Saphira und entblößte ihre furchterregenden Reißzähne. *Sie mögen grausam und bösartig sein, aber mich beeindruckt, dass die Ra'zac ihre Opfer derart behexen können, dass sie gefressen werden* wollen. *So gesehen sind sie große Jäger … Vielleicht sollte ich das irgendwann auch mal versuchen.*

Aber nicht mit Menschen, sah Eragon sich genötigt hinzuzufügen. *Versuch es stattdessen mit einem Schaf.*

Menschen, Schafe: Welchen Unterschied macht das schon für einen Drachen? Dann stieß sie tief aus ihrer Kehle ein polterndes Lachen aus, das Eragon an Donner erinnerte.

Er beugte sich vor, um sein Gewicht von Saphiras scharfkantigen Schuppen zu nehmen, und griff nach dem Rotdornstab, der neben ihm auf dem Boden lag. Er rollte ihn zwischen den Handflächen und bewunderte das Spiel des Lichts auf dem polierten Wurzelknauf und der am Stabende aufgesetzten, stark zerkratzten Eisenspitze.

Roran hatte ihm den Stab in die Hand gedrückt, bevor sie die Varden auf den Brennenden Steppen verlassen hatten, und gesagt: »Hier! Den hat Fisk mir gemacht, nachdem der Ra'zac mir in die Schulter gebissen hatte. Ich weiß, du hast dein Schwert verloren, und ich dachte, du könntest ihn brauchen … Falls du dir ein neues Schwert zulegen willst, ist das auch in Ordnung. Aber ich habe festgestellt, dass es kaum einen Kampf gibt, den man nicht mit einem guten Stock gewinnen kann.« Da auch Brom immer einen Stab getragen hatte, beschloss Eragon, den Rotdornstab einem neuen Schwert vorzuziehen. Er spürte ohnehin kein Bedürfnis, sich mit einer Klinge zu begnügen, die weniger machtvoll war als Zar'roc. In dieser Nacht hatte er den Stab und den Stiel von Rorans Hammer mit verschiedenen Schutzzaubern belegt, damit beide nicht mehr brechen konnten, außer unter extremster Belastung.

Eragon wurde von einer Reihe ungebetener Erinnerungen überwältigt: *Ein düsterer orangeroter Himmel rauschte an ihm vorbei, als Saphira bei der Verfolgung des roten Drachen und seines Reiters in die Tiefe hinabstieß. Der Wind heulte ihm in den Ohren … Seine Finger wurden taub durch die Wucht, mit der die Schwerter aufeinanderprallten, als er am Boden gegen jenen Drachenreiter kämpfte … Mitten im Duell riss er seinem Gegner den Helm vom Kopf und erkannte, dass er seinem tot geglaubten einstigen Freund und Reisegefährten Murtagh gegenüberstand … Murtaghs höhnischer Blick, als er Zar'roc an sich nahm und erklärte, als Eragons älterer Bruder der rechtmäßige Erbe der roten Klinge zu sein …*

Eragon blinzelte verwirrt, als das Schlachtengetöse verklang und der Geruch des Blutes dem angenehmen Duft des Wacholderholzes wich. Er fuhr sich mit der Zunge über die Zähne, um den bitteren Geschmack nach Galle loszuwerden.

Murtagh.

Allein der Name weckte in Eragon eine Unzahl widerstreitender Gefühle. Einerseits *mochte* er ihn. Murtagh hatte ihn und Saphira nach ihrem ersten unseligen Besuch in Dras-Leona vor den Ra'zac gerettet. Murtagh hatte sein Leben riskiert, um ihn – Eragon – aus Gil'ead herauszuholen. Er hatte sich bei der Schlacht um Farthen Dûr mehr als ehrenhaft geschlagen. Und trotz der schweren Strafe, die ihn dafür ohne Zweifel erwartete, hatte er Galbatorix' Befehle in einer Weise interpretiert, die es ihm erlaubte, Eragon und Saphira nach der Schlacht auf den Brennenden Steppen ziehen zu lassen. Es war nicht Murtaghs Schuld, dass die Zwillinge ihn entführt hatten, dass der rote Drache Dorn für ihn geschlüpft war oder Galbatorix ihre wahren Namen herausgefunden und Murtagh und Dorn damit einen Treueschwur in der alten Sprache abgerungen hatte.

An nichts von alledem traf Murtagh eine Schuld. Er war ein Opfer des Schicksals, war es seit dem Tag seiner Geburt gewesen.

Und dennoch … Murtagh mochte Galbatorix gegen seinen Willen dienen, und er mochte die Gräueltaten verabscheuen, die zu begehen der König ihn zwang. Aber ein Teil von ihm schien an der neuen Macht Gefallen zu finden. Bei der Schlacht auf den Brennenden Steppen zwischen den Varden und dem Imperium hatte Murtagh sich den Zwergenkönig Hrothgar herausgegriffen und ihn aus der Ferne mittels Magie umgebracht, ohne dass Galbatorix ihm den Befehl dazu erteilt hätte. Er hatte Eragon und Saphira gehen lassen, aber erst nachdem er sie in einem brutalen Kräftemessen besiegt und Eragon ihn anschließend angefleht hatte, ihnen die Freiheit zu schenken.

Und Murtagh hatte sich sichtlich an Eragons Qualen ergötzt, als er ihm offenbarte, dass sie beide Söhne Morzans waren – des ersten und letzten der dreizehn Drachenreiter, der Abtrünnigen, die ihre Gefährten an Galbatorix verraten hatten.

Heute, vier Tage nach der Schlacht, fiel Eragon eine weitere mögliche Erklärung für Murtaghs Verhalten ein: *Vielleicht war es für ihn eine Erleichterung, endlich einem anderen Menschen dabei zuzuschauen, wie er die gleiche schreckliche Last schultern musste, die Murtagh bereits sein ganzes Leben lang trug.*

Ganz gleich, ob das nun stimmte oder nicht, Eragon vermutete, dass Murtagh seine neue Rolle aus demselben Grund annahm, aus dem ein Hund, der grundlos geprügelt wird, sich eines Tages gegen seinen Herrn wendet und ihn anfällt. Murtagh hatte wieder und wieder Prügel einstecken müssen, und nun hatte er die Gelegenheit, es einer Welt heimzuzahlen, die ihm nicht die geringste Güte entgegengebracht hatte.

Doch egal, was noch an Gutem in Murtaghs Herzen verborgen sein mochte, er und Eragon waren dazu verdammt, Todfeinde zu sein, denn Murtaghs in der alten Sprache geleisteter Treueschwur kettete ihn mit unzerstörbaren Banden an Galbatorix – in alle Ewigkeit.

Hätte er nur nicht Ajihad bei der Jagd nach den Urgals unter Farthen Dûr begleitet. Oder wenn ich nur ein bisschen schneller gewesen wäre, hätten die Zwillinge …

Eragon, sagte Saphira.

Er riss sich zusammen und nickte, dankbar für Saphiras Ermahnung. Eragon bemühte sich nach Kräften, nicht ständig über Murtagh oder ihre gemeinsamen Eltern zu grübeln, aber die Gedanken überfielen ihn oft gerade dann, wenn er am wenigsten damit rechnete.

Eragon nahm einen tiefen Atemzug und ließ die Luft langsam ausströmen, um einen klaren Kopf zu bekommen. Dann versuchte er, sich wieder auf die Gegenwart zu konzentrieren, aber es gelang ihm nicht.

Am Morgen nach der gewaltigen Schlacht auf den Brennenden Steppen – als die Varden sich neu formierten, um die Truppen des Imperiums zu verfolgen, die sich den Jiet-Strom entlang auf dem Rückzug befanden – hatte Eragon Nasuada und Arya aufgesucht, ihnen Rorans Situation geschildert und um Erlaubnis gebeten, seinem Cousin zu helfen. Er bekam sie nicht. Beide Frauen sprachen sich vehement dagegen aus, und Nasuada bezeichnete den Plan gar als »undurchdachte Torheit, die im Falle eines Scheiterns für alle in Alagaësia katastrophale Folgen haben würde!«

Die Diskussion zog sich so lange hin, dass Saphira sie schließlich mit einem Aufbrüllen beendete, das die Wände im Zelt der Varden-Anführerin erbeben ließ. Dann sagte die Drachendame: *Ich bin verwundet und müde. Und Eragon hat die Sache viel zu umständlich erklärt. Wir haben Besseres zu tun, als wie Dohlen herumzukreischen, findet ihr nicht? … Gut, dann hört jetzt mir zu.*

Es war schwierig, einem Drachen zu widersprechen.

Im Detail waren Saphiras Ausführungen komplex, aber die zugrunde liegende Struktur ihres Vortrags war leicht nachzuvollziehen. Saphira unterstützte Eragon, weil sie begriff, wie viel ihm die geplante Mission bedeutete. Eragon wiederum unterstützte Roran, weil er wusste, dass der auch ohne ihn Katrinas Fährte folgen würde und dass sein Cousin auf sich allein gestellt nicht gegen die Ra'zac bestehen konnte. Und solange das Imperium Katrina gefangen hielt, wäre Roran – und dadurch auch Eragon – anfällig für Galbatorix' Erpressungsversuche. Falls der Tyrann drohte, Katrina zu töten, würde Roran nichts anderes übrig bleiben, als dessen Forderungen zu erfüllen.

Deshalb wäre es doch am klügsten, diese Schwachstelle in ihrer Verteidigungslinie zu beseitigen, bevor ihre Feinde sich diesen Vorteil zunutze machten.

Und der Zeitpunkt für die Rettungsaktion sei denkbar günstig, erklärte Saphira. Weder Galbatorix noch die Ra'zac würden mit einem Überfall im Herzen des Imperiums rechnen, während die Varden nahe der Grenze zu Surda gegen Galbatorix' Truppen kämpften. Man hatte Murtagh und Dorn in Richtung Urû'baen davonfliegen sehen, wo sie sich zweifellos ihrer Bestrafung stellen mussten. Nasuada und Arya waren mit Eragon einer Meinung, dass Murtagh und sein Drache danach vermutlich nach Norden weiterziehen würden, um dort Königin Islanzadi und die von ihr befehligte Elfen-Streitmacht zu bekämpfen, sobald diese ihre Gegenwart offenbarte und zuschlug. Außerdem wäre es klug, die Ra'zac möglichst schnell zu eliminieren, bevor sie anfingen, die Krieger der Varden zu terrorisieren und zu demoralisieren.

Dann wies Saphira höchst diplomatisch darauf hin, dass, falls Nasuada ihre Autorität als Eragons Lehnsherrin in die Waagschale werfen und ihm den Einsatz verbieten würde, es ihre Beziehung mit Groll und Unmut vergiften könnte, was womöglich der Sache der Varden schaden würde. *Aber,* sagte Saphira, *es ist deine Entscheidung, Nasuada. Wenn du möchtest, dann behalte Eragon hier. Doch seine Verpflichtungen sind nicht die meinen. Ich für meinen Teil habe beschlossen, Roran zu begleiten. Es scheint mir ein spannendes Abenteuer.*

Ein Lächeln erschien auf Eragons Lippen, als er sich an die Szene erinnerte.

Das Gewicht von Saphiras Worten zusammen mit ihrer unwiderlegbaren Logik hatte Nasuada und Arya schließlich überzeugt, ihr Einverständnis zu geben, wenn auch widerwillig.

Hinterher hatte Nasuada erklärt: »Wir vertrauen in dieser Sache eurem Urteil, Eragon, Saphira. Zu unser beiderseitigem Wohl hoffe ich, dass die Mission gelingt.« Ihr Tonfall ließ Eragon im Unklaren darüber, ob ihre Worte ein von Herzen kommender Wunsch oder eine versteckte Drohung waren.

Den Rest des Tages hatte Eragon damit verbracht, Vorräte zu besorgen, gemeinsam mit Saphira Landkarten des Imperiums zu studieren und einige von ihm als nötig erachtete Schutzzauber zu wirken, beispielsweise um zu verhindern, dass Galbatorix und seine Lakaien Roran mit der Traumsicht orteten.

Am nächsten Morgen waren Eragon und Roran auf Saphiras Rücken geklettert, dann war sie in die Luft geschnellt und über die orangefarbenen Wolken gestiegen, die die Brennenden Steppen verdunkelten. Sie flog ohne Unterbrechung, bis die Sonne das Himmelsgewölbe überquert hatte und hinter dem Horizont versank, um von dort aus ein prachtvolles rotgelbes Feuerlicht über die Landschaft zu werfen.

Der erste Abschnitt ihrer Reise führte sie an die Grenze des Imperiums, wo kaum Menschen lebten. Dann wandten sie sich nach Norden in Richtung Dras-Leona und Helgrind. Ab da waren sie nur noch nachts unterwegs, um nicht von den Bewohnern der vielen kleinen Dörfer bemerkt zu werden, die sich über das Grasland verteilten, das zwischen ihnen und ihrem Ziel lag.

Eragon und Roran mussten sich in dicke Umhänge und Pelze hüllen und trugen Wollhandschuhe und Filzmützen, denn Saphira flog höher, als die meisten eisbedeckten Berggipfel reichten, wo die Luft dünn und trocken war und ihnen in den Lungen brannte. Sollte ein Bauer, der auf dem Feld ein krankes Kalb pflegte, oder ein scharfäugiger Wachmann auf seiner Runde zufällig zum Himmel aufschauen, würden sie nicht größer als ein Adler erscheinen.

Wohin sie auch kamen, überall erblickte Eragon Spuren des Krieges, der nun in vollem Gange war: Soldatenlager, mit Vorräten beladene Wagen, für die Nacht zu einem Kreis zusammengestellt, und Scharen von Männern, die in eisernen Halsschellen aus ihren Dörfern geführt wurden, um für Galbatorix zu kämpfen. Die

Menge an Ausrüstung und Kriegern, die man gegen die Rebellen aufbot, war beängstigend.

Kurz vor Ende der zweiten Nacht waren in der Ferne die gesplitterten Granittürme des Helgrind aufgetaucht: dunkel und Unheil verkündend im aschfarbenen Licht des nahen Morgens. Saphira war in jener Schlucht gelandet, in der sie jetzt am Feuer saßen. Sie hatten sich ausgeruht und fast den ganzen Tag über geschlafen, bis sie ihre Erkundungen aufnahmen.

Eine wirbelnde Fontäne bernsteinfarbener Funken stob auf, als Roran einen Ast auf das heruntergebrannte Holz warf. Er fing Eragons Blick auf und zuckte mit den Schultern. »Mir ist kalt.«

Bevor Eragon etwas entgegnen konnte, vernahm er ein schabendes Geräusch, als würde jemand ein Schwert zücken.

Ohne zu überlegen, hechtete er in die entgegengesetzte Richtung, rollte sich ab und kam in geduckter Haltung auf die Füße, den Rotdornstab hochgerissen, um ein herabsausendes Schwert abzuwehren. Roran war fast genauso schnell. Er packte seinen Schild, sprang auf und zog den Hammer aus dem Gürtel; alles in einer einzigen fließenden Bewegung.

Reglos warteten sie auf den Angriff.

Eragons Herz pochte und seine Muskeln bebten, während er die Dunkelheit nach dem leisesten Anzeichen einer Bewegung absuchte.

Ich rieche nichts, sagte Saphira.

Als mehrere Minuten verstrichen, ohne dass etwas geschah, schickte Eragon seinen Geist in die umliegende Landschaft aus. »Da ist niemand«, sagte er. Er beschwor seine Magie herauf: *»Brisingr raudhr!«* Einige Schritte vor ihm tauchte ein schwaches rotes Werlicht auf. Es schwebte auf Augenhöhe in der Luft und erfüllte die Schlucht mit einem wässrigen Leuchten. Er drehte sich, und die Lichtkugel folgte ihm, als wäre sie durch einen unsichtbaren Stab mit Eragon verbunden.

Zusammen schlichen er und Roran auf die Stelle zu, von der das Geräusch gekommen war, folgten dem ostwärtigen Lauf der

Schlucht. Sie hielten ihre Waffen erhoben und blieben nach jedem Schritt kampfbereit stehen. Etwa zehn Schritte weg vom Lager hob Roran die Hand und bedeutete Eragon, stehen zu bleiben. Er zeigte auf eine Schieferplatte etwas abseits im Gras. Sie wirkte seltsam fehl am Platz.

Roran ging hinüber, rieb mit einem kleineren Schieferstück über die Platte und erzeugte das gleiche Geräusch, das sie aufgeschreckt hatte.

»Sie muss heruntergestürzt sein«, sagte Eragon und betrachtete die Ränder der Schlucht. Das Werlicht ließ er verlöschen.

Roran nickte und klopfte sich den Staub von der Hose.

Während er zu Saphira zurückging, überlegte Eragon, wie überhastet sie reagiert hatten. Noch immer zog sein Herz sich bei jedem Schlag zu einem harten Klumpen zusammen, seine Hände zitterten und am liebsten wäre er in die Wildnis gestürmt und mehrere Meilen gerannt, ohne stehen zu bleiben. *Früher wären wir nicht so zusammengeschreckt,* dachte er. Der Grund für ihre Nervosität lag auf der Hand: Jeder ihrer zahlreichen Kämpfe hatte ihnen einen Teil ihrer Gelassenheit geraubt. Zurückgeblieben waren nichts als blanke Nerven, die schon auf den kleinsten Reiz reagierten.

Roran musste sich ähnliche Gedanken gemacht haben, denn er fragte: »Siehst du sie?«

»Wen?«

»Die Männer, die du getötet hast. Träumst du von ihnen?«

»Manchmal.«

Das pulsierende Glühen des Holzes beleuchtete Rorans Gesicht von unten, sodass über dem Mund und auf der Stirn tiefe Schatten lagen, die seinen halb geschlossenen Augen einen niedergeschlagenen Ausdruck verliehen. Er sprach langsam, als ob es ihm schwerfiele, darüber zu reden. »Ich wollte nie ein Krieger sein. Als Kind habe ich von ruhmreichen Kämpfen geträumt, so wie jeder Junge es tut, aber wichtig war mir immer die Arbeit auf dem Feld. Das und unsere Familie … Und jetzt habe ich getötet … Ich habe getötet und getötet und du hast sogar noch mehr Menschen umgebracht.« Sein Blick richtete sich auf einen fernen Punkt, den nur er sehen konnte. »Da waren diese beiden Männer in Narda … Hab ich dir von ihnen erzählt?«

Eragon kannte die Geschichte bereits, doch er schüttelte den Kopf und schwieg.

»Die Wachen am Haupttor … Sie waren zu zweit und der rechte Mann hatte schlohweißes Haar. Ich weiß es noch, weil er nicht älter als vierundzwanzig oder fünfundzwanzig gewesen sein konnte. Sie trugen Galbatorix' Wappen, klangen aber, als ob sie aus Narda stammen würden. Es waren keine Berufssoldaten. Sie waren bloß einfache Männer, die beschlossen hatten, ihre Heimat vor Urgals, Piraten und Banditen zu schützen … Wir wollten ihnen nichts tun. Ich schwöre dir, Eragon, das war nie Teil unseres Plans. Aber mir blieb nichts anderes übrig. Sie haben mich erkannt. Bei dem Weißhaarigen habe ich unterm Kinn zugestochen … Es war so, wie wenn Vater einem Schwein die Kehle aufschnitt. Dem anderen habe ich den Schädel eingeschlagen. Ich spüre heute noch, wie der Knochen brach … Ich kann mich an jeden einzelnen Mann erinnern, den ich getötet habe, von Carvahall bis zu den Brennenden Steppen … Weißt du, manchmal kann ich nicht einschlafen, denn wenn ich die Augen zumache, erstrahlt in meinem Kopf das Feuer, das wir im Hafen von Teirm gelegt haben. In solchen Momenten glaube ich, verrückt zu werden.«

Eragon bemerkte plötzlich, dass er den Stab so fest umklammert hielt, dass seine Knöchel ganz weiß waren und die Sehnen an den Handgelenken hervortraten. »Ich weiß, was du meinst«, sagte er. »Zuerst waren es nur Urgals. Dann waren es Menschen und Urgals und nun bei dieser letzten Schlacht … Ich weiß, wir tun das Richtige, aber *richtig* bedeutet nicht, dass es *einfach* ist. Aufgrund unserer besonderen Stellung erwarten die Varden von Saphira und mir, in der ersten Reihe ihrer Streitmacht zu marschieren und ganze Bataillone auszulöschen. Das tun wir. Wir haben es getan.« Er stockte und verstummte.

Gewalt begleitet alle großen Umwälzungen, jeden großen Wandel, sagte Saphira zu ihnen beiden. *Wir haben mehr als genug davon miterlebt, denn wir selbst sind die Boten dieses Wandels. Ich bin ein Drache und bereue nicht den Tod derer, die uns in Gefahr bringen. Die beiden Wachen in Narda getötet zu haben, mag dir zwar nicht zum Ruhm gereichen, du hast mit dieser Tat aber auch keine Schuld auf dich geladen. Du musstest es tun. Wenn du kämpfst, Roran, verleiht dann die grimmige Freude auf eine Schlacht deinen Beinen keine Flügel? Hast du nie die Kampfeslust verspürt, wenn du einem würdigen Gegner gegenübertrittst, und die Genugtuung, wenn sich die Leichname deiner Feinde vor dir auftürmen? Eragon, du hast es schon oft erlebt. Hilf mir, es deinem Cousin zu erklären.*

Eragon starrte auf das glühende Holz. Saphira hatte eine Wahrheit ausgesprochen, die er nicht anerkennen wollte. Schon gar nicht, indem er ihr beipflichtete, dass man Gefallen am Ausüben von Gewalt finden konnte. Das würde aus ihm einen Menschen machen, für den er nur Verachtung übrighätte. Deshalb schwieg er. Roran schien genauso zu empfinden.

Mit weicherer Stimme sagte Saphira: *Sei nicht wütend. Es war nicht meine Absicht, dich zu verärgern … Ich vergesse manchmal, dass diese Empfindungen noch immer ziemlich neu für dich sind, während ich seit dem Tag, an dem ich geschlüpft bin, mit Zähnen und Klauen ums Überleben kämpfe.*

Eragon erhob sich, ging zu den Satteltaschen hinüber und holte eine kleine Tonflasche heraus, die Orik ihm vor ihrer Abreise gegeben hatte. Dann ließ er zwei große Schlucke Himbeermet in seine Kehle laufen. Wärme breitete sich in seinem Bauch aus. Eragon verzog das Gesicht und reichte die Flasche Roran, der ebenfalls von dem Gebräu trank.

Mehrere Schlucke Met später war Eragons düstere Stimmung verflogen und er sagte: »Wir könnten morgen ein Problem bekommen.«

»Was für ein Problem?«

Eragon richtete seine Worte auch an Saphira. »Weißt du noch, wie ich meinte, wir – Saphira und ich – würden mit den Ra'zac mühelos fertig werden?«

»Ja.«

Werden wir auch, sagte Saphira.

»Nun, ich habe darüber nachgedacht, während wir den Helgrind ausgekundschaftet haben, und jetzt bin ich mir nicht mehr so sicher. Es gibt fast endlos viele Möglichkeiten, Dinge mit Magie zu bewerkstelligen. Wenn ich zum Beispiel ein Feuer machen möchte, dann könnte ich das mit Hitze tun, die ich der Luft oder dem Boden entziehe; ich könnte eine Flamme aus reiner Energie erschaffen; ich könnte einen Blitzschlag herabfahren lassen; ich könnte ein Bündel von Sonnenstrahlen auf einen einzigen Punkt richten; ich könnte Reibung einsetzen und so weiter.«

»Ja, und?«

»Das Problem ist, ich kann zwar die verschiedensten Zauber wirken, um ein bestimmtes Ziel zu erreichen, aber um alle diese Zauber zu *blockieren,* braucht man möglicherweise nur einen einzigen Gegenzauber. Wenn man verhindert, dass eine magische Handlung überhaupt stattfindet, braucht man keinen maßgeschneiderten Gegenzauber, um den jeweiligen Zauber zu bekämpfen.«

»Ich verstehe immer noch nicht, was das Ganze mit morgen zu tun hat.«

Ich schon, sagte Saphira zu ihnen beiden. Sie hatte den Zusammenhang sofort begriffen. *Es bedeutet, dass Galbatorix im Laufe des letzten Jahrhunderts …*

»… eine ganze Reihe von Schutzzaubern um die Ra'zac platziert haben könnte …«

… die sie vor allen …

»… möglichen magischen Attacken abschirmen. Wahrscheinlich werde ich nicht …«

… in der Lage sein, sie mit irgendwelchen …

»… Worten des Todes zu vernichten, ebenso wenig …«

… mit Angriffstechniken, die wir uns neu ausdenken. Es könnte sein …

»… dass wir uns auf unsere gute alte …«

»Hört auf!«, rief Roran. Er lächelte gequält. »Bitte, hört auf. Mir schwirrt der Kopf, wenn ihr das tut.«

Eragon hielt mit offenem Mund inne. Bis zu diesem Moment hatte er gar nicht bemerkt, dass er und Saphira abwechselnd sprachen. Die Erkenntnis freute ihn: Es zeigte, dass sie eine neue Stufe der Zusammenarbeit erreicht hatten und gemeinsam wie eine Einheit agierten – und dadurch weitaus machtvoller waren, als jeder alleine gewesen wäre. Gleichzeitig beunruhigte es ihn auch ein bisschen, wenn er daran dachte, dass eine so enge Partnerschaft den Beteiligten unweigerlich einen Teil ihrer Persönlichkeit rauben musste.

Er klappte den Mund zu und lächelte. »Tut mir leid. Was mir Sorgen bereitet, ist Folgendes: Falls Galbatorix den Weitblick hatte, gewisse Vorkehrungen zu treffen, dann könnte der Einsatz gewöhnlicher Waffen das einzige Mittel sein, um die Ra'zac zu vernichten. Sollte es tatsächlich so kommen …«

»… dann stünde ich euch morgen nur im Weg.«

»Unsinn. Du magst langsamer sein als die Ra'zac, aber ich hege keinen Zweifel, dass du sie mit der Waffe deiner Wahl das Fürchten lehren wirst, Roran Hammerfaust.« Das Kompliment schien Roran zu freuen. »Die größte Gefahr für dich besteht darin, dass es den Ra'zac oder ihren Flugrössern gelingt, dich von mir und Saphira zu trennen. Je enger wir zusammenbleiben, desto sicherer sind wir. Saphira und ich werden versuchen, unsere Gegner permanent zu beschäftigen, aber der eine oder andere könnte uns schon mal entwischen. Also sei auf der Hut.«

Zu Saphira sagte Eragon: *Ich bin mir sicher, dass ich die Ra'zac mit einem Schwert erledigen könnte, aber ich weiß nicht, ob ich zwei Wesen, die so schnell sind wie Elfen, mit nichts weiter als einem Stab besiegen kann.*

Du warst derjenige, der darauf bestanden hat, diesen trockenen Ast zu tragen anstatt einer richtigen Waffe, entgegnete sie. *Ich habe dich gewarnt, dass das gegen Feinde nicht reichen könnte, die so gefährlich sind wie die Ra'zac.*

Widerwillig gab Eragon ihr recht. *Falls meine Magie versagt, werden wir viel verwundbarer sein, als ich erwartet habe … In der Tat könnte der morgige Tag ein wirklich schlimmes Ende nehmen.*

Roran führte den Teil des Gesprächs fort, den er hatte hören können. »Diese Magie ist eine haarige Angelegenheit.« Der Baumstumpf, auf dem er saß, gab ein lang gezogenes Ächzen von sich, als Roran sich mit den Ellbogen auf den Knien abstützte.

»Allerdings«, stimmte Eragon zu. »Am schwierigsten ist es, jeden Zauber, den man benötigen könnte, auch parat zu haben. Während meiner Ausbildung habe ich ständig nachgefragt, wie ich worauf zu reagieren hätte und ob ein gegnerischer Magier nicht einen bestimmten Kniff von mir erwarten würde und mich so in eine Falle locken könnte.«

»Könntest du mich genauso stark und schnell machen, wie du es bist?«

Eragon dachte mehrere Minuten über die Frage nach, bevor er antwortete: »Ich wüsste nicht, wie das funktionieren soll. Die dafür benötigte Energie muss ja von irgendwoher kommen. Saphira und ich könnten sie dir zwar geben, aber dann würden wir genau das Maß an Kraft und Schnelligkeit verlieren, das du gewinnst.« Er verschwieg seinem Cousin jedoch, dass man auch den Tieren und Pflanzen in der Umgebung Energie entziehen konnte, wenn auch zu einem schrecklichen Preis, nämlich dem Tod kleinerer Geschöpfe, deren Lebenskraft man anzapfte. Diese Technik war ein großes Geheimnis, und Eragon fand, dass er es nicht leichtfertig preisgeben sollte, wenn überhaupt. Außerdem würde es Roran nichts nützen, denn am Helgrind wuchsen zu wenige Pflanzen und lebten zu wenige Tiere, um den Körper eines Menschen zu versorgen.

»Kannst du mir dann beibringen, wie man Magie gebraucht?« Als Eragon zögerte, fügte Roran hinzu: »Natürlich nicht jetzt. Dazu fehlt uns die Zeit, und ich erwarte auch nicht, dass man über Nacht zum Magier wird. Aber vielleicht irgendwann mal? Du und ich, wir sind Cousins. In unseren Adern fließt das gleiche Blut. Und es wäre eine nützliche Fertigkeit.«

»Ich weiß nicht, wie jemand, der kein Drachenreiter ist, Magie erlernt«, gestand Eragon. »Es ist nichts, was ich studiert hätte.« Er sah sich kurz um, hob einen flachen, runden Stein auf und warf ihn Roran zu. »Da, versuch es einfach. Konzentrier dich darauf, den Stein in der Luft schweben zu lassen, eine Armlänge über dem Boden, und sag: *Stenr rïsa.*«

»Stenr rïsa?«

»Genau.«

Stirnrunzelnd betrachtete Roran den Stein auf seiner Handfläche, und während Eragon seinen Cousin beobachtete, fühlte er sich an seine eigene Ausbildung erinnert. Er verspürte eine nostalgische Sehnsucht nach den Tagen, als Brom ihn gedrillt hatte.

Rorans Augenbrauen stießen aneinander, seine Lippen verzogen sich und er knurrte: *»Stenr rïsa!«*, und zwar mit einer solchen Intensität, dass Eragon schon fast erwartete, dass der Stein in die Höhe schießen würde.

Nichts geschah.

Mit einem Gesicht, das noch finsterer war, wiederholte Roran den Befehl: *»Stenr rïsa!«*

Der Stein ließ nicht den Hauch einer Bewegung erkennen.

»Nun«, sagte Eragon, »versuch es einfach weiter. Das ist der einzige Rat, den ich dir geben kann. Aber«, und hier hob er einen mahnenden Finger, *»falls* es dir gelingen sollte, komm sofort zu mir, und falls das nicht geht, dann wende dich an einen anderen Magier. Man kann sich und andere umbringen, wenn man mit Magie herumexperimentiert, ohne die Regeln zu kennen. Und Folgendes musst du dir unbedingt merken: Wenn man einen Zauber wirkt, der einen zu viel Kraft kostet, dann *stirbt* man. Versuche dich nicht an Aufgaben, die deine Fähigkeiten übersteigen, versuche nicht, die Toten zum Leben zu erwecken oder Dinge ungeschehen zu machen.«

Roran nickte, den Blick noch immer auf den Stein geheftet.

»Wenn wir schon dabei sind, mir fällt gerade noch etwas viel Wichtigeres ein, was du lernen musst.«

»Ach?«

»Ja, du musst imstande sein, deine Gedanken vor der Schwarzen Hand, der Du Vrangr Gata und ähnlichen Leuten zu verbergen. Du weißt jetzt viele Dinge, was den Varden schaden könnte. Deshalb ist es entscheidend, dass du diese Fertigkeit bei unserer Rückkehr beherrschst. Solange du dich nicht vor Spionen schützen kannst, dürfen weder Nasuada noch ich oder irgendjemand sonst dir Informationen anvertrauen, die unseren Feinden helfen könnten.«

»Verstehe. Aber warum nennst du ausgerechnet die Du Vrangr Gata? Sie dienen doch dir und Nasuada.«

»Das stimmt. Aber selbst unter unseren Verbündeten gibt es gar nicht wenige, die ihren rechten Arm dafür geben würden, unsere Pläne und Geheimnisse zu erfahren. Und wenn ich ›unsere‹ sage, dann schließt das dich mit ein. Du bist jetzt *jemand,* Roran. Teils wegen deiner Heldentaten und teils, weil wir miteinander verwandt sind.«

»Ich weiß. Es ist seltsam, wenn einen Leute erkennen, denen man noch nie begegnet ist.«

»Stimmt.« Eragon lag noch mehr auf der Zunge, aber er verkniff sich jede weitere Bemerkung. Jetzt war nicht der richtige Zeitpunkt, das Thema zu vertiefen. »Nachdem du nun weißt, wie es sich anfühlt, wenn ein Geist einen anderen berührt, könntest du eventuell lernen, umgekehrt mit deinem Geist in ein fremdes Bewusstsein einzudringen.«

»Ich weiß gar nicht, ob ich diese Fähigkeit haben möchte.«

»Das spielt keine Rolle. Vielleicht bist du auch gar nicht *imstande* dazu. Bevor du das herausfindest, solltest du dich erst einmal der Kunst des Abschirmens widmen.«

Sein Cousin hob eine Augenbraue. »Wie denn?«

»Wähle etwas aus – ein Geräusch, ein Bild, ein Gefühl, irgendetwas – und lass es in deinem Kopf wachsen, bis es alle anderen Gedanken verdrängt.«

»Das ist alles?«

»Es ist nicht so leicht, wie es klingt. Versuch es einfach mal.

Wenn du so weit bist, gib mir ein Zeichen, und dann sehen wir, wie gut du dich schlägst.«

Einige Momente verstrichen. Dann, auf Rorans Fingerschnippen hin, ließ Eragon sein Bewusstsein auf seinen Cousin zuschnellen, gespannt darauf, was der vollbracht hatte.

Eragons geistiger Strahl prallte mit voller Wucht gegen einen Wall aus Rorans Erinnerungen an Katrina und rutschte daran ab. Es gab keinen Halt, keinen Ansatzpunkt oder Zugang für ihn und er konnte auch nicht unter der undurchdringlichen Barriere vor ihm hindurchschlüpfen. In diesem Augenblick bestand Rorans Wesen allein aus seinen Gefühlen für Katrina. Seine Abschirmung übertraf alles, was Eragon bis dahin untergekommen war, denn in Rorans Geist gab es nichts, was er als Hebel hätte benutzen können, um Kontrolle über seinen Cousin zu gewinnen.

Dann bewegte Roran sein linkes Bein und das Holz unter ihm ächzte vernehmlich.

Dadurch zersprang der Wall, gegen den Eragon sich geschleudert hatte, in Dutzende Stücke, während eine Fülle widerstreitender Gedanken Roran ablenkte. *Was war das … Verdammt! Achte nicht darauf, sonst bricht er durch. Katrina, denk an Katrina. Ignoriere Eragon. Die Nacht, als sie meinen Antrag annahm, der Duft des Grases und ihres Haars … Ist er das? Nein! Konzentrier dich! Nicht …*

Eragon nutzte Rorans Verwirrung aus, drang in seinen Geist ein und machte ihn kraft seines Willens bewegungsunfähig, bevor sein Cousin sich wieder vor ihm verschließen konnte.

Das grundlegende Konzept hast du verstanden, sagte Eragon, dann zog er sich aus Rorans Kopf zurück und sagte laut: »Aber du musst lernen, selbst mitten in einer Schlacht deine Konzentration aufrechtzuerhalten. Du musst lernen zu denken, ohne zu denken … Du musst dich aller Hoffnungen und Sorgen entledigen und nur den einen Gedanken in dir tragen, der deinen Schutzwall bildet. Die Elfen haben mir beigebracht, ein Gedicht oder eine Liedzeile aufzusagen, irgendetwas, das man ständig wiederholen kann.

Das war sehr hilfreich für mich. Es verhindert, dass der Geist abschweift.«

»Ich werde daran arbeiten«, versprach Roran.

Mit ruhigerer Stimme sagte Eragon: »Du liebst sie aus ganzem Herzen, nicht wahr?« Es war mehr eine Feststellung als eine Frage, die Antwort lag ja auf der Hand. Das Thema verunsicherte Eragon ein wenig. Über die Liebe hatten er und sein Cousin noch nie geredet, ungeachtet der vielen Stunden, die sie früher damit verbracht hatten, über die Vorzüge der jungen Frauen in und um Carvahall zu diskutieren. »Wie kam es dazu?«

»Ich mochte sie. Sie mochte mich. Sind Einzelheiten da so wichtig?«

»Ach komm schon«, sagte Eragon. »Ich war zu sauer, um dich zu fragen, bevor du nach Therinsford gegangen bist, und seitdem haben wir uns eine Ewigkeit nicht mehr gesehen. Ich bin einfach neugierig.«

Die Haut um Rorans Augen straffte sich und legte sich in viele Fältchen, während er sich die Schläfen massierte. »Eigentlich gibt's da nicht viel zu erzählen. Sie hat mir schon immer gefallen. Es war nicht weiter wichtig, bevor ich zum Mann wurde, aber nach meiner Initiation begann ich mich zu fragen, wen ich heiraten würde und wer die Mutter meiner Kinder werden sollte. Bei einem unserer Besuche in Carvahall beobachtete ich, wie Katrina neben Lorings Haus stehen blieb und eine Moosrose pflückte, die im Schatten des Dachfußes wuchs. Sie lächelte, während sie die Blume betrachtete … Es war so ein zartes und glückliches Lächeln, dass ich auf der Stelle beschloss, ich würde sie wieder und wieder dazu bringen, so zu lächeln. Ich wollte dieses Lächeln jeden Tag bis an mein Lebensende sehen.« In Rorans Augen schimmerten Tränen, doch im nächsten Augenblick blinzelte er und sie waren wieder verschwunden. »Ich fürchte, in dieser Hinsicht habe ich versagt.«

Nach einer angemessenen Pause sagte Eragon: »Du hast ihr also den Hof gemacht. Aber mal davon abgesehen, dass ich Katrina immer deine Komplimente ausrichten musste, wie hast du es im Einzelnen angestellt?«

»Du fragst wie jemand, der Unterweisung braucht.«

»Ach was. Das bildest du dir bloß ein ...«

»Jetzt bist *du* aber dran«, sagte Roran. »Ich weiß, wenn du lügst. Dann grinst du so dümmlich und deine Ohren werden ganz rot. Die Elfen haben dir vielleicht ein neues Gesicht gegeben, aber dieser Teil von dir hat sich nicht geändert. Was ist da zwischen dir und Arya?«

Rorans scharfe Beobachtungsgabe ärgerte Eragon. »Nichts! Der Mond hat deinen Geist verwirrt.«

»Gib's zu. Du hängst an ihren Lippen, als wäre jedes ihrer Worte ein Diamant, und dein Blick klebt an ihr, als wärst du am Verhungern und sie ein Festmahl, das einen Zollbreit außerhalb deiner Reichweite steht.«

Graue Rauchwölkchen quollen aus Saphiras Nüstern, als sie ein ersticktes Hüsteln von sich gab.

Eragon beachtete sie nicht und sagte: »Arya ist eine Elfe.«

»Und zwar eine wunderschöne. Spitze Ohren und schräg stehende Augen sind nur geringfügige Make, verglichen mit ihren zahlreichen Vorzügen. Du siehst ja jetzt selbst aus wie eine Katze.«

»Arya ist über hundert Jahre alt.«

Roran war baff; seine Augenbrauen hoben sich und er sagte: »Das glaube ich nicht! Sie steht in der Blüte ihrer Jugend.«

»Doch, es stimmt.«

»Nun, das mag ja sein. Das sind vielleicht alles gute Gründe, Eragon, aber das Herz lässt sich nur selten von der Vernunft leiten. Also, stehst du auf sie oder nicht?«

Falls er auch nur ein kleines bisschen mehr auf sie stehen würde, sagte Saphira zu Eragon und Roran, *müsste ich Arya selbst abknutschen.*

Saphira! Beschämt schlug Eragon ihr aufs Bein.

Roran war umsichtig genug, Eragon nicht weiter aufzuziehen. »Dann beantworte wenigstens meine ursprüngliche Frage und erzähl mir, wie die Dinge zwischen dir und Arya stehen. Hast du mit ihr oder ihrer Familie über deine Gefühle gesprochen? Ich habe festgestellt, wie unklug es ist, in solchen Angelegenheiten zu lange zu warten.«

»Tja«, sagte Eragon und starrte auf den langen Rotdornstab. »Ich habe mit ihr gesprochen.«

»Und was kam dabei heraus?« Als Eragon nicht umgehend antwortete, rief Roran frustriert: »Dir Antworten zu entlocken, ist anstrengender, als Birka durch den Schlamm zu ziehen.«

Eragon gluckste bei der Erwähnung Birkas, eins ihrer Zugpferde.

»Saphira, würdest du bitte dieses Rätsel für mich lösen? Ich fürchte, ich kriege ansonsten nie eine zufriedenstellende Erklärung.«

»Es ist vergeblich. Absolut hoffnungslos. Sie wird mich nicht erhören.« Eragons Stimme klang teilnahmslos, als spräche er über das Pech eines Fremden, doch in ihm tobte ein Sturm verletzter Gefühle, so gewaltig und wild, dass er fühlte, wie Saphira sich etwas aus ihm zurückzog.

»Das tut mir leid.«

Eragon zwang sich, den Kloß hinunterzuschlucken, der ihm im Hals steckte, und sein wundes Herz zu ignorieren. »So ist es nun mal.«

»Ich weiß, im Moment erscheint es dir unmöglich«, sagte Roran, »aber eines Tages wirst du eine andere Frau kennenlernen, die dich diese Arya vergessen lässt. Es gibt zahllose unverheiratete Kandidatinnen – und nicht wenige Verheiratete –, die sich mit Freuden einem Drachenreiter hingeben würden. Du wirst kein Problem haben, unter all den hübschen Dingern in Alagaësia die richtige Frau zu finden.«

»Und was hättest du getan, wenn Katrina dich abgewiesen hätte?«

Die Frage erwischte Roran eiskalt. Es war offensichtlich, dass er sich überhaupt nicht vorstellen konnte, wie er reagiert hätte.

Eragon fuhr fort: »Im Gegensatz dazu, was du, Arya und alle anderen zu glauben scheinen, ist mir durchaus bewusst, dass es in Alagaësia noch andere Frauen gibt, die für mich infrage kämen. Und dass Menschen sich im Leben mehr als einmal verlieben können, ist mir auch bekannt. Wenn ich meine Zeit in Gesellschaft der Damen an König Orrins Hof verbrächte, könnte ich zweifellos an einer von ihnen Gefallen finden, denke ich. Aber so einfach ist mein Weg nicht. Selbst wenn ich meine Zuneigung einer anderen schenken könnte – und das Herz ist, wie du ganz richtig bemerkt hast, ein äußerst widerspenstiges Biest –, bleibt immer noch die Frage: Sollte ich das?«

»Deine Zunge ist so verschlungen wie die Wurzeln einer Tanne«, sagte Roran. »Drück dich nicht so rätselhaft aus.«

»Na gut: Welche Menschenfrau könnte auch nur im Ansatz begreifen, wer und was ich bin, oder das Ausmaß meiner Kräfte nachvollziehen? Wer könnte an meinem Leben teilhaben? Nur wenige und es wären alles Magier. Und wie viele von ihnen oder wie viele Frauen im Allgemeinen sind unsterblich?«

Rorans raues Lachen hallte durch die enge Schlucht. »Du könntest ebenso gut darum bitten, dir die Sonne in die Hosentasche stecken zu dürfen oder …« Er machte eine Pause und spannte die Muskeln wie zum Sprung. Dann wurde er unnatürlich still. »Das kann nicht sein.«

»Doch, es ist so.«

Roran rang nach Worten. »Ist es Teil deiner Verwandlung in Ellesméra oder kommt es daher, dass du ein Drachenreiter bist?«

»Letzteres.«

»Das erklärt, warum Galbatorix nicht längst gestorben ist.«

»So ist es.«

Der Ast, den Roran ins Feuer geworfen hatte, barst mit einem dumpfen Knacken, nachdem er von der Glut so erhitzt worden war, dass ein letzter Rest Feuchtigkeit, der den Sonnenstrahlen seit Jahrzehnten entgangen war, zu Dampf explodierte.

»Die Vorstellung ist so … gewaltig, fast undenkbar«, sagte Roran.

»Der Tod ist ein Teil von uns. Er führt uns. Formt uns. Treibt uns in den Wahnsinn. Bist du denn überhaupt noch ein Mensch, wenn dich kein sterbliches Ende erwartet?«

»Ich bin nicht unbesiegbar«, gab Eragon zu bedenken. »Ich kann durch ein Schwert oder einen Pfeil getötet werden. Oder eine unheilbare Krankheit bekommen.«

»Aber wenn du diese Gefahren meidest, lebst du ewig.«

»Falls mir das gelingt, dann ja. Saphira und ich werden die Zeit *überdauern.*«

»Es scheint gleichzeitig ein Segen und ein Fluch zu sein.«

»Ja. Ich kann nicht guten Gewissens eine Frau heiraten, die älter wird und schließlich stirbt, während ich von der Zeit unberührt bleibe. Eine solche Erfahrung wäre grausam für uns beide. Darüber hinaus finde ich den Gedanken, mir über die Jahrhunderte eine Frau nach der anderen zu nehmen, ziemlich deprimierend.«

»Könntest du sie nicht mit Magie unsterblich machen?«, fragte Roran.

»Man kann weißes Haar verdunkeln, man kann Falten glätten und Erblindungen rückgängig machen. Wenn man gewillt ist, bis zum Äußersten zu gehen, kann man sogar einem Sechzigjährigen den Körper eines Jünglings geben. Doch die Elfen haben nie einen Weg gefunden, den Geist einer Person zu verjüngen, ohne ihre Erinnerungen auszulöschen. Und wer möchte schon alle paar Jahrzehnte seine Identität verlieren, im Tausch gegen Unsterblichkeit? Ein altes Hirn in einem jungen Körper ist auch keine Lösung, denn so, wie der Mensch geschaffen ist, kann er selbst bei bester Gesundheit nur ein Jahrhundert oder ein wenig länger überdauern. Ebenso wenig kann man den Alterungsprozess einfach anhalten. Das würde eine Fülle an schwerwiegenden Problemen nach sich ziehen ... Oh, die Elfen und Menschen haben tausendundeine Methode ausprobiert, den Tod zu überlisten, aber keine davon hat sich als erfolgreich erwiesen.«

»Mit anderen Worten«, sagte Roran, »für dich ist es sicherer, Arya zu lieben, als dein Herz womöglich an eine Menschenfrau zu verlieren.«

»Wen anderes als eine Elfe könnte ich heiraten? Besonders wenn man bedenkt, wie ich jetzt aussehe?« Eragon unterdrückte den Impuls, sich an die spitzen Ohren zu fassen, was ihm allmählich zur Gewohnheit wurde. »Als ich in Ellesméra gelebt habe, fiel es mir leicht, zu akzeptieren, wie die Drachen mein Äußeres verändert haben. Immerhin haben sie mir noch viele andere Geschenke gemacht. Außerdem waren die Elfen nach der Blutschwur-Zeremonie viel freundlicher zu mir. Erst als ich zu den Varden zurückkehrte, wurde mir bewusst, wie *sehr* ich mich verändert habe – und es quält mich. Ich bin kein richtiger Mensch mehr und auch kein richtiger Elf. Ich bin irgendetwas dazwischen, ein Mischling, ein Halbblut.«

»Kopf hoch!«, sagte Roran fröhlich. »Du brauchst dir vielleicht gar keine Sorgen darüber zu machen, dass du ewig leben könntest. Galbatorix, Murtagh, die Ra'zac oder selbst ein Soldat des Imperiums kann dir jederzeit den Garaus machen. Ein weiser Mensch denkt nicht an die Zukunft, sondern lacht und trinkt, solange er diese Welt noch genießen kann.«

»Ich weiß, was unser Vater dazu gesagt hätte.«

»Und er hätte uns einen ordentlichen Tritt in den Hintern verpasst.«

Sie lachten herzhaft. Dann stellte sich wie so oft Schweigen zwischen ihnen ein. Diese Kluft war zu gleichen Teilen auf Erschöpfung, ihre Vertrautheit und auch auf ein Gefühl von Fremdheit zurückzuführen – angesichts ihrer so unterschiedlichen Schicksale, wo ihr Leben doch einst in nahezu identischen Bahnen verlaufen war.

Ihr solltet euch schlafen legen, sagte Saphira zu Eragon und Roran. *Es ist spät. Wir müssen früh aufstehen.*

Eragon sah hinauf zum schwarzen Himmelsgewölbe und bestimmte die Zeit danach, wie weit die Sterne gewandert waren. Die Nacht war älter, als er erwartet hatte. »Ein guter Rat«, sagte er. »Ich wünschte nur, wir hätten noch ein paar Tage zum Ausruhen, bevor wir den Helgrind erstürmen. Die Schlacht auf den Brennenden Steppen hat Saphira und mich unsere ganze Kraft gekostet. Wir haben uns noch nicht wieder vollständig erholt, da wir gleich hierher geflogen sind und ich die letzten zwei Abende einen Teil meiner Kräfte in den Gürtel von Beloth dem Weisen übertragen habe. Mir tun noch immer alle Knochen weh, und ich habe mehr blaue Flecken, als ich zählen kann. Schau ...« Er lockerte das Manschettenband an seinem linken Hemdsärmel, schob das Lámarae – einen weichen Elfenstoff aus über Kreuz gesponnenen Woll- und Nesselfäden – nach oben und zeigte Roran einen dunkelgelben Streifen, wo sein Schild gegen seinen Unterarm geprallt war.

»Ha!«, machte Roran. »Das kleine Ding nennst du einen blauen Fleck? Da hab ich mir ja mehr wehgetan, als ich mir heute Morgen den Zeh gestoßen habe. Hier, ich zeig dir eine Verletzung, auf die ein Mann stolz sein kann.« Er zog den linken Stiefel aus, rollte das Hosenbein hoch und deutete auf eine daumendicke schwarze Strieme, die quer über den Wadenmuskel verlief. »Da hat mich ein Speerschaft getroffen.«

»Beeindruckend, aber ich habe noch was Besseres.« Eragon schlüpfte aus dem Wams, zog das Hemd aus der Hose und drehte sich zur Seite, damit Roran die riesige Prellung an seinen Rippen und eine ähnliche Verfärbung am Bauch sehen konnte. »Pfeile«, erklärte er. Dann entblößte er den rechten Unterarm und offenbarte eine Verletzung, die der am anderen Arm ähnelte. Diesen Striemen hatte er abbekommen, als er mit der Armschiene ein Schwert abwehrte.

Als Nächstes zeigte Roran ihm eine Ansammlung blaugrüner Flecken, alle von der Größe einer Goldmünze, die von der linken Achselhöhle bis hinab zum Steiß verlief. Es war die Folge eines Sturzes auf einen Haufen Steine, zwischen denen Teile einer Rüstung gelegen hatten.

Eragon betrachtete die Verletzung, dann lachte er. »Pah, das sind ja winzige Stiche. Hast du dich verlaufen und bist in einen Rosenbusch gefallen? Ich zeig dir was, worauf du neidisch sein kannst.« Er zog die Stiefel aus, dann stand er auf und ließ die Hose runter, sodass er nur das Hemd und eine Wollunterhose trug. »Da kannst du nicht mithalten«, sagte er und deutete auf die Innenseiten seiner Schenkel. Die Haut dort war bunt gescheckt, als wäre Eragon eine exotische Frucht, die in unterschiedlichen Farben von Holzapfelgrün bis Fäulnisbraun reifte.

»Aua«, sagte Roran. »Wie ist denn das passiert?«

»Ich bin beim Luftkampf gegen Murtagh und Dorn von Saphira abgesprungen. Es gelang ihr, unter mir wegzutauchen und mich aufzufangen, kurz bevor ich am Boden aufgeschlagen wäre. Aber ich bin ein bisschen heftiger auf ihr gelandet, als ich wollte.«

Roran zuckte zusammen und zugleich schauderte er. »Geht es hoch bis zu deinem …« Er verstummte und machte eine vage Geste.

»Leider ja.«

»Ich muss zugeben, das ist wirklich eine bemerkenswerte Prellung. Darauf kannst du stolz sein. Es ist eine ziemliche Leistung, sich auf diese Weise zu verletzen und dann auch noch ausgerechnet an … dieser Stelle.«

»Es freut mich, dass du es zu schätzen weißt.«

»Nun«, sagte Roran, »du hast vielleicht den größten blauen Fleck, aber die Ra'zac haben mir eine Wunde beigebracht, der du nichts entgegenzusetzen hast, seit die Drachen dir, soweit ich weiß, deine Rückennarbe entfernt haben.« Während er sprach, zog er das Hemd aus und ging näher zum pulsierenden Licht der Glut.

Eragon riss erschrocken die Augen auf, bevor er sich dabei ertappte und eine gleichmütigere Miene aufsetzte. Er schalt sich für seine Überreaktion und dachte: *So schlimm kann es nicht sein.* Aber je länger er Roran betrachtete, desto bestürzter wurde er.

Eine lange, runzelige, rot glänzende Narbe wand sich um Rorans rechte Schulter. Sie begann am Schlüsselbein und zog sich genau bis zur Mitte des Arms. Man konnte erkennen, dass der Ra'zac einen Teil des Muskels durchtrennt hatte und die beiden Enden danach nicht mehr richtig zusammengewachsen waren. Ein hässlicher Knubbel entstellte die Haut unterhalb der Narbe, wo die Muskelfasern sich zusammengezogen hatten. Weiter oben war das

Fleisch nach innen gesunken, sodass eine etwa fingerdicke Vertiefung entstanden war.

»Roran! Das hättest du mir längst zeigen sollen. Ich hatte keine Ahnung, dass der Ra'zac dich so schwer verletzt hat… Bereitet es dir Probleme, den Arm zu bewegen?«

»Zur Seite und nach hinten nicht«, sagte Roran. Er demonstrierte es ihm. »Aber nach vorne kann ich die Hand nur so hoch heben… bis auf Brusthöhe.« Er verzog das Gesicht und nahm den Arm wieder runter. »Selbst das ist mühselig. Ich muss den Daumen waagrecht halten, sonst wird der Arm taub. Am besten geht es, wenn ich ihn von hinten herumschwinge und auf dem Gegenstand landen lasse, den ich greifen will. Ich hab mir ein paarmal die Knöchel aufgeschlagen, bevor ich den Trick draufhatte.«

Eragon rollte den Stab zwischen seinen Händen. *Soll ich?*, fragte er Saphira.

Ich glaube, du musst.

Morgen könnten wir es bedauern.

Noch viel mehr würden wir es bedauern, wenn Roran stirbt, weil er seinen Hammer nicht richtig schwingen konnte. Wenn du die Energie den Lebewesen in unserer Umgebung entziehst, schonst du deine eigenen Kräfte.

Du weißt, wie ungern ich das tue. Schon darüber zu reden, macht mich krank.

Unser Leben ist wichtiger als das einer Ameise, konterte Saphira.

Das sieht die Ameise aber anders.

Du bist keine Ameise. Sei nicht so unbedacht, Eragon. Das passt nicht zu dir.

Seufzend legte Eragon den Stab nieder und winkte Roran heran. »Komm her, ich werde es dir heilen.«

»Dazu bist du fähig?«

»Sicher.«

Freude erhellte Rorans Züge, dann zögerte er jedoch und schien beunruhigt. »Jetzt? Ist das denn klug?«

»Wie Saphira sagt, es ist besser, die Verletzung zu heilen, solange noch Gelegenheit dazu ist, als zu riskieren, dass sie dich das Leben kostet oder uns in Gefahr bringt.«

Roran trat neben ihn und Eragon legte ihm die rechte Hand auf die Narbe. Gleichzeitig öffnete er seinen Geist, um die Bäume, Pflanzen und Tiere in der Schlucht mit einzuschließen; alle außer den schwächsten, die der Kraftentzug umbringen würde.

Dann begann er, in der alten Sprache zu singen. Die Beschwörung, die er rezitierte, war lang und kompliziert. Eine solche Verletzung zu heilen, ging weit darüber hinaus, neue Haut wachsen zu lassen, und war eine schwierige Angelegenheit. Dabei verließ Eragon sich auf die Heilformeln, die er in Ellesméra studiert und wochenlang auswendig gelernt hatte.

Das Silbermal auf Eragons Handfläche, die Gedwëy Ignasia, erglühte weiß, als er die Magie heraufbeschwor. Im nächsten Moment stöhnte er wehklagend auf, als auf dem Wacholderbaum hinter ihnen zwei kleine Vögel und eine zwischen den Steinen verborgene Schlange verendeten. Neben ihm warf Roran den Kopf zurück und fletschte die Zähne, während der Schultermuskel unter der straffen Haut erbebte und hin und her sprang wie ein lebendiges Wesen.

Dann war es vorbei.

Eragon nahm einen tiefen Atemzug, legte den Kopf in die Hände und wischte sich schnell die Tränen ab. Dann betrachtete er sein Werk. Er sah, wie Roran mehrmals kräftig mit den Schultern zuckte, wie er sich streckte und mit den Armen kreiste. Seine Schulterpartie war massiv und gestählt, das Resultat jahrelanger schwerer Feldarbeit. Überrascht verspürte Eragon einen Anflug von Neid. Er mochte stärker sein, aber er war nie so muskulös gewesen wie sein Cousin.

Roran grinste. »So gut wie neu. Vielleicht sogar besser als vorher. Ich danke dir.«

»Keine Ursache.«

»Es war ganz seltsam. Ich hab mich gefühlt, als würde ich aus mir herauskriechen. Und gejuckt hat es vielleicht. Ich hätte mir fast die Haut vom Leib gerissen –«

»Bring mir doch bitte ein Stück Brot aus der Satteltasche, ja? Ich bin hungrig.«

»Wir haben doch gerade erst gegessen.«

»Ich brauche einen Bissen, nachdem ich so einen Zauber gewirkt habe.« Eragon schniefte, dann zog er sein Taschentuch heraus und putzte sich die Nase. Er schniefte erneut. Er hatte nicht ganz die Wahrheit gesagt. Es war der von ihm herbeigeführte Tod der drei Tiere, der ihm zu schaffen machte, nicht der Zauber selbst; und er fürchtete, sich zu erbrechen, wenn er nicht sofort etwas in den Magen bekam.

»Du wirst doch nicht krank, oder?«, fragte Roran.

»Nein.« Noch immer erfüllt von Schuldgefühlen, griff Eragon nach der Tonflasche mit dem Met. Er hoffte, die düsteren Gedanken mit einem kräftigen Schluck hinunterspülen zu können.

Etwas sehr Großes, Schweres und Scharfes traf seine Hand und drückte sie zu Boden. Er zuckte zusammen und blickte auf eine von Saphiras elfenbeinfarbenen Klauen, die sich in sein Fleisch grub. Das dicke Lid der Drachendame glitt einmal über die große schimmernde Iris, mit der sie ihn fixierte. Nach einem langen Moment hob sie die Klaue, so wie ein Mensch einen Finger heben würde, und Eragon zog die Hand zurück. Er schluckte und griff wieder nach dem Rotdornstab. Er versuchte, den Gedanken an Met zu verdrängen und sich auf wichtigere Dinge zu konzentrieren, statt sich in seinem Selbsthass zu suhlen.

Roran holte einen halben Laib Sauerteigbrot aus der Tasche, dann hielt er inne und fragte mit dem Anflug eines Lächelns: »Möchtest du nicht lieber etwas Hirschfleisch? Ich hab es nicht ganz aufgegessen.« Er hielt ihm den behelfsmäßigen Bratspieß aus Wacholderbaumholz hin, an dem noch drei dicke goldbraune Fleischbrocken hingen. Für Eragons sensible Nase war der Duft, der ihm entgegenwallte, schwer und intensiv. Er erinnerte ihn an die Nächte, die er im Buckel verbracht hatte, und an Mahlzeiten an langen Winterabenden, als er, Roran und Garrow sich um den Ofen versammelt und die Gesellschaft der anderen genossen hatten, während draußen ein Sturm tobte. Ihm lief das Wasser im Mund zusammen. »Es ist noch warm«, sagte Roran und wedelte mit dem Spieß vor Eragons Nase herum.

Eragon nahm seine ganze Willenskraft zusammen und schüttelte den Kopf. »Gib mir einfach das Brot.«

»Bist du sicher? Das Fleisch ist herrlich, ganz zart und würzig. Es ist so saftig, dass man beim Hineinbeißen glaubt, man hätte einen Löffel von Elains bestem Eintopf im Mund.«

»Trotzdem, ich kann nicht.«

»Du weißt, dass es dir schmecken würde.«

»Roran, hör auf, mich zu reizen, und gib mir das Brot!«

»Ah, jetzt siehst du schon viel besser aus. Vielleicht brauchst du ja gar kein Brot, sondern nur jemanden, der deine Laune etwas hebt, was?«

Eragon funkelte ihn an. Dann, schneller als man schauen konnte, riss er Roran das Brot aus der Hand.

Das schien Roran sogar noch mehr zu amüsieren. Während Eragon sich einen Bissen vom Laib abbrach, sagte sein Cousin: »Ich weiß gar nicht, wie du allein von Früchten, Brot und Gemüse leben kannst. Ein Mann muss doch Fleisch essen, wenn er sich seine Kraft erhalten will. Vermisst du es denn überhaupt nicht?«

»Mehr, als du dir vorstellen kannst.«

»Aber warum quälst du dich dann so? Jedes Geschöpf auf der Welt muss andere Lebewesen essen, um zu überleben – selbst Pflanzen tun es. So sind wir nun mal beschaffen. Warum versuchst du, dich der natürlichen Ordnung der Dinge zu widersetzen?«

Ich habe ihm in Ellesméra das Gleiche gesagt, bemerkte Saphira, *aber er hört ja nicht auf mich.*

Eragon zuckte mit den Achseln. »Diese Diskussion hatten wir doch schon. Tut, was ihr wollt. Ich schreibe niemandem vor, wie er leben soll. Ich für meinen Teil kann aber nicht guten Gewissens ein Tier essen, dessen Gedanken und Gefühle ich geteilt habe.«

Saphiras Schwanzspitze zuckte und ihre Schuppen stießen geräuschvoll gegen einen verwitterten Felsblock, der aus dem Boden ragte. *Oh, es ist hoffnungslos mit ihm.* Sie reckte den Hals und schnappte Roran das Hirschfleisch samt Spieß aus der Hand. Das Holz knackte zwischen ihren gezackten Zähnen, als sie zubiss, dann verschwand es zusammen mit den Fleischbrocken in den feurigen Tiefen ihres Magens. *Mmh. Du hast nicht übertrieben,* sagte sie zu Roran. *Was für ein saftiger Leckerbissen: so zart, so salzig. So überaus köstlich, dass ich vor Freude tanzen könnte. Du solltest öfter für mich kochen, Roran Hammerfaust. Aber beim nächsten Mal bereitest du am besten gleich mehrere Hirsche zu, damit ich auch satt werde.*

Roran zögerte, als fürchte er, es könne ihr ernst sein mit ihrer Bitte, und überlege nun fieberhaft, wie er sich möglichst elegant vor dieser unerwünschten und leidigen Verpflichtung drücken könnte. Er sah Eragon flehend an, der lauthals lachte, sowohl über Rorans Miene als auch über dessen missliche Lage.

Saphiras volltönendes Lachen mischte sich unter Eragons und schallte durch die Schlucht. Ihre Zähne glänzten krapprot im Schein der Glut.

Eine Stunde, nachdem sich die drei zur Ruhe begeben hatten, lag Eragon auf dem Rücken neben Saphira, wegen der nächtlichen Kälte in mehrere Decken gehüllt. Alles war ruhig, nichts regte sich. Es schien, als hätte ein Magier die Welt mit einem Zauber belegt, sodass nun alle Lebewesen in einen ewigen Schlaf gesunken waren, um für alle Zeiten erstarrt und unveränderlich unter dem wachsamen Blick der funkelnden Sterne dazuliegen.

Ohne sich zu rühren, flüsterte Eragon im Geiste: *Saphira?*

Ja, Kleiner?

Was, wenn ich recht habe und er im Helgrind ist? Ich weiß nicht, was ich dann tun soll … Sag du es mir.

Das kann ich nicht, Kleiner. Diese Entscheidung musst du selbst treffen. Das Denken der Menschen ist anders als das der Drachen.

Ich würde ihm den Kopf abreißen und mich an seinem Körper gütlich tun. Aber das erscheint dir sicher falsch.

Wirst du zu mir halten, egal wie ich mich entscheide?

Immer, Kleiner. Schlaf jetzt. Alles wird gut.

Beruhigt blickte Eragon in die Schwärze zwischen den Sternen, verlangsamte seine Atmung und glitt in eine Trance, die für ihn den Schlaf ersetzte. Er blieb sich seiner Umgebung bewusst, doch vor dem Hintergrund der weißen Sternbilder traten nun die Gestalten seiner Wachträume hervor und führten ihr verwirrendes schattenhaftes Stück auf, so wie sie es immer zu tun pflegten.

Sturm auf den Helgrind

Eine Viertelstunde vor Tagesanbruch setzte Eragon sich auf. Er schnippte zweimal mit den Fingern, um Roran zu wecken, dann nahm er seine Decken und rollte sie zu einem festen Bündel. Sein Cousin rappelte sich hoch und packte sein Schlafzeug ebenfalls zusammen.

Sie sahen sich an, zitternd vor Aufregung.

»Falls ich sterbe«, sagte Roran, »kümmerst du dich dann um Katrina?«

»Ja.«

»Erzähl ihr, dass ich mit Freude im Herzen und ihrem Namen auf den Lippen in den Kampf gezogen bin.«

»Mach ich.«

Eragon murmelte rasch einen Satz in der alten Sprache. Den anschließenden Kraftverlust bemerkte er kaum. »So. Das wird die Luft vor uns reinigen und schützt uns vor der lähmenden Wirkung des Ra'zac-Atems.«

Aus der Satteltasche nahm er sein Kettenhemd und schlug das Sackleinen auseinander, in dem es lag. Verkrustetes Blut von der Schlacht auf den Brennenden Steppen klebte an dem einst glänzenden Harnisch, und einige der Ringe hatten Rostflecke angesetzt, entstanden durch die Mischung aus getrocknetem Blut, Schweiß und mangelnder Pflege. Wenigstens hatte das Kettenhemd keine Risse mehr, denn Eragon hatte es sorgfältig geflickt, bevor sie sich auf den Weg ins Imperium gemacht hatten.

Naserümpfend streifte er das Hemd über, denn daran hing der

Geruch nach Tod und Verzweiflung. Dann legte er die Arm- und Beinschienen an. Über den Kopf zog er die ausgepolsterte Lederkappe, darüber die Kettenhaube und einen schlichten Stahlhelm. Seinen eigenen Helm – den er in Farthen Dûr getragen hatte und den die Zwerge mit dem Wappen des Dûrgrimst Ingietum versehen hatten – hatte er zusammen mit seinem Schild während des Luftkampfs zwischen Saphira und Dorn verloren. Zuletzt zog er noch die Panzerhandschuhe an.

Roran stattete sich einfacher für den Kampf aus, auch wenn ein hölzerner Schild bei ihm die Rüstung komplettierte. Er hatte eine schmale Umrandung aus weichem Eisen, um eine heransausende Klinge abzuwehren und aufzuhalten. Eragon dagegen trug keinen Schild; er brauchte beide Hände, um den Rotdornstab zu führen.

Auf den Rücken schnallte er sich den Köcher, gefüllt mit zwanzig schwanenfederbesetzten Pfeilen, die Königin Islanzadi ihm geschenkt hatte. Der bereits gespannte Bogen mit den Silbereinlagen, den die Königin ihm aus einer Eibe gesungen hatte, hing schon außen am Köcher an dem dafür vorgesehenen Haken.

Saphira scharrte ungeduldig mit den Krallen in der Erde. *Lasst uns losfliegen!*

Eragon und Roran ließen ihre Taschen und Vorräte am Ast eines Wacholderbaumes hängen und kletterten auf ihren Rücken. Sie brauchten keine Zeit mit Satteln zu verschwenden; Saphira hatte das Gurtzeug die ganze Nacht über getragen. Das weiche Leder schmiegte sich warm, fast schon heiß an Eragons Schenkel. Er hielt sich an der Halszacke vor ihm fest – damit er sich bei plötzlichen Richtungsänderungen abstützen konnte –, während Roran einen kräftigen Arm um Eragons Taille schlang, in der anderen Hand seinen Hammer.

Eine Schieferplatte brach unter Saphiras Gewicht, als sie tief in die Hocke ging und dann mit einem einzigen schwindelerregenden Satz zum Rand der engen Schlucht hinaufsprang, wo sie einen Moment schwankte, bevor sie ihre riesigen Schwingen ausbreitete. Die dünnen Flügelhäute flatterten im Wind, als Saphira sie zum Himmel emporstreckte. So aufgerichtet sahen sie aus wie zwei durchscheinende blaue Segel.

»Nicht so fest«, knurrte Eragon.

»Entschuldigung.« Roran lockerte die Umklammerung ein wenig.

Es wurde unmöglich, sich weiter zu unterhalten, nachdem Saphira sich erneut vom Boden abstieß. Am höchsten Punkt ihres Sprunges ließ sie kraftvoll die Schwingen hinabschnellen und gewann weiter an Höhe. Mit jedem neuen Flügelschlag stiegen die drei näher zu der lang gezogenen Wolkenschicht auf, die sich von Osten nach Westen erstreckte.

Als Saphira zum Helgrind abdrehte, konnte Eragon links von ihnen in einigen Meilen Entfernung einen Teil des Leona-Sees erkennen. Graue, im trüben Morgenlicht gespenstisch schimmernde Dunstschwaden wallten vom Wasser auf, als würde dort unten ein Hexenfeuer brennen. Selbst seine Adleraugen konnten weder das ferne Ufer noch die südlichen Ausläufer des Buckels erspähen, was er schade fand. Er hatte die Berge seiner Kindheit nicht mehr gesehen, seit er das Palancar-Tal verlassen hatte.

Im Norden lag Dras-Leona, ein riesiges, massiges Gebilde, das sich als klotziger Schattenriss vor der Nebelwand abzeichnete, die im Westen an die Stadt stieß. Das einzige Gebäude, das Eragon erkennen konnte, war die Kathedrale, in der die Ra'zac ihn angegriffen hatten. Der umkränzte Kirchturm überragte die Stadt wie eine Speerspitze mit Widerhaken.

Und irgendwo in dem Gebiet, das unter ihnen vorbeizog, befanden sich die Überreste des Nachtlagers, wo die Ra'zac Brom tödlich verwundet hatten. Er ließ alle Wut und Trauer über die Geschehnisse jenes Tages – und über Garrows Ermordung und die Zerstörung ihres Hofes – in sich aufsteigen, um Kraft zu tanken, nein, um seine *Begierde* auf den bevorstehenden Kampf gegen die Ra'zac zu wecken.

Eragon, sagte Saphira. *Heute müssen wir keinen Schutzwall um unseren Geist legen und unsere Gedanken vor anderen verbergen, oder?*

Nein, nur wenn ein anderer Magier auftaucht.

Ein Fächer aus goldenem Licht erstrahlte, als der obere Rand der Sonne den Horizont durchbrach. Augenblicklich erweckte das Farbenspektrum die eben noch graue Welt zum Leben: Der Nebel schimmerte weiß, das Wasser tiefblau, der mit Lehm verputzte Erdwall, der das Zentrum von Dras-Leona umschloss, offenbarte seine ockerfarbene Oberfläche, die Bäume leuchteten in satten Grüntönen und die Erde selbst schimmerte orangerot. Der Helgrind aber blieb so, wie er immer war – pechschwarz.

Der kahle Felsberg wurde rasch größer, während sie auf ihn zuflogen. Selbst aus der Luft wirkte er furchterregend.

Saphira stieß so steil zum Fuß des Helgrind hinab, dass Eragon und Roran hinuntergefallen wären, wenn sie sich nicht die Beine am Sattel festgeschnallt hätten. Sie rauschten über das geröllübersäte Feld und den Altar hinweg, wo die Priester des Helgrind die Zeremonie abgehalten hatten. Der Luftzug verfing sich in Eragons Helmöffnung und verursachte ein Heulen, das ihn fast taub machte.

»Und?«, brüllte Roran. Er konnte nichts sehen, weil er hinten saß.

»Die Sklaven sind weg!«

Ein gewaltiger Druck presste Eragon in den Sattel, als Saphira wieder emporschoss und auf der Suche nach dem Eingang zum Unterschlupf der Ra'zac den Helgrind in engen Kurven umkreiste.

Da ist keine Öffnung, in die auch nur eine Waldratte reinpassen würde, verkündete sie schließlich. Sie bremste ab und schwebte vor einem Felsgrat, der den drittniedrigsten Gipfel mit dem darüberliegenden Vorsprung verband. Die zerklüftete Wand verstärkte das Geräusch, das ihre Flügelschläge verursachten, bis es so laut war wie krachender Donner. Eragon begannen die Augen zu tränen, während ihm der Wind ins Gesicht peitschte.

Ein Netz weißer Adern schimmerte an der Nordseite der Klippen und Säulen, wo sich Raureif in den Rissen gesammelt hatte, die den Fels durchzogen. Sonst störte nichts die Dunkelheit der windumtosten schwarzen Gipfel des Helgrind. Zwischen den schroffen Felswänden wuchsen weder Bäume noch Gräser, kein Moos und keine Flechten. Kein Adler wagte es, auf den geborstenen Granittürmen zu nisten. Getreu seinem Namen, war der Helgrind ein Ort des Todes, in ein steinernes Gewand aus messerscharfen, gezackten Felsklippen gehüllt; ein knöchernes Gespenst, das aus der Erde gestiegen war, um die Welt heimzusuchen.

Eragon sandte seinen Geist aus und spürte die Gegenwart der beiden Gefangenen, die er am Vortag entdeckt hatte, aber er konnte keinen der Sklaven ausmachen, und zu seiner Besorgnis gelang es ihm auch nicht, die Ra'zac und die Lethrblaka zu orten. *Wenn sie nicht hier sind, wo sind sie dann?*, fragte er sich. Er suchte erneut und bemerkte etwas, das ihm bis dahin entgangen war: eine Blume. Ein Enzian blühte keinen Steinwurf entfernt, wo allem Anschein nach nur massiver Fels war. *Wie bekommt sie nur genug Licht zum Leben?*

Saphira beantwortete die Frage, als sie sich ein Stück weiter rechts auf einem zerbrochenen Felsbrocken niederlassen wollte. Dabei geriet sie einen Moment lang aus dem Gleichgewicht und breitete, um Halt zu finden, die Flügel aus. Doch statt gegen die Felswand zu stoßen, tauchte die rechte Flügelspitze kurz in den Fels ein.

Saphira, hast du das gesehen!?

Ja.

Sie reckte den Hals vor und streckte die Schnauze dem Felsen entgegen, hielt jedoch einen Fingerbreit davor inne – als erwarte sie, dass gleich eine Falle zuschnappen würde –, dann führte sie die Bewegung vorsichtig fort. Schuppe um Schuppe verschwand Saphiras Kopf jetzt im Helgrind, bis Eragon von ihr nur noch Rumpf und Flügel sah.

Es ist ein Trick!, rief Saphira.

Mit einem mächtigen Satz schnellte sie vorwärts und sprang in den Fels hinein. Eragon musste sich gewaltig zusammennehmen, um nicht in einem Schutzreflex die Hände vors Gesicht zu reißen, als die Granitwand auf ihn zugesaust kam.

Im nächsten Moment fand er sich in einem breiten Gewölbe wieder, durchflutet vom morgendlichen Sonnenschein. Saphiras Schuppen brachen das Licht und warfen Tausende von flimmernden Farbreflexen auf den Fels. Eragon wandte sich um und sah, dass es hinter ihnen keine Wand gab, nur den Höhleneingang und einen ungehinderten Blick auf die Landschaft draußen.

Eragon verzog missmutig das Gesicht. Er hatte nicht bedacht, dass Galbatorix den Unterschlupf der Ra'zac mit Magie versteckt haben könnte. *Ich Trottel! Ich muss wirklich besser aufpassen,* dachte er. Den König zu unterschätzen, war ein sicherer Weg, sie alle ins Grab zu bringen.

Roran fluchte. »Bevor du so was noch mal machst, warnst du mich gefälligst!«

Eragon beugte sich vor und löste die Beinschnallen, behielt dabei aber ihre Umgebung im Auge, auf jede Gefahr gefasst.

Der Höhleneingang bildete ein unregelmäßiges Oval, vielleicht fünfzig Fuß hoch und sechzig Fuß breit. Von dort aus weitete sich die Höhle etwa auf die doppelte Größe, bevor sie einen halben Bogenschuss entfernt an einem Haufen dicker Steinplatten endete, die gefährlich schräg aneinanderlehnten. Ein Geflecht aus pudergrauen Kratzspuren verunstaltete den Boden, ein Zeichen dafür, wie oft die Lethrblaka hier gelandet, gestartet und herumgelaufen waren. Geheimnisvollen Schlüssellöchern gleich, durchbohrten fünf niedrige Tunneleingänge die Seiten, außerdem gab es einen bogenförmigen Durchgang, der hoch genug für Saphira war.

Eragon überprüfte vorsichtig die Gänge, die jedoch stockfinster waren und verlassen schienen, was einige schnelle Vorstöße seines Geistes bestätigten. Sonderbares abgehacktes Gemurmel hallte aus dem Innern des Helgrind wider, ein Hinweis auf unbekannte *Dinge,* die in der Dunkelheit umherhuschten, dazu das endlose Tropfen des Wassers. Zu diesem Flüsterchor gesellte sich das gleichmäßige Geräusch von Saphiras Atemzügen, das in der leeren Höhle besonders laut klang.

Am auffälligsten jedoch waren die Gerüche, die in der Luft lagen. Vor allem roch es nach kaltem Stein, außerdem nahm Eragon einen Hauch von Feuchtigkeit und Schimmel wahr und noch etwas viel Schlimmeres: den widerlich süßen Gestank verfaulten Fleisches.

Eragon öffnete den letzten Lederriemen und schwang das rechte Bein über Saphiras Rücken, sodass er nun seitwärts im Sattel saß und hinabspringen konnte. Roran tat dasselbe auf der anderen Seite.

Bevor er sich abstieß, hörte Eragon unter den vielen Geräuschen, die sein Ohr reizten, eine Folge simultaner Schnalzlaute heraus. Es klang, als schlüge jemand mit mehreren Hämmern gleichzeitig gegen den Fels. Im nächsten Moment wiederholte sich das Geräusch. Er blickte in die Richtung, aus der es gekommen war, Saphira ebenfalls.

Eine riesige gekrümmte Gestalt kam aus dem bogenförmigen Durchgang herausgeschossen. Hervorquellende schwarze, randlose Augen. Ein sieben Fuß langer Schnabel. Fledermausartige Flügel. Der Rumpf nackt und unbehaart, vollbepackt mit Muskeln. Und Krallen wie Eisennägel.

Saphira sprang zur Seite, versuchte, dem Lethrblaka auszuweichen, doch es gelang ihr nicht. Das Flugross krachte – so kam es Eragon vor – mit der Kraft und Gewalt einer Lawine in ihre rechte Seite.

Was als Nächstes geschah, bekam er nicht mit, denn er wurde in hohem Bogen durch die Luft geschleudert, ohne auch nur einen halbwegs klaren Gedanken im durchgeschüttelten Gehirn zu haben. Sein Blindflug endete genauso abrupt, wie er begonnen hatte, als etwas Hartes, Flaches gegen seinen Rücken stieß, ihn zu Boden warf und er mit dem Kopf aufschlug. Der Aufprall presste Eragon die verbliebene Atemluft aus der Lunge. Er lag gekrümmt auf der Seite, keuchte benommen und versuchte, die Kontrolle über seine ihm nicht mehr gehorchenden Gliedmaßen zurückzugewinnen.

Eragon!, schrie Saphira.

Wie sonst nichts anderes auf der Welt verlieh die Besorgnis in ihrer Stimme ihm neue Kraft. Er spürte, wie das Gefühl in seine Arme und Beine zurückkehrte. Er packte den Stab, der neben ihm zu Boden gefallen war, stieß die Eisenspitze in einen Riss im Gestein und zog sich am Holz hoch. Er schwankte. Ein Schwarm dunkelroter Funken tanzte ihm vor den Augen.

Die Lage war so chaotisch, dass er nicht wusste, wo er zuerst hinschauen sollte.

Saphira und das Lethrblaka wälzten sich auf dem Boden, traten, schlugen und bissen sich gegenseitig mit einer Kraft, die ausgereicht hätte, den Fels unter ihnen zu zermalmen. Der Kampfeslärm musste ohrenbetäubend sein, aber für Eragon rangen sie völlig lautlos miteinander: Er hörte nichts mehr. Doch er spürte die Vibrationen in den Fußsohlen, während die gewaltigen Geschöpfe hin und her sprangen und jeden in ihrer Nähe zu zerquetschen drohten.

Aus Saphiras Maul schoss ein bläulicher Feuerstrahl und tauchte die linke Kopfseite des Lethrblaka in ein Flammenmeer, das heiß genug war, um Stahl zum Schmelzen zu bringen. Die Flammen glitten über das Lethrblaka hinweg, ohne es zu verletzen. Unbeirrt hackte das Ungetüm mit seinem Schnabel nach Saphiras Hals und zwang sie so dazu, den Feuerstrahl einzustellen und sich zu schützen.

Das zweite Lethrblaka kam pfeilschnell aus dem bogenförmigen Durchgang geschossen und rammte Saphiras Flanke. Aus dem aufgerissenen Schnabel kam ein grauenvolles Kreischen, das Eragons Kopfhaut kribbeln ließ. Sein Magen krampfte sich zu einem eisigen Klumpen der Angst zusammen. Er knurrte vor Unbehagen; *das* konnte er hören.

Die beiden Flugrösser verströmten einen überwältigenden Gestank wie mehrere Pfund Fleisch, die man in ein Fass mit Jauche geworfen und im Hochsommer eine Woche lang in der Sonne hatte stehen lassen.

Eragon schlug sich die Hand vor den Mund, als der Brechreiz ihn zu überwältigen drohte. Er versuchte, sich auf etwas anderes zu konzentrieren.

Einige Schritte entfernt lag Roran verrenkt an der Höhlenwand, wo auch er gelandet war. Noch während Eragon ihn musterte, hob sein Cousin einen Arm und rappelte sich mühsam hoch, kam erst auf alle viere, dann auf die Beine. Sein Blick war glasig und er torkelte wie ein Betrunkener.

Hinter Roran traten die beiden Ra'zac aus einem der Tunnel. Sie hielten lange altertümliche Schwerter in den unförmigen Händen. Anders als ihre Eltern hatten die Scheusale etwa die Größe und Gestalt von Menschen. Pechschwarze Chitinpanzer umhüllten sie von oben bis unten, doch davon sah man kaum etwas, da sie selbst im Helgrind ihre dunklen Umhänge trugen.

Sie kamen in beängstigendem Tempo näher. Ihre Bewegungen waren eckig und ruckartig wie die von Insekten.

Trotzdem konnte Eragon sie und die Lethrblaka nicht spüren. *Sind sie etwa auch nur Trugbilder?*, fragte er sich. Nein, das war Unsinn. Das Fleisch, in das Saphira ihre Klauen schlug, war real. Ihm fiel eine andere Erklärung ein: Vielleicht war es einfach *unmöglich,* ihre Präsenz wahrzunehmen. Vielleicht hatten die Ra'zac die Fähigkeit, sich vor ihrer Beute, vor dem menschlichen Geist, zu verbergen, so wie Spinnen sich vor Fliegen verbargen. Dann verstand er jetzt endlich, warum sie für Galbatorix so erfolgreich Jagd auf Magier und Drachenreiter machen konnten, obwohl sie selbst nicht über Magie geboten.

Verdammt! Eragon hätte sich am liebsten eine ganze Liste blumiger Verwünschungen ausgedacht, aber es war an der Zeit zu handeln, statt ihr Pech zu verfluchen. Brom hatte behauptet, die Ra'zac seien ihm bei Tageslicht nicht gewachsen. Das mochte gestimmt haben, denn Brom hatte viele Jahrzehnte Zeit gehabt, sich machtvolle Zauber gegen die Finsterlinge auszudenken. Aber Eragon wusste, dass er, Roran und Saphira ohne das Überraschungsmoment auf ihrer Seite große Mühe haben würden, mit heiler Haut davonzukommen, ganz zu schweigen davon, auch noch Katrina zu befreien.

Die rechte Hand über den Kopf erhoben, rief Eragon: *»Brisingr!«*, und ließ einen lodernden Feuerball auf die Ra'zac zuschießen. Sie wichen dem Geschoss aus, es fiel zu Boden und löste sich nach wenigen Momenten auf. Der Zauber war dumm und kindisch gewesen und ohne jede Wirkung, falls Galbatorix die Ra'zac genauso vor Feuer geschützt hatte wie die Flugrösser. Trotzdem verschaffte der Angriff Eragon eine immense Genugtuung. Außerdem waren die Ra'zac lange genug abgelenkt, sodass Eragon zu Roran stürmen und sich mit seinem Cousin Rücken an Rücken aufstellen konnte.

»Halt sie uns eine Weile vom Leib!«, brüllte er und hoffte, dass Roran ihn verstand. Offenbar begriff der, was Eragon meinte, denn er ging hinter seinem Schild in Deckung und hob kampfbereit den Hammer.

Die Lethrblaka führten ihre Angriffe mit entsetzlicher Wucht und hatten bereits die Schutzzauber durchbrochen, die Eragon um Saphira gelegt hatte. Dadurch war es den Flugrössern gelungen, ihr an den Oberschenkeln eine Reihe von langen Schrammen beizubringen und ihr dreimal die Schnäbel ins Fleisch zu schlagen. Diese Verletzungen waren klein, aber tief und schmerzhaft.

Im Gegenzug hatte Saphira einem der Lethrblaka den Brustkorb aufgerissen und dem anderen drei Fuß seines Schwanzes abgebissen. Zu Eragons Erstaunen war das Blut der Flugrösser von einem metallischen Blaugrün, was an die Farbe des Belags erinnerte, der sich auf altem Kupfer bildet.

Im Moment hielten die Ungetüme Abstand zu Saphira und umkreisten sie. Doch immer wieder stürzten sie kurz vor und schnappten nach ihr, um sie in Schach zu halten. Offenbar warteten sie darauf, dass der Drache müde wurde und sie ihn dann mit einem gezielten Biss töten konnten.

Im offenen Kampf hatte Saphira aufgrund ihrer Schuppen gewisse Vorteile – sie waren härter und widerstandsfähiger als die graue Haut der Flugrösser. Auch waren ihre Zähne auf kurze Distanz tödlicher als deren Schnäbel. Trotzdem fiel es ihr schwer, sich die beiden gleichzeitig vom Leib zu halten, denn wegen der niedrigen Decke konnte sie nicht springen und herumfliegen, um ihre Gegner auszumanövrieren. Eragon fürchtete, dass sie selbst im Falle eines Sieges schwere Verletzungen davontragen würde.

Er atmete tief ein und wirkte einen einzigen Zauber, der alle zwölf Tötungstechniken umfasste, die Oromis ihm beigebracht hatte. Er achtete darauf, die Beschwörung als eine Abfolge mehrerer einzelner Schritte zu formulieren, damit er den Fluss der Magie sofort unterbrechen konnte, falls Galbatorix' dunkle Kunst seinen Plan vereiteln sollte. Andernfalls würde sein Zauber ihm die Lebenskraft entziehen, bis er daran starb.

Es war gut, dass er diese Vorsichtsmaßnahme ergriffen hatte. Sobald er die Magie entfesselte, spürte Eragon, dass sie keine Wirkung auf die Lethrblaka hatte, und brach den Angriff ab. Er hatte ohnehin nicht erwartet, mit den traditionellen Todesworten etwas zu erreichen, aber er hatte es versuchen müssen, für den Fall, dass Galbatorix achtlos oder unwissend gewesen war, als er die Flugrösser und ihre Sprösslinge mit Schutzzaubern belegte.

Hinter ihm brüllte Roran: »Ahh!« Im nächsten Moment traf eine Klinge seinen Schild, gefolgt von dem Klirren zerreißender Ketten sowie einem glockenartigen Dröhnen, als ein zweites Schwert von Rorans Helm abprallte.

Eragon wurde bewusst, dass er allmählich wieder etwas hörte.

Die Ra'zac schlugen wieder und wieder zu, doch jedes Mal glitten ihre Waffen an Rorans Rüstung ab oder verfehlten sein Gesicht und die Gliedmaßen um Haaresbreite, ganz gleich wie schnell sie ihre Klingen schwangen. Roran war zu langsam, um die Schläge zu parieren, aber trotzdem konnten sie ihn nicht verletzen. Sie fauchten frustriert und stießen einen steten Strom von Schmähungen aus. Ihre abgehackten Zischlaute ließen das Ganze noch widerwärtiger klingen, als es ohnehin war.

Eragon lächelte. Der Kokon aus schützender Magie, den er um Roran gewebt hatte, erfüllte seine Aufgabe. Er hoffte, das unsichtbare Energienetz würde halten, bis er eine Möglichkeit gefunden hatte, die Lethrblaka auszuschalten.

Alles erbebte und wurde grau um Eragon, als die beiden Flugrösser gleichzeitig loskreischten. Kurz verließ ihn seine Entschlossenheit und er stand wie gelähmt da. Dann sammelte er sich wieder und schüttelte sich wie ein Hund, streifte den verderblichen Einfluss ab. Das Gekreische erinnerte ihn an das schmerzerfüllte Schreien zweier kleiner Kinder.

Dann begann Eragon, in der alten Sprache zu singen, und zwar so schnell er konnte, ohne sich zu versprechen. Jede der unzähligen Zeilen, die er herunterratterte, besaß das Potenzial, augenblicklich den Tod herbeizuführen, und jeder dieser Tode war einzigartig unter seinesgleichen. Während seines improvisierten Monologs fing Saphira sich an der linken Flanke eine weitere Schramme ein. Im Gegenzug brach sie dem Angreifer einen Flügel und zerfetzte ihm mit den Klauen die dünne Flügelhaut. Eine Reihe von heftigen Stößen übertrug sich von Rorans Rücken auf Eragon, während die Ra'zac eine blitzartige Folge von Schwerthieben führten. Der Größere der beiden kämpfte sich um Roran herum, um Eragon direkt zu attackieren.

Dann ertönte inmitten des Krachens von Stahl auf Stahl, von Stahl auf Holz und von Klauen auf Stein das Ratschen einer Klinge, die durch ein Kettenhemd schnitt, gefolgt von einem schmatzenden Knirschen. Roran schrie auf, und Eragon spürte, wie ihm Blut aufs rechte Wadenbein spritzte.

Aus dem Augenwinkel sah Eragon, wie einer der buckligen Finsterlinge mit gestrecktem Schwert auf ihn zugesprungen kam, um ihn damit aufzuspießen. Die Welt schien sich um die schmale Klingenspitze zusammenzuziehen; sie glitzerte wie ein Kristall, jeder Kratzer ein Quecksilberfaden im Licht des anbrechenden Tages.

Eragon blieb nur noch Zeit für einen einzigen Zauber, bevor er den Ra'zac daran hindern musste, ihm die blattförmige Klinge in den Leib zu rammen. Verzweifelt brach er den Kampf gegen die Lethrblaka ab und rief stattdessen schnell: *»Garjzla letta!«*

Es war ein grober, hastig formulierter Zauber, doch er funktionierte. Die Glupschaugen des Flugrosses mit dem gebrochenen Flügel verwandelten sich in zwei halbkugelförmige Spiegel, als Eragons Magie das Licht zurückwarf, das normalerweise in die Pupillen des Lethrblaka eingeströmt wäre. Plötzlich erblindet, geriet das Ungetüm ins Taumeln, während es ziellos auf die Luft eindrosch, in dem vergeblichen Versuch, Saphira zu treffen.

Mit dem Rotdornstab wehrte Eragon das Schwert des heranspringenden Ra'zac ab, als die Klingenspitze nur noch einen Fingerbreit von seinen Rippen entfernt war. Der Ra'zac landete vor ihm und reckte den Hals vor. Eragon sprang zurück, als unter der Kapuze seines Gegners ein kurzer, dicker Schnabel herausschoss. Dicht vor seinem rechten Auge schnappte der aus Chitin bestehende Fortsatz zu. Nebenbei registrierte Eragon, dass die Zunge des Ra'zac pelzig und purpurfarben war und sich krümmte wie eine kopflose Schlange.

Beide Hände um die Mitte des Stabes gelegt, rammte Eragon dem Ra'zac ein Ende in die Brust und stieß das Scheusal mehrere Schritte zurück. Es fiel auf Hände und Knie. Eragon drehte sich vor Roran, dessen linke Seite blutüberströmt war, und parierte den heransausenden Schwertstreich des anderen Ra'zac. Dann sprang er in einer flüssigen Bewegung auf ihn zu und rammte ihm das Stabende in den Bauch.

Hätte Eragon Zar'roc geführt, hätte er den Ra'zac mit diesem Stoß getötet. So aber knackte nur etwas in dem Wesen und es rutschte ein Stück über den Boden. Es sprang sofort wieder auf und hinterließ einen bläulichen Blutfleck auf dem unebenen Fels.

Ich brauche ein Schwert, dachte Eragon.

Er baute sich breitbeinig auf, als die beiden Ra'zac auf ihn zukamen. Ihm blieb nichts anderes übrig, als sich dem Angriff zu stellen. Zwischen den buckligen Aaskrähen und Roran gab es nur noch ihn. Er begann, den Zauberspruch zu murmeln, der sich gegen die Lethrblaka als wirksam erwiesen hatte, aber bevor er auch nur eine einzige Silbe zu Ende brachte, sausten die Klingen der Ra'zac heran.

Sie prallten mit einem dumpfen Ton gegen den Rotdornstab, hinterließen aber nicht die geringste Kerbe in dem verzauberten Holz.

Links, rechts, rauf, runter. Eragon dachte nicht nach. Er agierte und reagierte, während er sich einen wilden Schlagabtausch mit den Ra'zac lieferte. Der Stab war ideal, um gleichzeitig gegen mehrere Gegner zu kämpfen, da man mit beiden Enden zuschlagen und abblocken konnte. Dieser Umstand war Eragon nun von Nutzen. Sein Atem ging stoßweise. Schweiß rann ihm über die Stirn und sammelte sich in den Augenwinkeln, auch am Rücken und in den Achselhöhlen lief ihm der Schweiß in Strömen. Der rote Schleier der Schlacht trübte seine Sicht und pulsierte im Gleichtakt mit seinem Herzschlag.

Nie fühlte er sich so lebendig und konzentriert wie im Kampf.

Eragons eigene Schutzzauber waren dürftig. Da er den Großteil seiner Energie auf Saphira und Roran verwendet hatte, begann Eragons magischer Verteidigungswall bald, zu bröckeln, und der kleinere Ra'zac verletzte ihn seitlich am Knie. Die Wunde war nicht lebensbedrohlich, aber trotzdem ernst, denn das linke Bein trug nun nicht mehr sein volles Gewicht.

Die Eisenspitze gepackt, schwang Eragon den Stab wie eine Keule und hieb sie einem der Ra'zac auf den Kopf. Das Scheusal brach zusammen, aber ob es tot war oder nur bewusstlos, konnte Eragon nicht sagen. Er wandte sich dem verbliebenen Ra'zac zu, drosch auf dessen Arme und Schultern ein und schlug ihm mit einer plötzlich Drehbewegung das Schwert aus der Hand.

Bevor Eragon den Ra'zac erledigen konnte, flog der blinde Lethrblaka mit dem gebrochenen Flügel quer durch die Höhle und prallte gegen die Höhlenwand, worauf ein Steinhagel von der Decke prasselte. Der Lärm war so ohrenbetäubend, dass Eragon, Roran und der Ra'zac instinktiv zusammenzuckten und herumfuhren.

Saphira sprang dem verkrüppelten Flugross, dem sie soeben einen Tritt verpasst hatte, hinterher und grub dem Geschöpf die Zähne in den sehnigen Nacken. Mit letzter Kraft schlug das Lethrblaka noch einmal um sich, um freizukommen, dann warf Saphira den Kopf hin und her und brach dem Ross das Genick. Als sie von ihrem blutüberströmten Opfer abließ, erfüllte ihr martialisches Triumphgeschrei die Höhle.

Das verbliebene Lethrblaka zögerte keinen Augenblick. Es rammte Saphira, grub ihr die Klauen unter die Schuppen und zerrte sie zu Boden. Gemeinsam rollten sie auf den Felsvorsprung am Höhleneingang zu, schwankten dort einen Moment und stürzten dann nacheinander in die Tiefe. Es war eine kluge Taktik, denn so gelangte das Lethrblaka außer Reichweite von Eragons Magie. Denn gegen etwas, das er nicht wahrnahm, konnte er nur schwer einen Zauber wirken.

Saphira!, rief Eragon.

Kümmere dich um dich selbst. Der Kerl entkommt mir nicht.

Alarmiert wirbelte Eragon herum, gerade noch rechtzeitig, um die beiden Ra'zac in einen der Tunnel davonhuschen zu sehen; der kleinere stützte den größeren. Mit geschlossenen Augen lokalisierte Eragon das Versteck der Gefangenen im Helgrind und murmelte ein paar Worte in der alten Sprache, dann sagte er zu Roran: »Ich habe Katrinas Zelle versperrt, damit die Ra'zac sie nicht als Geisel nehmen können. Jetzt können nur du und ich die Tür öffnen.«

»Gut«, sagte Roran mit zusammengebissenen Zähnen. »Kannst du gegen das hier auch etwas tun?« Mit dem Kinn deutete er auf die Stelle, auf die er die rechte Hand presste. Blut quoll zwischen seinen Fingern hervor. Eragon untersuchte die Wunde. Sobald er sie berührte, zuckte Roran zusammen und wich zurück.

»Du hast Glück«, sagte Eragon. »Die Klinge ist an einer Rippe abgeprallt.« Eine Hand auf die Verletzung und die andere auf die zwölf Diamanten in Beloths Gürtel gelegt, den er um die Taille trug, gebrauchte Eragon die in den Edelsteinen gespeicherte Energie. *»Waíse heill!«* Wellen wanderten über Rorans Seite, während die Magie den Muskel und die Haut wieder zusammenwachsen ließ.

Danach heilte Eragon den Schnitt an seinem Knie.

Als er fertig war, blickte er in die Richtung, wo Saphira verschwunden war. Die Verbindung zwischen ihnen wurde schwächer, während sie dem Lethrblaka zum Leona-See hinterherjagte. Er hätte ihr zu gerne geholfen, aber er wusste, dass sie für den Augenblick ohne ihn zurechtkommen musste.

»Beeil dich«, sagte Roran. »Die Kerle entwischen uns!«

»Ich komme.«

Mit erhobenem Rotdornstab näherte Eragon sich dem unbeleuchteten Tunnel. Dabei ließ er den Blick von einem Felsvorsprung zum nächsten wandern, stets darauf gefasst, dass die Ra'zac hinter einem davon hervorspringen könnten. Er bewegte sich langsam in den Tunnel, damit seine Schritte nicht von den Wänden widerhallten. Als er sich kurz an einem Felsen abstützte, bemerkte er, wie glitschig er war.

Nach zwanzig Schritten waren sie von der Haupthöhle durch mehrere Biegungen getrennt, sodass sie tiefe Finsternis umfing, in der selbst Eragon nichts mehr erkennen konnte.

»Du magst ja im Dunkeln kämpfen können, ich nicht«, flüsterte Roran.

»Wenn ich Licht mache, werden die Ra'zac sich nicht in unsere Nähe wagen. Nicht wenn ich jetzt einen wirksamen Zauber gegen sie habe. Sie würden sich einfach verstecken, bis wir verschwunden sind. Wir müssen sie töten, solange wir die Gelegenheit dazu haben.«

»Was soll ich denn jetzt machen? Ich werde eher gegen eine Wand rennen und mir die Nase brechen, als dass ich diese Scheusale finde. Sie könnten sich von hinten anschleichen und uns niederstechen.«

»Schhh… Halt dich an meinem Gürtel fest, folge mir und sei bereit, dich zu ducken.«

Eragon konnte nichts sehen, aber immer noch hören, riechen,

spüren und schmecken. Das vermittelte ihm eine Ahnung davon, was vor ihnen lag. Die größte Gefahr bestand darin, dass die Ra'zac sie aus der Ferne angriffen, vielleicht mit einem Bogen. Aber er vertraute darauf, dass seine Reflexe schnell genug waren, um Roran und sich selbst vor einem heransausenden Pfeil zu retten.

Ein Luftstrom kitzelte Eragons Haut, verschwand und kam dann aus der entgegengesetzten Richtung, während der von außen einfallende Druck zu- und wieder abnahm. Das Phänomen wiederholte sich in unregelmäßigen Abständen und schuf Luftwirbel, die ihn wie Sprühwolken aufgewühlten Wassers streiften.

Seine und Rorans Atemzüge waren laut und rau im Vergleich zu den sonderbaren Klängen, die durch den Tunnel heranwehten. Eragon hörte, wie irgendwo im Gewirr der umliegenden Gänge ein Stein klackernd herabfiel und wie Tropfen kondensierten Wassers regelmäßig auf der Oberfläche eines unterirdischen Sees aufschlugen. Und natürlich registrierte er, wie der feine Kies unter seinen Stiefelsohlen knirschte.

Irgendwo weit vor ihnen ertönte ein lang gezogenes, unheimliches Wimmern.

Keiner der Gerüche war neu: Blut, Feuchtigkeit und Moder.

Schritt für Schritt führte Eragon sie tiefer ins Innere des Helgrind. Der Tunnel fiel nun steil ab und teilte sich immer wieder, sodass Eragon sich hoffnungslos verlaufen hätte, wäre da nicht Katrinas Geist als Orientierungspunkt gewesen. Als er einmal mit dem Kopf an die niedrige Decke stieß, überkam ihn ein kurzer Anflug von Klaustrophobie.

Ich bin zurück, verkündete Saphira, als Eragon den Fuß gerade auf eine grob aus dem Fels geschlagene Stufe setzte. Er hielt inne. Sie hatte keine weiteren Verletzungen erlitten, was ihn überaus erleichterte.

Und das Lethrblaka?

Es treibt mit dem Bauch nach oben im Leona-See. Ich fürchte, einige Fischer haben unseren Kampf beobachtet. Sie ruderten in Richtung Dras-Leona, als ich sie zuletzt sah.

Nun, das lässt sich nicht ändern. Sieh zu, was du in dem Tunnel findest, aus dem die Lethrblaka herauskamen. Und halte Ausschau nach den Ra'zac. Kann sein, dass sie versuchen, an uns vorbeizuschlüpfen und aus dem Helgrind durch den Eingang zu flüchten, durch den wir reingekommen sind.

Wahrscheinlich haben sie irgendwo am Fuß des Berges ein Schlupfloch.

Wahrscheinlich, aber ich glaube nicht, dass sie so schnell das Weite suchen.

Nachdem es schien, als wären sie seit über einer Stunde in völliger Dunkelheit unterwegs – wenngleich Eragon wusste, dass es nicht mehr als zehn oder fünfzehn Minuten gewesen sein konnten –, und sie mehr als hundert Fuß im Helgrind abgestiegen waren, blieb Eragon auf einem ebenen Wegabschnitt stehen. Er übertrug Roran seine Gedanken: *Katrinas Zelle liegt ungefähr fünfzig Schritte rechts von uns.*

Wir dürfen sie erst befreien, wenn die Ra'zac tot oder verschwunden sind. Das Risiko ist sonst zu hoch.

Was, wenn sie sich erst zeigen, wenn wir Katrina befreien? Aus irgendeinem Grund kann ich die Kerle nicht spüren. Hier drinnen könnten sie sich bis in alle Ewigkeit vor mir verbergen. Warten wir also wer weiß wie lange oder retten wir Katrina, solange wir die Gelegenheit dazu haben? Ich kann sie mit einigen Zaubern belegen, die sie vor den meisten Angriffen schützen.

Roran überlegte einen Augenblick. *Na gut, holen wir sie raus.*

Sie gingen weiter, tasteten sich durch den niedrigen Gang mit dem rauen, unbehauenen Boden. Eragon musste höllisch aufpassen, um nicht zu stolpern. Daher wären ihm beinahe das Kleiderrascheln und das leise Zischeln entgangen, das von rechts an sein Ohr drang.

Er drückte sich an die Wand, schob Roran zurück. Im selben Moment rauschte etwas Spitzes haarscharf an seinem Gesicht vorbei und ritzte ihm eine Scharte in die rechte Wange. Der Kratzer brannte wie Säure.

»Kveykva!«, rief Eragon.

Rotes Licht erstrahlte hell wie die Mittagssonne. Es hatte keine Quelle und beleuchtete alles gleichmäßig ohne Schatten, sodass die Dinge seltsam flach erschienen. Die plötzliche Helligkeit blendete Eragon, aber mehr noch blendete sie den Ra'zac vor ihm. Das Wesen ließ den Bogen fallen, schlug die Hände vor seine hässliche Insektenfratze und stieß ein hohes, schrilles Kreischen aus. Ein zweites Kreischen verriet Eragon, dass der andere Ra'zac hinter ihnen stand.

Roran!

Eragon fuhr herum und sah Roran mit erhobenem Hammer auf den Ra'zac zustürmen. Das orientierungslose Ungeheuer taumelte zurück, war aber zu langsam. Der Hammer sauste herab. »Das ist für meinen Vater!«, brüllte Roran. Er schlug erneut zu. »Das ist für unser Zuhause!« Der Ra'zac war schon tot, aber Roran hob abermals den Hammer. »Und das ist für Carvahall!« Sein letzter Schlag zertrümmerte den Panzer des Ra'zac wie die Schale eines eingetrockneten Kürbisses. Im grellen rubinroten Lichtschein schimmerte die sich ausbreitende Blutlache purpurfarben.

In Erwartung eines heranfliegenden Pfeils oder Schwertes packte Eragon seinen Stab und fuhr zu dem verbliebenen Ra'zac herum. Der Tunnel war leer. Er fluchte.

Eragon trat zu der verrenkten Gestalt am Boden. Er hob den Stab und ließ ihn auf den Brustkorb des toten Ra'zac krachen.

»Darauf habe ich lange gewartet«, sagte Eragon.

»Genau wie ich.«

Er und Roran sahen sich an.

»Aahh!«, schrie Eragon und fasste sich an die immer stärker brennende Wange.

»Es wirft Blasen!«, rief Roran. »Tu etwas!«

Der Ra'zac muss die Pfeilspitze in Seithr-Öl getaucht haben, überlegte Eragon. Er entsann sich seiner Ausbildung und reinigte die Wunde und das umliegende Gewebe mit einer Beschwörung. Danach heilte er die Wunde. Er machte den Mund ein paarmal auf und zu, um zu prüfen, ob seine Gesichtsmuskeln funktionierten.

»Stell dir mal vor, wie es ohne magische Kräfte um uns stehen würde«, sagte er grimmig lächelnd.

»Ohne Magie müssten wir uns wegen Galbatorix keine Sorgen machen.«

Unterhalten könnt ihr euch später, schaltete Saphira sich ein. *Sobald diese Fischer Dras-Leona erreichen, könnte der König von einem der Magier in der Stadt von unserer Anwesenheit erfahren. Und wir wollen doch nicht, dass Galbatorix den Helgrind mit der Traumsicht ins Visier nimmt, solange wir noch hier sind.*

Ja, ja, sagte Eragon. Er ließ das allgegenwärtige grellrote Glühen verlöschen und schuf mit den Worten *»Brisingr raudhr«* ein Werlicht, ganz so wie am Vorabend, nur dass die Lichtkugel diesmal unter der Decke hängen blieb, statt Eragons Bewegungen zu folgen.

Nachdem er den Tunnel nun genauer in Augenschein nehmen konnte, erkannte Eragon in dem steinernen Gang zu beiden Seiten rund zwanzig eisenbeschlagene Türen. Er deutete nach vorne. »Die Neunte auf der rechten Seite. Geh du Katrina holen. Ich überprüfe die anderen Zellen. Vielleicht haben die Ra'zac darin etwas Interessantes zurückgelassen.«

Roran nickte. Er hockte sich neben die Leiche zu seinen Füßen und durchsuchte sie nach einem Schlüsselbund, fand aber keinen. Er zuckte mit den Schultern. »Dann mache ich es eben auf die grobe Tour.« Er rannte zu der angegebenen Tür, stellte den Schild ab und hob den Hammer. Jeder Schlag erzeugte ein gewaltiges Donnern.

Eragon bot ihm keine Hilfe an. Sein Cousin verzichtete im Moment sicher gerne auf seine Unterstützung, außerdem hatte Eragon etwas anderes zu tun. Er ging zur ersten Zelle, flüsterte drei Worte und öffnete, nachdem das Schloss aufgesprungen war, die Tür. In dem kleinen Raum lagen nur eine schwarze Eisenkette und ein Haufen verrotteter Knochen. Etwas anderes vorzufinden, hatte

Eragon auch nicht erwartet. Er wusste längst, in welcher Zelle die gesuchte Person sich befand, aber er spielte weiter den Unwissenden, um bei Roran keinen Verdacht zu erwecken.

Zwei weitere Türen öffneten und schlossen sich unter Eragons Berührung. Dann schwang die vierte Zellentür auf. Das rötliche Schimmern des Werlichts fiel in den kleinen Raum und genau auf den Mann, den Eragon am allerwenigsten sehen wollte: Sloan.

Getrennte Wege

Der Metzger hockte zusammengesunken an der linken Zellenwand, beide Arme an einen Eisenring über seinem Kopf gekettet. Die zerlumpten Kleider bedeckten nur notdürftig den bleichen, ausgezehrten Leib. Die Knochen zeichneten sich spitz unter der durchscheinenden Haut ab und die Venen traten bläulich hervor. Die Fesseln hatten die Handgelenke aufgescheuert und aus den Wunden sickerte ein Gemisch aus klarer Flüssigkeit und Blut. Was von seinem Haar noch übrig war, hatte sich grau oder weiß verfärbt und hing ihm in dünnen, fettigen Strähnen über das pockennarbige Gesicht.

Aufgeschreckt von Rorans Hammerschlägen, hob Sloan das Kinn zum Licht und fragte mit zitternder Stimme: »Wer ist da?« Die Haarsträhnen teilten sich und entblößten tief in den Schädel eingesunkene Augenhöhlen. Wo die Augenlider hätten sein sollen, hingen nur noch ein paar Hautfetzen. Der Bereich drumherum war verschorft und entzündet.

Mit Entsetzen wurde Eragon klar, dass die Ra'zac Sloan die Augen ausgestochen hatten.

Er war unschlüssig, was er nun tun sollte. Der Metzger hatte den Ra'zac von Saphiras Ei erzählt. Außerdem hatte er den Wachmann Byrd umgebracht und Carvahall dem Imperium ausgeliefert. Wenn er ihn zu den Dorfbewohnern zurückbrachte, würden sie Sloan zweifellos für schuldig befinden und hängen.

Es erschien Eragon nur gerecht, dass der Verräter für seine Verbrechen sterben sollte. Das war nicht der Grund für seine Zweifel.

Zu schaffen machte ihm vielmehr, dass Roran Katrina liebte und Katrina, was auch immer Sloan verbrochen haben mochte, noch eine gewisse Zuneigung für ihren Vater empfinden musste. Es wäre sicher nicht einfach für sie und letzten Endes auch nicht für Roran, mitanzusehen, wie Sloans Untaten öffentlich angeprangert würden und ein Richter ihn schließlich zum Tode durch den Strang verurteilte. So viel Elend konnte die beiden womöglich sogar entzweien. Wie auch immer, Eragon war überzeugt davon, dass durch die Rettung Sloans Unfrieden zwischen Roran, Katrina, ihm und den Dörflern entstehen und sie alle nur von ihrem gemeinsamen Kampf gegen das Reich ablenken würde.

Die einfachste Lösung wäre die Behauptung, ich hätte ihn tot in der Zelle gefunden ... Seine Lippen bebten, während ihm schon eines der Todesworte schwer auf der Zunge lag.

»Was wollt ihr noch?«, fragte Sloan und drehte den Kopf dabei von einer Seite zur andern, um besser zu hören. »Ich hab euch doch schon alles erzählt, was ich weiß!«

Eragon verfluchte sich für sein Zögern. Sloans Schuld stand außer Zweifel; er war ein Mörder und Verräter. Jedes Gericht würde ihn zum Tode verurteilen. Doch so zwingend diese Argumente auch sein mochten, es war Sloan, der sich da vor ihm im Staub wand, ein Mensch, den Eragon schon sein Leben lang kannte. Der Metzger mochte noch so verachtenswert sein, die Erinnerungen und Erlebnisse, die Eragon mit ihm teilte, riefen in dem jungen Drachenreiter ein Gefühl der Vertrautheit hervor, das seinem Gewissen zu schaffen machte. Sloan einfach niederzustrecken, war so, als würde er die Hand gegen Horst oder Loring oder irgendeinen der Ältesten von Carvahall erheben.

Erneut setzte Eragon an, das todbringende Wort auszusprechen.

Da erschien ein Bild vor seinem geistigen Auge: *Torkenbrand, der Sklavenhändler, auf den er und Murtagh während ihrer Flucht zu den Varden gestoßen waren; wie er im Staub kniete und Murtagh auf ihn zugegangen war und ihn enthauptet hatte.* Eragon erinnerte sich noch gut daran, wie ihn Murtaghs Brutalität angewidert und tagelang verfolgt hatte.

Habe ich mich inzwischen so verändert, fragte er sich, *dass auch ich zu so etwas fähig wäre? Wie Roran sagte, ich habe zwar getötet, aber nur in der Hitze der Schlacht … nie einfach so.*

Er blickte über die Schulter, als Roran den letzten Riegel von Katrinas Zellentür entzweischlug. Roran ließ den Hammer sinken und wollte die Tür eintreten, schien es sich dann aber anders zu überlegen und versuchte, die Tür aus den Angeln zu heben. Die Tür hob sich um einen Fingerbreit, dann verklemmte sie sich und schwankte in seinen Händen.

»Hilf mir hier mal!«, rief Roran. »Ich will nicht, dass sie Katrina erschlägt.«

Eragon sah wieder auf den elenden Metzger hinab. Er hatte keine Zeit mehr für sinnlose Grübeleien. Er musste sich entscheiden. Entweder oder, er musste handeln …

»Eragon!«

Ich weiß nicht, was richtig ist, erkannte er. Sein Gefühl sagte ihm, dass beides falsch war, sowohl Sloan zu töten als auch ihn zu den Varden zu bringen. Aber er hatte keine Ahnung, was er stattdessen tun sollte. Nur dass er einen dritten Weg finden musste, der weniger gewaltsam war und jetzt noch im Verborgenen lag.

Schließlich hob er die Hand, wie um Sloan zu segnen, und flüsterte: *»Slytha.«* Sloans Fesseln rasselten, als er in einen tiefen Schlaf sank. Sobald Eragon sicher war, dass der Zauber wirkte, verschloss er die Zellentür von außen und erneuerte seine Schutzzauber.

Was machst du da, Eragon?, fragte Saphira.

Warte, bis wir wieder zusammen sind. Dann erklär ich's dir.

Was denn erklären? Du hast doch gar keinen Plan.

Lass mir einen Moment Zeit, dann hab ich einen.

»Was war da drin?«, fragte Roran, als Eragon sich neben ihn stellte.

»Sloan.« Eragon griff nach der Tür zwischen ihnen. »Er ist tot.«

Roran riss die Augen auf. »Wie ist er denn gestorben?«

»Sieht aus, als hätten sie ihm das Genick gebrochen.«

Einen Moment lang befürchtete Eragon, Roran könnte ihm nicht glauben. Doch dann seufzte sein Cousin nur und sagte: »Ist wohl besser so, schätz ich. Fertig? Eins, zwei, drei …«

Gemeinsam hoben sie die massive Tür aus den Angeln und ließen sie in den Gang fallen. Die steinernen Wände warfen das Krachen, mit dem sie aufkam, doppelt und dreifach zurück. Roran stürmte augenblicklich in die Zelle, die von einer einzelnen Wachskerze erhellt wurde. Eragon folgte ihm.

Katrina kauerte am entlegenen Ende einer eisernen Pritsche. »Lasst mich in Ruhe, ihr zahnlosen Bastarde! Ich …« Sie verstummte bei Rorans Anblick. Ihr Gesicht war bleich und dreckverschmiert, und doch erblühte in diesem Augenblick ein Ausdruck solcher Verwunderung und Zärtlichkeit auf ihren Zügen, dass es Eragon vorkam, als hätte er nie im Leben eine schönere Frau gesehen.

Ohne den Blick von Roran zu wenden, stand Katrina auf und legte ihm die zitternde Hand an die Wange.

»Du bist gekommen.«

»Ich bin gekommen.«

Mit einem glücklichen Schluchzer schlang er die Arme um sie und zog sie an sich. Eine Weile standen sie so da, versunken in ihrer Umarmung.

Dann wich er ein wenig zurück und küsste sie dreimal auf den Mund. Katrina zog die Nase kraus und rief: »Du hast dir ja einen Bart wachsen lassen!« Das kam bei allem, was sie hätte sagen können, so unerwartet – und sie hörte sich dabei so verblüfft und empört an –, dass Eragon lachen musste.

Jetzt erst schien Katrina ihn zu bemerken. Sie musterte ihn von oben bis unten, dann blieb ihr Blick an seinem Gesicht hängen, das sie mit offensichtlicher Verwirrung studierte. »Eragon? Bist du das?«

»Ja.«

»Er ist jetzt ein Drachenreiter«, sagte Roran.

»Ein Reiter? Du meinst …« Sie stockte. Die Ehrfurcht schien sie zu überwältigen. Sie sah Roran Hilfe suchend an und schmiegte sich noch enger an ihn, wobei sie vor Eragon zurückwich. Dann sagte sie zu Roran: »Wie habt ihr uns denn gefunden? Wer ist noch dabei?«

»Das erklär ich dir später. Wir müssen aus dem Helgrind raus, bevor das halbe Imperium hinter uns her ist.«

»Warte! Was ist mit meinem Vater? Habt ihr ihn gefunden?«

Roran warf Eragon einen Blick zu, dann sah er wieder Katrina an und sagte sanft: »Wir sind zu spät gekommen.«

Ein Schaudern fuhr ihr durch die Glieder. Sie schloss die Augen und eine einzelne Träne lief ihr die Wange hinab. »Dann hat es so sein sollen.«

Während sie miteinander sprachen, dachte Eragon fieberhaft darüber nach, was er mit Sloan machen sollte. Dabei verbarg er seine Überlegungen sorgfältig vor Saphira. Er wusste, sie wäre nicht einverstanden mit der Richtung, die seine Gedanken einschlugen. Ein abenteuerlicher Plan nahm in seinem Geist Gestalt an. Er war voller Risiken und Gefahren, aber unter den Umständen der einzig gangbare Weg.

Eragon schob seine Grübeleien beiseite und schritt zur Tat. Es gab viel zu tun und die Zeit war knapp. *»Jierda!«*, rief er und zeigte auf Katrinas Fußknöchel. In einem blauen Funkenregen zersprangen die Metallreifen in tausend Stücke. Katrina fuhr erschrocken zusammen.

»Magie …«, flüsterte sie.

»Ein einfacher Zauber.« Als Eragon ihr jedoch die Hand reichte, schreckte sie vor seiner Berührung zurück. »Katrina, ich muss sichergehen, dass Galbatorix oder einer seiner Magier dich nicht mit irgendwelchen tückischen Zaubern belegt oder dich gezwungen hat, etwas in der alten Sprache zu schwören.«

»In der alten –«

Roran fiel ihr ins Wort: »Eragon! Das kannst du machen, wenn wir das Lager aufgeschlagen haben. Wir müssen hier weg.«

»Nein.« Eragon machte eine energische Handbewegung. »Wir tun es jetzt.« Stirnrunzelnd trat Roran zur Seite und ließ seinen Cousin gewähren. »Sieh mir einfach in die Augen«, sagte Eragon zu Katrina und legte ihr die Hände auf die Schultern. Sie nickte und gehorchte ihm.

Es war das erste Mal, dass Eragon einen Grund hatte, die Zaubersprüche anzuwenden, die ihm Oromis beigebracht hatte, um das Werk eines anderen Magiers aufzuspüren. Er hatte Mühe, sich an jedes einzelne Wort aus den Schriftrollen in Ellesméra zu erinnern. Seine Gedächtnislücken waren so gravierend, dass er an drei verschiedenen Stellen auf Synonyme zurückgreifen musste, um die Beschwörung abzuschließen.

Eine ganze Weile schaute er in Katrinas schimmernde Augen und bildete mit den Lippen Formeln in der alten Sprache. Unterdessen forschte er im Gedächtnis der jungen Frau – mit ihrer Zustimmung – nach Anzeichen dafür, dass jemand sich an ihrem Geist zu schaffen gemacht hatte. Er ging dabei so behutsam vor wie möglich, im Gegensatz zu den Zwillingen, die am Tag seiner Ankunft in Farthen Dûr bei einer ähnlichen Prozedur in seinen Gedanken buchstäblich herumgewütet hatten.

Roran hielt in der Zwischenzeit Wache und schritt vor der offenen Tür auf und ab. Jede Sekunde, die verstrich, steigerte seine Nervosität. Er fuchtelte mit seinem Hammer herum und klopfte sich damit auf den Oberschenkel, als schlüge er den Takt eines Liedes.

Schließlich ließ Eragon von Katrina ab. »Das war's.«

»Was hast du gefunden?«, flüsterte sie und schlang sich die Arme um den Leib, während sie mit gerunzelter Stirn auf sein Urteil wartete. Stille erfüllte die Zelle, als Roran stehen blieb.

»Nur deine eigenen Gedanken. Du bist frei von schändlicher Magie.«

»Natürlich ist sie das«, grummelte Roran und nahm sie erneut in die Arme.

Gemeinsam verließen die drei die Zelle.

»Brisingr, iet tauthr«, sagte Eragon und winkte dem Werlicht zu, das noch immer unter der Decke des Ganges hing. Die glühende Kugel kam herangeschwebt, stoppte unmittelbar über seinem Kopf und folgte fortan wieder jeder seiner Bewegungen.

Eragon übernahm die Führung, als sie durch das Gewirr der Gänge zu der Höhle zurückeilten, in der sie angekommen waren. Während er über den glatten Felsboden trottete, hielt er Ausschau nach dem verbliebenen Ra'zac und wirkte gleichzeitig mehrere Schutzzauber für Katrina. Hinter sich hörte er sie und Roran ein paar kurze Sätze und einzelne Worte wechseln: »Ich liebe dich … Horst und die anderen sind in Sicherheit … Immer … Für dich … Ja … Ja … Ja … Ja.« Ihr gegenseitiges Vertrauen und ihre Zuneigung zueinander waren so offensichtlich, dass es Eragon einen wehmütigen Stich versetzte.

Als sie noch ungefähr zehn Schritte von der Höhle entfernt waren und ihnen helles Tageslicht entgegenströmte, löschte Eragon die magische Lichtkugel über seinem Kopf. Nur wenige Schritte weiter blieb Katrina plötzlich stehen, drückte sich an die Tunnelwand und schlug die Hände vors Gesicht. »Ich kann nicht. Es blendet so. Mir schmerzen die Augen.«

Roran trat rasch vor sie, um ihr Schatten zu geben. »Wann warst du das letzte Mal draußen?«

»Ich weiß nicht. …« Ein Anflug von Panik lag in ihrer Stimme. »Ich weiß nicht! Nicht seit sie mich hergebracht haben. Roran, werde ich blind?« Sie schniefte und fing an zu weinen.

Ihre Tränen überraschten Eragon. Er kannte Katrina als starke und tapfere junge Frau. Aber schließlich war sie viele Wochen lang im Dunkeln eingesperrt gewesen und hatte um ihr Leben fürchten müssen. *An ihrer Stelle wäre ich wohl auch nicht mehr ganz ich selbst.*

»Nein, du wirst nicht blind. Du musst dich nur erst wieder an die Sonne gewöhnen.« Roran strich ihr übers Haar. »Komm, lass dich davon nicht verunsichern. Alles wird gut … Du bist jetzt in Sicherheit. In Sicherheit, Katrina, hörst du?«

»Ja.«

Obwohl er nur ungern eines der Gewänder ruinierte, die er von den Elfen geschenkt bekommen hatte, riss Eragon einen Streifen vom Saum seines Wamses ab und reichte ihn Katrina. »Verbinde dir damit die Augen. Du müsstest dann trotzdem noch genug sehen, um nicht hinzufallen oder gegen irgendetwas zu stoßen.«

Sie bedankte sich und band sich den Stoffstreifen um.

Schließlich erreichten die drei die lichtdurchflutete, blutgetränkte Haupthöhle, in der es durch die Verwesungsdünste des getöteten Lethrblaka noch schlimmer stank als zuvor. Im selben Moment tauchte ihnen gegenüber Saphira aus den Tiefen des bogenförmigen Durchgangs auf. Bei ihrem Anblick schnappte Katrina nach Luft, klammerte sich an Roran und grub ihm vor Angst die Finger in den Arm.

Eragon aber sagte: »Katrina, darf ich dir Saphira vorstellen? Ich bin ihr Reiter. Sie kann dich verstehen, wenn du mit ihr sprichst.«

»Es ist mir eine Ehre, oh Drache«, presste Katrina hervor und beugte die Knie zu einem schwachen Knicks.

Saphira neigte zur Antwort den Kopf. Dann wandte sie sich Eragon zu. *Ich habe nach dem Nest der Lethrblaka gesucht, aber nichts als Knochen, Knochen und noch mehr Knochen gefunden, einschließlich einiger, die nach frischem Fleisch rochen. Die Ra'zac müssen die beiden Sklaven letzte Nacht aufgefressen haben.*

Ich wünschte, wir hätten sie retten können.

Ich weiß, aber wir können in diesem Krieg nicht jeden retten.

Mit einer Geste zu Saphira hin sagte Eragon: »Los, steigt auf! Ich komme auch gleich.«

Katrina sah zögernd zu Roran, der nickte und murmelte: »Schon in Ordnung. Saphira hat uns hergebracht.« Zusammen umrundeten sie den Kadaver des Lethrblaka, um auf Saphira aufsteigen zu können, die sich flach auf den Bauch gelegt hatte. Roran machte mit den Händen eine Räuberleiter und hob Katrina so weit an, dass sie sich an Saphiras linkem Vorderbein hochziehen konnte. Von dort aus kletterte sie an den verschlungenen Sattelriemen hinauf wie an einer Leiter, bis sie schließlich zwischen Saphiras Schultern thronte. Roran folgte ihr, indem er wie eine Bergziege von einer Schuppe zur anderen sprang.

Eragon machte sich indessen daran, Saphiras unzählige Schrammen, Risse, Schnitte, Beulen und Stichwunden zu untersuchen, und begann, eine nach der anderen zu heilen.

Um Himmels willen, sagte Saphira, *spar dir deine Aufmerksamkeiten, bis wir außer Gefahr sind. Ich verblute schon nicht gleich.*

Das stimmt nicht ganz und das weißt du auch. Du hast innere Blutungen, und wenn ich die nicht jetzt stille, könnte es Komplikationen geben, die ich nicht heilen kann, und dann kommen wir nie wieder zu den Varden zurück. Also, keine Widerrede. Du kannst mich nicht umstimmen und außerdem brauche ich auch nur einen Moment.

Aber Eragon brauchte doch etwas länger, um Saphiras Wunden zu heilen. Einige ihrer Verletzungen waren so schwer, dass er sich für den Heilzauber aus dem Energievorrat im Gürtel von Beloth dem Weisen bedienen und danach noch auf Saphiras Kraftreserven zurückgreifen musste. Jedes Mal wenn er sich einer neuen Wunde zuwandte, protestierte sie mit wachsendem Unmut, nannte ihn einen Narren und dass er es gefälligst bleiben lassen solle, aber er ignorierte ihre Einwände.

Hinterher sackte Eragon erschöpft zusammen. Er deutete auf die Stellen, wo die Lethrblaka Saphira mit ihren Schnäbeln malträtiert hatten, und sagte: *Du solltest Arya oder einen anderen Elf danach sehen lassen. Ich habe getan, was ich konnte, aber vielleicht ist mir ja auch etwas entgangen.*

Ich weiß deine Fürsorge wirklich zu schätzen, Kleiner, gab sie zurück, *aber das hier ist wirklich nicht der richtige Ort für sentimentale Liebesbekundungen. Ein für alle Mal: raus hier!*

Ja, es ist höchste Zeit. Eragon trat zurück und wandte sich wieder dem Tunnel zu, aus dem sie gekommen waren.

»Na los!«, rief Roran. »Jetzt komm schon!«

Eragon!, rief Saphira.

Doch der Drachenreiter schüttelte den Kopf. »Nein. Ich bleibe hier.«

»Du ...«, begann Roran, als ihn ein grimmiges Knurren Saphiras unterbrach. Sie peitschte mit dem Schwanz gegen die Höhlenwand, sodass ihre Schuppen den Boden harkten und Knochen und Steine wie im Todeskampf kreischten.

»Hört zu!«, rief Eragon. »Einer der Ra'zac läuft hier immer noch frei herum. Und überlegt mal, was vielleicht im Helgrind noch alles zu finden ist: Schriftrollen, Elixiere, Informationen über die Aktivitäten des Imperiums – lauter Sachen, die uns helfen können! Vielleicht haben die Ra'zac hier sogar ihr Nest. Dann muss ich ihre Eier zerstören, bevor sie Galbatorix in die Hände fallen.«

Zu Saphira sagte er außerdem noch: *Ich kann Sloan nicht umbringen, und ich kann nicht zulassen, dass Roran oder Katrina ihn sehen, genauso wenig wie ich zulassen kann, dass er in seiner Zelle verhungert oder Galbatorix' Schergen ihn wieder einfangen. Tut mir leid, aber ich muss mich selbst um Sloan kümmern.*

»Wie willst du denn von hier wegkommen?«, wollte Roran wissen.

»Zu Fuß. Ich bin so schnell wie ein Elf, musst du wissen.«

Saphiras Schwanzspitze zuckte kurz, bevor sie ohne weitere Vorwarnung einen Satz machte und mit einer ihrer schimmernden Pranken auf Eragon zukam. Hals über Kopf rettete er sich in den Tunnel, nur einen Sekundenbruchteil bevor der Fuß des Drachen dort auftraf, wo er gerade gestanden hatte.

Saphira bremste vor der Tunnelöffnung rutschend ab und stieß ein wütendes Heulen aus, weil sie ihm nicht in den schmalen Gang folgen konnte. Ihr Körper schirmte fast das ganze Licht ab. Um Eragon herum bebte der Fels, als sie mit Zähnen und Klauen die Öffnung bearbeitete und dicke Klumpen herausbrach. Ihr wildes Schnauben und der Anblick ihres aufgerissenen Mauls mit Zähnen, so lang wie sein Unterarm, jagten Eragon einen gehörigen Schrecken ein. Jetzt wusste er, wie sich ein Kaninchen fühlen musste, dem ein Wolf den Bau ausgrub.

»*Gánga!*«, rief er.

Nein! Saphira legte den Kopf auf den Boden, stieß einen lang gezogenen Klagelaut aus und sah ihn mit großen, traurigen Augen an.

»*Gánga!* Ich habe dich sehr lieb, Saphira, aber du musst jetzt gehen.«

Saphira zog sich einige Schritte von der Öffnung zurück und schniefte, dann maunzte sie wie eine Katze. *Kleiner* …

Eragon hasste es, sie unglücklich zu machen, und er hasste es, sie fortzuschicken. Es war ein Gefühl, als risse er sich in zwei Teile. Durch ihre unsichtbare Verbindung flutete Saphiras Elend zu ihm herüber und setzte ihn, zusammen mit seiner eigenen Qual, beinahe außer Gefecht. Doch irgendwie fand er die Kraft, zu sagen: »*Gánga!* Und komm ja nicht noch mal zurück oder schicke jemand anderen vor. Ich schaffe das schon. *Gánga! Gánga!*«

Sie heulte frustriert auf und schlich dann widerstrebend zum Höhlenausgang. Von seinem Platz in ihrem Sattel aus meldete sich jetzt Roran: »Eragon, komm schon! Sei nicht blöd. Du bist viel zu wichtig, um dein Leben …«

Ein donnerndes Beben verschluckte den Rest des Satzes, als Saphira sich aus der Höhle hinausschwang. Der klare Himmel ließ ihre Schuppen glitzern wie eine Unmenge funkelnder Diamanten. Sie war einfach prächtig, dachte Eragon stolz, edel und schöner als irgendein anderes Wesen. Kein Hirsch oder Löwe konnte sich mit der Majestät eines Drachen im Fluge messen. Sie sagte: *Eine Woche werde ich warten. Dann komme ich zurück, Eragon, und wenn ich mich zwischen Dorn, Shruikan und tausend bösen Magiern durchkämpfen muss.*

Eragon sah ihr nach, bis sie aus seinem Blickfeld verschwunden war und er auch ihren Geist nicht mehr spüren konnte. Dann gab er sich einen Ruck und wandte sich mit bleischwerem Herzen von der Sonne und allem, was warm und lebendig war, ab, um wieder ins Reich der Finsternis hinabzusteigen.

Der letzte Ra'zac

Im Innern des Helgrind saß Eragon in dem Gang, wo sich eine Zelle an die nächste reihte. Das rote Werlicht warf einen kühlen Schein auf ihn und der Rotdornstab lag quer über seinem Schoß.

Der Fels warf seine Stimme zurück, während er wieder und wieder einen Satz in der alten Sprache rezitierte. Es war keine Zauberformel, sondern eher eine Botschaft an den verbliebenen Ra'zac. Er bedeutete: »Komm, oh du Menschenfleischesser, lass uns diesen unseren Kampf zu Ende bringen. Du bist verletzt und ich bin müde. Dein Gefährte ist tot und auch ich bin allein. Wir sind ebenbürtige Gegner. Ich verspreche, dass ich keinerlei Magie einsetzen werde, um dich zu verletzen oder in eine Falle zu locken. Komm, oh du Menschenfleischesser, lass uns diesen unseren Kampf zu Ende bringen …«

Die Zeit, die er sprach, erschien ihm endlos, ein Nirgendwann an einem fahlen Ort, der eine Ewigkeit wiederkehrender Worte hindurch unverändert blieb. Worte, deren Reihenfolge und Bedeutung für ihn keine Rolle mehr spielten. Nach einer Weile verstummten seine lärmenden Gedanken und eine eigentümliche Ruhe ergriff Besitz von ihm.

Er hielt mit offenem Mund inne, dann schloss er ihn, wachsam.

Dreißig Fuß vor ihm stand der Ra'zac. Blut tropfte vom Saum seines zerlumpten Umhangs. »Mein Meisssster will nicht, dassss ich dich töte«, zischte das Scheusal.

»Aber das interessiert dich jetzt nicht mehr?«

»Nein. Falls ich deinem Ssstab zum Opfer falle, soll Galbatorix doch mit dir machen, was ihm beliebt. Er hat mehr Herzzzen als du.«

Eragon lachte. »Herz? *Ich* bin derjenige, der für das Gute kämpft, nicht er.«

»Dummer Bengel.« Der Ra'zac legte den Kopf schräg und blickte an ihm vorbei auf den Leichnam, der weiter hinten im Gang lag. »Sie war meine Brutgefährtin. Du bissst stark geworden seit unserer ersssten Begegnung, Schattentöter.«

»Ich hatte keine andere Wahl.«

»Willst du einen Pakt mit mir schliesssen, Schattentöter?«

»Was für einen Pakt?«

»Ich bin der Letzzzte meiner Art, Schattentöter. Wir sind sehr alt, und ich will nicht, dass man uns vergissst. Würdesst du in deinen Liedern und Geschichten dein Volk an den Schrecken erinnern, den wir unter euch verbreitet haben?... Behaltet unsss als *die Angst* in Erinnerung.«

»Warum sollte ich das für euch tun?«

Der Ra'zac presste den Schnabel gegen seine schmale Brust und klapperte und gluckste eine ganze Weile in sich hinein. »Weil«, sagte er schließlich, »ich dir ein Geheimnisss verraten werde.«

»Dann erzähl es mir.«

»Gib mir zuerst dein Wort. Nicht dass du mich hereinlegssst.«

»Nein. Erzähl es mir und dann werde ich entscheiden, ob ich einverstanden bin oder nicht.«

Mehr als eine Minute verging und keiner von beiden rührte sich, auch wenn Eragon die Muskeln in Erwartung eines Überraschungsangriffs anspannte. Nach einer weiteren Flut von Zischlauten sagte der Ra'zac: »Er hat den *Namen* schon fast herausgefunden.«

»Wer?«

»Galbatorix.«

»Welchen Namen?«

Der Ra'zac fauchte frustriert. »Das kann ich dir nicht sagen! Den *Namen*! Den wahren *Namen*!«

»Du musst mir schon ein bisschen mehr verraten.«

»Ich kann nicht.«

»Dann gibt es keinen Pakt.«

»Verfluchter Reiter! Ich hassse dich! Du sollst in diesem Land keinen Unterschlupf finden und keinen Seelenfrieden. Du sollst Alagaësia verlassen und nie mehr zurückkehren!«

Eragon spürte den kalten Hauch des Grauens im Genick. Im Geiste hörte er wieder Angelas Worte, als die Kräuterhexe das Drachenknochenorakel für ihn geworfen und ihm genau dieses Schicksal vorausgesagt hatte.

Nur eine Blutlache trennte Eragon von seinem Gegner, als der Ra'zac den durchnässten Umhang zurückschlug und dabei einen Bogen enthüllte. Er hielt ihn mit bereits eingelegtem Pfeil in der Hand. Er hob den Bogen, spannte die Sehne und zielte auf Eragons Brustkorb. Dann schoss er.

Eragon fegte den Pfeil mit seinem Stab beiseite.

Als wäre dieser Angriff nicht mehr als ein Vorspiel gewesen, ein Ritual, bevor man zum eigentlichen Kampf übergeht, bückte sich der Ra'zac jetzt, legte den Bogen auf die Erde und strich seine Kutte glatt. Dann zog er langsam und demonstrativ sein blattförmiges Schwert unter dem Umhang hervor. Eragon sprang auf, stellte sich schulterbreit hin, die Hände fest um den Stab geschlossen.

Sie gingen aufeinander los. Der Ra'zac versuchte, Eragon vom Schlüsselbein bis zur Hüfte aufzuschlitzen, aber er wich dem Hieb mit einer geschickten Drehung aus. Dann rammte er dem Ra'zac die Eisenspitze seines Stabes unter den Schnabel und durchbohrte den Schutzpanzer an seiner Kehle.

Der Ra'zac zuckte einmal kurz und brach zusammen.

Eragon betrachtete seinen verhasstesten Feind, betrachtete dessen lidlose schwarze Augen, und auf einmal bekam er weiche Knie und erbrach sich gegen die Felswand des Ganges. Während er sich den Mund abwischte, zerrte er den Stab heraus und sagte leise: »Für unseren Vater. Für unser Zuhause. Für Carvahall. Für

Brom … Ich habe Vergeltung geübt. Mögest du hier für immer und ewig verrotten, Ra'zac.«

Dann ging er zu der Zelle, in der Sloan noch immer in tiefem Zauberschlaf lag, wuchtete sich den Metzger auf die Schulter und machte sich auf den Weg zurück zur Haupthöhle des Helgrind. Unterwegs legte er Sloan immer wieder ab, um einen Raum oder einen Seitengang zu inspizieren, den er noch nicht gesehen hatte. Dort entdeckte er viele Instrumente des Grauens und auch vier metallene Fläschchen Seithr-Öl, die er sofort zerstörte. Niemand mehr sollte die ätzende Säure benutzen können, um Unheil anzurichten.

Heißes Sonnenlicht brannte auf Eragons Wangen, als er aus dem Gewirr der Tunnel stolperte. Mit angehaltenem Atem eilte er an dem toten Lethrblaka vorbei und trat an die Kante der gewaltigen Höhle, wo er an der steil abfallenden Flanke des Helgrind auf die Berge tief unten blicken konnte. Im Westen näherte sich in einer orangegelben Staubwolke eine Gruppe von Reitern auf der Straße, die den Helgrind mit Dras-Leona verband.

Seine rechte Seite schmerzte unter Sloans Gewicht, also schob er sich den Metzger auf die andere Schulter. Er wischte die Schweißtropfen von seiner Stirn und überlegte fieberhaft, wie er Sloan und sich selbst die rund fünftausend Fuß hinabbefördern sollte.

»Es ist fast eine Meile bis unten«, murmelte er vor sich hin. »Wenn es einen Pfad gäbe, könnte ich die Strecke leicht zu Fuß bewältigen, selbst mit Sloan. Aber so muss ich uns mit magischen Kräften hinunterbringen … Ja, aber was man schafft, wenn man Zeit hat, ist womöglich zu anstrengend, um es auf einen Schlag zu bewerkstelligen, ohne sich damit umzubringen. Oromis hat immer gesagt, der Körper kann seine gespeicherten Kraftreserven nicht schnell genug in Energie umwandeln, um die meisten Zauber länger als ein paar Sekunden aufrechtzuerhalten. Ich habe in jedem Augenblick nur eine bestimmte Menge an Energie zur Verfügung, und wenn die verbraucht ist, muss ich warten, bis ich mich erholt habe … Aber Selbstgespräche bringen mich auch nicht weiter.«

Während er Sloan festhielt, heftete Eragon den Blick auf einen schmalen Felsvorsprung ungefähr hundert Fuß unter sich. *Das wird wehtun,* dachte er und wappnete sich. Dann bellte er: *»Audr!«*

Er merkte, wie er ein kleines Stück in die Höhe stieg. *»Fram«*, sagte er und der Zauber wirbelte ihn vom Helgrind fort, hinaus ins Freie, wo er wie eine Wolke in der Luft schwebte. Obwohl er daran gewöhnt war, mit Saphira umherzufliegen, wurde es ihm jetzt, wo er nichts unter den Füßen hatte, doch ziemlich mulmig zumute.

Indem er den magischen Energiefluss änderte, sank Eragon schnell vom Unterschlupf der Ra'zac – der nun wieder hinter der imaginären Felswand verborgen lag – zu dem Vorsprung hinab. Beim Landen rutschte er auf einem losen Stein aus. Ein paar atemlose Sekunden lang fuchtelte er mit den Armen herum und suchte mit den Füßen nach Halt, ohne dabei nach unten zu schauen, denn er hatte Angst, durch das Senken des Kopfes vornüberzukippen. Er jaulte vor Schreck auf, als sein linker Fuß über die Kante glitt und er zu stürzen begann. Aber noch ehe er sich in die Magie retten konnte, verklemmte sich sein Fuß in einer Felsspalte und fing ihn abrupt auf. Die raue Kante grub sich in seine Wade, aber das machte ihm nichts aus. Wenigstens hielt sie ihn.

Eragon lehnte sich mit dem Rücken an den Helgrind und stützte Sloans schlaffen Körper daran ab. »Das war gar nicht mal so schlimm«, stellte er fest. Die Anstrengung hatte ihn geschwächt, aber nicht so sehr, dass er nicht weitermachen konnte. »Ich schaffe das«, sagte er sich. Dann pumpte er frische Luft in seine Lungen und wartete, dass sich sein rasender Herzschlag beruhigte. Es kam ihm so vor, als hätte er mit Sloan auf der Schulter einen Dauerlauf gemacht. »Ich schaffe das …«

Die Reiter zogen erneut seinen Blick auf sich. Sie waren jetzt merklich näher gekommen und galoppierten in beängstigendem Tempo über das ausgetrocknete Land. *Das ist ein Wettrennen zwischen ihnen und mir,* wurde ihm klar. *Ich muss weit weg sein, bevor sie den Helgrind erreichen. Es sind bestimmt ein paar Magier unter ihnen, und ich bin nicht in der Verfassung, mich mit Galbato-*

rix' Hexenmeistern anzulegen. Mit einem Blick auf Sloans Gesicht sagte er: »Vielleicht kannst du mir ja ein bisschen helfen, was? Das ist das Mindeste, was du tun kannst, in Anbetracht der Tatsache, dass ich hier mein Leben für dich aufs Spiel setze.« Der schlafende Metzger rollte traumverloren den Kopf.

Ächzend stieß Eragon sich vom Helgrind ab. Wieder sagte er: »*Audr*«, und wieder stieg er in die Luft. Diesmal stützte er sich zusätzlich auf Sloans Energie – mochte sie auch noch so dürftig sein. Zusammen sanken sie wie zwei seltsame Vögel an der zerklüfteten Flanke des Helgrind zum nächsten Felsvorsprung hinab, der ihnen sicheren Stand versprach.

Auf diese Weise inszenierte Eragon ihren Abstieg. Dabei achtete er darauf, sich ständig ein wenig nach rechts zu orientieren, sodass sie sich nach und nach um den Fels herumwanden und das Bergmassiv ihn und Sloan vor den Blicken der Reiter verbarg.

Je näher sie dem Erdboden kamen, desto langsamer wurden sie. Eine erdrückende Müdigkeit überfiel Eragon und verkürzte die Strecken, die er auf ein Mal zurücklegen konnte. Es fiel ihm zunehmend schwerer, sich in den Pausen zwischen den Kraftanstrengungen zu erholen. Bald erschien es ihm als eine höchst komplizierte und fast unerträglich mühselige Aufgabe, auch nur den Finger zu heben. Die Schläfrigkeit hüllte ihn in ihre warmen Falten und betäubte sein Denken und Fühlen, bis der härteste Fels seinen schmerzenden Muskeln wie ein weiches Kissen vorkam.

Als er endlich auf die sonnenverbrannte Erde sank – zu erschöpft, um zu verhindern, dass er und Sloan hart aufschlugen –, lag er mit seltsam unter dem Brustkorb verrenkten Armen da und starrte mit halb geschlossenen Augen auf die zitronengelben Tupfen des kleinen Felsklumpens genau vor seiner Nase. Sloan wog so schwer auf seinem Rücken wie ein ganzer Stapel Eisenbarren. Die Luft wich aus Eragons Lungen, ohne dass frische sie füllte. Seine Wahrnehmung wurde trübe, als hätte sich eine Wolke vor die Sonne geschoben. Sein Herzschlag flatterte und verlangsamte sich gefährlich.

Er konnte keinen klaren Gedanken mehr fassen, nur irgendwo im Hinterkopf war ihm bewusst, dass er gleich sterben würde. Doch das machte ihm keine Angst. Ganz im Gegenteil tröstete ihn die Aussicht. Der Tod würde ihn von seiner geschundenen Körperhülle befreien und ihm ewige Ruhe schenken.

Da kam eine Hummel von hinten über seinen Kopf hinweggeflogen, so groß wie sein Daumen. Sie umschwirrte sein Ohr, brummte an dem Felsbrocken entlang und inspizierte die Flecken, die so gelb waren wie die Butterblumen, die zwischen den Bergen blühten. Ihr Haarkleid glänzte im Morgenlicht – Eragon konnte jedes einzelne Härchen klar und deutlich erkennen – und die vibrierenden Flügel erzeugten einen sanften Trommelwirbel. Blütenstaub klebte an den Borsten ihrer Beine.

Die kleine Hummel war so lebendig und voller Energie, so schön, dass auch in Eragon der Überlebenswille neu erwachte. In einer Welt, in der es solche faszinierenden Geschöpfe gab, wollte er leben.

Mit reiner Willenskraft zog er die linke Hand unter den Rippen hervor und griff nach dem holzigen Stamm eines Busches in seiner Nähe. Wie ein Blutegel oder eine Zecke oder irgendein anderer Schmarotzer saugte er das Leben aus dem Gewächs, bis es schlaff und braun dalag. Der Energieschub, der Eragon daraufhin durchflutete, schärfte seinen Geist. Nun befiel ihn Furcht. Nun, wo er weiterleben wollte, sah er in der Finsternis des Jenseits nur noch Grauen.

Er zog sich auf dem Bauch vorwärts, packte den nächsten Busch und holte sich auch dessen Lebenskraft, dann einen dritten und vierten und so fort, bis seine Kräfte wieder ganz hergestellt waren. Schließlich stand er auf und blickte auf die Spur der Verwüstung zurück. Ein bitterer Geschmack legte sich auf seine Zunge, als er sein Werk betrachtete.

Eragon wusste, dass er leichtsinnig mit der Magie umgegangen war. Sein rücksichtsloses Verhalten hätte beinahe seinen Tod bedeutet und dadurch die Varden zum sicheren Untergang verurteilt.

Seine Dummheit ließ ihn noch im Nachhinein schaudern. *Brom hätte mir die Ohren lang gezogen*, dachte er.

Er kehrte zu Sloan zurück und hob den ausgemergelten Metzger hoch. Dann wandte er sich im Schutz eines ausgetrockneten Wassergrabens nach Osten und ließ den Helgrind hinter sich. Zehn Minuten später, als er stehen blieb, um sich nach etwaigen Verfolgern umzusehen, erkannte er am Fuße des Helgrind eine Staubwolke; die Reiter hatten den schwarzen Felsturm erreicht.

Er musste lächeln. Galbatorix' Gefolgsleute waren zu weit weg, als dass die Magier unter ihnen seinen oder Sloans Geist ausmachen hätten können. *Bis sie die Leichen der Ra'zac entdeckt haben*, dachte er, *habe ich mindestens drei Meilen zurückgelegt. Dann werden sie mich wohl kaum noch finden können. Im Übrigen suchen sie ja nach einem Drachenreiter in der Luft und nicht nach einem Mann, der zu Fuß unterwegs ist.*

Zufrieden, dass er sich keine Sorgen wegen eines drohenden Überfalls zu machen brauchte, setzte er seinen Weg fort. Er schritt gleichmäßig aus, in einem Tempo, das er den ganzen Tag hindurch beibehalten konnte.

Über ihm strahlte die Sonne weißgolden. Vor ihm erstreckte sich meilenweit unerschlossene Wildnis, die irgendwann an die ersten Häuser eines Dorfes stoßen würde. Und in seinem Herzen flackerte neue Hoffnung und Lebensfreude.

Endlich waren die Ra'zac tot!

Endlich war sein Rachefeldzug vollendet. Endlich hatte er Garrow und Brom gegenüber seine Pflicht erfüllt. Und endlich hatte er die Last der Angst und Wut abgeworfen, die er mit sich herumgeschleppt hatte, seit die Ra'zac zum ersten Mal in Carvahall aufgetaucht waren. Es hatte viel länger gedauert als angenommen, doch nun war es vollbracht und darauf konnte er stolz sein. Er gestattete sich, die Befriedigung darüber auszukosten, dass ihm diese Heldentat gelungen war, auch wenn ihm Roran und Saphira dabei geholfen hatten.

Zu seiner Überraschung mischte sich ein bitteres Gefühl von

Verlust in die Süße des Triumphs. Die Jagd nach den Ra'zac war eines der letzten Bande gewesen, das ihn mit seinem Leben im Palancar-Tal verknüpfte, und nun fiel es ihm schwer, diese Verbindung zu lösen, auch wenn sie voll Grauen war. Zudem hatte ihm diese Aufgabe ein Lebensziel gegeben, als er noch keines besaß. Sie war der Grund gewesen, sein Zuhause zu verlassen. Nun klaffte in seinem Innern ein Abgrund, wo er bis jetzt seinen Hass auf die Ra'zac genährt hatte.

Es entsetzte Eragon, dass er das Ende einer so schrecklichen Mission beklagte, und er schwor sich, diesen Fehler kein zweites Mal zu machen. *Ich weigere mich, so besessen von meinem Kampf gegen das Imperium, Murtagh und Galbatorix zu sein, dass ich, wenn es so weit ist, nicht mehr loslassen kann – oder, noch schlimmer, dass ich versuche, das Ende hinauszuzögern, statt mich auf das einzulassen, was als Nächstes passiert.* Dann beschloss er, sein widernatürliches Bedauern beiseitezuschieben und das Gefühl von Erleichterung zuzulassen: Erleichterung darüber, von den harten Anforderungen seines selbst auferlegten Feldzugs befreit zu sein und jetzt nur noch jene Verpflichtungen zu haben, die seine gegenwärtige Stellung mit sich brachte.

Der Gedanke beflügelte seine Schritte. Nun, da die Ra'zac bezwungen waren, hatte Eragon das Gefühl, endlich ein eigenes Leben führen zu können, das nicht auf seiner ursprünglichen Herkunft beruhte, sondern darauf, was er inzwischen geworden war: ein Drachenreiter.

Er lächelte den unebenen Horizont an und lachte dann lauthals, während er lief, ohne sich darum zu scheren, ob ihn jemand hören würde. Seine Stimme schallte den Wassergraben auf und ab und wurde von den Wänden zurückgeworfen. Alles schien ihm neu und wunderschön und vielversprechend.

Allein unterwegs

Eragon knurrte der Magen.

Er lag auf dem Rücken, die Beine untergeschlagen, um die Muskeln zu dehnen, nachdem er weiter gelaufen war und dabei schwerer beladen als je zuvor – als er das laute Rumoren in seinem Innern vernahm.

Das Geräusch kam so unerwartet, dass Eragon kerzengerade in die Höhe schoss und nach seinem Stab griff.

Der Wind pfiff über das öde Land. Die Sonne war untergegangen und ohne sie war alles blau und violett. Nichts regte sich außer den flatternden Grashalmen und Sloans Hand, die sich langsam im Traum öffnete und schloss. Eine durchdringende Kälte kündigte die nahende Nacht an.

Eragon entspannte sich wieder und gestattete sich ein leises Lächeln.

Doch seine Heiterkeit verflog, als ihm die Ursache der Störung bewusst wurde. Der Kampf mit den Ra'zac, das Wirken zahlreicher Zauber und die Anstrengung, Sloan fast den ganzen Tag auf den Schultern zu tragen, hatten Eragon so ausgehungert, dass er sich vorstellen konnte, das Festmahl, das die Zwerge ihm zu Ehren während seines Besuchs in Tarnag zubereitet hatten, ganz allein zu verspeisen. Die Erinnerung an den Duft des gebratenen Nagra, des riesigen Wildschweins – heiß, fetttriefend und mit Honig und Gewürzen abgeschmeckt –, ließ ihm das Wasser im Mund zusammenlaufen.

Das Problem war nur, dass er keinen Proviant hatte. Wasser war ziemlich leicht zu beschaffen; er konnte die Feuchtigkeit aus dem Boden ziehen, wann immer er wollte. In dieser trostlosen Gegend Nahrung zu finden, war hingegen viel schwieriger und stellte ihn vor einen Gewissenskonflikt, den er sich gerne erspart hätte.

Oromis hatte den verschiedenen Klimazonen und geografischen Räumen in Alagaësia viele Lehrstunden gewidmet. Als Eragon nun das Lager verließ, um die Umgebung zu inspizieren, konnte er daher die meisten Pflanzen, die er fand, bestimmen. Nur wenige davon waren genießbar und keine groß oder üppig genug, um in einer halbwegs vernünftigen Zeit genug für eine Mahlzeit zu ernten, die zwei erwachsene Männer satt machte. Sicher hatten die hier beheimateten Tiere Samen und Früchte gesammelt, aber er hatte keine Ahnung, wo er anfangen sollte, danach zu suchen. Und er hielt es auch nicht für sehr wahrscheinlich, dass eine Steppenmaus mehr als ein paar Mundvoll Vorräte anlegen würde.

Das ließ ihm zwei Möglichkeiten, von denen ihm keine besonders gefiel. Er konnte – wie zuvor – die Energie der Pflanzen und Insekten in der Umgebung des Lagers anzapfen. Als Preis dafür würde er einen leblosen Flecken Erde hinterlassen, eine Brache, auf der nicht einmal mehr die winzigen Organismen im Boden überleben konnten. Und auch wenn es Sloan und ihn auf den Beinen halten würde, waren Energieübertragungen alles andere als befriedigend, denn sie füllten einem nun mal nicht den Magen.

Oder er konnte auf die Jagd gehen.

Stirnrunzelnd bohrte er das Ende seines Stabes in die Erde. Nachdem er die Gedanken und Wünsche zahlloser Tiere geteilt hatte, widerstrebte es ihm, eines zu essen. Trotzdem konnte er nicht zulassen, dass er immer schwächer wurde und das Imperium ihn am Ende doch noch erwischte, nur weil er zugunsten eines Kaninchen-Lebens auf das Abendessen verzichtet hatte. Wie sowohl Roran als auch Saphira ihm bereits erklärt hatten, überlebte jedes Geschöpf nur dadurch, dass es ein anderes fraß.

Unsere Welt ist grausam, dachte er, *und ich kann es nicht ändern … Die Elfen mögen richtig handeln, wenn sie kein Fleisch es-*

sen, aber im Moment bin ich in großer Bedrängnis. Ich muss mich nicht schuldig fühlen, wenn mich die Umstände dazu zwingen. Es ist kein Verbrechen, ein bisschen Schinken zu genießen oder eine Forelle oder was auch immer.

So fuhr er fort, sein Gewissen zu beruhigen, doch der Abscheu wühlte immer noch in seinen Eingeweiden. Fast eine halbe Stunde lang saß er wie angewurzelt da, unfähig, zu tun, was sein Verstand bereits als notwendig erkannt hatte. Dann wurde ihm bewusst, wie spät es schon war, und er verfluchte sich für die Zeitverschwendung. Er brauchte jede Minute Ruhe, die er kriegen konnte.

Er wappnete sich und sandte die Fühler seines Geistes aus, um die Gegend abzusuchen, bis er zwei große Eidechsen fand, und, in einer Sandhöhle zusammengerollt, eine Kolonie von Nagetieren, die auf ihn wie eine Kreuzung aus Ratte, Kaninchen und Eichhörnchen wirkten. »*Deyja*«, sagte er und tötete die Eidechsen und eins der Nagetiere. Sie waren sofort tot, ohne zu leiden, und doch knirschte er mit den Zähnen, als er die hellen Flammen ihres Geistes auslöschte.

Die Eidechsen holte er mit der Hand unter den Steinen hervor, unter denen sie sich versteckt hatten. Das Nagetier hob er auf magische Weise aus seinem Bau. Dabei sah er sich vor, die anderen nicht zu wecken. Es erschien ihm grausam, sie mitansehen zu lassen, wie ein unsichtbares Raubtier sie in ihrem sicheren Unterschlupf überfiel.

Er nahm die Eidechsen und das Nagetier aus, häutete und säuberte sie und vergrub die Abfälle so tief, dass keine Aasfresser herankamen. Dann sammelte er ein paar flache Steine und baute daraus einen kleinen Herd, machte darin ein Feuer und fing an, das Fleisch zu garen. Ohne Salz konnte er das Essen nicht richtig würzen, aber einige der einheimischen Pflanzen verströmten einen angenehmen Duft, als er sie zwischen den Fingern zerdrückte. Damit rieb er das Fleisch ein.

Das kleine Nagetier war vor den Eidechsen fertig. Er nahm es von dem provisorischen Herd und hielt es sich vor den Mund. Er verzog das Gesicht und der Ekel hätte ihn sicher überwältigt, hätte er sich nicht noch um das Feuer und die Eidechsen kümmern müssen. Das lenkte ihn so ab, dass er, ohne weiter nachzudenken, der lautstarken Aufforderung seines Magens gehorchte und aß.

Der erste Bissen war am schlimmsten. Er blieb ihm im Hals stecken und vom Geruch des heißen Fetts wurde ihm übel. Er schüttelte sich, schluckte zweimal trocken und der Brechreiz legte sich. Danach wurde es einfacher. Er war eigentlich ganz froh, dass das Fleisch so fad war, dadurch konnte er fast vergessen, was er da kaute.

Er verzehrte das ganze Nagetier und einen Teil der einen Eidechse. Als er den letzten Bissen Fleisch von einem dünnen Beinknochen nagte, stieß er einen zufriedenen Seufzer aus. Dann hielt er inne, wütend auf sich, weil er die Mahlzeit trotz seines Widerwillens genossen hatte. Er hatte solchen Hunger gehabt, dass ihm das karge Mahl ganz köstlich erschienen war, nachdem er erst einmal seine Hemmungen überwunden hatte.

Ich könnte ja, sinnierte er, *wenn ich wieder zurück bin … wenn ich an Nasuadas oder König Orrins Tafel sitze und es wird Fleisch serviert … vielleicht, wenn mir danach ist und es unhöflich wäre abzulehnen, einmal einen Happen probieren … Ich werde nicht mehr so viel Fleisch essen wie früher, aber ich werde auch nicht so streng sein wie die Elfen. Mäßigung ist klüger als zu großer Eifer, glaube ich.*

Im Licht der Flammen aus dem Herd betrachtete er eingehend Sloans Hände. Der Metzger lag einen oder zwei Schritte entfernt, wo Eragon ihn hingebettet hatte. Dutzende feine weiße Narben überzogen kreuz und quer seine langen knochigen Finger mit den übergroßen Knöcheln und den langen Fingernägeln, die in Carvahall stets peinlich sauber gewesen, jetzt jedoch ausgefranst, eingerissen und schmutzverkrustet waren. Die Narben bekundeten, wie relativ wenige Fehler Sloan die Jahrzehnte über gemacht hatte, in denen er seine Messer geschwungen hatte. Seine Haut war runzlig und wettergegerbt mit dicken wurmartigen Venen, doch die Muskeln darunter waren hart und straff.

Eragon setzte sich hin und verschränkte die Arme auf den Knien. »Ich kann ihn nicht einfach gehen lassen«, murmelte er vor sich hin. Wenn er es täte, würde Sloan vielleicht Roran und Katrina ausfindig machen, und das konnte Eragon nicht zulassen. Außerdem war er überzeugt davon, dass der Metzger seine gerechte Strafe erhalten sollte, auch wenn er Sloan nicht umbringen würde.

Eragon war nicht sehr eng mit Byrd befreundet gewesen, aber er hatte ihn als guten, ehrlichen und zuverlässigen Menschen gekannt und erinnerte sich noch mit großer Zuneigung an Byrds Frau Felda und ihre Kinder, denn Garrow, Roran und Eragon hatten bei verschiedenen Gelegenheiten in ihrem Haus gegessen und geschlafen. Byrds Tod erschien ihm daher besonders grausam, und er fand, dass die Familie des Wachmanns Gerechtigkeit verdiente, selbst wenn sie nie davon erfahren würde.

Aber wie konnte diese Bestrafung aussehen? *Ich habe mich geweigert, zum Henker zu werden,* dachte Eragon, *nur um mich anschließend zum Richter zu machen. Was weiß ich denn über das Gesetz?*

Er stand auf, ging zu Sloan hinüber und beugte sich über sein Ohr. *»Vakna.«*

Mit einem Ruck erwachte Sloan und tastete mit seinen sehnigen Fingern am Boden herum. Die Überreste seiner Lider bebten, als der Metzger instinktiv versuchte, die Augen zu öffnen, um sich umzusehen. Doch die pechschwarze Nacht seines Schicksals hielt ihn gefangen.

»Hier«, sagte Eragon. »Iss das.« Er hielt Sloan die restliche Hälfte der Eidechse hin, der sie zwar nicht sehen konnte, aber sicher den Geruch des Essens wahrnahm.

»Wo bin ich?«, fragte er und fing an, mit zitternden Händen seine Umgebung zu erforschen. Dann berührte er seine aufgeschürften Handgelenke und schien verwirrt, als er bemerkte, dass die Fesseln verschwunden waren.

»Die Elfen – und auch die Drachenreiter vergangener Tage – nannten das hier Mírnathor. Die Zwerge sagen Werghadn und die

Menschen Graue Heide. Wenn das deine Frage nicht beantwortet, dann hilft es dir vielleicht weiter, wenn ich dir sage, dass wir uns ein paar Meilen südöstlich des Helgrind befinden, wo du eingesperrt warst.«

Hel-grind formten Sloans Lippen tonlos. »Du hast mich gerettet?«

»Ja.«

»Was ist mit ...«

»Lass die Fragen. Iss erst mal.«

Sein strenger Ton ließ den Metzger wie unter einem Peitschenhieb zusammenzucken. Mit einer fahrigen Bewegung griff er nach der Eidechse. Eragon ließ sie los, kehrte zu seinem Platz neben dem Steinofen zurück und schüttete ein paar Handvoll Sand auf die Glut, damit ihr Schein sie nicht verriet, für den unwahrscheinlichen Fall, dass irgendjemand in der Nähe war.

Nachdem er zuerst vorsichtig mit der Zunge an dem Fleisch geleckt hatte, um festzustellen, was Eragon ihm da gegeben hatte, grub Sloan die Zähne in die Eidechse und riss ein großes Stück von dem Gerippe ab. Mit jedem neuen Bissen stopfte er sich so viel Fleisch in den Mund, wie er konnte, und kaute nur ein- oder zweimal, bevor er schluckte und zum nächsten überging. Er nagte jeden einzelnen Knochen mit der Geschicklichkeit eines Menschen ab, der sich gut mit dem Körperbau von Tieren auskennt. Die Knochen schichtete er fein säuberlich neben sich auf. Als der letzte Rest des Eidechsenschwanzes in Sloans Kehle verschwunden war, reichte ihm Eragon die andere Eidechse, die noch unangetastet war. Sloan seufzte dankbar und fuhr fort, sich vollzustopfen. Dabei machte er sich nicht die Mühe, sich das Fett von Mund und Kinn zu wischen.

Die zweite Eidechse war zu viel für Sloan. Bei den untersten zwei Rippen des Brustkorbs angekommen, konnte er nicht mehr und legte den Rest auf den Knochenstapel neben sich. Dann richtete er sich auf, fuhr sich mit der Hand über den Mund, strich die langen Haare hinter die Ohren und sagte: »Ich danke Euch für Eure Gastfreundschaft, fremder Herr. Es ist so lange her, seit ich zuletzt etwas Ordentliches gegessen habe. Ich glaube, ich weiß diese Mahlzeit sogar noch mehr zu schätzen als meine Freiheit … Darf ich fragen, ob Ihr wisst, was mit meiner Tochter Katrina geschehen ist? Sie war auch im Helgrind gefangen.« In seiner Stimme schwangen die unterschiedlichsten Empfindungen mit: Angst, Ehrerbietung und Unterwerfung; Hoffnung und Beklommenheit, was das Schicksal seiner Tochter anging; und eine Entschlossenheit, die so unnachgiebig war wie die Berge des Buckels. Das Einzige, was Eragon erwartet hatte, aber nicht zu hören bekam, war die höhnische Verachtung, mit der ihn Sloan in Carvahall immer behandelt hatte.

»Sie ist bei Roran.«

Sloan schnappte nach Luft. »Roran! Wie ist der denn hierhergekommen? Haben ihn die Ra'zac auch erwischt? Oder …«

»Die Ra'zac und ihre Rösser sind tot.«

»Ihr habt sie *getötet*? … Wer –« Einen Moment lang zuckte Sloan, als würde er mit dem ganzen Körper stottern, dann wurden seine Wangen und Lippen schlaff, die Schultern sackten zusammen und er suchte Halt an einem Busch. Kopfschüttelnd sagte er: »Nein, nein … *Nein* … Unmöglich. Die Ra'zac haben darüber geredet. Sie verlangten Antworten, die ich ihnen nicht geben konnte, aber ich dachte … Ich meine, wer hätte geglaubt …?« Seine Lungen pumpten so heftig, dass Eragon befürchtete, er würde zusammenbrechen. Keuchend, als hätte er einen Fausthieb in den Bauch bekommen, presste Sloan hervor: »Ihr könnt doch nicht … Eragon sein.«

Ein Gefühl von *Schicksal* und *Bestimmung* senkte sich auf Eragon. Er kam sich vor wie das Werkzeug dieser beiden unerbittlichen Gebieter, dementsprechend antwortete er so bedächtig, dass jedes Wort wie ein Hammerschlag niederfuhr und das ganze Gewicht seiner Würde, seiner Stellung und seines Zorns in sich trug. »Ich bin Eragon und noch viel mehr. Ich bin Argetlam und Schattentöter und Feuerschwert. Mein Drache ist Saphira, die man auch als Bjartskular und Flammenzunge kennt. Wir sind von Brom ausgebildet worden, der auch ein Drachenreiter war, und von den Zwergen und Elfen. Wir haben gegen die Urgals, den Schatten und Murtagh, Morzans Sohn, gekämpft. Wir dienen den Varden und den Völkern von Alagaësia. Ich habe dich hergebracht, Sloan Aldensson, um dich für den Tod von Byrd und den Verrat an Carvahall zur Rechenschaft zu ziehen.«

»Du lügst! Du bist nicht…«

»Lügen?«, brüllte Eragon. »Ich lüge nie!« Er drängte sich mit seinem Geist in Sloans Bewusstsein, umfing es mit seinem eigenen und zwang den Metzger, Erinnerungen zuzulassen, die die Wahrheit seiner Worte bewiesen. Sloan sollte außerdem seine neue Kraft spüren und erkennen, dass er nicht mehr nur ein Mensch war. Auch wenn er es sich ungern eingestand, so genoss er doch seine Macht über einen Mann, der ihm oft genug Ärger bereitet und ihn und seine Familie mit seinen spöttischen Reden beleidigt hatte. Dann zog er sich wieder aus Sloans Bewusstsein zurück.

Der zitterte immer noch, kroch aber nicht vor ihm im Staub, wie Eragon erwartet hatte. Stattdessen wurde seine Miene kalt und hart. »Verflucht sollst du sein!«, sagte er. »Ich brauche mich nicht vor dir zu rechtfertigen, Eragon, Sohn eines Niemand. Aber eins sollst du trotzdem wissen: Was ich getan habe, habe ich Katrina zuliebe getan, und nichts anderes.«

»Ich weiß. Das ist auch der einzige Grund, warum du noch am Leben bist.«

»Mach mit mir, was du willst. Es schert mich nicht, solange sie in Sicherheit ist… also, weiter! Was soll das werden? Willst du mich auspeitschen oder brandmarken? Meine Augen haben sie schon, also eine Hand? Oder lässt du mich hier liegen, bis ich verhungert bin oder das Imperium mich wieder eingefangen hat?«

»Ich habe mich noch nicht entschieden.«

Sloan nickte trotzig und wickelte sich fest in seinen zerlumpten Umhang, um die heraufziehende Kälte der Nacht abzuhalten. So saß er kerzengerade da und starrte mit leeren Augenhöhlen in die

Dunkelheit, die das Lager umgab. Er bettelte nicht. Er winselte nicht um Gnade. Er bestritt seine Untaten nicht, um Eragon zu besänftigen. Er saß einfach nur da und wartete, während seine stoische Unerschütterlichkeit ihn wie eine Rüstung einhüllte.

Seine Tapferkeit beeindruckte Eragon.

Die finstere Landschaft um sie herum erschien endlos. Doch es kam Eragon so vor, als laufe die ganze Weite bei ihm zusammen, ein Gefühl, das seine Beklommenheit über die vor ihm liegende Entscheidung noch steigerte. *Mein Urteil wird den Rest seines Lebens überschatten,* dachte er.

Er stellte für eine Weile die Frage der Bestrafung zurück und überlegte, was er eigentlich über Sloan wusste: die übermächtige Liebe des Metzgers zu seiner Tochter – besitzergreifend, egoistisch und krankhaft, auch wenn sie einst etwas Gutes gewesen war –, seine hasserfüllte Furcht vor dem Buckel, die von der Trauer um seine Frau Ismira herrührte, die in den wolkenverhangenen Gipfeln abgestürzt war; die Entfremdung von den verbliebenen Verwandten; der Stolz, mit dem er seine Arbeit verrichtet hatte; die Geschichten, die Eragon über Sloans Kindheit gehört hatte; und sein eigenes Wissen darüber, was es hieß, in Carvahall zu leben.

Eragon grübelte über dieser Sammlung einzelner bruchstückhafter Informationen aus Sloans Leben auf der Suche nach ihrer Bedeutung. Wie die Teile eines Puzzles versuchte er, sie zusammenzufügen. Das war gar nicht so einfach, aber er gab nicht auf. Mit der Zeit fand er eine Unmenge von Verbindungen zwischen den Ereignissen in Sloans Leben und den Emotionen des Mannes, die sich zu einem Netz verdichteten, dessen Muster ein Bild von Sloans Persönlichkeit ergab. Als der letzte Faden gesponnen war, hatte Eragon das Gefühl, die Gründe für Sloans Verhalten nachvollziehen zu können. Und deshalb empfand er nun Mitleid mit dem Metzger.

Aber es war mehr als das. Er fühlte, dass er Sloan jetzt verstand, dass er zum Kern seiner Persönlichkeit vorgedrungen war, zu jenen Bestandteilen, die man nicht wegnehmen kann, ohne den Menschen unwiederbringlich zu verändern. Da fielen ihm plötzlich drei Wörter aus der alten Sprache ein, die Sloan perfekt zu beschreiben schienen, und ohne darüber nachzudenken, flüsterte Eragon sie vor sich hin.

Obwohl Sloan nichts gehört haben konnte, rührte er sich plötzlich, griff sich an die Oberschenkel – und sein Gesichtsausdruck wirkte gequält.

Beim Anblick des Metzgers lief Eragon ein kaltes Kribbeln die linke Seite hinab und er bekam an Armen und Beinen eine Gänsehaut. Er zog eine Reihe von Erklärungen für Sloans Reaktion in Betracht, eine ausgefeilter als die andere, aber nur eine erschien ihm plausibel, doch auch sie kam ihm sehr unwahrscheinlich vor. Noch einmal flüsterte er zur Probe die drei Wörter. Wie zuvor bewegte sich Sloan unruhig auf der Stelle und Eragon hörte ihn murmeln: »… jemand geht über mein Grab.«

Eragon entfuhr ein zittriger Atemstoß. Er konnte es kaum glauben, doch das Experiment ließ keinen Zweifel zu: Er war ganz zufällig auf Sloans wahren Namen gestoßen. Die Entdeckung verwirrte ihn. Den wahren Namen eines Menschen zu kennen, brachte eine schwerwiegende Verantwortung mit sich, denn es verlieh einem absolute Macht über ihn. Deshalb verrieten die Elfen nur selten ihren wahren Namen, und wenn, dann nur jemandem, dem sie vorbehaltlos vertrauten.

Eragon hatte noch nie zuvor den wahren Namen eines anderen erfahren. Er hatte stets geglaubt, dass es einmal ein Geschenk von jemandem sein würde, der ihm sehr viel bedeutete. Dass er ohne dessen Zustimmung Sloans wahren Namen herausbekommen hatte, war eine Wendung der Ereignisse, auf die Eragon nicht vorbereitet war und von der er nicht wusste, wie er damit umgehen sollte. Allmählich dämmerte es ihm, dass er Sloan besser kennen musste als sich selbst, denn er hatte nicht die leiseste Ahnung, wie sein wahrer Name lautete.

Diese Erkenntnis war ihm unangenehm, denn ihm schwante, dass es sich – in Anbetracht der Natur seiner Gegner – noch einmal als verhängnisvoll erweisen konnte, nicht alles über sich selbst zu wissen, was irgend möglich war. Also schwor er sich, der Selbsterforschung und dem Aufdecken seines wahren Namens in Zukunft mehr Zeit zu widmen. *Vielleicht können mir ja Oromis und Glaedr sagen, wie er lautet,* dachte er.

Welche Zweifel und Verwirrung Sloans wahrer Name auch in ihm auslöste, gleichzeitig reifte in Eragon die Ahnung einer Idee, wie er mit dem Metzger verfahren würde. Obwohl er eine erste Vorstellung davon hatte, brauchte er geschlagene zehn Minuten, um den vollständigen Plan auszuarbeiten und dafür zu sorgen, dass er so funktionieren würde, wie es seine Absicht war.

Als Eragon aufstand, um das Lager zu verlassen und in die vom Sternenhimmel überspannte Landschaft zu treten, drehte Sloan den Kopf in seine Richtung. »Wo gehst du hin?«, wollte er wissen.

Doch Eragon schwieg.

Er wanderte durch die Wildnis, bis er einen großen, flachen, moosbewachsenen Felsen mit einer schüsselartigen Vertiefung in der Mitte fand. *»Adurna rïsa«,* sagte er. Um den Stein herum stiegen unzählige winzige Wassertropfen aus dem Boden und verschmolzen zu makellosen silbrigen Strahlen, die sich über den Rand in die Vertiefung ergossen. Als das Wasser überzulaufen begann und ins Erdreich zurücksickerte, nur um sich wieder in seinem Zauber zu verfangen, löste Eragon die Magie.

Er wartete, bis die Wasseroberfläche sich so weit beruhigt hatte, dass sie zum Spiegel wurde und er vor einer Schale voller Sterne zu stehen schien, dann sagte er: *»Draumr kópa«,* und noch viele andere Wörter, die einen Zauberspruch ergaben, der es ihm ermöglichte, andere über weite Entfernungen hinweg nicht nur zu sehen, sondern auch mit ihnen zu sprechen. Oromis hatte ihm zwei Tage, bevor er mit Saphira von Ellesméra nach Surda geflogen war, diese Variante der Traumsicht beigebracht.

Das Wasser wurde vollkommen schwarz, als hätte jemand die Sterne wie Kerzen ausgelöscht. Kurz darauf wurde in der Mitte ein helles Oval sichtbar, in dem Eragon das Innere eines großen weißen Zeltes erblickte, beleuchtet vom flammenlosen Licht einer roten Erisdar, einer magischen Elfenlaterne.

Normalerweise hätte Eragon keine Person und keine Örtlichkeit mit der Traumsicht aufsuchen können, die er noch nicht kannte. Ein Elfenspiegel übermittelte jedoch durch seine besondere Magie jedem, der mit ihm in Verbindung trat, ein Bild seiner direkten Umgebung. Umgekehrt sandte Eragons Zauberformel ein Bild von ihm selbst und dem Ort, an dem er sich befand, zu dem Spiegel. Diese Einrichtung gestattete auch Fremden, von überall auf der Welt Kontakt zueinander aufzunehmen, was in Kriegszeiten von unschätzbarem Wert war.

Ein hochgewachsener Elf mit silbrigem Haar in einer von vielen Schlachten verschlissenen Rüstung trat in Eragons Blickfeld, und er erkannte Lord Däthedr, Königin Islanzadis Berater, der ein Freund von Arya war. Wenn Däthedr überrascht war, Eragon zu sehen, so zeigte er es jedenfalls nicht. Er neigte den Kopf, führte zwei Finger seiner rechten Hand an die Lippen und sagte mit seiner singenden Stimme: *»Atra Esterní ono thelduin, Eragon Shur'tugal.«*

Eragon wechselte im Geiste in die alte Sprache, erwiderte die Begrüßungsgeste und sagte: *»Atra du Evarínya ono varda, Däthedr-Vodhr.«*

Däthedr fuhr in seiner Muttersprache fort: »Ich freue mich zu erfahren, dass Ihr wohlauf seid, Schattentöter. Arya Dröttningu hat uns vor einigen Tagen von Eurer Mission unterrichtet und wir waren sehr besorgt um Euch und Saphira. Ich hoffe, es ist nichts schiefgegangen?«

»Nein, aber ich bin auf ein unvorhergesehenes Problem gestoßen und würde, wenn ich darf, gern mit Königin Islanzadi darüber reden und sie um ihren weisen Rat in dieser Angelegenheit ersuchen.«

Däthedrs Katzenaugen schlossen sich bis auf zwei schmale Schlitze, was ihm einen grimmigen und verschlossenen Ausdruck verlieh. »Ich weiß, Ihr würdet nicht darum bitten, wenn es nicht wichtig wäre, Eragon-Vodhr, aber nehmt Euch in Acht: Eine gespannte Bogensehne kann genauso leicht reißen und den Schützen selbst verletzen, wie sie den Pfeil abschießen kann… Wenn es Euer Wunsch ist, dann wartet und ich werde nach der Königin schicken.«

»Ich werde warten. Eure Unterstützung ist mir höchst willkommen, Däthedr-Vodhr.« Als sich der Elf von dem magischen Spiegel abwandte, verzog Eragon das Gesicht. Er konnte die Förmlichkeit der Elfen nicht leiden, aber vor allem hasste er es, ihre rätselhaften Gleichnisse deuten zu müssen. *Wollte er mich nun warnen, dass es ein gefährlicher Zeitvertreib ist, um die Königin herumzuscharwenzeln, oder dass Islanzadi eine gespannte Bogensehne ist, die jederzeit reißen kann? Oder hat er etwas ganz anderes gemeint?*

Wenigstens kann ich mit den Elfen Kontakt aufnehmen, dachte er. Die Schutzzauber der Elfen verhinderten jede Art magischen Eindringens nach Du Weldenvarden, die Traumsicht inbegriffen. Solange sie in ihren Städten blieben, konnte man sich nur mit ihnen in Verbindung setzen, indem man Boten in ihren Wald schickte. Aber jetzt, wo sie unterwegs waren und die Schatten ihrer schwarznadeligen Kiefern verlassen hatten, schützten ihre mächtigen Zauber sie nicht mehr und man konnte Hilfsmittel wie den magischen Spiegel benutzen.

Eragon wurde zunehmend ungeduldig, als erst eine Minute und dann noch eine verrann. »Na los doch«, murmelte er und sah sich rasch um, ob auch kein Mensch oder Tier sich anpirschte, während er ins Wasser schaute.

Mit einem Geräusch wie von reißendem Stoff flog die Eingangsplane des Zeltes auf, als Königin Islanzadi sie beiseitestieß und zum Spiegel stürmte. Sie trug einen glänzenden Harnisch aus goldenen Metallplättchen, verstärkt mit einem Kettenhemd, dazu Beinschienen sowie einen herrlich verzierten, mit Opalen und anderen Edelsteinen besetzten Helm, der ihre fließenden schwarzen Locken zurückhielt. Ein roter, mit Weiß abgesetzter Umhang blähte sich um ihre Schultern. Er erinnerte Eragon an eine heraufziehende Gewitterfront. In der linken Hand hielt sie ein gezogenes Schwert.

Die rechte war leer, sah aber aus, als trüge sie einen karmesinroten Handschuh. Kurz darauf bemerkte Eragon, dass Blut ihr Handgelenk bedeckte und von ihren Fingern tropfte.

Islanzadis schräge Augenbrauen zogen sich zusammen, als sie Eragon ansah. In diesem Moment sah sie Arya verblüffend ähnlich, auch wenn ihre Statur und Körperhaltung noch beeindruckender waren als die ihrer Tochter. Sie war schön und schrecklich zugleich, wie eine furchterregende Kriegsgöttin.

Eragon führte die Finger zu den Lippen, dann drehte er die rechte Hand vor der Brust, als Zeichen der Treue und Ehrerbietung, und sprach als Erster die traditionellen Begrüßungsworte, wie es sich gehörte, wenn der andere von höherem Rang war. Islanzadi gab die erwartete Antwort, und um ihr eine Freude zu machen und zu zeigen, dass er ihre Bräuche kannte, schloss er mit der möglichen dritten Zeile der elfischen Begrüßung: »Und mögest du Frieden im Herzen tragen.«

Die Wildheit in Islanzadis Haltung verminderte sich etwas und ein leises Lächeln spielte um ihre Lippen, wie um zu zeigen, dass sie seinen Schachzug wohl bemerkt hatte. »Du in deinem ebenfalls, Schattentöter.« In ihrer klangvollen Stimme meinte er rauschende Kiefernnadeln, gurgelnde Bäche und Musik aus Schilfrohrflöten wie aus weiter Ferne zu hören. Sie steckte das Schwert in die Scheide und schritt quer durch das Zelt zu einem Tisch, an dem sie seitlich zu Eragon stehen blieb und sich das Blut mit Wasser aus einer Kanne abwusch. »Ich fürchte, Frieden ist dieser Tage schwer zu bekommen.«

»Sind die Kämpfe schlimm, Majestät?«

»Bald werden sie es sein. Meine Leute sammeln sich am westlichen Rand von Du Weldenvarden, wo wir uns im Schutz unserer geliebten Bäume auf das Töten und Getötetwerden vorbereiten. Wir sind ein versprengtes Volk und marschieren nicht – das Land verwüstend – in Reih und Glied wie andere. So dauert es eine ganze Weile, bis wir uns aus den hintersten Waldregionen zusammengefunden haben.«

»Ich verstehe. Nur …« Er versuchte, seine Frage nicht unhöflich klingen zu lassen. »Wenn die Kämpfe noch gar nicht begonnen haben, wundert es mich, dass Eure Hand blutig ist.«

Islanzadi schüttelte Wassertropfen von den Fingern und hob ihren makellosen goldbraunen Unterarm, sodass Eragon ihn sehen konnte. Da erkannte er, dass sie für die Skulptur zweier ineinander verschlungener Arme im Vestibül seines Baumhauses in Ellesméra Modell gestanden hatte. »Jetzt nicht mehr. Blut hinterlässt nur Flecken auf der Seele, nicht am Körper. Ich habe gesagt, die Gefechte würden in naher Zukunft eskalieren, nicht dass sie noch nicht angefangen hätten.« Sie zog den Ärmel ihres Harnischs und des darunterliegenden Gewandes wieder bis zu den Handgelenken herab. Von dem juwelenbesetzten Gürtel, der sich um ihre schlanke Taille wand, nahm sie einen mit Silberfäden bestickten Handschuh und zwängte ihre Hand hinein. »Wir haben die Stadt Ceunon beobachtet, denn dort haben wir vor, zuerst anzugreifen. Vor zwei Tagen haben unsere Waldhüter Gruppen von Männern mit Eseln beobachtet, die von Ceunon nach Du Weldenvarden wanderten. Zuerst dachten wir, sie wollten Holz sammeln, wie so oft. Wir dulden das, denn die Menschen brauchen Holz und die Bäume am Waldrand sind jung und unsere Verbindung zu ihnen schwach. Auch wollten wir uns noch nicht zeigen. Doch diesmal hielten sie nicht am Waldrand an, sondern drangen tief in Du Weldenvarden ein, auf Wildfährten, die sie zu kennen schienen. Sie suchten sich die größten und dicksten Bäume aus – Bäume so alt wie Alagaësia selbst, Bäume, die bereits uralt waren, als die Zwerge Farthen Dûr entdeckten. Dann fingen sie an, sie zu fällen.« Ihre Stimme bebte vor Zorn. »Aus ihren Bemerkungen erfuhren wir, dass Galbatorix die größten Bäume haben wollte, die er kriegen konnte, um die Belagerungsmaschinen und Rammböcke zu ersetzen, die er in der Schlacht auf den Brennenden Steppen eingebüßt hatte. Wären ihre Beweggründe rein und redlich gewesen, wir hätten ihnen vielleicht den Verlust eines Königs unseres Waldes verziehen. Vielleicht auch zweier. Aber nicht den von achtundzwanzig Bäumen.«

Ein kalter Schauer durchlief Eragon. »Was habt Ihr getan?«, fragte er, obwohl er die Antwort bereits ahnte.

Islanzadi reckte das Kinn und ihr Gesichtsausdruck wurde wieder hart. »Ich war mit zweien unserer Waldhüter vor Ort. Gemeinsam haben wir den Fehler der Menschen *korrigiert*. Früher wussten es die Bewohner von Ceunon besser und sind nicht in unsere Gebiete eingedrungen. Heute haben wir sie daran erinnert, warum das so war.« Anscheinend ohne es zu merken, rieb sie sich die rechte Hand, als schmerzte sie, und blickte am Spiegel vorbei auf eine Vision, die nur sie sehen konnte. »Du hast gelernt, was es heißt, Eragon-Finiarel, die Pflanzen und Tiere um dich her mit deinem Geist zu berühren. Stell dir vor, wie sehr du jedes Lebewesen lieben würdest, wenn du diese Fähigkeit bereits seit Jahrhunderten besäßest. Wir geben unser Letztes, um Du Weldenvarden zu erhalten, und der Wald ist die Verlängerung unserer Körper und Seelen. Wer ihn verletzt, der verletzt auch uns … Es ist schwer, die Elfen zu erzürnen, aber wenn es gelingt, dann sind wir wie die Drachen: Dann kennt unser Zorn keine Grenzen. Es ist mehr als hundert Jahre her, seit ich und auch die meisten anderen Elfen zuletzt Blut in einer Schlacht vergossen haben. Die Welt hat vergessen, wozu wir fähig sind. Unsere Kraft mag seit dem Niedergang der Drachenreiter abgenommen haben, aber wir werden uns immer noch gerecht. Unseren Feinden wird es so vorkommen, als hätten sich die Elemente gegen sie verschworen. Wir sind ein uraltes Volk und unser Können und Wissen übersteigt bei Weitem das der Sterblichen. Galbatorix und seine Verbündeten mögen sich hüten, denn wir Elfen sind im Begriff, unseren Wald zu verlassen, und wir werden im Triumph zurückkehren oder gar nicht.«

Eragon schauderte. Selbst bei seinen Zusammenstößen mit Durza hatte er nie eine solch eiserne Entschlossenheit und Unbarmherzigkeit erlebt. *Das ist nicht menschlich,* dachte er, dann musste er voller Selbstironie lachen. *Natürlich nicht. Und ich täte gut daran, das nicht zu vergessen. So sehr wir uns auch äußerlich ähneln mögen – besonders in meinem Fall –, wir sind verschieden.*

»Wenn ihr Ceunon einnehmt«, sagte er laut, »wie wollt ihr die Leute dann überwachen? Wenn sie auch das Imperium mehr hassen als den Tod, so bezweifle ich doch, dass sie euch trauen werden, und sei es nur, weil sie Menschen sind und ihr Elfen seid.«

Islanzadi machte eine wegwerfende Handbewegung. »Das ist unwichtig. Wenn wir erst einmal innerhalb der Stadtmauern sind, finden wir auch Wege, sicherzugehen, dass sich uns niemand entgegenstellt. Das ist nicht das erste Mal, dass wir gegen deinesgleichen kämpfen.« Sie nahm den Helm ab, ihr Haar fiel nach vorn und rahmte ihr Gesicht mit rabenschwarzen Locken ein. »Ich war nicht sehr erfreut, von deinem Angriff auf den Helgrind zu hören, aber ich nehme an, dass die Sache inzwischen erfolgreich beendet ist.«

»Ja, Majestät.«

»Dann sind meine Einwände nichtig. Ich warne dich trotzdem, Eragon Shur'tugal, bring dich nicht durch solche unnötig riskanten Abenteuer in Gefahr. Es ist grausam, aber trotzdem wahr: Dein Leben ist wichtiger als das Glück deines Cousins.«

»Ich hatte Roran geschworen, ihm zu helfen.«

»Dann hast du einen leichtsinnigen Schwur geleistet, ohne die Konsequenzen zu bedenken.«

»Würdet Ihr wollen, dass ich jene im Stich lasse, die mir am Herzen liegen? Wenn ich das täte, wäre ich ein Mann, der Verachtung und Misstrauen verdient, und ein schlechter Hoffnungsträger für ein Volk, das daran glaubt, dass ich Galbatorix *irgendwie* unschädlich machen werde. Außerdem war Roran anfällig für Manipulationen, solange Galbatorix Katrina als Pfand hatte.«

Die Königin zog eine dolchspitze Augenbraue hoch. »Eine Gefahr, die du hättest unterbinden können, indem du Roran entsprechende Beschwörungen in der Sprache der Magie beigebracht hättest ... Ich rate dir nicht, deine Freunde oder Familienangehörigen von dir zu stoßen. Das wäre Torheit. Aber merk dir gut, was auf dem Spiel steht: das Schicksal Alagaësias. Wenn wir jetzt versagen, wird sich Galbatorix' Tyrannei auf alle Völker ausdehnen und seine Schreckensherrschaft wird vermutlich nie enden. Du bist die Speerspitze unserer Bemühungen, und wenn diese Speerspitze bricht oder verloren geht, dann prallt der Speer von der Rüstung unseres Feindes ab und wir sind alle verloren.«

Moosflechten rissen unter Eragons Fingern, als er sie in den Rand des Wasserbeckens krallte. Er musste schlucken, um nicht mit der unverschämten Bemerkung herauszuplatzen, dass ein gut gerüsteter Krieger außer einem Speer auch noch ein Schwert oder irgendeine andere Waffe besitzen sollte, auf die er im Notfall zurückgreifen konnte. Es verdross ihn, welche Wendung das Gespräch genommen hatte, und er wollte das Thema gern so schnell wie möglich beenden. Er hatte sich nicht an die Königin gewandt, um von ihr wie ein Kind ausgeschimpft zu werden. Dennoch würde es seinem Anliegen nicht förderlich sein, seiner Ungeduld freien Lauf zu lassen, und so blieb er ruhig und erwiderte höflich: »Glaubt mir bitte, Majestät, ich nehme Eure Sorge sehr, sehr ernst. Ich will nur sagen, dass ich mich, wenn ich Roran nicht geholfen hätte, ebenso elend gefühlt hätte wie er, erst recht, wenn er allein versucht hätte, Katrina zu retten, und dabei umgekommen wäre. Auf jeden Fall wäre ich viel zu verärgert gewesen, um für Euch oder irgendjemand anderen von Nutzen zu sein. Können wir uns nicht wenigstens darauf einigen, dass wir in dieser Angelegenheit unterschiedlicher Meinung sind? Keiner von uns sollte den anderen überzeugen wollen.«

»Na schön«, sagte Islanzadi. »Wir werden die Sache ruhen lassen ... vorläufig. Aber glaube nicht, dass du damit einer gründlichen Untersuchung deiner Handlungsweise entgehst, Eragon Drachenreiter. Mir scheint, du nimmst deine große Verantwortung zu sehr auf die leichte Schulter, und das ist eine ernste Angelegenheit. Ich werde mit Oromis darüber reden. Er wird entscheiden, wie mit dir zu verfahren ist. Und jetzt erzähle mir, warum du um diese Unterredung gebeten hast.«

Eragon musste die Zähne mehrmals zusammenbeißen, bevor er sich überwinden konnte, in höflichem Ton über die Ereignisse des

Tages zu sprechen, über die Gründe für sein Verhalten im Hinblick auf Sloan und darüber, welche Bestrafung er sich für ihn vorstellte.

Als er fertig war, fuhr Islanzadi herum und schritt mit katzenartiger Behändigkeit das Rund des Zelts ab, blieb dann stehen und sagte: »Du bist mitten im Imperium zurückgeblieben, um das Leben eines Mörders und Verräters zu retten. Du bist allein mit diesem Mann unterwegs, zu Fuß, ohne Proviant und Waffen außer Magie, und die Feinde sind dir auf den Fersen. Ich sehe, meine Ermahnungen waren mehr als gerechtfertigt. Du…«

»Majestät, wenn Ihr unbedingt verärgert über mich sein müsst, dann seid es bitte später. Ich möchte das hier schnell klären, damit ich vor Sonnenaufgang noch etwas Schlaf bekomme. Morgen muss ich viele Meilen zurücklegen.«

Die Königin nickte. »Dein Überleben ist am wichtigsten. Ich werde wütend sein, nachdem wir geredet haben… Was deinen Wunsch betrifft, so etwas ist in unserer Geschichte noch nie vorgekommen. An deiner Stelle hätte ich Sloan getötet und mir das Problem an Ort und Stelle vom Hals geschafft.«

»Ich weiß. Ich habe einmal gesehen, wie Arya einen verletzten Rotfalken tötete. Sie sagte, sein Tod sei unvermeidlich und so erspare sie dem Tier stundenlanges Leiden. Vielleicht hätte ich mit Sloan dasselbe tun sollen, aber ich konnte es nicht. Es wäre ein Schritt gewesen, den ich für den Rest meines Lebens bedauert hätte, oder noch schlimmer, der es mir womöglich in Zukunft leichter gemacht hätte zu töten.«

Islanzadi seufzte und auf einmal wirkte sie müde. Eragon führte sich vor Augen, dass auch sie gekämpft hatte. »Oromis mag dein eigentlicher Lehrer gewesen sein, aber du hast ganz klar das Erbe Broms angetreten, nicht Oromis'. Brom ist der Einzige außer dir, der es fertigbrachte, immer wieder in eine Zwangslage zu geraten. Wie er scheinst auch du unweigerlich das tiefste Treibsandloch aufzuspüren und dich Hals über Kopf hineinzustürzen.«

Eragon unterdrückte ein Schmunzeln; der Vergleich gefiel

ihm. »Was ist mit Sloan?«, fragte er. »Sein Schicksal liegt in Eurer Hand.«

Langsam setzte sich Islanzadi auf den Stuhl neben dem Tisch, legte die Hände in den Schoß und blickte seitlich zum Spiegel hinüber. Ihre Miene wirkte rätselhaft: eine schöne Maske, die ihre Gedanken und Empfindungen verbarg und die Eragon nicht zu durchdringen vermochte, sosehr er es auch versuchte. Schließlich sagte sie: »Da du es geschafft hast, unter einigen Mühen das Leben dieses Mannes zu retten, kann ich deine Bitte nicht ablehnen, denn dann wäre dein Opfer umsonst gewesen. Wenn Sloan die Prüfung, die du für ihn vorgesehen hast, überlebt, wird Gilderien der Weise ihn passieren lassen und Sloan wird ein Zimmer und ein Bett und etwas zu essen erhalten. Mehr kann ich nicht versprechen, denn was danach geschieht, hängt von ihm ab. Aber wenn die Bedingungen, die du genannt hast, erfüllt sind, ja, dann werden wir seine Finsternis erhellen.«

»Danke, Majestät. Ihr seid sehr großzügig.«

»Nicht großzügig. Dieser Krieg gestattet mir nicht, großzügig zu handeln, nur zweckmäßig. Geh jetzt und tu, was du tun musst, aber sei ja vorsichtig, Eragon Schattentöter.«

»Majestät.« Er verneigte sich. »Wenn ich Euch noch um einen letzten Gefallen bitten darf: Erzählt Arya, Nasuada oder irgendjemandem von den Varden nicht von meiner gegenwärtigen Lage. Ich möchte nicht, dass sie sich länger als nötig Sorgen um mich machen. Sie werden es noch früh genug von Saphira erfahren.«

»Ich werde über deine Bitte nachdenken.«

Eragon wartete eine Weile, aber als klar wurde, dass sie nicht die Absicht hatte, ihm ihre Entscheidung mitzuteilen, verbeugte er sich ein zweites Mal und sagte: »Danke.«

Das schimmernde Bild auf der Wasseroberfläche erzitterte und löste sich dann im Dunkel auf, als Eragon den Zauber beendete. Er lehnte sich zurück und schaute zu den zahllosen Sternen empor, damit sich seine Augen wieder an das schwache Licht gewöhnen konnten, das sie verbreiteten. Dann kehrte er dem verwitterten

Stein mit der Wasserlache den Rücken und machte sich durch Gras und Buschwerk auf den Rückweg zum Lager, wo Sloan noch immer kerzengerade wie in Erz gegossen dasaß.

Eragons Fuß stieß gegen ein Steinchen, und das Geräusch verriet Sloan, dass er zurückgekehrt war. Ruckartig wie ein Vogel wandte er den Kopf hin und her. »Hast du dich entschieden?«, wollte er wissen.

»Ja«, sagte Eragon. Er ging vor dem Metzger in die Hocke, stützte sich dabei mit einer Hand am Boden ab. »Hör gut zu, denn ich sage es nicht zweimal. Du behauptest, du hättest aus Liebe zu Katrina gehandelt. Ob du es nun zugibst oder nicht, ich glaube, du hattest auch andere, niedrige Beweggründe, sie von Roran trennen zu wollen: Zorn … Hass … Rachsucht … und deinen eigenen Schmerz.«

Sloans Lippen verhärteten sich zu einer schmalen weißen Linie. »Du tust mir unrecht.«

»Nein, das glaube ich nicht. Da mich mein Gewissen daran hindert, dich zu töten, muss deine Strafe die schrecklichste sein, die neben dem Tod denkbar ist. Ich bin überzeugt, dass deine Worte, Katrina sei dir das Wichtigste auf der Welt, wahr sind. Deshalb ist deine Strafe die folgende: Du wirst deine Tochter bis zum Tag deines Todes nicht wiedersehen, nicht berühren und nicht mit ihr reden, und du wirst ständig in dem Bewusstsein leben, dass sie mit Roran zusammen ist und die beiden ohne dich glücklich sind.«

Sloan sog zischend die Luft ein. »*Das* soll deine Strafe sein? Ha! Wie willst du sie vollstrecken? Du hast ja kein Gefängnis, in das du mich sperren könntest.«

»Ich bin noch nicht fertig. Ich *werde* sie vollstrecken, indem ich dich in der Elfensprache schwören lasse – der Sprache der Wahrheit und Magie –, dich an die Bedingungen deines Urteils zu halten.«

»Das kannst du nicht«, knurrte Sloan. »Nicht mal wenn du mich folterst.«

»Ich kann es und ich werde dich nicht foltern. Außerdem werde ich dich mit einem unwiderstehlichen Drang belegen, nach Norden zu ziehen, bis du die Elfenstadt Ellesméra erreicht hast, die tief im Herzen von Du Weldenvarden liegt. Du kannst versuchen, dich gegen diesen Drang zu wehren, aber ganz gleich, wie lange du dagegen ankämpfst, die Verwünschung wird dir keine Ruhe lassen wie ein juckender Mückenstich, bis du ihr nachgibst und ins Reich der Elfen ziehst.«

»Bist du nicht Manns genug, mich selbst zu töten?«, fragte Sloan höhnisch. »Du bist zu feige, mir das Schwert an den Nacken zu legen, deshalb schickst du mich blind und orientierungslos durch die Wildnis, bis das Wetter oder irgendein Raubtier mich erledigt.« Er spie heftig vor Eragon aus. »Du bist nichts als ein jämmerlicher Waschlappen, den eine bockige Mähre im Galopp verloren hat. Ein Bastard, jawohl, ein läppischer Flegel; eine stinkende, talggesichtige Bergziege; ein Wechselbalg, ein Kuckucksei, eine giftige Kröte; der ranzige, wimmernde Abgang einer öligen Sau. Ich würde dir nicht meine letzten Brotkrumen geben, wenn du am Verhungern wärst, oder nur einen Tropfen Wasser, wenn du verdurstest, oder ein Sandloch, um dich zu begraben. Du hast Eiter in den Knochen und den Baumschwamm im Hirn, ein räudiger kleiner Wadenbeißer bist du!«

Sloans Flüche waren auf eine perverse Art ziemlich beeindruckend, dachte Eragon, auch wenn ihn seine Bewunderung nicht von dem Bedürfnis abhielt, den Metzger zu erwürgen oder ihm wenigstens eine passende Antwort zu geben. Was ihn dazu bewog, sich zurückzuhalten, war der Verdacht, dass Sloan es darauf anlegte, dass Eragon ihn in einem Anfall von blinder Wut niederstreckte und ihm so zu einem unverdient schnellen Ende verhalf.

Deshalb sagte er nur: »Ich bin vielleicht ein Bastard, aber auf jeden Fall kein Mörder.« Sloan holte scharf Luft. Doch bevor er seine Schimpftirade fortsetzen konnte, fügte Eragon hinzu: »Wo du auch hingehst, du wirst nicht hungern müssen noch werden dich wilde Tiere angreifen. Ich werde dich mit gewissen Zaubern umgeben, die Menschen und Tiere davon abhalten, dich zu belästigen, und dafür sorgen, dass Tiere dir Nahrung bringen, wenn du hungrig bist.«

»Das kannst du nicht«, flüsterte Sloan, und Eragon konnte selbst im Sternenlicht verfolgen, wie das letzte bisschen Farbe aus seinem Gesicht wich, bis er kreidebleich dasaß. »Dazu hast du nicht die Mittel. Und auch nicht das Recht.«

»Ich bin ein Drachenreiter. Ich habe so viel Recht dazu wie irgendein König oder eine Königin.«

Dann sprach Eragon, der keine Lust hatte, sich weiter mit Sloan herumzuschlagen, dessen wahren Namen so laut aus, dass der Metzger es hören konnte. Entsetzen und Ehrfurcht breiteten sich auf Sloans Gesicht aus. Er riss die Arme hoch und heulte, als hätte ihn jemand mit dem Schwert durchbohrt. Ein heiserer, abgehackter Verzweiflungsschrei, der Schrei eines Menschen, den seine eigene Natur zu einem Schicksal verdammt hat, aus dem es kein Entrinnen gibt. Dann fiel er vornüber, blieb auf den Handflächen liegen und fing an zu schluchzen, das Gesicht von Haarsträhnen verdeckt.

Eragon beobachtete seine Reaktion wie erstarrt. *Verhält sich etwa jeder so, wenn er seinen wahren Namen erfährt? Würde mir das auch passieren?*

Er wappnete sich gegen Sloans Elend und machte sich daran, auszuführen, was er angekündigt hatte. Zuerst wiederholte er Sloans wahren Namen, dann brachte er ihm Wort für Wort Schwüre in der alten Sprache bei, die sicherstellten, dass Sloan Katrina niemals wiedersah und nie wieder Kontakt zu ihr aufnahm. Sloan wehrte sich mit Heulen und Zähneknirschen, aber sosehr er dagegen ankämpfte, es blieb ihm nichts anderes übrig, als zu gehorchen, wann immer Eragon seinen wahren Namen aussprach. Als sie damit fertig waren, wirkte Eragon noch fünf Zauber, die Sloan nach Ellesméra ziehen, ihn vor Angriffen schützen und die Vögel, die Fische in den Flüssen und Seen und die wilden Tiere veranlassen würden, ihn zu ernähren. Dabei richtete er es so ein, dass die nötige Energie für die Zauber Sloan entzogen wurde und nicht ihm selbst.

Mitternacht war nur noch eine blasse Erinnerung, als Eragon mit dem letzten Zauber fertig war. Trunken vor Erschöpfung stützte er sich auf den Rotdornstab. Sloan lag zusammengekrümmt zu seinen Füßen.

»Fertig«, sagte Eragon.

Ein groteskes Stöhnen stieg von der Gestalt vor ihm auf. Es hörte sich an, als wolle Sloan etwas sagen. Stirnrunzelnd kniete sich Eragon neben ihn. Sloans Wangen waren rot und blutig, wo er sie sich aufgekratzt hatte. Ihm lief die Nase und Tränen rannen aus dem Winkel seiner weniger stark verletzten linken Augenhöhle. Mitleid und Schuldbewusstsein wallten in Eragon auf. Es machte ihm keinen Spaß, Sloan in dieser Verfassung zu sehen. Der Metzger war ein gebrochener Mann, aller Dinge beraubt, die er im Leben geschätzt hatte, seiner Selbsttäuschung inbegriffen, und er, Eragon, hatte ihm das angetan. Er fühlte sich beschmutzt, als hätte er eine schändliche Tat begangen. *Es war notwendig,* dachte er, *aber niemand sollte so etwas tun müssen.*

Wieder stöhnte Sloan, dann hörte man: »... nur ein Stück Seil. Ich wollte nicht... Ismira... Nein, nein, bitte nicht...« Sloans Gemurmel verebbte und in der darauffolgenden Stille legte Eragon ihm die Hand auf den Arm. Sloan erstarrte unter der Berührung. »Eragon ...«, flüsterte er. »Eragon... ich bin blind und du schickst mich durchs Land... ganz allein. Ich bin verlassen und verflucht. Ich weiß, wer ich bin, und das halte ich nicht aus. Hilf mir; töte mich! Befrei mich von dieser Qual.«

Einem Impuls folgend, drückte Eragon Sloan seinen Rotdornstab in die rechte Hand. »Nimm ihn. Er wird dich auf deiner Reise begleiten.«

»Töte mich!«

»Nein.«

Ein krächzender Schrei entrang sich Sloans Kehle. Er schlug wild um sich und trommelte mit den Fäusten auf den Boden. »Grausam, du bist grausam!« Sein bisschen Kraft versiegte; keuchend und winselnd krümmte er sich noch mehr zusammen.

Eragon beugte sich über ihn, führte den Mund dicht an Sloans Ohr und flüsterte: »Ich bin nicht ohne Barmherzigkeit, deshalb gebe ich dir diese Hoffnung mit auf den Weg. Wenn du Ellesméra erreichst, dann wartet dort ein Zuhause auf dich. Die Elfen werden für dich sorgen und dir gestatten, für den Rest deines Lebens zu tun, was immer du willst, mit einer Einschränkung. Hast du Du Weldenvarden erst einmal betreten, dann kannst du den Wald nicht mehr verlassen… Sloan, hör mir zu, als ich bei den Elfen war, habe ich gelernt, dass sich der wahre Name eines Menschen im Laufe seines Lebens häufig verändert. Verstehst du, was das heißt? Es ist nicht bis in alle Ewigkeit festgelegt, wer du bist. Man kann sein Wesen neu formen, wenn man es nur will.«

Sloan gab keine Antwort.

Eragon ließ den Stab neben dem Metzger liegen und ging hinüber auf die andere Seite des Lagers, um sich auf dem Boden auszustrecken. Mit schon geschlossenen Augen murmelte er eine Beschwörung, die ihn vor Tagesanbruch wecken würde, und ließ sich dann in die tröstliche Umarmung seiner Wachträume gleiten.

Die Graue Heide war kalt, finster und ungastlich, als in Eragons Kopf ein leises Summen ertönte. *»Letta«*, sagte er und das Summen hörte auf. Stöhnend streckte er die schmerzenden Glieder, stand auf, hob die Arme über den Kopf und schüttelte sie, um die Blutzirkulation in Gang zu bringen. Sein Rücken fühlte sich so zerschlagen an, dass er nur hoffen konnte, es würde eine Weile dauern, bis er wieder eine Waffe schwingen musste. Er senkte die Arme und sah sich nach Sloan um.

Der Metzger war fort.

Lächelnd betrachtete Eragon die Fußspuren, die vom Lager wegführten, begleitet vom kreisrunden Abdruck des Stabes. Unsicher liefen sie in Schlangenlinien hin und her, aber ihre Hauptrichtung ging nach Norden, zum großen Elfenwald.

Ich wünsche mir, dass er es schafft, dachte Eragon. *Ich wünsche es mir, weil es bedeuten würde, dass wir vielleicht alle im Leben eine Chance bekommen, unsere Fehler wiedergutzumachen. Und wenn Sloan sich bessert, an seinem Charakter arbeitet und sich mit dem Unheil, das er angerichtet hat, auseinandersetzt, wird er feststellen, dass seine Lage gar nicht so trostlos ist, wie er glaubt.* Eragon hatte Sloan nämlich verschwiegen, dass, wenn er ehrliche Reue zeigte und ein besserer Mensch wurde, Königin Islanzadi ihre Magier auffordern würde, seine Sehkraft wiederherzustellen. Aber das war ein Lohn, den Sloan sich verdienen musste, ohne vorher davon zu wissen, sonst würde er womöglich versuchen, die Elfen hinters Licht zu führen.

Eragon betrachtete die Fußspuren noch eine ganze Weile, dann hob er den Blick zum Himmel und sagte: »Viel Glück.«

Müde, aber zufrieden wandte er sich ab und machte sich auf den Weg über die Graue Heide. Er wusste, Richtung Südwesten standen die alten Steinformationen, wo Brom in seiner Diamantgruft ruhte. Er sehnte sich danach, einen Umweg zu machen und Brom die gebührende Ehre zu erweisen, wagte es aber nicht. Falls Galbatorix die Stelle inzwischen entdeckt hatte, würde er seine Häscher dorthin schicken, um auf Eragon zu warten.

»Ich komme wieder. Ich verspreche dir, Brom: Eines Tages komme ich wieder.«

Dann eilte er weiter.

Die Probe der Langen Messer

»Aber wir sind vom gleichen Volk!«

Fadawar, ein großer, adlernasiger dunkelhäutiger Mann, sprach mit dem schweren Akzent und den langen Vokalen, an die sich Nasuada aus ihrer Kindheit in Farthen Dûr erinnern konnte, wenn Abgesandte vom Stamm ihres Vaters gekommen waren. Sie hatte auf Ajihads Schoß gesessen und gedöst, während sie sich unterhielten und Carduskraut rauchten.

Nasuada schaute zu Fadawar auf und wünschte sich, fünfzehn Zoll größer zu sein, sodass sie dem Feldherrn und seinen vier Gefolgsleuten direkt in die Augen hätte sehen können. Allerdings war sie an Männer gewöhnt, die sie überragten. Viel beunruhigender fand sie es, zwischen Leuten zu stehen, die ebenso dunkelhäutig waren wie sie. Es war eine neue Erfahrung für sie, einmal nicht der Grund für neugierige Blicke und geflüsterte Kommentare zu sein.

Sie stand in ihrem roten Kommandozelt, wo sie ihre Audienzen abhielt, vor einem mit Schnitzereien verzierten Stuhl, einem der wenigen massiven Stühle, die die Varden auf ihren Feldzug mitgenommen hatten. Die Sonne war kurz davor unterzugehen und ihre Strahlen fielen rechts durch die Zeltplane wie durch farbiges Glas und verliehen dem Inneren einen rötlichen Schimmer. Ein langer niedriger Tisch, auf dem Berichte und Landkarten verstreut lagen, nahm die eine Hälfte des Zeltes ein.

Sie wusste, dass draußen vor dem Eingang die sechs Mitglieder ihrer Leibgarde – zwei Menschen, zwei Zwerge und zwei Urgals – mit gezogenen Waffen wachten, jederzeit zum Angriff bereit, falls sie auch nur den leisesten Hinweis erhielten, dass sie in Gefahr war. Jörmundur, ihr ältester und vertrautester Befehlshaber, hatte sie seit dem Tag, an dem Ajihad gestorben war, mit Leibwächtern ausgestattet, aber noch nie mit so vielen über eine so lange Zeit. Am Tag nach der Schlacht auf den Brennenden Steppen hatte er seine tiefe und anhaltende Besorgnis um ihre Sicherheit ausgedrückt. Eine Sorge, die ihm, wie er sagte, des Öfteren nachts Magenschmerzen bereitete und den Schlaf raubte. Nachdem in Aberon ein Attentäter versucht hatte, sie umzubringen, und Murtagh es vor einer knappen Woche bei König Hrothgar gelungen war, fand Jörmundur, Nasuada solle sich eine Truppe zu ihrer eigenen Verteidigung zusammenstellen. Sie hatte eingewandt, ein solcher Schritt sei eine Überreaktion, doch Jörmundur war nicht davon abzubringen gewesen. Er hatte damit gedroht, seinen Posten aufzugeben, wenn sie diese Vorsichtsmaßnahme ablehnte. Schließlich hatte sie eingewilligt, nur um die darauffolgende Stunde mit ihm darum zu feilschen, wie viele Leibwächter sie brauchte. Er hatte mindestens zwölf rund um die Uhr gefordert, sie wollte höchstens vier. Sie hatten sich auf sechs geeinigt, was Nasuada immer noch zu viel erschien. Sie befürchtete, man würde sie für ängstlich halten, oder noch schlimmer, es könnte so aussehen, als wollte sie ihre Besucher einschüchtern. Doch ihre Einwände hatten Jörmundur auch diesmal nicht zum Einlenken bewegen können. Als sie ihn als sturen alten Schwarzseher bezeichnete, lachte er nur und sagte: »Besser ein sturer alter Schwarzseher als ein leichtsinniger Naseweis, der vor der Zeit tot ist.«

Da die Wachen alle sechs Stunden abgelöst wurden, belief sich die Zahl der zu Nasuadas Schutz abgestellten Krieger auf vierunddreißig, inklusive der zehn, die bereitstanden, um ihre Kameraden im Fall von Krankheit, Verletzung oder Tod zu ersetzen.

Es war Nasuada, die darauf bestanden hatte, ihre Leibgarde aus den drei sterblichen Völkern zu rekrutieren, die gegen Galbatorix ins Feld zogen. Dadurch hoffte sie, eine größere Solidarität zwischen ihnen zu erreichen und ihnen zu zeigen, dass sie die Interessen aller Völker unter ihrem Kommando vertrat und nicht nur die der Menschen. Sie hätte auch die Elfen miteinbezogen, doch im Moment war Arya die Einzige, die an der Seite der Varden und ihrer Verbündeten kämpfte. Die zwölf Magier, die Islanzadi ausgesandt hatte, um Eragon zu beschützen, würden erst noch eintreffen. Zu Nasuadas Enttäuschung hatten sich die Menschen- und Zwergenwächter feindselig gegenüber den Urgals verhalten, mit denen sie ihren Dienst versahen. Eine Reaktion, die sie missbilligte, aber gegen die sie machtlos war. Sie wusste, es würde mehr als eine gemeinsame Schlacht nötig sein, um die Spannungen zwischen den drei Völkern abzubauen. Sie hatten sich so viele Generationen lang gehasst und bekämpft, dass Nasuada sich nicht die Mühe machte nachzuzählen. Es schien ihr immerhin ermutigend, dass sich die Mitglieder ihrer Leibgarde als Nachtfalken bezeichneten. Eine Anspielung sowohl auf ihre Hautfarbe als auch auf den Namen Nachtjägerin, den ihr die Urgals gegeben hatten.

Auch wenn sie es Jörmundur gegenüber nie zugeben würde, hatte Nasuada doch sehr schnell das Gefühl von Sicherheit schätzen gelernt, das ihr die Leibwächter vermittelten. Sie waren nicht nur Meister im Gebrauch ihrer jeweiligen Waffen – ob es dabei nun um die Schwerter der Menschen, die Äxte der Zwerge oder die abenteuerlichen Kampfwerkzeuge der Urgals ging –, bei vielen der Krieger handelte es sich auch um geschickte Magier. Außerdem hatten sie ihr alle in der alten Sprache die ewige Treue geschworen. Seit dem Tage ihres Dienstantritts hatten die Nachtfalken Nasuada mit niemandem mehr allein gelassen, von ihrer Magd Farica einmal abgesehen.

Das heißt, bis heute.

Heute hatte Nasuada sie hinausgeschickt, weil sie wusste, dass es bei ihrem Treffen mit Fadawar zu Blutvergießen kommen konnte, was die Nachtfalken zum Einschreiten gezwungen hätte. Aber auch so war sie nicht ganz wehrlos. In den Falten ihres Gewandes hatte sie einen Dolch versteckt und ein kleineres Messer im Mieder ihres Unterkleides. Außerdem stand das hellsichtige Hexenkind Elva hinter einem Vorhang, jederzeit bereit einzugreifen, falls es nötig wurde.

Fadawar klopfte mit seinem vier Fuß langen Zepter auf den Boden. Der reich verzierte Stab war aus massivem Gold, ebenso wie sein fantastisches Spektrum an Schmuck: goldene Armreife bedeckten die Unterarme, ein Panzer aus gehämmertem Gold schützte den Brustkorb, an seinem Hals hingen lange dicke Goldketten und ziselierte Weißgoldscheiben dehnten die Ohrläppchen. Auf dem Kopf ruhte eine Goldkrone von so gigantischen Ausmaßen, dass Nasuada sich fragte, wie Fadawars Hals das Gewicht tragen konnte, ohne sich zu krümmen, und wie ein so monumentales Gebilde halten konnte. Es schien, als wäre die mindestens zweieinhalb Fuß hohe Krone an seinem knochigen Schädel festgenagelt, damit sie nicht herabfiel.

Fadawars Männer waren ähnlich, wenn auch nicht ganz so prachtvoll herausgeputzt. Das Gold, das sie trugen, sollte nicht nur ihren Reichtum, sondern auch den Status und die Verdienste jedes Einzelnen symbolisieren sowie das Geschick ihrer weithin berühmten Handwerker zur Schau stellen. Als Nomaden genauso wie als Stadtbewohner waren die dunkelhäutigen Völker von Alagaësia seit Langem für ihre Schmuckkunst bekannt, die in ihrer Vollendung mit den Arbeiten der Zwerge wetteiferte.

Nasuada besaß auch ein paar Stücke, aber sie verzichtete darauf, sie zu tragen. Ihre schlichten Gewänder konnten nicht mit Fadawars Pracht mithalten. Ferner hielt sie es nicht für klug, sich zu einer bestimmten Gruppierung zu bekennen, ganz gleich wie wohlhabend oder einflussreich sie sein mochte, da sie alle unterschiedlichen Volksstämme der Varden zu führen und zu vertreten hatte. Wenn sie ihre Vorliebe für den einen oder anderen zeigte, würde sie das Vertrauen der großen Masse verlieren.

Und genau das war der Grund für ihre Auseinandersetzung mit Fadawar.

Der stieß sein Zepter erneut in den Boden. »Das Blut ist das Allerwichtigste! An erster Stelle stehen die Verpflichtungen gegenüber der Familie, dann gegenüber dem Stamm, dann gegenüber den Feldherrn, dann gegenüber den Göttern über und unter uns und erst dann gegenüber dem König und dem Land. So hat es Unulukuna bestimmt und so sollten wir leben, wenn wir glücklich sein wollen. Seid Ihr mutig genug, auf die Schuhe des Ältesten zu spucken? Wenn ein Mensch seiner Familie nicht hilft, von wem kann er dann Beistand erwarten? Freunde sind wankelmütig, die Familie bleibt für immer.«

»Ihr habt mich gebeten«, sagte Nasuada, »Euren Verwandten machtvolle Positionen zu geben, nur weil Ihr der Cousin meiner Mutter seid und mein Vater bei euch geboren wurde. Ich täte dies mit Vergnügen, wenn Eure Verwandten die Positionen besser ausfüllen könnten als sonst irgendjemand bei den Varden. Aber nichts, was Ihr bisher gesagt habt, konnte mich davon überzeugen, dass das der Fall ist. Und bevor Ihr noch mehr von Eurer goldzüngigen Redekunst verschwendet, solltet Ihr wissen, dass die Berufung auf unser gemeinsames Blut für mich bedeutungslos ist. Ich würde Eurer Bitte größere Beachtung schenken, wenn Ihr jemals etwas für meinen Vater getan hättet, anstatt nur Tand und leere Versprechungen nach Farthen Dûr zu schicken. Erst jetzt, wo ich Siege errungen und Einfluss gewonnen habe, sucht Ihr meine Bekanntschaft. Nun, meine Eltern sind tot, und ich sage Euch, ich habe keine Familie außer mir selbst. Ihr seid von meinem Volke, ganz recht, aber das ist auch alles.«

Fadawar kniff die Augen zusammen, reckte das Kinn und sagte: »Der Stolz einer Frau ist immer ohne Sinn und Verstand. Ihr werdet ohne unsere Unterstützung scheitern.«

Er war in seine Muttersprache gewechselt, was Nasuada dazu zwang, das Gleiche zu tun. Dafür hasste sie ihn. Ihre stockende, unsichere Sprechweise verriet die mangelnde Vertrautheit mit ihrer Muttersprache, ließ erkennen, dass sie nicht in Fadawars Stamm aufgewachsen war, und machte sie zur Außenseiterin. Auf diese Weise untergrub er ihre Autorität. »Ich freue mich immer über neue Verbündete«, sagte sie. »Trotzdem kann ich weder Vetternwirtschaft dulden noch solltet Ihr sie nötig haben. Eure Stämme sind stark und gut ausgerüstet. Sie sollten imstande sein, in den Rängen der Varden rasch aufzusteigen, ohne sich auf die Gunst anderer verlassen zu müssen. Seid ihr halb verhungerte Köter, die winselnd an meinem Tisch sitzen, oder Männer, die sich selbst ernähren können? Wenn ihr das könnt, freue ich mich darauf, mit euch zusammenzuarbeiten, um die Geschicke der Varden zu verbessern und Galbatorix zu besiegen.«

»Pah!«, rief Fadawar erzürnt. »Euer Angebot ist so verlogen wie Ihr selbst. Wir verrichten keine Lakaienarbeit. Wir sind die Auserwählten. Ihr beleidigt uns, jawohl! Ihr steht da und lächelt, aber Euer Herz ist voller Gift wie der Stachel eines Skorpions.«

Nasuada schluckte ihren Zorn hinunter und versuchte, den Feldherrn zu besänftigen. »Es war nicht meine Absicht, Euch zu beleidigen. Ich habe lediglich versucht, Euch meinen Standpunkt klarzumachen. Ich stehe den umherziehenden Stämmen weder feindselig gegenüber noch hege ich für sie besondere Sympathien. Ist das so schlecht?«

»Mehr als das, es ist blanker Verrat! Euer Vater hat im Namen unserer verwandtschaftlichen Beziehungen immer wieder Forderungen an uns gestellt und jetzt weist Ihr unsere Dienste zurück und schickt uns fort wie armselige Bettler!«

Ein Gefühl der Resignation überkam Nasuada. *Dann hat Elva also recht gehabt und es ist unvermeidlich*, dachte sie. Angst und Gereiztheit stiegen in ihr auf. *Wenn es also sein muss, dann habe ich keinen Grund mehr, diese Farce aufrechtzuerhalten.* Mit erhobener Stimme sagte sie: »Forderungen, die Ihr zumeist nicht erfüllt habt.«

»Das haben wir!«

»Das habt Ihr nicht. Und selbst wenn Ihr die Wahrheit sagtet, ist die Lage der Varden zu heikel, als dass ich Euch ohne Gegenleistung etwas geben würde. Ihr verlangt Privilegien, aber was bietet Ihr dafür? Wollt Ihr die Varden mit Eurem Gold und Euren Juwelen unterstützen?«

»Nicht direkt, aber …«

»Wollt Ihr mir kostenlos Eure Handwerker zur Verfügung stellen?«

»Das könnten wir nicht …«

»Wie beabsichtigt Ihr dann, Euch diese Vergünstigungen zu verdienen? Ihr könnt nicht mit Kriegern bezahlen, Eure Männer kämpfen bereits für mich, entweder im Vardenheer oder in dem von König Orrin. Seid zufrieden mit dem, was Ihr habt, Feldherr, und trachtet nicht nach mehr, als Euch rechtmäßig zusteht.«

»Ihr verdreht die Wahrheit zugunsten Eurer eigenen egoistischen Ziele. Ich will nur das, was uns rechtmäßig zusteht! Darum bin ich hier. Ihr redet und redet, aber Eure Worte bedeuten nichts, denn durch Eure Taten betrügt Ihr uns.« Seine Armreife klimperten, während er gestikulierte, als hätte er ein Publikum von Tausenden von Leuten vor sich. »Ihr gebt zu, dass wir ein Volk sind – befolgt Ihr dann auch unsere Sitten und betet unsere Götter an?«

Das ist der springende Punkt, dachte Nasuada. Sie könnte jetzt lügen und behaupten, sie habe die alten Pfade verlassen, aber wenn sie das täte, würden die Varden Fadawars Stämme verlieren und noch andere Nomaden dazu, wenn sie von ihren Worten erführen. *Wir brauchen sie aber. Wir brauchen jeden, den wir kriegen können, wenn wir auch nur die leiseste Chance haben wollen, Galbatorix zu stürzen.*

»Ja, das tue ich«, sagte sie.

»Dann behaupte ich, dass Ihr unfähig seid, die Varden anzuführen, und fordere Euch zur Probe der Langen Messer heraus. Wenn Ihr gewinnt, unterwerfen wir uns Euch und werden nie wieder Eure Autorität in Frage stellen. Aber wenn Ihr verliert, werdet Ihr abtreten und ich werde Euren Platz als Oberhaupt der Varden übernehmen.«

Nasuada erkannte das schadenfrohe Funkeln in Fadawars Augen. *Darauf hat er es schon die ganze Zeit über abgesehen,* wurde ihr klar. *Er hätte auch dann auf der Probe bestanden, wenn ich seine Forderungen erfüllt hätte.* Dann sagte sie: »Vielleicht irre ich mich, aber verlangt die Tradition nicht, dass der Sieger das Kommando sowohl über die Stämme seines Gegners wie auch über seine eigenen erhält. Ist es nicht so?« Fadawars betretene Miene brachte sie fast zum Lachen. *Damit hast du nicht gerechnet, dass ich das weiß, was?*

»Ja, so ist es.«

»Dann nehme ich Eure Herausforderung an, unter der Voraussetzung, dass – falls ich gewinne – Eure Krone und Euer Zepter mir gehören. Seid Ihr einverstanden?«

Fadawar verzog das Gesicht und nickte. »Ja.« Dann rammte er das Zepter so tief in den Boden, dass es von allein stehen blieb, und fing an, den vordersten Armreif mühsam über seine kräftige Hand zu streifen.

»Wartet«, sagte Nasuada. Sie ging zu dem Tisch hinüber und nahm eine kleine Messingglocke in die Hand, die sie erst zweimal und nach einer Pause noch viermal läutete.

Gleich darauf betrat Farica das Zelt. Sie blickte Nasuadas Gäste freimütig an, machte einen Knicks und sagte: »Ja, Herrin?«

Nasuada nickte Fadawar kurz zu. »Wir können fortfahren.« Dann wandte sie sich an ihre Magd: »Hilf mir, das Kleid auszuziehen. Ich möchte es mir nicht ruinieren.«

Die ältere Frau sah sie entsetzt an. »Hier, Herrin? Vor all diesen … Männern?«

»Ja, hier. Und beeil dich! Seit wann muss ich mit meiner Dienerin herumstreiten.« Es hatte strenger geklungen als beabsichtigt, aber ihr Herz raste und ihre Haut war unerträglich empfindlich. Das weiche Leinen ihres Unterkleides kam ihr so rau vor wie Segeltuch. Geduld und Höflichkeit brachte sie jetzt nicht mehr auf. Sie konnte sich nur noch auf den bevorstehenden Wettstreit konzentrieren.

Nasuada stand bewegungslos da, während Farica an der Schnürung des Kleides zupfte und zog, die von den Schulterblättern bis ans Ende der Wirbelsäule reichte. Als die Bänder lose genug waren, zog Farica ihr die Ärmel von den Armen. Die Hülle aus gerafftem Stoff legte sich als Haufen um Nasuadas Füße und ließ sie beinahe nackt in ihrem weißen Unterhemd zurück. Sie kämpfte ein Schaudern nieder, als die vier Krieger sie schamlos beäugten. Unter ihren begehrlichen Blicken fühlte sie sich hilflos. Ohne sie zu beachten, trat sie einen Schritt vor und Farica klaubte das Kleid von der Erde.

Nasuada gegenüber war Fadawar damit beschäftigt, die Armreife von seinen Unterarmen zu ziehen. Darunter kamen die bestickten Ärmel seines Gewandes zum Vorschein. Als er fertig war, nahm er die wuchtige Krone vom Kopf und übergab sie einem seiner Gefolgsleute.

Plötzlich erhob sich vor dem Zelt Stimmengewirr und sorgte für eine Unterbrechung der Vorbereitungen. Ein Botenjunge – Nasuada erinnerte sich, dass er Jarsha hieß – kam herein, pflanzte sich ein oder zwei Fuß vom Eingang entfernt auf und meldete: »König Orrin von Surda, Jörmundur von den Varden, Trianna von der Du Vrangr Gata und Naako und Ramusewa vom Stamm der Inapashunna.« Dabei heftete er den Blick fest auf die Decke des Zeltes.

Dann verschwand er wieder und die angekündigte Versammlung trat ein, Orrin an der Spitze. Der König sah als Erstes Fadawar und begrüßte ihn mit den Worten: »Ah, Feldherr, das ist aber eine Überraschung. Ich hoffe, Ihr und –« Erstaunen machte sich auf seinem jugendlichen Gesicht beim Anblick Nasuadas breit. »Aber, Nasuada, was hat das zu bedeuten?«

»Das würde ich auch gern wissen«, knurrte Jörmundur. Er packte den Schwertknauf und funkelte jeden böse an, der es wagte, Nasuada allzu unverhohlen anzustarren.

»Ich habe euch hereingebeten, weil ich möchte, dass ihr als Zeugen der Probe der Langen Messer zwischen Fadawar und mir beiwohnt und hinterher jedem, der danach fragt, die Wahrheit über den Ausgang des Zweikampfes erzählt.«

Die beiden grauhaarigen Stammesmitglieder Naako und Ramusewa schien ihre Ankündigung in Aufruhr zu versetzen. Sie steckten die Köpfe zusammen und fingen an zu flüstern. Trianna verschränkte die Arme und entblößte an ihrem schlanken Handgelenk ein gewundenes Schlangenarmband – ansonsten zeigte sie keinerlei Regung. Jörmundur fluchte. »Habt Ihr den Verstand verloren, Herrin? Das ist Wahnsinn. Ihr könnt doch nicht …«

»Ich kann und ich werde.«

»Wenn Ihr das tut, Herrin …«

»Ich verstehe deine Sorge, aber mein Entschluss steht fest. Und ich verbiete, dass sich irgendjemand einmischt.« Sie merkte, dass er ihren Befehl nur zu gern missachtet hätte, aber sosehr er sie auch vor Schaden bewahren wollte, Loyalität hatte für Jörmundur schon immer höchste Priorität besessen.

»Aber Nasuada«, sagte König Orrin, »diese Probe ist doch nicht die, wo –«

»Doch.«

»Verdammt noch mal. Warum lasst Ihr dieses irrwitzige Wagnis nicht bleiben? Ihr müsstet doch verrückt sein, es auf Euch zu nehmen.«

»Ich habe Fadawar bereits mein Wort gegeben.«

Die Stimmung im Zelt wurde noch ernster. Da sie ihr Wort gegeben hatte, konnte sie nicht mehr zurück, ohne zur ehrlosen Eidbrecherin zu werden, die jeder Mann von aufrechter Gesinnung nur verachten und meiden konnte. Orrin schwankte einen Moment lang, dann drang er doch weiter in sie: »Was steht auf dem Spiel? Ich meine, wenn Ihr verlieren solltet?«

»Wenn ich verlieren sollte, unterstehen die Varden nicht mehr mir, sondern Fadawar.«

Nasuada hatte einen Proteststurm erwartet, stattdessen entstand eine Stille, in der sich die zornige Erregung in König Orrins Gesicht legte und ruhiger Entschlossenheit Platz machte. »Ich kann Euer Vorhaben, das unsere ganze Sache in Gefahr bringt, nicht billigen.« Und an Fadawar gewandt, sagte er: »Wollt Ihr nicht vernünftig sein und Nasuada aus der Pflicht entlassen? Ich werde Euch reich belohnen, wenn Ihr zustimmt und Euer unsinniges Vorhaben aufgebt.«

»Ich bin reich genug«, gab Fadawar zurück. »Ich brauche Euer minderwertiges Gold nicht. Nein, nur die Probe der Langen Messer kann mich für die Beleidigung entschädigen, die meinem Volk und mir durch Nasuada widerfahren ist.«

»Jetzt erfüllt Eure Pflicht«, sagte Nasuada.

Orrins Finger krallten sich in sein Gewand, aber er verbeugte sich und sagte: »Wie Ihr wünscht.«

Nun holten Fadawars vier Krieger kleine haarige Ziegenhauttrommeln aus ihren weiten Ärmeln hervor. Sie hockten sich hin, nahmen die Instrumente zwischen die Knie und entfesselten einen so höllischen Rhythmus, dass ihre Hände nur noch als schwarze Schemen in der Luft zu erkennen waren. Die wilden Klänge übertönten jedes andere Geräusch, auch die fieberhaften Gedanken, die durch Nasuadas Kopf geschwirrt waren. Es fühlte sich an, als würde ihr Herz Schritt halten mit dem rasenden Tempo der Trommelschläge, die ihre Ohren attackierten.

Ohne einen Ton auszulassen, holte der älteste von Fadawars Männern zwei lange gebogene Messer aus seinem Gewand und warf sie zur Spitze des Zeltes hinauf. Nasuada sah fasziniert zu, wie sie sich mit einer anmutigen Bewegung in der Luft drehten.

Als die Messer in Reichweite kamen, streckte sie den Arm aus und fing eins davon auf. Der opalbesetzte Griff schrammte über ihre Handfläche.

Auch Fadawar griff erfolgreich nach seiner Waffe.

Dann schob er sich den linken Ärmel bis über den Ellbogen hoch. Nasuada heftete den Blick auf seinen Unterarm. Er war kräftig und muskulös, doch sie maß dem keine besondere Bedeutung bei. Sein athletischer Körperbau würde ihm nicht helfen, den Wettkampf zu gewinnen. Wonach sie suchte, waren die verräterischen wulstigen Narben, die sich, wenn es sie gab, über die Wölbung seines Unterarms ziehen mussten.

Sie entdeckte fünf davon.

Fünf!, dachte sie. *So viele.* Ihr Selbstvertrauen geriet ins Wanken, als sie über diesen Beweis für Fadawars Stärke nachdachte.

Das Einzige, was sie davor bewahrte, die Nerven zu verlieren, war Elvas Voraussage. Das Mädchen hatte gesagt, Nasuada werde gewinnen. *Sie hat gesagt, dass ich es schaffe, also muss ich Fadawar besiegen können ... Ich muss es können!*

Da er die Herausforderung ausgesprochen hatte, war Fadawar zuerst dran. Er streckte den rechten Arm mit der Handfläche nach oben auf Schulterhöhe von sich, platzierte die Klinge seines Messers direkt unter der Armbeuge und zog die blank polierte Schneide über die Haut. Sie platzte wie eine überreife Beere und Blut rann aus dem dunkelroten Spalt.

Dann sah er Nasuada an.

Lächelnd setzte sie ihr Messer an den Arm. Das Metall war eiskalt. Es war eine Frage des Willens, wie viele Schnitte man ertragen konnte. Die Varden glaubten, dass jemand, der die Position eines Stammesfürsten oder Feldherrn anstrebte, bereit sein sollte, für das Wohl seines Volkes größeren Schmerz auszuhalten als jeder andere. Wie sonst konnten sie sich darauf verlassen, dass ihr Anführer das Gemeinwohl über seine eigenen egoistischen Wünsche stellen würde? Nasuada war der Meinung, diese Praxis fördere den Extremismus, aber sie wusste ebenfalls, dass die Geste einem das Vertrauen des Volkes einbrachte. Auch wenn die Probe der Langen Messer nur bei den dunkelhäutigen Stämmen Brauch war, würde ein Sieg über Fadawar ihre Stellung unter allen Varden und hoffentlich auch bei König Orrins Leuten stärken.

Sie sandte noch schnell einen Hilferuf an Gokukara, die Heuschreckengöttin, und zog dann das Messer über ihren Arm. Das scharfe Metall glitt so leicht durch ihre Haut, dass sie aufpassen musste, nicht zu tief zu schneiden. Der Schmerz jagte ihr einen Schauder durch die Glieder. Am liebsten hätte sie das Messer im hohen Bogen von sich geworfen und stöhnend die Hand auf die Wunde gepresst.

Doch sie tat nichts dergleichen, sondern achtete nur darauf, dass ihre Muskeln entspannt blieben. Wenn sie sie anspannte, würde es nur noch mehr wehtun. Und sie lächelte sogar, während die Klinge langsam ihren Körper verstümmelte. Es dauerte nur drei Sekunden, aber in dieser Zeit sandte ihr aufbegehrender Körper tausend Schmerzensschreie aus und jeder von ihnen ließ sie fast aufgeben. Als sie das Messer sinken ließ, bemerkte sie, dass die Stammesangehörigen noch immer auf ihre Trommeln eindroschen, obwohl sie nichts mehr hörte außer ihrem eigenen Pulsschlag.

Dann schnitt Fadawar sich zum zweiten Mal. Die Sehnen an seinem Hals traten deutlich hervor, und seine Halsschlagader wölbte sich, als würde sie jeden Augenblick platzen, während das Messer erneut seine blutige Spur zog.

Nasuada wurde klar, dass sie wieder an der Reihe war. Dass sie jetzt wusste, was sie erwartete, machte ihr nur noch mehr Angst. Ihr Selbsterhaltungstrieb – ein Instinkt, der ihr bei vielen anderen Gelegenheiten gute Dienste erwiesen hatte – kämpfte gegen die Befehle an, die sie an Arm und Hand sandte. Verzweifelt konzentrierte sie sich auf ihren Wunsch, die Varden zu beschützen und Galbatorix zu stürzen; die beiden großen Ziele, die ihr ganzes Dasein bestimmten. Sie sah ihren Vater und Jörmundur und Eragon und das Volk der Varden im Geiste vor sich und dachte: *Für sie! Ich tue es für sie. Ich bin geboren, um zu dienen, und das ist mein Dienst an ihnen.*

Dann machte sie den nächsten Schnitt.

Einen Augenblick später setzte Fadawar den dritten Schnitt und Nasuada tat es ihm nach.

Der vierte Schnitt folgte nur wenig später.

Dann der fünfte …

Eine seltsame Lethargie ergriff von ihr Besitz. Sie war todmüde und fror. Da wurde ihr plötzlich klar, dass die Fähigkeit, Schmerz auszuhalten, vielleicht gar nicht entscheidend für den Ausgang der Probe war, sondern vielmehr die Frage, wer zuerst verblutete. Das Blut rann ihr übers Handgelenk die Finger hinab und tropfte in die große Pfütze zu ihren Füßen. Eine ähnliche, wenn auch größere sammelte sich um Fadawars Stiefel.

Die Reihe klaffender Schnitte am Arm des Feldherrn erinnerte Nasuada an Fischkiemen, eine Vorstellung, die etwas unglaublich Komisches an sich hatte, sodass sie ein Kichern unterdrücken musste.

Mit einem Schrei schaffte es Fadawar, den sechsten Schnitt zu vollenden. »Mach mir das erst mal nach, du törichte Hexe!«, brüllte er über den Lärm der Trommeln hinweg und sank auf ein Knie.

Sie tat es.

Fadawar zitterte, als er das Messer von der rechten Hand in die linke wechselte. Die Tradition schrieb höchstens sechs Schnitte pro Arm vor, damit niemand Gefahr lief, die Venen und Sehnen am Handgelenk zu verletzen. Als Nasuada ebenfalls die Hand wechselte, sprang Orrin dazwischen. »Halt! Ich werde nicht zulassen, dass Ihr weitermacht. Ihr bringt Euch noch um.«

Er wollte Nasuada wegziehen, fuhr aber zurück, als sie nach ihm stach. »Mischt Euch nicht ein«, knurrte sie mit zusammengebissenen Zähnen.

Nun fing Fadawar mit dem rechten Arm an und ein Blutstrahl spritzte zwischen seinen Muskeln hervor. *Er verkrampft sich,* dachte Nasuada und hoffte, dass ihn dieser Fehler zur Strecke brachte.

Sie konnte nicht anders, als einen wortlosen Schrei auszustoßen, als das Messer ihre Haut aufschlitzte. Die scharfe Klinge brannte wie ein weißglühender Draht. Mitten im Schnitt zuckte ihr malträtierter linker Arm. Das Messer machte die Bewegung mit und ließ einen langen Zickzackschnitt zurück, der doppelt so tief war wie die anderen. Sie hielt den Atem an, während sie die Qual herunterkämpfte. *Ich kann nicht mehr,* dachte sie. *Ich kann nicht … kann nicht! Das ist zu viel. Lieber will ich sterben … Ach, bitte mach, dass es aufhört!* Die stummen Verzweiflungsrufe verschafften ihr ein wenig Erleichterung, aber tief im Herzen wusste sie genau, dass sie niemals aufgeben würde.

Zum achten Mal setzte Fadawar jetzt das Messer an, die Klinge schwebte ein Viertel Zoll über seiner schwarzen Haut in der Luft. Dabei lief ihm der Schweiß über die Augen und seine Wunden weinten rubinrote Tränen. Es sah fast so aus, als habe ihn der Mut verlassen, doch dann bleckte er die Zähne und schnitt sich mit einem Ruck den Arm auf.

Sein Zögern gab ihr neue Kraft. Ein grimmiger Ehrgeiz ergriff von ihr Besitz und verwandelte ihren Schmerz in ein Gefühl von Euphorie. Sie tat es Fadawar gleich – und dann, angespornt von ihrer plötzlichen Unerschrockenheit, setzte sie das Messer gleich noch einmal an.

»Macht mir *das* erst mal nach«, flüsterte sie.

Die Aussicht, gleich zwei Schnitte auf einmal machen zu müssen – einen, um mit Nasuada gleichzuziehen, und einen, um sie zu übertrumpfen –, schien Fadawar zu verunsichern. Er blinzelte, leckte sich die Lippen und veränderte seinen Griff am Messer dreimal, bevor er es sich endlich über den Arm hielt.

Dann leckte er sich erneut über die Lippen.

Seine linke Hand zuckte und das Messer fiel ihm aus den verkrampften Fingern und bohrte sich mit der Spitze voran in den Boden.

Er bückte sich danach. Unter seinem Gewand hob und senkte sich sein Brustkorb rasend schnell. Er hob die Klinge an seinen Arm und prompt sickerte ein wenig Blut hervor. Fadawars Unterkiefer knirschte, ein Schauder durchzuckte ihn, dann krümmte er sich und presste die verwundeten Arme an den Leib. »Ich unterwerfe mich«, sagte er.

Die Trommeln verstummten.

Die darauf folgende Stille hielt nur einen Moment an, ehe König Orrin, Jörmundur und alle anderen im Zelt begeistert durcheinanderriefen.

Nasuada achtete nicht auf ihre Äußerungen. Sie tastete nach ihrem Stuhl, um ihre Beine zu entlasten, bevor sie unter ihr nachgaben. Als ihr schwarz vor Augen zu werden drohte, rang sie darum, bei Bewusstsein zu bleiben, denn vor den Stammesangehörigen in Ohnmacht zu fallen, war das Letzte, was sie wollte. Jemand drückte sanft ihre Schulter, und als sie aufsah, erkannte sie, dass Farica mit einem Stapel Verbandszeug neben ihr stand.

»Darf ich Euch verbinden, Herrin?«, fragte die Dienerin, ihre Miene war besorgt und zögernd zugleich, als wäre sie nicht sicher, wie Nasuada reagieren würde.

Nasuada nickte zustimmend.

Während Farica anfing, ihre Arme mit Leinenstreifen zu umwickeln, traten Naako und Ramusewa vor sie. Sie verbeugten sich und Ramusewa sagte: »Noch nie zuvor hat jemand bei der Probe der Langen Messer so viele Schnitte ertragen. Ihr habt alle beide sehr viel Mut bewiesen, aber Ihr seid zweifellos die Siegerin. Wir werden unserem Volk von Eurer Tat berichten und sie werden Euch den Treueeid schwören.«

»Danke«, sagte Nasuada. Sie schloss die Augen, weil das Pulsieren in ihren Armen stärker wurde.

»Herrin.«

Um sich herum hörte Nasuada Stimmengewirr, das zu verstehen sie sich nicht die Mühe machte. Stattdessen zog sie es vor, sich tief in sich selbst zurückzuziehen, wo der Schmerz nicht so unmittelbar und bedrohlich war. Sie schwebte in einem grenzenlosen schwarzen Raum, beleuchtet von formlosen Klecksen, die ständig die Farbe änderten.

Da wurde ihre Ruhepause von Triannas Stimme unterbrochen, als die Zauberin sagte: »Lass das, Dienstmagd, entferne die Bandagen, damit ich deine Herrin heilen kann.«

Nasuada öffnete die Augen und bemerkte Jörmundur, König Orrin und Trianna, die sich über sie beugten. Fadawar und seine Männer hatten das Zelt verlassen. »Nein«, sagte Nasuada.

Die Gruppe sah sie erstaunt an, dann sagte Jörmundur: »Nasuada, Euer Geist ist umnachtet. Die Probe ist vorbei. Ihr braucht diese Schnitte jetzt nicht mehr. In jedem Fall müssen wir die Blutungen stillen.«

»Farica macht das sehr gut. Ein Heiler soll die Wunden nähen und einen Umschlag gegen die Schwellung machen, das ist alles.«

»Aber warum?«

»Die Probe der Langen Messer verlangt von den Teilnehmern,

ihre Wunden in ihrem natürlichen Tempo heilen zu lassen. Sonst haben wir nicht das volle Maß an Schmerzen ertragen, das die Probe mit sich bringt. Wenn ich die Regeln verletze, wird Fadawar zum Sieger erklärt.«

»Wollt Ihr mir wenigstens erlauben, Eure Leiden zu lindern?«, fragte Trianna. »Ich kenne verschiedene Beschwörungen, die jeden Schmerz auslöschen. Wenn Ihr vorher bei mir gewesen wärt, hätte ich es so eingerichtet, dass Ihr Euch ein Bein hättet abschlagen können, ohne das geringste körperliche Unbehagen zu verspüren.«

Nasuada musste lachen und ließ den Kopf auf die Seite rollen, denn ihr war ziemlich schwindelig. »Meine Antwort wäre dieselbe gewesen wie jetzt: Betrügereien sind unehrenhaft. Ich musste die Probe auf ehrliche Weise gewinnen, damit niemand später meine Anführerschaft infrage stellen kann.«

In gefährlich sanftem Ton sagte König Orrin: »Was, wenn Ihr verloren hättet?«

»Ich konnte nicht verlieren. Selbst wenn es meinen Tod bedeutet hätte, ich hätte es nie zugelassen, dass Fadawar die Kontrolle über die Varden an sich reißt.«

Orrin musterte sie eine Weile mit ernster Miene. »Das glaube ich Euch. Nur, ist die Loyalität der Stämme ein solches Opfer wert? Schließlich seid Ihr nicht so leicht zu ersetzen.«

»Die Loyalität der Stämme? Nein. Aber, wie Ihr wisst, wird das hier viel weitreichendere Auswirkungen haben. Es sollte uns dabei helfen, unsere Streitkräfte zu einen. Und dieser Preis ist für mich wertvoll genug, um bereitwillig einem ganzen Haufen unangenehmer Tode die Stirn zu bieten.«

»Erklärt mir bitte, was die Varden gewonnen hätten, wenn Ihr heute tatsächlich ums Leben gekommen wärt? Davon hätte niemand etwas gehabt. Euer Vermächtnis wären Chaos, Entmutigung und wahrscheinlich der Niedergang der Varden gewesen.«

Immer wenn Nasuada Wein, Met und besonders Schnaps trank, wurde sie sehr vorsichtig, was sie sagte und tat. Denn auch wenn sie es nicht gleich merkte, so wusste sie doch, dass der Alkohol ihr Urteilsvermögen und ihre Koordinationsfähigkeit herabsetzte, und sie wollte sich nicht unpassend benehmen oder anderen im Umgang mit ihr einen Vorteil verschaffen.

Schmerztrunken, wie sie war, hätte sie in ihrem Gespräch mit Orrin so auf der Hut sein müssen, als hätte sie sich drei Fässer von dem Brombeer-Honigwein der Zwerge einverleibt. Denn dann hätte sie ihr ausgeprägter Sinn für Höflichkeit davor bewahrt, folgendermaßen zu antworten: »Ihr seid ängstlich wie ein alter Mann, Orrin. Ich musste es tun und es ist vorbei. Es ist sinnlos, sich jetzt noch darüber zu streiten … Ich habe etwas riskiert, ja. Aber wir können Galbatorix nicht besiegen, ohne am Rande des Verderbens entlangzubalancieren. Ihr seid ein König. Da solltet Ihr wissen, dass die Gefahr ein Mantel ist, den es überzuziehen gilt, wenn ein Mann – oder eine Frau – so arrogant ist, über die Geschicke anderer Menschen bestimmen zu wollen.«

»Das weiß ich sehr wohl«, knurrte Orrin. »Meine Familie und ich haben Surda seit Generationen jeden Tag unseres Lebens gegen die Übergriffe des Imperiums verteidigt, während sich die Varden nur in Farthen Dûr verschanzt und Hrothgars Großzügigkeit ausgenutzt haben.« Sein Gewand wirbelte um ihn herum, als er auf dem Absatz kehrtmachte und aus dem Zelt marschierte.

»Das war nicht sehr klug, Herrin«, bemerkte Jörmundur.

Nasuada zuckte zusammen, als Farica ihre Verbände festzog. »Ich weiß«, keuchte sie. »Ich werde den Schaden morgen beheben.«

Geflügelte Kunde

Dann war Nasuada wie weggetreten. Das plötzliche Fehlen jedweder Sinneseindrücke war so umfassend, dass es der Varden-Anführerin erst bewusst wurde, als Jörmundur sie schüttelte und laut ansprach. Es dauerte etwas, bis sie die Worte verstand, die aus seinem Mund kamen: »... schaut mich an! Ja, genau so! Schlaft nicht wieder ein. Wenn Ihr das tut, erwacht Ihr nicht mehr.«

»Du kannst mich ruhig loslassen, Jörmundur«, sagte sie und brachte ein schwaches Lächeln zustande. »Es geht mir gut.«

»Sicher. Und mein Onkel Undset war ein Elf.«

»War er das nicht?«

»Ha! Ihr seid genau wie Euer Vater: Ihr ignoriert alle Warnungen, wenn es um Euer persönliches Wohlergehen geht. Meinetwegen können die Stämme mit ihren verfluchten alten Bräuchen verrotten. Lasst Euch von einem Heiler behandeln! Im jetzigen Zustand seid Ihr nicht fähig, Entscheidungen zu treffen.«

»Deshalb habe ich ja bis zum Abend gewartet. Die Sonne ist schon fast untergegangen. Heute Nacht erhole ich mich, und morgen kann ich mich wieder um alles kümmern, was meine Aufmerksamkeit erfordert.«

Von der Seite erschien Farica und beugte sich über Nasuada. »Oh Herrin, Ihr habt uns aber einen schönen Schreck eingejagt.«

»Das tut sie immer noch«, murmelte Jörmundur.

»Nun, mir geht es schon besser.« Nasuada stemmte sich in ihrem Stuhl hoch. Ihre Unterarme brannten, doch sie beachtete sie nicht. »Ihr könnt beide gehen. Ich komme schon zurecht. Jörmundur, informiere Fadawar, dass er Oberhaupt seines Stammes bleiben möge, solange er mir als Feldherr Treue gelobt. Er ist als Anführer zu fähig, um auf ihn verzichten zu können. Und du, Farica, gibst auf dem Rückweg in dein Zelt der Kräuterheilerin Angela Bescheid, dass ich ihrer Dienste bedarf. Sie hat versprochen, mir Tinkturen und Umschläge anzurühren.«

»In diesem Zustand lasse ich Euch nicht allein«, erklärte Jörmundur.

Farica nickte. »Verzeiht bitte, Herrin, aber ich stimme ihm zu. Es ist zu gefährlich.«

Nasuada warf einen Blick zum Eingang des großen Kommandozeltes, um sicher zu sein, dass die Nachtfalken nicht lauschten. Dann senkte sie ihre Stimme: »Ich werde nicht allein sein.« Jörmundurs Augenbrauen schossen nach oben und Farica sah beunruhigt drein. »Ich bin *niemals* allein. Versteht ihr?«

»Ihr habt bestimmte … Vorkehrungen getroffen, Herrin?«, fragte Jörmundur.

»Ja, das habe ich.«

Diese Versicherung schien den beiden Untergebenen nicht zu behagen. »Nasuada, ich bin für Euer Wohlergehen verantwortlich«, sagte Jörmundur. »Ich muss wissen, welche zusätzlichen Sicherheitsmaßnahmen Ihr ergriffen habt und wem genau der Zugang zu Euch gestattet ist.«

»Nein«, sagte sie sanft. Als sie Jörmundurs gekränkten Blick bemerkte, fuhr sie fort: »Ich hege keinen Zweifel an deiner Loyalität, ganz im Gegenteil. Aber diese eine Sache muss ich ganz für mich behalten. Um meines Seelenfriedens willen muss ich diesen einen Dolch tragen, den niemand sehen kann. Ich muss sozusagen noch ein Ass im Ärmel haben. Betrachte es ruhig als eine Charakterschwäche von mir, aber quäle dich nicht, indem du mein Vorgehen als Kritik an deiner Arbeit auffasst.«

»Herrin.« Jörmundur verneigte sich, eine Formalität, die er ihr normalerweise ersparte.

Mit einer Handbewegung entließ sie die beiden, und Jörmundur und Farica eilten aus dem Zelt.

Eine ganze Weile war das einzige Geräusch, das Nasuada vernahm, das raue Krächzen der Blutkrähen, die über dem Lager der Varden kreisten. Dann hörte sie ein leises Rascheln hinter sich, wie von einer Maus auf Futtersuche. Sie wandte den Kopf und sah Elva aus ihrem Versteck hinter dem Vorhang treten.

Nasuada musterte sie.

Ihr unnatürlich schnelles Wachstum hatte sich fortgesetzt. Als Nasuada der Kleinen vor einer Weile zum ersten Mal begegnet war, schien sie zwischen drei und vier Jahre alt zu sein. Nun sah sie eher aus wie sechs. Sie trug ein schlichtes schwarzes Kleid mit violetten Borten am Hals und an den Schultern. Ihr langes glattes Haar war noch dunkler, eine flüssige Schwärze, die sich weit über ihren Rücken ergoss. Ihr scharf geschnittenes Gesicht war knochenweiß, da sie kaum nach draußen ging. Das Drachenmal auf ihrer Stirn glänzte silberfarben. Und in ihren Augen, in ihren violetten Augen, lag ein erschöpfter, zynischer Ausdruck – die Folge von Eragons Segen, der ein Fluch war, da die Kleine den Schmerz anderer Menschen teilen und ihn wenn möglich verhindern musste. Die jüngste Schlacht auf den Brennenden Steppen hätte sie fast umgebracht, denn das Leid Tausender hatte ihre Seele traktiert, obwohl ein Mitglied der Du Vrangr Gata sie für die Dauer der Kämpfe in einen künstlichen Schlaf versetzt hatte, der sie schützen sollte. Erst vor Kurzem hatte sie wieder angefangen, zu sprechen und sich für ihre Umgebung zu interessieren.

Sie fuhr sich mit dem Handrücken über den Mund und Nasuada fragte: »Hat es dich sehr mitgenommen?«

Elva zuckte die Schultern. »Den Schmerz bin ich gewohnt, aber Eragons Zauber zu widerstehen, wird niemals leichter … Man kann mich nur schwer beeindrucken, aber so viele Schnitte … Du bist eine starke Frau, Nasuada.«

Obwohl sie Elvas Stimme schon oft gehört hatte, fuhr Nasuada bei ihrem Klang immer noch zusammen. Es war die bittere, spöttische Stimme einer Erwachsenen, der es vor der Welt ekelte, nicht die eines Kindes. Sie versuchte, ihr Schaudern zu verdrängen, als sie entgegnete: »Du bist stärker. Du musstest auch noch Fadawars Schmerz ertragen. Danke, dass du in meiner Nähe warst. Ich ahne, was es dich gekostet haben muss, und ich bin dir sehr dankbar.«

»Dankbar? Ha! Das Wort hat keine Bedeutung für mich, *Nachtjägerin.*« Elvas schmale Lippen verzogen sich zu einem schrägen Lächeln. »Hast du etwas zu essen? Ich verhungere.«

»Farica hat hinter die Schriftrollen dort drüben Brot und Wein gestellt«, antwortete Nasuada und deutete quer durch den Raum. Sie sah zu, wie das Mädchen hinüberging und das Brot in großen Bissen hinunterzuschlingen begann. »Zumindest musst du nicht mehr lange so leben. Sobald Eragon zurückkehrt, wird er dich von dem Zauber befreien.«

»Vielleicht.« Nachdem sie den halben Brotlaib vertilgt hatte, hielt Elva inne. »Ich habe gelogen, bezüglich der Probe der Langen Messer.«

»Wie meinst du das?«

»Ich hatte vorhergesehen, dass du verlieren würdest.«

»Was?«

»Hätte ich dir die Wahrheit gesagt, hättest du beim siebten Schnitt die Nerven verloren und Fadawar würde nun dort sitzen, wo du sitzt. So habe ich dir gesagt, was du hören musstest, um durchzuhalten und zu siegen.«

Nasuada fröstelte. Falls es stimmte, was Elva da sagte, dann stand sie mehr denn je in der Schuld des Hexenkinds. Trotzdem gefiel es ihr nicht, von anderen manipuliert zu werden, selbst wenn es zu ihrem eigenen Wohl geschah. »Ich verstehe. Es scheint, als müsste ich mich schon wieder bei dir bedanken.«

Da stieß Elva ein kehliges Lachen aus. »Und das behagt dir nicht, stimmt's? Aber das spielt keine Rolle. Sorge dich nicht, dass du mich kränken könntest, Nasuada. Wir sind einander nützlich, nichts weiter.«

Nasuada reagierte erleichtert, als einer der Zwerge ihrer Leibgarde, der Hauptmann dieser Wache, mit dem Hammer gegen seinen Schild klopfte und verkündete: »Die Kräuterheilerin Angela bittet um eine Audienz, Nachtjägerin.«

»Gewährt«, sagte Nasuada mit lauter Stimme.

Mit mehreren Taschen und Körben beladen, platzte Angela in den Raum. Wie immer bildeten die Korkenzieherlocken eine wilde Sturmwolke um ihr Gesicht, das von Sorge gezeichnet war. Solembum, die Werkatze, folgte ihr in seiner tierischen Gestalt auf dem Fuß. Der Kater steuerte sofort auf Elva zu, machte einen Buckel und rieb sich an ihrem Bein.

Angela stellte ihr Gepäck ab, lockerte ihre Schultern und sagte: »Also wirklich! Den Großteil meiner Zeit bei den Varden scheine ich damit zu verbringen, Leute zu heilen, die zu dumm sind zu verstehen, dass sie sich besser *nicht* in Stücke hacken lassen sollten.« Während sie sprach, ging sie zu Nasuada hinüber und löste ihr die Verbände vom rechten Unterarm. Sie schnalzte missbilligend. »Normalerweise ist dies der Moment, in dem die Heilerin ihre Patientin fragt, wie es ihr geht, und die Patientin zwischen zusammengebissenen Zähnen hervorpresst: ›Oh, es geht schon.‹ Worauf die Heilerin entgegnet: ›Gut, gut. Sei frohen Mutes, du wirst bald wieder gesund sein.‹ Aber es ist wohl offensichtlich, dass Ihr *nicht* so bald wieder wild durch die Gegend rennen und Angriffe gegen das Imperium anführen werdet. Noch lange nicht.«

»Aber ich werde genesen, oder?«, fragte Nasuada.

»Das würdet Ihr, wenn ich diese Wunden mit Magie schließen könnte. Da ich das nicht kann, ist es schwierig, eine Prognose zu wagen. Ihr werdet Euch wie die meisten Menschen gedulden müssen und darauf hoffen, dass sich keiner der Schnitte infiziert.« Sie hielt inne und sah Nasuada direkt an. »Euch ist doch klar, dass Ihr Narben zurückbehalten werdet?«

»Es kommt, wie's kommt.«

»Nur zu wahr.«

Nasuada unterdrückte ein Stöhnen und blickte zur Decke, während Angela jede Schnittwunde nähte und anschließend mit einem zähen Kräuterbrei bestrich. Aus dem Augenwinkel sah sie, wie Solembum auf den Tisch sprang und sich neben Elva setzte. Mit einer großen pelzigen Tatze fischte sich die Werkatze ein Stück Brot von Elvas Teller und knabberte mit weiß aufblitzenden Fängen daran herum. Die schwarzen Quasten an seinen übergroßen Ohren bebten, während er sie von einer Seite zur anderen drehte, um den metallgewandeten Kriegern zu lauschen, die am Zelt vorbeimarschierten.

»Barzûl«, murmelte Angela. »Auf so was können nur Männer kommen: sich in den Arm zu schneiden, um herauszufinden, wer der Anführer des Rudels ist. Idioten!«

Es tat weh zu lachen, aber Nasuada konnte nicht anders. »Stimmt«, sagte sie, als sie sich wieder beruhigt hatte.

Gerade als Angela den letzten Verband anlegte, brüllte der Zwergenhauptmann vor dem Zelt: »Stehen bleiben!« Dann ertönte ein scharfes metallisches Klirren, als die menschlichen Wachen die Schwerter kreuzten und demjenigen, der Einlass begehrte, den Weg versperrten.

Ohne lange zu überlegen, zog Nasuada das vier Zoll lange Messer aus der in ihrem Mieder eingenähten Scheide. Es fiel ihr schwer, den Griff zu fassen, denn ihre geschwollenen Finger waren gefühllos und ihre Unterarmmuskeln reagierten nur zögerlich. Als wäre ihr Arm eingeschlafen. Richtig spüren konnte sie nur die brennenden Fäden in ihrer Haut.

Auch Angela zog irgendwo aus ihrem Kleid einen Dolch. Sie baute sich vor Nasuada auf und murmelte einen Spruch in der alten Sprache. Solembum sprang vom Tisch und kauerte sich neben Angela. Sein Fell sträubte sich und ließ ihn größer erscheinen, als die meisten Hunde es waren. Er stieß ein leises Knurren aus.

Elva mampfte ungerührt weiter. Sie betrachtete das Brotstück zwischen ihrem Daumen und Zeigefinger, wie man ein Exemplar einer seltenen Insektenart mustern würde. Dann tauchte sie es in den Weinkelch und schob sich den Bissen in den Mund.

»Herrin!«, rief ein Mann. »Eragon und Saphira sind im Anflug aus Nordosten!«

Nasuada schob das Messer in die Scheide zurück. Sie erhob sich und sagte zu Angela: »Hilf mir, mich anzukleiden.«

Die Kräuterhexe hielt das offene Gewand vor sie hin und führte Nasuadas Arme sanft in die Ärmel. Dann machte sie sich daran, das Kleid am Rücken zuzuschnüren. Elva half ihr dabei. Gemeinsam hatten sie Nasuada wenig später angemessen verpackt.

Nasuada begutachtete ihre Arme: Die Verbände waren unter dem Stoff ihres Kleides nicht zu sehen. »Soll ich meine Verletzungen verbergen oder sie zeigen?«, fragte sie.

»Kommt drauf an«, antwortete Angela. »Was meint Ihr? Wird, sie zu zeigen, die Furcht Eurer Feinde schüren oder eher ihren Mut, weil sie Euch für schwach und verwundbar halten? Es ist im Grunde eine philosophische Frage. Sie basiert darauf, ob man einen Menschen, der seinen großen Zeh verloren hat, als Krüppel bezeichnet oder als klug und stark, vielleicht sogar als glücklich, weil er einer schwereren Verletzung entgangen ist.«

»Du ziehst die seltsamsten Vergleiche.«

»Vielen Dank.«

»Die Probe der Langen Messer ist ein Kräftemessen«, sagte Elva, »das den Varden und Surdanern wohlbekannt ist. Bist du stolz auf deine Stärke, Nasuada?«

»Schneidet die Ärmel ab«, entschied die Anführerin der Varden. Als die beiden zögerten, drängte sie: »Macht schon! An den Ellbogen. Vergesst das Kleid. Ich lasse die Ärmel später wieder annähen.«

Mit einigen geschickten Handgriffen trennte Angela die unteren Teile der Ärmel ab und legte den Stoff auf den Tisch.

Nasuada hob das Kinn. »Elva, falls du spürst, dass ich zusammenbreche, sag bitte Angela Bescheid, damit sie mich auffängt. So, sollen wir?« Die drei scharten sich eng zusammen, Nasuada an der Spitze. Solembum lief neben ihnen her.

Als sie aus dem roten Kommandozelt traten, blaffte der Zwergenhauptmann: »Nehmt eure Plätze ein!« Die sechs dienstabenden Nachtfalken verteilten sich um die Gruppe: Menschen und Zwerge stellten sich vor und hinter ihnen auf, die beiden riesenhaften Kull – mehr als acht Fuß große Urgals – links und rechts.

Die Abenddämmerung breitete ihre goldenen und purpurnen Schwingen über dem Lager der Varden aus und verlieh der weitläufigen Zeltstadt etwas Geheimnisvolles, Mystisches. Die länger werdenden Schatten kündeten von der herannahenden Nacht und die zahllosen Fackeln und Wachfeuer verströmten bereits ihren goldenen Schein im warmen Dämmerlicht. Nach Osten hin war der Himmel ganz klar. Im Süden verbarg eine breite, tief hängende Rauchwolke den Horizont und die viereinhalb Meilen entfernten Brennenden Steppen. Im Westen markierte eine Reihe von Buchen und Espen den Lauf des Jiet-Stroms, wo die *Drachenschwinge* lag, das Schiff, das Jeod, Roran und die anderen Dorfbewohner Carvahalls gekapert hatten.

Aber Nasuadas Blick war nur nach Norden gerichtet, von wo Saphiras glitzernde Gestalt heranschwebte. Das Licht der untergehenden Sonne fiel noch auf sie und umhüllte sie mit einem bläulichen Glorienschein. Sie sah aus wie ein vom Himmel fallender Sternenhaufen.

Der Anblick war so majestätisch, dass Nasuada einen Moment lang wie erstarrt dastand, dankbar, ihn genießen zu dürfen. *Sie sind in Sicherheit!,* dachte sie und seufzte erleichtert.

Der Krieger, der die Kunde von Saphiras Ankunft überbracht hatte – ein dünner Mann mit einem ungepflegten Wuschelbart –, verneigte sich, dann deutete er zum Himmel. »Herrin, wie Ihr seht, habe ich die Wahrheit gesagt.«

»Ja. Gut gemacht. Du musst scharfe Augen haben, um Saphira so früh erspäht zu haben. Wie heißt du?«

»Fletcher, Sohn von Harden, Herrin.«

»Hab Dank, Fletcher. Du kannst jetzt auf deinen Posten zurückkehren.«

Nach einer weiteren Verbeugung trottete der Mann davon zum Rand des Lagers.

Den Blick starr auf Saphira geheftet, ging Nasuada zwischen den Zeltreihen hindurch, bis sie das freie Gelände erreichte, das man für den Drachen als Start- und Landeplatz reserviert hatte. Ihre Leibgarde und Gefährten begleiteten sie, doch sie schenkte ihnen keine Beachtung. Sie war viel zu aufgeregt, endlich Eragon und Saphira wiederzusehen. In den vergangenen Tagen hatte sie sich große Sorgen um die beiden gemacht, sowohl in ihrer Eigenschaft als Oberhaupt der Varden wie auch, zu ihrer Überraschung, als Freundin.

Saphira flog schnell wie ein Falke, war aber immer noch mehrere Meilen vom Lager entfernt, und es dauerte fast zehn Minuten, bis sie das letzte Stück bewältigt hatte. Unterdessen bildete sich rings um das Feld ein riesiger Auflauf von Schaulustigen: Menschen, Zwerge und selbst ein Trupp grauhäutiger Urgals, angeführt von Nar Garzhvog. Ebenfalls gekommen waren König Orrin und seine Höflinge, die gegenüber von Nasuada Aufstellung nahmen; Narheim, der Botschafter der Zwerge, der nach Oriks Rückkehr nach Farthen Dûr dessen Pflichten übernommen hatte; Jörmundur; die anderen Mitglieder des Ältestenrates und Arya.

Die groß gewachsene Elfe schob sich durch die Menge auf Nasuada zu. Obwohl die Leute gespannt Saphiras Landung erwarteten, wandten Männer wie Frauen den Blick vom Himmel und starrten Arya nach, so beeindruckend war ihre Erscheinung. Sie war ganz in Schwarz gekleidet, trug eine hautenge Hose wie ein Mann, an der Hüfte ein Schwert und auf dem Rücken einen Bogen samt Köcher. Ihre Haut war von der Farbe hellen Honigs, ihr Gesicht hatte etwas Katzenartiges. Und sie bewegte sich mit einer kraftvollen, geschmeidigen Anmut, die ebenso auf ihr Geschick mit dem Schwert wie auf ihre übernatürlichen Kräfte verwies.

Ihre exzentrische Kleidung hatte Nasuada immer als ein wenig unschicklich empfunden: Sie war viel zu figurbetont. Aber Nasuada musste zugeben, dass Arya selbst in Lumpen noch königlicher und würdevoller ausgesehen hätte als irgendeine sterbliche Adlige.

Die Elfe blieb vor Nasuada stehen und deutete mit einem schlanken Finger auf deren Wunden. »Es ist so, wie der Poet Earnë sagte: Zum Wohle seines Volkes und seiner geliebten Heimat Schmerzen zu erdulden, ist das Ehrenwerteste, was man tun kann. Ich habe jeden Anführer der Varden gekannt. Es waren alles mächtige Männer und Frauen, vor allem Ajihad. Dennoch denke ich, du hast selbst ihn übertroffen.«

»Ich fühle mich geehrt, Arya. Aber ich fürchte, wenn mein Licht so hell scheint, werden zu wenige meinem Vater das Andenken bewahren, das ihm gebührt.«

»Die Taten der Kinder sind immer auch Zeugnis der Erziehung, die sie von ihren Eltern erhalten haben. Brenne wie die Sonne, Nasuada! Denn umso heller du erstrahlst, desto mehr Leute werden Ajihad bewundern, der dich gelehrt hat, die Verantwortung der Führerschaft in so jungen Jahren zu übernehmen.«

Nasuada senkte das Haupt und nahm sich vor, Aryas Ratschlag zu beherzigen. Dann sagte sie lächelnd: »In so jungen Jahren? Nach unseren Maßstäben bin ich eine erwachsene Frau.«

Belustigung blitzte in Aryas grünen Augen. »Das stimmt. Aber wenn wir nach Jahren und nicht nach Weisheit urteilten, würde unter meinen Artgenossen kein Mensch als erwachsen gelten. Außer Galbatorix natürlich.«

»Und ich«, warf Angela ein.

»Ach komm«, sagte Nasuada. »Du bist doch nicht viel älter als ich.«

»Ha! Ihr verwechselt die äußere Erscheinung mit dem Alter. Eigentlich solltet Ihr es besser wissen, nachdem Ihr nun schon so viel Zeit mit Arya verbracht habt.«

Bevor Nasuada fragen konnte, wie alt Angela denn nun wirklich sei, spürte sie, wie ihr jemand von hinten kräftig am Kleid zupfte. Sie drehte sich um und sah, dass Elva sich diese Freiheit herausgenommen hatte und sie zu sich herunterwinkte. Sich bückend, legte Nasuada ein Ohr dicht an Elvas Mund und lauschte. »Eragon sitzt nicht auf Saphira«, sagte die Kleine.

Nasuada spürte, wie es ihr die Kehle zuschnürte und sie kaum noch Luft bekam. Sie blickte nach oben. Saphira kreiste direkt über dem Lager, in einigen tausend Fuß Höhe. Ihre riesigen fledermausartigen Schwingen zeichneten sich vor dem abendlichen Himmel schwarz ab. Nasuada konnte Saphiras Unterseite erkennen, die hellen Klauen vor den überlappenden Bauchschuppen, aber nicht, wer auf ihr saß.

»Wie kannst du das wissen?«, fragte sie das Mädchen mit gesenkter Stimme.

»Ich spüre weder seine Sorgen noch seine Ängste. Roran ist da und eine Frau, vermutlich Katrina. Sonst niemand.«

Nasuada richtete sich auf, klatschte in die Hände und rief: »Jörmundur!«

Der Befehlshaber, der ein gutes Dutzend Schritte entfernt stand, kam gerannt und drängte jeden, der ihm im Weg stand, zur Seite. Er war erfahren genug, um zu wissen, wann es sich um einen Notfall handelte. »Herrin.«

»Lass das Feld räumen! Schick die Zuschauer fort, bevor Saphira landet.«

»Gilt das auch für Orrin, Narheim und Garzhvog?«

Sie verzog das Gesicht. »Nein, aber außer ihnen darf niemand bleiben. Beeil dich!«

Als Jörmundur begann, Befehle zu brüllen, traten Arya und Angela zu Nasuada. Die beiden wirkten so alarmiert, wie sie sich fühlte. »Saphira wäre nicht so ruhig, wenn Eragon verletzt oder tot wäre«, sagte die Elfe.

»Aber wo ist er dann?«, wollte Nasuada wissen. »In welche Schwierigkeiten ist er jetzt wieder geraten?«

Wildes Gedränge und Geschiebe herrschte auf dem Landeplatz, während Jörmundur und seine Männer die Zuschauer zu ihren Zelten zurückdirigierten. Gelegentlich mussten sie ihre Stöcke zu Hilfe nehmen, wenn die Krieger einfach stehen blieben oder protestierten. Hier und dort brach eine Rangelei aus, aber die Streithähne wurden rasch voneinander getrennt, damit es nicht zu handfesten Schlägereien kam. Zum Glück zogen die Urgals sich auf

Geheiß ihres Stammesoberhaupts widerspruchslos zurück, wenngleich Garzhvog selbst zu Nasuada hinüberging, genauso wie König Orrin und der Zwerg Narheim.

Nasuada spürte den Boden unter ihren Füßen beben, als der riesige Urgal auf sie zutrat. Er hob das knochige Kinn und entblößte die Kehle, wie es Sitte bei seinem Volk war. »Was hat das zu bedeuten, Nachtjägerin?«, fragte er. Die Form seines Kiefers und seiner Zähne, zusammen mit seinem Akzent, machte es Nasuada schwer, ihn zu verstehen.

»Ja, das würde ich auch gerne wissen«, sagte Orrin. Sein Gesicht war rot angelaufen.

»Ich auch«, sagte Narheim.

Während Nasuada die Männer betrachtete, wurde ihr klar, dass hier wahrscheinlich zum ersten Mal seit Tausenden von Jahren Angehörige fast aller Völker Alagaësias friedlich zusammengekommen waren. Die Einzigen, die fehlten, waren die Ra'zac und ihre Rösser, doch Nasuada wusste, kein vernunftbegabtes Wesen würde diese Scheusale jemals in seine Runde einladen. Sie deutete auf Saphira und sagte: »Der Drache wird die Antworten liefern, die Ihr wünscht.«

Gerade als die letzten Nachzügler das Feld räumten, rauschte ein kräftiger Luftstrom über Nasuada hinweg, als Saphira herabschoss, die Flügel ausbreitete, um abzubremsen, und mit den mächtigen Hinterbeinen im Sand aufsetzte. Sie ließ sich nach vorne auf alle viere fallen, worauf ein dumpfes Krachen durchs Lager schallte. Nachdem sie die Lederschnallen geöffnet hatten, stiegen Roran und Katrina rasch ab.

Nasuada trat vor und musterte Katrina. Sie war neugierig, welche Art von Frau einen Mann dazu bringen konnte, solche außergewöhnlichen Taten zu vollbringen, um sie zu retten. Die Frau vor ihr hatte einen kräftigen Knochenbau, die ungesunde Blässe eines Menschen, der wochenlang eingesperrt war, und eine kupferfarbene Haarmähne. Ihr Kleid war so zerrissen und verschmutzt, dass man nicht mehr erkennen konnte, wie es ursprünglich ausgesehen haben mochte. Trotz der Spuren, die die Gefangenschaft hinterlassen hatte, erkannte Nasuada, dass Katrina zwar durchaus hübsch war, aber nicht gerade das, was die Barden als eine große Schönheit besingen würden. Dafür strahlte sie eine unbeirrbare Entschlossenheit aus. Hätte man Roran an ihrer statt verschleppt, wäre Katrina wohl ebenso imstande gewesen, Carvahalls Dorfbewohner aufzustacheln, sie nach Surda zu führen, bei der Schlacht auf den Brennenden Steppen mitzukämpfen und danach zum Helgrind weiterzuziehen, alles zur Rettung ihres Geliebten. Selbst als sie Garzhvog bemerkte, zuckte Katrina nicht mit der Wimper, sondern blieb ungerührt an Rorans Seite stehen.

Roran verneigte sich vor Nasuada und vor König Orrin. »Herrin«, sagte er mit ernster Miene. »Euer Majestät. Darf ich Euch meine Verlobte Katrina vorstellen.« Sie machte vor beiden einen Knicks.

»Willkommen bei den Varden, Katrina«, sagte Nasuada. »Wir alle haben schon von dir gehört, denn eine Leidenschaft und Treue wie Rorans findet man nicht oft. Lieder über seine Liebe zu dir verbreiten sich bereits im ganzen Land.«

»Du bist höchst willkommen«, fügte Orrin hinzu. »Höchst willkommen, in der Tat.«

Nasuada bemerkte, dass der König nur noch Augen für die junge Frau hatte, so wie alle anwesenden Männer einschließlich der Zwerge. Nasuada war sicher, dass sie ihren Waffengefährten später ausführlich von Katrinas Reizen berichten würden. Was Roran ihretwillen auf sich genommen hatte, erhöhte sie eindeutig gegenüber gewöhnlichen Frauen; es machte sie zum Mythos, zu einem Objekt der Faszination und Begierde für die Krieger. Dass jemand für einen anderen Menschen so viel opferte, konnte nur bedeuten, dass diese Person etwas ganz besonders Kostbares sein musste.

Katrina errötete und lächelte. »Habt Dank«, sagte sie. Neben ihrer Verlegenheit über so viel Aufmerksamkeit färbte ein Anflug von Stolz ihre Wangen, als wüsste sie, wie bemerkenswert Roran war, und als freute sie sich darüber, von allen Frauen Alagaësias diejenige zu sein, die sein Herz erobert hatte. Er gehörte ihr – und einen höheren Status, einen größeren Schatz begehrte sie nicht.

Ein Gefühl von Einsamkeit stieg in Nasuada auf. *Ich wünschte, ich besäße, was die beiden haben,* dachte sie. Ihre mannigfaltigen Pflichten hinderten sie daran, sich mädchenhaften Träumen von Liebe und Ehe – und natürlich Kindern – hingeben zu können. Für sie kam nur eine Vernunftehe zum Wohle der Varden infrage. Sie hatte schon einige Male Orrin als möglichen Gatten in Betracht gezogen, sich aber nie zu einer Heirat durchringen können. Und doch, sie war zufrieden mit ihrem Schicksal und neidete Roran und Katrina ihr Glück nicht. Die Sache der Varden war am wichtigsten für sie. Galbatorix zu stürzen, war viel bedeutender als etwas so Triviales wie eine Ehe. Fast alle Menschen heirateten, aber wem bot sich schon die Gelegenheit, ein neues Zeitalter zu begründen?

Ich bin nicht ich selbst heute Abend, erkannte Nasuada. *Meine Verletzungen haben meine Gedanken in einen Bienenschwarm verwandelt.* Dann blickte sie an Roran und Katrina vorbei auf Saphira und senkte den Schutzwall, der für gewöhnlich ihren Geist umgab. Sie wollte hören, was Saphira zu sagen hatte, und fragte: »Wo ist er?«

Mit dem trockenen Rascheln von aneinanderreibenden Schuppen kam Saphira näher und senkte den Hals, bis ihr Kopf direkt vor Nasuada, Arya und Angela schwebte. Im Auge des Drachen funkelte blaues Feuer. Saphira schnaubte zweimal und ihre tiefrote Zunge kam aus dem Maul geschossen. Der heiße feuchte Atemstoß zerzauste den Spitzenkragen von Nasuadas Kleid.

Die Anführerin der Varden musste schlucken, als Saphiras Bewusstsein das ihre berührte. Kein anderes Geschöpf, dem Nasuada jemals begegnet war, fühlte sich an wie der Drache: uralt, fremdartig, außerdem wild und sanft zugleich. Gepaart mit Saphiras imposanter Erscheinung erinnerte das Nasuada daran, dass der Drache sie jederzeit auffressen konnte, wenn er wollte. Es war unmöglich, in Gegenwart eines solchen Geschöpfes völlig entspannt zu sein, fand Nasuada.

Ich rieche Blut, sagte Saphira. *Wer hat dich verletzt, Nasuada? Nenne mir ihre Namen, dann reiße ich die Unglücksraben in Stücke und bringe dir ihre Köpfe als Trophäen.*

»Es ist nicht nötig, jemanden in Stücke zu reißen. Zumindest noch nicht. Ich habe das Messer selbst geführt. Aber dies ist nicht der Augenblick für lange Erklärungen. Erzähl mir lieber, wo Eragon steckt.«

Er hat beschlossen, im Imperium zu bleiben, sagte Saphira.

Erst war Nasuada fassungslos. Dann wich ihr Unglaube einem wachsenden Gefühl von Niedergeschlagenheit. Die anderen reagierten in ähnlicher Weise, woraus Nasuada schloss, dass Saphira zu allen gleichzeitig gesprochen hatte.

»Wieso … wieso hast du ihm erlaubt zu bleiben?«, fragte sie.

Als Saphira schnaubte, sammelten sich feine Flammenzungen in ihren Nüstern. *Es war Eragons Entscheidung. Ich konnte ihn nicht davon abbringen. Er besteht darauf, zu tun, was er für richtig hält, ganz gleich welche Konsequenzen es für ihn oder für ganz Alagaësia haben mag … Ich könnte ihn durchschütteln wie ein Küken, aber ich bin stolz auf ihn. Sorge dich nicht. Er kann auf sich achtgeben. Bis jetzt ist ihm kein Unglück widerfahren. Ich wüsste es, falls er verletzt wäre.*

Arya sagte: »Und warum hat er diese Entscheidung getroffen?«

Es würde schneller gehen, wenn ich es euch zeigte, statt es mit Worten zu erklären. Darf ich?

Sie willigten ein.

Ein Strom aus Saphiras Erinnerungen durchflutete Nasuada. Aus großer Höhe schaute sie zwischen den Wolken auf den schwarzen Helgrind hinab, hörte Eragon, Roran und Saphira besprechen, wie sie am besten vorgehen sollten. Sie sah, wie sie den Unterschlupf der Ra'zac entdeckten, und erlebte Saphiras langen, schweren Kampf mit dem Lethrblaka. Die Bilderfolge faszinierte Nasuada. Sie war zwar im Imperium geboren worden, konnte sich aber an nichts mehr erinnern. Es war das erste Mal in ihrem erwachsenen Leben, dass sie etwas anderes zu sehen bekam als die wilden Randgebiete des von Galbatorix beherrschten Territoriums.

Als Letztes kam der Streit zwischen Eragon und Saphira. Der Drachen versuchte, es zu verbergen, aber der Schmerz darüber, Eragon verlassen zu haben, war noch zu frisch. Nasuada musste mit den Verbänden an ihren Unterarmen ihre Tränen abwischen. Die Gründe allerdings, die Eragon für sein Bleiben vorbrachte – um den letzten Ra'zac zu töten und das Innere des Berges zu erforschen –, erschienen ihr wenig überzeugend.

Sie runzelte die Stirn. *Eragon mag ein Heißsporn sein, aber er ist sicherlich nicht so töricht, all unsere Ziele zu gefährden, nur um ein paar Höhlen zu erkunden und seinen Rachegelüsten bis zum Letzten zu frönen. Es muss eine andere Erklärung für sein Verhalten geben.* Sie überlegte, ob sie Saphira bedrängen sollte, ihr die Wahrheit zu sagen, aber sie wusste, dass der Drache eine solche Information nicht aus einer Laune heraus zurückhalten würde. *Vielleicht möchte sie lieber unter vier Augen mit mir darüber reden,* überlegte sie.

»Verdammt noch mal!«, rief König Orrin aus. »Eragon hätte keinen ungünstigeren Zeitpunkt für seinen Alleingang wählen können. Was zählt schon ein einzelner Ra'zac, wenn nur wenige Meilen von uns entfernt Galbatorix' gesamte Streitmacht steht? … Wir müssen den Burschen zurückholen.«

Angela lachte. Sie strickte eine Socke und benutzte dazu fünf Knochennadeln, die in einem steten, wenn auch eigentümlichen Rhythmus klapperten und klackten. »Wie denn? Er wird wohl am Tage reisen, und Saphira darf tagsüber nicht durch die Gegend fliegen und nach ihm suchen, weil sie jemand bemerken und Galbatorix benachrichtigen könnte.«

»Ja schon, aber er ist unser Drachenreiter! Wir können doch nicht tatenlos zusehen, während er sich irgendwo im Feindesgebiet herumtreibt.«

»Das sehe ich auch so«, sagte Narheim. »Aber was geschehen ist, ist geschehen. Jetzt müssen wir seine sichere Rückkehr gewährleisten. Grimstnzborith Hrothgar hat Eragon in seine Familie und seinen Clan aufgenommen. Wie ihr wisst, gehöre ich demselben Clan an. Nach unserem Gesetz schulden wir ihm unsere Treue und rückhaltlose Unterstützung.«

Arya kniete nieder und begann zu Nasuadas Überraschung, ihre Stiefel aufzuschnüren und die Bänder fester zu binden. »Saphira, wo genau war Eragon, als du das letzte Mal seinen Geist berührt hast?«, fragte die Elfe währenddessen.

Am Eingang zum Helgrind.

»Und weißt du, welchen Weg er nehmen wollte?«

Das wusste er selbst nicht so genau.

Arya richtete sich auf und sagte: »Dann werde ich wohl überall nach ihm suchen müssen.«

Wie ein Reh schoss sie davon, rannte über den Platz und verschwand zwischen den dahinterliegenden Zelten, während sie leichtfüßig und schnell wie der Wind nach Norden eilte.

»Arya, nein!«, rief Nasuada ihr nach, aber die Elfe war schon zu weit entfernt. Hoffnungslosigkeit drohte sie zu übermannen, während sie Arya nachblickte. *Unser Zentrum bröckelt,* dachte sie.

Die Kanten seines Brustpanzers umklammert, als wollte er ihn abreißen, fragte Garzhvog Nasuada: »Soll ich ihr folgen, Nachtjägerin? Ich kann zwar nicht so schnell rennen wie kleine Elfen, aber ich bin genauso ausdauernd.«

»Nein … nein, bleib hier. Aus der Ferne geht Arya für einen Menschen durch, dir hingegen wären die Soldaten auf den Fersen, sobald der erste Bauer dich entdeckt.«

»Ich bin es gewohnt, gejagt zu werden.«

»Aber nicht mitten im Imperium, wo es überall von Galbatorix' Schergen wimmelt. Nein, Arya muss allein zurechtkommen. Ich bete, dass sie Eragon findet und ihn wohlbehalten zurückbringt. Ohne ihn sind wir verloren.«

Grosse und kleine Fluchten

Eragons Füße trommelten auf den Boden.

Der stampfende Rhythmus seiner Schritte rührte von den Fersen her, fuhr die Beine hinauf, durchdrang die Hüften und stieg das Rückgrat hoch, bis er seinen Schädel erreichte, wo der stete Stoß seine Zähne klappern ließ und die Kopfschmerzen verschlimmerte, die mit jeder zurückgelegten Meile stärker zu werden schienen. Anfangs hatte der monotone Takt des Laufens ihn genervt, aber bald schon hatte er ihn in einen tranceartigen Zustand versetzt, in dem er nicht mehr nachdachte, sondern nur noch rannte.

Während Eragons Stiefel auf den Boden hämmerten, hörte er die spröden Grashalme wie Zweige brechen und sah kleine Staubwolken aus der rissigen Erde aufsteigen. Vermutlich hatte es in diesem Teil Alagaësias seit mindestens einem Monat nicht mehr geregnet. Die trockene Luft entzog seinem Atem die Feuchtigkeit, sodass seine Kehle schon ganz wund war. So viel er auch trank, er konnte nicht wettmachen, was Wind und Sonne ihm raubten.

Daher die Kopfschmerzen.

Der Helgrind lag weit hinter ihm. Allerdings kam er langsamer voran als erhofft. Hunderte von Galbatorix' Patrouillen – bestehend aus Soldaten und Magiern – zogen über das Land und er musste sich oft vor ihnen verstecken. Er hegte keinen Zweifel, dass sie nach ihm suchten. Am Vorabend hatte er dicht über dem westlichen Horizont sogar Dorn erblickt. Er hatte sofort einen Schutzwall um seinen Geist errichtet, sich in einen Graben geworfen und dort eine halbe Stunde ausgeharrt, bis der riesige rote Drache wieder hinter dem Rand der Welt verschwunden war.

Eragon hatte beschlossen, möglichst auf bestehenden Straßen und Pfaden zu reisen. Die Ereignisse der vergangenen Woche hatten ihn an die Grenzen seiner körperlichen und emotionalen Belastbarkeit gebracht. Er zog es vor, seinem Körper eine Verschnaufpause zu gönnen, statt sich mühselig durchs Gestrüpp zu schlagen, steile Hügel zu erklimmen und durch schlammige Flüsse zu waten. Er würde sich schon früh genug wieder verausgaben müssen, aber noch nicht jetzt. Denn solange er auf den Straßen war, wagte er nicht, so schnell zu rennen, wie er es eigentlich gekonnt hätte. Genau genommen wäre es klüger gewesen, überhaupt nicht zu rennen. In der Gegend gab es einige Dörfer und abseitsgelegene Höfe. Ein einzelner Mann, der die Straße entlanghetzte, als wäre ein Rudel Wölfe hinter ihm her, würde bestimmt Neugier und Argwohn wecken. Ein erschrockener Bauer konnte gar auf die Idee kommen, den Vorfall zu melden. Mit fatalen Folgen für Eragon, dessen bester Schutz die Anonymität war.

Er rannte nur deshalb, weil ihm seit drei Meilen außer einer Schlange kein einziges Lebewesen begegnet war.

Zu den Varden zurückzukehren, war Eragons dringlichstes Anliegen, und es wurmte ihn, wie ein gewöhnlicher Vagabund die Straße entlangzutrotten. Trotzdem genoss er die Gelegenheit, endlich einmal für sich zu sein. Er war nicht mehr allein gewesen – richtig allein –, seit er im Buckel Saphiras Ei entdeckt hatte. Immer hatten ihre Gedanken seine berührt oder Brom, Murtagh oder jemand anderes war an seiner Seite gewesen. Neben der Bürde fortwährender Gesellschaft hatte Eragon während all der Monate seit seinem Abschied aus dem Palancar-Tal das anstrengende Training auf sich genommen, nur unterbrochen von Reisen oder blutigen Schlachten. Noch nie zuvor hatte er sich über einen so langen Zeitraum derart intensiv auf etwas konzentriert oder sich mit so großen Sorgen und Ängsten herumschlagen müssen.

Deshalb genoss er nun die Einsamkeit und die damit einhergehende Ruhe. Das Fehlen von Stimmen, einschließlich seiner eigenen, war für ihn wie ein süßes Schlaflied, das für eine Weile seine Angst vor der Zukunft fortspülte. Er verspürte kein Bedürfnis, mit der Traumsicht nach Saphira zu sehen. Auch wenn sie zu weit weg war, um sie mit seinem Geist zu berühren, durch das Band zwischen ihnen hätte er gewusst, wenn es ihr schlecht ginge. Mit Arya oder Nasuada wollte er ebenso wenig in Verbindung treten; sie hätten ihm ohnehin nur gezürnt. Es war viel angenehmer, dem Gesang der Vögel zu lauschen, dem Seufzen des Windes im Gras und in den Bäumen.

Das Geräusch bimmelnder Geschirre, von Hufgetrappel und lauten Männerstimmen riss Eragon aus seinen Tagträumen. Beunruhigt blieb er stehen und schaute sich um, versuchte herauszufinden, aus welcher Richtung sich die Reiter näherten. Aus einer nahen Bergschlucht kamen zwei schnatternde Dohlen herausgeschossen.

Das einzige Versteck, das sich Eragon in der Nähe bot, war eine kleine Gruppe von Wacholderbäumen. Er rannte darauf zu und hechtete unter die herabhängenden Äste. Im nächsten Moment kamen sechs Soldaten aus der Schlucht geritten und bogen keine zehn Schritte von ihm entfernt auf die staubige Straße ein. Normalerweise hätte Eragon ihre Gegenwart längst gespürt, aber seit Dorn am Horizont aufgetaucht war, schirmte er seinen Geist vor seiner Umgebung ab.

Die Soldaten zügelten die Pferde und blieben mitten auf der Straße stehen. »Ich sag euch, ich hab was gesehen!«, rief einer der Männer. Er war mittelgroß, hatte rote Wangen und einen blonden Bart.

Sein Herz hämmerte, Eragon zwang sich, langsam und ruhig zu atmen. Er prüfte den Sitz des Stirnbands, das er trug, um sicher zu sein, dass es seine schräg stehenden Augenbrauen und die spitzen Ohren verdeckte. *Ich wünschte, ich würde meine Rüstung tragen,* dachte er. Um keine Aufmerksamkeit zu erregen, hatte er sich aus trockenen Ästen und einer Plane, die er einem Kesselflicker abgekauft hatte, einen Rucksack gebastelt und darin seine Rüstung verstaut. Nun wagte er nicht, sie hervorzuholen und anzulegen, aus Angst, die Soldaten könnten es hören.

Der Soldat mit dem blonden Bart stieg von seinem kastanienbraunen Pferd und lief am Straßenrand entlang. Er suchte den Boden ab und blickte zu den Wacholderbäumen hinüber. Wie alle Angehörigen von Galbatorix' Streitmacht trug er ein rotes Wams, auf dem eine lodernde, mit Goldfäden umrissene Flamme prangte. Die Stickarbeit glitzerte in der Sonne. Seine Rüstung war schlicht – ein Helm, ein ovaler Schild und ein lederner Brustpanzer –, was darauf hindeutete, dass er wenig mehr war als ein einfacher Fußsoldat. Seine Bewaffnung: in der rechten Hand eine Lanze, links an der Hüfte hängend ein Langschwert.

Während der Soldat mit klirrenden Sporen auf sein Versteck zuschritt, begann Eragon, einen komplizierten Zauberspruch in der alten Sprache zu murmeln. Die Worte kamen ihm mühelos über die Lippen, bis er zu seiner Bestürzung eine spezielle Anhäufung von Vokalen falsch aussprach und von Neuem beginnen musste.

Der Soldat kam einen weiteren Schritt auf ihn zu.

Und noch einen.

Gerade als der Mann vor ihm stehen blieb, beendete Eragon den Zauber und spürte, wie ihm die Kraft entströmte, als die Wirkung der Magie einsetzte. Allerdings den Bruchteil einer Sekunde zu spät. Der Soldat hatte ihn bereits entdeckt, denn er rief: »Aha!«, und schob die Äste auseinander.

Eragon rührte sich nicht.

Der Soldat schaute ihn direkt an und runzelte die Stirn. »Was zum…«, murmelte er. Er stieß die Lanze ins Gebüsch und verfehlte nur um Haaresbreite Eragons Gesicht. Der bohrte sich die Fingernägel in die Handflächen, als seine angespannten Muskeln zu zittern begannen. »Ach, was soll's«, sagte der Soldat und ließ die Äste los, die zurückschwangen und Eragon wieder verbargen.

»Was war denn da?«, rief einer der anderen Männer.

»Nichts«, brummte der Soldat und kehrte zu seinen Gefährten zurück. Er nahm den Helm ab und wischte sich über die Stirn. »Meine Augen haben mir einen Streich gespielt.«

»Was erwartet dieser Bastard Braethan von uns? Seit zwei Tagen haben wir kaum eine Mütze Schlaf bekommen.«

»Tja, der König muss ganz schön verzweifelt sein, uns dermaßen auf Trab zu halten. Ehrlich gesagt, ich würde denjenigen, den er sucht, lieber nicht finden. Ich bin ja kein Feigling, aber wenn jemand sogar Galbatorix in Unruhe versetzt, sollten Leute wie wir ihm lieber aus dem Weg gehen. Sollen doch Murtagh und sein Ungeheuer von einem Drachen den geheimnisvollen Flüchtling fangen, was?«

»Es sei denn, wir suchen nach *Murtagh*«, warf ein dritter Mann ein. »Ihr habt doch ebenso wie ich gehört, was Morzans Brut gesagt hat.«

Unbehagliches Schweigen breitete sich aus. Dann schwang sich der Soldat mit dem blonden Bart wieder auf sein Pferd, schlang die Zügel um die linke Hand und sagte: »Halt die Klappe, Derwood. Du quatschst zu viel.«

Damit gaben die Soldaten ihren Pferden die Sporen und ritten in nördliche Richtung davon.

Als das Hufgetrappel verklungen war, löste Eragon den Zauber, rieb sich mit den Fäusten die Augen und ließ die Hände dann auf die Knie sinken. Er musste leise lachen und schüttelte den Kopf. Es amüsierte ihn, in welch haarsträubender Lage er sich befand: er, ein einfacher Bauernjunge aus dem Palancar-Tal. *Ich hätte mir nie träumen lassen, dass mir so etwas widerfährt,* dachte er.

Der Zauber, den er gebaucht hatte, bestand aus zwei Teilen. Der erste lenkte Lichtstrahlen um den Körper herum und ließ ihn so unsichtbar erscheinen. Der zweite sollte verhindern, dass andere Zauberkundige den Gebrauch von Magie bemerkten. Die größten Nachteile des Zaubers waren, dass er die Fußspuren nicht verbarg – deshalb musste man stocksteif stehen bleiben – und der eigene Schatten oft nicht völlig verschwand.

Als er sich unter dem Wacholder vorgearbeitet hatte, reckte Eragon die Arme über den Kopf, dann blickte er zu der Schlucht, aus der die Soldaten gekommen waren. Eine einzige Frage beschäftigte ihn, als er seinen Weg fortsetzte.

Was hatte Murtagh gesagt?

»Ahh!«

Die schleierhaften Trugbilder seiner Wachträume verschwanden, als Eragon mit den Händen in die Luft hieb. Er rollte sich weg von der Stelle, wo er gelegen hatte, krabbelte ein Stück zurück und sprang mit erhobenen Armen auf, um einen heransausenden Schlag abzuwehren.

Nächtliche Dunkelheit umfing ihn. Über ihm setzten die Gestirne ihren endlos kreisenden Himmelstanz fort. Am Boden regte sich kein einziges Geschöpf und er hörte nichts außer dem sanften Rauschen des Windes im Gras.

Eragon schickte seinen Geist aus, denn er war überzeugt, dass ihm ein Angriff drohte. Doch selbst im Umkreis von tausend Fuß konnte er niemanden entdecken.

Schließlich nahm er die Arme herunter. Sein Brustkorb hob und senkte sich, seine Haut brannte und er stank nach Schweiß. In seinem Kopf tobte ein Sturm: ein Wirbel aufblitzender Klingen und abgeschlagener Gliedmaßen. Einen Moment lang glaubte er, er wäre in Farthen Dûr und würde gegen Urgals kämpfen, dann wähnte er sich auf den Brennenden Steppen und kreuzte die Klingen mit Männern wie ihm. Beides erschien so real, dass er glaubte, von einem mächtigen Zauber durch Raum und Zeit transportiert worden zu sein. Er sah die von ihm getöteten Urgals und Menschen, die so lebensecht wirkten, dass er sich fragte, ob sie gleich zu ihm sprechen würden. Und obwohl er nicht mehr die Narben seiner Wunden trug, erinnerte sein Körper sich an die vielen erlittenen Verletzungen. Schaudernd spürte er wieder, wie ihm die Schwerter und Pfeile ins Fleisch fuhren.

Mit einem wilden Aufheulen sank Eragon auf die Knie, schlang die Arme um den Leib, schwankte vor und zurück. *Alles ist gut … Alles ist gut.* Er drückte die Stirn auf den Boden, rollte sich fest zusammen. Sein Atem strömte ihm heiß gegen den Bauch.

»Was ist nur los mit mir?«

In den Geschichten, die Brom in Carvahall erzählt hatte, waren die Helden der Vergangenheit nie von solchen Visionen heimgesucht worden. Keiner der ihm bekannten Varden-Krieger hatte je durchblicken lassen, dass das Blutvergießen ihm zu schaffen machte. Und obwohl Roran zugab, dass ihm das Töten missfiel, schreckte er nachts nicht schreiend aus dem Schlaf.

Ich bin schwach, dachte Eragon. *Ein Mann sollte keine solchen Gedanken haben. Ein Drachenreiter sollte keine solchen Gedanken haben. Garrow oder Brom wäre es gut gegangen, das weiß ich. Sie taten, was sie tun mussten, und damit hatte es sich. Sie haben nicht rumgejammert und ewig nachgegrübelt und mit den Zähnen geknirscht … Ich bin schwach.*

Er sprang auf und lief im Kreis um seine Schlafstatt im Gras, um sich zu beruhigen. Als ihm nach einer halben Stunde die Anspannung noch immer die Brust zuschnürte und seine Haut kribbelte, als würden darauf Tausende Ameisen herumkrabbeln, packte Eragon kurzerhand seine Sachen und rannte los. Ihm war gleich, was ihn in der unbekannten Dunkelheit erwartete oder wer seinen überstürzten Aufbruch bemerken mochte.

Er wollte nur seinen Albträumen entfliehen. Sein Geist hatte sich gegen ihn gewandt und er konnte sich nicht darauf verlassen, dass sein Verstand die aufwallende Panik vertreiben würde. Seine einzige Hoffnung lag darin, der animalischen Weisheit seines Fleisches zu vertrauen, und es forderte ihn auf, sich zu *bewegen.* Wenn er schnell und lange genug rannte, konnte er sich vielleicht wieder im Hier und Jetzt verankern. Vielleicht würden die kühle Nachtluft auf seiner Haut, das Geräusch seiner Schritte, die Nässe seines Schweißes und die Myriaden anderer Sinneseindrücke ihn durch ihre Übermacht dazu zwingen, zu vergessen.

Vielleicht.

Ein Schwarm Stare schoss über den Nachmittagshimmel wie Fische durch den Ozean.

Eragon blickte ihnen nach. Im Palancar-Tal, wohin die Stare im Frühjahr zurückkehrten, bildeten sie oft so große Gruppen, dass sie den Tag zur Nacht machten. Dieser Schwarm hier war nicht so riesig. Aber er erinnerte ihn an die Abende, als er mit Roran und Garrow auf der Veranda Pfefferminztee getrunken und dabei die umhersausende schwarze Wolke beobachtet hatte.

Gedankenverloren hielt er inne und setzte sich auf einen Fels, um sich die Stiefel neu zu schnüren.

Das Wetter war umgeschlagen: Es war kühler geworden und der graue Schmierfleck im Westen deutete auf einen aufziehenden Sturm hin. Die Vegetation war üppig, mit Moos und Schilf und grünen Wiesen. Einige Meilen entfernt erhoben sich fünf Hügel aus dem ansonsten flachen Land. Den mittleren krönte ein dichter Eichenhain. Verschwommen erkannte Eragon zwischen den Bäumen die bröckelnden Mauern eines lange verlassenen Gebäudes, das irgendein Volk vor Urzeiten erbaut hatte.

Seine Neugier war geweckt, und so beschloss Eragon, zwischen den Ruinen ein bisschen Abwechslung in seine sonst fleischlose Kost zu bringen. Bestimmt gab es dort viele Tiere, und eine kleine Jagd bot einen Vorwand, sich ein bisschen umzuschauen, bevor er seinen Weg fortsetzte.

Nach einer Stunde erreichte Eragon den Fuß des ersten Hügels und traf dort auf die Überreste einer uralten, mit kleinen Steinquadern kunstvoll gepflasterten Straße. Er folgte ihr hinauf zu den Ruinen und wunderte sich dabei über ihre ungewöhnliche Bauweise. Bei den Menschen, Elfen oder Zwergen hatte er so etwas noch nie gesehen.

Während er den mittleren Hügel erklomm, fand Eragon im Schatten der Bäume ein wenig Abkühlung. Nahe dem Gipfel wurde es flacher und der Eichenhain öffnete sich zu einer weiten Lichtung. Auf ihr stand ein Turm ohne Spitze. Der untere Teil war breit und wie ein Baumstamm geriffelt. Danach verjüngte er sich, erhob sich mehr als dreißig Fuß in den Himmel und endete in einer scharf gezackten Linie. Die obere Turmhälfte lag auf dem Boden, in unzählige Bruchstücke zerschmettert.

Erregung packte Eragon. Vermutlich hatte er hier einen elfischen Außenposten entdeckt, der lange vor dem Ende der Drachenreiter erbaut worden war. Kein anderes Volk besaß das Geschick oder den Sinn für solche Bauwerke.

Dann entdeckte er einen Gemüsegarten auf der anderen Seite der Lichtung.

Ein Mann saß gebückt zwischen den Pflanzen und jätete Unkraut in einem Zuckererbsenbeet. Sein Gesicht lag im Schatten. Sein Bart war so lang, dass die Haare wie ein Haufen ungesponnene Wolle auf seinem Schoß lagen.

»Nun, hilfst du mir beim Jäten?«, fragte der Mann, ohne aufzuschauen. »Wenn ja, bringt dir das eine Mahlzeit ein.«

Eragon zögerte, wusste nicht, was er tun sollte. Dann dachte er: *Warum sollte ich mich vor einem alten Einsiedler fürchten?*, und ging zu ihm hinüber. »Ich bin Bergan … Bergan, Sohn von Garrow.«

Der Alte brummte. »Tenga, Sohn von Ingvar.«

Eragon stellte den Rucksack ab, in dem die Rüstung klapperte. Die nächste Stunde arbeitete er schweigend an Tengas Seite. Er wusste, er sollte nicht so lange bleiben, aber es machte ihm Spaß. Die Arbeit hielt ihn vom Grübeln ab. Während er Unkraut jätete, schickte er seinen Geist aus und berührte die vielen Lebewesen auf der Lichtung. Er genoss das Gefühl der Verbundenheit mit ihnen.

Nachdem sie auch die letzten Reste Gras, Portulak und Löwenzahn zwischen den Erbsen herausgerissen hatten, folgte Eragon Tenga zu einer schmalen Tür im Turm. Dahinter lagen eine geräumige Küche und ein Esszimmer. In der Mitte des Raumes führte eine Wendeltreppe in den ersten Stock. Überall lagen Bücher, Schriftrollen und stapelweise Pergament, sogar auf dem Fußboden.

Tenga zeigte auf den kleinen Holzhaufen in der Feuerstelle. Knisternd gingen die Äste in Flammen auf. Eragon spannte sich an, bereit für einen körperlichen und geistigen Zweikampf mit Tenga.

Der Alte schien seine Reaktion gar nicht zu bemerken. Er wuselte geschäftig in der Küche herum, holte für ihr Mittagessen Becher, Geschirr und Messer heraus und stellte Reste seiner letzten Mahlzeit auf den Tisch. Währenddessen murmelte er leise in seinen wallenden Rauschebart.

Alle Sinne geschärft, setzte Eragon sich auf eine freie Stuhlecke. *Er hat nicht die alte Sprache benutzt,* dachte er. *Und selbst wenn er den Zauberspruch im Geiste gesagt hat, hat er den Tod oder Schlimmeres riskiert, nur um ein Feuer anzuzünden!* Denn wie Oromis ihn gelehrt hatte, waren Worte das Instrument, um die Freisetzung eines Zaubers zu kontrollieren. Nur so ließ sich verhindern, dass die Wirkung des Zaubers durch ein Abschweifen der Gedanken oder andere Ablenkungen verzerrt oder verfälscht wurde.

Eragon blickte sich um, suchte nach Hinweisen auf seinen Gastgeber. Er bemerkte eine offene Schriftrolle, die mit Textspalten in der alten Sprache bedeckt war, und erkannte sie als ein Kompendium wahrer Namen. Es ähnelte dem, das er in Ellesméra studiert hatte. Magier waren ganz versessen auf solche Schriften und Bücher und gaben fast alles dafür, sie zu besitzen. Sie dienten dazu, neue Zauberworte zu erlernen und auch eigene Sprüche darin zu notieren. Aber nur die Allerwenigsten wurden eines solchen Werkes habhaft, da sie extrem selten waren. Wer eines hatte, trennte sich nicht freiwillig davon.

Daher war es höchst ungewöhnlich, dass Tenga ein solches Kompendium besaß. Aber zu seinem Erstaunen entdeckte Eragon im Raum noch sechs weitere dieser Werke, unter zahllosen Schriften aus den Bereichen Geschichte, Mathematik, Astronomie und Botanik. Tenga stellte ihm einen gefüllten Bierkrug und einen Teller mit Brot, Käse und kaltem Fleisch hin.

»Danke«, sagte Eragon.

Der Alte beachtete ihn nicht weiter, setzte sich im Schneidersitz vor das Feuer und verzehrte murmelnd seine Mahlzeit.

Nachdem Eragon mit einem Stück Brot den Teller sauber gewischt und das ausgezeichnete Bier bis auf den letzten Tropfen ausgetrunken hatte, fragte er Tenga, der ebenfalls aufgegessen hatte: »Wurde der Turm von den Elfen erbaut?«

Der Alte sah ihn durchdringend an, als würde die Frage ihn an Eragons Intelligenz zweifeln lassen. »Wer denn sonst? Natürlich haben die raffinierten Elfen Edur Ithindra gebaut.«

»Und was tust du hier? Bist du ganz allein oder –«

»Ich suche die Antwort!«, rief Tenga aus. »Den Schlüssel zu einer verschlossenen Tür, das Geheimnis der Bäume und Pflanzen. Feuer, Hitze, Blitze, Licht… Die meisten kennen nicht einmal die Frage und verbringen ihr Leben als Unwissende. Andere kennen sie, fürchten sich aber vor der Antwort. Pah! Seit Jahrtausenden leben wir wie Wilde! Wie Wilde! Dem werde ich ein Ende machen. Ich werde das Zeitalter des Lichts einläuten und alle werden mich dafür preisen.«

»Sag bitte, wonach genau suchst du?«

Tenga runzelte die Stirn. »Du kennst die Frage nicht? Ich dachte, das würdest du. Ich habe mich wohl getäuscht. Trotzdem, ich merke, dass du meine Suche verstehst. Du selbst suchst nach einer anderen Antwort, aber auch du bist ein Pilger. In unseren Herzen brennt das gleiche Feuer. Nur ein Pilger begreift, was wir opfern müssen, um die Antwort zu finden.«

»Die Antwort worauf?«

»Auf die von uns gewählte Frage.«

Er ist verrückt, dachte Eragon. Er hielt nach etwas Ausschau, mit dem er Tenga ablenken konnte, als sein Blick auf eine Reihe kleiner Figuren von Waldtieren fiel, die auf einem Brett unter dem tropfenförmigen Fenster standen. »Die sind wunderschön«, sagte er und deutete darauf. »Wer hat sie erschaffen?«

»Das war *sie*… bevor sie ging. Sie hat ständig irgendwelche Dinge erschaffen.« Tenga sprang auf und legte die linke Zeigefingerspitze auf die erste Figur. »Hier, das Eichhörnchen mit dem wedelnden Schwanz… so klug und geschwind und gewitzt.« Sein Finger wanderte zum nächsten Tier. »Hier das Wildschwein mit den tödlichen Reißzähnen… Hier der Rabe mit…«

Tenga beachtete ihn nicht, als Eragon zurückwich, den Türriegel hob und aus dem Turm schlüpfte. Mit geschultertem Rucksack trottete er durch den Eichenhain hangabwärts und ließ die fünf Hügel und den wahnsinnigen Zauberer hinter sich.

In den Abendstunden und auch am nächsten Tag wurden die Menschen auf der Straße immer zahlreicher, bis es Eragon vorkam, als würden an jeder Biegung neue Leute dazukommen. Die meisten davon Flüchtlinge, obwohl auch Soldaten und reisende Händler darunter waren. Er vermied jeden Kontakt und hielt die meiste Zeit den Kopf gesenkt.

Allerdings hatte das zur Folge, dass er die Nacht in Eastcroft verbringen musste, einem Dorf zwanzig Meilen nördlich von Melian. Eigentlich hatte er die Straße lange vor seiner Ankunft in Eastcroft verlassen und sein Nachtlager in einer Senke oder Höhle aufschlagen wollen. Aber da er die Gegend nicht wirklich kannte, schätzte er die Entfernung falsch ein und näherte sich plötzlich bereits dem Dorf in Gesellschaft von drei Waffenknechten. Nun noch zu verschwinden, wo die sicheren Mauern Eastcrofts und ein gemütliches Bett kaum eine Wegstunde entfernt lagen, hätte selbst den größten Dummkopf überlegen lassen, warum er – Eragon – das Dorf meiden wollte. Deshalb fügte er sich in sein Schicksal und ging im Geiste die Geschichte durch, die er sich zurechtgelegt hatte, um seine Reise zu erklären.

Der riesig erscheinende Sonnenball stand zwei Fingerbreit über dem Horizont, als Eragon das erste Mal Eastcroft erblickte, ein mittelgroßes, von einer hohen Palisadenmauer umschlossenes Dorf. Es war fast dunkel, als er es schließlich erreichte und durch das Tor schritt. Er hörte, wie der Wachmann die Waffenknechte fragte, ob hinter ihnen noch jemand auf der Straße unterwegs gewesen wäre.

»Nicht dass ich wüsste.«

»Oh, das reicht mir als Auskunft«, sagte der Wachmann. »Falls noch irgendwelche Nachzügler eintreffen, müssen sie bis morgen warten, um reinzukommen.« Einem Mann, der auf der anderen Seite des Tores stand, rief er zu: »Schließen wir es!« Zusammen schoben sie das fünfzehn Fuß hohe, eisenbeschlagene Tor zu und verriegelten es mit vier dicken Eichenbalken.

Als würden sie eine Belagerung erwarten, dachte Eragon, dann musste er über sich selbst lächeln. *Nun, wer rechnet heutzutage nicht mit Schwierigkeiten?* Noch vor einigen Monaten hätte es ihm Sorgen bereitet, in Eastcroft eingeschlossen zu sein. Heute aber war er überzeugt, die Stadtbefestigung mit bloßen Händen überwinden zu können. Niemand würde seine Flucht ins Dunkel der Nacht bemerken, wenn er sich mithilfe von Magie verbarg. Aber er zog es vor zu bleiben, denn er war todmüde, und einen Zauber zu wirken, hätte die Aufmerksamkeit anderer Magier wecken können, die sich möglicherweise in der Nähe aufhielten.

Nachdem er erst wenige Schritte auf der staubigen Straße in Richtung Dorfplatz gemacht hatte, blaffte ihn ein Wachmann an und streckte ihm eine Laterne ins Gesicht. »Bleib stehen! Du warst noch nie in Eastcroft, oder?«

»Das ist mein erster Besuch.«

Der stämmige Wachmann legte den Kopf schräg. »Hast du hier Familie oder Freunde, die du besuchst?«

»Nein, hab ich nicht.«

»Und was führt dich nach Eastcroft?«

»Nichts. Ich bin auf der Durchreise nach Süden, um die Familie meiner Schwester abzuholen und nach Dras-Leona zurückzubringen.« Der Wachmann nahm die Erklärung teilnahmslos hin. *Vielleicht glaubt er mir nicht,* überlegte Eragon. *Oder er hat schon so viele Geschichten wie meine gehört, dass sie ihn nicht mehr interessieren.*

»Dann geh zum Haus der Reisenden, gleich am Hauptbrunnen. Dort findest du Kost und Logis. Aber sei gewarnt, wir in Eastcroft kennen keine Gnade mit Mördern, Dieben oder Bettlern. Wir haben kräftige Prügelstöcke und einen feinen Galgen. Hast du verstanden, Bursche?«

»Ja, Herr.«

»Dann geh jetzt. Nein, warte! Wie heißt du, Fremder?«

»Bergan.«

Daraufhin setzte der Wachmann seine abendliche Runde fort. Eragon wartete, bis das Laternenlicht hinter der nächsten Hausecke verschwunden war, bevor er zum Nachrichtenbrett hinüberging, das links von den Toren hing.

Über einem halben Dutzend Steckbriefen von gesuchten Verbrechern hingen zwei große Pergamente. Eines zeigte Eragon, das andere Roran. Beide wurden als Verräter an der Krone bezeichnet. Interessiert betrachtete Eragon die Plakate und staunte über die ausgesetzte Belohnung: Wer einen der Gesuchten fing, bekam eine ganze Grafschaft. Die Zeichnung von Roran war ziemlich treffend, sogar mit Vollbart, den er seit seiner Flucht aus Carvahall trug. Eragons Porträt hingegen zeigte ihn so, wie er vor der Blutschwur-Zeremonie ausgesehen hatte, als seine Züge noch rein menschlich gewesen waren.

Wie die Dinge sich doch verändert haben, dachte er.

Dann ging er durchs Dorf und fand das Haus der Reisenden. Der Schankraum hatte eine niedrige Decke mit teerbefleckten Balken. Gelbe Talgkerzen verströmten warmes flackerndes Licht und erfüllten die Luft mit wabernden Rauchschwaden. Sand und Stroh bedeckten den Boden und knirschten unter Eragons Stiefeln. Zu seiner Linken gab es Tische und Stühle und eine große Feuerstelle, an der ein kleiner Junge ein Schwein am Spieß drehte. Gegenüber befand sich ein langer Tresen, an dem sich Horden durstiger Männer drängelten.

Etwa sechzig Gäste füllten den Raum bis auf den letzten Platz. Das Stimmengewirr wäre für Eragon nach seiner ruhigen Wanderschaft allein schon erschreckend genug gewesen, aber wegen seines sensiblen Gehörs fühlte er sich, als würde er mitten in einem dröhnenden Wasserfall stehen. Es fiel ihm schwer, sich auf eine Stimme zu konzentrieren. Sobald er ein Wort oder gar einen ganzen Satz aufgeschnappt hatte, übertönte diesen schon der nächste Wortschwall. In einer Ecke sangen drei Spielleute eine humoristische Version von »Liebliche Aethrid o' Dauth« und verstärkten damit den Lärm noch.

Durch die sperrfeuerartigen Gespräche bahnte Eragon sich einen Weg zum Tresen. Er wollte die Bedienung ansprechen, aber die Frau war zu beschäftigt. Es dauerte fünf Minuten, bis sie ihn bemerkte und fragte: »Womit kann ich dienen?« Haarsträhnen hingen ihr ins verschwitzte Gesicht.

»Hast du ein Zimmer für mich? Oder irgendeine Ecke, wo ich schlafen kann?«

»Keine Ahnung. Frag die Hausherrin. Sie kommt gleich runter.« Dann deutete sie in Richtung der schummrigen Treppe.

Während er wartete, lehnte Eragon sich an den Tresen und musterte die Leute. Es war eine bunte Mischung. Etwa die Hälfte stammte aus Eastcroft und veranstaltete ein nächtliches Trinkgelage. Die meisten anderen waren Männer und Frauen – oft ganze Familien – auf der Flucht in eine sicherere Gegend. Eragon erkannte sie an den abgetragenen Hemden und schmutzigen Hosen und daran, wie sie auf ihren Stühlen kauerten und jeden musterten, der ihnen nahe kam. Sie vermieden es jedoch sorgsam, zur letzten und kleinsten Gruppe der Gäste hinüberzublicken: Galbatorix' Soldaten. Die Männer in den roten Wämsern machten mehr Lärm als alle anderen. Sie lachten und brüllten und schlugen mit ihren gepanzerten Fäusten auf die Tische, während sie Bier soffen und jede Frau angrapschten, die dumm genug war, ihnen zu nahe zu kommen.

Benehmen sie sich so, weil sie wissen, dass niemand es wagt, gegen sie aufzubegehren, und sie es genießen, ihre Macht zu demonstrieren?, fragte sich Eragon. *Oder weil man sie gezwungen hat, sich Galbatorix' Heer anzuschließen, und sie ihre Scham und ihre Angst mit ihrer Ausgelassenheit zu betäuben versuchen?*

Die Spielleute sangen jetzt:

So eilte die liebliche Aethrid o' Dauth
zu Graf Edel und rief: »Lasst meinen Geliebten
frei. Sonst verwandelt Euch die Hexe
in einen dummen Vogel Strauß!«
Doch Graf Edel, ja, der lachte nur
und ging zurück ins schmucke Haus.

Die Menge teilte sich und gewährte Eragon einen Blick auf einen Tisch an der Wand. Eine einzelne Frau saß dort, ihr Gesicht verborgen unter der Kapuze eines Reiseumhangs. Vier Männer umringten sie; alles große, grobschlächtige Bauern mit kräftigen Stiernacken und vom Alkohol geröteten Wangen. Zwei von ihnen lehnten neben der Frau an der Wand, einer saß verkehrt herum auf einem Stuhl vor ihr und der vierte hatte den Stiefel auf die Kante des niedrigen Tisches gestellt und stützte sich auf das Knie. Die Männer redeten laut und ungezwungen. Obwohl Eragon nicht verstehen konnte, was die Frau sagte, war es für ihn offensichtlich, dass ihre Antwort die Bauern verärgerte. Sie funkelten sie an, warfen sich in die Brust und plusterten sich auf wie Gockel. Einer von ihnen deutete drohend mit einem Finger auf sie.

Für Eragon sahen sie aus wie anständige, schwer arbeitende Männer, deren Manieren ihnen in den Bierkrügen abhandengekommen waren. Diese Unsitte hatte er an Feiertagen in Carvahall schon allzu oft erlebt. Garrow hatte keinen Respekt vor Männern gehabt, die ihr Bier nicht vertrugen und trotzdem darauf bestanden, sich in der Öffentlichkeit lächerlich zu machen. »Es ist unschicklich«, hatte er gesagt. »Wenn man nicht aus Spaß trinkt, sondern um sein Schicksal zu ersäufen, dann sollte man das zu Hause tun, wo man niemanden stört.«

Plötzlich beugte sich der Mann zur Linken der Frau vor und schob ihr einen Finger unter die Kapuze, als wollte er sie zurückstreifen. Fast zu schnell für Eragons Auge packte die Frau das Handgelenk des zudringlichen Kerls, dann ließ sie es jedoch wieder los, als sei nichts geschehen. Eragon bezweifelte, dass irgendjemand im Schankraum die Bewegung bemerkt hatte, wahrscheinlich nicht einmal der Mann selbst.

Die Kapuze fiel zurück und Eragon fuhr verblüfft zusammen. Die Frau war ein Mensch, sah aber aus wie Arya. Der einzige Unterschied waren ihre Augen – die rund waren und nicht schräg standen wie bei einer Katze – und die Ohren, denen die spitze elfische Form fehlte. Sie war genauso schön wie Arya, aber auf eine weniger exotische, vertrautere Weise.

Ohne zu zögern, schickte Eragon seinen Geist nach ihr aus. Er musste wissen, wer diese Frau war.

Sobald er ihr Bewusstsein berührte, wurde Eragon von einem geistigen Schlag getroffen, der seine Konzentration zerstörte. Dann hallte in seinem Kopf ein ohrenbetäubender Ausruf wider: *Eragon!*

Arya?

Einen Moment lang trafen sich ihre Blicke, bevor die Menge sich wieder verdichtete und die Elfe verbarg.

Eragon eilte durch den Schankraum an ihren Tisch, schob die dicht gedrängt stehenden Leiber beiseite, die ihm den Weg versperrten. Als er aus dem Gewühl trat, sahen die Bauern ihn scheel an und einer sagte: »Was willst du, Bursche? Ganz schön frech, wie du hier in unsere Runde platzt. Verzieh dich!«

So höflich wie möglich sagte Eragon: »Meine Herren, mir scheint, die Dame möchte lieber in Ruhe gelassen werden. Ihr wollt Euch doch nicht über die Wünsche einer ehrbaren Frau hinwegsetzen, oder?«

»Ehrbare Frau?«, lachte einer der Männer. »Ehrbare Frauen reisen nicht alleine.«

»Dann lasst mich Eure Sorge zerstreuen, denn ich bin ihr Bruder und wir sind auf dem Weg nach Dras-Leona zu unserem Onkel.«

Die vier Männer wechselten unbehagliche Blicke. Drei von ihnen wichen von Arya zurück, aber der vierte baute sich vor Eragons Nase auf und schnaufte ihm ins Gesicht. »Ich bin nicht sicher, ob ich dir glauben soll, *Bursche*. Du willst uns doch bloß verscheuchen, damit du sie für dich hast.«

Er liegt gar nicht so falsch, dachte Eragon.

Mit so leiser Stimme, dass nur der Mann ihn verstand, erklärte Eragon: »Ich versichere Euch, sie ist meine Schwester. Ich möchte keinen Ärger mit Euch. Würdet Ihr bitte gehen?«

»Nein, denn ich glaube, du bist ein Lügenbold.«

»Herr, seid vernünftig. Es besteht kein Grund, so unhöflich zu sein. Die Nacht ist jung, und es gibt jede Menge Wein und Gesang, an dem man sich ergötzen kann. Lasst uns wegen eines kleinen Missverständnisses nicht streiten. Das ist doch unter unserer Würde.«

Zu Eragons Erleichterung entspannte sich der Mann und raunte spöttisch: »Gegen einen Jüngling wie dich würde ich sowieso nicht kämpfen.« Dann wandte er sich um und ging mit seinen Freunden zum Tresen.

Den Blick auf die Menschenmenge gerichtet, setzte Eragon sich zu Arya an den Tisch. »Was tust du hier?«, fragte er, wobei er die Lippen kaum bewegte.

»Dich suchen.«

Er warf ihr einen überraschten Blick zu und sie hob eine Augenbraue. Er schaute wieder auf die Menge, gab vor zu lächeln und fragte: »Bist du allein?«

»Jetzt nicht mehr… Hast du dir für die Nacht ein Zimmer genommen?«

Er schüttelte den Kopf.

»Gut. Ich habe eins. Dort können wir reden.«

Sie standen auf und er folgte ihr zur Treppe im hinteren Teil des Schankraums. Die ausgetretenen Stufen ächzten unter ihren Schritten, während sie in den ersten Stock stiegen. Eine einzelne Kerze erhellte den holzgetäfelten Korridor. Arya führte Eragon zur letzten Tür auf der rechten Seite und zog einen eisernen Schlüssel aus dem weiten Ärmel ihres Umhangs. Sie sperrte auf, betrat das Zimmer und wartete, bis Eragon ihr gefolgt war; dann schloss sie die Tür wieder und verriegelte sie von innen.

Von einer Laterne auf der anderen Seite des Marktplatzes fiel ein schwacher orangefarbener Lichtschein durch das bleiverglaste Fenster. Eragon konnte darin die Umrisse einer Öllampe erkennen, die rechts von ihm auf einem niedrigen Tisch stand.

»Brisingr«, flüsterte er und zündete den Docht mit einem Funken an, der ihm aus dem Finger sprang.

Trotz der brennenden Öllampe blieb es im Zimmer relativ dunkel. Der Raum war wie der Korridor getäfelt und das kastanienfarbene Holz schluckte einen Großteil des Lichts. So wirkte der Raum klein und erdrückend, als würde ein großes Gewicht die Wände zusammenpressen. Das einzige Möbelstück neben dem Tisch war ein schmales Bett mit einer dünnen Decke, auf der ein kleines Bündel mit Proviant lag.

Eragon und Arya standen sich gegenüber. Er nahm das Stirnband ab, die Elfe öffnete die Brosche, die den Umhang zusammenhielt, und legte ihn aufs Bett. Darunter trug sie ein waldgrünes Kleid. Es war das erste Mal, dass er sie in einem sah.

Es war eine seltsame Erfahrung für Eragon, dass sie die Rollen plötzlich getauscht hatten: Er sah aus wie ein Elf und sie wie ein Mensch. Die Verwandlung änderte nichts an seiner Hochachtung für sie, nur fühlte er sich jetzt in ihrer Gegenwart entspannter, da Arya ihm nicht mehr so fremd erschien.

Die Elfe brach das Schweigen. »Saphira sagt, du seist zurückgeblieben, um den letzten Ra'zac zu töten und den Helgrind zu erkunden. Ist das die Wahrheit?«

»Teilweise.«

»Und wie lautet die ganze Wahrheit?«

Mit weniger würde sie sich nicht zufriedengeben, das wusste Eragon. »Versprich mir, dass du ohne meine Erlaubnis niemandem verrätst, was ich dir erzähle.«

»Ich verspreche es«, sagte sie in der alten Sprache.

Dann erzählte er ihr von Sloan, warum er ihn nicht zu den Varden gebracht hatte und von seinem Fluch, der dem Metzger die Chance gab, sich zu bessern und das Augenlicht zurückzuerlangen.

»Was auch geschieht«, beendete er seinen Bericht, »Roran und Katrina dürfen niemals erfahren, dass Sloan noch lebt. Sollten sie es herausfinden, gäbe es nur endlose Scherereien.«

Arya setzte sich auf die Bettkante und starrte lange auf die flackernde Flamme der Öllampe. »Du hättest ihn töten sollen«, sagte sie schließlich.

»Vielleicht, aber ich konnte es nicht.«

»Dass einem eine Aufgabe missfällt, ist noch lange kein Grund, sich vor ihr zu drücken. Du warst feige.«

Ihr Vorwurf erzürnte Eragon. »Ach wirklich? Jeder, der fähig ist, ein Messer zu halten, hätte Sloan umbringen können. Was ich getan habe, war viel schwieriger.«

»Körperlich vielleicht, aber nicht in moralischer Hinsicht.«

»Ich habe ihn nicht getötet, weil ich es für falsch hielt.« Eragon legte die Stirn in Falten, während er nach den richtigen Worten suchte, sein Verhalten zu erklären. »Ich hatte keine Angst davor… Im Kampf töte ich ja auch, ohne zu zögern… Aber ich fälle kein Urteil darüber, wer leben darf und wer sterben muss. Dazu fehlt mir die Erfahrung und die Weisheit… Jeder Mensch hat eine Grenze, die er nicht überschreitet, Arya, und meine habe ich gefunden, als ich auf Sloan hinunterblickte. Selbst wenn Galbatorix mein Gefangener wäre, würde ich ihn nicht töten. Ich würde ihn zu Nasuada und König Orrin bringen, und falls sie ihn zum Tode verurteilten, würde ich ihm freudig den Kopf abschlagen, aber vorher nicht. Meinetwegen nenne es Schwäche, aber so bin ich nun mal und ich werde mich nicht dafür entschuldigen.«

»Willst du lieber ein Werkzeug in den Händen anderer sein?«

»Ich werde den Völkern, so gut ich kann, dienen. Ich habe nie nach Führerschaft gestrebt. Alagaësia braucht nicht noch einen Tyrannenkönig.«

Arya rieb sich die Schläfen. »Warum muss bei dir immer alles so kompliziert sein, Eragon? Egal wo du hingehst, überall bringst du dich in Schwierigkeiten. Es ist so, als würdest du dich absichtlich durch jedes Dornengestrüpp kämpfen, das es im Land gibt.«

»Deine Mutter hat mehr oder weniger das Gleiche gesagt.«

»Das überrascht mich nicht … Nun, sei's drum. Keiner von uns beiden ist gewillt, seine Meinung zu ändern, und wir haben dringlichere Sorgen, als über Gerechtigkeit und Moral zu streiten. In Zukunft tätest du allerdings gut daran, dich zu erinnern, wer du bist und was du für die Völker Alagaësias bedeutest.«

»Das vergesse ich nie.« Eragon machte eine Pause, wartete auf eine Antwort, doch Arya ließ seine Bemerkung unkommentiert. An die Tischkante gelehnt, erklärte er: »Du hättest nicht nach mir suchen müssen. Es war alles in Ordnung.«

»Natürlich musste ich es tun.«

»Wie hast du mich überhaupt gefunden?«

»Ich habe überlegt, welchen Weg du vom Helgrind aus nehmen würdest. Zum Glück lag ich einigermaßen richtig, als ich an einem Ort vierzig Meilen westlich von hier landete. Das war nahe genug, um dich aufzuspüren, indem ich dem Flüstern der Natur lauschte.«

»Das verstehe ich nicht.«

»Ein Drachenreiter bewegt sich nicht unbemerkt auf dieser Welt, Eragon. Wer Ohren hat, um zu hören, und Augen, um zu sehen, kann die Zeichen mühelos lesen. Die Vögel verkünden dein Kommen, die Tiere am Boden wittern dich und die Bäume und Gräser erinnern sich an deine Berührung. Das Band zwischen einem Reiter und seinem Drachen ist so stark, dass jene, die für die Schwingungen in der Natur empfänglich sind, es spüren können.«

»Den Trick musst du mir irgendwann mal beibringen.«

»Es ist kein Trick, lediglich die Kunst, auf das zu achten, was einen umgibt.«

»Aber warum bist du nach Eastcroft gekommen? Es wäre doch sicherer gewesen, sich außerhalb des Dorfes zu treffen.«

»Die Umstände haben mich dazu gezwungen, wie dich vermutlich auch. Du bist ebenfalls nicht freiwillig hier, oder?«

»Stimmt …« Er lockerte die Schultern, erschöpft vom langen Tagesmarsch. Doch er schob die Müdigkeit beiseite und deutete auf ihr Kleid. »Hast du Hemd und Hose endgültig abgelegt?«

Ein leises Lächeln umspielte Aryas Lippen. »Nein, nur für die Dauer dieser Reise. Ich habe jahrzehntelang unter den Varden gelebt, und trotzdem vergesse ich immer wieder, wie gerne es die Menschen sehen, dass Männer und Frauen sich unterschiedlich kleiden. Ich konnte mich nie dazu überwinden, eure Sitten und Gebräuche anzunehmen, auch wenn ich viele Verhaltensweisen meines Volkes abgelegt habe. Wer hätte mir etwas vorschreiben sollen? Meine Mutter? Die lebte am anderen Ende Alagaësias.« Sie schwieg, als hätte sie schon zu viel gesagt. »Jedenfalls hatte ich«, fuhr sie fort, »eine unangenehme Begegnung mit zwei Ochsenhirten, kurz nachdem ich die Varden verlassen hatte, und danach habe ich dieses Kleid gestohlen.«

»Es steht dir gut.«

»Als Zauberkundiger hat man den Vorteil, dass man niemals auf einen Schneider warten muss.«

Eragon lachte, dann fragte er. »Und jetzt?«

»Jetzt ruhen wir uns aus. Morgen verschwinden wir in aller Frühe aus Eastcroft und dann sehen wir weiter.«

In der Nacht lag Eragon auf dem Boden. Er hätte in jedem Fall darauf bestanden, dass Arya das Bett bekam, aber diese Übereinkunft hatte nichts mit Rücksichtnahme oder Höflichkeit zu tun, sondern war eine reine Vorsichtsmaßname. Falls irgendjemand ins Zimmer platzte, könnte es seltsam erscheinen, eine auf dem Boden liegende Frau vorzufinden.

Während die Stunden dahinkrochen, starrte Eragon zu den Dachbalken hinauf und verfolgte die Risse im Holz, unfähig, seine rasenden Gedanken zu beruhigen. Er versuchte alles, um sich zu entspannen, aber seine Gedanken kehrten ständig zu Arya zurück, zu seiner Überraschung, ihr so unerwartet zu begegnen, zu ihrer Reaktion, als er ihr von der Sache mit Sloan erzählte, und vor allem zu seinen Gefühlen für die Elfe. Er war sich nicht ganz sicher, welcher Natur sie waren. Er sehnte sich nach Aryas Nähe, aber seit sie ihn abgewiesen hatte, mischten sich in seine Zuneigung zu ihr

Schmerz und Wut – und auch Frustration. Obwohl er sich weigerte zu akzeptieren, dass sein Werben aussichtslos war, hatte er keine Ahnung, wie er weiter vorgehen sollte.

In seiner Brust begann es zu schmerzen, während er Aryas leisen Atemzügen lauschte. Es quälte ihn, ihr so nahe zu sein, sie jedoch nicht berühren zu können. Er knetete den Stoff seines Wamses und wünschte, etwas tun zu können, statt sich in sein trauriges Schicksal ergeben zu müssen.

Bis weit in die Nacht rang er mit seinen begehrlichen Gefühlen, bis er schließlich der Erschöpfung erlag und in die wartende Umarmung seiner Wachträume glitt. Darin wanderte er einige Stunden unruhig umher, bis die Sterne allmählich verblassten und es für ihn und Arya Zeit wurde, Eastcroft zu verlassen.

Sie öffneten das Fenster und sprangen die zwölf Fuß bis zur Erde; ein kleiner Satz für jemanden mit elfischen Fähigkeiten. Im Fallen hielt Arya den Rock ihres Kleides gepackt, damit er sich nicht aufbauschte. Sie landeten wenige Handbreit voneinander entfernt und rannten zwischen den Häusern in Richtung der Palisaden.

»Die Leute werden sich fragen, wo wir abgeblieben sind«, überlegte Eragon im Laufen. »Vielleicht hätten wir warten und wie normale Reisende weiterziehen sollen.«

»Es wäre riskanter, länger zu bleiben. Ich habe für das Zimmer bezahlt. Das ist das Einzige, was die Wirtin interessiert, nicht ob wir in aller Frühe hinausgeschlichen sind.« Sie trennten sich kurz, um einen klapprigen Holzkarren zu umrunden, dann fügte Arya hinzu: »Am wichtigsten ist es, in Bewegung zu bleiben. Wenn wir länger an einem Ort verweilen, findet uns der König.«

Als sie den Palisadenzaun erreicht hatten, schritt Arya daran entlang, bis sie einen Pfosten entdeckte, der etwas vorstand. Sie legte die Hände darum und zog kräftig, prüfte, ob das Holz ihr Gewicht trug. Der Pfosten wackelte etwas, aber er hielt.

»Du zuerst«, sagte Arya.

»Bitte, nach dir.«

Mit einem ungeduldigen Seufzer deutete sie auf ihren Aufzug. »Ein Kleid ist luftiger als eine Hose, Eragon.«

Er wurde rot, als er verstand, worauf sie hinauswollte. Er packte den Pfosten in Höhe seines Kopfes und begann, an der Palisade hinaufzuklettern, wobei er sich mit Knien und Füßen abstützte. Oben angekommen, balancierte er auf den angespitzten Pflöcken.

»Spring!«, flüsterte Arya.

»Nicht ohne dich.«

»Sei nicht so …«

»Ein Wachmann!«, rief Eragon leise und deutete hinter sie. Zwischen zwei Häusern war in der Dunkelheit eine Laterne aufgetaucht. Während das Licht näher kam, schälten sich die Umrisse eines Mannes aus der Finsternis. Er hatte sein Schwert gezückt.

Lautlos wie ein Gespenst griff Arya nach dem Pfosten und zog sich Hand für Hand nach oben. Sie schien beinahe hinaufzugleiten, wie durch Magie. Als sie nahe genug war, packte Eragon ihren rechten Unterarm und zog sie das letzte Stück zu sich hinauf. Wie zwei merkwürdige Vögel hockten sie reglos auf den Palisaden, während unter ihnen der Wachmann vorbeischritt. Er schwenkte die Laterne in beide Richtungen, hielt nach Eindringlingen Ausschau.

Schau jetzt nicht hoch, flehte Eragon.

Im nächsten Moment schob der Wachmann das Schwert in die Scheide und setzte summend seine Runde fort.

Ohne ein Wort sprangen Eragon und Arya auf der anderen Seite der Palisaden hinunter. Die Rüstung in seinem Rucksack klapperte, als er auf der grasbewachsenen Böschung landete und sich abrollte, um die Wucht des Aufpralls abzufangen. Dann sprang er auf und eilte geduckt durch die graue Landschaft davon, dicht gefolgt von Arya. Sie hielten sich in Senken und ausgetrockneten Wasserläufen, während sie an den Höfen vorbeirannten, die rings um das Dorf verstreut waren. Ein paarmal kamen aufgeschreckte Hunde herausgestürmt, die ihr Revier verteidigen wollten. Eragon versuchte, sie mit seinem Geist zu beruhigen, aber wie er bald merkte, war es am sinnvollsten, einfach weiterzurennen. So glaubten die

Kläffer, den ungebetenen Besuch mit gefletschten Zähnen und Gebell verscheucht zu haben, und kehrten schwanzwedelnd zu den Scheunen und Häusern zurück, von wo sie weiter über ihr kleines Reich wachten. Ihre Genügsamkeit amüsierte Eragon.

Als fünf Meilen hinter Eastcroft klar wurde, dass ihnen tatsächlich niemand folgte, blieben Eragon und Arya neben einem verkohlten Baumstumpf stehen. Kniend schaufelte Arya mehrere Handvoll Erde aus dem Boden. *»Adurna rïsa«*, sagte sie. Mit einem leisen Plätschern stieg aus dem umgebenden Erdreich Wasser auf und füllte das von Arya gegrabene Loch. Als es randvoll war, sagte die Elfe: *»Letta.«* Das Sprudeln hörte auf.

Sie beschwor die Traumsicht herauf und auf der Wasseroberfläche erschien Nasuadas Antlitz. Arya begrüßte sie.

»Lehnsherrin«, sagte Eragon und verneigte sich.

»Drachenreiter«, entgegnete die Anführerin der Varden. Sie wirkte erschöpft, hatte eingefallene Wangen, als wäre sie lange krank gewesen. Eine Locke fiel ihr ins Gesicht, und als Nasuada die widerspenstige Strähne zurückstrich, bemerkte Eragon den dicken Verband an ihrem Unterarm. »Du bist in Sicherheit, Gokukara sei Dank. Wir haben uns große Sorgen gemacht.«

»Es tut mir leid, wenn ich dich beunruhigt habe, aber ich hatte gute Gründe für mein Verhalten.«

»Die erklärst du mir am besten, wenn du zurück bist.«

»Wie du wünschst«, sagte er. »Woher stammen deine Verletzungen? Wurdest du angegriffen? Warum hast du dich nicht von einem Mitglied der Du Vrangr Gata heilen lassen?«

»Ich habe den Magiern befohlen, mich in Ruhe zu lassen. Auch *darüber* reden wir, wenn du zurück bist.« Eragon nickte verwirrt und schluckte seine vielen Fragen hinunter. Zu Arya sagte Nasuada: »Ich bin beeindruckt. Du hast ihn gefunden. Ich war mir nicht sicher, ob es dir gelingen würde.«

»Das Glück war mir hold.«

»Mag sein. Aber ich vermute, dass deine Fähigkeiten dabei eine ebenso große Rolle gespielt haben. Wann seid ihr zurück?«

»In zwei, drei Tagen, falls nichts dazwischenkommt.«

»Gut. Ich erwarte euch. Ich wünsche, dass ihr ab jetzt täglich vor der Mittagsstunde und vor Sonnenuntergang Verbindung mit mir aufnehmt. Sollte ich nichts von euch hören, gehe ich davon aus, dass ihr in Gefangenschaft geraten seid. Dann schicke ich Saphira und einen Rettungstrupp los.«

»Wir werden nicht immer einen Ort finden, der abgelegen genug ist, um ungestört Magie wirken zu können.«

»Dann findet eine Lösung. Ich muss wissen, wo ihr beiden steckt und dass alles in Ordnung ist.«

Arya überlegte einen Moment. »Ich werde tun, was du verlangst, aber nur, solange es Eragon nicht in Gefahr bringt.«

»Abgemacht.«

Eragon nutzte die anschließende Gesprächspause und fragte: »Nasuada, ist Saphira in der Nähe? Ich würde gerne mit ihr sprechen … Wir haben seit dem Helgrind nicht mehr miteinander geredet.«

»Sie ist vor einer Stunde zu einem Erkundungsflug aufgebrochen. Könnt ihr den Zauber aufrechthalten, während ich in Erfahrung bringe, ob sie inzwischen zurückgekehrt ist?«

»Ja«, sagte Arya.

Nasuada verschwand aus ihrem Blickfeld und zurück blieb das Bild des Tisches und der Stühle im roten Kommandozelt. Eragon betrachtete es eine Weile, dann wurde er unruhig und ließ die Augen zu Aryas Nacken wandern. Ihr volles schwarzes Haar fiel auf eine Seite und offenbarte über dem Kragen ihres Kleides einen zarten Hautstreifen. Der Anblick bannte Eragon beinahe eine volle Minute, dann regte er sich und lehnte sich gegen den verkohlten Baumstumpf.

Plötzlich ertönte das Geräusch von berstendem Holz und auf der Wasseroberfläche erschienen zahlreiche schimmernde blaue Schuppen, als Saphira sich in den Pavillon zwängte. Eragon konnte nicht erkennen, welchen Teil von ihr er sah. Die Schuppen glitten über das Wasser und er erhaschte einen Blick auf die Unterseite eines Schenkels, dann auf eine Zacke an ihrem Schwanz und auf die herabhängende Flügelhaut einer angelegten Schwinge. Schließlich rückte eine glitzernde Zahnspitze ins Bild, während Saphira sich umwandte und versuchte, eine Position einzunehmen, von der aus sie halbwegs bequem in den Spiegel schauen konnte. Aus den besorgniserregenden Geräuschen hinter Saphira schloss Eragon, dass sie bei ihren Bemühungen den Großteil des Mobiliars zertrümmerte. Schließlich hatte sie es sich bequem gemacht, schob den Kopf dicht vor den Spiegel – sodass ein großes saphirfarbenes Auge die gesamte Wasseroberfläche ausfüllte – und sah Eragon an.

Eine Weile betrachteten sie einander schweigend, keiner der beiden rührte sich. Es überraschte Eragon, wie erleichtert er war, sie zu sehen. Seit ihrer Trennung hatte er sich nicht mehr richtig sicher gefühlt.

»Ich vermisse dich«, flüsterte er schließlich.

Sie blinzelte einmal.

»Nasuada, bist du noch da?«

Die gedämpfte Antwort kam von irgendwo seitlich von Saphira. »Ja, gerade so.«

»Würdest du mir bitte übermitteln, was Saphira sagt?«

»Das würde ich ja gerne, aber im Moment bin ich zwischen einem Flügel und einem Holzpfosten eingeklemmt und komme hier nicht raus. Du wirst Schwierigkeiten haben, mich zu verstehen. Wenn du mir das nachsehen kannst, werde ich es versuchen.«

»Ja, bitte.«

Nasuada schwieg kurz, dann sagte sie in einem Tonfall, der Saphiras so ähnlich war, dass Eragon beinahe aufgelacht hätte: »Bist du wohlauf?«

»Ich bin gesund wie ein Ochse. Und wie geht's dir?«

»Mich selbst mit einem Rind zu vergleichen, wäre genauso lächerlich wie beleidigend, aber mir geht es blendend. Ich bin froh, dass Arya bei dir ist. Es ist gut, dass du jemanden an deiner Seite hast, der dir den Rücken freihält.«

»Finde ich auch. Hilfe kann man immer gebrauchen.« Eragon

war dankbar, dass er mit Saphira reden konnte, auch wenn es so ein wenig umständlich war. Allerdings schien ihm das gesprochene Wort nur ein armseliger Ersatz für den freien Austausch von Gedanken und Gefühlen, den sie normalerweise untereinander genossen. Außerdem wollte er in Aryas und Nasuadas Gegenwart nur ungern persönliche Dinge ansprechen, zum Beispiel ob Saphira ihm verzieh, dass er sie am Helgrind fortgeschickt hatte. Ihr ging es offenbar genauso, denn auch sie sparte das Thema aus. Sie plauderten eine Weile über dies und das und verabschiedeten sich dann. Bevor er von dem Wasserloch zurücktrat, formte er mit den Lippen lautlos die Worte: *Es tut mir leid.*

Der Abstand zwischen den kleinen Schuppen, die Saphiras Auge umgaben, vergrößerte sich ein wenig, als sich das darunterliegende Fleisch entspannte. Dann zwinkerte sie ihm zu, und Eragon wusste, dass sie ihm nicht böse war.

Nachdem er und Arya sich auch von Nasuada verabschiedet hatten, löste die Elfe den Zauber und erhob sich. Mit dem Handrücken klopfte sie sich den Staub vom Kleid.

Währenddessen wurde Eragon ganz unruhig. Am liebsten wäre er direkt zu Saphira gerannt und hätte sich am Lagerfeuer an sie gekuschelt.

»Auf geht's«, sagte er und lief bereits los.

Eine heikle Angelegenheit

Rorans kräftige Rückenmuskeln traten hervor, als er den Felsbrocken vom Boden hochhob.

Er ließ den Stein einen Moment auf den Oberschenkeln ruhen, dann wuchtete er ihn ächzend über den Kopf und drückte die Arme durch. So blieb er eine volle Minute lang stehen. Als seine Schultern zu zittern begannen und er unter der Last zusammenzubrechen drohte, warf er den Brocken vor sich auf den Boden. Mit einem dumpfen Geräusch schlug der Stein auf und hinterließ eine mehrere Zoll tiefe Delle im Erdreich.

Ein Stück von Roran entfernt versuchten zwanzig Krieger der Varden, ähnlich große Felsbrocken in die Höhe zu stemmen. Nur zweien gelang es. Die übrigen Männer kehrten zu den leichteren Steinen zurück, die sie gewöhnt waren. Es freute Roran, dass die Monate in Horsts Schmiede und die jahrelange Landarbeit ihn so stark gemacht hatten, dass er Kriegern, die seit dem zwölften Lebensjahr Tag für Tag ihre Körper stählten, mindestens ebenbürtig war.

Er schüttelte die Arme aus und atmete ein paarmal tief durch, genoss die kühle Luft auf seinem nackten Oberkörper. Er fasste sich an die rechte Schulter und massierte sie. Von der Bisswunde, die ihm der Ra'zac beigebracht hatte, war nicht die kleinste Narbe zurückgeblieben. Er grinste breit, glücklich darüber, wieder vollständig genesen zu sein, obwohl er es für so unwahrscheinlich gehalten hatte wie eine Kuh, die plötzlich Purzelbäume schlägt.

Ein schmerzerfülltes Stöhnen ließ ihn zu Albriech und Baldor hinüberschauen. Die Brüder trugen einen Übungskampf mit Lang aus, dem Veteranen vieler Schlachten, der sie die Künste des Krieges lehrte. Selbst im Kampf zwei gegen einen behielt Lang die Oberhand. In einer einzigen fließenden Bewegung hatte er Baldor entwaffnet, ihm mit dem hölzernen Übungsschwert einen Rippenstoß versetzt und danach Albriech so schwer am Bein getroffen, dass der nun mit dem Gesicht im Gras lag. Roran konnte sich vorstellen, wie die beiden sich fühlten. Er hatte davor selbst gegen Lang gekämpft und sich ein Dutzend blaue Flecke eingehandelt. Eigentlich bevorzugte er ja seinen Hammer, aber er war der Meinung, er sollte notfalls auch ein Schwert führen können. Allerdings fand er, dass der Schwertkampf mehr Finesse erforderte, als bei den meisten Kämpfen nötig war: ein kräftiger Hammerschlag auf das Handgelenk eines Schwertträgers, und das Duell war beendet, bevor es richtig begonnen hatte.

Nach der Schlacht auf den Brennenden Steppen hatte Nasuada Carvahalls Bewohnern angeboten, sich den Varden anzuschließen. Alle hatten das Angebot angenommen. Diejenigen, die abgelehnt hätten, waren bereits in Surda geblieben, als die Dörfler auf dem Weg zu den Brennenden Steppen in Dauth haltgemacht hatten.

Jeder gesunde Mann hatte eine vernünftige Waffe erhalten und arbeitete nun eifrig daran, den erfahrenen Varden-Kriegern ebenbürtig zu werden. Die Menschen aus dem Palancar-Tal waren ein hartes Leben gewohnt. Ein Schwert zu schwingen, war nicht anstrengender als Holzhacken, und es war um einiges leichter, als in der brütenden Sommerhitze die Felder zu bewirtschaften. Wer ein nützliches Handwerk beherrschte, betrieb es im Dienste der Varden weiterhin, aber in der Freizeit übten sich alle mit Feuereifer im Waffengebrauch. Denn von jedem Mann wurde erwartet, dass er kämpfte, wenn die Schlacht rief.

Seit seiner Rückkehr vom Helgrind unterzog sich Roran einem rigorosen Training. Den Varden zu helfen, das Imperium und damit auch Galbatorix zu besiegen, war das Beste, was er tun konnte, um Katrina und die Dorfbewohner zu schützen. Er war nicht so arrogant anzunehmen, er könnte in diesem Krieg das Zünglein an der Waage sein, aber er hatte Vertrauen in seine Fähigkeit, die Welt mitzugestalten. Und wenn er sich voll einbrachte, erhöhte das die Aussichten der Varden auf einen Sieg. Aber dazu musste er am Leben bleiben, und das bedeutete, seinen Körper zu stählen, die Werkzeuge und Techniken des Tötens zu beherrschen und möglichst nicht von einem erfahreneren Krieger niedergestreckt zu werden.

Als er über das Übungsfeld zum Zelt zurückging, das er sich mit Baldor teilte, kam er an einem Grasstreifen vorbei, auf dem ein zwanzig Fuß langer Baumstamm lag. Die Rinde war abgeschält und das Holz glatt poliert von den Tausenden Händen, die es jeden Tag berührten. Roran bückte sich, schob die Hände unter das dickere Ende des Stammes, wuchtete ihn ächzend hoch und stellte ihn senkrecht. Dann stieß er ihn um und wiederholte das Ganze noch zweimal.

Danach hatte er genug und verließ das Feld, um durch das angrenzende Labyrinth der grauen Zeltplanen zu trotten. Er winkte Loring und Fisk und anderen Bekannten zu, aber auch ein halbes Dutzend Fremden, die ihn erkannten. »Sei gegrüßt, Hammerfaust!«, riefen sie freundlich.

»Seid gegrüßt!«, erwiderte er. *Komisch,* dachte er, *wenn einen Leute kennen, denen man noch nie zuvor begegnet ist.* Kurz darauf erreichte er das Zelt, das sein neues Zuhause war, und betrat es geduckt. Er verstaute Pfeil und Bogen und das Schwert, das die Varden ihm gegeben hatten.

Er nahm seinen Wasserschlauch vom Bett, eilte damit wieder in den hellen Sonnenschein hinaus, zog den Pfropfen aus dem Schlauch und schüttete sich den Inhalt über den Rücken und die Schultern. Bäder waren für Roran ein eher seltenes Ereignis, aber ihm stand eine wichtige Begegnung bevor, für die er frisch und sauber sein wollte. Mit der scharfen Kante eines polierten Holzstücks schrubbte er den Schmutz von Armen und Beinen und entfernte den Dreck unter den Fingernägeln, dann kämmte er sich und stutzte seinen Bart.

Zufrieden, wieder vorzeigbar zu sein, zog er sein frisch gewaschenes Wams an, schob den Hammer unter den Gürtel und wollte sich gerade auf den Weg machen, als er Birgit bemerkte, die hinter dem Zelt stand und ihn beobachtete. Sie hielt einen noch in der Scheide steckenden Dolch mit beiden Händen umklammert.

Roran erstarrte, bereit, seinen Hammer beim geringsten Anlass zu zücken. Er wusste, dass er in Lebensgefahr war, denn er ging trotz seiner Kraft nicht davon aus, Birgit mühelos besiegen zu können. Genau wie er kämpfte sie mit absoluter Entschlossenheit gegen ihre Feinde.

»Du hast mich einmal um Hilfe gebeten«, sagte Birgit, »und ich habe eingewilligt, denn ich wollte die Ra'zac finden und töten, weil sie meinen Mann aufgefressen haben. Habe ich mein Wort gehalten?«

»Ja, das hast du.«

»Und erinnerst du dich an mein Versprechen, dass ich nach dem Tod der Ra'zac von dir Genugtuung verlangen würde, für die Rolle, die du bei Quimbys Tod gespielt hast?«

»Ich erinnere mich.«

Birgit packte den Dolch noch fester. An ihren Fäusten traten die Adern hervor. Die Klinge glitt einen Zollbreit aus der Scheide heraus, blitzte auf, dann sank sie wieder in die Dunkelheit zurück. »Gut«, sagte die Frau. »Vergiss das nicht, Sohn von Garrow. Ich werde Genugtuung bekommen. Da kannst du sicher sein.« Mit raschen, entschlossenen Schritten ging sie davon, den Dolch nun in den Falten ihres Kleides verborgen.

Roran atmete erleichtert aus und setzte sich auf einen nahen Schemel. Er rieb sich die Gurgel, überzeugt, gerade haarscharf dem Tod entgangen zu sein. Birgits Besuch beunruhigte ihn, kam aber nicht überraschend. Er wusste seit Monaten von ihrem Ansinnen. Seit sie Carvahall verlassen hatten, war ihm klar, dass er die Angelegenheit eines Tages würde klären müssen.

Ein Rabe flog über ihn hinweg, und während er ihm nachschaute, besserte sich seine Laune und er lächelte. »Tja«, sagte er leise. *Ein*

Mensch weiß nur selten, wann und wie er stirbt. Ich könnte jederzeit tot umfallen. Alles kommt so, wie es kommen soll. Ich werde das mir geschenkte Leben nicht mit Grübeleien vergeuden. Unglück widerfährt immer denen, die darauf warten. Der Trick besteht darin, das Glück in den kurzen Pausen zwischen den Katastrophen zu finden. Birgit wird tun, was ihr Gewissen ihr befiehlt, und damit beschäftige ich mich, wenn es so weit ist.

Neben seinem linken Fuß lag ein gelblicher Stein. Er hob ihn auf und rollte ihn zwischen den Fingern. Er konzentrierte sich voll und ganz darauf und sagte: »*Stenr rïsa.*« Der Stein rührte sich kein bisschen. Schnaubend warf er ihn fort.

Während er zwischen den Zelten in nördlicher Richtung weiterschlenderte, versuchte er, einen Knoten im Kragenband zu lösen, gab seine Bemühungen aber auf, als er bei Horsts Zelt ankam, das doppelt so groß war wie seines. »Hallo da drinnen«, sagte er und klopfte an den Holzpfosten zwischen den beiden Eingangsplanen.

Katrina kam mit wehenden Haaren herausgestürmt und fiel ihm um den Hals. Lachend hob er sie hoch und schwang sie herum. Die ganze Welt verwischte außer Katrinas Gesicht, dann stellte er sie wieder auf die Füße. Sie gab ihm einen, zwei, drei schnelle Küsse auf die Lippen. Ruhig schaute er ihr in die Augen und konnte sich nicht entsinnen, jemals glücklicher gewesen zu sein.

»Du riechst gut«, sagte sie.

»Wie geht's dir?« Seine Freude trübte einzig und allein der Umstand, wie schmal und blass Katrina durch die Gefangenschaft geworden war. Es ließ ihn wünschen, er könnte die Ra'zac wiederauferstehen lassen und ihnen das gleiche Leid zufügen, das sie seinem Vater und Katrina angetan hatten.

»Das fragst du mich jeden Tag und meine Antwort ist immer die gleiche: besser. Hab Geduld. Ich erhole mich ja, aber es braucht Zeit … Das beste Heilmittel für mich ist, mit dir zusammen hier in der Sonne zu stehen. Ich kann dir gar nicht sagen, wie gut mir das tut.«

»Ich hab nicht nur das gemeint.«

Knallrote Flecken erschienen auf Katrinas Wangen. Sie neigte den Kopf nach hinten und ein neckisches Grinsen breitete sich um ihre Lippen herum aus. »Ihr seid ganz schön dreist, mein Herr. Sehr dreist sogar. Ich bin mir nicht sicher, ob ich mit Euch allein sein sollte. Ich fürchte, Ihr könntet Euch gewisse Frechheiten herausnehmen.«

Ihre temperamentvolle Erwiderung ließ ihn die Sorge um sie vergessen. »Frechheiten, was? Nun, da du mich ja sowieso für einen Schuft hältst, sollte ich vielleicht tatsächlich einige dieser *Frechheiten* genießen.« Damit küsste er sie, bis ihre Lippen sich von seinen lösten, er sie aber weiterhin in den Armen hielt.

»Oh«, sagte sie atemlos. »Du bist gewiss kein Mann, dem man widerspricht, Roran Hammerfaust.«

»Ganz recht.« Mit einem Kopfnicken deutete er auf das Zelt hinter ihr. »Weiß Elain Bescheid?«, fragte er mit gesenkter Stimme.

»Das würde sie, wenn sie nicht so sehr mit ihrer Schwangerschaft beschäftigt wäre. Ich fürchte, wegen der Beschwernisse eurer Flucht könnte sie das Kind verlieren. Ihr ist ständig schlecht und sie hat immer wieder Schmerzen, die … nun, die sehr unangenehm sind. Gertrude kümmert sich um sie, aber sie kann nicht viel für sie tun. Wie auch immer, je schneller Eragon zurückkehrt, desto besser. Ich weiß nicht, wie lange ich es noch für mich behalten kann.«

»Du schaffst das schon, da bin ich mir sicher.« Dann ließ er sie los und strich sich über das Wams, um die Falten zu glätten. »Wie sehe ich aus?«

Katrina betrachtete ihn kritisch, befeuchtete sich die Fingerspitzen und strich ihm dann das Haar aus der Stirn. Sie bemerkte den Knoten im Kragenband. »Du solltest besser auf deine Kleidung achtgeben.«

»Kleidungsstücke haben noch nie versucht, mich umzubringen.«

»Mag sein, aber die Dinge haben sich verändert. Du bist der Cousin eines Drachenreiters und solltest deiner Stellung entsprechend gekleidet sein. Man erwartet das von dir.«

Er ließ sie weiter an sich herumzupfen, bis sie mit seinem Erscheinungsbild zufrieden war. Nach einem Abschiedskuss ging er die halbe Meile zum Zentrum des riesigen Varden-Lagers, wo Nasuadas rotes Kommandozelt stand. Darüber flatterte im warmen Ostwind eine Fahne, auf der ein schwarzer Schild und darunter zwei gekreuzte Schwerter prangten.

Die sechs Nachtfalken vor dem Zelt senkten die Waffen, als Roran auf sie zutrat. Einer der beiden Urgals, ein grobschlächtiger Riese mit gelben Zähnen, herrschte ihn an: »Wer bist du?« Sein Akzent war kaum zu verstehen.

»Roran Hammerfaust, Sohn von Garrow. Nasuada hat nach mir geschickt.«

Der Urgal hieb sich mit der Faust auf den Brustpanzer und verkündete: »Roran Hammerfaust wünscht eine Audienz bei Euch, Nachtjägerin.«

»Lass ihn eintreten«, kam die Antwort von drinnen.

Die Krieger gaben den Weg frei und bedächtig schritt Roran zwischen ihnen hindurch. Sie beobachteten Roran – und er sie – mit der reservierten Haltung von Männern, die womöglich im nächsten Moment gegeneinander kämpfen mussten.

Im Zelt erschrak Roran darüber, dass die meisten Möbel zertrümmert oder umgestürzt waren. Lediglich ein Spiegel, der an einer Säule hing, und der große Stuhl, auf dem Nasuada saß, schienen unbeschädigt zu sein. Ohne weiter auf das Durcheinander zu achten, kniete er vor ihr nieder und verneigte sich.

Nasuada unterschied sich in ihrem Verhalten und ihrem Auftreten so sehr von den Frauen, mit denen Roran aufgewachsen war, dass er nicht wusste, wie er sich benehmen sollte. Sie schien ihm fremdartig und gebieterisch mit ihrem reich bestickten Kleid, den Goldketten im Haar und der dunklen Haut, auf die die Zeltwand einen rötlichen Schimmer warf. Im harten Kontrast zu ihrer Kleidung standen die Leinenverbände an ihren Unterarmen, Zeugnis ihres erstaunlichen Mutes bei der Probe der Langen Messer. Das war eine Seite an ihr, die Roran zu verstehen glaubte, denn auch er brachte jedes Opfer, um jene zu schützen, die ihm wichtig waren. In ihrem Fall handelte es sich um eine Gruppe von mehreren Tausend, während er selbst seiner Familie und den Dorfbewohnern verpflichtet war.

»Bitte erhebe dich«, sagte Nasuada. Er tat wie geheißen und legte eine Hand auf den Hammerkopf. Dann wartete er, während ihr Blick über ihn wanderte. »Meine Position erlaubt mir nur selten den Luxus klarer, direkter Worte, Roran, aber heute möchte ich offen mit dir sein. Du scheinst mir ein Mann zu sein, der das zu schätzen weiß, und wir haben in kurzer Zeit viel zu besprechen.«

»Habt Dank, Herrin. Lange um den heißen Brei herumzureden, war noch nie meine Sache.«

»Ausgezeichnet. Dann los: Du stellst mich vor zwei Probleme, die beide nicht leicht zu lösen sind.«

»Was für Probleme?«, fragte er stirnrunzelnd.

»Ein menschliches und ein politisches. Deine Taten im Palancar-Tal und während deiner anschließenden Flucht mit den Dorfbewohnern waren nahezu unglaublich. Es ist offensichtlich, dass du großen Wagemut besitzt und geschickt bist im Kampf und im strategischen Planen. Darüber hinaus bringst du die Menschen dazu, dir mit bedingungsloser Loyalität zu folgen.«

»Sie mögen mir gefolgt sein, aber sie haben sicherlich nie aufgehört, mich infrage zu stellen.«

Ein Lächeln schlich sich auf Nasuadas Lippen. »Mag sein. Aber du hast sie hergeführt, nicht wahr? Du besitzt wertvolle Talente, Roran, und die Varden könnten dich gut gebrauchen. Kann ich davon ausgehen, dass du uns zu dienen wünschst?«

»Das könnt Ihr.«

»Wie du weißt, hat Galbatorix seine Streitmacht auseinandergezogen und Truppen tiefer in den Süden geschickt, um die Stadt Aroughs zu stärken, nach Westen Richtung Feinster und nordwärts Richtung Belatona. Er will den Krieg in die Länge ziehen, um uns zu zermürben und langsam aufzureiben. Jörmundur und ich können nicht an Dutzenden Schauplätzen gleichzeitig sein. Wir brauchen vertrauenswürdige Hauptmänner, um die zahllosen Kämpfe zu gewinnen, die überall ausbrechen. Dabei könntest du uns sehr hilfreich sein. Aber …« Ihre Stimme erstarb.

»Aber Ihr wisst nicht, ob Ihr Euch auf mich verlassen könnt.«

»Ganz genau. Seine Familie und Freunde zu beschützen, stärkt einem den Rücken. Aber ich frage mich, wie du dich *ohne* diese Motivation schlägst. Behältst du die Nerven? Kannst du Befehle auch *befolgen* oder nur erteilen? Ich möchte deinen Charakter nicht infrage stellen, Roran, aber Alagaësias Schicksal steht auf dem Spiel. Ich kann nicht riskieren, meine Männer unter den Befehl eines Unfähigen zu stellen. Dieser Krieg verzeiht solche Fehler nicht. Außerdem wäre es gegenüber den Männern, die schon länger bei den Varden sind, nicht fair, dich ohne guten Grund zu ihrem Anführer zu machen. Du musst dir deine Stellung bei uns verdienen.«

»Ich verstehe. Was soll ich also tun, Herrin?«

»Ah, so einfach ist das nicht. Du und Eragon, ihr seid praktisch Brüder und das verkompliziert die Sache immens. Wie du sicherlich weißt, ist Eragon die Basis all unserer Hoffnungen. Deshalb ist es wichtig, dass er sich ohne jede Ablenkung auf die vor ihm liegende Aufgabe konzentrieren kann. Falls ich dich in die Schlacht schicke und du darin umkommst, könnten ihn Trauer und Zorn aus der Fassung bringen. So etwas habe ich schon erlebt. Des Weiteren muss ich genau darauf achten, mit *wem* du dienst, denn es wird Personen geben, die dich aufgrund deiner Beziehung zu Eragon beeinflussen wollen. So, nun kennst du in etwa das Ausmaß meiner Bedenken. Was sagst du dazu?«

»Wenn es bei diesem Krieg um das Schicksal Alagaësias geht, wie Ihr sagt, dann könnt Ihr es Euch nicht leisten, mich tatenlos herumsitzen zu lassen. Mich als gewöhnlichen Schwertkämpfer einzusetzen, wäre ebenfalls eine Vergeudung. Aber ich glaube, das wisst Ihr bereits. Und was die politische Seite anbelangt …« Er zuckte mit den Schultern. »Mir ist es egal, an wessen Seite ich kämpfe.

Niemand wird über mich an Eragon herankommen. Mein einziges Ziel ist es, das Imperium zu besiegen, damit meine Leute nach Carvahall zurückkehren und dort in Frieden leben können.«

»Du zeigst große Entschlossenheit.«

»Ja. Könnte ich nicht einfach die Männer aus meinem Dorf befehligen? Wir sind wie eine Familie und gemeinsam sind wir kampferprobt. Prüft mich doch auf diese Weise. So würden die Varden nicht darunter leiden, falls ich versage.«

Sie schüttelte den Kopf. »Nein. Vielleicht später, aber jetzt noch nicht. Die Männer brauchen eine vernünftige Ausbildung. Außerdem kann ich deine Leistung nicht beurteilen, wenn du Leute befehligst, die dir so ergeben sind, dass sie auf dein Drängen hin ihre Heimat verlassen und ganz Alagaësia durchquert haben.«

Sie sieht in mir eine Bedrohung, erkannte er. *Meine Fähigkeit, die Dorfbewohner zu beeinflussen, macht sie skeptisch.* Um sie zu beruhigen, sagte er: »Die Leute haben ihren eigenen Kopf. Außerdem wussten sie, dass es töricht gewesen wäre, im Palancar-Tal zu bleiben.«

»Roran, bitte keine falsche Bescheidenheit.«

»Was wollt Ihr dann von mir Herrin? Soll ich Euch nun dienen oder nicht? Und falls ja, wie?«

»Hier ist mein Angebot: Heute Morgen haben meine Magier im Osten eine dreiundzwanzig Mann starke Patrouille aufgespürt. Ich entsende ein Truppenkontingent unter dem Befehl von Martland Rotbart, dem Grafen von Thun, um Galbatorix' Soldaten zu vernichten und abgesehen davon die Gegend zu erkunden. Wenn du einverstanden bist, wirst du unter Martland dienen. Du wirst ihm zuhören, ihm gehorchen und hoffentlich von ihm lernen. Im Gegenzug wird er dich beobachten und mir berichten, ob du dich für eine Beförderung eignest. Martland ist sehr erfahren und ich halte viel von seiner Meinung. Was hältst du von diesem Vorschlag, Roran Hammerfaust?«

»Ich finde ihn gut. Wann würde ich aufbrechen und wie lange wäre ich fort?«

»Du würdest noch heute losziehen und binnen zwei Wochen zurückkehren.«

»Darf ich Euch dann ersuchen, mich auf eine andere Mission zu schicken? Ich wäre gerne bei Eragons Rückkehr hier.«

»Die Sorge um deinen Cousin ehrt dich, aber die Ereignisse überschlagen sich und wir können nicht warten. Sobald Eragon eintrifft, lasse ich dir durch die Du Vrangr Gata Bescheid geben, ganz gleich, ob es gute oder schlechte Nachrichten sind.«

Roran rieb mit dem Daumen über die scharfen Kanten seines Hammers, während er über eine Erwiderung nachdachte, die Nasuada umstimmen und dennoch sein Geheimnis wahren würde. Schließlich erkannte er, dass es unmöglich war, und entschloss sich, mit der Wahrheit herauszurücken. »Ihr habt recht. Ich sorge mich um Eragon, aber wenn jemand auf sich achtgeben kann, dann er. Ihn wohlbehalten zurückkehren zu sehen, ist nicht der Grund, weshalb ich bleiben möchte.«

»Sondern?«

»Weil Katrina und ich heiraten möchten und weil wir uns wünschen, dass Eragon die Zeremonie vollzieht.«

Eine Kaskade scharfer Klopfgeräusche erklang, als Nasuada mit den Fingernägeln auf die Armlehne trommelte. »Falls du glaubst, ich lasse dich hier herumlungern, wenn du stattdessen den Varden helfen könntest, nur damit ihr eure Hochzeitsnacht ein paar Tage früher feiern könnt, täuschst du dich gewaltig.«

»Es ist aber sehr wichtig, Nachtjägerin.«

Nasuadas Finger hielten inne und ihre Augen verengten sich. »Warum denn?«

»Je eher wir verheiratet sind, desto besser ist es für Katrinas Ehre. Ihr müsst wissen, ich würde Euch nie um einen solchen Gefallen für mich selbst bitten.«

Licht und Schatten auf Nasuadas Gesicht änderten sich, als sie den Kopf zur Seite neigte. »Ich verstehe. Aber warum Eragon? Wieso soll gerade er die Zeremonie vollziehen? Wieso nicht jemand anderes, einer eurer Dorfältesten vielleicht?«

»Weil er mein Cousin ist und ich ihn sehr mag und weil er ein Drachenreiter ist. Meinetwegen hat Katrina alles verloren: ihr Zuhause, ihren Vater und ihre Aussteuer. Diese Dinge kann ich ihr nicht ersetzen. Deshalb möchte ich ihr zumindest eine Hochzeit ausrichten, die sie nie vergessen wird. Ich besitze kein Gold oder Vieh, um für ein prunkvolles Fest zu bezahlen. Also muss ich mir etwas anderes ausdenken, um die Trauung zu einem einzigartigen Erlebnis zu machen. Und was gibt es Großartigeres, als von einem Drachenreiter vermählt zu werden?«

Nasuada ließ sich so lange Zeit mit einer Antwort, dass Roran sich schon fragte, ob ihr Gespräch damit beendet war. Dann sagte sie: »Es wäre in der Tat höchst ehrenvoll für euch, von einem Drachenreiter getraut zu werden. Aber es wäre trotzdem ein trauriger Tag, falls Katrina dich ohne angemessene Mitgift zum Manne nehmen müsste. Die Zwerge haben mir viel Gold und Schmuck geschenkt, als ich bei ihnen in Tronjheim lebte. Das meiste davon habe ich bereits veräußert, um die Varden zu finanzieren. Aber was übrig ist, reicht aus, um eine Frau für viele Jahre in Pelze und feines Tuch zu hüllen. Gold und Schmuck sollen Katrina gehören, falls du nichts dagegen einzuwenden hast.«

Überrascht verneigte Roran sich erneut. »Habt Dank, Herrin. Eure Großzügigkeit ist überwältigend. Ich weiß nicht, wie ich das jemals wiedergutmachen soll.«

»Revanchiere dich, indem du so für die Varden kämpfst, wie du für Carvahall gekämpft hast.«

»Das schwöre ich Euch. Galbatorix wird den Tag verfluchen, als er die Ra'zac zu mir geschickt hat.«

»Das hat er bestimmt schon. Nun geh. Du sollst im Lager bleiben, bis Eragon zurückkehrt und dich mit Katrina vermählt. Aber ich erwarte, dich am Tag darauf im Sattel zu sehen.«

Der Wolfkatzenelf

Was für ein stolzer Mann, dachte Nasuada, als sie Roran hinterherschaute. *Interessant, er und Eragon ähneln sich in vielerlei Hinsicht, und doch haben die beiden ganz unterschiedliche Persönlichkeiten. Eragon mag ja einer der gefährlichsten Krieger Alagaësias sein, aber er ist trotzdem kein gefühlloser oder grausamer Mensch. Roran dagegen ist aus härterem Holz geschnitzt. Hoffentlich kommt er mir nie in die Quere. Ich müsste ihn vernichten, um ihn aufzuhalten.*

Sie überprüfte ihre Verbände, die noch sauber waren, dann läutete sie nach Farica und verlangte etwas zu essen. Als die Magd es ihr gebracht und das Zelt wieder verlassen hatte, gab Nasuada Elva ein Zeichen, die daraufhin aus ihrem Versteck hinter dem Vorhang kam. Gemeinsam machten sie sich über die Mahlzeit her.

Die nächsten paar Stunden verbrachte Nasuada damit, die neuesten Inventarlisten der Varden durchzusehen; auszurechnen, wie viele Wagentrecks sie brauchen würde, um ihre Männer weiter nach Norden zu versetzen; und Zahlenkolonnen zu addieren und zu subtrahieren, die die Finanzen ihrer Armee widerspiegelten. Sie sandte Botschaften an die Zwerge und Urgals, wies die Waffenschmiede an, die Speerspitzen-Produktion zu erhöhen, drohte dem Ältestenrat – wie fast jede Woche – mit seiner Auflösung und kümmerte sich auch ansonsten um die Angelegenheiten der Varden. Dann ritt sie mit Elva an der Seite auf ihrem Hengst Donnerkeil aus, um sich mit Trianna zu treffen. Die Zauberin war gerade dabei, einen von Galbatorix' Agenten zu verhören, ein Mitglied der Schwarzen Hand.

Als sie mit Elva Triannas Zelt wieder verließ, bemerkte Nasuada in Richtung Norden einen Tumult. Sie hörte Jubelrufe, dann tauchte ein Mann zwischen den Zelten auf und lief auf sie zu. Ohne ihren Befehl abzuwarten, bildeten die Nachtfalken einen dichten Ring um sie, bis auf einen der Urgals, der sich dem Läufer in den Weg stellte und dabei seine Keule in der Hand wog. Der Mann blieb stehen und rief keuchend: »Herrin! Die Elfen kommen! Die Elfen sind hier!«

Für einen Moment dachte Nasuada, er meine Königin Islanzadi und ihre Armee. Doch dann erinnerte sie sich, dass Islanzadi in Ceunon war, und nicht mal ein Elfenheer konnte in knapp einer Woche quer durch Alagaësia reisen. *Es müssen die zwölf Magier sein, die Islanzadi zu Eragons Schutz geschickt hat.*

»Schnell, mein Pferd«, sagte sie und schnippte mit den Fingern. Ihre Unterarme brannten, als sie sich auf Donnerkeil schwang. Sie wartete gerade so lange, wie der nächste Urgal brauchte, um ihr Elva hinaufzureichen, dann gab sie dem Pferd die Sporen. Seine Muskeln spannten sich unter ihr, als es sofort in Galopp fiel. Sie beugte sich tief über seinen Kopf und jagte es durch eine holprige Gasse zwischen zwei Zeltreihen, dass Mensch und Tier zurückwichen und eine Regentonne, die im Weg stand, im hohen Bogen in die Gegend flog. Die Leute schienen es ihr nicht übel zu nehmen, sondern rannten lachend hinter ihr her, um die Elfen mit eigenen Augen zu sehen.

Als sie den nördlichen Rand des Lagers erreicht hatten, stiegen sie und Elva vom Pferd und suchten den Horizont ab.

»Da«, sagte Elva und streckte den Arm aus.

In fast zwei Meilen Entfernung tauchten hinter einer Gruppe von Wacholderbäumen zwölf hohe, schlanke Gestalten auf, deren Umrisse in der Vormittagshitze flirrten. Die Elfen liefen im Gleichschritt, so leichtfüßig und schnell, dass sie über die Ebene zu fliegen schienen. Nasuadas Kopfhaut kribbelte. Die Bewegungen der Elfen waren anmutig und gespenstisch zugleich. Sie erinnerten Nasuada an ein Rudel Raubtiere auf der Jagd und sie verspürte dieselbe Art von Gefahr wie damals im Beor-Gebirge, als sie einem Shrrg, einem Riesenwolf, begegnet war.

»Beeindruckend, nicht wahr?«

Erschrocken stellte Nasuada fest, dass Angela neben ihr stand. Es ärgerte sie und gleichzeitig war sie fasziniert davon, wie die Kräuterhexe sich völlig lautlos an sie herangeschlichen hatte. Es wäre ihr lieber gewesen, Elva hätte sie gewarnt. »Wie stellst du es eigentlich an, immer dort aufzutauchen, wo gleich etwas Interessantes passiert?«

»Nun ja, ich weiß eben gern, was sich tut, und an Ort und Stelle erfährt man doch viel schneller, was los ist, als wenn man darauf wartet, dass es einem jemand erzählt. Außerdem vergessen die Leute immer etwas Wichtiges, wie zum Beispiel, dass einer einen längeren Ringfinger als Zeigefinger hat, sich mit magischen Schilden schützt oder einen Esel mit einem hellen Fleck in Form eines Hahnenkopfes reitet. Findet Ihr nicht?«

Nasuada runzelte die Stirn. »Du verrätst wohl nie eines deiner Geheimnisse, was?«

»Wozu sollte das gut sein? Alle würden sich nur über irgendeinen albernen Zauberspruch aufregen und dann müsste ich stundenlange Erklärungen abgeben und am Ende würde König Orrin mir den Kopf abschlagen wollen und ich müsste mich auf der Flucht mit der Hälfte Eurer Magier herumschlagen. Die Mühe ist es einfach nicht wert, wenn Ihr mich fragt.«

»Deine Antwort klingt nicht gerade vertrauenerweckend. Aber ...«

»Das kommt davon, dass Ihr zu ernst seid, Nachtjägerin.«

»Aber sag mal«, hakte Nasuada nach, »warum willst du wissen, ob irgendjemand auf einem Esel reitet, der einen hellen Fleck in Form eines Hahnenkopfes hat?«

»Ach das. Na ja, der Kerl hat mich mal beim Astragaloi um drei Knöpfe und einen ziemlich interessanten verzauberten Kristall betrogen.«

»*Du* hast dich reinlegen lassen?«

Angela schürzte die Lippen, offensichtlich erbost. »Die Astragale waren aufgeladen. Ich hatte sie extra präpariert, aber dann hat er sie einfach gegen seine eigenen ausgetauscht, als ich abgelenkt war… Ich weiß bis heute nicht, wie er das angestellt hat.«

»Dann habt ihr euch also gegenseitig betrogen?«

»Es war ein wertvoller Kristall! Außerdem, wie kann man einen Betrüger betrügen?«

Ehe Nasuada antworten konnte, kamen die sechs Nachtfalken aus dem Lager gestampft und bezogen um sie herum Aufstellung. Sie verbarg ihren Ekel vor der Hitze und dem Geruch ihrer Körper. Die Ausdünstungen der beiden Urgals waren besonders penetrant. Dann sprach sie zu ihrer Überraschung der Hauptmann der Wache an, ein stämmiger Bursche mit einer Hakennase namens Garven. »Herrin, darf ich um ein Wort unter vier Augen bitten?«, presste er zwischen zusammengebissenen Zähnen hervor, als könne er sich nur mühsam beherrschen.

Angela und Elva sahen Nasuada fragend an. Als sie nickte, entfernten sich die beiden in westliche Richtung zum Fluss hin. Sobald Nasuada sicher war, dass sie außer Hörweite waren, wollte sie etwas sagen, aber Garven fuhr ihr über den Mund und schimpfte: »Verdammt, Herrin, das hättet Ihr nicht tun sollen!«

»Friedlich, Hauptmann«, erwiderte sie. »Das Risiko war gering, und ich wollte rechtzeitig hier sein, um die Elfen zu begrüßen.«

Garvens Rüstung klirrte, als er die Faust gegen seinen Oberschenkel hieb. »Ein geringes Risiko? Erst vor kaum einer Stunde habt Ihr den Beweis erhalten, dass Galbatorix immer noch Spione in unseren Reihen hat. Er hat es wieder geschafft, die Varden zu unterwandern, und da haltet Ihr es für angebracht, ohne Eure Eskorte einer Horde potenzieller Meuchelmörder in die Arme zu laufen? Habt Ihr den Angriff in Aberon schon vergessen oder wie die Zwillinge Euren Vater umgebracht haben?«

»Hauptmann Garven! Ihr geht zu weit.«

»Ich werde noch weiter gehen, wenn Euer Leben auf dem Spiel steht, Herrin.«

Die Elfen hatten inzwischen die Entfernung zwischen sich und dem Lager auf die Hälfte verkürzt. Wütend und ungeduldig sagte sie: »Ich bin nicht ohne Schutz, Hauptmann.«

Mit einem kurzen Blick in Elvas Richtung sagte Garven: »Das dachten wir uns bereits, Herrin.« Es entstand eine Pause, als hoffe er auf genauere Auskünfte. Als sie schwieg, trat er den Rückzug an: »Wenn Ihr sicher wart, dann habe ich Euch zu Unrecht des Leichtsinns bezichtigt und entschuldige mich dafür. Aber Sicherheit und der Anschein von Sicherheit sind trotzdem zwei verschiedene Dinge. Um effizient zu sein, müssen die Nachtfalken die schlagkräftigsten, brutalsten und gemeinsten Krieger im ganzen Land sein, und die Leute müssen uns auch für die Schlagkräftigsten, Brutalsten und Gemeinsten *halten.* Sie müssen *glauben,* dass wir sie stoppen werden, wenn sie versuchen, Euch zu erdolchen oder mit Pfeil und Bogen zu erschießen oder Magie gegen Euch einzusetzen. Wenn sie glauben, dass ihre Chance, Euch umzubringen, ungefähr so groß ist wie die einer Maus, einen Drachen zu erlegen, dann werden sie es möglicherweise gar nicht erst versuchen, und wir können Anschläge verhindern, ohne überhaupt einen Finger rühren zu müssen.

Wir können nicht gegen all Eure Feinde kämpfen, Herrin. Dazu bräuchte es eine ganze Armee. Selbst Eragon könnte Euch nicht beschützen, wenn alle, die Euren Tod wünschen, den Mut hätten zu handeln. Ihr würdet vielleicht hundert Anschläge überleben oder auch tausend, aber schließlich würde einer gelingen. Das können wir nur verhindern, indem wir die Mehrzahl Eurer Feinde davon überzeugen, dass sie niemals an den Nachtfalken vorbeikommen werden. Unser Ruf ist ein ebenso mächtiger Schutz wie unsere Waffen und Rüstungen. Und dem tut es nicht gut, wenn man Euch alleine sieht. Wir müssen zweifellos wie ein Haufen Dummköpfe gewirkt haben, wie wir da hinter Euch herrannten. Wenn *Ihr* schon keinen Respekt vor uns habt, Herrin, warum sollten ihn dann andere haben?«

Er trat näher und sagte leise: »Wir werden mit Freuden für Euch sterben, wenn es sein muss. Wir verlangen dafür nur, dass Ihr uns unsere Pflicht tun lasst. Gewährt uns diese vergleichsweise kleine

Gunst. Und der Tag wird kommen, da werdet ihr froh sein, dass wir da sind. Eure Beschützerin ist ein Mensch und deshalb fehlbar, ganz gleich, über welche geheimnisvollen Kräfte sie verfügt. Sie hat nicht die Eide in der alten Sprache geschworen wie wir. Ihre Haltung zu Euch könnte sich ändern, und Ihr tätet gut daran, über die Folgen nachzudenken, sollte sie sich gegen Euch wenden. Die Nachtfalken werden Euch nie verraten. Wir gehören Euch, ganz und gar. Lasst also die Nachtfalken tun, was von ihnen erwartet wird... Lasst uns Euch beschützen.«

Anfangs hatte seine Rede Nasuada kaltgelassen, aber seine Eindringlichkeit und die Klarheit seiner Argumente beeindruckten sie doch. Er war ein Mann, der sich noch als wertvoll erweisen konnte, dachte sie. »Ich sehe, Jörmundur hat mich mit Kriegern umgeben, die mit der Zunge ebenso gewandt sind wie mit dem Schwert«, sagte sie lächelnd.

»Herrin.«

»Ihr habt recht. Ich hätte auf Euch warten sollen und es tut mir leid. Es war rücksichtslos und unbedacht. Ich habe mich noch nicht daran gewöhnt, den ganzen Tag von Leibwächtern umgeben zu sein, und manchmal vergesse ich einfach, dass ich mich nicht mehr so frei bewegen kann wie früher. Ihr habt mein Ehrenwort, Hauptmann Garven, es soll nicht wieder vorkommen. Ich möchte die Nachtfalken ebenso wenig in Misskredit bringen wie Ihr.«

»Danke, Herrin.«

Nasuada wandte sich wieder nach den Elfen um, aber sie durchquerten gerade ein ausgetrocknetes Flussbett eine Viertelmeile entfernt und waren außer Sicht. »Mir fällt gerade ein, Garven, dass Ihr eben vielleicht einen guten Leitspruch für die Nachtfalken gefunden habt.«

»So? Ich kann mich nicht erinnern.«

»Doch. ›Die Schlagkräftigsten, Brutalsten und Gemeinsten‹, habt Ihr gesagt. Das wäre doch ein gutes Motto, vielleicht ohne das ›und‹. Wenn es dem Ruf der Nachtfalken dient, solltet Ihr Trianna den Spruch in die alte Sprache übersetzen lassen. Ich ordne dann an, dass man die Worte in eure Schilde graviert und eure Fahnen damit bestickt.«

»Ihr seid sehr großzügig, Herrin. Wenn wir wieder in unsere Zelte zurückgekehrt sind, werde ich die Sache mit Jörmundur und den anderen Hauptmännern besprechen. Aber …«

Er zögerte, und Nasuada, die ahnte, was er auf dem Herzen hatte, sagte: »Aber Ihr macht Euch Sorgen, ob das für Männer in Eurer Position nicht zu vulgär klingt, und hättet lieber etwas Erhabeneres und Klangvolleres, habe ich recht?«

»Genau, Herrin«, gab er erleichtert zu.

»Das halte ich für eine berechtigte Überlegung. Schließlich repräsentieren die Nachtfalken die Varden und ihr habt es bei der Erfüllung eurer Pflichten mit angesehenen Vertretern aller Völker und Ränge zu tun. Da wäre es bedauerlich, wenn ihr einen schlechten Eindruck machen würdet … Nun gut, dann überlasse ich es Euch und Euren Kameraden, einen angemessenen Leitspruch zu finden. Ich bin sicher, ihr werdet das ausgezeichnet machen.«

In diesem Moment tauchten die zwölf Elfen aus dem trockenen Flussbett auf, und Garven zog sich diskret ein Stück zurück, nachdem er sich noch mehrmals bedankt hatte. Nasuada bereitete sich innerlich auf den Staatsbesuch vor und bedeutete Angela und Elva zurückzukommen.

Als er noch einige Hundert Fuß von ihnen entfernt war, wirkte der Anführer der Elfen von Kopf bis Fuß pechschwarz. Zuerst dachte Nasuada, er wäre dunkelhäutig wie sie und trüge schwarze Kleider. Doch als er näher kam, erkannte sie, dass der Elf lediglich mit einem Lendenschurz bekleidet war und einen geflochtenen Stoffgürtel mit einem Beutel daran trug. Ansonsten war er mit mitternachtsblauem Fell bedeckt, das in der Sonne glänzte. Im Allgemeinen war dieser Pelz ziemlich kurz – eine glatte, geschmeidige Rüstung, unter der sich die Muskeln deutlich abzeichneten –, doch an den Fußknöcheln und Innenseiten der Unterarme war er eine halbe Handbreit lang. Zwischen den Schulterblättern wuchs eine struppige Mähne, die senkrecht vom Körper abstand und sich über den gesamten Rücken bis zum Steißbein zog. Ein fransiger Pony beschattete die Brauen und an den spitzen Ohren sprossen luchsähnliche Haarbüschel. Ansonsten waren die Härchen im Gesicht so kurz und fein, dass nur ihre blaue Farbe sie verriet. Die Augen waren leuchtend gelb. Statt Fingernägeln ragte aus jedem der Mittelfinger eine Klaue hervor. Und als der Elf vor Nasuada stehen blieb, fiel ihr auf, dass ihn ein ganz bestimmter Duft umgab: eine Mischung aus Moschus, trockenen Kiefernwäldern, geöltem Leder und Rauch. Der Geruch war so intensiv und so unverkennbar männlich, dass es Nasuada abwechselnd heiß und kalt wurde. Ihre Haut kribbelte vor Aufregung, und sie errötete und war heilfroh, dass man es ihr wenigstens nicht ansah.

Die restlichen Elfen sahen eher so aus, wie sie es erwartet hatte. In Gestalt und Hautfarbe ähnelten sie Arya, mit kurzen dunkelorangefarbenen und kiefernnadelgrünen Wämsern. Es waren sechs Männer und sechs Frauen. Sie hatten alle rabenschwarze Haare, mit Ausnahme von zwei Frauen, deren Haar wie Sternenlicht schimmerte. Es war unmöglich, ihr Alter zu bestimmen, denn ihre glatten Gesichter zeigten keinerlei Falten. Es waren neben Arya die ersten Elfen, denen Nasuada begegnete, und sie brannte darauf, herauszufinden, ob Arya eine typische Vertreterin ihres Volkes war.

Der Anführer legte jetzt, ebenso wie seine Gefährten, zwei Finger an die Lippen und verbeugte sich. Dann drehte er die rechte Hand vor der Brust und sagte: »Seid gegrüßt und beglückwünscht, Nasuada, Tochter von Ajihad. *Atra Esterní ono thelduin*.« Sein Akzent war stärker als Aryas, ein rhythmischer Singsang, der seine Worte in Musik verwandelte.

»Atra du Evarínya ono varda«, erwiderte Nasuada seinen Gruß, wie sie es von Arya gelernt hatte.

Der Elf lächelte und entblößte Zähne, die spitzer waren als gewöhnlich. »Ich bin Bloëdhgarm, Sohn von Ildrid der Schönen.« Er stellte die anderen Elfen vor, ehe er fortfuhr: »Wir bringen Euch glückliche Kunde von Königin Islanzadi. Letzte Nacht ist es unseren Magiern gelungen, die Tore von Ceunon zu zerstören. In diesem Augenblick rücken unsere Truppen durch die Straßen der Stadt zu dem Turm vor, in dem sich Fürst Tarrant verbarrikadiert hat. Einige wenige leisten noch Widerstand, aber die Stadt ist besetzt und wir werden Ceunon bald ganz unter unserer Kontrolle haben.«

Nasuadas Leibwächter und die hinter ihnen versammelten Varden brachen in Jubelrufe aus. Nasuada freute sich auch über den Sieg, aber böse Ahnungen und eine gewisse Unruhe dämpften ihre Hochstimmung. Ihr stand plötzlich vor Augen, wie Elfen – so starke wie Bloëdhgarm – in die Häuser der Menschen eindrangen. *Welche unheimlichen Mächte habe ich da entfesselt?*, fragte sie sich. Dann sagte sie: »Das sind wirklich gute Nachrichten, und ich bin sehr erfreut, sie zu vernehmen. Nachdem Ceunon eingenommen ist, sind wir Urû'baen schon ein Stück näher gerückt und damit auch Galbatorix und dem Ziel unserer Bemühungen.« Dann fügte sie weniger förmlich hinzu: »Ich hoffe, Königin Islanzadi wird die Menschen von Ceunon mit Sanftmut behandeln, jedenfalls jene, die nichts für Galbatorix übrighaben, aber nicht die Mittel oder den Mut besitzen, sich dem Imperium entgegenzustellen.«

»Königin Islanzadi lässt gegenüber ihren Untertanen, selbst wenn sie es gegen ihren Willen sind, stets Milde und Barmherzigkeit walten. Aber falls jemand es wagt, sich uns in den Weg zu stellen, dann fegen wir ihn hinweg wie die Herbststürme das Laub.«

»Ich erwarte nicht weniger von einem Volk, das so alt und mächtig ist wie Eures«, gab Nasuada zurück. Nachdem der Höflichkeit mit ein paar weiteren zunehmend banaleren Floskeln Genüge getan war, hielt Nasuada es für angebracht, nach dem Grund für den Besuch der Elfen zu fragen. Sie ordnete an, dass die versammelte Menge sich zerstreuen möge, dann sagte sie: »Wie ich es verstehe, habt Ihr die Absicht, Eragon und Saphira zu beschützen. Ist das richtig?«

»So ist es, Nasuada Svit-kona. Und wir wissen, dass sich Eragon noch im Imperium aufhält, aber bald zurückkehren wird.«

»Wisst Ihr auch, dass Arya aufgebrochen ist, um ihn zu suchen, und dass sie jetzt zusammen unterwegs sind?«

Bloëdhgarms Ohrenspitzen zuckten. »Davon sind wir ebenfalls unterrichtet worden. Es ist bedauernswert, dass sie beide sich in solcher Gefahr befinden, aber es wird ihnen hoffentlich nichts geschehen.«

»Und was werdet Ihr jetzt tun? Werdet Ihr sie suchen und zu den Varden zurückbringen? Oder wollt Ihr hier warten und hoffen, dass Eragon und Arya sich selbst gegen Galbatorix' Häscher verteidigen können?«

»Wir werden als Eure Gäste hierbleiben, Nasuada, Tochter von Ajihad. Eragon und Arya sind sicher genug, solange sie darauf achten, nicht entdeckt zu werden. Sie durch das Imperium zu begleiten, könnte unerwünschte Aufmerksamkeit erregen. Unter den gegebenen Umständen scheint es uns das Beste, den richtigen Zeitpunkt dort abzuwarten, wo wir etwas Gutes tun können. Galbatorix wird höchstwahrscheinlich bei den Varden zuschlagen, und falls er das tut und Murtagh und Dorn wieder auftauchen sollten, wird Saphira unsere volle Unterstützung brauchen, um sie zu vertreiben.«

Nasuada war überrascht. »Eragon hat zwar erzählt, dass Ihr zu den größten Magiern Eures Volkes gehört, aber habt Ihr wirklich die Macht, dieses verfluchte Gespann in Schach zu halten? Wie Galbatorix haben sie Kräfte, die weit über die eines normalen Drachenreiters hinausgehen.«

»Ja, mit Saphiras Hilfe können wir Dorn und Murtagh die Stirn bieten oder sie sogar besiegen. Daran glaube ich. Wir wissen, wozu die Abtrünnigen fähig waren, und auch wenn Galbatorix Dorn und Murtagh wahrscheinlich mehr Stärke übertragen hat als je einem der Abtrünnigen, so hat er sie doch ganz sicher nicht zu seinesgleichen gemacht. Wenigstens in dieser Hinsicht wirkt sich seine Angst vor Verrat zu unserem Vorteil aus. Selbst drei der Abtrünnigen könnten uns zwölf und einen Drachen nicht schlagen. Deshalb sind wir zuversichtlich, dass wir uns gegen alle außer Galbatorix behaupten können.«

»Das ist ermutigend. Seit Eragon von Murtagh besiegt wurde, habe ich mich gefragt, ob wir uns nicht lieber zurückziehen und abwarten sollten, bis Eragon stärker geworden ist. Eure Versicherungen überzeugen mich, dass unsere Sache nicht hoffnungslos ist. Wir wissen vielleicht noch nicht, wie wir Galbatorix selbst töten können, aber nichts wird uns stoppen, bevor wir nicht die Tore seiner Zitadelle in Urû'baen niederreißen oder er beschließt, auf Shruikan loszufliegen und uns auf dem Schlachtfeld anzugreifen.« Sie hielt inne. »Ihr habt mir keinen Grund gegeben, Euch zu misstrauen, Bloëdhgarm, aber bevor Ihr unser Lager betretet, muss ich Euch bitten, einem meiner Männer zu erlauben, Euch alle zu überprüfen. Nur um sicherzugehen, dass Ihr wirklich Elfen seid und nicht verkleidete Menschen, die Galbatorix geschickt hat. Es schmerzt mich, Euch darum bitten zu müssen, aber wir werden immer wieder von Spionen und Verrätern heimgesucht und wagen es nicht mehr, uns auf irgendjemandes Wort zu verlassen. Es ist nicht meine Absicht, Euch zu beleidigen, aber der Krieg hat uns gelehrt, dass solche Vorsichtsmaßnahmen notwendig sind. Sicher könnt Ihr, die Ihr in Du Weldenvarden jedes Blatt mit Schutzzaubern versehen habt, meine Gründe verstehen. Seid Ihr also damit einverstanden?«

Bloëdhgarms Augen funkelten zornig, und er bleckte die Zähne, als er sagte: »Die meisten Bäume in Du Weldenvarden haben Nadeln, keine Blätter. Überprüft uns, wenn es sein muss, aber ich warne Euch: Wem auch immer Ihr diesen Auftrag erteilt, er sollte gut aufpassen, dass er nicht zu tief in unser Bewusstsein eindringt, sonst könnte er sich hinterher seines Verstandes beraubt finden. Für Sterbliche ist es gefährlich, in unseren Gedanken herumzuspazieren. Sie können sich leicht darin verirren und nicht mehr in ihre eigenen Körper zurückfinden. Auch stehen unsere Geheimnisse nicht zur allgemeinen Besichtigung bereit.«

Nasuada hatte verstanden. Die Elfen würden jeden vernichten, der sich auf verbotenes Territorium begab. »Hauptmann Garven«, sagte sie.

Mit der Miene eines Mannes, der in sein Verderben läuft, stellte Garven sich vor Bloëdhgarm hin, schloss die Augen und untersuchte unter angestrengtem Stirnrunzeln das Bewusstsein des Elfs.

Nasuada biss sich auf die Lippen. Als Kind hatte ihr ein einbeiniger Mann namens Hargrove beigebracht, wie man sich vor Gedankenlesern schützt und die stechenden Lanzen eines mentalen Angriffs blockiert und ablenkt. Sie beherrschte beides hervorragend. Und obwohl sie es nie geschafft hatte, selbst Kontakt zu den Gedanken eines anderen herzustellen, war sie doch gründlich mit dem Verfahren vertraut. Deshalb konnte sie sich vorstellen, wie schwierig und heikel Garvens Aufgabe war; eine Herausforderung, die durch das fremde Wesen der Elfen nicht gerade leichter wurde.

Angela beugte sich zu ihr und flüsterte: »Ihr hättet mir das überlassen sollen. Das wäre sicherer gewesen.«

»Vielleicht«, sagte Nasuada. Obwohl die Heilerin ihr und den Varden schon oft geholfen hatte, fühlte sie sich immer noch unwohl dabei, sich bei offiziellen Anlässen auf sie zu verlassen.

Garven war noch einige Minuten lang beschäftigt, dann schlug er die Augen auf und atmete mit einem Stoßseufzer aus. Sein Gesicht und Nacken waren fleckig vor Anstrengung und seine Pupillen erweitert, als wäre es Nacht. Bloëdhgarm hingegen schien völlig unberührt. Sein Fell war glatt, die Atmung gleichmäßig und um seine Mundwinkel spielte ein spöttisches Lächeln.

»Nun?«, fragte Nasuada.

Es schien eine ganze Weile zu dauern, bis Garven ihre Worte verstanden hatte, dann sagte der stämmige Hauptmann mit der Hakennase: »Er ist kein Mensch, Herrin. Daran besteht für mich kein Zweifel. Kein Zweifel, welcher Art auch immer.«

Froh und zugleich beunruhigt, denn seine Antwort schien irgendwie aus weiter Ferne gekommen zu sein, sagte Nasuada: »Sehr gut. Weitermachen.« Garven brauchte jetzt immer weniger Zeit für jeden einzelnen Elf, für den allerletzten genügten ihm wenige Sekunden. Nasuada behielt ihn scharf im Auge und sah, wie seine Finger weiß und blutleer wurden, die Haut an seinen Schläfen einsank wie die Trommelfelle eines Frosches und seine Bewegungen schließlich so träge wurden wie die eines Schwimmers tief unter Wasser.

Als er fertig war, bezog Garven wieder Posten neben Nasuada. Er war jetzt ein anderer Mensch. Seine wilde Entschlossenheit und Härte waren der Verträumtheit eines Schlafwandlers gewichen, und als er sie auf ihre Frage, ob alles in Ordnung sei, nachdenklich ansah und in vollkommen teilnahmslosem Ton antwortete, hatte Nasuada das Gefühl, dass sein Geist irgendwo in weiter Ferne auf den sonnenbeschienenen Lichtungen der geheimnisvollen Elfenwälder umherwanderte. Sie hoffte, dass er sich bald erholen würde. Wenn nicht, würde sie Eragon oder Angela, vielleicht auch alle beide, bitten, sich um Garven zu kümmern. Bis dahin, beschloss sie, würde er nicht mehr aktiv bei den Nachtfalken dienen. Jörmundur sollte ihm etwas Einfaches zu tun geben, damit sie sich nicht vorwerfen musste, ihn noch weiter zu quälen. Dann konnte er die Visionen wenigstens genießen, die ihm sein Kontakt mit den Elfen beschert hatte.

Erbittert über diesen Verlust und wütend auf sich selbst, die Elfen, Galbatorix und das Imperium, derentwegen solch ein Opfer nötig war, fiel es ihr schwer, höflich und zuvorkommend zu bleiben. »Ihr hättet gut daran getan, Bloëdhgarm, uns bei Eurer Warnung darauf hinzuweisen, dass auch jene, die es schaffen, in ihre Körper zurückzukehren, nicht unbeschadet davonkommen.«

»Mir geht es gut, Herrin«, beteuerte Garven, aber seine Stimme war so schwach und leise, dass ihn kaum jemand hörte und Nasuadas Empörung nur noch wuchs.

Bloëdhgarms Nackenfell sträubte sich. »Wenn ich mich vorhin nicht klar genug ausgedrückt habe, entschuldige ich mich. Aber macht uns keine Vorwürfe für das, was geschehen ist. Wir können nichts für unsere Natur. Und macht auch Euch selbst keine Vorwürfe, denn wir leben in einer Zeit des Misstrauens. Es wäre verantwortungslos gewesen, uns unbehelligt passieren zu lassen. Es ist bedauerlich, dass dieses historische Treffen zwischen uns von einem so unerfreulichen Ereignis überschattet wird, aber zumindest könnt Ihr jetzt sicher sein, dass wir sind, was wir zu sein scheinen: Elfen aus Du Weldenvarden.«

Eine frische Moschuswolke zog an Nasuada vorbei, und trotz ihrer Verbitterung bekam sie weiche Knie und musste plötzlich an mit Seide ausgekleidete Frauengemächer denken, an Pokale voll Kirschwein und die wehmütigen Zwergenlieder, die sie so oft durch die leeren Flure von Tronjheim hatte hallen hören. Zerstreut sagte sie: »Ich wünschte, Eragon oder Arya wären hier, denn sie hätten in Euren Geist eindringen können, ohne um ihren Verstand fürchten zu müssen.«

Erneut erlag sie der betörenden Wirkung von Bloëdhgarms Duft und stellte sich vor, wie es sich anfühlen musste, mit den Händen durch seine Mähne zu fahren. Sie kam erst wieder zu sich, als Elva sie am linken Arm zog und damit zwang, sich zu ihr hinabzubeugen und das Ohr an den Mund des Hexenkindes zu legen. Mit leiser, rauer Stimme sagte Elva: »Andorn. Denk an den Geschmack von Andorn.«

Nasuada folgte der Aufforderung und beschwor eine Erinnerung aus dem vergangenen Jahr herauf, als sie bei einem Festmahl König Hrothgars Andorn-Naschzeug gegessen hatte. Schon der Gedanke an den bitteren Geschmack der Bonbons trocknete ihr den Mund aus und neutralisierte den verführerischen Moschusduft. Um ihre vorübergehende Geistesabwesenheit zu überspielen, sagte sie: »Meine kleine Begleiterin hier fragt sich, warum Ihr so anders aussehr als die übrigen Elfen. Ich muss gestehen, dass ich auch ein wenig neugierig bin. Eure Erscheinung entspricht nicht dem, was wir von einem Elf erwartet hätten. Wärt Ihr wohl so freundlich, uns die Gründe für Euer eher *animalisches* Äußeres zu erklären?«

Bloëdhgarm zuckte mit den Schultern und sein Fell kräuselte sich schimmernd. »Es gefällt mir einfach«, sagte er. »Manche schreiben Gedichte über Sonne und Mond, andere züchten Blumen, bauen prächtige Häuser oder komponieren Musik. Sosehr ich all diese Kunstformen auch schätze, ich glaube doch, dass wahre Schönheit nur in den Fängen des Wolfes, dem Fell der Waldkatze und den Augen des Adlers zu finden ist. Also habe ich mir diese Attribute angeeignet. In hundert Jahren interessieren mich die Landtiere vielleicht nicht mehr, und ich komme zu dem Schluss, dass nur die Tiere des Meeres alles Schöne verkörpern. Dann lege ich mir ein Schuppenkleid zu, verwandle meine Hände in Flossen und meine Füße in einen Schwanz. Bloëdhgarm verschwindet in den Wellen und ward nie mehr in Alagaësia gesehen.«

Falls er scherzte, wie Nasuada annahm, ließ er es sich jedenfalls nicht anmerken. Ganz im Gegenteil war er so ernst, dass Nasuada sich fragte, ob er sich wohl über sie lustig machte. »Sehr interessant«, erwiderte sie. »Ich hoffe, das Bedürfnis, ein Fisch zu werden, überkommt Euch nicht so bald, denn wir brauchen Euch vorläufig noch auf dem Trockenen. Sollte Galbatorix allerdings darauf verfallen, auch die Haie und Lachse versklaven zu wollen, nun ja, dann könnte ein Magier, der unter Wasser atmen kann, möglicherweise ganz nützlich sein.«

Ohne Vorwarnung erfüllte plötzlich das silberhelle Gelächter der zwölf Elfen die Luft und die Vögel im Umkreis von über einer Meile brachen in Gezwitscher aus. Ihr fröhlicher Gesang hörte sich an wie das Plätschern von Wassertropfen auf Glas. Nasuada musste unwillkürlich lächeln und auch die Leibwächter um sie herum verzogen die Mundwinkel. Selbst die beiden Urgals wirkten ganz ausgelassen vor Freude. Und als die Elfen verstummten und die Welt wieder nüchtern wurde, war Nasuada traurig, als erwache sie aus einem schönen Traum. Ein paar Herzschläge lang verdüsterte ein Tränenschleier ihren Blick, dann war auch das vorbei.

Bloëdhgarm lächelte jetzt zum ersten Mal und wirkte dabei gleichzeitig gut aussehend und erschreckend. »Es wird uns eine Ehre sein, einer Frau zu dienen, die so intelligent, fähig und geistreich ist wie Ihr, Nasuada. Irgendwann, wenn es Eure Pflichten erlauben, würde ich Euch gern unser Runenspiel zeigen. Ich bin sicher, Ihr wärt eine beeindruckende Gegnerin.«

Der plötzliche Stimmungswechsel der Elfen erinnerte sie an ein Wort, das die Zwerge früher in ihrem Beisein oft verwendet hatten, um die Elfen zu beschreiben: *kapriziös.* Als Mädchen war ihr das ziemlich harmlos vorgekommen, denn es hatte ihre damalige Vorstellung von den Elfen nur bestätigt. Sie waren Wesen, die von einem Vergnügen zum andern flatterten wie Feen in einem Blumengarten. Doch jetzt begriff sie, was die Zwerge in Wirklichkeit gemeint hatten: *Vorsicht! Bei einem Elf kann man nie wissen, was er im nächsten Moment tut.* Sie seufzte innerlich bei der Aussicht, sich schon wieder mit einer so unberechenbaren Spezies herumschlagen zu müssen. *Ist das Leben eigentlich immer so kompliziert?*, fragte sie sich. *Oder liegt es an mir?*

Sie sah jetzt König Orrin vom Lager her an der Spitze eines mächtigen Trosses von Edelleuten, Höflingen, hohen und niederen Beamten, Beratern, Assistenten, Dienern, Soldaten und einer Unmenge anderer Gestalten, die zu identifizieren sie sich nicht die Mühe machte, auf sie zureiten, während im Westen Saphira mit ausgebreiteten Flügeln im Sturzflug heranschoss. Nasuada wappnete sich gegen den lärmenden Ansturm, der gleich über sie hereinbrechen würde, und sagte: »Es kann zwar ein paar Monate dauern, bis ich Gelegenheit finden werde, Euren Vorschlag anzunehmen, Bloëdhgarm, aber ich weiß ihn trotzdem zu schätzen. Nur zu gern würde ich nach einem langen Arbeitstag Zerstreuung in einem Spiel finden. Vorläufig aber müssen wir das Vergnügen noch aufschieben, jetzt wird erst mal das ganze Gewicht der menschlichen Gesellschaft auf Euch niederfahren. Ich schlage vor, Ihr macht Euch auf eine Flut von Namen, Fragen und Bitten gefasst. Wir Menschen sind ein merkwürdiger Haufen und keiner von uns hat jemals so viele Elfen gesehen.«

»Darauf sind wir vorbereitet, Nasuada«, erwiderte Bloëdhgarm.

Als König Orrins donnernder Zug heranrückte und Saphira zur Landung ansetzte, sodass der Wind, den ihre Flügel erzeugten, das Gras niederdrückte, war Nasuadas letzter Gedanke: *Oje! Ich werde ein ganzes Bataillon um Bloëdhgarm aufstellen müssen, damit die Frauen im Lager ihn nicht in Stücke reißen. Und selbst das wird das Problem möglicherweise nicht lösen können.*

Gewissensqualen

Ein Tag, nachdem sie Eastcroft verlassen hatten und der Nachmittag bereits angebrochen war, nahm Eragon den Spähtrupp von fünfzehn Soldaten vor ihnen wahr.

Er machte Arya darauf aufmerksam und sie nickte. »Ich habe sie auch schon bemerkt.« Keiner von beiden sprach irgendwelche Befürchtungen aus, aber die Angst nagte an Eragons Eingeweiden, und er sah, dass Arya die Stirn in grimmige Falten legte.

Um sie herum war nur unbewaldetes, flaches Land, das keinerlei Deckung bot. Sie waren schon zuvor dem einen oder anderen Soldatentrupp begegnet, aber immer in der Gesellschaft anderer Reisender. Nun waren sie die Einzigen weit und breit.

»Wir können ja mit Magie ein Loch graben, es mit Zweigen zudecken und uns darin verstecken, bis sie weg sind«, schlug Eragon vor.

Arya schüttelte den Kopf, ohne stehen zu bleiben. »Und was sollen wir mit der Erde machen? Sie würden denken, dass sie den größten Maulwurfshügel aller Zeiten entdeckt haben. Abgesehen davon würde ich unsere Energie lieber fürs Laufen aufsparen.«

Eragon stöhnte. *Ich weiß nicht, wie viele weitere Meilen ich noch schaffen kann.* Er war zwar nicht am Ende seiner Kräfte, aber das pausenlose Laufen machte ihn mürbe. Die Knie schmerzten, seine Fußknöchel waren entzündet, der linke große Zeh war rot und geschwollen und an den Fersen bildeten sich immer wieder Blasen, ganz gleich wie fest er sie bandagierte. In der letzten Nacht hatte er etliche Wunden geheilt, die ihn quälten, aber auch wenn ihm das eine gewisse Erleichterung verschaffte, hatten ihn die Beschwörungen doch zusätzlich erschöpft.

Der Spähtrupp war schon eine halbe Stunde, bevor Eragon einzelne Gestalten auf Pferden ausmachen konnte, an einer gelben Staubwolke zu erkennen. Da er und Arya schärfere Augen hatten als die meisten Menschen, war es unwahrscheinlich, dass die Reiter sie auf diese Entfernung sahen, also rannten sie noch zehn Minuten weiter. Dann blieben sie stehen. Arya holte einen Rock aus ihrem Bündel und zog ihn über die enge Hose, die sie beim Laufen trug. Eragon verstaute Broms Ring in seinem Rucksack und beschmierte sich die rechte Handfläche mit Erde, um die silbrige Gedwëy Ignasia zu verbergen. Dann setzten sie mit hängenden Schultern und schlurfenden Schritten ihren Weg fort. Wenn alles gut ging, würden die Soldaten annehmen, sie wären nur ein weiteres Flüchtlingspaar.

Obwohl Eragon bereits die Hufschläge spüren und die Anfeuerungsrufe der Soldaten hören konnte, dauerte es noch fast eine Stunde, bis sie sich auf der weiten Ebene trafen. Als es so weit war, traten Eragon und Arya beiseite und blieben mit gesenkten Köpfen neben der Straße stehen. Eragon erhaschte aus dem Augenwinkel einen Blick auf die Beine der Pferde, als die ersten Reiter vorbeistampften. Dann nebelte ihn der Staub ein, sodass er nichts mehr sehen konnte. Die Luft war so dick, dass er die Augen schließen musste. Er horchte und zählte, bis er sicher war, dass mehr als die Hälfte der Patrouille an ihnen vorüber war. *Sie machen sich nicht die Mühe, uns auszufragen,* dachte er.

Doch seine Freude hielt nicht lange an. Kurz darauf schallte es aus der Staubwolke: »Kompaniiie halt!« Es folgte ein Chor von Kommandos wie *Brrr!, Steh!, Ruhig!* und andere, während die fünfzehn Männer ihre Pferde dazu brachten, einen Kreis um Eragon und Arya zu bilden. Bevor die Soldaten mit dem Manöver fertig waren und die Luft klarer wurde, tastete Eragon am Boden nach einem großen Kieselstein und richtete sich dann wieder auf.

»Bleib ruhig!«, zischte Arya.

Während er darauf wartete, dass die Soldaten ihre Absichten kundtun würden, bemühte sich Eragon, seinen rasenden Herzschlag niederzukämpfen, indem er sich die Geschichte ins Gedächtnis rief, die sie sich überlegt hatten, um ihre Anwesenheit so nah an der Grenze zu Surda zu erklären. Seine Bemühungen brachten jedoch nichts. Trotz seiner Stärke, seiner Ausbildung und des Wissens um seine Siege und trotz eines halben Dutzends Schutzzauber war er überzeugt, jetzt sterben zu müssen. Seine Kehle war wie zugeschnürt, sein Magen drehte sich ihm um und die Knie wurden weich. *Nun macht schon!,* dachte er. Er wollte irgendetwas zerreißen, als könnte ein Akt der Zerstörung den zunehmenden Druck in ihm abbauen. Aber dieser Drang machte ihn erst recht nervös, denn er wagte es nicht, sich zu rühren. Das Einzige, was ihn davon abhielt, die Nerven zu verlieren, war Aryas Gegenwart. Denn lieber hätte er sich eine Hand abgehackt, als zu riskieren, dass sie ihn für einen Feigling hielt. Und obwohl sie selbst eine große Kämpferin war, hatte er den Wunsch, sie zu verteidigen.

Die Stimme, die den Befehl zum Anhalten erteilt hatte, erklang erneut: »Ich will eure Gesichter sehen!« Als Eragon den Kopf hob, sah er vor sich einen Mann auf einem rotbraunen Schlachtross sitzen, der die Hände um den Sattelknauf gelegt hatte. Auf seiner Oberlippe spross ein gewaltiger gelockter Schnurrbart, der von den Mundwinkeln auf beiden Seiten noch gut neun Zoll abstand, was einen krassen Gegensatz zu den glatten Haaren bildete, die ihm auf die Schultern fielen. Eragon fragte sich, wie das haarige Kunstwerk überhaupt halten konnte, zumal es stumpf und glanzlos und offensichtlich nicht mit warmem Bienenwachs getränkt worden war.

Die anderen Soldaten hielten ihre Speere auf Eragon und Arya gerichtet. Die Männer waren so verdreckt, dass man die Flammen, mit denen ihre Wämser bestickt waren, gar nicht mehr erkennen konnte.

»Also«, sagte der Mann und sein Schnurrbart wackelte wie wild auf und ab. »Wer seid ihr? Wo wollt ihr hin? Und wie bestreitet ihr euren Lebensunterhalt im Land des Königs?« Dann machte er jedoch eine wegwerfende Handbewegung. »Ach was, spart euch die Antwort. Sie zählt sowieso nicht. Nichts zählt heutzutage mehr. Die Welt geht unter, und wir verschwenden unsere Zeit damit, dumme Bauern auszufragen. Pah! Abergläubisches Pack, zieht von einem Ort zum andern, frisst uns das Essen weg und vermehrt sich wie die Karnickel. Bei uns in Urû'baen prügeln wir solche wie euch windelweich, wenn wir sie dabei erwischen, wie sie ohne Genehmigung durch die Gegend laufen, und wer seinen Herrn bestiehlt, hängt. Ist doch sowieso alles gelogen, was ihr mir erzählen wollt. Immer dasselbe ... Was habt ihr denn in eurem Bündel da, hä? Ja, ja, Proviant und Decken, aber vielleicht auch ein Paar goldene Kerzenleuchter, hä? Silber aus geheimen Truhen? Briefe für die Varden? Wie? Habt ihr die Sprache verloren? Na, das werden wir gleich haben. Langward, sieh doch mal nach, was für Schätze du aus dem Rucksack dort bergen kannst.«

Eragon stolperte vorwärts, als ihm einer der Soldaten das Heft seines Speers in den Rücken stieß. Er hatte seine Rüstung in Lumpen eingewickelt, damit die Einzelteile nicht aneinanderschlugen. Die Lumpen waren jedoch zu dünn, um die Wucht dieses Stoßes abzufangen, und es klirrte metallisch.

»Oho!«, rief der Mann mit dem Schnurrbart.

Der Soldat packte Eragon von hinten, löste die Schnüre des Rucksacks und zog das Kettenhemd heraus. »Seht mal, Hauptmann!«

Der Bärtige grinste erfreut. »Eine Rüstung! Und nicht die schlechteste, wie mir scheint. Du steckst ja *wirklich* voller Überraschungen. Willst wohl zu den Varden, was? Verrat und Aufruhr anzetteln, wie?« Sein Gesichtsausdruck wurde säuerlich. »Oder bist du etwa einer von denen, die uns ehrliche Soldaten in Verruf bringen? Dann bist du aber ein rechter Taugenichts. Hast ja nicht mal eine Waffe. War dir wohl zu mühsam, dir einen Stab oder eine Keule zu schnitzen, wie? Antworte gefälligst!«

»Nein, Herr.«

»Was heißt hier ›Nein, Herr‹? Ist dir wohl gar nicht in den Sinn gekommen, schätze ich mal. Zu dumm, dass wir solche Einfaltspinsel einziehen müssen. So weit hat uns dieser verdammte Krieg schon gebracht, dass wir die letzten Reste zusammenkratzen müssen.«

»Einziehen, Herr?«

»Ruhe, du unverschämter Kerl! Niemand hat dir erlaubt zu sprechen!« Mit zitterndem Schnurrbart fuchtelte der Mann in der Luft herum. Sterne explodierten vor Eragons Augen, als der Soldat ihm von hinten auf den Kopf schlug. »Ob du nun ein Dieb, ein Verräter, ein Söldner oder einfach nur ein Dummkopf bist, läuft auf dasselbe hinaus. Wenn du erst mal den Diensteid geleistet hast, bleibt dir gar nichts anderes übrig, als Galbatorix und denen, die für ihn sprechen, zu gehorchen. Wir werden die erste Armee in der Geschichte sein, in der es keine Unstimmigkeiten gibt. Kein sinnloses Herumgeschwafel darüber, was wir zu tun oder zu lassen haben. Nur klare, direkte Befehle. Auch du sollst unsere Sache vertreten. Du sollst das Privileg haben, dazu beizutragen, dass die ruhmreiche Zukunft, die unser großer König vorausgesehen hat, wahr wird. Und was deine hübsche Begleiterin angeht, werden sich schon Wege finden, wie sie dem Imperium von Nutzen sein kann, was? Und jetzt fesselt die beiden!«

Da wusste Eragon, was er zu tun hatte. Er bemerkte, dass Arya bereits zu ihm herüberschaute. Ihre Augen waren hart und leuchteten. Er zwinkerte einmal. Sie zwinkerte zurück. Dann schloss sich seine Hand um den Stein.

Die meisten Soldaten, gegen die Eragon auf den Brennenden Steppen gekämpft hatte, waren mit einem rudimentären Schutzzauber ausgestattet gewesen, der sie vor magischen Angriffen bewahren sollte. Daher nahm er an, dass es sich bei diesen Männern nicht anders verhielt. Er vertraute darauf, dass er jeden Zauber, den Galbatorix' Magier gewirkt hatten, brechen oder umgehen konnte, aber das hätte zu viel Zeit in Anspruch genommen. Deshalb reckte er stattdessen den Arm in die Höhe und warf mit einer Drehung des Handgelenks den Stein nach dem Mann mit dem Schnurrbart.

Das Geschoss durchschlug seinen Helm.

Bevor der Rest reagieren konnte, fuhr Eragon herum, riss dem Soldaten, der ihn geschlagen hatte, den Speer aus der Hand und stieß ihn damit vom Pferd. Als er am Boden aufkam, rammte Eragon ihm den Speer ins Herz, wobei die Speerspitze an den Metallplättchen zerbrach, mit denen das Wams des Soldaten besetzt war. Dann ließ er den Speer los und hechtete aus der Schusslinie, während sieben Speere auf die Stelle zuflogen, wo er gerade noch gestanden hatte. Die tödlichen Geschosse schienen über ihm zu schweben, als er sich zu Boden fallen ließ.

In dem Moment, als Eragon den Stein warf, hatte sich Arya auf das nächstbeste Pferd geschwungen, indem sie vom Steigbügel in den Sattel schnellte, und dem ahnungslosen Soldaten, der obendrauf saß, einen Schlag vor den Kopf verpasst. Er flog mehr als dreißig Fuß weit. Dann sprang sie mit unglaublicher Anmut von einem Pferderücken auf den nächsten und tötete die Soldaten mit ihren Knien, Füßen und Händen.

Eragons Bauch schrammte über spitze Felsbrocken, als er hinfiel. Er verzog das Gesicht und sprang auf. Vier Soldaten, die inzwischen abgestiegen waren, standen mit gezogenen Schwertern vor ihm. Als sie auf ihn losgingen, wirbelte er nach rechts, packte das Handgelenk des ersten und hieb ihm in die Achselgrube. Der Mann brach zusammen und rührte sich nicht mehr. Die nächsten beiden Angreifer erledigte er, indem er ihnen die Köpfe verdrehte, bis ihr Genick brach. Inzwischen war der vierte Soldat schon so nahe herangekommen, dass Eragon ihm nicht mehr ausweichen konnte.

Da half nur noch eines: Er rammte dem Mann mit aller Kraft die Faust in den Brustkorb. Der Hieb landete zwischen den Rippen seines Gegners und katapultierte ihn mehr als ein Dutzend Fuß weit übers Gras, wo er auf einen anderen Leichnam prallte.

Eragon schnappte nach Luft und krümmte sich, wobei er sich die schmerzhaft pochende Hand hielt. Vier Knöchel waren zertrümmert und weißer Knorpel blitzte durch die malträtierte Haut.

Verdammt, dachte er, als heißes Blut aus der Wunde lief. Seine Finger versagten ihm den Dienst, und er begriff, dass die Hand nicht zu gebrauchen sein würde, bis er sie heilen konnte. In Erwartung eines neuen Angriffs sah er sich nach Arya und den restlichen Soldaten um.

Die Pferde waren auseinandergestoben. Nur drei Soldaten waren noch am Leben. Mit zweien von ihnen war Arya in einiger Entfernung beschäftigt, während der letzte in südlicher Richtung zu fliehen versuchte. Eragon nahm all seine Kräfte zusammen und verfolgte ihn. Als er ihm immer näher kam, bettelte der Mann um Gnade, versprach ihm, niemandem etwas von dem Gemetzel zu erzählen, und hielt ihm die ausgestreckten Hände entgegen, um ihm zu zeigen, dass er unbewaffnet war. Als Eragon bis auf Armeslänge herangekommen war, wich der Mann seitlich aus, ein paar Schritte weiter änderte er erneut die Richtung. Er schlug weiter Haken wie ein gehetztes Kaninchen und die ganze Zeit über bettelte er, während ihm die Tränen über die Wangen liefen. Er jammerte, er sei noch viel zu jung zum Sterben, er müsse doch erst noch heiraten und Kinder zeugen, seine Eltern würden ihn vermissen und dass man ihn gezwungen habe, in die Armee einzutreten. Es sei erst sein fünfter Einsatz und Eragon solle ihn doch in Ruhe lassen. »Was hast du denn gegen mich?«, schluchzte er. »Ich hab doch nur getan, was ich tun musste. Ich bin ein guter Mensch!«

Eragon hielt inne und zwang sich zu sagen: »Du kannst nicht mit uns Schritt halten. Und wir können dich auch nicht laufen lassen. Sonst schnappst du dir ein Pferd und verrätst uns.«

»Nein, ganz bestimmt nicht!«

»Die Leute werden dich fragen, was hier passiert ist. Dein Eid Galbatorix und dem Imperium gegenüber wird dich daran hindern zu lügen. Es tut mir leid, aber ich weiß nicht, wie ich dich von diesen Banden befreien kann, außer …«

»Warum tust du das? Du bist ein Ungeheuer!«, kreischte der Mann. Das nackte Entsetzen stand ihm ins Gesicht geschrieben und er versuchte, an Eragon vorbei zur Straße zu rennen. Eragon hatte ihn schnell eingeholt. Da der Mann immer noch heulte und um Gnade flehte, legte er ihm die linke Hand um den Hals und drückte zu, bis er es knacken hörte. Als er losließ, fiel ihm der Soldat tot vor die Füße.

Ein gallebitterer Geschmack lag auf Eragons Zunge, als er in die starren Züge blickte. *Immer wenn wir jemanden töten, töten wir auch ein Stück von uns selbst,* dachte er. Zitternd vor Ekel, Schmerz und Selbsthass kehrte er dahin zurück, wo alles begonnen hatte. Arya kniete neben einem Leichnam und wusch sich die Hände mit Wasser aus einer Blechflasche, die einer der Soldaten bei sich gehabt hatte.

»Wie kommt es«, sagte sie, »dass du diesen Mann umgebracht hast, dich aber nicht überwinden konntest, Hand an Sloan zu legen?« Sie stand auf und sah ihn freimütig an.

Eragon fühlte sich leer. Achselzuckend sagte er: »Er war eine Gefahr, Sloan nicht. Ist das nicht offensichtlich?«

Arya schwieg für eine Weile. »Das sollte es wohl, ist es aber nicht… Es beschämt mich, mich von jemandem moralisch belehren lassen zu müssen, der so viel weniger Erfahrung hat. Vielleicht war ich bisher immer zu sicher, das Richtige zu tun.«

Eragon hörte ihre Worte, doch sie hatten keine Bedeutung für ihn, während sein Blick über die Toten hinwegglitt. *Ist das alles, was aus meinem Leben geworden ist?*, fragte er sich. *Eine endlose Folge von Schlachten?* »Ich fühle mich wie ein Mörder.«

»Ich verstehe, wie schwierig das für dich sein muss«, sagte Arya. »Vergiss nicht, Eragon, du hast erst einen kleinen Teil dessen erfahren, was es bedeutet, ein Drachenreiter zu sein. Irgendwann wird dieser Krieg zu Ende sein, und du wirst sehen, dass deine Pflichten nicht nur aus Gewalt bestehen. Die Drachenreiter waren nicht nur Krieger, sie waren auch Lehrer, Heiler und Gelehrte.«

Einen Moment lang verhärteten sich seine Kiefermuskeln. »Warum kämpfen wir gegen diese Männer, Arya?«

»Weil sie zwischen uns und Galbatorix stehen.«

»Dann sollten wir eine Möglichkeit finden, Galbatorix direkt zu fassen zu kriegen.«

»Es gibt keine. Wir können nicht in Urû'baen einmarschieren, bevor wir seine Truppen besiegt haben. Und wir können seine Burg nicht einnehmen, ohne zuvor jahrhundertealte Fallen, magische und andere, unschädlich zu machen.«

»Es muss eine Möglichkeit geben«, brummte er. Er blieb, wo er war, als Arya losging und einen Speer packte. Doch als sie einem toten Soldaten die Spitze unters Kinn setzte und in den Schädel stieß, sprang er auf sie zu und zog sie weg von dem Körper. »Was tust du denn da?«, rief er.

Zorn flackerte in Arya auf. »Das verzeihe ich dir nur, weil du ziemlich durcheinander bist. Denk nach, Eragon! Die Zeiten, in denen man dich wie ein Kind behandelt hat, sind vorbei. Warum ist das wohl nötig?«

Die Antwort lag auf der Hand und er sagte widerwillig: »Wenn wir es nicht tun, merkt das Imperium, dass die meisten dieser Männer mit bloßen Händen getötet wurden.«

»Genau! Zu einem solchen Kraftakt sind nur Elfen, Drachenreiter und Kull fähig, und dass das hier kein Kull war, erkennt selbst ein Trottel. Also können sie sich an den Fingern abzählen, dass wir in der Gegend sind, und in weniger als einem Tag fliegen Dorn und Murtagh da oben herum und suchen nach uns.« Ein schmatzender Laut war zu hören, als sie den Speer aus dem Leichnam zog. Sie hielt ihn Eragon hin, bis er ihn nahm. »Ich finde das genauso ekelhaft wie du, also kannst du dich ruhig auch ein bisschen nützlich machen.«

Eragon nickte. Dann suchte Arya sich ein Schwert und sie machten sich gemeinsam daran, es so aussehen zu lassen, als habe ein ganz gewöhnlicher Kriegertrupp die Soldaten getötet. Es war eine grässliche Arbeit, aber es ging schnell, denn beide wussten genau, welche Art von Verletzungen die Männer haben mussten, damit die Täuschung gelänge. Außerdem war ihnen beiden nicht danach zumute, unnötig zu trödeln. Als sie zu dem Mann kamen, dem Eragon den Brustkorb zerschmettert hatte, sagte Arya: »Wir können nicht viel tun, um diese Verletzung zu verschleiern. Wir müssen es lassen, wie es ist, und hoffen, dass sie annehmen, es habe ihn ein Pferd niedergetrampelt.« Sie gingen weiter. Der Letzte, dem sie sich widmen mussten, war der Hauptmann des Spähtrupps. Sein Schnurrbart hing jetzt schlaff und struppig herab, von seiner einstigen Pracht war nicht mehr viel übrig.

Nachdem sie das Loch von dem Kieselstein so vergrößert hatten, dass es eher wie die dreieckige Vertiefung aussah, die ein Kriegshammer hinterlassen würde, hielt Eragon einen Augenblick inne und betrachtete den traurigen Schnurrbart des Mannes. Dann sagte er: »Er hatte recht, weißt du.«

»Womit?«

»Ich brauche eine Waffe, eine richtige Waffe. Ich brauche ein Schwert.« Er wischte sich die Hände am Saum seines Wamses ab und sah sich um, zählte die Leichen. »Das war's dann, oder? Wir sind fertig.« Er ging seine verstreute Rüstung einsammeln, wickelte sie wieder in den Stoff und steckte sie zurück in seinen Rucksack. Dann leistete er Arya auf dem kleinen Hügel Gesellschaft, den sie hinaufgestiegen war.

»Von jetzt an sollten wir die Straßen besser meiden«, sagte sie. »Wir können nicht noch einen Zusammenstoß mit Galbatorix' Leuten riskieren.« Dann zeigte sie auf Eragons malträtierte rechte Hand, von der Blut auf seine Kleider tropfte, und sagte: »Wir sollten uns darum kümmern, bevor wir aufbrechen.« Ohne auf seine Antwort zu warten, nahm sie seine gelähmten Finger. *»Waíse heill.«*

Ein unwillkürliches Stöhnen entfuhr ihm, als die Finger in ihre Gelenkpfannen zurücksprangen, die aufgescheuerten Sehnen und zerquetschten Knorpel ihre alte Gestalt annahmen und die Hautfetzen an seinen Knöcheln sich wieder über das rohe Fleisch legten. Als es vorbei war, öffnete und schloss er die Hand, um zu sehen, ob sie wieder vollkommen geheilt war. »Danke«, sagte er. Es erstaunte ihn, dass sie die Initiative ergriffen hatte, obwohl er durchaus in der Lage war, sich selbst um seine Verletzungen zu kümmern.

Arya wirkte verlegen. Sie schaute weg, auf die Ebene hinaus, und sagte: »Ich bin froh, dass du heute bei mir warst, Eragon.«

»Und ich, dass du bei mir warst.«

Sie schenkte ihm ein schnelles, unsicheres Lächeln. Dann saßen sie noch eine weitere Minute auf dem Hügel, denn sie waren beide nicht besonders erpicht darauf, ihre Reise fortzusetzen. Schließlich sagte Arya seufzend: »Wir müssen los. Die Schatten werden lang, und bald wird irgendjemand auftauchen und ein Riesengeschrei machen, wenn er dieses Krähenfestmahl entdeckt.«

Sie verließen den Hügel und wandten sich nach Südwesten, weg von der Straße, und liefen über das wogende Gräsermeer. Hinter ihnen ließen sich die ersten Aasfresser vom Himmel herabfallen.

Die Schatten der Vergangenheit

In dieser Nacht saß Eragon nachdenklich an dem kümmerlichen Feuer und kaute auf einem Löwenzahnblatt herum. Ihre Mahlzeit hatte aus verschiedenen Wurzeln, Samen und Grünzeug bestanden, die Arya in der Umgebung gesammelt hatte. Roh und ungewürzt war das Ganze nicht sehr schmackhaft gewesen, aber er hatte sich zurückgehalten, das Mahl mit einem Vogel oder Kaninchen zu verfeinern, die es hier in Hülle und Fülle gab, weil er nicht wollte, dass Arya ihn schief ansah. Überdies war ihm nach dem Gemetzel mit den Soldaten der Gedanke unerträglich, schon wieder ein Leben zu opfern, und sei es auch nur das eines Tieres.

Es war schon spät und sie würden am nächsten Morgen früh aufbrechen müssen, trotzdem machte er keine Anstalten, sich schlafen zu legen, und Arya auch nicht. Sie saß rechts von ihm, hatte die Arme um die angezogenen Beine geschlungen und das Kinn auf die Knie gestützt. Ihr Rock lag um sie herum wie windzerzauste Blütenblätter.

Das Kinn weit auf die Brust gesenkt, massierte Eragon sich die rechte Hand mit der linken, um einen tief liegenden Schmerz zu vertreiben. *Ich brauche ein Schwert*, dachte er. *Abgesehen davon wäre irgendein Handschutz nicht schlecht, damit ich mich nicht jedes Mal zum Krüppel mache, wenn ich jemanden schlagen muss. Das Problem ist nur, ich bin inzwischen so stark, dass ich Handschuhe mit einer mehreren Zoll dicken Polsterschicht bräuchte, was ziemlich albern aussähe. Sie wären viel zu unhandlich und zu warm. Außerdem kann ich ja nicht für den Rest meines Lebens mit Handschuhen herumlaufen.* Stirnrunzelnd zog er an seinen Fingerknochen und beobachtete das Spiel des Lichts auf seinen Händen, fasziniert von der Beweglichkeit seines Körpers. *Und was passiert, wenn ich mit Broms Ring am Finger in einen Kampf gerate? Die Elfen haben ihn gemacht, also muss ich mich wohl nicht darum sorgen, dass der Saphir zerbrechen könnte. Aber wenn ich mit dem Ring am Finger zuschlüge, würde ich mir nicht nur ein paar Gelenke ausrenken, sondern mir sämtliche Knochen meiner Hand zertrümmern … und möglicherweise wäre ich nicht in der Lage, den Schaden zu reparieren …* Er ballte die Hände zu Fäusten, drehte sie hin und her und beobachtete, wie die Schatten zwischen seinen Fingerknöcheln abwechselnd dunkler und heller wurden. *Vielleicht könnte ich einen Zauber erfinden, der jeden zu schnellen Gegenstand daran hindert, meine Hände zu berühren. Moment, nein, das ist Unsinn. Wenn es nun ein Felsbrocken ist? Oder ein Berg? Ich würde mich bei dem Versuch, ihn aufzuhalten, umbringen.*

Wenn also weder Handschuhe noch Magie funktionieren, hätte ich gern ein Paar von den Ascûdgamln der Zwerge, ihren »Stahlfäusten«. Schmunzelnd erinnerte er sich daran, dass der Zwerg Shrrgnien an jedem Fingerknöchel, mit Ausnahme der Daumen, einen in eine Metallfassung eingeschraubten Stahlstift besaß. Diese Nieten erlaubten es ihm, ohne große Angst vor Schmerzen auf alles einzuschlagen, was er wollte. Und bequem war das Ganze auch, denn er konnte sie bei Bedarf herausschrauben. Die Vorstellung gefiel Eragon, aber er hatte nicht vor, sich Löcher in die Fingerknöchel zu bohren. *Außerdem,* dachte er, *sind meine Knochen dünner als Zwergenknochen, wahrscheinlich zu dünn, um die Fassungen anzubringen, ohne dass die Funktion der Gelenke beeinträchtigt wird … Also sind Ascûdgamln keine gute Idee, aber vielleicht kann ich ja stattdessen …*

Er beugte sich dicht über seine Hände und flüsterte: »*Thaefathan.*«

Seine Handrücken begannen zu kribbeln und zu brennen, als

wäre er in Brennnesseln gefallen. Das Gefühl war so intensiv, dass er am liebsten aufgesprungen wäre und sich wie verrückt gekratzt hätte. Unter Aufbietung all seiner Willenskraft beherrschte er sich und sah zu, wie seine Fingerknöchel anschwollen und sich über jedem von ihnen ein halber Zoll dicker weißer Wulst bildete. Es erinnerte ihn an die hornartigen Ablagerungen, die an der Innenseite von Pferdebeinen entstanden. Als er mit der Größe der Höcker zufrieden war, ließ er den magischen Energiestrom versiegen und betastete die neu entstandene Gebirgslandschaft auf seinen Händen.

Sie fühlten sich jetzt schwerer und steifer an als vorher, aber er konnte die Finger immer noch voll bewegen. *Das ist vielleicht hässlich,* dachte er und rieb mit den rauen Vorsprüngen auf seiner rechten Hand über die Handfläche der Linken, *und die Leute werden mich vielleicht auslachen, wenn sie es bemerken, aber das macht nichts. Hauptsache, es erfüllt seinen Zweck und erhält mich im Notfall am Leben.*

Gespannt hieb er mit der Hand gegen einen Felsbrocken, der zwischen seinen Beinen aus dem Boden ragte. Der Aufprall stauchte seinen Arm und erzeugte einen dumpfen Laut, bereitete ihm aber nicht mehr Schmerzen, als wenn er auf ein mit mehreren Stofflagen gepolstertes Brett geschlagen hätte. Dadurch ermutigt, holte er Broms Ring aus seinem Bündel und steckte den kühlen Goldreif an. Dabei überzeugte er sich, dass der anschließende Höcker höher war als die Ringfassung. Dann hieb er erneut gegen den Stein. Es gab lediglich ein leises Geräusch wie von Leder, das auf etwas Hartes trifft.

»Was machst du da?« Arya spähte durch einen Schleier schwarzen Haares zu ihm herüber.

»Nichts.« Dann streckte er ihr die Hände hin. »Ich dachte, es sei eine gute Idee, da ich wahrscheinlich wieder einmal zuschlagen muss.«

Die Elfe betrachtete seine Fingerknöchel. »Damit wirst du Schwierigkeiten haben, Handschuhe zu tragen.«

»Ich kann sie ja zur Not aufschneiden.«

Sie nickte und starrte wieder ins Feuer.

Eragon lehnte sich auf die Ellbogen zurück und streckte die Beine aus, zufrieden, dass er jetzt auf alles vorbereitet war, was ihm in unmittelbarer Zukunft an Kämpfen bevorstehen mochte. Weiter wagte er vorläufig nicht zu denken. Ansonsten würde er sich nur wieder fragen, wie er und Saphira mit Murtagh oder Galbatorix fertig werden sollten, und Panik würde ihm ihre eiskalten Klauen ins Fleisch schlagen.

Er heftete den Blick auf das Zentrum des flackernden Feuers. Dort, in dem flirrenden Inferno, suchte er zu vergessen, welche Pflichten und welche Verantwortung auf ihm lasteten. Doch das unaufhörliche Tänzeln der Flammen versetzte ihn bald in einen Zustand zwischen Wachen und Träumen, in dem unzusammenhängende Bruchstücke von Gedanken, Geräuschen, Bildern und Empfindungen durch seinen Kopf wirbelten wie Schneeflocken am Winterhimmel. Und inmitten dieses Schneetreibens tauchte das Gesicht des Soldaten wieder auf, der um sein Leben gebettelt hatte. Wieder sah Eragon ihn weinen und wieder hörte er sein verzweifeltes Flehen und wieder spürte er, wie sein Genick brach wie ein nasser Ast im Wald.

Gequält von diesen Erinnerungen, biss Eragon die Zähne zusammen und atmete schwer durch die Nase. Kalter Schweiß brach ihm am ganzen Körper aus. Er warf sich hin und her und versuchte verzweifelt, den hartnäckigen Geist des Soldaten zu vertreiben, aber es nützte nichts. *Lass mich in Ruhe!*, rief er. *Ich kann nichts dafür. Galbatorix solltest du heimsuchen, nicht mich. Ich wollte dich nicht umbringen!*

Irgendwo in der Dunkelheit heulte ein Wolf. Aus verschiedenen Richtungen antwortete eine Anzahl anderer Wölfe, deren Stimmen sich zu einer dissonanten Melodie verbanden. Der schaurige Gesang ließ Eragons Kopfhaut kribbeln und er bekam eine Gänsehaut. Dann verschmolz das vielstimmige Geheul einen Moment lang zu einem einzelnen Ton, der dem Schlachtruf eines angreifenden Kull glich.

Eragon rutschte unbehaglich hin und her.

»Was ist los?«, fragte Arya. »Sind es die Wölfe? Sie tun uns nichts. Sie bringen bloß ihren Welpen bei, wie man jagt, und sie werden ihre Jungen nicht an Geschöpfe heranlassen, die so seltsam riechen wie wir.«

»Es sind nicht die Wölfe da draußen«, erwiderte Eragon und schlang sich die Arme um den Leib. »Es sind die da drin.« Er tippte sich an die Stirn.

Arya nickte. Es war eine ruckartige, vogelähnliche Bewegung, die verriet, dass sie kein Mensch war, auch wenn sie menschliche Gestalt angenommen hatte. »Das ist immer so. Die Ungeheuer *in* uns sind viel schlimmer als die real existierenden. Angst, Zweifel und Hass haben schon mehr Menschen gelähmt, als es Tiere je vermocht hätten.«

»Und Liebe«, sagte er.

»Und Liebe«, gab sie zu. »Und auch Habgier und Neid und jeder andere zwanghafte Trieb, für den die fühlenden Völker empfänglich sind.«

Eragon musste an Tenga denken, der ganz allein in dem zerstörten Elfenaußenposten Edur Ithindra lebte, gebeugt über seinen kostbaren Schatz alter Schriften, auf der Suche, immer auf der Suche nach der flüchtigen »Antwort«. Doch er zögerte, den Eremiten Arya gegenüber zu erwähnen, denn ihm war jetzt nicht danach zumute, über diese seltsame Begegnung zu reden. Stattdessen fragte er sie: »Macht es dir etwas aus zu töten?«

Aryas grüne Augen wurden schmal. »Weder ich noch der Rest meines Volkes essen Fleisch, weil wir es nicht ertragen können, einer anderen Kreatur Schmerzen zuzufügen, um unseren Hunger zu stillen, und da hast du die Unverschämtheit zu fragen, ob es uns etwas ausmacht zu töten? Kennst du uns wirklich so schlecht, dass du uns für eiskalte Mörder hältst?«

»Nein, natürlich nicht«, protestierte er. »Das habe ich nicht gemeint.«

»Dann sag, was du meinst, und werde nur beleidigend, wenn es auch deine Absicht ist.«

Eragon wählte seine Worte jetzt mit mehr Bedacht. »Ich habe Roran dieselbe Frage gestellt, bevor wir den Helgrind angegriffen haben, oder eine ganz ähnliche. Was ich wissen möchte, ist: Wie fühlst du dich, wenn du tötest? Was sollte man fühlen?« Er starrte finster ins Feuer. »Siehst du die Krieger, die du überwältigt hast, wie sie dich anstarren, so wirklich, wie ich jetzt vor dir sitze?«

Arya zog die Arme fester um die Knie, ihr Blick nachdenklich. Eine Flamme loderte empor, als einer der Nachtfalter, die das Lager umschwirrten, verbrannte. *»Gánga«*, murmelte sie und zeigte mit dem Finger in die Dunkelheit. Flaumweiche Flügel flatterten auf und die restlichen Falter flogen davon. Ohne den Blick von dem Haufen brennender Zweige zu wenden, begann sie: »Neun Monate, nachdem ich Botschafterin wurde, übrigens die einzige Botschafterin meiner Mutter, um die Wahrheit zu sagen, reiste ich von den Varden in Farthen Dûr zur Hauptstadt von Surda, was damals noch ein neues Land war. Bald nachdem meine Begleiter und ich das Beor-Gebirge verlassen hatten, trafen wir auf eine Bande umherstreifender Urgals. Wir waren bereit, die Schwerter stecken zu lassen und unseren Weg fortzusetzen. Aber wie es ihre Art ist, bestanden die Urgals darauf, Ruhm und Ehre zu erwerben, um ihr Ansehen bei ihren Stämmen zu verbessern. Unsere Truppe war stärker als ihre – denn Weldon, Broms Nachfolger als Anführer der Varden, war bei uns –, und es fiel uns nicht schwer, sie in die Flucht zu schlagen … An diesem Tag habe ich zum ersten Mal ein Leben ausgelöscht. Das hat mich noch wochenlang verfolgt, bis mir klar wurde, dass ich verrückt werden würde, wenn ich immer weiter darüber nachdächte. Das passiert vielen, und sie werden darüber so verbittert, dass kein Verlass mehr auf sie ist oder ihr Herz versteinert und sie die Fähigkeit verlieren, richtig und falsch voneinander zu unterscheiden.«

»Wie bist du damit fertig geworden?«

»Ich habe mich gefragt, warum ich töte, und festgestellt, dass meine Motive ehrenwert sind. Dann fragte ich mich, ob unsere Sache so wichtig ist, dass ich sie weiter unterstützen will, auch wenn das voraussichtlich von mir verlangen würde, wieder zu töten. Schließlich beschloss ich, mir immer, wenn ich an die Toten denken musste, vorzustellen, ich säße im Garten der Tialdarí-Halle.«

»Hat es funktioniert?«

Sie strich sich eine Haarsträhne aus dem Gesicht und steckte sie hinter eins ihrer runden Ohren. »Ja. Das einzige Mittel gegen das zersetzende Gift der Gewalt ist, Frieden in sich selbst zu suchen. Es ist nicht leicht, sich dieses Heilmittel zu verschaffen, aber es lohnt sich.« Sie hielt inne und fügte dann hinzu: »Atmen hilft auch.«

»Atmen?«

»Langsames, gleichmäßiges Atmen, als würdest du meditieren. Das ist eine der wirksamsten Methoden, um sich zu beruhigen.«

Eragon befolgte ihren Rat und begann, ganz bewusst ein- und auszuatmen. Dabei achtete er darauf, das Tempo nicht zu verändern und jedes Mal vollständig auszuatmen. Nach einer Minute löste sich der Knoten in seinem Magen, sein finsterer Blick entspannte sich und die Gegenwart seines gefallenen Gegners war nicht mehr so übermächtig … Die Wölfe heulten erneut, aber nach einem kurzen Anflug von Beklommenheit hörte er ihnen ohne Angst zu, denn ihr Gebell machte ihn nicht mehr nervös. »Danke«, sagte er.

Arya antwortete mit einem anmutigen Neigen des Kinns.

Eine Viertelstunde lang herrschte Schweigen, bis Eragon schließlich sagte: »Urgals.« Er ließ die Äußerung eine Weile im Raum stehen, ein verbaler Monolith der Ambivalenz. »Was hältst du davon, dass Nasuada ihnen erlaubt, sich den Varden anzuschließen?«

Arya hob einen Zweig am Rand ihres ausgebreiteten Rockes auf, rollte ihn zwischen den Fingern hin und her und betrachtete das krumme Stück Holz, als berge es ein Geheimnis. »Das war eine mutige Entscheidung und ich bewundere sie dafür. Sie handelt immer zum Besten der Varden, ganz gleich was es sie kostet.«

»Sie hat viele Varden verärgert, als sie Nar Garzhvogs Angebot angenommen hat.«

»Und mit der Probe der Langen Messer hat sie ihre Loyalität zurückgewonnen. Nasuada ist sehr klug, wenn es darum geht, ihre Position zu behaupten.« Arya schnippte den Zweig ins Feuer. »Ich hege keine Sympathien für die Urgals, aber ich hasse sie auch nicht. Anders als die Ra'zac sind sie nicht von Grund auf böse, eher versessen auf Kriege. Das ist ein erheblicher Unterschied, auch wenn das für die Familien ihrer Opfer kein Trost ist. Wir Elfen haben auch schon mit Urgals verhandelt und werden es notfalls wieder tun. Trotzdem ist es ein zweckloses Unterfangen.«

Sie musste ihm nicht erklären, warum. Viele der Schriftrollen, die Oromis Eragon zu lesen gegeben hatte, widmeten sich den Urgals. Ganz besonders eine: *Die Reisen des Gnaevaldrskald*. Sie hatte ihn darüber belehrt, dass die gesamte Kultur der Urgals auf Heldentaten in der Schlacht beruhte. Männliche Urgals konnten nur durch Überfälle auf andere Dörfer Ruhm und Ansehen erlangen – dabei spielte es keine große Rolle, ob es sich um Urgal-, Menschen-, Elfen- oder Zwergendörfer handelte – oder durch Zweikämpfe mit ihren Rivalen, manchmal bis zum Tod. Und wenn es an der Zeit war, einen Gefährten zu wählen, weigerten sich Urgalfrauen, einen Artgenossen in Betracht zu ziehen, der nicht wenigstens drei Gegner geschlagen hatte. So blieb jeder neuen Urgalgeneration nichts anderes übrig, als sich gegenseitig herauszufordern und das Land nach Gelegenheiten zu durchkämmen, ihren Mut unter Beweis zu stellen. Diese Tradition war so tief verwurzelt, dass jeder Versuch, sie abzuschaffen, scheiterte. *Immerhin bleiben sie sich selbst treu*, überlegte Eragon. *Das ist mehr, als die meisten Menschen von sich behaupten können*.

»Wie kam es«, fragte er, »dass Durza dich, Glenwing und Fäolin zusammen mit Urgals überfallen konnte? Hattet ihr keine Schutzzauber, um euch vor körperlichen Angriffen zu bewahren?«

»Die Pfeile waren verzaubert.«

»Waren die Urgals denn Magier?«

Arya schloss die Augen und schüttelte seufzend den Kopf. »Nein. Es war irgendeine schwarze Magie, die Durza gewirkt hatte. Er hat sich damit gebrüstet, als ich in Gil'ead war.«

»Ich weiß gar nicht, wie du dich so lange gegen ihn wehren konntest. Ich habe ja gesehen, was er dir angetan hat.«

»Es … es war nicht einfach. Ich habe die Qualen, die er mir auferlegte, als Probe meiner Hingabe an die Sache angesehen, als Chance, zu beweisen, dass ich keinen Fehler gemacht hatte und des Yawë-Zeichens würdig war. Insofern habe ich die harte Prüfung begrüßt.«

»Aber selbst Elfen sind nicht immun gegen Schmerz. Es ist erstaunlich, dass du den Standort Ellesméras all die Monate vor ihm geheim halten konntest.«

Ein Anflug von Stolz schwang in ihrer Stimme mit, als sie hinzufügte: »Nicht nur den Standort Ellesméras, auch wo ich Saphiras Ei hingeschickt hatte, meinen Wortschatz in der alten Sprache und alles andere, was für Galbatorix von Nutzen hätte sein können.«

Das Gespräch brach ab, zögernd begann es Eragon erneut: »Denkst du viel daran, was du in Gil'ead durchgemacht hast?« Als sie nicht reagierte, fügte er hinzu: »Du redest nie darüber. Du erzählst zwar bereitwillig, wie sie dich gefangen genommen haben, aber du erwähnst nie, wie es für dich war oder wie du es heute empfindest.«

»Schmerz ist Schmerz«, erwiderte sie. »Das muss man nicht extra beschreiben.«

»Richtig, aber es zu verdrängen, kann dir tiefere Wunden zufügen als die ursprüngliche Verletzung … Niemand kann so etwas überstehen, ohne Schaden zu nehmen. Zumindest nicht seelisch.«

»Warum nimmst du an, dass ich mich nicht bereits jemandem anvertraut habe?«

»Wem denn?«

»Spielt das eine Rolle? Ajihad, meiner Mutter, einer Freundin in Ellesméra …«

»Vielleicht irre ich mich ja«, sagte er, »aber du wirkst nicht, als hättest du so enge Vertraute. Du bist immer allein, wo du auch hingehst, sogar unter deinen eigenen Leuten.«

Arya verzog keine Miene. Ihre Ausdruckslosigkeit war so vollkommen, dass Eragon sich fragte, ob sie überhaupt noch antworten würde. Als der Zweifel gerade zur Gewissheit geworden war, flüsterte sie auf einmal: »Das war nicht immer so.«

Eragon wagte nicht, sich zu rühren, aus Angst, sie könnte wieder verstummen.

»Einst hatte ich jemanden, mit dem ich reden konnte, jemanden, der verstand, wer ich war und woher ich kam. Einst... Er war älter als ich, aber wir waren verwandte Seelen. Beide neugierig auf die Welt jenseits unseres Waldes, voller Entdeckerdrang. Wir brannten darauf, gegen Galbatorix zu kämpfen. Wir ertrugen es beide nicht, in Du Weldenvarden zu bleiben – zu lernen, Zauber zu wirken und unsere eigenen Pläne zu verfolgen –, während der Drachentöter, das Verderben der Drachenreiter, nach einem Weg suchte, unser Volk zu erobern. Er gelangte später zu diesem Schluss als ich – Jahrzehnte, nachdem ich meinen Posten als Botschafterin angenommen hatte, und ein paar Jahre, bevor Hefring Saphiras Ei stahl –, aber von da an erbot er sich, mich zu begleiten, wohin mich Islanzadis Befehl schicken würde.« Sie blinzelte und ihre Kehle zuckte. »Ich wollte das nicht, aber die Idee gefiel der Königin, und er war so überzeugend...« Sie schürzte die Lippen und blinzelte erneut und ihre Augen leuchteten ungewohnt hell.

So behutsam er konnte, fragte Eragon: »War es Fäolin?«

»Ja«, sagte sie und es hörte sich fast an wie ein Stoßseufzer.

»Hast du ihn geliebt?«

Arya warf den Kopf zurück und blickte zum glitzernden Sternenhimmel empor, ihr langer Hals vom Licht des Feuers vergoldet, das Gesicht bleich im fahlen Licht des Himmels. »Fragst du das aus freundschaftlicher Anteilnahme oder aus eigenem Interesse?« Sie stieß ein kurzes, ersticktes Lachen aus, das sich anhörte wie Wasser, das auf kalten Fels trifft. »Schon gut. Die Nachtluft verwirrt mich.

Sie hat mir die Höflichkeit ausgetrieben, und jetzt sage ich die gehässigsten Dinge, die mir einfallen.«

»Macht nichts.«

»Doch, denn es tut mir leid und ich sollte mich nicht so gehen lassen. Ob ich Fäolin geliebt habe? Wie würdest du Liebe definieren? Wir sind mehr als zwanzig Jahre zusammen gereist, die einzigen Unsterblichen unter den kurzlebigen Völkern. Wir waren Weggefährten … und Freunde.«

Ein Anfall von Eifersucht traf Eragon. Er kämpfte dagegen an, unterdrückte das Gefühl und versuchte, es loszuwerden, aber es gelang ihm nicht ganz. Ein kleiner Rest, wie ein Splitter unter der Haut, blieb zurück.

»Mehr als zwanzig Jahre«, wiederholte Arya. In die Betrachtung des Sternenhimmels versunken, wiegte sie sich vor und zurück und schien Eragon gar nicht mehr wahrzunehmen. »Und dann hat mir Durza all das in einem einzigen Augenblick genommen. Fäolin und Glenwing waren die ersten Elfen seit beinahe hundert Jahren, die im Kampf ihr Leben ließen. Als ich sah, wie Fäolin fiel, begriff ich, dass das Schlimmste am Krieg nicht ist, selbst verwundet zu werden, sondern mitansehen zu müssen, wie andere, die man gern hat, verletzt werden. Das war eine Lektion, die ich eigentlich schon bei den Varden gelernt zu haben glaubte, als die Männer und Frauen, die ich achtete, einer nach dem anderen durch Schwerter, Pfeile, Gift, Unfälle oder an Altersschwäche starben. Diese Verluste hatten mich allerdings nicht so persönlich getroffen. Als es dann passierte, dachte ich: ›Jetzt muss ich sicher auch sterben.‹ Denn in welche Gefahren Fäolin und ich auch geraten waren, wir hatten sie stets gemeinsam überlebt, und wenn er diesmal nicht davongekommen war, warum sollte es dann mir gelingen?«

Eragon merkte, dass sie weinte, dicke Tränen rannen ihr aus den Augenwinkeln die Schläfen hinab ins Haar. Im Licht der Sterne sahen sie aus wie Rinnsale aus versilbertem Glas. Die Tiefe ihrer Trauer erschreckte ihn. Er hatte nicht gedacht, dass man bei ihr eine solche Reaktion hervorrufen konnte, noch hatte er es beabsichtigt.

»Und dann kam Gil'ead«, fuhr sie fort. »Das waren die längsten Tage meines Lebens. Fäolin war nicht mehr, ich wusste nicht, ob sich Saphiras Ei in Sicherheit befand oder ob ich es unbeabsichtigt wieder in Galbatorix' Hände gespielt hatte, und Durza ... Durza stillte die Blutgier der Geister, die ihn beherrschten, indem er mir die schrecklichsten Dinge antat, die ihm einfielen. Manchmal, wenn er zu weit ging, heilte er mich hinterher, damit er am nächsten Morgen von Neuem anfangen konnte. Wenn er mir irgendeine Chance gelassen hätte, zur Besinnung zu kommen, hätte ich vielleicht meinen Kerkermeister überlisten können, so wie du, und das Mittel nicht genommen, das mich daran hinderte, meine Magie zu benutzen. Aber ich hatte ja nie mehr als ein paar Stunden Ruhe.

Durza brauchte nicht mehr Schlaf als du oder ich und er stürzte sich auf mich, wann immer ich bei Bewusstsein war und es seine anderen Pflichten erlaubten. Wenn er mich bearbeitete, war jede Sekunde so lang wie eine Stunde, jede Stunde so lang wie eine Woche und jeder Tag eine Ewigkeit. Er war vorsichtig, damit er mich nicht in den Wahnsinn trieb – das hätte Galbatorix nicht gefallen –, aber er war nah dran, verdammt nah. Ich fing an, Vögel singen zu hören, wo keine waren, und Dinge zu sehen, die es gar nicht gab. Einmal durchflutete goldenes Licht meine Zelle und mir wurde ganz warm. Als ich aufschaute, stellte ich fest, dass ich hoch oben in einem Baum auf einem Ast saß, in der Nähe des Zentrums von Ellesméra. Es war kurz vor Sonnenuntergang und die ganze Stadt leuchtete, als stünde sie in Flammen. Die Äthalvard sangen auf dem Weg unter mir, und alles war so ruhig und friedlich und so schön, dass ich am liebsten für immer dort geblieben wäre. Aber dann schwand das Licht und ich lag wieder auf meiner Pritsche ... Das hatte ich völlig vergessen ... aber da war einmal ein Soldat, der ließ eine weiße Rose in meiner Zelle liegen. Das war das einzige Mal, dass irgendjemand in Gil'ead nett zu mir war. In dieser Nacht schlug die Rose Wurzeln und wurde zu einem riesigen Rosenstock, der an der Wand hinaufkletterte, sich einen Weg durch die Steinblöcke an der Decke sprengte und sich aus dem Kerker hinaus ins Freie kämpfte. Dann wuchs er weiter, bis er an den Mond stieß und als großer gewundener Turm dastand, der eine Fluchtmöglichkeit versprach, wenn ich nur hätte aufstehen können. Ich versuchte es mit jedem bisschen Kraft, das ich noch hatte, aber es gelang mir nicht, und als ich wegschaute, verschwand der Rosenbusch ... Das war mein Geisteszustand, als du von mir geträumt hast und ich deine Gegenwart über mir schwebend spürte. Kein Wunder, dass ich das Gefühl nur für eine weitere Täuschung hielt.«

Sie lächelte matt. »Und dann kamst du, Eragon. Du und Saphira. Nachdem mich schon alle Hoffnung verlassen hatte und ich kurz davor stand, zu Galbatorix nach Urû'baen gebracht zu werden, kam ein Drachenreiter, um mich zu retten. Ein Reiter und ein Drache!«

»Und Morzans Sohn«, sagte er. »Morzans *beide* Söhne.«

»Nenn es, wie du willst. Es war eine so unwahrscheinliche Rettung, dass ich gelegentlich denke, ich bin verrückt geworden und bilde mir seitdem alles nur ein.«

Sie tupfte sich mit dem linken Ärmel die Augen trocken. »Als ich in Farthen Dûr aufgewacht bin, gab es viel zu viel für mich zu tun, um mich mit der Vergangenheit zu beschäftigen. Aber die jüngsten Ereignisse waren so finster und blutig, dass ich mich zunehmend dabei ertappe, wie ich mich an Dinge erinnere, über die ich besser nicht mehr nachdenken sollte. Sie machen mich wütend und bringen mich durcheinander und ich habe keine Geduld mehr für die alltäglichen Herausforderungen des Lebens.« Sie kniete sich hin und legte die Hände rechts und links neben sich auf den Boden, um sich zu beruhigen. »Du sagst, ich wandle allein. Die Elfen neigen nicht dazu, Freundschaften so offen zu zeigen wie Menschen und Zwerge, und ich war immer schon ein Einzelgänger. Aber wenn du mich vor Gil'ead gekannt hättest, so wie ich früher war, würdest du mich nicht für distanziert und verschlossen halten. Damals konnte ich singen und tanzen und hatte nicht ständig das Gefühl, etwas Verhängnisvolles stünde bevor.«

Eragon legte die rechte Hand auf ihre linke. »In den alten Heldengeschichten wird nie erwähnt, dass das der Preis ist, wenn man mit den Ungeheuern der Finsternis und den Abgründen des Geistes ringt. Denk einfach weiter an die Gärten der Tialdarí-Halle, dann geht es dir bestimmt wieder gut.«

Arya ließ die Berührung fast eine Minute lang zu, während der Eragon keine wilde Leidenschaft empfand, sondern einfach nur tiefe Zuneigung. Er machte keinen Versuch, sie zu bedrängen, denn ihr Vertrauen war ihm wichtiger als alles andere auf der Welt, mit Ausnahme seiner Verbindung zu Saphira, und er wäre lieber in die Schlacht gezogen, als es aufs Spiel zu setzen. Dann hob Arya die Hand ein wenig an und er zog seine ohne Murren zurück.

In dem sehnlichen Wunsch, sie ein wenig aufzuheitern, sah Eragon auf den Boden neben sich und murmelte dann so leise, dass es fast nicht zu hören war: *»Loivissa.«* Von der Kraft des wahren Namens geleitet, durchkämmte er die Erde um seine Füße herum, bis sich seine Finger um das schlossen, was er suchte: eine dünne papierartige Scheibe, halb so groß wie der Nagel seines kleinen Fingers. Mit angehaltenem Atem legte er sie sich, so behutsam er konnte, in die rechte Handfläche genau auf die Gedwëy Ignasia. Dann rief er sich, um ja keinen Fehler zu machen, noch einmal ins Gedächtnis, was Oromis ihm über die Beschwörung beigebracht hatte, die er gleich sprechen wollte, und fing nach Elfenart weich und fließend zu singen an:

Eldhrimner O Loivissa nuanen, Dautr abr Deloi,
Eldhrimner nen ono weohnataí medh Solus un Thringa,
Eldhrimner un fortha onr Fëon Vara,
Wiol allr sjon.

Eldhrimner O Loivissa nuanen …

Wieder und wieder intonierte Eragon diese vier Zeilen über dem braunen Blättchen in seiner Hand. Die winzige Scheibe zitterte und schwoll allmählich zu einer Kugel an. Aus ihrer Unterseite sprossen ein bis zwei Zoll lange weiße Wurzeln, die ihn kitzelten, und oben bohrte sich ein dünner grüner Stängel durch die Schale und wuchs auf sein Drängen hin fast einen Fuß in die Höhe. Seitlich bildete sich ein einzelnes großes flaches Blatt. Dann blähte sich die Spitze des Stängels auf, neigte sich und spaltete sich nach einem Augenblick scheinbarer Untätigkeit in fünf Teile, die sich nach außen bogen und die wächsernen Blütenblätter einer glockenförmigen hellblauen Lilie freigaben.

Als die Blume ihre volle Größe erreicht hatte, ließ Eragon den Energiestrom verebben und betrachtete sein Kunstwerk. Das Besingen von Pflanzen auf magische Weise war eine Fertigkeit, die fast jeder Elf von Kindesbeinen an beherrschte, aber Eragon hatte es erst ein paarmal versucht und war sich nicht sicher gewesen, was dabei herauskommen würde. Der Zauber hatte ihm einen hohen Preis abverlangt. Die Lilie erforderte ein erstaunliches Maß an Energie, um das Wachstum von eineinhalb Jahren zu bündeln.

Zufrieden mit seinem Werk, hielt er Arya die Lilie hin. »Es ist zwar keine weiße Rose, aber …«, sagte er achselzuckend und lächelte verlegen.

»Das hättest du nicht tun sollen. Aber ich freue mich, dass du es getan hast.« Sie strich zärtlich über die Unterseite der Blüte und hob sie leicht an, um daran zu riechen. Die Kummerfalten in ihrem Gesicht glätteten sich und sie bewunderte die Blume ein paar Minuten lang. Dann grub sie neben sich ein Loch in die Erde und pflanzte die Zwiebel ein. Während sie erneut über die Blütenblätter strich und die Lilie betrachtete, sagte sie: »Danke. Einander Blumen zu schenken, ist ein Brauch, den unsere beiden Völker gemeinsam haben, aber wir Elfen messen ihm größere Bedeutung bei als die Menschen. Er steht für alles, was gut ist: Leben, Schönheit, Wiedergeburt, Freundschaft und noch viel mehr. Ich erkläre dir das, damit du verstehst, wie viel mir dieses Geschenk bedeutet. Du konntest es nicht wissen, aber …«

»Ich habe es gewusst.«

Arya sah ihn forschend an, wie um festzustellen, worauf er hinauswollte. »Verzeih mir. Das ist schon das zweite Mal, dass ich vergessen habe, was du alles bei uns gelernt hast. Es soll nicht noch einmal vorkommen.«

Dann wiederholte sie ihren Dank in der alten Sprache, und Eragon erwiderte – ebenfalls in der alten Sprache –, es sei ihm ein Vergnügen gewesen und er freue sich, dass ihr sein Geschenk gefalle. Dabei zitterte er ein wenig, denn er hatte Hunger, obwohl sie gerade erst gegessen hatten. Arya bemerkte es und sagte: »Wenn in Aren noch irgendwelche Energie schlummert, dann nutze sie, um dich zu stärken.«

Eragon musste einen Augenblick nachdenken, bis ihm einfiel, dass Aren der Name von Broms Ring war. Er hatte ihn zum ersten Mal von Islanzadi gehört, an dem Tag, als er in Ellesméra angekommen war. *Mein Ring,* sagte er sich. *Und ich sollte aufhören, von ihm als Broms Ring zu denken.* Er warf einen skeptischen Blick auf den großen Saphir, der in der goldenen Fassung an seinem Finger funkelte. »Ich weiß nicht, ob noch Energie in ihm steckt. Ich selbst habe nie etwas auf den Ring übertragen und auch nicht nachgesehen, ob Brom es getan hat.« Noch während er sprach, streckte er sein Bewusstsein nach dem Saphir aus. Sobald es mit dem Stein in Berührung kam, spürte er einen gewaltigen Energiewirbel. Vor seinem inneren Auge pulsierte der Saphir vor Kraft und er wunderte sich, dass der Stein nicht unter der geballten Spannung zerbarst. Und nachdem er sich bedient hatte, um Kummer und Erschöpfung fortzuspülen und seine Glieder wieder zu kräftigen, war die Schatztruhe im Innern von Aren immer noch fast voll.

Mit prickelnder Haut löste Eragon schließlich die Verbindung zu dem Edelstein. Hocherfreut über seine Entdeckung und das plötzliche Wohlgefühl, lachte er laut auf und erzählte Arya von seinem Fund. »Brom muss die ganze Zeit über, in der er sich in Carvahall versteckt hielt, jedes bisschen Energie, das er erübrigen konnte, in dem Schmuckstück gespeichert haben.« Er lachte erneut vor Vergnügen. »All die Jahre … Mit der Energie, die Aren in sich trägt, könnte ich ein ganzes Schloss mit einem einzigen Zauber niederreißen.«

»Als Saphira schlüpfte, wusste er, dass er die Energie brauchen würde, um den neuen Drachenreiter zu schützen«, erklärte Arya. »Außerdem bin ich sicher, dass der Ring auch ihn beschützt hat, wenn er mit einem Schatten oder einem ähnlich mächtigen Gegner kämpfen musste. Es war kein Zufall, dass er fast ein ganzes Jahrhundert lang seine Feinde abwehren konnte ... An deiner Stelle würde ich mir die Energie, die er dir hinterlassen hat, für die Stunde der größten Not aufheben und sie mehren, wann immer ich kann. Das ist ein unglaublich wertvoller Schatz, den du nicht verschwenden solltest.«

Nein, dachte Eragon, *das werde ich auch nicht.* Er drehte den Ring hin und her und erfreute sich an seinem Glanz im Feuerschein. *Seit Murtagh Zar'roc gestohlen hat, sind der Ring, Saphiras Sattel und Schneefeuer die einzigen Dinge, die ich noch von Brom habe. Und obwohl die Zwerge Schneefeuer aus Farthen Dûr mitgebracht haben, reite ich ihn inzwischen kaum noch. Aren ist wirklich das Einzige, was mich an ihn erinnert ... mein einziges Erbstück. Ich wünschte, er wäre noch am Leben! Ich hatte nie Gelegenheit, mich mit ihm über Oromis, Murtagh oder meinen Vater zu unterhalten oder ... ach, die Liste ist endlos. Was würde er wohl von meinen Gefühlen für Arya halten?* Eragon schnaubte. *Ich weiß, was er sagen würde. Dass ich ein verliebter Narr bin und meine Zeit mit einer hoffnungslosen Angelegenheit verschwende ... Und damit hätte er wohl recht, aber was soll ich machen? Sie ist die einzige Frau, mit der ich zusammen sein möchte.*

Das Feuer knisterte und ein Funkenregen schoss empor. Er schaute mit halb geschlossenen Augen zu und dachte über Aryas Worte nach. Dann kehrten seine Gedanken zu einer Frage zurück, die ihn schon seit der Schlacht auf den Brennenden Steppen beschäftigte. »Arya, wachsen männliche Drachen eigentlich schneller als weibliche?«

»Nein. Warum fragst du?«

»Wegen Dorn. Er ist erst ein paar Monate alt und schon fast so groß wie Saphira. Das verstehe ich nicht.«

Arya pflückte einen vertrockneten Grashalm und fing an, gewundene Schriftzeichen aus der Elfensprache, der Liduen Kvaedhí, in den losen Sand zu malen. »Wahrscheinlich hat Galbatorix sein Wachstum beschleunigt, sodass er mit Saphira mithalten kann.«

»Ach so … Aber ist das nicht gefährlich? Oromis hat mir erklärt, dass wenn er mich auf magische Weise mit Kraft, Geschwindigkeit, Ausdauer und allem anderen ausstatten würde, was ich brauche, ich diese Fähigkeiten nie so gut beherrschen würde, als wenn ich sie auf dem normalen Weg erlange: durch harte Arbeit. Und er hatte recht. Noch heute irritieren mich manche Veränderungen, die die Drachen beim Agaetí Blödhren an meinem Körper durchgeführt haben.«

Arya nickte und fuhr fort, Schriftzeichen in den Sand zu kratzen. »Es ist möglich, die unerwünschten Nebenwirkungen zu reduzieren, aber das ist eine lange und anstrengende Prozedur. Wenn du deinen Körper zu wahrer Meisterschaft formen willst, ist es immer noch am besten, sie mit gewöhnlichen Mitteln zu erreichen. Der Wandel, den Galbatorix Dorn aufgezwungen hat, muss für den Drachen ungeheuer verwirrend sein. Er hat jetzt den Körper eines fast ausgewachsenen Tieres, aber sein Verstand ist immer noch der eines Welpen.«

Eragon betastete die neuen Höcker an seinen Fingerknöcheln. »Weißt du vielleicht auch, warum Murtagh so mächtig ist … viel mächtiger als ich?«

»Wenn ich es wüsste, würde ich zweifellos auch verstehen, wie es Galbatorix gelungen ist, seine eigene Kraft auf ein so unnatürliches Ausmaß zu steigern. Aber leider weiß ich es nicht.«

Oromis weiß es, dachte Eragon. Zumindest hatte der Elf so etwas angedeutet. Aber er musste es Eragon und Saphira erst noch verraten. Sobald sie nach Du Weldenvarden zurückkehren konnten, wollte er den älteren Drachenreiter danach fragen. *Er muss es uns jetzt sagen! Murtagh konnte uns nur besiegen, weil wir es nicht wussten, und er hätte uns leicht zu Galbatorix verschleppen können.* Fast hätte er Arya von Oromis' Andeutung erzählt, aber er hielt den Mund. Er hatte gerade begriffen, dass der Elf diese entscheidende Information nicht über hundert Jahre für sich behalten hätte, wenn Verschwiegenheit hier nicht von allergrößter Wichtigkeit wäre.

Arya setzte jetzt ein Schlusszeichen an das Ende des Satzes, den sie auf den Boden geschrieben hatte. Eragon beugte sich zu ihr hinüber und las: *Umhertreibend auf den Meereswellen der Zeit, wandert der einsame Gott von Küste zu Küste, um die Gesetze des Sternenhimmels zu bewahren.*

»Was bedeutet das?«

»Ich weiß nicht«, sagte sie und verwischte die Zeile mit einer Armbewegung.

»Wie kommt es eigentlich«, fragte er bedächtig, während er seine Gedanken ordnete, »dass nirgends die Namen der abtrünnigen Drachen genannt werden? Wir sagen ›Morzans Drache‹ oder ›Kialandís Drache‹, aber wir nennen sie nie beim Namen. Sie waren doch sicher genauso wichtig wie ihre Reiter! Ich kann mich nicht mal daran erinnern, die Namen in den Schriftrollen gelesen zu haben, die mir Oromis gegeben hat... dabei *müssen* sie doch drinstehen... ja, da bin ich ganz sicher, aber aus irgendeinem Grund habe ich sie nicht behalten. Ist das nicht seltsam?« Arya wollte antworten, aber noch bevor sie den Mund öffnen konnte, sagte Eragon: »Jetzt bin ich zum ersten Mal froh, dass Saphira nicht hier ist. Ich schäme mich, dass mir das nicht schon früher aufgefallen ist. Selbst du, Arya, und Oromis und alle anderen Elfen, die ich kennengelernt habe, nennen sie nicht beim Namen, als wären sie gefühllose Tiere, die diese Ehre nicht verdienen. Tut ihr das absichtlich? Weil sie eure Feinde sind?«

»War davon in keiner deiner Lektionen die Rede?«, fragte Arya. Sie schien aufrichtig erstaunt.

»Ich glaube«, sagte er, »Glaedr hat Saphira gegenüber einmal etwas davon erwähnt, aber da bin ich nicht ganz sicher. Ich war gerade mitten im Tanz von Schlange und Kranich, deshalb habe ich nicht darauf geachtet, was Saphira tat.« Er lachte etwas verlegen und hatte das Gefühl, ihr das erklären zu müssen. »Manchmal war es ganz schön verwirrend. Oromis redete mit mir, während ich auf Saphiras Gedanken horchte, die sich mit Glaedr unterhielt. Und was es noch schlimmer machte: Glaedr benutzt nur selten Sprache im eigentlichen Sinn, wenn er mit Saphira kommuniziert. Er hat die Angewohnheit, eher Bilder, Gerüche und Empfindungen zu verwenden als Worte. Und statt Namen übermittelt er ihr Eindrücke von den Leuten und Dingen, die er meint.«

»Kannst du dich an gar nichts erinnern, was er sagte? Ob Worte oder nicht?«

Eragon zögerte. »Nur daran, dass es um einen Namen ging, der kein Name war oder so ähnlich. Ich konnte mir keinen Reim darauf machen.«

»Was er gemeint hat«, sagte Arya, »war *Du Namar Aurboda,* die Verbannung der Namen.«

»Die Verbannung der Namen?«

Sie griff nach dem vertrockneten Grashalm und schrieb wieder etwas in den Sand. »Das war eins der bedeutendsten Ereignisse, die während der Kämpfe zwischen den Drachenreitern und den Abtrünnigen stattgefunden haben. Als die Drachen erkannten, dass dreizehn von ihnen sie verraten hatten – dass diese dreizehn Galbatorix halfen, den Rest ihrer Gattung auszuradieren, und es ziemlich unwahrscheinlich war, dass sie irgendjemand in ihrer Raserei stoppen konnte –, wurden sie wütend. So wütend, dass sie ihre Kräfte bündelten und einen ihrer unerklärlichen Zauber vollbrachten. Gemeinsam beraubten sie die Verräter ihrer Namen.«

Eragon erstarrte in Ehrfurcht. »Wie war das möglich?«

»Hab ich nicht gerade gesagt, es war unerklärlich? Wir wissen nur, dass niemand mehr die Namen der dreizehn aussprechen konnte, nachdem die Drachen ihren Zauber gewirkt hatten. Diejenigen, die sich noch an die Namen erinnerten, vergaßen sie bald. Und obwohl man sie in Schriftrollen und Briefen, in denen sie aufgezeichnet sind, lesen und sogar abschreiben kann, wenn man immer nur ein Schriftzeichen auf einmal betrachtet, kommen sie einem doch vor wie Kauderwelsch. Die Drachen haben lediglich Jarnunvösk, Galbatorix' ersten Drachen, verschont, weil es ja nicht seine Schuld war, dass er von Urgals getötet wurde, und Shruikan, weil er Galbatorix nicht freiwillig dient, sondern von Galbatorix und Morzan dazu gezwungen wurde.«

Was für ein schreckliches Schicksal, seinen Namen zu verlieren, dachte Eragon. Er fröstelte. *Wenn ich eine Sache gelernt habe, seit ich ein Drachenreiter geworden bin, dann, dass man nie und nimmer einen Drachen zum Feind haben will.* »Und was ist mit ihren wahren Namen? Haben sie die auch ausgelöscht?«

Arya nickte. »Wahre Namen, Geburtsnamen, Spitznamen, Familiennamen, Titel, alles. Sie waren danach kaum noch mehr als gewöhnliche Tiere und konnten nicht mal sagen: ›Ich mag dies‹ oder ›Ich verabscheue jenes‹ oder ›Ich habe grüne Schuppen‹, denn das hätte ja bedeutet, dass sie sich selbst benennen. Sie konnten sich nicht mal mehr Drachen nennen. Wort für Wort zerstörte der Zauber alles, was sie zu denkenden Kreaturen machte, und die Abtrünnigen hatten keine andere Wahl, als hilflos zuzusehen, wie ihre Drachen in völliger Unwissenheit versanken. Diese Erfahrung war so niederschmetternd, dass darüber mindestens fünf von den dreizehn Drachen und etliche der Abtrünnigen verrückt geworden sind.« Arya hielt inne, um die Form eines Schriftzeichens zu betrachten, dann verwischte sie es und malte es neu. »Die Verbannung der Namen ist der hauptsächliche Grund dafür, dass heute so viele Leute glauben, Drachen seien nichts weiter als Transporttiere, um sich von einem Ort zum anderen zu bewegen.«

»Das würden sie nicht denken, wenn sie Saphira einmal begegnet wären«, sagte Eragon.

Arya lächelte. »Nein.« Mit einem Schnörkel vollendete sie den Satz. Er reckte den Hals und rückte näher, um die Zeichen zu entziffern. Da stand: *Der Betrüger, der Verleumder, der Taktiker, der mit den vielen Gesichtern, der das Leben im Tod findet und kein Unheil fürchtet; er, der durch Türen geht.*

»Was hat dich dazu inspiriert?«

»Der Gedanke, dass viele Dinge nicht das sind, was sie zu sein scheinen.« Staub wirbelte um ihre Hand herum auf, als sie die Schrift auslöschte.

»Hat irgendjemand schon mal versucht, Galbatorix' wahren Namen zu erraten?«, fragte Eragon. »Mir scheint, das wäre der einfachste Weg, diesen Krieg zu beenden. Um ehrlich zu sein, ich glaube, es ist vielleicht die einzige Hoffnung für uns, ihn im Kampf zu besiegen.«

»Warst du zuvor nicht ehrlich zu mir?«, fragte Arya und ihre Augen funkelten.

Ihre Frage brachte ihn zum Schmunzeln. »Natürlich. Das ist doch nur eine Redewendung.«

»Und eine ziemlich armselige dazu«, gab sie zurück. »Außer du bist ein gewohnheitsmäßiger Lügner.«

Eragon wusste einen Moment lang nicht weiter, dann fand er den Gesprächsfaden wieder. »Ich weiß, es wird schwer, Galbatorix' wahren Namen herauszubekommen, aber wenn alle Elfen und alle Varden, die die alte Sprache kennen, danach suchen würden, müssten wir ihn doch finden.«

Wie ein blasses Fähnchen hing der vertrocknete Grashalm zwischen Aryas Daumen und Zeigefinger. Er zitterte bei jedem Pulsschlag. Sie zwickte mit der anderen Hand in seine Spitze und riss den Halm der Länge nach auseinander, dann tat sie dasselbe mit den beiden Hälften. Schließlich flocht sie die Streifen zu einem steifen Stab. »Galbatorix' wahrer Name ist kein großes Geheimnis. Drei verschiedene Elfen – ein Drachenreiter und zwei gewöhnliche Magier – haben ihn ganz allein und im Abstand von vielen Jahren entdeckt.«

»Was?!«, rief Eragon.

Ungerührt pflückte Arya einen neuen Grashalm, riss ihn in Streifen, die sie in die Lücken des Stabes einfügte und ebenfalls verflocht. »Wir können nur darüber spekulieren, ob Galbatorix seinen wahren Namen kennt oder nicht. Ich bin der Meinung, er kennt ihn nicht, denn wie er auch lauten mag, sein wahrer Name muss so schrecklich sein, dass er es nicht überleben würde, ihn zu hören.«

»Es sei denn, er ist so böse oder so wahnsinnig, dass ihn die Wahrheit über seine Untaten nicht berühren kann.«

»Vielleicht.« Ihre zarten Finger bewegten sich so schnell beim Biegen, Flechten und Weben, dass sie fast nicht mehr zu sehen waren. Sie pflückte noch zwei Grashalme. »So oder so weiß Galbatorix, dass er einen wahren Namen hat wie alle Geschöpfe und Dinge und dass er eine mögliche Schwachstelle ist. Irgendwann bevor er seinen Feldzug gegen die Drachenreiter antrat, hat er einen Zauber gewirkt, der jeden tötet, der seinen wahren Namen benutzt. Und da wir nicht genau wissen, *wie* dieser Zauber tötet, können wir uns nicht gegen ihn wappnen. Du siehst also, warum wir unsere Nachforschungen fast eingestellt haben. Oromis ist einer der wenigen, die mutig genug sind weiterzusuchen, wenn auch auf ziemlich umständliche Art.« Mit zufriedener Miene streckte sie die geöffnete Handfläche aus, auf der ein erlesenes kleines Schiff aus grünen und weißen Gräsern saß. Es war nicht mehr als vier Zoll lang, aber so detailreich, dass Eragon Ruderbänke, eine winzige Reling und Bullaugen in der Größe von Himbeerkernen erkennen konnte. Der gebogene Bug ähnelte der Form eines sich aufbäumenden Drachenkopfes. Und es besaß einen einzigen Mast.

»Es ist wunderschön«, sagte er.

Arya beugte sich vor und murmelte: *»Flauga.«* Sie blies behutsam über das Schiff und es stieg von ihrer Hand auf und segelte einmal um das Feuer herum. Dann nahm es Fahrt auf, stieg nach oben und verschwand in den funkelnden Tiefen des Nachthimmels.

»Wie lange wird es unterwegs sein?«

»Für immer«, sagte sie. »Es holt sich die Energie von den Pflanzen unter sich. Überall, wo Pflanzen sind, kann es fliegen.«

Die Vorstellung verwirrte Eragon, und er fand es auch ziemlich traurig, dass das hübsche Grasschiff bis in alle Ewigkeit zwischen den Wolken umherreisen würde, nur in der Gesellschaft von Vögeln. »Stell dir vor, was die Leute in späteren Jahren für Geschichten darüber erzählen werden.«

Arya faltete die Hände, wie um sie davon abzuhalten, etwas anderes zu tun. »Es gibt viele solcher Merkwürdigkeiten auf der Welt. Je länger du lebst und je weiter du reist, desto mehr von ihnen wirst du begegnen.«

Eragon schaute eine Weile verträumt ins flackernde Feuer, dann sagte er: »Wenn es so wichtig ist, seinen wahren Namen für sich zu behalten, soll ich dann einen Zauber aussprechen, der Galbatorix daran hindert, meinen wahren Namen gegen mich einzusetzen?«

»Wenn du willst«, sagte Arya, »aber ich bezweifle, dass es nötig ist. Die wahren Namen sind nicht so leicht herauszufinden, wie du denkst. Galbatorix kennt dich nicht gut genug, um deinen Namen zu erraten, und wenn er schon in deinem Innern wäre und jeden deiner Gedanken ausforschen könnte, dann wärst du längst an ihn verloren, wahrer Name hin oder her. Wenn es dich irgendwie tröstet, ich bezweifle sogar, dass *ich* deinen wahren Namen erahnen könnte.«

»Nein?« Er war gleichzeitig froh und enttäuscht, dass sie glaubte, irgendein Teil von ihm wäre für sie ein Rätsel.

Sie sah ihn an, dann schlug sie die Augen nieder. »Nein, ich glaube nicht. Könntest du meinen herausfinden?«

»Nein.«

Stille hüllte das Lager ein. Über ihnen leuchteten die Sterne kalt und klar. Von Osten kam Wind auf. Er fuhr über die Ebene, peitschte das Gras und heulte mit dünner, lang gezogener Stimme, als beklage er den Verlust einer Geliebten. Er entfachte das Feuer von Neuem und trieb einen Funkenregen nach Westen davon. Eragon zog die Schultern hoch und schloss den Kragen seines Wamses enger um den Hals. Der Wind hatte etwas Unfreundliches an sich. Er nagte mit ungewohnter Heftigkeit an ihm und schien ihn und Arya vom Rest der Welt zu isolieren. Sie saßen bewegungslos da, gestrandet auf ihrer winzigen Insel aus Licht und Wärme, während der gewaltige Strom aus Luft an ihnen vorbeizog und seinen Schmerz in das einsame weite Land brüllte.

Als die Windböen heftiger wurden und die Funken weiter vom Feuer wegtrugen, streute Arya eine Handvoll Sand auf die Zweige. Eragon kniete sich neben sie und schaufelte mit beiden Händen, um den Prozess zu beschleunigen. Als das Feuer gelöscht war, hatte er Schwierigkeiten, etwas zu erkennen. Die Landschaft wirkte gespenstisch, voller tanzender Schatten, undeutlicher Silhouetten und silbriger Blätter.

Arya war gerade dabei, aufzustehen, hielt dann aber in halb gebückter Stellung inne, die Arme ausgestreckt, um das Gleichgewicht zu halten. Höchste Aufmerksamkeit zeichnete sich in ihrem Gesicht ab. Eragon spürte es ebenfalls: Die Luft war aufgeladen wie bei einem heraufziehenden Gewitter. Die Härchen auf seinen Handrücken stellten sich auf und zitterten im Wind.

»Was ist los?«, fragte er.

»Wir werden beobachtet. Egal was passiert, benutze keine Magie oder du könntest uns damit umbringen.«

»Wer …«

»Pst!«

Er tastete herum, fand einen faustgroßen Stein, riss ihn aus dem Boden und wog ihn in der Hand.

In der Ferne tauchte ein Bündel glühender bunter Lichter auf. Sie schossen dicht über dem Gras auf das Lager zu. Als sie näher kamen, sah er, dass sie ständig größer und kleiner wurden – von einer winzigen Perle wuchsen sie zu einer Kugel von mehreren Fuß Durchmesser an und schrumpften dann wieder –, auch die Farbe wechselte durch alle Schattierungen des Regenbogens. Jede Kugel war von einem knisternden Strahlenkranz umgeben, einem Hof aus flüssigen Fühlern, die um sich schlugen und peitschten, als könnten sie es gar nicht erwarten, dass sich irgendetwas in ihrem Griff verfing. Die Lichter bewegten sich so schnell, dass er nicht genau feststellen konnte, wie viele es waren, aber er schätzte, ungefähr zwei Dutzend. Sie wirbelten ins Lager und bildeten eine flirrende Mauer um ihn und Arya. Die Geschwindigkeit, mit der sie sich drehten, zusammen mit dem Sperrfeuer pulsierender Farben machte Eragon schwindlig und er musste sich mit der Hand am Boden abstützen. Das Sirren war jetzt so laut, dass ihm die Zähne klapperten. Er hatte einen metallischen Geschmack auf der Zunge und die Haare standen ihm zu Berge. Arya ging es genauso, nur dass ihr Haar viel länger war. Als er zu ihr hinübersah, fand er den Anblick so komisch, dass er nur mit Mühe ein Lachen unterdrücken konnte.

»Was wollen die von uns?«, rief er, doch sie antwortete nicht.

Eine einzelne Kugel löste sich aus der Wand und schwebte auf Augenhöhe vor Arya. Sie zog sich zusammen und dehnte sich aus wie ein schlagendes Herz und wechselte dabei von Königsblau nach Smaragdgrün mit gelegentlichen roten Blitzen. Einer der Fühler wand sich um eine Haarsträhne von Arya. Es gab einen scharfen Knall und einen Moment lang leuchtete die Haarsträhne wie ein Sonnensplitter, dann war sie verschwunden. Eragon stieg der Geruch von verbranntem Haar in die Nase.

Arya zuckte nicht mit der Wimper. Mit gelassener Miene hob sie den Arm und legte, bevor Eragon sie daran hindern konnte, die Hand auf die leuchtende Kugel. Die Kugel wurde golden und weiß und schwoll an, bis sie mehr als drei Fuß Durchmesser hatte. Arya schloss die Augen und legte den Kopf in den Nacken; strahlende Freude überzog ihr Gesicht. Sie bewegte die Lippen, aber Eragon konnte nicht hören, was sie sagte. Als sie endete, flammte die Kugel blutrot auf und wechselte dann in schneller Folge über Rot, Grün, Lila und Orange zu einem so strahlenden Blau, dass er den Blick abwenden musste. Schließlich nahm sie ein tiefes Schwarz an, das von einem Kranz zuckender weißer Ausläufer umgeben war, wie die Sonne während einer Sonnenfinsternis. Dann hörte die Erscheinung auf, sich zu verändern, als könne keine Farbe ihre Stimmung angemessen wiedergeben.

Sie glitt von Arya fort zu Eragon, ein schwarzes Loch im Gefüge der Erde, umgeben von einer Flammenkrone. Sie schwebte vor ihm und brummte so intensiv, dass ihm die Augen tränten. Seine Zunge schien mit Kupfer überzogen zu sein, die Haut kribbelte und kleine Blitze tanzten auf seinen Fingerspitzen. Ein bisschen erschrocken fragte er sich, ob er die Kugel ebenfalls berühren sollte wie Arya. Er sah sie Hilfe suchend an. Sie nickte und bedeutete ihm weiterzumachen.

Da streckte er die rechte Hand nach der Kugel aus und zu seiner Überraschung verspürte er Widerstand. Die Kugel war körperlos, drückte aber gegen seine Hand wie ein Wasserstrahl. Je näher er ihr kam, desto stärker wurde der Druck. Mit einiger Anstrengung überwand er die letzten paar Zoll und kam mit dem Zentrum des Gebildes in Berührung.

Bläuliche Strahlen schossen zwischen Eragons Handfläche und der Kugeloberfläche hin und her, eine blendende, fächerartige Erscheinung, die das Licht der anderen Kugeln überstrahlte und alles in ein blasses Blauweiß tauchte. Eragon schrie vor Schmerz auf, als sich die Strahlen in seine Augen bohrten, und zog blinzelnd den Kopf ein. Dann bewegte sich etwas im Innern der Kugel, als erwache ein zusammengerollter Drache aus dem Schlaf, und ein fremdartiges Wesen drang in sein Bewusstsein ein, fegte seinen Schutzwall weg wie trockenes Laub in einem Herbststurm. Er keuchte. Überirdische Freude erfüllte ihn. Was auch immer diese Kugel war, sie schien aus purer Glückseligkeit zu bestehen. Sie freute sich ihres Lebens und alles um sie herum entzückte sie, mal mehr, mal weniger. Eragon hätte vor lauter Glück weinen mögen, doch er hatte jetzt keine Kontrolle mehr über seinen Körper. Das Wesen hielt ihn aufrecht und die schimmernden Strahlen flackerten noch immer unter seiner Hand hervor, während es durch seine Knochen und Muskeln huschte, sich ein wenig an den Stellen aufhielt, wo er verletzt gewesen war, um dann in seinen Geist zurückzukehren. Trotz seiner Euphorie kam Eragon die Gegenwart des Wesens so seltsam und gespenstisch vor, dass er ihr entfliehen wollte, doch in seinem Bewusstsein gab es kein Versteck. Und so musste er in enger Verbindung mit der feurigen Seele stehen, während die Kugel mit der Geschwindigkeit eines Elfenpfeils seine Erinnerungen durchforstete. Er fragte sich, wie sie so schnell so viele Informationen aufnehmen konnte. Währenddessen wollte er seinerseits den Geist des Eindringlings erforschen, um so viel wie möglich über dessen Natur und Ursprung zu erfahren, aber das Geschöpf wehrte sich gegen seine Versuche, es zu verstehen. Die wenigen Eindrücke, die er erhaschte, waren so fremdartig, dass sie ihm unverständlich blieben.

Nach einer letzten, nahezu sekundenschnellen Rundreise durch seinen Körper zog sich das Wesen zurück und die Verbindung brach ab, als wäre ein Seil unter zu hoher Spannung gerissen. Der Strahlenkranz um Eragons Hand verblasste, und zurück blieb ein grelles pinkfarbenes Nachbild, das über sein Blickfeld zuckte.

Die Kugel vor Eragons Nase wechselte erneut die Farbe, schrumpfte auf die Größe eines Apfels zusammen und reihte sich wieder in den pulsierenden Lichtwirbel seiner Gefährten ein, der Eragon und Arya umgab. Das Sirren schwoll zu einem fast unerträglichen Lärm an, dann explodierte der Wirbel und versprengte die flackernden Kugeln in alle Windrichtungen. Etwa hundert Fuß von dem schummrigen Lager entfernt schlossen sie sich wieder zusammen und purzelten dabei übereinander wie spielende Kätzchen. Dann verschwanden sie rasend schnell nach Süden, als hätte es sie nie gegeben. Der Wind legte sich und wurde zu einer sanften Brise.

Eragon fiel auf die Knie und reckte die Arme in die Richtung, in der die Erscheinung verschwunden war. Er fühlte sich so leer ohne das Glücksgefühl, das sie ihm geschenkt hatte. »Was …«, fragte er. Dann musste er erst einmal kräftig husten, so trocken war seine Kehle. »Was war das?«

»Geister«, sagte Arya und setzte sich.

»Die Geister, die aus Durza fuhren, als ich ihn getötet habe, sahen aber anders aus.«

»Geister können nach Lust und Laune ganz unterschiedliche Gestalten annehmen.«

Er blinzelte und wischte sich mit dem Fingerrücken über die Augenwinkel. »Wie kann man es bloß ertragen, sie mit Hexerei zu versklaven? Das ist ungeheuerlich. Ich würde mich schämen, mich einen Magier zu nennen. Und Trianna brüstet sich immer damit, einer zu sein. Ich werde ihr verbieten, Geister zu benutzen, sonst werde ich sie aus der Du Vrangr Gata hinauswerfen und Nasuada bitten, sie aus den Reihen der Varden zu verbannen.«

»Nicht so hastig!«

»Du findest es doch sicher auch nicht richtig, dass Magier Geister dazu zwingen, ihrem Willen zu gehorchen … Sie sind so wunderschön …« Er brach ab und schüttelte den Kopf, von seinen Gefühlen überwältigt. »Man sollte jeden, der ihnen etwas antut, verprügeln.«

Mit dem Anflug eines Lächelns sagte Arya: »Ich nehme an, Oromis hatte das Thema noch nicht angesprochen, als du mit Saphira Ellesméra verlassen hast.«

»Wenn du die Geister meinst, die hat er ein paarmal erwähnt.«

»Aber offensichtlich nicht sehr ausgiebig.«

»Kann sein.«

Ihre Silhouette verschob sich im Dunkeln, als sie sich auf einen Ellbogen stützte. »Geister lösen immer ein Gefühl der Verzückung aus, wenn sie mit uns, die wir aus Materie bestehen, in Verbindung treten, aber lass dich davon nicht täuschen. Sie sind nicht so wohlmeinend, entgegenkommend und vergnügt, wie sie es dich glauben machen wollen. Es gehört zu ihrer Verteidigungsstrategie, diejenigen, mit denen sie interagieren müssen, bei Laune zu halten. Sie können es nicht ausstehen, an einem Ort festgehalten zu werden, und haben schon vor langer Zeit gemerkt, dass die Glücklichen weniger dazu neigen, sie einzusperren und als Dienstboten zu halten.«

»Ich weiß nicht«, erwiderte Eragon. »Sie machen einen so froh, dass ich mir vorstellen kann, man möchte sie eher in seiner Nähe haben, als sie gehen zu lassen.«

Sie zuckte mit den Schultern. »Geister haben genauso große

Schwierigkeiten, unser Verhalten einzuschätzen, wie wir ihres. Sie haben so wenig mit den anderen Völkern von Alagaësia gemein, dass eine Verständigung mit ihnen immer riskant ist. Jedes Treffen steckt voller Gefahren, denn man weiß nie, wie sie reagieren.«

»Das erklärt alles nicht, warum ich Trianna nicht von dieser Art von Zauberei abhalten soll.«

»Hast du mal gesehen, wie sie die Geister dazu bringt, ihren Willen zu erfüllen?«

»Nein.«

»Das dachte ich mir. Trianna ist seit fast sechs Jahren bei den Varden und hat in dieser Zeit ihr Können genau einmal unter Beweis gestellt, und das auch erst nach vielem Zureden von Ajihad und großem Widerstand und eingehender Vorbereitung ihrerseits. Sie besitzt die nötigen Fähigkeiten – sie ist kein Scharlatan –, aber Geisterbeschwörung ist äußerst gefährlich und man befasst sich nicht leichtfertig damit.«

Eragon rieb sich die leuchtende Handfläche mit dem linken Daumen. Der Lichtschein veränderte sich ein wenig, da die Haut jetzt stärker durchblutet wurde, aber trotz aller Anstrengung ließ die Leuchtkraft nicht nach. Er kratzte sich mit den Fingernägeln über die Gedwëy Ignasia. *Hoffentlich hält das nicht länger als ein paar Stunden an,* dachte er. *Ich kann ja nicht als wandelnde Laterne herumlaufen. Das kostet mich womöglich das Leben. Und albern sieht es auch aus. Wer hat denn jemals von einem leuchtenden Drachenreiter gehört?*

Er dachte daran, was Brom ihm einmal erzählt hatte. »Es sind keine menschlichen Geister, nicht wahr? Noch die von Elfen oder Zwergen oder anderen Kreaturen. Das heißt, es sind keine toten Seelen. Das, wozu wir werden, wenn wir sterben.«

»Nein. Ich weiß, jetzt wirst du als Nächstes fragen, was sie dann sind. Bitte nicht. Diese Frage sollte dir Oromis beantworten, nicht ich. Das Studium dieser Art von Zauberei ist lang und mühsam, wenn man es ordentlich betreibt, und sollte mit Sorgfalt in Angriff genommen werden. Ich möchte nichts sagen, was womöglich

Oromis' Unterrichtsplanung durcheinanderbringt. Und ich will vor allem nicht, dass du irgendetwas ausprobierst, was ich erwähnt habe, und dich verletzt, nur weil dir die richtige Anleitung fehlt.«

»Und wann werde ich wohl nach Ellesméra zurückkehren?«, wollte er wissen. »Ich kann die Varden nicht noch einmal im Stich lassen, nicht solange Dorn und Murtagh am Leben sind. Bis wir das Imperium besiegt haben oder das Imperium uns, müssen Saphira und ich Nasuada unterstützen. Wenn Oromis und Glaedr unsere Ausbildung tatsächlich beenden wollen, dann sollen sie doch zu uns kommen und Galbatorix soll verflucht sein!«

»Bitte, Eragon«, sagte sie. »Dieser Krieg wird nicht so schnell zu Ende sein, wie du denkst. Das Imperium ist groß und wir haben bisher lediglich an den Rändern gekratzt. Solange Galbatorix nichts von Oromis und Glaedr weiß, sind wir im Vorteil.«

»Was ist das für ein Vorteil, wenn sie nie von ihrem Wissen und ihren Fähigkeiten Gebrauch machen?«, brummte er. Sie antwortete nicht und im nächsten Augenblick kam ihm sein Gejammer schon kindisch vor. Oromis und Glaedr brannten mehr als irgendjemand sonst darauf, Galbatorix zu vernichten, und wenn sie es vorzogen, in Ellesméra auf den richtigen Zeitpunkt zu warten, dann hatten sie gute Gründe dafür. Eragon hätte sogar ein paar davon nennen können, wenn er gewollt hätte. Vor allem den, dass Oromis keine Zauber wirken konnte, die große Mengen an Energie erforderten.

Fröstelnd zog er sich die Ärmel bis über die Finger und verschränkte die Arme. »Was hast du dem Geist erzählt?«

»Er war neugierig, warum wir magische Kräfte benutzt haben. Das hat sie auf uns aufmerksam gemacht. Ich habe es ihm erklärt und auch, dass du derjenige warst, der die Geister befreit hat, die in Durza gefangen waren. Das hat ihnen anscheinend sehr gefallen.« Stille breitete sich zwischen ihnen aus. Arya rutschte zu der Lilie und berührte sie erneut. »Oh!«, sagte sie. »Sie waren wirklich dankbar. *Naina!*«

Auf ihr Wort erhellte ein sanftes Licht das Lager, und er sah, dass der Stängel und das Blatt der Pflanze aus massivem Gold waren. Die Blütenblätter bestanden aus einem weißlichen Metall, das er nicht kannte, und als Arya die Blüte nach oben bog, sah es aus, als wäre der Blütenkelch aus Rubinen und Diamanten geschnitzt. Verblüfft fuhr Eragon mit dem Finger über das gebogene Blatt und die metallenen Härchen kitzelten ihn. Als er sich vorbeugte, konnte er jede Unebenheit, jede Rille, Vertiefung und Ader und jedes winzige Detail erkennen, mit dem er die Pflanze verziert hatte. Nur war jetzt alles aus Gold.

»Es ist eine perfekte Kopie!«, sagte er.

»Und sie ist immer noch lebendig.«

»Nein!« Konzentriert suchte er nach den leisen Anzeichen von Wärme und Bewegung, die beweisen würden, dass diese Lilie mehr war als ein lebloser Gegenstand. Da waren sie, so deutlich, wie sie bei einer Pflanze während der Nacht nur sein konnten. Erneut betastete er das Blatt und sagte: »Das übersteigt alles, was ich über Magie weiß. Diese Lilie müsste eigentlich tot sein. Stattdessen blüht und gedeiht sie. Ich kann mir gar nicht vorstellen, was man alles aufwenden muss, um eine Pflanze in lebendiges Metall zu verwandeln. Vielleicht würde Saphira es ja zuwege bringen, aber sie könnte den Zauberspruch natürlich niemanden lehren.«

»Die wirklich interessante Frage ist doch«, sagte Arya, »ob diese Pflanze fruchtbare Samen hervorbringen wird.«

»Du meinst, sie könnte sich ausbreiten?«

»Es würde mich nicht wundern. Es gibt unzählige Beispiele für Magie in Alagaësia, die sich selbst aufrechterhält, wie den schwimmenden Kristall auf der Insel Eoam und die Traumzisterne in Manis Kavernen. Es wäre auch nicht unwahrscheinlicher als eins dieser Phänomene.«

»Das Dumme ist nur, wenn irgendjemand diese Blume oder ihre Ableger entdeckt, wird er sie alle ausbuddeln. Sämtliche Schatzjäger des Landes würden herkommen, um die goldenen Lilien zu pflücken.«

»So leicht wird man sie nicht ausrotten können, glaube ich. Aber das kann nur die Zeit mit Sicherheit zeigen.«

Eragon spürte, wie ein Lachen in ihm aufstieg. Seine Fröhlichkeit kannte fast keine Grenzen mehr: »Ich habe dieses Sprichwort schon mal gehört: ›die Lilie zu vergolden‹, aber hier haben die Geister es wörtlich genommen. Sie haben wirklich die Lilie vergoldet!« Sein Gelächter schallte über die leere Ebene hinweg.

Aryas Lippen zuckten. »Aber sie haben es gut gemeint. Wir können ihnen nicht vorwerfen, dass sie die Redewendungen der Menschen nicht kennen.«

»Nein, aber … ha, ha, ha!«

Arya schnippte mit dem Finger und der schwache Lichtschein erlosch. »Jetzt haben wir fast die ganze Nacht verplaudert. Es wird Zeit, uns auszuruhen. Die Morgendämmerung ist nicht mehr fern und dann müssen wir aufbrechen.«

Eragon streckte sich auf einem weichen Moosflecken aus, und während er noch immer leise lachte, glitt er ins Land seiner Wachträume hinüber.

Rauschender Empfang

Am späten Nachmittag kam das Lager der Varden in Sicht.

Eragon und Arya blieben auf einer Anhöhe stehen und betrachteten die riesige Zeltstadt, die sich unter ihnen ausbreitete. Tausende von Menschen und Pferden waren zu sehen; von unzähligen Kochfeuern stieg Rauch auf. Westlich der Zeltreihen floss der baumgesäumte Jiet-Strom. Eine halbe Meile nach Osten gab es ein zweites kleineres Lager wie eine dem Mutterkontinent vorgelagerte Insel. Dort kampierten die von Nar Garzhvog angeführten Urgals. Einige Meilen um das Lager herum waren Dutzende Reitergruppen unterwegs. Es waren entweder Patrouillen oder bannertragende Boten. Zudem Gruppen, die gerade ausrückten oder von einem Einsatz zurückkehrten. Plötzlich bemerkten zwei der Wachtrupps Eragon und Arya. Sie bliesen in ihre Signalhörner und kamen in vollem Galopp zu ihnen herübergeritten.

Ein breites Lächeln legte sich auf Eragons Gesicht. »Wir haben es geschafft! Murtagh, Dorn, Hunderte von Soldaten, Galbatorix' Magier, die Ra'zac – keiner konnte uns etwas anhaben. Ha! Wenn der König das erfährt, wird er platzen vor Wut.«

»Es macht ihn noch gefährlicher, als er schon ist«, warnte Arya.

»Ich weiß«, sagte Eragon und grinste noch unverschämter. »Vielleicht wird er so wütend, dass er vergisst, seinen Soldaten den Sold zu zahlen. Dann werfen sie ihre Waffen und Uniformen weg und schließen sich den Varden an.«

»Na, du hast heute aber gute Laune.«

»Natürlich. Warum auch nicht?« Er stellte sich auf die Zehenspitzen und öffnete seinen Geist, sammelte seine ganze Kraft und brüllte: *Saphira!*, sodass der Gedanke wie ein Speer über die Landschaft schoss.

Die Antwort ließ nicht lange auf sich warten.

Eragon!

Ihre Geister umfingen einander, streichelten und liebkosten sich, ließen nicht mehr vom anderen ab. Sie tauschten sich aus über die Zeit, die sie getrennt gewesen waren. Saphira tröstete ihn und linderte den Schmerz und die Wut, die sich seit dem Tod der Soldaten in ihm aufgestaut hatten. Er lächelte. Wieder bei ihr zu sein, ließ ihn allen Kummer vergessen.

Ich habe dich vermisst, sagte er.

Ich dich auch, Kleiner. Dann schickte sie ihm ein Bild von den Soldaten, gegen die er und Arya gekämpft hatten, und sagte: *Jedes Mal wenn ich dich alleine lasse, gerätst du in Schwierigkeiten. Jedes Mal! Ich traue mich schon gar nicht mehr, dir den Schwanz zuzuwenden. Denn ich muss fürchten, dass du dich in ein tödliches Duell verstrickst, sobald ich den Blick von dir abwende.*

Sei nicht ungerecht. Ich bin auch in viele brenzlige Situationen geschlittert, wenn du dabei warst. Es passiert nicht nur, wenn ich allein unterwegs bin. Wir beide scheinen Ärger anzuziehen wie ein Magnet.

Nein, du bist der Magnet, schnaubte sie. *Wenn ich allein unterwegs bin, geschieht nie etwas Unerwartetes. Du dagegen ziehst Kämpfe an, Hinterhalte, unsterbliche Feinde, finstere Wesen wie die Ra'zac, verloren geglaubte Familienangehörige und geheimnisvolle magische Angriffe. Diese Dinge gleichen hungrigen Wieseln, und du bist der Hase, der nichts ahnend in ihren Bau hineinhoppelt.*

Und was ist mit der Zeit, die du in Galbatorix' Gewalt verbringen musstest? War das nichts Unerwartetes?

Das zählt nicht. Da war ich noch nicht geschlüpft, sagte sie. *Der Unterschied zwischen uns beiden ist, dass dir Dinge widerfahren, während ich sie willentlich verursache.*

Mag sein, entgegnete Eragon, *aber das liegt daran, dass ich noch immer lerne. Gib mir ein paar Jahre Zeit, dann werde ich die Dinge genauso gut im Griff haben wie Brom früher. Du kannst nicht behaupten, dass ich bei Sloan nicht die Initiative ergriffen hätte.*

Hm. Darüber müssen wir auch noch reden. Wenn du mich noch einmal so überrumpelst, werde ich dich auf dem Boden festnageln und von Kopf bis Fuß abschlecken.

Eragon schauderte. Ihre Zunge war mit feinen Widerhaken besetzt, die einem Bären auf einen Schlag das Fell abziehen konnten. *Ich war mir einfach nicht sicher, ob ich Sloan töten oder freilassen sollte. Ich wusste es erst, als er dann vor mir lag. Und hätte ich dir verraten, was ich vorhabe, hättest du mich bestimmt davon abgehalten.*

Er spürte ein feines Grollen durch ihren Brustkorb vibrieren. *Du hättest darauf vertrauen sollen, dass ich das Richtige tun würde. Wenn wir beide nicht offen miteinander reden können, wie sollen wir dann als Drache und Reiter unsere Aufgabe erfüllen?*

Hätte »das Richtige tun« bedeutet, dass du mich ungeachtet meiner Wünsche vom Helgrind fortgebracht hättest?

Nicht unbedingt, brummte Saphira.

Er lächelte. *Du hast ja recht. Ich hätte meinen Plan mit dir besprechen sollen. Tut mir leid. Ab sofort wende ich mich zuerst an dich, bevor ich etwas Unerwartetes tue. Abgemacht?*

Nur wenn es um Waffen, Magie, Könige oder Familienmitglieder geht, sagte sie.

Oder um Blumen.

Oder um Blumen, stimmte sie zu. *Aber ich muss nicht wissen, wenn du mitten in der Nacht losgehst, um dir Brot und Käse zu holen, ja?*

Außer wenn vor meinem Zelt ein Mann mit einem sehr langen Messer auf mich lauert.

Wenn du einen einzelnen Mann mit einem sehr langen Messer nicht besiegen könntest, wärst du ein Jämmerling von einem Drachenreiter.

Und ich wäre tot.

Nun …

Eigentlich müsste es dich doch beruhigen, dass ich zwar mehr Ärger als die meisten Leute anziehe, aber in der Lage bin, Situationen zu überstehen, bei denen jeder andere sterben würde.

Selbst der größte Krieger hat einmal Pech, sagte sie. *Erinnere dich an Zwergenkönig Kaga, der über einen Stein stolperte und deshalb von einem Anfänger im Schwertkampf getötet wurde. Man muss stets umsichtig sein, ganz gleich wie viel Geschick man besitzt. Man kann nicht jedes Unglück abwenden, das das Schicksal bereithält.*

Stimmt. So, können wir dieses Thema jetzt mal ruhen lassen? Ich habe mir in den letzten Tagen genug düstere Gedanken gemacht. Sich mit philosophischen Fragen zu beschäftigen, kann einen weiterbringen, aber es kann einen ebenso leicht verwirren und deprimieren. Eragon blickte zum Himmel und hielt nach Saphiras blauem Schimmern Ausschau. *Wo steckst du denn? Ich spüre, dass du in der Nähe bist, aber ich kann dich nirgends entdecken.*

Ich bin direkt über dir!

Mit freudigem Gebrüll stieß Saphira aus einer mehrere tausend Fuß hohen Wolke herab und sauste mit angelegten Flügeln dem Erdboden entgegen. Aus dem aufgerissenen Maul spie sie einen Feuerball, der ihr wie eine brennende Mähne an Kopf und Hals entlangstrich. Lachend streckte Eragon ihr die Arme entgegen. Die Pferde der herangaloppierenden Patrouille scheuten, als sie Saphira sahen, und stoben in die entgegengesetzte Richtung davon. Hektisch versuchten die Reiter, sie zu zügeln.

»Ich hatte gehofft, dass wir ohne großes Aufsehen ins Lager kommen könnten«, sagte Arya. »Ich hätte wissen müssen, dass man mit einem Drachen in der Nähe niemals unbemerkt bleibt. Saphira übersieht man nicht.«

Das habe ich gehört, sagte die Drachendame, breitete die Flügel aus und setzte krachend am Boden auf. Ein Windstoß schlug Eragon entgegen; die Erde unter seinen Stiefeln erbebte, und er musste in die Knie gehen, um sich auf den Beinen zu halten. Unterdessen faltete Saphira die Flügel zusammen, dass sie ihr flach am Rücken anlagen. *Wenn ich will, kann ich auch ganz leise sein,* sagte sie. Blinzelnd legte sie den Kopf schräg und wedelte mit dem Schwanz. *Aber heute möchte ich gar nicht leise sein! Heute bin ich ein Drache, kein verschrecktes Täubchen, das den Blicken eines Falken entgehen will.*

Wann bist du denn kein Drache?, rief Eragon und stürmte ihr entgegen. Leichtfüßig sprang er von ihrem Vorderbein auf ihre Schulter und von dort aus in die Kuhle am Nacken, wo er immer saß. Er ließ sich nieder, legte die Hände an ihren Hals und spürte das Heben und Senken der gewaltigen Muskeln bei jedem ihrer Atemzüge. Wieder lächelte er selig. *Hier gehöre ich hin, hier zu dir.* Seine Beine vibrierten, während Saphira zufrieden eine kleine Melodie brummte, die er nicht kannte.

»Sei gegrüßt, Saphira«, sagte Arya, drehte die Hand und legte sie auf die Brust; die elfische Geste der Ehrerbietung.

Tief heruntergebeugt und den langen Hals vorgereckt, berührte Saphira mit der Maulspitze Aryas Stirn, genau wie sie es in Farthen Dûr bei der kleinen Elva getan hatte, um sie zu segnen. *Sei gegrüßt, Älfa-kona. Willkommen. Möge der Wind deine Schwingen beflügeln.* Sie sprach im gleichen liebevollen Ton zu Arya, der bis jetzt Eragon vorbehalten gewesen war. Es schien, als würde sie die Elfe inzwischen als Teil ihrer kleinen Familie betrachten; sie brachte ihr die gleiche Hochachtung und Vertrautheit entgegen wie Eragon. Es überraschte ihn, aber nach einem kurzen Anflug von Eifersucht billigte er es. Saphira fuhr fort: *Ich danke dir, dass du geholfen hast, Eragon wohlbehalten zurückzubringen. Hätte man ihn gefangen genommen, weiß ich nicht, was ich getan hätte.*

»Dein Dank bedeutet mir viel«, erwiderte Arya und verbeugte sich. »Aber ich weiß, was du getan hättest. Du wärst losgezogen, deinen Reiter zu befreien, und ich wäre mit dir geflogen, selbst bis nach Urû'baen.«

Ja, ich möchte gerne glauben, dass ich dich befreit hätte, Klei-

ner, sagte Saphira. *Aber ich fürchte, ich hätte mich eher dem Imperium ergeben, um dich zu retten, und hätte nicht an die Folgen für Alagaësia gedacht.* Sie schüttelte den Kopf und grub die Klauen ins Erdreich. *Ach, es ist sinnlos, über diese Dinge nachzugrübeln. Du bist wohlbehalten zurück, nur das zählt. Lass uns diesen glücklichen Tag nicht mit trüben Gedanken verderben …*

In dem Moment traf die Patrouille ein. Wegen der nervösen Pferde blieben die Männer ein Stück entfernt stehen. Man bot ihnen an, sie zu Nasuada zu eskortieren. Einer der Männer stieg ab und überließ Arya sein Pferd. Dann setzte die Gruppe sich in Richtung des Zeltmeeres in Bewegung. Saphira bestimmte das Tempo: Sie stelzte ganz gemächlich voran, damit sie und Eragon noch eine Weile die Gesellschaft des anderen genießen konnten, bevor sie in das lärmende Chaos des Lagers eintauchten.

Eragon fragte nach Roran und Katrina und sagte dann unvermittelt: *Isst du genug Feuerkraut? Dein Atem riecht ganz schön stark.*

Natürlich esse ich es. Mein Atem fällt dir bloß auf, weil du so lange fort warst. Ich rieche so wie immer. Und ich wäre dir dankbar, wenn du dir jede weitere Bemerkung darüber verkneifen würdest. Sonst muss ich dich doch abschlecken. Außerdem braucht ihr Menschen den Mund nicht so voll zu nehmen; verschwitzt und schmutzig wie ihr seid. Die einzigen Geschöpfe, die so stinken wie ihr, sind Ziegenböcke und Bären im Winterschlaf. Verglichen mit euch duftet ein Drache wie eine Lichtung voller Bergblumen.

Komm, übertreib nicht. Obwohl, sagte er naserümpfend, *seit der Blutschwur-Zeremonie habe ich festgestellt, dass Menschen wirklich stark riechen. Aber wirf mich nicht in einen Topf mit ihnen, ich bin nämlich nicht mehr ausschließlich menschlich.*

Mag sein, aber du brauchst trotzdem ein Bad!

Während sie die Ebene überquerten, scharten sich immer mehr Leute um Eragon und Saphira und gaben ihnen ein völlig überflüssiges, aber beeindruckendes Ehrengeleit. Nach der Ruhe und Abgeschiedenheit der Wildnis Alagaësias fühlte sich Eragon von den vielen aufgeregt durcheinanderredenden Menschen, von ihren auf ihn einstürmenden Gedanken und Gefühlen, ihrem Drängen und Schieben und den tänzelnden Pferden förmlich erdrückt.

Er zog sich in sich zurück, wo das Stimmengewirr nicht lauter war als ein fernes Meeresrauschen. Doch selbst durch die vielen Schichten seines Schutzwalls spürte er, dass von der anderen Seite des Lagers zwölf Elfen im Gleichschritt herübergelaufen kamen, schlank und geschmeidig wie gelbäugige Bergkatzen. Eragon strich sich rasch das Haar glatt und straffte die Schultern, um einen guten Eindruck zu machen, aber ebenso verstärkte er noch einmal den Schutzschild um sein Bewusstsein, damit niemand außer Saphira seine Gedanken hören konnte. Zwar waren die Elfen gekommen, um ihn und Saphira zu schützen, aber letztlich galt ihre Loyalität Königin Islanzadi. Obwohl er für ihre Anwesenheit dankbar war und bezweifelte, dass sie ihn belauschen würden, wollte er der Elfenkönigin keine Gelegenheit geben, Geheimnisse der Varden herauszufinden oder ihn unter ihren Einfluss zu bringen. Wenn sie einen Keil zwischen ihn und Nasuada treiben konnte, würde sie es tun. Seit Galbatorix' Verrat vertrauten die Elfen den Menschen nicht mehr. Deshalb und aus anderen Gründen hätte Islanzadi es vorgezogen, ihn und Saphira unter *ihren* Befehl zu stellen, dessen war er sich sicher. Und von allen Potentaten, die er bislang kennengelernt hatte, vertraute er Islanzadi am wenigsten. Sie war zu gebieterisch und launenhaft.

Die zwölf Elfen blieben vor Saphira stehen. Sie verbeugten sich und drehten als Zeichen des Respekts die rechte Hand vor der Brust, genau wie Arya zuvor. Dann stellte sich einer nach dem anderen mit dem traditionellen Elfengruß vor, den Eragon entsprechend erwiderte. Der Anführer, ein hochgewachsener, gut aussehender Elf, dessen gesamter Körper von mitternachtsblauem Fell bedeckt war, erklärte ihnen den Zweck ihrer Mission und fragte Eragon und Saphira formell, ob die zwölf ihre Arbeit als persönliche Leibgarde aufnehmen dürften.

»Gerne«, antwortete Eragon.

Gerne, wiederholte Saphira.

Dann fragte Eragon: »Bloëdhgarm-Vodhr, kann es sein, dass ich Euch bei der Blutschwur-Zeremonie gesehen habe?« Er erinnerte sich nämlich, während der Festlichkeiten einen Elf mit demselben Pelz bemerkt zu haben, der zwischen den Bäumen getanzt hatte.

Bloëdhgarm lächelte und zeigte dabei die spitzen Zähne eines Raubtiers. »Das wird wohl meine Cousine Liotha gewesen sein. Wir sehen uns sehr ähnlich, wenngleich ihr Fell braun gefleckt ist und nicht dunkelblau wie meines.«

»Ich könnte schwören, dass Ihr es wart.«

»Leider war ich zu der Zeit anderweitig beschäftigt und konnte der Zeremonie nicht beiwohnen. Vielleicht gelingt es mir beim nächsten Mal in hundert Jahren.«

Findest du nicht auch, dass er sehr angenehm duftet, Kleiner?, fragte Saphira.

Eragon schnupperte in die Luft. *Ich rieche nichts. Und das würde ich, falls es etwas zu riechen gäbe.*

Das ist seltsam. Dann übertrug sie ihm die verschiedenen Gerüche, die sie wahrnahm, und er wusste sofort, was sie meinte. Eine dichte, berauschende Moschuswolke mit einem Hauch von zerstoßenen Wacholderbeeren umgab Bloëdhgarm. *Alle Frauen der Varden scheinen sich in ihn verliebt zu haben*, sagte Saphira. *Sie verfolgen ihn auf Schritt und Tritt und wollen unbedingt mit ihm reden. Aber wenn er sie anschaut, bringen sie kein Wort heraus, sondern kichern wie kleine Mädchen.*

Vielleicht können nur weibliche Geschöpfe ihn riechen. Er warf Arya einen verstohlenen Blick zu. *Sie scheint nichts zu bemerken.*

Sie ist gegen magische Einflüsse geschützt.

Das hoffe ich … Meinst du, wir sollten dem einen Riegel vorschieben? Was Bloëdhgarm da tut, ist eine hinterlistige, unschickliche Art, das Herz einer Frau zu erobern.

Aber ist es wirklich unschicklicher, als sich in feine Gewänder zu hüllen, um die Blicke seines Angebeteten auf sich zu ziehen? Bloëdhgarm nutzt seine Verehrerinnen nicht aus, und es scheint mir unwahrscheinlich, dass er den Duft eigens komponiert hat, um menschliche Damen zu betören. Ich denke eher, diese Wirkung war nicht beabsichtigt. Vielmehr hat er den Geruch wohl erschaffen, um einen ganz anderen Zweck zu erfüllen. Solange er nicht die Grundregeln des Anstands verletzt, sollten wir uns nicht einmischen, meine ich.

Was ist mit Nasuada? Ist sie anfällig für seinen Zauber?

Nasuada ist klug und vorsichtig. Sie hat sich gegen Bloëdhgarms Einflussnahme von Trianna schützen lassen.

Gut.

Als sie die Zelte erreichten, wuchs die Menschenmenge derart an, als hätte die Hälfte der Varden sich um Saphira versammelt. Eragon hob die Hand zum Gruß, als die Leute »Argetlam!« und »Schattentöter!« riefen. Andere hörte er sagen: »Wo warst du, Schattentöter? Erzähl uns von deinen Abenteuern!« Nicht wenige bezeichneten ihn als »Verderben der Ra'zac«, was ihn mit so viel Genugtuung erfüllte, dass er den Ausdruck ein paarmal vor sich hin murmelte. Auch riefen die Leute ihm und Saphira Segenswünsche für ihre Gesundheit zu und Einladungen zum Abendessen, andere boten ihnen Gold und Juwelen an. Und immer wieder baten Menschen um Hilfe: Ob er nicht einem blind geborenen Sohn das Augenlicht schenken oder ein Geschwür entfernen könne, das die Gattin eines Mannes umbrachte; ob er nicht das gebrochene Bein eines Pferdes heilen oder ein verbogenes Schwert gerade biegen würde, dessen Besitzer ihm zurief: »Es hat meinem Großvater gehört!« Zweimal forderte eine Frau: »Schattentöter, heirate mich!«, aber als er in der Menge nach der Ruferin Ausschau hielt, konnte er sie nicht finden.

In dem Gedränge wichen die zwölf Elfen nicht von seiner Seite. Zu wissen, dass sie auf Dinge achteten, die er nicht sehen oder hören konnte, empfand Eragon als entlastend und beruhigend. Es erlaubte ihm, mit einer inneren Ruhe und Herzlichkeit auf die Massen von Varden einzugehen, die ihm in der Vergangenheit gefehlt hatte.

Dann kamen zwischen den geschwungenen Zeltreihen die ehemaligen Bewohner Carvahalls in Sicht. Eragon stieg ab und ging zu den Freunden und Bekannten seiner Kindheit. Er schüttelte Hände, klopfte Schultern und lachte über Witze, die man nur verstand, wenn man im Palancar-Tal aufgewachsen war. Horst trat auf ihn zu und Eragon packte den kräftigen Unterarm des Schmieds. »Willkommen, Eragon. Gut gemacht. Wir stehen in deiner Schuld, denn du hast Rache geübt an den Ungeheuern, die uns aus unserer Heimat vertrieben haben. Ich bin froh, dass an dir noch alles dran ist!«

»Die Ra'zac hätten schon ein bisschen schneller sein müssen, um mir irgendein Körperteil abzuschlagen!«, entgegnete Eragon. Er begrüßte Horsts Söhne, Albriech und Baldor; dann den Schuhmacher Loring und dessen drei Söhne; Tara und Morn, denen Carvahalls Schankhaus gehört hatte; Fisk, Felda, Calitha, Delwin und Lenna und dann die glutäugige Birgit. »Ich danke dir, Eragon, Sohn von Niemand«, sagte die Frau. »Ich danke dir, dass du die Bestien, die meinen Mann aufgefressen haben, angemessen bestraft hast. Meine Treue gehört auf ewig dir.«

Bevor Eragon etwas erwidern konnte, schob die Menge ihn weiter. *Sohn von Niemand?*, dachte er. *Ha! Ich habe einen Vater und alle hassen ihn.*

Zu seiner Freude trat nun Roran aus der Menge, Katrina an seiner Seite. Sie umarmten sich, dann sagte Roran: »Es war hinterhältig von dir, uns einfach alleine zurückfliegen zu lassen. Eigentlich müsste ich dir dafür eins überbraten. Das nächste Mal warnst du mich besser, bevor du einfach verschwindest. Das wird sonst allmählich zur Gewohnheit bei dir. Du hättest sehen sollen, wie beunruhigt Saphira während des Rückflugs war.«

Eragon legte eine Hand auf Saphiras linkes Vorderbein. »Es tut mir leid, dass ich dir nichts gesagt habe. Aber dass ich noch bleiben musste, wurde mir erst ganz zum Schluss klar.«

»Und was hat dich nun genau an diesem scheußlichen Ort gehalten?«

»Es gab im Helgrind etwas, das ich herausfinden musste.«

Als er nicht weiter darauf einging, verhärteten sich Rorans Züge, und einen Moment lang fürchtete Eragon, sein Cousin würde darauf bestehen, mehr zu erfahren. Aber dann sagte Roran: »Nun, wie soll ein gewöhnlicher Mensch wie ich auch die Taten und Beweggründe eines Drachenreiters verstehen, selbst wenn er mein Cousin ist? Was zählt, ist, dass du mir geholfen hast, Katrina zu befreien, und wohlbehalten zurückgekehrt bist.« Er verrenkte den Hals, als ob er etwas auf Saphiras Rücken suchte, dann wanderte sein Blick zu Arya, die einige Schritte hinter ihnen stand. »Du hast meinen Stab verloren? Damit habe ich ganz Alagaësia durchquert. Hättest du nicht besser darauf aufpassen können?«

»Ich habe ihn jemandem gegeben, der ihn nötiger brauchte als ich«, sagte Eragon.

»Jetzt hör auf«, sagte Katrina zu Roran und nach kurzem Zögern umarmte sie Eragon. »Er freut sich sehr, dich wiederzusehen. Ihm fällt es nur schwer, es auszudrücken.«

Roran zuckte die Achseln, ein schiefes Grinsen auf den Lippen. »Sie hat wie immer recht.« Die beiden tauschten einen liebevollen Blick.

Eragon musterte Katrina. Ihr kupferfarbenes Haar glänzte wieder wie früher, und die Spuren ihrer Gefangenschaft waren größtenteils verschwunden, wenngleich sie immer noch etwas schmal und blass war.

Sie trat näher zu ihm, damit die Umstehenden sie nicht hören konnten. »Ich hätte nie gedacht, dass ich je so tief in deiner Schuld stehen würde, Eragon. Dass *wir* so tief in deiner Schuld stehen würden. Nachdem Saphira uns hergebracht hat, habe ich erfahren, in welche Gefahr du dich begeben hast, um mich zu befreien. Dafür bin ich dir sehr dankbar. Hätte ich eine weitere Woche im Helgrind verbringen müssen, wäre ich gestorben oder verrückt geworden. Dafür, dass du mich vor diesem Schicksal bewahrt und Rorans Schulter geheilt hast, gebührt dir der allergrößte Dank. Aber vor allem, weil du uns beide wieder zusammengebracht hast. Ohne dich wären wir für immer getrennt geblieben.«

»Irgendwie habe ich das Gefühl, dass Roran dich auch ohne mein Zutun aus dem Helgrind geholt hätte«, entgegnete Eragon. »Wenn es sein muss, ist er äußerst redegewandt. Er hätte einen anderen Magier überzeugt, ihm zu helfen – vielleicht Angela, die Kräuterheilerin –, und wäre auch siegreich gewesen.«

»Angela?«, brummte Roran. »Die Plaudertasche wäre den Ra'zac doch nicht gewachsen gewesen.«

»Täusch dich da mal nicht. Sie ist mehr, als sie scheint.« Dann tat Eragon etwas, was er niemals gewagt hätte, als er noch im Palancar-Tal lebte. Nun aber, in seiner Rolle als Drachenreiter, schien es ihm zuzustehen. Er küsste Katrina und Roran auf die Stirn und sagte: »Cousin, du bist mir wie ein Bruder. Und du, Katrina, bist mir wie eine Schwester. Solltet ihr beide jemals in Schwierigkeiten stecken, dann schickt nach mir, ob ihr nun Eragon den Bauern oder Eragon den Drachenreiter benötigt. Alles, was ich bin, steht zu eurer Verfügung.«

»Das gilt umgekehrt genauso«, sagte Roran. »Solltest du jemals in Schwierigkeiten geraten, dann schick nach uns, und wir sind umgehend zur Stelle.«

Eragon nickte. Die Mühen, die noch auf ihn warteten, würden höchstwahrscheinlich von der Sorte sein, bei der ihm die beiden nicht beistehen konnten, doch darüber verlor er kein Wort. Stattdessen legte er ihnen die Arme um die Schultern und sagte: »Möge euch ein langes Leben beschieden sein, möget ihr glücklich sein und viele gesunde Kinder haben.« Einen Moment lang flackerte Katrinas Lächeln und Eragon wunderte sich darüber.

Auf Saphiras Drängen setzten sie ihren Weg zu Nasuadas rotem Pavillon im Zentrum des riesigen Lagers fort. Wenig später trafen sie und die jubelnde Menge dort ein. Nasuada erwartete sie vor dem Zelt. Zu ihrer Linken standen König Orrin und Dutzende Adlige. Hinter einer Doppelreihe von Wachen hatten sich auf beiden Seiten weitere Personen von Rang versammelt.

Nasuada trug ein grünes Seidenkleid, das in der Sonne schimmerte wie die Brustfedern eines Kolibris und einen leuchtenden

Kontrast zu ihrer dunklen Haut bildete. Die Ärmel endeten an den Ellbogen in Spitzenrüschen. Die Unterarme waren bis zu den Handgelenken in weiße Leinenverbände gehüllt. Von allen Anwesenden fiel sie am meisten auf; sie stach heraus wie ein Smaragd, der in einem Laubhaufen liegt. Einzig Saphira konnte sich mit ihrer schillernden Erscheinung messen.

Eragon und Arya begrüßten erst Nasuada und darauf König Orrin. Die Anführerin der Varden hieß sie im Namen der Varden willkommen und lobpreiste sie für ihre Tapferkeit. »Galbatorix mag einen Reiter und einen Drachen haben, die für ihn kämpfen, so wie Eragon und Saphira für uns kämpfen. Er mag eine Streitmacht besitzen, die so groß ist, dass sie das Land verdunkelt. Und er mag über die schrecklichste und abartigste Magie gebieten, die Alagaësia je heimgesucht hat. Aber trotzdem konnte er Eragon und Saphira nicht davon abhalten, in sein Reich einzudringen und vier seiner wichtigsten Handlanger zu töten. Ebenso wenig gelang es ihm, Eragons habhaft zu werden, als dieser ohne seinen Drachen das Imperium durchquerte. Die Macht des Tyrannen scheint zu schwinden, wenn er nicht mehr seine Grenzen verteidigen oder seine Schergen in ihrem Unterschlupf beschützen kann.«

Unter dem Jubel, der nun folgte, erlaubte Eragon sich ein Lächeln. Es freute ihn, wie geschickt Nasuada die Gefühle und Ängste der Menschen ansprach, wie sie in ihnen Freude und Zuversicht weckte, obwohl die Realität wenig Anlass zu Optimismus bot. Sie belog die Leute nicht; seines Wissens hatte sie noch nie gelogen, selbst nicht gegenüber dem Ältestenrat und anderen politischen Rivalen. Sie verkündete einfach die Tatsachen, die ihre Position und Sicht der Dinge untermauerten. In dieser Beziehung war sie wie die Elfen, fand Eragon.

Als der Jubel verklungen war, hieß auch König Orrin Eragon und Saphira mit einer kurzen Rede willkommen. Verglichen mit Nasuadas Ansprache war sie steif und langweilig. Die Leute hörten ihm höflich zu und applaudierten hinterher, aber für Eragon war offensichtlich, dass sie Orrin zwar respektierten, ihn aber nicht verehrten, wie sie Nasuada verehrten. Sie ließen sich von ihm nicht mitreißen. Der König mit den weichen Zügen besaß wohl einen überragenden Intellekt, aber er war viel zu entrückt, absonderlich und reserviert, um ein Hoffnungsträger für die verzweifelten Menschen zu sein, die Galbatorix den Kampf angesagt hatten.

Falls wir Galbatorix stürzen, sagte Eragon zu Saphira, *sollte auf jeden Fall nicht Orrin sein Nachfolger werden. Er könnte das Land nicht in der gleichen Weise unter sich einen, wie Nasuada die Varden geeint hat.*

Das stimmt.

Als Orrin fertig war, flüsterte Nasuada Eragon zu: »Jetzt musst du zu den Menschen sprechen. Deshalb sind sie ja gekommen, um einen Blick auf den berühmten Drachenreiter zu erhaschen.« Ein lustiges Blitzen lag in ihren Augen.

»Ich?«

»Ja, das erwartet man von dir.«

Eragon wandte sich der riesigen Menschenmenge zu, seine Zunge trocken wie Wüstensand. Sein Kopf war leer und einige panikerfüllte Sekunden lang glaubte er schon, es hätte ihm die Sprache verschlagen und er würde sich fürchterlich blamieren. Irgendwo wieherte ein Pferd, aber davon abgesehen war es im Lager erschreckend still geworden. Es war Saphira, die ihn aus seiner Lähmung riss, indem sie ihn mit der Schnauze am Ellbogen stupste. *Erzähl doch, wie sehr dich ihre Unterstützung ehrt und wie glücklich du bist, wieder unter ihnen zu weilen,* sagte sie. Mit ihrer Hilfe gelang es ihm, sich einige halbwegs vernünftige Sätze abzuringen. Sobald die Gesetze der Höflichkeit es zuließen, verneigte er sich und trat einen Schritt zurück.

Während die Varden erneut in frenetischen Jubel ausbrachen und mit den Schwertern gegen ihre Schilde klopften, lächelte er gezwungen und sagte zu Saphira: *Es war grauenvoll! Da würde ich lieber noch mal gegen einen Schatten kämpfen.*

Ach was! So schlimm war es gar nicht, Eragon.

Doch, das war es!

Ein Rauchwölkchen stieg ihr aus den Nüstern, als sie belustigt schnaubte. *Ein schöner Drachenreiter bist du. Hast Angst, zu einer größeren Menge zu sprechen! Wenn Galbatorix das wüsste, könnte er dich besiegen, indem er dich einfach vor seiner Streitmacht eine Rede halten lässt. Ha!*

Sehr lustig, grummelte er, aber Saphira kicherte ungerührt weiter.

Die Stunde der Wahrheit

Nach Eragons Ansprache winkte die Anführerin der Varden Jörmundur zu sich. »Die Männer sollen auf ihre Posten zurückkehren. Im Falle eines Angriffs wären wir im Moment völlig ungeschützt.«

»Jawohl.«

Nasuada bedeutete Eragon und Arya, ihr zu folgen. Sie legte König Orrin die Hand auf den Unterarm und trat mit dem Regenten in den Pavillon.

Und was ist mit dir?, fragte Eragon Saphira, als er hinter den beiden herging. Im Zelt sah er, dass die hintere Plane hochgerollt und an dem Holzgestänge darüber befestigt worden war, sodass Saphira den Kopf hereinstecken und an dem Gespräch teilnehmen konnte. Es dauerte nur einen kurzen Moment, bis sie sich dort niedergelassen hatte und ihr schimmerndes Haupt und ihr Hals in der Öffnung erschienen. Purpurne Lichtflecken schmückten die Wände, von Saphiras blauen Schuppen auf den roten Stoff projiziert.

Eragon sah sich um. Verglichen mit seinem letzten Besuch war der Raum fast leer. Saphira hatte ganze Arbeit geleistet, als sie in den Pavillon gekrochen war, um ihn in Nasuadas Spiegel zu sehen. Mit nur vier Möbelstücken war die Einrichtung selbst nach militärischen Maßstäben äußerst karg. Geblieben war der massive Stuhl, auf dem Nasuada, flankiert von König Orrin, saß, ein Klappstuhl, ein niedriger Tisch, auf dem Landkarten und andere wichtige Dokumente lagen, und der Silberspiegel, der in Augenhöhe an einer Messingsäule hing. Auf dem Boden lag ein kunstvoll geknüpfter Zwergenteppich. Neben Arya und ihm selbst hatte sich bereits ein Dutzend anderer Leute vor Nasuada versammelt. Alle sahen sie ihn an. Er erkannte unter ihnen Narheim, den derzeitigen Befehlshaber der Zwergenstreitmacht, Trianna und andere Magier der Du Vrangr Gata, Sabrae, Umérth und die übrigen Mitglieder des Ältestenrates bis auf Jörmundur sowie eine Gruppe von Adligen und Funktionären vom Hofe König Orrins. Diejenigen, die er nicht kannte, bekleideten sicherlich hohe Positionen in der Varden-Streitmacht. Zudem war Nasuadas Leibgarde zugegen: Zwei Wachen standen am Eingang, vier hinter der Varden-Anführerin. Und hinter einem Vorhang nahm er das düstere, verschlungene Gedankenmuster von Elva, dem Hexenkind, wahr.

»Eragon«, sagte Nasuada, »darf ich dir Sagabato-no Inapashunna Fadawar, Oberhaupt vom Stamm der Inapashunna, vorstellen? Er ist ein tapferer Mann.«

Im Lauf der nächsten Stunde ließ Eragon eine scheinbar endlose Folge von Vorstellungen, Glückwünschen und Fragen über sich ergehen, die er allesamt nicht freimütig beantworten konnte, ohne Dinge zu verraten, die besser geheim blieben. Als jeder Gast mit ihm gesprochen hatte, bat Nasuada sie, das Zelt zu verlassen. Dann klatschte sie in die Hände und die Wachen am Eingang führten eine zweite Besuchergruppe herein. Nachdem auch diese in den Genuss einer Unterhaltung mit dem jungen Drachenreiter gekommen war, folgte eine dritte. Eragon ließ alles lächelnd über sich ergehen. Er schüttelte Hand um Hand. Er tauschte bedeutungslose Höflichkeiten aus, versuchte, sich die Vielzahl der Namen und Titel einzuprägen, und gab sich genau so, wie man es von ihm erwartete. Er wusste, dass die Leute ihm ihre Ehrerbietung nicht erwiesen, weil er ihr Freund war, sondern weil er für die freien Völker Alagaësias die Hoffnung auf den Sieg verkörperte, wegen seiner Macht und wegen der Dinge, die sie durch ihn zu gewinnen hofften. Innerlich stöhnte er über die erstickenden Bande gesellschaftlicher Konventionen und hätte sich am liebsten auf Saphira geschwungen, um mit ihr irgendwohin zu fliegen, wo er seine Ruhe hatte.

Hingegen bereitete es ihm Spaß, zu beobachten, wie die Gäste auf die beiden Urgals reagierten, die hinter Nasuadas aufragten. Einige taten so, als würden sie die gehörnten Krieger gar nicht bemerken – obgleich Eragon an ihren hastigen Bewegungen und dem schrillen Tonfall erkannte, dass die Kull sie in Panik versetzten. Andere funkelten sie an und ließen die ganze Zeit die Hände auf den Griffen ihrer Schwerter und Dolche liegen, während wieder andere meinten, ihre Tapferkeit beweisen zu müssen, indem sie die gewaltige Kraft der Ungetüme infrage stellten und über ihre eigene prahlten. Nur wenigen schien der Anblick der Gehörnten überhaupt nichts auszumachen. Allen voran Nasuada, aber auch König Orrin, Trianna und ein Graf, der erzählte, er habe als kleiner Junge beobachtet, wie Morzan und sein Drache eine ganze Stadt in Schutt und Asche legten.

Als Eragon es nicht mehr aushielt, stieß Saphira ein tiefes, summendes Knurren aus, das den Spiegel wackeln ließ. Im Pavillon herrschte plötzlich Stille. Das Knurren war nicht besonders bedrohlich, aber es machte den Anwesenden klar, dass der Drache allmählich unruhig wurde. Niemand war so töricht, Saphiras Geduld auf die Probe zu stellen. Mit eilig vorgebrachten Entschuldigungen rafften die Leute ihre Sachen zusammen, verließen nacheinander das Kommandozelt und beschleunigten noch einmal ihre Schritte, als Saphira mit den Klauen auf den Boden schlug.

Nasuada seufzte, als hinter dem letzten Besucher die Zeltplane zufiel. »Danke, Saphira. Es tut mir leid, dass ich euch dieser öffentlichen Zurschaustellung aussetzen musste, aber wie ihr wisst, nehmt ihr unter den Varden eine herausragende Stellung ein, und ich kann euch nicht mehr für mich allein beanspruchen. Ihr gehört jetzt dem ganzen Volk. Die Leute möchten, dass ihr sie erkennt und ihnen Zeit widmet. Weder ihr noch Orrin oder ich können uns ihren Wünschen widersetzen. Nicht einmal Galbatorix könnte das, aber er macht sich sein Volk ja mit magischen Mitteln untertan.«

Da die Gäste nun fort waren, legte König Orrin sein monarchisches Gebaren ab. Seine würdevolle Miene entspannte sich und nahm einen Ausdruck tiefer Erleichterung und überschäumender Neugier an. Er ließ die Schultern unter der steifen Robe kreisen und sah Nasuada an: »Ich denke, Eure Nachtfalken können jetzt gehen.«

»Das stimmt.« Mit einem Händeklatschen schickte Nasuada die Männer aus dem Zelt.

König Orrin zog den freien Stuhl zur Varden-Anführerin hinüber und ließ sich mit ausgestreckten Beinen, um die sich sein Gewand bauschte, darauf nieder. »So«, sagte er, während sein Blick zwischen Eragon und Arya hin und her wanderte, »nun berichte mir in aller Ausführlichkeit von deinen Taten, Eragon Schattentöter. Bisher habe ich nur vage Erklärungen gehört, weshalb du am Helgrind geblieben bist. Ich bin der Ausflüchte und ausweichenden Antworten überdrüssig. Ich will die Wahrheit erfahren, deshalb sei gewarnt: Versuche nicht zu verschleiern, was während deines Aufenthalts im Imperium geschehen ist. Bis ich nicht überzeugt bin, alles zu wissen, wird niemand einen Fuß vor das Zelt setzen.«

Mit kalter Stimme entgegnete Nasuada: »Ihr nehmt Euch zu viel heraus ... Euer Majestät. Ihr habt nicht das Recht, mich festzuhalten; und auch nicht Eragon, der mein Vasall ist, oder Saphira. Noch Arya, die keinem sterblichen Herrscher untersteht, sondern vielmehr einem, der mächtiger ist als wir beide zusammen. Und *wir* wiederum haben nicht das Recht, Euch festzuhalten. Wir fünf sind im ureigensten Sinne des Wortes Gleichgestellte. Ihr tätet gut daran, das nicht zu vergessen.«

König Orrins Tonfall war ebenso scharf: »Überschreite ich die Grenzen meiner Hoheitsgewalt? Nun, vielleicht. Ihr habt recht: Ich kann Euch nichts befehlen. Aber wenn wir tatsächlich Gleichgestellte sind, dann habt Ihr mir das durch Euer Verhalten noch nicht gezeigt. Eragon legt nur Euch Rechenschaft ab, Euch allein. Durch die Probe der Langen Messer habt Ihr die Befehlsgewalt über die umherziehenden Stämme erlangt, von denen die meisten seit Langem *meine* Untertanen waren. Und Ihr befehligt sowohl die Varden als auch die Surdaner, die mit aufopfernder Tapferkeit seit jeher meiner Familie gedient haben.«

»Ihr selbst habt mich gebeten, diesen Feldzug zu leiten«, entgegnete Nasuada. »Ich habe Euch nicht dazu gedrängt.«

»Das stimmt. Es war mein Vorschlag, dass Ihr unser beider Streitmächte befehligen sollt. Ich schäme mich nicht, zuzugeben, dass Ihr mehr Erfahrung und größere Erfolge in der Kriegsführung vorzuweisen habt als ich. Es steht zu viel auf dem Spiel, als dass wir uns von falschen Eitelkeiten leiten lassen dürfen. Allerdings scheint Ihr seit Eurer Amtsübernahme vergessen zu haben, dass immer noch ich der König von Surda bin. Wir Mitglieder der Langfeld-Familie können unseren Stammbaum bis zu Thanebrand dem Ring-Geber zurückverfolgen, dem Nachfolger des alten, verrückten Palancar und Ersten aus unserem Volk, der in der Stadt, die heute Urû'baen heißt, den Thron bestiegen hat.

In Anbetracht unseres Erbes und der großen Unterstützung, die das Haus Langfeld den Varden gewährt, empfinde ich es von Euch als beleidigend, mir meine Rechte zu verwehren. Ihr verhaltet Euch, als wäre nur Euer eigenes Urteil von Bedeutung, als würde die Meinung anderer nicht zählen. Ihr handelt auf eigene Faust Verträge und Allianzen aus, so wie mit den Urgals, und erwartet von mir und allen anderen, Euren Beschlüssen zu folgen, als würdet Ihr für uns alle sprechen. Ihr empfangt mit Bloëdhgarm-Vodhr einen offiziellen Gesandten der Elfen und seht Euch nicht bemüßigt, mich von seiner Ankunft zu unterrichten und auf mich zu warten, um ihn gemeinsam bei uns begrüßen zu können. Und wenn ich die Unverfrorenheit besitze zu fragen, warum Eragon – der Mann, dessen bloße Existenz der Grund ist, warum ich mein Land in diesen Krieg verstrickt habe –, wenn ich die Unverfrorenheit besitze zu fragen, *warum* diese hochwichtige Person das Leben der Surdaner und aller anderen Geschöpfe, die gegen Galbatorix aufbegehren, gefährdet, indem er sich mitten im Feindesgebiet herumtreibt, wie reagiert Ihr dann? Ihr behandelt mich wie einen eifersüchtigen, wissbegierigen Untertan, dessen kindliches Begehr Euch von dringenderen Angelegenheiten abhält. Schluss damit! Das lasse ich mir nicht mehr bieten! Wenn Ihr Euch nicht dazu durchringen könnt, mein königliches Amt zu respektieren und die Verantwortung mit mir zu teilen, wie es unter Verbündeten der Fall sein sollte, dann halte ich Euch für unfähig, weiterhin eine Koalition wie die unsrige zu befehligen, und sehe mich gezwungen, Euch unsere Zusammenarbeit aufzukündigen.«

Was für eine langwierige Rede, bemerkte Saphira.

Beunruhigt von der Wendung des Gesprächs sagte Eragon: *Was soll ich tun? Ich hatte nicht vor, irgendjemand außer Nasuada von Sloan zu erzählen. Je weniger Leute wissen, dass er am Leben ist, desto besser.*

Ein flackerndes seeblaues Schimmern wanderte von Saphiras Kopf bis zu ihrem Schulterkamm, als die Spitzen ihrer diamantförmigen Halsschuppen sich einen Fingerbreit von der darunterliegenden Haut hoben. Derart aufgeplustert sah sie wild und furchterregend aus. *Ich kann dir nicht sagen, was am besten ist, Eragon. Vertraue deinem eigenen Urteil. Hör auf dein Herz, dann wird dir vielleicht klar, wie du diesen tückischen Fallwinden entkommst.*

Als Reaktion auf König Orrins Ausbruch faltete Nasuada die Hände im Schoß und sagte mit ruhiger Stimme: »Sollte ich Euch gekränkt haben, Euer Majestät, dann geschah es allein aufgrund meiner Unbesonnenheit, nicht aus Geringschätzung gegenüber Euch oder Eurem Haus. Bitte verzeiht meine Versäumnisse. Es wird nicht wieder vorkommen, das verspreche ich. Wie Ihr zu Recht angemerkt habt, bekleide ich erst seit Kurzem dieses Amt und muss noch lernen, meine Bündnispartner mit der geziemenden Höflichkeit zu behandeln.«

Orrin neigte den Kopf, eine kühle, aber wohlmeinende Geste der Zustimmung.

»Und was Eragons Aktivitäten im Imperium anbelangt, konnte ich Euch nicht mit konkreten Details versorgen, da auch mir keine weiteren Informationen vorlagen. Wie Ihr sicherlich nachvollziehen könnt, wollte ich diese Situation keinesfalls lauthals in die Öffentlichkeit tragen.«

»Ja, natürlich.«

»Deshalb scheint mir das wirksamste Mittel gegen diesen Disput zu sein, dass Eragon uns nun die Gründe für seinen Verbleib im Imperium darlegt. Dann werden wir diesen Vorfall in seiner Gänze verstehen und uns ein gerechtes Urteil über sein Verhalten bilden können.«

»Ob die Kluft zwischen uns damit tatsächlich überwunden werden kann, muss sich erst noch zeigen«, sagte König Orrin. »Aber es könnte den Beginn einer neuen Offenheit zwischen uns markieren, und ich höre gerne zu, was der Drachenreiter uns zu berichten hat.«

»Dann lasst uns nicht länger warten«, sagte Nasuada. »Eragon, es ist Zeit für deine Geschichte.«

Unter den erwartungsvollen Blicken der anderen traf Eragon eine Entscheidung und hob das Kinn. »Was ich zu berichten habe, ist streng vertraulich. Ich weiß, ich kann weder von Euch, König Orrin, noch von dir, Nasuada, erwarten, dass ihr schwört, dieses Geheimnis bis an euer Lebensende zu bewahren. Aber ich bitte euch inständig, so zu handeln, als hättet ihr diesen Schwur geleistet. Es könnte großes Leid bedeuten, wenn die falschen Ohren es zu hören bekämen.«

»Ein König bleibt nicht lange König, wenn er den Wert der Verschwiegenheit nicht hochschätzt«, sagte Orrin.

Ohne weitere Umstände erzählte Eragon alles, was ihm im Helgrind und an den darauffolgenden Tagen widerfahren war. Danach schilderte Arya ihre Suche nach ihm und untermauerte seinen Bericht mit verschiedenen eigenen Beobachtungen und Fakten. Als sie beide fertig waren, breitete sich Stille aus. Ihre Zuhörer saßen reglos auf ihren Stühlen. Für einen Moment war Eragon wieder der kleine Junge, der darauf wartete, dass Garrow ihm seine Strafe für irgendeinen seiner dummen Streiche verkündete.

König Orrin und Nasuada verharrten schweigend und dachten

nach. Dann strich Nasuada sich das Kleid glatt und sagte: »Orrin mag anderer Meinung sein, und falls dem so ist, bin ich gespannt, sie zu erfahren, aber ich für meinen Teil finde, dass du das Richtige getan hast, Eragon.«

»Das finde ich auch«, sagte Orrin zur allgemeinen Überraschung.

»Tatsächlich?«, rief Eragon aus. Er zögerte. »Ich möchte nicht unverschämt klingen. Ich freue mich, dass ihr mein Verhalten billigt. Ich hätte nicht erwartet, dass ihr meine Entscheidung, Sloan zu verschonen, gutheißen würdet. Darf ich fragen, warum ihr …«

König Orrin unterbrach ihn. »Warum wir sie begrüßen? Das Rechtsprinzip muss hochgehalten werden. Hättest du dich selbst zu Sloans Richter aufgeschwungen, hättest du damit nach der Macht gegriffen, die Nasuada und ich ausüben. Wer sich anmaßt, über Leben und Tod anderer zu bestimmen, der dient nicht mehr dem Gesetz, sondern er gebietet darüber. Und wie wohltätig du auch sein mögest, es wäre nicht gut für uns Menschen. Nasuada und ich werden letztendlich vor dem einen Gebieter Rechenschaft ablegen, vor dem selbst Könige niederknien müssen: Angvard in seinem Reich des ewigen Zwielichts. Wir unterstehen dem Grauen Reiter auf dem grauen Pferd. Dem Tod. Wir könnten die schlimmsten Tyrannen in der Geschichte Alagaësias sein, aber früher oder später wird Angvard uns doch zu sich holen … Für dich hingegen gilt das nicht. Die Menschen sind eine kurzlebige Gattung und wir sollten nicht von einem der Unsterblichen regiert werden. Wir brauchen keinen zweiten Galbatorix.« Ein eigentümliches Lachen entrang sich Orrins Kehle, seine Lippen verzogen sich zu einem humorlosen Lächeln. »Verstehst du das, Eragon? Du bist so gefährlich, dass wir gezwungen sind, die von dir ausgehende Gefahr anzuerkennen und zu hoffen, dass du zu den wenigen gehörst, die den Verlockungen der Macht widerstehen.«

Orrin verschränkte die Hände unter dem Kinn und blickte auf eine Stofffalte seines Gewandes. »Ich habe mehr gesagt, als ich wollte … Nun, aus all diesen Gründen und noch anderen bin ich

Nasuadas Meinung. Es war richtig, zu bleiben, nachdem du Sloan entdeckt hattest. Und so lästig diese Episode auch gewesen sein mag, es wäre viel schlimmer gewesen, auch für dich selbst, wenn du ihn um deiner persönlichen Rache willen getötet hättest.«

Nasuada nickte. »Weise gesprochen.«

Arya hörte mit unergründlicher Miene zu. Was immer sie dachte, sie offenbarte es nicht.

Orrin und Nasuada stellten Eragon zahllose Fragen über die verschiedenen Zauber, mit denen er Sloan belegt hatte, und wollten ganz genau wissen, was sich während der restlichen Reise zugetragen hatte. Das Ganze zog sich so lange hin, dass Nasuada ein Tablett mit Apfelwein, Früchten und Fleischpastete bringen ließ, zusammen mit einer Ochsenkeule für Saphira. Zwischen den Fragen hatten sie und der König genug Zeit, zu essen. Eragon hingegen war so mit Erzählen beschäftigt, dass er nur zweimal schnell in einen Apfel beißen und einen Schluck Wein trinken konnte, um sich die Kehle zu befeuchten.

Schließlich verabschiedete sich König Orrin, um bei seiner Kavallerie nach dem Rechten zu sehen. Kurz darauf ging auch Arya. Sie erklärte, sie müsse Königin Islanzadi Bericht erstatten und wolle sich in einen Waschzuber mit heißem Wasser setzen, um den Sand von der Haut zu schrubben und ihr Aussehen wieder zurückzuverwandeln: »Ich bin nicht ich selbst ohne meine Spitzohren und schräg stehenden Augen. Jeder Knochen in meinem Gesicht sitzt an der falschen Stelle.«

Als Nasuada mit Eragon und Saphira alleine war, lehnte sie sich zurück und seufzte. Eragon war erstaunt, wie erschöpft sie mit einem Mal wirkte. Ihre Lebendigkeit und kraftvolle Ausstrahlung von eben waren verschwunden. Ihm wurde klar, dass sie sich stärker gegeben hatte, als sie im Moment war, da sie fürchtete, Feinde anzulocken und die Varden zu demoralisieren, sollte ihre Schwäche offenbar werden.

»Bist du krank?«, fragte er.

Sie deutete mit dem Kopf in Richtung ihrer verbundenen Unterarme. »Nein, das nicht. Ich brauche nur länger als erwartet, um wieder zu Kräften zu kommen.«

»Wenn du willst, kann ich …«

»Nein. Vielen Dank, aber das möchte ich nicht. Verleite mich nicht dazu. Eine der Regeln bei der Probe der Langen Messer lautet, dass man die Wunden auf natürliche Weise verheilen lassen muss, ohne Magie. Anderenfalls würden die Teilnehmer ja nicht im vollen Umfang den Schmerz der Schnitte ertragen.«

»Das ist barbarisch!«

Ein Lächeln huschte über ihre Lippen. »Vielleicht, aber so ist es nun mal. Und ich möchte die Probe jetzt nicht mehr verlieren, nur weil ich ein bisschen Schmerz nicht ertragen kann.«

»Was, wenn die Wunden sich entzünden und eitern?«

»Dann eitern sie eben und ich werde für meine Fehler büßen. Aber ich glaube nicht, dass es so weit kommt. Angela kümmert sich um mich, und sie verfügt über einen erstaunlichen Wissensschatz, was Heilpflanzen betrifft. Ich glaube fast, sie könnte einem die wahren Namen einer jeden Grassorte auf den östlichen Ebenen nennen, nur indem sie die Halme berührt.«

Saphira, die so still gewesen war, dass sie zu schlafen schien, gähnte jetzt ausgiebig, sodass sie mit dem Kiefer fast Boden und Zeltdecke berührte. Dann schüttelte sie Kopf und Hals und ließ dabei die Lichtpunkte, die ihre Schuppen warfen, durch das Zelt wirbeln.

Nasuada setzte sich auf. »Oh, es tut mir leid. Ich weiß, es war anstrengend. Ihr beiden wart sehr geduldig. Ich danke euch.«

Eragon kniete nieder und legte die rechte Hand auf ihre. »Mach dir meinetwegen keine Sorgen, Nasuada. Ich kenne meine Pflichten. Ich habe es nie angestrebt zu herrschen – das ist nicht mein Schicksal. Und sollte sich mir jemals die Gelegenheit bieten, einen Thron zu besteigen, dann werde ich ablehnen und veranlassen, dass das Amt an jemanden geht, der sich besser zum Volksherrscher eignet.«

»Du bist ein guter Mensch, Eragon«, murmelte Nasuada und

drückte seine Hand. Sie lachte. »Weißt du, seitdem ich dich, Roran und Murtagh kenne, scheine ich einen Großteil meiner Zeit damit zuzubringen, mir über Mitglieder deiner Familie Gedanken zu machen.«

Ihre Worte versetzten Eragon einen Stich. »Murtagh gehört nicht zu meiner Familie.«

»Natürlich nicht. Verzeih mir. Aber du musst zugeben, dass ihr drei sowohl dem Imperium als auch den Varden schon mächtigen Ärger bereitet habt.«

»Das ist unsere spezielle Gabe«, scherzte Eragon.

Es liegt ihnen im Blut, sagte Saphira. *Wo immer sie sind, geraten sie in die größtmögliche Gefahr.* Sie stupste Eragon an. *Besonders der hier. Aber was soll man anderes erwarten von Leuten aus dem Palancar-Tal? Von den Nachfahren eines wahnsinnigen Königs?*

»Aber sie selbst sind nicht wahnsinnig«, sagte Nasuada. »Zumindest glaube ich das nicht. Es lässt sich manchmal schwer feststellen.« Sie lachte. »Wenn man dich, Roran und Murtagh in eine Zelle sperren würde, wer von euch würde wohl lebend herauskommen?«

Auch Eragon lachte. »Roran natürlich. Der lässt doch nicht zu, dass sich etwas so Unbedeutendes wie der Tod zwischen ihn und seine Katrina stellt.«

Nasuadas Lächeln wirkte mittlerweile etwas angestrengt. »Nein, das würde er nie zulassen.« Sie schwieg einen Augenblick, dann sagte sie: »Du meine Güte, wie egoistisch ich bin. Der Tag ist fast vorüber, und hier sitze ich und halte euch auf, nur um ein wenig mit euch zu plaudern.«

»Es ist mir ein Vergnügen.«

»Ja, aber es gibt bessere Orte für ein Gespräch unter Freunden. Nach allem, was du hinter dir hast, möchtest du dich bestimmt waschen, die Kleidung wechseln und ein herzhaftes Mahl einnehmen, nicht wahr? Du musst ja am Verhungern sein!« Eragon sah hinunter auf den angebissenen Apfel in seiner Hand und gelangte mit Bedauern zu dem Schluss, dass es unhöflich wäre, ihn weiterzuessen, da seine Audienz nun zu Ende ging. Nasuada folgte seinem Blick. »Dein Gesichtsausdruck ist mir Antwort genug, Schattentöter. Du siehst aus wie ein hungriger Wolf. Nun, ich werde dich nicht länger quälen. Wasch dich und zieh danach dein bestes Hemd an. Wenn du wieder vorzeigbar bist, würde es mich freuen, mit dir zu Abend zu speisen. Du wirst allerdings nicht der einzige Gast sein, denn die Angelegenheiten der Varden erfordern meine fortwährende Aufmerksamkeit. Es würde das Ganze jedoch erheblich auflockern und interessanter machen, wenn du kämest.«

Eragon verkniff sich eine Grimasse ob der Aussicht, sich noch einmal stundenlang mit adligen Langweilern unterhalten zu müssen. Sie versuchten, ihn sowieso nur für ihre persönlichen Ziele zu missbrauchen oder ihre Neugier auf einen Reiter und seinen Drachen zu befriedigen. Trotzdem, Nasuada schlug man nichts ab und so verbeugte er sich und nahm die Einladung an.

Festmahl unter Freunden

Eragon und Saphira verließen den Pavillon. Begleitet von dem zwölfköpfigen Elfentrupp, gingen sie zu dem kleinen Zelt, das man ihm zugewiesen hatte, als sie sich auf den Brennenden Steppen den Varden angeschlossen hatten. Ein großes, mit heißem Wasser gefülltes Fass erwartete Eragon davor. Der aufsteigende Dampf schillerte im rötlichen Licht der Abendsonne. Er ignorierte das Fass für den Augenblick und betrat zunächst das Zelt.

Er vergewisserte sich, dass während seiner Abwesenheit niemand seine wenigen Habseligkeiten angerührt hatte, dann packte Eragon die Rüstung aus und verstaute sie unter dem Feldbett. Sie musste geputzt und geölt werden, aber das konnte warten. Er tastete noch tiefer unter dem Bett herum, bis seine Finger den langen, in Stoff gewickelten Gegenstand fanden, der dort lag. Er zog ihn hervor und legte sich das Bündel auf die Knie, öffnete die verknoteten Bänder und entfernte das schwere Tuch.

Zoll für Zoll kam erst das lederumwickelte Heft von Murtaghs Anderthalbhänder zum Vorschein, dann die Parierstange und der obere Teil der glänzenden Klinge. Sie war an den Stellen, wo Murtagh Eragons Schwerthiebe abgeblockt hatte, so gezackt wie eine Säge.

Er saß da und betrachtete die Waffe. Er wusste nicht, was ihn dazu getrieben hatte, aber am Tag nach der Schlacht war er auf das Plateau zurückgekehrt, um das Schwert zu holen, das Murtagh dort im Schlamm hatte liegen lassen. Obwohl es nur eine einzige Nacht den Elementen ausgesetzt gewesen war, hatten sich schon feine Rostflecken auf dem Stahl gebildet. Mit einem Zauber hatte er sie mühelos verschwinden lassen. Vielleicht hatte er sich veranlasst gefühlt, das Schwert zu nehmen, weil Murtagh ihm Zar'roc gestohlen hatte, als könne der ungleiche Tausch seinen Verlust schmälern. Vielleicht um ein Erinnerungsstück an diesen verfluchten Kampf zu haben. Oder weil er noch immer eine gewisse Zuneigung für Murtagh empfand, trotz der düsteren Umstände, die sie zu erbitterten Feinden gemacht hatten. Wie sehr Eragon auch verabscheute, was aus seinem Gefährten geworden war, er konnte nicht leugnen, dass zwischen ihnen weiterhin eine tiefe Verbundenheit bestand. Ihrer beider Schicksale waren untrennbar miteinander verwoben. Wären sie in umgekehrter Reihenfolge zur Welt gekommen, dann wäre er – Eragon – in Urû'baen aufgewachsen und Murtagh im Palancar-Tal und ihre gegenwärtigen Positionen wären vertauscht.

Während er auf den silbernen Stahl starrte, dachte Eragon sich einen Zauber aus, der die Dellen in der Klinge glätten, die Kerben verschwinden lassen und den Härtegrad des Materials erhöhen würde. Doch er fragte sich, ob er das wirklich tun sollte. Die Narbe auf seinem Rücken hatte ihn an seine Auseinandersetzung mit Durza erinnern sollen, bis die Drachen sie bei der Blutschwur-Zeremonie ausgelöscht hatten. Sollte er nun stattdessen mit dieser Narbe herumlaufen? Wäre es gut für ihn, eine so schmerzhafte Erinnerung an der Hüfte zu tragen? Und welche Botschaft würde er dadurch den Varden vermitteln, wenn er das Schwert eines weiteren Verräters führte? Zar'roc war ein Geschenk von Brom gewesen, das Eragon nicht hatte ablehnen können. Es tat ihm auch nicht leid, es angenommen zu haben. Diesmal aber war er in keinster Weise verpflichtet, die namenlose Klinge, die auf seinen Knien lag, zu behalten.

Ich brauche ein Schwert, dachte er. *Aber nicht dieses.*

Er wickelte die Waffe wieder ein und schob sie unters Bett zurück. Dann ging er mit einem frischen Lámarae-Hemd und einem sauberen Wams unter dem Arm hinaus und nahm ein Bad.

Als er sich gewaschen und angekleidet hatte, machte er sich zu den Zelten der Heiler auf, wo das Abendessen mit Nasuada stattfinden sollte. Saphira flog dorthin, denn sie meinte: *Am Boden ist es mir viel zu eng. Ich reiße nur wieder Zelte um. Wenn ich mit dir gehe, bildet sich außerdem gleich wieder eine riesige Menschenmenge und wir kommen kaum noch voran.*

Auf dem Weg dorthin erwartete Nasuada ihn neben drei Flaggenmasten, an denen in der warmen Abendluft ein halbes Dutzend bunter Wimpel schlaff herabhingen. Auch sie hatte sich umgezogen und trug nun ein helles, strohfarbenes Sommerkleid. Ihr volles, schwarz schimmerndes Haar war zu einer kunstvollen Hochfrisur aufgetürmt, die eine einzelne weiße Schleife zusammenhielt.

Sie warf Eragon ein Lächeln zu. Er erwiderte es und beschleunigte seine Schritte. Als er sie erreichte, mischten sich seine Wachen unter ihre Leibgarde; die Nachtfalken zeigten sich gewohnt argwöhnisch, die Elfen wie immer kühl und überlegen.

Nasuada hakte sich bei ihm ein und führte ihn durch das enge Gassengewirr zwischen den Zelten. Am Himmel kreiste Saphira und wartete geduldig ab, bis sie ihr Ziel erreichten, bevor sie sich an die Landung machte. Nasuada und Eragon unterhielten sich unterdessen leise über dies und das. Es war kein tiefschürfendes Gespräch, aber ihre Klugheit, ihr Frohsinn und ihr Charme bezauberten ihn. Es fiel ihm leicht, mit ihr zu reden und ihr zuzuhören, und an dieser Ungezwungenheit zwischen ihnen erkannte er, wie sehr er sie mochte. Es ging weit über das hinaus, was ein Vasall normalerweise für seine Lehnsherrin empfand. Es war ein ganz neues Gefühl von Verbundenheit, das er plötzlich verspürte. Abgesehen von seiner Tante Marian, an die er sich nur verschwommen erinnerte, war er in einer reinen Männerwelt aufgewachsen. Er hatte nie die Gelegenheit gehabt, sich mit einer Frau anzufreunden. Seine Unerfahrenheit machte ihn unsicher und unbeholfen, was Nasuada jedoch nicht zu bemerken schien.

Sie blieb vor einem Zelt stehen, das erfüllt war vom goldenen Lichtschein zahlloser Kerzen und von summendem Stimmengewirr.

»Gleich tauchen wir wieder in den politischen Sumpf ein. Bist du bereit?«

Sie schlug die Zeltplane zurück und Eragon schrak zusammen, als ein vielstimmiger Chor rief: »Überraschung!« In der Zeltmitte stand ein breiter, auf Böcke gestellter Tisch, an dem Roran und Katrina und etwa zwanzig Dörfler aus Carvahall saßen – darunter Horst und seine Familie –, des Weiteren die Kräuterhexe Angela, Jeod und seine Frau Helen und mehrere Leute, die Eragon nicht kannte, die aber wie Seemänner aussahen. Am Boden spielten ein halbes Dutzend Kinder, die nun mit offenen Mündern zu Nasuada und ihm aufschauten. Offenbar konnten sie sich nicht entscheiden, welcher der beiden sonderbaren Neuankömmlinge größere Aufmerksamkeit verdiente.

Eragon grinste überwältigt. Bevor er etwas herausbrachte, hob Angela ihren Krug und blökte: »Jetzt steh nicht rum und starr Löcher in die Luft! Setz dich zu uns. Ich hab Hunger!«

Alles lachte. Nasuada zog Eragon zu den zwei freien Stühlen neben Roran. Als sie Platz genommen hatten, fragte Eragon: »Hast *du* dir das ausgedacht?«

»Roran schlug vor, wen wir einladen sollen, aber ja, die ursprüngliche Idee stammt von mir. Und wie du siehst, habe ich selbst auch ein paar Gäste mitgebracht.«

»Vielen Dank«, sagte Eragon bescheiden. »Wirklich, ich danke dir.«

Im hinteren Bereich des Zeltes sah er Elva mit gekreuzten Beinen am Boden sitzen, einen Teller mit Essen auf dem Schoß. Die anderen Kinder mieden sie und außer Angela schien ihre Gegenwart auch den Erwachsenen nicht so recht zu behagen. Das kleine Mädchen schaute aus seinen violetten Augen zu ihm auf und formte mit den Lippen die Worte: »Sei gegrüßt, Schattentöter.«

»Ich grüße dich auch, kleine Seherin«, erwiderte er ebenfalls lautlos.

Ihr schmaler Mund öffnete sich zu einem Lächeln, das schön

hätte sein können, wenn da nicht ihr furchterregender Blick gewesen wäre.

Eragon packte die Armlehnen seines Stuhls, als plötzlich der Tisch erbebte, das Geschirr klirrte und die Stoffwände wackelten. Dann wölbte sich die hintere Zeltplane und teilte sich, als Saphira den Kopf hereinschob. *Fleisch!*, sagte sie. *Ich rieche Fleisch.*

In den nächsten Stunden ergab Eragon sich einem Rausch aus Speisen, Trank und der Freude, in guter Gesellschaft zu sein. Es war wie eine Heimkehr. Der Wein floss in Strömen und nach den ersten ein, zwei Bechern legten die Dorfbewohner ihre Scheu ab und behandelten Eragon wie einen der ihren. Es war das schönste Geschenk, das sie ihm machen konnten. Auch mit Nasuada gingen sie völlig unbefangen um, allerdings trieben sie keine Scherze mit ihr wie mit Eragon. Heller Rauch erfüllte das Zelt, während die Kerzen langsam herunterbrannten. Neben ihm vernahm Eragon immer wieder Rorans schallendes Lachen, das von Horst mit noch lauteren Jauchzern beantwortet wurde.

Mit einem gemurmelten Zauberspruch ließ Angela auf dem Tisch ein kleines Männchen auftanzen, das sie aus Brotteig geknetet hatte. Die anderen schlugen sich vor Vergnügen auf die Schenkel. Die Kinder überwanden allmählich ihre Furcht vor Saphira, gingen zu ihr und streichelten ihr Maul. Bald schon kletterten sie ihr auf dem Hals herum, baumelten an ihren Zacken und zupften an den Knorpelwülsten über den Augen. Eragon lachte froh, während er ihnen zusah. Jeod unterhielt die anderen mit einem Lied, das er vor langer Zeit aus einem Buch gelernt hatte. Tara führte einen Volkstanz auf. Nasuadas Zähne blitzten, während sie den Kopf zurückwarf. Und Eragon erzählte auf vielfachen Wunsch von seinen Abenteuern und ging dabei ausführlich auf Broms und seine Flucht aus Carvahall ein. Das war für seine Zuhörer natürlich besonders spannend.

»Unglaublich«, erklärte Gertrude, die Dorfheilerin. »Wir hatten einen Drachen im Tal und haben nichts davon gewusst.« Mit ihren Stricknadeln deutete sie auf Eragon. »Ich habe dich behandelt, als du dir beim Fliegen mit Saphira die Beine aufgeschürft hast. Auf diese Ursache wäre ich nie im Leben gekommen.« Sie lachte herzhaft, dann strickte sie kopfschüttelnd weiter.

Elain verließ das Fest als Erste. Sie sei erschöpft wegen ihrer fortgeschrittenen Schwangerschaft, erklärte sie. Einer ihrer Söhne, Baldor, begleitete sie. Eine halbe Stunde später brach auch Nasuada auf. Sie wäre gerne länger geblieben, doch ihre zahlreichen Verpflichtungen duldeten keinen weiteren Aufschub. Sie wünschte den Anwesenden alles Gute und brachte ihre Hoffnung zum Ausdruck, dass die Dorfbewohner weiterhin den Kampf der Varden gegen das Imperium unterstützen würden.

Als Nasuada vom Tisch zurücktrat, winkte sie Eragon heran. Er folgte ihr zum Zeltausgang. Von den anderen Gästen abgewandt, sagte sie: »Eragon, ich weiß, dass du dich von deiner Reise erholen und um einige persönliche Angelegenheiten kümmern musst. Deshalb sollen die nächsten beiden Tage ganz allein dir gehören. Doch am Morgen des dritten Tages finde dich bitte im Kommandozelt ein. Wir reden dann über deine Zukunft. Ich habe eine sehr wichtige Mission für dich.«

»Herrin.« Dann sagte er: »Elva ist immer bei dir, egal wo du hingehst, nicht wahr?«

»Ja. Sie ist meine Bastion gegen alle Gefahren, die die Nachtjäger übersehen. Zudem hat sich ihre Fähigkeit, die Schmerzen und Kümmernisse der Menschen zu spüren, als enorm hilfreich erwiesen. Es ist leichter, jemanden zur Mithilfe zu bewegen, wenn man weiß, welche geheimen Sorgen er hat.«

»Bist du gewillt, darauf zu verzichten?«

Sie musterte ihn mit durchdringendem Blick. »Beabsichtigst du, den Fluch zu lösen, den du Elva auferlegt hast?«

»Ich möchte es versuchen. Das habe ich ihr versprochen.«

»Ich weiß, ich war dabei.« Der Lärm eines umkippenden Stuhls lenkte sie kurz ab, dann fuhr sie fort: »Deine Versprechen werden noch einmal unser Untergang sein … Elva ist unersetzlich, niemand sonst besitzt ihre Fähigkeiten. Ihre Dienste sind, wie ich selbst bezeugen kann, wertvoller als ein Berg reinen Goldes. Inzwischen glaube ich sogar, dass sie als Einzige in der Lage sein könnte, Galbatorix zu besiegen. Sie könnte jeden seiner Angriffe vorhersehen und mithilfe deiner Magie entsprechend kontern. Solange sie dabei nicht ihr Leben opfern müsste, würde sie die Oberhand behalten... Könntest du nicht vorgeben, bei deinem Heilungsversuch zu scheitern – zum Wohle der Varden, Eragon, zum Wohle ganz Alagaësias?«

»Nein«, antwortete er knapp. »Selbst wenn ich es könnte, würde ich es nicht tun. Es wäre falsch. Wenn wir Elva dazu zwingen, so zu bleiben, wie sie ist, wird sie sich gegen uns wenden. Und ich möchte die Kleine nicht zum Feind haben.« Er schwieg. Als er Nasuadas Miene sah, fügte er hinzu: »Ferner ist es gut möglich, dass ich tatsächlich scheitere. Einen so vage formulierten Zauber zu lösen, ist ein schwieriges Unterfangen... Darf ich einen Vorschlag machen?«

»Bitte.«

»Sei ehrlich zu Elva. Erklär ihr, wie wichtig sie für dich ist, und frage sie, ob sie bereit wäre, die Bürde den freien Völkern zuliebe weiterhin zu tragen. Vielleicht weigert sie sich, es wäre ihr gutes Recht. Doch dann wissen wir wenigstens, dass sie nicht die Richtige für unsere Pläne gewesen wäre. Und wenn sie deiner Bitte nachkommt, dann hat sie es aus freien Stücken getan.«

Mit einem leichten Stirnrunzeln nickte Nasuada. »Ich werde morgen mit ihr reden. Du solltest auch dabei sein und mir helfen, sie zu überzeugen. Falls es uns misslingt, versuchst du, den Fluch aufzuheben. Ich erwarte dich drei Stunden nach Sonnenaufgang in meinem Pavillon.« Und damit trat sie hinaus in die vom Fackellicht erhellte Nacht.

Viel später, als fast alle Kerzen heruntergebrannt waren und die Dorfbewohner begannen, in Zweier- und Dreiergruppen aufzubrechen, packte Roran Eragon am Arm und zog ihn nach draußen zu Saphira, damit die anderen ihn nicht hören konnten. »Was du vorhin vom Helgrind erzählt hast, war das wirklich alles?« Seine

Hand umfasste Eragons Arm wie eine eiserne Fessel. Seine Augen blitzten hart und misstrauisch, aber dahinter lag eine ungewohnte Verletzlichkeit.

Eragon hielt dem Blick stand. »Wenn du mir vertraust, Roran, dann stell mir nie wieder diese Frage. Die Antwort darauf möchtest du nicht wissen, glaub mir.« Noch während er sprach, ergriff ihn tiefes Unbehagen, weil er Roran und Katrina verschwieg, dass Sloan noch lebte. Er wusste, es ging nicht anders, aber es grämte ihn, seine Familie zu belügen. Einen Moment lang erwog Eragon, seinem Cousin die Wahrheit zu sagen. Aber dann fielen ihm all die Gründe ein, die dagegen sprachen, und er hielt den Mund.

Nach kurzem Zögern ließ Roran ihn los. »Ich vertraue dir. Darum geht es doch bei einer Familie, nicht wahr? Um Vertrauen.«

»Und darum, einander umzubringen.«

Roran lachte und fuhr sich mit dem Daumen über die Nase. »Das auch.« Er ließ seine kräftigen, muskelbepackten Schultern kreisen und begann, die rechte zu massieren, was er sich seit dem Biss des Ra'zac angewöhnt hatte. »Ich hab noch eine andere Frage.«

»So?«

»Es geht um einen Gefallen, um den ich dich bitten möchte.« Ein verlegenes Lächeln umspielte seine Mundwinkel. »Ich hätte nie gedacht, dass ich mal mit dir über so was reden würde. Du bist jünger als ich, hast gerade erst das Mannesalter erreicht. Und obendrein bist du mein Cousin.«

»Was willst du? Hör auf, um den heißen Brei herumzureden.«

»Ich spreche von meiner Hochzeit«, sagte Roran und hob das Kinn. »Willst du Katrina und mich trauen? Ich würde mich sehr darüber freuen. Und ich weiß, auch Katrina wird sich sehr geehrt fühlen, wenn du uns zu Mann und Frau machst. Aber ich habe ihr noch nichts davon erzählt, weil ich erst deine Antwort abwarten wollte.«

Eragon verschlug es die Sprache. Dann stammelte er: »Ich?«, nur um hastig zu beteuern: »Natürlich würde ich euch beide gerne vermählen, aber … *ich?* Möchtest du das wirklich? Nasuada wäre sicher auch dazu bereit … oder König Orrin. Ein echter König! Er würde sich darauf stürzen, die Zeremonie durchzuführen, wenn ihm das helfen würde, meine Gunst zu gewinnen.«

»Ich möchte dich, Eragon«, sagte Roran und klopfte ihm auf die Schulter. »Du bist ein Drachenreiter und der einzige lebende Mensch, in dessen Adern das gleiche Blut fließt wie in meinen. Murtagh zählt nicht. Ich könnte mir niemanden vorstellen, von dem ich mir lieber die ehelichen Fesseln anlegen lassen würde.«

»Gut, dann mache ich es«, sagte Eragon. Roran schnürte ihm die Luft ab, als er die Arme um ihn schlang und ihn, so fest er konnte, an sich drückte. Er schnaufte, als sein Cousin ihn losließ. Als er wieder zu Atem gekommen war, fragte er: »Und wann? Nasuada hat eine Mission für mich geplant. Ich weiß noch nicht, worum es geht, aber ich nehme an, ich werde eine Weile unterwegs sein. Also … vielleicht Anfang nächsten Monat, falls die Ereignisse es erlauben?«

Rorans Schultern sanken herab. Er schüttelte den Kopf wie ein Stier, der seine Hörner durch einen Dornenstrauch schwenkt. »Wie wär's mit übermorgen?«

»So bald schon? Ist das nicht etwas übereilt? Da bleibt ja kaum Zeit für Vorbereitungen. Die Leute könnten es unschicklich finden.«

Rorans Schultern hoben sich wieder. An seinen Händen traten die Adern hervor, während er die Fäuste öffnete und schloss. »Wir können nicht warten. Wenn wir nicht schnell heiraten, haben die alten Frauen noch etwas viel Unschicklicheres als meine Ungeduld, worüber sie tratschen können. Verstehst du?«

Es dauerte einen Moment, bis Eragon begriff, was Roran meinte, aber dann legte sich ein Lächeln über sein Gesicht. *Roran wird Vater!*, dachte er. »Ich glaube, ja«, antwortete er, noch immer lächelnd. »Dann also übermorgen.« Eragon brummte, als Roran ihn abermals an sich drückte und auf den Rücken klopfte.

»Ich stehe in deiner Schuld«, sagte er grinsend. »Dank dir. So, jetzt muss ich zu Katrina und ihr die Neuigkeiten berichten. Wir müssen in aller Eile ein Hochzeitsfest vorbereiten. Ich lasse dich wissen, wann genau die Zeremonie stattfindet.«

»Klingt gut.«

Roran ging auf das Zelt zu. Dann fuhr er noch einmal herum und breitete die Arme aus, als ob er der ganzen Welt um den Hals fallen wollte. »Eragon, ich werde heiraten!«

Lachend winkte Eragon ab. »Jetzt geh schon, du Narr. Sie wartet auf dich.«

Als sich die Zeltplane hinter Roran schloss, kletterte Eragon auf Saphiras Rücken. »Bloëdhgarm?«, rief er. Lautlos wie ein Schatten glitt der Elf ins Licht, seine bernsteinfarbenen Adleraugen glühten wie Kohle. »Saphira und ich fliegen ein bisschen. Wir treffen uns später am Zelt.«

»Schattentöter«, sagte Bloëdhgarm und neigte den Kopf.

Dann hob Saphira die riesigen Schwingen, nahm drei Schritte Anlauf und schnellte in die Luft. Unter ihr schwankten die Zelte im Luftzug ihrer Flügelschläge. Die Bewegungen ihres Körpers warfen Eragon hin und her, sodass er die Zacke vor ihm packte und sich daran festhielt. Saphira stieg empor, bis das funkelnde Varden-Lager nur noch ein kleiner Lichtfleck in der Dunkelheit war, die ihn umgab. Dann segelte sie lautlos zwischen Himmel und Erde dahin.

Eragon schmiegte den Kopf an ihren Hals und starrte zu dem glitzernden Sternenband auf, das das nächtliche Firmament überspannte.

Wenn du möchtest, ruh dich aus, Kleiner, sagte Saphira. *Ich lasse dich nicht fallen.*

Und er ruhte sich aus. Dabei suchten ihn Visionen von einer kreisrunden Steinstadt im Zentrum einer endlosen Ebene heim und von einem kleinen Mädchen, das durch die schmalen Gassen schlenderte und eine eindringliche Melodie sang.

Und die Nacht nahm ihren Lauf.

Die Wege kreuzen sich

Kurz nach Sonnenaufgang saß Eragon auf seinem Feldbett und ölte sein Kettenhemd ein, als vor dem Zelt ein Bogenschütze der Varden auftauchte. Der Mann flehte ihn an, seine Frau zu heilen. Ein bösartiges Geschwür habe sie befallen. Obwohl Eragon in weniger als einer Stunde bei Nasuada erscheinen sollte, willigte er ein und folgte dem Mann zu dessen Zelt. Seine Frau war schon sehr schwach. Es erforderte Eragons ganzes Geschick, das erkrankte Gewebe aus ihrem Körper zu entfernen. Die Anstrengung erschöpfte ihn, aber er war froh, die Frau vor einem langen qualvollen Tod bewahrt zu haben.

Danach trat Eragon vor das Zelt, stellte sich eine Weile zu Saphira und massierte ihre Nackenmuskeln. Genüsslich brummend wedelte sie mit dem Schwanz und verrenkte die Schultern, damit er besser herankam. Unterdessen sagte sie: *Während du drinnen beschäftigt warst, sind weitere Bittsteller erschienen und haben um eine Audienz bei dir gebeten. Aber Bloëdhgarm und sein Gefolge haben sie weggeschickt, denn in keinem Fall war Eile geboten.*

Tatsächlich? Er schob die Finger unter eine ihrer großen Halsschuppen und knetete den Muskel noch kräftiger. *Vielleicht sollte ich es wie Nasuada machen.*

Wie meinst du das?

Am sechsten Tag jeder Woche gewährt sie von morgens bis abends jedem eine Audienz, der ein Anliegen hat oder einen Streit schlichten lassen will. Ich könnte das auch machen.

Die Idee gefällt mir, sagte Saphira. *Aber du musst aufpassen, dass es dich nicht zu viel Kraft kostet, die Wünsche der Bittsteller zu erfüllen. Wir müssen jederzeit bereit sein, gegen das Imperium in den Kampf zu ziehen.* Sie rieb ihren Hals an seiner Hand, brummte noch lauter.

Ich brauche ein Schwert, sagte Eragon.

Dann besorg dir eins.

Hm …

Er massierte sie weiter, bis sie den Kopf zurückzog und sagte: *Du musst dich beeilen, sonst kommst du noch zu spät.*

Gemeinsam machten sie sich auf den Weg zu Nasuadas Pavillon im Zentrum des Lagers. Es war weniger als eine Viertelmeile, deshalb ging Saphira zu Fuß, statt wie sonst lieber zwischen den Wolken hindurchzusausen.

Etwa hundert Schritte vor dem Pavillon stießen sie zufällig auf Angela. Die Kräuterheilerin hockte zwischen zwei Zelten und deutete auf ein viereckiges Stück Leder auf dem Boden. Darauf lag ein Häuflein glatter Knochen, jeder etwas länger als ein Finger und mit Runen und Symbolen versehen: Es waren die Fußknochen eines Drachen, mit denen sie Eragon in Teirm die Zukunft vorausgesagt hatte.

Angela gegenüber saß eine hochgewachsene, breitschultrige Frau mit gebräunter, wettergegerbter Haut. Ihr schwarzes Haar war zu einem dicken, langen Zopf geflochten. Obwohl die Jahre ihr scharfe Falten um den Mund gegraben hatten, war ihr Gesicht immer noch hübsch. Sie trug ein rostfarbenes Kleid, das eigentlich für eine kleinere Frau gemacht worden war. Die Unterarme ragten mehrere Zoll aus den Ärmeln. Um die Handgelenke hatte sie schwarze Stofftücher gewickelt, aber am linken war das Tuch verrutscht und gab nun den Blick auf hässliche, wulstige Narben frei. Es war die Art von Narben, die zurückblieben, wenn das Fleisch ohne Unterlass an eisernen Handschellen gescheuert hatte. Ihm wurde klar, dass die Frau in Gefangenschaft gewesen sein musste und sich so sehr dagegen gewehrt hatte, dass sie sich die Handgelenke bis auf die Knochen aufgerissen hatte. Er fragte sich, ob sie eine Banditin oder Sklavin gewesen war, und seine Miene verdüsterte sich bei dem Gedanken, wie jemand so grausam sein konnte, eine solche Verstümmelung zuzulassen, auch wenn die Frau sie sich selbst zugefügt hatte.

Neben der Fremden stand ein halbwüchsiges Mädchen, dessen Schönheit gerade erst zu erblühen begann. Es hatte ungewöhnlich kräftige Unterarme, als wäre es bei einem Schmied oder Schwertmeister in die Lehre gegangen, was für ein Mädchen allerdings höchst unwahrscheinlich war, aller Kraft zum Trotz.

Angela hatte eben etwas zu der Frau und ihrer jungen Begleiterin gesagt, als Eragon und Saphira hinter der Heilerin stehen blieben. Mit einer einzigen fließenden Bewegung hob Angela die Knochen in dem Ledervierreck auf und schob sie sich unter die gelbe Schärpe um ihrer Taille. Sie stand auf und warf Eragon und Saphira ein strahlendes Lächeln zu. »Du meine Güte, ihr beide habt das Talent, immer im rechten Moment aufzutauchen. Gerade habe ich den beiden die Knochen gelegt und entlasse sie nun in ihr Schicksal.«

»Die *Knochen gelegt*?«, wiederholte Eragon.

Sie hob die Schultern. »Ist ja gut! Selbst von mir kann man nicht erwarten, dass ich mich immer brillant ausdrücke.« Sie deutete auf die Fremden, die sich ebenfalls erhoben hatten. »Eragon, wärst du bereit, ihnen deinen Segen zu geben? Sie haben viele Gefahren durchlitten und ihnen steht noch ein schwerer Weg bevor. Sicherlich würden sie es hoch zu schätzen wissen, welchen Schutz auch immer der Segen eines Drachenreiters ihnen bieten mag.«

Eragon zögerte. Er wusste, dass Angela ihren Kunden nur sehr selten die Drachenknochen las. Normalerweise war es jenen vorbehalten, mit denen Solembum zu sprechen geruhte. Denn bei den Prophezeiungen handelte es sich nicht um einen magischen Trick, sondern um einen Blick hinter die Schleier, die die Zukunft verbargen. Dass Angela die Frau mit den vernarbten Handgelenken und die Halbwüchsige mit den Unterarmen eines Schwertkämpfers ausgewählt hatte, verriet ihm, dass die beiden bei der Errichtung des neuen Alagaësia eine wichtige Rolle spielten und bereits gespielt hatten. Wie zur Bestätigung erblickte er in diesem Moment Solembum, der in seiner gewohnten Katzengestalt hinter einer Zeltecke lauerte und ihn aus seinen geheimnisvollen gelben Augen ansah. Und doch zögerte Eragon, geplagt von der Erinnerung an seine erste und bisher einzige Segnung, bei der er einem unschuldigen Kind jede Aussicht auf ein normales Leben verbaut hatte, nur weil er noch nicht vertraut genug mit der alten Sprache gewesen war.

Saphira?, fragte er.

Ihr Schwanz schnellte durch die Luft. *Zögere nicht länger. Du hast aus deinem Fehler gelernt und wirst ihn nicht wiederholen. Warum solltest du diesen Menschen deinen Segen vorenthalten, wenn du ihnen damit helfen könntest? Tu es einfach, aber mach es diesmal richtig.*

»Wie heißt ihr beiden?«, fragte er.

»Namen besitzen Macht«, sagte die schwarzhaarige Frau mit einem leichten Akzent, den er nicht einordnen konnte. »Wenn Ihr nichts dagegen habt, Schattentöter, würden wir unsere lieber nicht nennen.« Sie hielt den Blick gesenkt, aber ihre Stimme klang fest und entschlossen. Ihre Anmaßung schien das Mädchen zu erschrecken, denn es stieß ein leises Keuchen aus.

Eragon nickte, weder verärgert noch überrascht. Aber seine Neugier war geweckt, und er hätte die Namen gerne erfahren, auch wenn er sie nicht unbedingt für das brauchte, was er nun tun würde. Er zog den rechten Handschuh aus und legte der Frau die Hand auf die Stirn. Sie zuckte zusammen, wich aber nicht vor ihm zurück. Ihre Nasenlöcher bebten, ihre Mundwinkel wurden schmal. Er spürte ihr Zittern, als würde ihr seine Berührung Schmerzen bereiten und sie müsse gegen den Drang ankämpfen, seinen Arm zur Seite zu stoßen. Eragon registrierte verschwommen, dass Bloëdhgarm näher trat, um sich auf die Frau zu stürzen, sollte sie Eragon angreifen.

Verwirrt von ihrer Reaktion, senkte Eragon seinen geistigen Schutzwall, tauchte in den Strom seiner magischen Kräfte ein und sagte in der alten Sprache: *»Atra Gülai un Ilian tauthr ono un atra ono Waíse sköliro frá Rauthr.«* Indem er den Satz mit seiner Zauberkraft durchdrang, stellte er sicher, dass die Worte den Lauf der Ereignisse beeinflussen und dadurch das Schicksal der Frau zum Besseren wenden würden. Dabei achtete er darauf, die in den Segen übertragene Energie zu begrenzen. Denn dieser Zauber speiste sich aus seiner Lebenskraft und konnte sie ihm vollständig entziehen, falls er dem magischen Strom keinen Einhalt gebot. Trotz seiner Vorsicht war der Kraftverlust größer als erwartet. Ihm wurde schwummrig, die Knie drohten unter ihm nachzugeben und einen Moment lang glaubte er, er würde zusammenbrechen.

Aber kurz darauf ging es wieder.

Mit einem Gefühl der Erleichterung nahm er die Hand weg. Auch die Frau schien froh zu sein, dass es vorüber war, denn sie trat zurück und rieb sich die Arme, als müsse sie sich reinwaschen.

Dann wiederholte er die Prozedur bei dem Mädchen. Ihr Gesicht weitete sich, als er den Zauber wirkte, als würde sie spüren, wie der Segen Teil ihres Körpers wurde. Sie machte einen Knicks. »Danke, Schattentöter. Wir stehen in Eurer Schuld. Ich hoffe, Ihr werdet Galbatorix und das Imperium besiegen.«

Sie wandte sich ab, um zu gehen, doch dann hielt sie inne, als Saphira schnaubend den Kopf vorschob und erst der Frau und danach dem Mädchen ins Gesicht hauchte. *Viel Glück, Jägerinnen,* sagte sie zu den beiden. *Möge der Wind eure Schwingen beflügeln und möge die Sonne immer in eurem Rücken stehen. Möget ihr eure Beute im Schlaf überraschen. Und, Wolfsauge, wenn du denjenigen gefunden hast, in dessen Falle du getappt bist, dann töte ihn nicht zu schnell.*

Beide Frauen standen wie erstarrt da, während Saphira im Geiste zu ihnen sprach. Am Ende schlug die Ältere sich mit der Faust an die Brust und sagte: »Ich werde deinen Wunsch beherzigen, oh wundervolle Jägerin.« Anschließend verbeugte sie sich vor Angela. »Leb wohl, Heilerin.«

»Du auch, Singende Klinge.«

Dann rauschten die Frau und das Mädchen mit fliegenden Röcken davon und verschwanden bald im Gewirr der grauen Zelte.

Was, kein Mal auf ihrer Stirn?, fragte Eragon Saphira.

Elva war eine Ausnahme. Ich werde einen Menschen nie wieder auf diese Weise kennzeichnen. Was in Farthen Dûr geschehen ist … ist einfach geschehen. Mein Instinkt trieb mich dazu. Mehr kann ich dazu nicht sagen.

Während die drei auf Nasuadas Zelt zugingen, warf Eragon der Kräuterhexe einen Seitenblick zu. »Wer waren die beiden?«

Ihre Lippen zuckten. »Pilger auf der Durchreise.«

»Das ist keine Antwort«, beschwerte er sich.

»Es ist nicht meine Art, mit Geheimnissen um mich zu werfen wie mit gebrannten Nüssen zur Wintersonnenwende. Besonders wenn es die Geheimnisse anderer Menschen sind.«

Er schwieg einige Schritte lang. Dann fing er wieder an: »Wenn man mir etwas nicht verraten will, dann werde ich nur noch neugieriger. Ich hasse es, etwas nicht zu wissen. Es ist wie ein Stachel in meiner Haut, der mich bei jeder Bewegung pikt, bis ich ihn schließlich herausziehe.«

»Du hast mein Mitgefühl.«

»Wieso?«

»Weil du offensichtlich in jeder Minute deines Daseins fürchterliche Schmerzen leidest, denn das Leben ist voller unbeantworteter Fragen.«

Sechzig Schritte vor Nasuadas Pavillon marschierte ein Lanzenträgertrupp durchs Lager und versperrte ihnen den Weg. Während sie warteten, dass die Krieger weiterzogen, fröstelte Eragon und blies sich in die Hände. »Ich wünschte, wir hätten Zeit, um etwas zu essen.«

Geschwind wie immer entgegnete Angela: »Es ist die Magie, nicht wahr? Die Segnung hat dich erschöpft.« Er nickte. Die Heilerin griff in einen der Beutel an ihrer Schärpe und holte eine kleine braune Kugel heraus, die mit Leinsamen bedeckt war. »Hier, das hält dich bis mittags satt.«

»Was ist das?«

Sie hielt ihm die Kugel hin. »Iss es einfach. Es wird dir schmecken. Vertrau mir.« Als er den öligen Brocken zwischen ihren Fingern herauszog, packte sie sein Handgelenk und betrachtete die Knorpelwülste an seinen Knöcheln. »Wie klug von dir«, sagte sie. »Es ist zwar hässlich wie die Warzen auf einer Kröte, aber wen kümmert das schon, wenn es deine Hände schützt, was? Das gefällt mir. Das gefällt mir sogar sehr. Hast du dich dabei von den Ascûdgamln der Zwerge inspirieren lassen?«

»Dir entgeht auch nichts, was?«

»Höchst selten«, antwortete Angela und tippte mit einem ihrer kurzen Fingernägel gegen einen der Knorpel. »So etwas würde ich mir auch gern zulegen. Aber wenn ich Wolle spinne oder stricke, würde sich der Faden daran verhaken.«

»Du strickst mit selbst gesponnener Wolle?«, fragte er überrascht.

»Natürlich! Es ist wunderbar entspannend. Und wo bekäme ich sonst einen Pullover her, auf dessen Innenseite Dvalars Schutzzauber gegen verrückte Kaninchen eingestrickt ist? Oder ein gelb, grün und hellrosa gefärbtes Haarband?«

»Verrückte Kaninchen …?«

Sie warf ihre dichten Korkenzieherlocken zurück. »Du würdest dich wundern, wie viele Magier schon am Biss eines verrückten Kaninchens gestorben sind. Es geschieht öfter, als man glaubt.«

Eragon starrte sie an. *Glaubst du, sie scherzt?*, fragte er Saphira.

Frag sie doch.

Sie würde nur mit einem weiteren Rätsel antworten.

Als die Lanzenträger vorbeigezogen waren, gingen Eragon, Saphira und Angela weiter, begleitet von Solembum. Eragon hatte gar nicht bemerkt, dass der Kater mitgekommen war. Während sie den Pferdeäpfeln auswichen, die König Orrins Kavallerie hinterlassen hatte, sagte die Heilerin: »So, nun erzähl. Ist während deiner Reise außer dem Kampf gegen die Ra'zac sonst noch etwas Interessantes passiert? Du weißt doch, ich liebe es, von interessanten Dingen zu hören.«

Lächelnd dachte Eragon an die seltsamen Lichter, die ihn und Arya besucht hatten. Allerdings wollte er nicht über sie reden und sagte stattdessen: »Ja, es sind einige interessante Dinge geschehen. Zum Beispiel bin ich einem Eremiten namens Tenga begegnet, der in den Ruinen eines Elfenturms wohnt. Er besitzt eine beeindruckende Sammlung an Texten, darunter sogar sieben …«

Angela blieb abrupt stehen. Eragon ging noch drei Schritte weiter, bevor er es bemerkte und sich zu ihr umwandte. Die Heilerin schien ein wenig benommen, als hätte sie einen Schlag auf den Kopf bekommen. Solembum tapste zu ihr, schmiegte sich an ihre Beine und schaute auf. Angela leckte sich die Lippen. »Bist du …« Sie hustete. »Bist du sicher, dass sein Name Tenga war?«

»Bist du ihm schon mal begegnet?«

Solembum fauchte und sein Fell sträubte sich. Eragon wich vor der Werkatze zurück, um außer Reichweite ihrer Pfoten zu sein.

»Ob ich ihm schon mal begegnet bin?« Mit einem bitteren Lachen stemmte Angela die Hände in die Hüften. »Mehr als das! Ich war seine Schülerin … und zwar viele Jahre lang.«

Eragon hätte nie gedacht, dass die Heilerin so bereitwillig etwas aus ihrer Vergangenheit preisgeben würde. »Wo hast du ihn kennengelernt? Und wann?«

»Vor langer Zeit an einem fernen Ort. Aber wir sind im Unguten auseinandergegangen und ich habe ihn lange nicht mehr gesehen. Genau genommen dachte ich, er wäre längst tot.«

Jetzt meldete sich Saphira zu Wort. *Da du Tengas Schülerin warst: Weißt du zufällig, auf welche Frage er die Antwort sucht?*

»Ich habe nicht die leiseste Ahnung. Tenga hatte immer eine Frage, die es zu beantworten galt. Sobald es ihm gelang, dachte er sich die nächste aus. Seit ich ihn das letzte Mal sah, könnte er Tausende von Fragen beantwortet haben, oder aber er zerbricht sich noch den Kopf über dasselbe Rätsel, an dem er arbeitete, als ich ihn verlassen habe.«

Und worum ging es dabei?

»Ob die Mondphasen wirklich die Zahl und die Qualität der Opale im Beor-Gebirge beeinflussen, so wie die Zwerge glauben.«

»Aber wie beweist man denn so etwas?«, warf Eragon ein.

Angela zuckte die Achseln. »Wenn es jemand kann, dann Tenga. Er mag etwas wirr im Kopf sein, aber seiner Brillanz tut das keinen Abbruch.«

Er ist ein Mensch, der Katzen tritt, sagte Solembum, als wäre damit alles über Tenga gesagt.

Entschlossen klatschte Angela in die Hände. »Das reicht! Iss deine Kräuterkugel, Eragon, und dann gehen wir zu Nasuada.«

Wiedergutmachung

»Du kommst spät«, sagte Nasuada, als Eragon und Angela auf zwei Stühlen Platz nahmen, die vor dem massiven Stuhl der Varden-Anführerin aufgestellt waren. Elva und ihre Amme – die alte Frau, die Eragon in Farthen Dûr angefleht hatte, ihren Schützling zu segnen – waren bereits da. Wie beim letzten Mal lag Saphira draußen vor dem Zelt, den Kopf durch die hochgebundene Plane am einen Ende gesteckt, sodass sie an der Besprechung teilnehmen konnte. Solembum hatte sich neben ihrem Kopf zusammengerollt und schien fest zu schlafen – vom gelegentlichen Zucken seiner Schwanzspitze einmal abgesehen.

Gemeinsam mit Angela entschuldigte sich Eragon für sein Zuspätkommen. Dann hörte er zu, wie Nasuada Elva erklärte, welchen Wert ihre besonderen Fähigkeiten für die Varden besaßen. *Als wenn sie das nicht längst wüsste,* sagte Eragon zu Saphira. Die Varden-Anführerin bat das Mädchen inständig, Eragon von seinem Versprechen ihr gegenüber zu entbinden. Dann sagte sie, sie wisse wohl, was sie da von Elva verlange, aber schließlich stünde das Schicksal des ganzen Landes auf dem Spiel, und ob es das Opfer nicht wert sei, Alagaësia aus den Klauen von Galbatorix zu befreien. Es war eine beeindruckende Rede, die geschickt an das Gewissen des Mädchens appellierte.

Elva, die ihr kleines, spitzes Kinn auf die Fäuste gestützt hatte, hob den Kopf und sagte: »Nein.« Betretenes Schweigen breitete sich im Zelt aus. Während ihr starrer Blick von einem zum anderen wanderte, erklärte sie: »Eragon, Angela, ihr wisst beide, was es heißt, die Gedanken und Gefühle eines Sterbenden zu teilen. Wie es einen innerlich zerreißt, wie ein Teil von dir selbst mit ihm für immer zu verschwinden scheint. Keiner von euch muss diesen Schmerz auf sich nehmen, wenn er nicht will, während ich … ich habe überhaupt keine andere Wahl, als bei jedem Atemzug das Sterben um mich herum zu spüren, jeden einzelnen Tod. Gerade jetzt kann ich fühlen, wie das Leben von Sefton, einem deiner Krieger, Nasuada, der auf den Brennenden Steppen verwundet wurde, erlischt, und ich weiß, was ich ihm sagen müsste, um seine Angst zu lindern. Er ist so verzweifelt, dass es mich beben lässt!« Mit einem Schrei riss sie die Arme vors Gesicht, als wolle sie einen Hieb abwehren. Dann seufzte sie: »Ah, er ist tot. Aber da sind andere. Da sind immer andere. Die Reihe der Sterbenden hört nie auf.« Bitterkeit verzerrte ihre Stimme, die nichts mehr von einem Kind hatte. »Kannst du dir das wirklich vorstellen, Nasuada, Nachtjägerin … Retterin der Welt? Kannst du das wirklich? Ich bin allen Qualen um mich her ausgeliefert, ob körperliche oder seelische. Ich fühle sie, als wären es meine, und der Fluch von Eragons Zauber verdammt mich dazu, das Leiden der Unglücklichen zu lindern, egal welche Anstrengung es mich kostet. Und wenn ich mich dagegen wehre wie in diesem Moment, rebelliert mein ganzer Körper. Der Magen dreht sich mir um, mein Kopf dröhnt, als würde ein Zwerg darauf herumhämmern, und ich kann mich kaum noch bewegen, geschweige denn nachdenken. Verlangst du das tatsächlich von mir, Nasuada?

Tag und Nacht verfolgt mich die Not der Welt. Seit Eragon mich gesegnet hat, habe ich nur noch Angst und Schmerz erlebt, niemals Glück und Fröhlichkeit. Die schönen Stunden des Lebens, das, was unser Dasein erträglich macht, bleiben mir verwehrt. Nie sehe ich das Licht, immer nur Finsternis. Ewig zerrt das geballte Elend aller Männer, Frauen und Kinder im Umkreis von einer Meile an mir wie ein Sturm um Mitternacht. Dieser unselige Segen hat mich meiner Kindheit beraubt, meinen Körper gezwungen, allzu früh erwachsen zu werden, und meine Seele erst recht.

Eragon kann vielleicht diese unheilvolle Gabe und den Zwang, den sie mir aufbürdet, von mir nehmen. Aber er kann mich nicht wieder zu dem machen, was ich einmal war, oder zu dem, was ich hätte sein sollen – ohne das zu zerstören, wozu ich geworden bin. Ich bin eine Missgeburt, weder Kind noch Erwachsene; für immer dazu verdammt abseitszustehen. Ich bin nicht blind, Nasuada. Ich sehe genau, wie du jetzt nachdenklich wirst.« Sie schüttelte den Kopf. »Nein, das ist wirklich zu viel verlangt. Ich werde nicht so weitermachen, nicht dir zuliebe, nicht für die Varden oder ganz Alagaësia, nicht einmal für meine liebe Mutter, wäre sie noch am Leben. Nichts ist das wert. Ich könnte mich natürlich völlig von der Welt abkapseln, sodass mich das menschliche Leid nicht mehr berührt, aber so will ich nicht leben. Nein, es gibt keine andere Lösung: Eragon muss versuchen, seinen Fehler zu korrigieren.« Ihr Mund verzog sich zu einem listigen Lächeln. »Und falls du anderer Meinung bist und mich für dumm und egoistisch hältst, möchte ich dich daran erinnern, dass ich praktisch ein Wickelkind bin, das noch nicht mal seinen zweiten Geburtstag gefeiert hat. Nur Dummköpfe erwarten von einem Säugling, dass er ein Martyrium auf sich nimmt, um die Welt zu retten. Aber Wickelkind hin oder her, meine Entscheidung steht fest, und nichts, was du sagst, kann mich umstimmen.«

Nasuada drang weiter in sie, aber Elva ließ sich nicht erweichen. Schließlich bat Nasuada Angela, Eragon und Saphira um Hilfe. Angela lehnte mit der Begründung ab, sie könne es auch nicht besser ausdrücken als Nasuada, und außerdem sei es Elvas ganz persönliche Entscheidung. Man müsse es ihr überlassen und dürfe nicht über sie herfallen wie ein Schwarm Krähen über eine junge Amsel. Eragon war derselben Meinung, aber er erlaubte sich zu sagen: »Elva, ich kann dir nicht raten, was du tun sollst – du allein musst das entscheiden –, aber lehne Nasuadas Bitte nicht vorschnell ab. Sie versucht nur, uns alle von Galbatorix zu erlösen, und dazu braucht sie unsere Unterstützung, wenn wir irgendeine Chance auf Erfolg haben wollen. Ich weiß nicht, was die Zukunft uns bringt, aber ich glaube, dass du die perfekte Waffe gegen Galbatorix wärst. Du könntest jeden seiner Angriffe voraussehen und uns genau sagen, wie wir seine Schutzzauber außer Kraft zu setzen vermögen. Und vor allem würdest du spüren, wo Galbatorix' Schwachstellen liegen und wir ihn am ehesten verwunden könnten.«

»Da musst du dir schon etwas Besseres ausdenken, Drachenreiter, wenn du mich umstimmen willst.«

»Das will ich gar nicht«, sagte Eragon. »Ich möchte nur sicher sein, dass du dir die Sache gut überlegt hast und keine überstürzte Entscheidung triffst.«

Das Mädchen rutschte ein wenig auf seinem Stuhl hin und her, antwortete aber nicht.

Da fragte Saphira: *Was sagt dir dein Herz, oh Schimmerstirn?*

Elva antwortete in sanftem Tonfall und ohne die geringste Bosheit: »Ich *habe* mein Herz sprechen lassen, Saphira. Alles andere wäre überflüssig.«

Nasuada ließ sich nicht anmerken, ob sie über Elvas Widerspenstigkeit erbost war. Sie zeigte sich ernst, was jedoch der Situation nur angemessen war, und sagte: »Ich heiße deine Entscheidung nicht gut, Elva, aber wir werden uns damit abfinden müssen, denn offensichtlich können wir dich nicht umstimmen. Vermutlich kann ich dir daraus keinen Vorwurf machen, denn ich muss das Leid, dem du tagtäglich ausgesetzt bist, nicht ertragen. An deiner Stelle würde ich mich wahrscheinlich nicht anders verhalten. Eragon, wärst du so gut …?«

Eragon kniete sich vor Elva hin. Ihre funkelnden violetten Augen durchbohrten ihn, während er ihre kleinen Hände zwischen seine großen nahm. Ihre Haut glühte, als habe sie Fieber.

»Wird es wehtun, Schattentöter?«, fragte Greta und die Stimme der alten Frau zitterte.

»Ich glaube nicht, aber ich bin mir nicht sicher. Eine Beschwörung aufzuheben, ist viel schwieriger, als sie auszusprechen. Deshalb versuchen Magier es auch selten bis nie.«

Voller Sorge tätschelte die Amme Elvas Kopf und sagte: »Sei

tapfer, mein Häschen. Sei tapfer.« Dabei schien sie den missbilligenden Blick, mit dem das Mädchen sie bedachte, gar nicht zu bemerken.

Eragon überging die Unterbrechung. »Hör zu, Elva. Es gibt zwei unterschiedliche Methoden, um einen Zauber zu brechen. Entweder öffnet sich der Magier, der den Zauber ursprünglich gewirkt hat, der Energie, aus der sich seine Macht speist ...«

»Damit habe ich immer Schwierigkeiten«, sagte Angela. »Deshalb verlasse ich mich lieber auf Kräuter und Zaubertränke und Amulette als auf Beschwörungen.«

»Wenn es dir nichts ausmacht ...«

»Entschuldige bitte«, sagte Angela mit geröteten Wangen.

»Also«, knurrte Eragon. »Der Magier, der den Zauber gesprochen hat, öffnet sich seiner ...«

»Oder *ihrer*«, fiel ihm Angela ins Wort.

»Darf ich jetzt *bitte* weitermachen?«

»Entschuldigung.«

Aus dem Augenwinkel sah Eragon, wie die Varden-Anführerin ein Lächeln unterdrückte. »Er öffnet sich dem Energiestrom in seinem Körper und widerruft dann in der alten Sprache nicht nur die Beschwörung, sondern auch den Wunsch dahinter. Das kann ziemlich schwierig sein, wie du dir denken kannst. Wenn er seine Worte falsch wählt, kann es passieren, dass er den Zauber nur verwandelt, statt ihn aufzuheben. Und dann muss er zwei ineinander verwobene Beschwörungen ungeschehen machen.

Bei der zweiten Methode denkt man sich einen neuen Zauber aus, der gegen die Wirkung des ursprünglichen Zaubers arbeitet. Das beseitigt den Originalzauber zwar nicht, aber richtig ausgeführt macht es ihn unschädlich. Mit deiner Erlaubnis ist das die Methode, die ich anwenden will.«

»Eine höchst elegante Lösung«, verkündete Angela. »Aber wer, bitte schön, liefert die Energie, die nötig ist, um den Gegenzauber aufrechtzuerhalten? Und, einer muss es ja fragen, was kann bei dieser Methode schiefgehen?«

Eragon wandte den Blick nicht von Elva. »Die Energie muss von dir kommen«, sagte er und drückte ihre Hände. »Es braucht nicht viel, aber es wird dich schon etwas beeinträchtigen. Du wirst nie so weit laufen oder so viele Holzscheite tragen können wie all die anderen, an denen kein solcher Zauber zehrt.«

»Warum kannst *du* nicht die Energie liefern?«, fragte Elva und zog eine Augenbraue hoch. »Schließlich hast du mir das Ganze ja eingebrockt.«

»Das würde ich, aber je weiter ich von dir entfernt wäre, desto schwieriger würde es für mich, dir die Energie zu übertragen. Und wenn ich zu weit weg wäre – sagen wir mal: eine Meile oder etwas mehr –, könnte mich die Anstrengung sogar umbringen. Zur Frage, was schiefgehen kann: Das einzige Risiko ist, dass ich den Gegenzauber zu ungenau formuliere und er meinen Segen nicht vollständig blockiert. In diesem Fall versuche ich es einfach mit einem neuen Gegenzauber.«

»Und wenn der auch versagt?«

Er überlegte. »Dann kann ich immer noch auf die erste Methode zurückgreifen. Das würde ich allerdings gerne vermeiden. Es ist zwar die einzige Möglichkeit, einen Zauber vollständig aufzuheben. Aber wenn der Versuch scheitert, und das kann durchaus passieren, könntest du hinterher schlimmer dran sein als jetzt.«

Elva nickte. »Verstehe.«

»Habe ich dann deine Erlaubnis anzufangen?«

Als sie erneut nickte, atmete Eragon tief durch und machte sich bereit. Mit halb geschlossenen Augen begann er, in der alten Sprache zu reden. Jedes Wort hallte mit der Wucht eines Hammerschlags durchs Zelt. Er achtete dabei genau darauf, jede Silbe und jeden Laut deutlich zu artikulieren, damit ihm nicht wieder ein tragisches Missgeschick passierte. Der Gegenzauber war in sein Gehirn eingebrannt. Er hatte während seiner Rückreise vom Helgrind unzählige Stunden darüber gebrütet, alles in Erwartung des Tages, an dem er wiedergutmachen würde, was er Elva angetan hatte. Er spürte, wie Saphira ihre Energie in seine Richtung lenkte, ihn unterstützte und über ihn wachte, um eingreifen zu können, sobald er einen Fehler bei der Formel machte. Der Gegenzauber war lang und kompliziert, denn er sollte sich gegen jede mögliche Auswirkung seines Segens richten. So vergingen volle fünf Minuten, bevor Eragon den letzten Satz, das letzte Wort und dann die letzte Silbe sprach.

In der darauf folgenden Stille verdüsterte sich Elvas Gesicht vor Enttäuschung. »Ich kann sie spüren«, sagte sie.

Nasuada beugte sich zu ihr hinüber. »Wen?«

»Dich, ihn, sie, jeden, der Kummer hat. Sie sind immer noch da! Das Bedürfnis, ihnen zu helfen, ist weg, aber die Schmerzen fließen durch mich hindurch wie eh und je.«

Nasuada beugte sich weiter vor. »Eragon?«

Er runzelte die Stirn. »Ich muss irgendwas vergessen haben. Gebt mir ein bisschen Zeit nachzudenken, dann stelle ich einen neuen Gegenzauber zusammen. Es gibt noch ein paar andere Möglichkeiten, aber …« Er verstummte. Es beunruhigte ihn, wie sich die Dinge entwickelten. Denn einen Zauber zu wirken, der gezielt ihren Schmerz abwehrte, wäre sogar noch schwieriger, als den Segen zu widerrufen. Ein falsches Wort, ein schlecht konstruierter Satz konnte ihr jedes Mitgefühl nehmen; konnte für immer ausschließen, dass sie lernte, mit anderen im Geist zu kommunizieren; oder konnte ihr Schmerzempfinden so weit herabsetzen, dass sie es nicht mehr merken würde, wenn sie sich verletzte.

Eragon war mitten in einer Beratung mit Saphira, als Elva plötzlich sagte: »Nein!«

Verblüfft sah er sie an.

Ein ekstatisches Leuchten schien von ihrem Gesicht auszugehen. Ihre runden, perlenartigen Zähne glänzten, als sie lächelte, und ihre Augen strahlten vor Freude. »Nein, versuch es nicht noch mal.«

»Aber Elva, warum –«

»Weil ich nicht noch mehr Beschwörungen will, die an mir zehren. Und weil ich gerade gemerkt habe, dass *ich sie ignorieren kann*!«

Zitternd vor Aufregung krallten ihre Hände sich in die Armlehnen ihres Stuhls. »Ohne den Drang, jedem helfen zu müssen, dem es schlecht geht, kann ich ihr Leid ignorieren, ohne dass es mich krank macht. Ich kann den Mann mit dem amputierten Bein ignorieren und die Frau, die sich gerade die Finger verbrüht, ohne dabei ein schlechtes Gewissen zu haben. Ich kann sie zwar nicht völlig ausblenden, jedenfalls noch nicht, aber was für eine Wohltat! Endlich Ruhe. Gesegnete Ruhe! Keine Schnitte, Schrammen, Beulen und gebrochenen Knochen mehr. Kein Liebeskummer alberner junger Leute. Kein Zorn verlassener Ehefrauen oder gehörnter Männer. Nicht mehr die tausend grauenvollen Verstümmelungen eines ganzen Krieges. Und auch nicht mehr die Übelkeit erregende Panik, die vor der endgültigen Finsternis kommt.« Tränen liefen ihr die Wangen hinab und aus ihrer Kehle drang ein heiseres Lachen, das Eragons Kopfhaut kribbeln ließ.

Das ist doch verrückt, sagte Saphira. *Auch wenn du das alles ausblenden kannst, warum willst du an den Schmerz anderer gefesselt bleiben, wenn Eragon dich vielleicht davon befreien kann?*

Elvas Augen funkelten trotzig. »Ich werde sowieso nie normal sein. Und wenn ich schon anders sein muss, dann lasst mich behalten, was mich besonders macht: meine Gabe. Solange ich sie kontrollieren kann, werde ich diese Bürde tragen, weil es mein freier Wille ist – nicht weil deine Magie mich dazu zwingt, Eragon. Ha! Ab sofort bin ich nichts und niemandem mehr Rechenschaft schuldig. Ich helfe, wem ich will. Wenn ich den Varden diene, dann weil es mein Gewissen verlangt, nicht weil du mich darum bittest, Nasuada, oder weil ich mich sonst übergeben muss. Ich werde nur noch tun, was ich will. Und wehe denen, die sich mir in den Weg stellen, denn ich kenne all ihre Ängste und werde nicht zögern, mit ihnen zu spielen, um meinen Willen durchzusetzen.«

»Elva!«, rief Greta erschrocken. »Sag nicht so schreckliche Dinge! Das kann nicht dein Ernst sein.«

Das Mädchen drehte so abrupt den Kopf, dass seine Haare flogen. »Dich hab ich ja ganz vergessen, mein emsiges Kindermädchen. Immer gewissenhaft. Immer besorgt. Ich bin dir dankbar, dass du mich adoptiert und seit Farthen Dûr für mich gesorgt hast, nachdem meine Mutter gestorben war. Aber jetzt brauche ich dich nicht mehr. Ich werde in Zukunft allein leben und für mich selbst sorgen und niemandem mehr verpflichtet sein.«

Die alte Frau presste den Saum ihres Ärmels gegen den Mund und sank verängstigt in sich zusammen.

Elvas Worte erfüllten Eragon mit Entsetzen. Er konnte nicht zulassen, dass sie ihre Fähigkeiten behielt, wenn sie sie derart missbrauchte. Saphira stimmte ihm zu und mit ihrer Hilfe suchte er den vielversprechendsten neuen Gegenzauber heraus und wollte den Text sprechen.

Doch Elva hielt ihm blitzschnell den Mund zu. Das Zelt bebte unter Saphiras Knurren, das Eragon mit seinem geschärften Gehör beinahe taub werden ließ. Während alle herumfuhren bis auf Elva, die ungerührt die Hand auf Eragons Gesicht presste, sagte Saphira: *Lass ihn los, Kleines!*

Von dem Lärm aufgeschreckt, stürmten Nasuadas sechs Leibwächter mit gezogenen Waffen herein, während Bloëdhgarm und die anderen Elfen zu Saphira liefen, sich rechts und links von ihr aufstellten und die Zeltplane beiseitezogen, um sehen zu können, was los war. Auf ein Zeichen Nasuadas ließen die Nachtfalken ihre Waffen sinken, aber die Elfen hielten ihre Schwerter weiter gezückt. Die Klingen schimmerten wie Eis.

Elva schienen weder der Aufruhr noch die auf sie gerichteten Waffen aus der Ruhe zu bringen. Mit schief gelegtem Kopf betrachtete sie Eragon wie einen seltenen Käfer, der gerade über ihre Stuhllehne krabbelte. Dann lächelte sie so süß und unschuldig, dass er sich fragte, warum er ihr nicht mehr vertraute. Mit einer Stimme wie warmer Honig sagte sie: »Eragon, hör auf. Wenn du mir diesen Zauber aufzwingst, verletzt du mich, wie du es schon einmal getan hast. Das willst du doch nicht? Jeden Abend, wenn du dich schlafen legst, wirst du an mich denken und die Erinnerung an das Unrecht, das du mir zugefügt hast, wird dich nicht zur Ruhe kommen lassen. Was du da gerade vorhattest, war schlecht, Eragon. Bist du etwa der Richter über die Welt? Willst du mich schon verurteilen, ohne dass ich überhaupt etwas Böses getan habe, nur weil du mir nicht traust? Galbatorix wäre zufrieden mit dir.«

Sie ließ ihn los, aber Eragon rührte sich nicht. Sie hatte ihn mit ihren Worten ins Mark getroffen, und ihm fiel nichts zu seiner Verteidigung ein, denn dieselben Fragen hatte er sich auch schon gestellt. Es lief ihm kalt den Rücken hinunter, als ihm bewusst wurde, wie gut sie ihn kannte. »Ich bin dir dankbar, Eragon, dass du heute hergekommen bist, um alles wiedergutzumachen. Nicht jeder gesteht seine Fehler so freimütig ein und setzt sich mit ihnen auseinander. Trotzdem stehe ich nicht in deiner Schuld. Du hast die Dinge, so gut du konntest, gerichtet, aber das hätte jeder anständige Mensch getan. Du hast mich nicht für das entschädigt, was ich ertragen musste – das kannst du auch gar nicht. Wenn sich unsere Wege also das nächste Mal kreuzen, Eragon Schattentöter, dann betrachte mich nicht als Freund oder Feind. Meine Empfindungen dir gegenüber sind gespalten, Drachenreiter. Ich habe mich noch nicht entschieden, ob ich dich hasse oder liebe. Das hängt ganz von dir ab … Saphira, du hast mir den Stern auf meiner Stirn geschenkt und warst immer freundlich zu mir. Deshalb bin und bleibe ich für immer deine treue Dienerin.«

Sie richtete sich zu ihrer vollen Größe von dreieinhalb Fuß auf und blickte einmal in die Runde. »Eragon, Saphira, Nasuada … Angela. Guten Tag.« Und damit rauschte sie auf den Ausgang zu. Die Nachtfalken bildeten eine Gasse, durch die sie ins Freie lief.

Eragon erhob sich mit gemischten Gefühlen. »Was habe ich da bloß für ein Monster geschaffen?« Die beiden Urgalwächter berührten schnell die Spitzen ihrer Hörner, wie es bei ihnen Brauch war, um das Böse abzuwehren. Eragon sagte zu Nasuada: »Es tut mir leid. Wie es scheint, habe ich für dich alles nur noch schlimmer gemacht – für uns alle.«

Ruhig wie ein Gebirgssee, ordnete Nasuada ihr Gewand und sagte: »Macht nichts. Das Spiel ist nur ein bisschen komplizierter geworden, das ist alles. Damit war zu rechnen, je näher wir Urû'baen und Galbatorix kommen.«

Kurz darauf hörte Eragon etwas durch die Luft auf ihn zusausen. Er duckte sich, war aber nicht schnell genug, um der schallenden Ohrfeige zu entgehen, die ihn gegen einen Stuhl taumeln ließ. Er rollte sich über die Sitzfläche ab, zückte sein Jagdmesser und sprang auf, bereit, zuzustechen. Zu seiner Überraschung erkannte er, dass es Angela gewesen war, die ihn geohrfeigt hatte. Die Elfen standen dicht hinter der Seherin, um sie zu überwältigen, falls sie erneut ausholte, oder auf Eragons Befehl hin abzuführen. Zu ihren Füßen hockte Solembum mit gesträubtem Fell, ausgefahrenen Krallen und gebleckten Zähnen.

Die Elfen waren Eragon in diesem Moment völlig egal. »Warum hast du das getan?«, wollte er wissen. Er zuckte zusammen, als sich seine aufgeplatzte Unterlippe bemerkbar machte und er Blut schmeckte.

Angela warf den Kopf zurück. »Jetzt kann ich Elva für die nächsten zehn Jahre Manieren beibringen! Das ist nicht gerade das, was ich mir für das kommende Jahrzehnt vorgenommen hatte!«

»Ihr etwas beibringen?«, rief Eragon. »Das schaffst du nie und nimmer. Sie wird dich genauso mühelos aufhalten, wie sie mich aufgehalten hat.«

»Hm. Wohl kaum. Sie weiß nicht, was mich bewegt und womit man mich treffen kann. Darauf habe ich von Anfang an geachtet.«

»Würdest du uns diesen Zauber verraten?«, fragte Nasuada. »So wie sich die Dinge entwickelt haben, wäre es gut, einen Schutz vor Elva zu haben.«

»Nein, ich glaube nicht«, entgegnete Angela. Dann marschierte auch sie aus dem Zelt und Solembum stolzierte mit anmutig erhobenem Schwanz hinter ihr her.

Die Elfen steckten ihre Schwerter wieder in die Scheiden und zogen sich diskret ein Stück zurück.

Nasuada rieb sich mit kreisförmigen Bewegungen die Schläfen. »Verdammte Magie«, fluchte sie.

»Verdammte Magie«, pflichtete Eragon ihr bei.

Die beiden erschraken, als Greta sich auf den Boden warf und zu weinen und zu jammern anfing, während sie sich die dünnen Haare raufte, sich ins Gesicht schlug und an ihrem Mieder riss. »Ach, mein armer Liebling! Ich habe mein Lämmchen verloren! Verloren! Was soll bloß aus ihr werden, so ganz allein? Wehe mir, mein kleiner Liebling verstößt mich. Ist das der Lohn dafür, dass ich mir den Rücken krumm geschuftet habe? Was für eine grausame Welt, die einem jedes bisschen Glück wieder nimmt.« Sie stöhnte. »Mein Augenstern. Mein Herzblatt. Mein süßes kleines Schätzchen. Fort! Und niemand da, der sich um sie kümmert … Schattentöter! Wirst du sie behüten?«

Eragon ergriff ihren Arm, half ihr auf und tröstete sie mit dem Versprechen, dass er und Saphira Elva im Auge behalten würden.

Und sei es auch nur, bemerkte Saphira, *damit sie nicht auf die Idee kommt, uns ein Messer zwischen die Rippen zu stoßen.*

Das Gold der Erde

Eragon stand mit Saphira fünfzig Schritt von Nasuadas rotem Pavillon entfernt. Froh, dass der ganze Trubel um Elva vorbei war, schaute er zum azurblauen Himmel hinauf und lockerte die Schultern, denn die Ereignisse des Tages hatten ihn ermüdet. Saphira hatte vor, einen Ausflug zum Jiet zu machen, um in den tiefen, ruhigen Fluten zu baden. Doch er selbst wusste nicht so recht, was er als Nächstes tun sollte. Seine Rüstung war immer noch nicht fertig eingeölt, er musste sich auf die Hochzeit von Roran und Katrina vorbereiten, Jeod aufsuchen, ein ordentliches Schwert auftreiben und dann … Er kratzte sich am Kinn.

Wie lange wirst du fort sein?, fragte er.

Saphira entfaltete ihre Flügel. *Ein paar Stunden. Ich habe Hunger. Wenn ich sauber bin, will ich zwei oder drei von diesen fetten Rehen jagen, die ich neulich am westlichen Ufer das Gras abknabbern sah. Allerdings haben die Varden so viele von ihnen geschossen, dass ich wohl erst etliche Meilen in Richtung Buckel fliegen muss, bevor ich irgendetwas finde, was sich zu jagen lohnt.*

Flieg nicht zu weit, sagte er warnend, *sonst landest du noch im Imperium.*

Nein, nein, aber falls ich auf einen einzelnen Soldatentrupp stoßen sollte … Sie leckte sich die Lefzen. *Hätte ich nichts gegen einen kleinen Kampf. Übrigens schmecken Menschen genauso gut wie Rehe.*

Saphira, du wirst doch nicht?

Ihre Augen funkelten. *Vielleicht, vielleicht auch nicht. Das hängt davon ab, ob sie Rüstungen tragen. Ich hasse es, auf Metall zu beißen, und mein Essen aus einer Schale zu pulen, ist auch kein Vergnügen.*

Aha. Er schaute zu der nächsten Elfe hinüber, einer hochgewachsenen Frau mit silbrigem Haar. *Die Elfen werden dich nicht allein weglassen wollen. Erlaubst du zweien von ihnen, auf dir zu reiten? Anders können sie nicht mit dir Schritt halten.*

Heute nicht. Heute jage ich allein! Mit einem kräftigen Flügelschlag hob sie ab und schwang sich hoch in den Himmel hinauf. Während sie nach Westen zum Fluss hin abbog, hörte er ihre Stimme in seinem Kopf. Durch die Entfernung war sie jetzt schwächer als zuvor. *Wenn ich zurückkomme, fliegen wir zusammen, nicht wahr, Kleiner?*

Ja, wenn du wieder da bist, fliegen wir, nur wir beide. Er musste schmunzeln, als er ihre Freude darüber verspürte und sie nach Westen davonschießen sah.

Eragon senkte den Blick, als er Bloëdhgarm entdeckte, der leichtfüßig wie eine Waldkatze auf ihn zulief. Der Elf fragte ihn, wo Saphira hinwolle, und schien wenig erfreut über Eragons Antwort, behielt seine Einwände jedoch für sich.

»Gut«, sagte Eragon zu sich, als Bloëdhgarm zu seinen Leuten zurückgegangen war. »Und jetzt eins nach dem anderen.«

Er schlenderte durchs Lager, bis er einen großen offenen Platz fand, auf dem ungefähr dreißig Varden sich in den verschiedensten Kampftechniken übten. Zu seiner Erleichterung waren sie viel zu beschäftigt, um ihn zu bemerken. Er hockte sich hin und legte die rechte Hand mit der Handfläche nach oben auf den festgetretenen Erdboden. Er wählte die Wörter, die er brauchte, aus der alten Sprache und murmelte: »*Kuldr, rïsa Lam iet un malthinae unin Böllr.*«

Die Erde neben seiner Hand wirkte unverändert, obwohl er spüren konnte, wie sich der Zauber in alle Richtungen ausbreitete. Nicht mehr als fünf Sekunden später begann die Erdoberfläche zu brodeln wie ein Topf Wasser, der zu lange über dem Feuer hängt, und nahm einen hellgelben Farbton an. Von Oromis hatte Eragon gelernt, dass das Land quasi überall kleinste Partikel von nahezu jedem Element enthielt, die zwar zu winzig waren, um sie mit traditionellen Methoden zu fördern, die ein erfahrener Magier aber mit einiger Mühe extrahieren konnte.

Aus dem Zentrum der gelben Fläche schoss jetzt eine Fontäne glitzernden Staubs empor und landete im hohen Bogen mitten auf Eragons Handfläche. Dort verschmolzen die funkelnden Teilchen, bis schließlich drei haselnussgroße Kugeln aus purem Gold in seiner Hand lagen.

»Letta«, sagte Eragon und ließ die Magie versiegen. Dann richtete er sich auf, musste sich aber mit der Hand am Boden abstützen, als ihn eine Welle der Erschöpfung erfasste. Der Kopf sank ihm auf die Brust, die Augen fielen halb zu und seine Wahrnehmung flackerte und wurde dunkler. Er atmete tief durch und betrachtete die spiegelglatten Kugeln in seiner Hand, während er darauf wartete, dass seine Kraft zurückkehrte. *So etwas Schönes*, dachte er. *Hätte ich das doch nur gekonnt, als ich noch im Palancar-Tal lebte … Allerdings wäre es fast einfacher, das Gold abzubauen. Seit ich Sloan vom Helgrind heruntergeschleppt habe, hat mir kein Zauber mehr so viel Kraft abverlangt.*

Er steckte das Gold in die Tasche und machte sich wieder auf den Weg. Als er an einem Verpflegungszelt vorbeikam, stärkte er sich erst einmal ausgiebig. Nach all den anstrengenden Beschwörungen war das auch nötig. Dann steuerte er den Teil des Lagers an, wo die Dorfbewohner von Carvahall untergebracht waren. In der Nähe hörte er den Klang von Metall auf Metall. Neugierig wandte er sich in die Richtung, aus der das Geräusch kam.

Als er um drei Wagen herumkam, die an der Wegeinmündung standen, sah er Horst in einer breiten Lücke zwischen den Zelten stehen, in der einen Hand das Ende einer mannslangen Eisenstange. Das andere Ende leuchtete kirschrot und lag auf einem massiven Zweihundert-Pfund-Amboss, der auf einem flachen, ausladenden Baumstumpf ruhte. Zu beiden Seiten standen Horsts kräftige Söhne Albriech und Baldor und bearbeiteten das Eisen mit Schmiedehämmern, die sie in riesigen kreisenden Bewegungen über ihre Köpfe schwangen. Ein Stück hinter dem Amboss glühte eine provisorische Esse.

Das Gehämmer war so laut, dass Eragon Abstand hielt, bis Albriech und Baldor fertig waren und Horst die Eisenstange wieder ins Feuer legte. »He, Eragon!«, rief er und winkte mit dem freien Arm. Bevor Eragon ihm antworten konnte, zog er sich schnell einen Filzpfropfen aus dem linken Ohr. »Ah, jetzt hör ich wieder was. Was führt dich zu uns, Eragon?«

Seine Söhne schaufelten inzwischen mehr Holzkohle in die Esse und machten sich daran, die Zangen, Hämmer, Schneideisen und das restliche herumliegende Werkzeug aufzuräumen. Alle drei Männer waren schweißbedeckt.

»Ich wollte wissen, wo der Krach herkommt«, sagte Eragon. »Ich hätte mir ja denken können, dass ihr das seid. Nur jemand aus Carvahall kann so einen gewaltigen Krawall veranstalten.«

Horst warf den Kopf zurück, dass sein spitzer Bart himmelwärts zeigte, und lachte schallend. »Oho«, sagt er, als er sich wieder beruhigt hatte, »sehr schmeichelhaft. Und du bist der beste Beweis dafür, was?«

»Das sind wir alle«, erwiderte Eragon. »Du, ich, Roran, jeder aus Carvahall. Alagaësia wird nicht wiederzuerkennen sein, wenn wir erst mal damit fertig sind.« Er zeigte auf die Esse und das andere Werkzeug. »Was machst du hier? Ich dachte, die Schmiede wären alle ...«

»Sind sie auch, Eragon, sind sie auch. Aber ich hab den Hauptmann, der für diesen Teil des Lagers zuständig ist, überredet, mich näher bei unserem Zelt arbeiten zu lassen.« Er zupfte verlegen an seinem Bart. »Es ist wegen Elain, weißt du? Das Kind macht ihr sehr zu schaffen. Kein Wunder bei allem, was wir durchgemacht haben. Sie war schon immer zart und jetzt sorge ich mich, dass ... na ja ...« Er schüttelte sich wie ein Bär, der Fliegen verscheuchen will. »Vielleicht könntest du ja bei Gelegenheit mal nach ihr schauen und feststellen, ob du irgendetwas für sie tun kannst.«

»Mach ich«, versprach Eragon.

Mit einem zufriedenen Seufzen hob Horst die Eisenstange ein wenig aus der Glut, um die Farbe zu prüfen. Dann steckte er sie wieder mitten ins Feuer und forderte Albriech auf: »Komm mal her und mach ein bisschen Wind. Das Eisen ist fast so weit.« Während Albriech sich am Blasebalg zu schaffen machte, grinste Horst Eragon an. »Als ich den Varden erzählt habe, dass ich Schmied bin, haben sie sich so gefreut, als wäre ich ein zweiter Drachenreiter. Sie haben nicht genug Metallarbeiter, musst du wissen. Und sie haben mir all das Werkzeug gegeben, das ich brauchte, diesen Amboss inbegriffen. Als wir Carvahall verlassen mussten, hab ich geheult bei der Aussicht, mein Handwerk vielleicht nie wieder ausüben zu können. Ich bin zwar kein Waffenschmied, aber hier gibt's genug Arbeit, um mich, Albriech und Baldor die nächsten fünfzig Jahre zu beschäftigen. Es ist nicht besonders gut bezahlt, aber wenigstens liegen wir nicht in Galbatorix' Verliesen auf der Streckbank.«

»Oder lassen uns von den Ra'zac die Knochen anknabbern«, bemerkte Baldor.

»Jawohl, auch das.« Horst bedeutete seinen Söhnen, die Schmiedehämmer wieder zur Hand zu nehmen, und bevor er sich den Filzpfropfen erneut ins Ohr steckte, fragte er Eragon: »Wolltest du noch irgendwas von uns, Eragon? Das Eisen ist so weit und ich kann es nicht länger im Feuer liegen lassen, ohne dass es weich wird.«

»Weißt du vielleicht, wo Gedric ist?«

»Gedric?« Horsts buschige Augenbrauen zogen sich zusammen. »Er müsste bei den anderen Männern sein und trainieren, eine Viertelmeile in die Richtung.« Er zeigte mit dem Daumen über seine Schulter.

Eragon bedankte sich und machte sich auf den Weg. Erneut setzten die gleichmäßigen Hammerschläge ein, hell wie Glockengeläut und durchdringend wie eine Gravurnadel auf Glas. Lächelnd hielt Eragon sich die Ohren zu. Er freute sich, dass Horst seinen Lebensmut wiedergefunden hatte und dass er immer noch der gleiche war wie in Carvahall, obwohl er dort all sein Hab und Gut verloren hatte. Die Unverwüstlichkeit des Schmieds gab Eragon seine Zuversicht zurück, dass am Ende alles gut werden und in sein Leben und das der anderen Dorfbewohner eines Tages wieder Normalität einkehren könnte, wenn es ihnen nur gelänge, Galbatorix zu stürzen.

Bald hatte er das Feld erreicht, wo die Männer von Carvahall mit ihren neuen Waffen trainierten. Gedric war auch da, wie Horst angenommen hatte, und trainierte mit Fisk, Darmmen und Morn. Ein paar Worte von Eragon an den einarmigen Veteran, der das Training leitete, genügten, um Gedric vorübergehend freizustellen.

Der Gerber kam zu Eragon herübergerannt und blieb mit gesenktem Blick vor ihm stehen. Er war klein und dunkelhäutig, mit kräftigen knorrigen Armen vom Umrühren der Häute in den übel riechenden Gerbfässern. Auch wenn er alles andere als hübsch war, kannte Eragon ihn als freundlichen und ehrlichen Menschen.

»Kann ich etwas für dich tun, Schattentöter?«, murmelte Gedric.

»Das hast du bereits, und ich bin gekommen, um mich bei dir zu bedanken und dich zu bezahlen.«

»Ich? Womit soll ich dir denn geholfen haben, Schattentöter?« Er sagte es zögernd und vorsichtig, als habe er Angst, Eragon könne ihm eine Falle stellen.

»Kurz nachdem ich Carvahall verlassen hatte, hast du sicher entdeckt, dass drei Ochsenhäute aus der Trockenhütte neben der Lohgrube verschwunden waren, oder?«

Gedrics Gesicht verfinsterte sich, aber er trat verlegen von einem Fuß auf den anderen. »Ach so, na ja, ich hatte die Hütte nicht abgeschlossen, weißt du. Da hätte sich jeder reinschleichen und die Häute mitnehmen können. Aber was für eine Rolle spielt das, nach allem, was passiert ist? Bevor wir uns zum Buckel aufmachten, hab ich fast mein ganzes Lager vernichtet, damit dem Imperium und diesen dreckigen Ra'zac nichts in die Klauen fällt, was für sie von Nutzen sein könnte. Wer auch immer die Häute genommen hat, er hat mir nur Arbeit erspart. Also lassen wir die Vergangenheit ruhen, sag ich.«

»Vielleicht«, sagte Eragon. »Aber ich fühle mich trotzdem verpflichtet, dir zu sagen, dass ich es war, der die Häute gestohlen hat.«

Auf einmal sah Gedric ihn an wie einen ganz gewöhnlichen Menschen, ohne Angst, Ehrfurcht oder übertriebenen Respekt. Als würde der Gerber seine Meinung über Eragon überdenken.

»Ich habe sie gestohlen und darauf bin ich nicht stolz, aber ich brauchte das Leder. Sonst hätte ich die Elfen in Du Weldenvarden wahrscheinlich nicht lebend erreicht. Ich habe mir immer eingeredet, ich hätte es mir nur ausgeliehen. Aber die Wahrheit ist, dass ich es gestohlen habe, denn ich hatte gar nicht die Absicht, es zurückzubringen. Dafür möchte ich mich entschuldigen. Und da ich die Häute oder was davon noch übrig ist, behalten will, finde ich es nur recht und billig, sie dir zu bezahlen.« Eragon holte eine der warmen goldenen Kugeln aus seinem Gürtel und hielt sie Gedric hin.

Der betrachtete die glänzende Metallperle mit zusammengepressten Lippen. Er kränkte Eragon nicht, indem er das Gold in der Hand wog oder draufbiss, aber er sagte: »Das kann ich nicht annehmen, Eragon. Ich war ein guter Gerber, aber so viel war das Leder nicht wert. Deine Großzügigkeit ehrt dich, aber ich hätte immer das Gefühl, dieses Gold nicht verdient zu haben.«

Eragon war davon keineswegs überrascht. »Aber du würdest keinem anderen die Gelegenheit verwehren, mit dir um einen fairen Preis zu feilschen, oder?«

»Nein.«

»Gut. Dann kannst du es auch mir nicht verwehren. Die meisten Leute versuchen, einen herunterzuhandeln, ich dagegen habe beschlossen, es umgekehrt zu machen. Dabei werde ich genauso hartnäckig sein, als wollte ich ein hübsches Sümmchen sparen. Für mich sind die Häute jedes Gramm dieses Goldes wert, und ich lasse mich auf kein Kupferstück weniger ein, nicht einmal wenn du mir ein Messer an die Kehle hältst.«

Nun schlossen sich Gedrics dicke Finger um die Goldkugel. »Wenn du darauf bestehst, werde ich es nicht ablehnen. Keiner soll sagen, dass Gedric Ostvensson ein gutes Geschäft ausschlägt, weil er zu bescheiden ist. Meinen besten Dank, Schattentöter.« Er steckte die Kugel in einen Beutel an seinem Gürtel, nachdem er sie in ein Stück Wollstoff gewickelt hatte, damit sie keine Kratzer bekam. »Garrow hat es ganz richtig gemacht, Eragon – bei euch beiden, dir und Roran. Er war vielleicht scharf wie Essig und hart wie eine Kohlrübe im Winter, aber er hat euch beide gut erzogen. Ich glaube, er wäre stolz auf dich.«

Eragon hatte plötzlich einen Kloß im Hals und schluckte schwer.

Gedric drehte sich um und wollte zu den anderen Dorfbewohnern zurückgehen, zögerte dann jedoch. »Wenn ich fragen darf, Eragon, warum waren diese Häute eigentlich so wertvoll für dich? Wofür hast du sie benutzt?«

Eragon lachte leise. »Wozu ich sie … Na ja, ich habe daraus mit Broms Hilfe einen Sattel für Saphira gemacht. Sie trägt ihn jetzt nicht mehr so oft wie früher – seit uns die Elfen einen richtigen Drachensattel geschenkt haben –, aber er hat uns in so mancher schwierigen Lage und so manchem Kampf gute Dienste geleistet, sogar in der Schlacht von Farthen Dûr.«

Erstaunt zog Gedric die Augenbrauen hoch. Wie ein Sprung in blaugrauem Granit verzog sich sein Mund zu einem breiten Grinsen, das sein Gesicht völlig veränderte. »Ein Sattel!«, sagte er atemlos. »Man stelle sich vor, ich habe das Leder für den Sattel eines Drachenreiters gegerbt! Und auch noch, ohne es zu wissen. Nein, nicht *eines* Drachenreiters, sondern *des* Drachenreiters. Des einen, der am Ende den schwarzen Tyrannen stürzen wird! Wenn mich doch bloß mein Vater so sehen könnte!« Immer noch grinsend verbeugte er sich vor Eragon und trottete zu seinen Kameraden zurück, um jedem, der es hören wollte, die Geschichte zu erzählen.

Eragon schlich sich rasch zwischen den Zeltreihen davon, bevor die ganze Horde über ihn herfallen würde. Fürs Erste war er mit sich zufrieden. *Manchmal dauert es eine Weile,* dachte er, *aber ich zahle meine Schulden immer zurück.*

Bald darauf gelangte er zu einem anderen Zelt nahe am östlichen Rand des Lagers. Er klopfte an den Pfosten zwischen den beiden Eingangsplanen. Mit einem scharfen Geräusch wurde eine Seite aufgerissen und Jeods Frau Helen stand in der Öffnung. Kühl musterte sie Eragon. »Ich nehme an, du willst mit *ihm* sprechen.«

»Wenn er da ist.« Eragon wusste ganz genau, dass Jeod da war, denn er konnte seine Gegenwart so deutlich spüren wie die Helens.

Einen Moment lang dachte er, Helen würde die Anwesenheit ihres Mannes verleugnen, doch dann trat sie achselzuckend beiseite. »Dann kannst du ja ebenso gut reinkommen.«

Jeod saß auf einem Schemel und brütete über mehreren Schriftrollen, Büchern und losen Blättern, die auf einem unbezogenen Feldbett gestapelt lagen. Ein paar Haare hingen ihm in die Stirn; genau dort, wo sich seine Narbe von der Kopfhaut bis zur linken Schläfe zog.

»Eragon«, rief er und die angestrengten Falten auf seinem Gesicht glätteten sich. »Willkommen, willkommen!« Er schüttelte Eragon die Hand und bot ihm den Schemel an. »Hier, ich kann mich aufs Bett setzen. Nein, bitte, du bist unser Gast. Hättest du gern etwas zu essen oder zu trinken? Nasuada hat uns eine Extraration zugeteilt, also zier dich nicht aus Angst, wir könnten deinetwegen Hunger leiden. Es ist nicht viel, verglichen mit dem, was wir dir in Teirm aufgetischt haben, aber im Krieg kann schließlich niemand ein Festmahl erwarten, nicht einmal ein König.«

»Eine Tasse Tee wäre schön«, sagte Eragon.

»Also Tee und Gebäck.« Jeod sah zu Helen hinüber.

Helen nahm den Wasserkessel vom Boden, stützte ihn an der

Hüfte ab, steckte das Ende eines Wasserschlauchs in den Ausgießer des Kessels und drückte auf das Leder. Der Kessel dröhnte dumpf, als der Wasserstrahl auf den Boden traf. Helens Finger schlossen sich um den Schlauch und der Strahl wurde zu einem müden Tröpfeln. Sie machte ein mürrisches Gesicht, als wäre es ihr eine widerwärtige Pflicht, während die Wassertropfen an der Innenseite des Kessels einen nervtötenden Rhythmus trommelten.

Ein entschuldigendes Lächeln flackerte über Jeods Gesicht. Er starrte auf ein Stück Papier neben seinem Knie, während er darauf wartete, dass Helen fertig wurde. Eragon musterte interessiert eine Falte in der Zeltplane.

Das laute Getropfe hielt noch über drei Minuten lang an.

Als der Kessel endlich voll war, zog Helen den schlaffen Wasserschlauch heraus, hängte ihn an einen Haken am Mittelpfosten des Zeltes und stürmte hinaus.

Eragon sah Jeod mit hochgezogener Augenbraue an.

Der hob hilflos die Hände. »Meine Stellung bei den Varden ist nicht so bedeutend, wie sie gehofft hatte, und das nimmt sie mir übel. Sie war einverstanden, mit mir zusammen aus Teirm zu fliehen, weil sie wohl erwartete, dass Nasuada mich in den engsten Kreis ihrer Berater aufnehmen oder mich mit den Ländereien und Reichtümern eines Edelmanns überhäufen würde, als Dank dafür, dass ich vor vielen Jahren geholfen habe, Saphiras Ei zu stehlen. Womit Helen nicht gerechnet hat, ist das eintönige Leben eines gewöhnlichen Kriegers: in einem Zelt schlafen, selbst kochen und waschen und so weiter. Nicht dass es ihr nur um Wohlstand und Ansehen ginge, aber sie stammt aus einer der reichsten Reederfamilien von Teirm und die meiste Zeit unserer Ehe über waren meine eigenen Unternehmungen auch nicht gerade erfolglos. Sie ist so etwas wie das hier einfach nicht gewöhnt und muss sich erst noch damit anfreunden.« Seine Schultern hoben und senkten sich kaum merklich. »Meine einzige Hoffnung war, dass dieses Abenteuer – wenn es denn eine solch romantische Bezeichnung verdient – die Kluft überbrücken würde, die sich in den vergangenen Jahren zwischen uns aufgetan hat. Aber nichts ist je so einfach, wie es scheint.«

»Findest *du* denn, die Varden sollten dir mehr Beachtung schenken?«, fragte Eragon.

»Um meiner selbst willen nicht. Aber Helen …« Jeod zögerte. »Ich möchte, dass sie glücklich ist. Ich habe meinen Lohn bereits erhalten. Denn ich bin lebend aus Gil'ead entkommen, nachdem Brom und ich von Morzan, seinem Drachen und ihren Männern angegriffen wurden. Und was könnte einem größere Befriedigung verschaffen, als dabei geholfen zu haben, Galbatorix einen empfindlichen Schlag zu versetzen. Dass ich dann noch in mein früheres Leben zurückkehren und trotzdem die Sache der Varden weiter unterstützen konnte, dass ich Helen heiraten konnte – damit bin ich mehr als zufrieden. Jegliche Zweifel, die ich vielleicht hatte, sind in dem Augenblick verschwunden, als ich Saphira aus dem Rauch über den Brennenden Steppen aufsteigen sah. Ich weiß nur nicht, was ich wegen Helen machen soll. Aber ich vergesse mich. Das sind schließlich nicht deine Probleme und ich sollte dich nicht damit belasten.«

Eragon tippte mit dem Zeigefinger auf eine der Schriftrollen. »Dann sag mir, wozu die vielen Papiere? Bist du zum Kopisten geworden?«

Die Frage erheiterte Jeod. »Kaum, auch wenn meine Arbeit häufig genauso ermüdend ist. Da ich es war, der in Urû'baen den geheimen Gang in Galbatorix' Schloss entdeckt hat, und außerdem ein paar seltene Bücher aus meiner Bibliothek in Teirm mitnehmen konnte, hat Nasuada mich darauf angesetzt, nach ähnlichen Schwachpunkten in anderen Städten des Imperiums zu forschen. Wenn ich zum Beispiel in meinen Schriften auf einen Tunnel stoßen würde, der unter den Mauern von Dras-Leona hindurchführt, könnten wir uns möglicherweise eine Menge Blutvergießen ersparen.«

»Wo suchst du danach?«

»Überall.« Jeod strich die Haarsträhne aus der Stirn. »Geschichte, Mythologien, Sagen, Gedichte, Lieder, religiöse Traktate,

Aufzeichnungen von Drachenreitern, Magiern, Wanderern, Verrückten, obskuren Potentaten, verschiedenen Generälen, jedem, der von einer versteckten Tür, einem geheimen Mechanismus oder etwas Ähnlichem gewusst haben könnte, was uns zum Vorteil gereichen würde. Die Menge des Materials, das ich sichten muss, ist immens, denn all diese Städte bestehen schon seit Hunderten von Jahren, und einige gehen sogar auf eine Zeit zurück, als es noch keine Menschen in Alagaësia gab.«

»Ist es wahrscheinlich, dass du etwas findest?«

»Nein. Es ist nie wahrscheinlich, dass man die Geheimnisse der Vergangenheit ausgräbt. Aber vielleicht gelingt es mir ja trotzdem, wenn ich genug Zeit habe. Ich habe keinen Zweifel, dass das, was ich suche, in jeder dieser Städte existiert. Sie sind zu alt, um *keine* geheimen Zu- oder Ausgänge zu haben. Allerdings ist es eine ganz andere Frage, ob es Aufzeichnungen darüber gibt und ob wir diese Aufzeichnungen besitzen. Leute, die über verborgene Falltüren und dergleichen Bescheid wissen, behalten das normalerweise für sich.« Jeod griff nach einer Handvoll Papiere und hielt sie sich näher vors Gesicht, dann schnaubte er verächtlich und warf sie wieder hin. »Ich versuche hier, die Rätsel von Leuten zu lösen, die nicht wollten, dass jemand sie löst.«

Dann unterhielten sich die beiden über weniger gewichtige Dinge, bis Helen mit drei Bechern dampfenden Rotklee-Tees wiederkam. Als sie Eragon einen davon reichte, fiel ihm auf, dass ihr Missmut sich offenbar gelegt hatte, und er fragte sich, ob sie wohl draußen gelauscht hatte. Nachdem sie Jeod seinen Becher gegeben hatte, holte sie von irgendwo hinter Eragon einen Zinnteller mit flachen Keksen und einen kleinen irdenen Honigtopf hervor. Dann trat sie ein paar Schritte zurück und blies, an den Mittelpfosten gelehnt, auf ihren Tee.

Jeod wartete höflich, bis Eragon sich einen Keks genommen und ein Stück davon abgebissen hatte, bevor er fragte: »Welchem Umstand verdanke ich eigentlich deine Gesellschaft, Eragon? Wenn ich es richtig verstanden habe, ist dies kein zufälliger Besuch.«

Eragon nippte an seinem Tee. »Nach der Schlacht auf den Brennenden Steppen habe ich versprochen, dir zu erzählen, wie Brom gestorben ist. Deshalb bin ich gekommen.«

Die Farbe auf Jeods Wangen wich einem bleichen Grau. »Oh.«

»Ich muss nicht, wenn du es nicht willst«, sagte Eragon schnell.

Mit etwas Überwindung schüttelte Jeod den Kopf. »Nein, nein. Es geht schon. Ich war einfach nur überrascht.«

Als er Helen nicht hinausschickte, war Eragon unsicher, ob er fortfahren sollte, doch dann kam er zu dem Schluss, dass es keine Rolle spielte, ob sie oder irgendjemand anders die Geschichte hörte. Langsam und bedächtig berichtete er, was sich zugetragen hatte, nachdem Brom und er Jeods Haus verlassen hatten. Er beschrieb ihren Zusammenstoß mit der Bande Urgals, ihre Suche nach den Ra'zac in Dras-Leona, wie die Ra'zac ihnen außerhalb der Stadt aufgelauert und auf ihrer Flucht vor Murtaghs Angriff Brom erstochen hatten.

Der Hals schnürte sich ihm zu, als er von Broms Sterbestunde erzählte, von der kühlen Sandsteinhöhle, in der er gelegen hatte. Wie hilflos er selbst sich dabei gefühlt hatte, als Brom langsam von ihm ging. Vom Geruch des Todes, der die trockene Luft erfüllte. Von Broms letzten Worten. Von dem Sandsteingrab, das er mit Magie für ihn errichtet, und wie es Saphira dann in reinen Diamant verwandelte hatte.

»Wenn ich bloß damals schon gekonnt hätte, was ich heute kann«, sagte Eragon, »dann hätte ich ihn retten können. Aber so ...« Die Worte blieben ihm im Hals stecken, er wischte sich die Augen und würgte an seinem Tee. Er hätte ruhig ein wenig stärker sein dürfen.

Jeod entfuhr ein Seufzer. »Das war also Broms Ende. Ach, ohne ihn sind wir alle viel schlechter dran. Aber ich glaube, er ist so gestorben, wie er es sich gewünscht hätte: im Dienste der Varden und für den letzten freien Drachenreiter.«

»Wusstest du, dass er selbst einmal ein Drachenreiter war?«

Jeod nickte. »Die Varden haben es mir erzählt, bevor ich ihn kennenlernte.«

»Er gehörte wohl zu den Menschen, die nicht viel über sich selbst reden«, warf Helen ein.

Jeod und Eragon lachten.

»Das kann man wohl sagen«, meinte Jeod. »Ich habe mich bis heute nicht von dem Schrecken erholt, als ich ihn mit dir vor unserer Tür stehen sah. Brom war immer ein Geheimniskrämer, aber wir wurden enge Freunde, als wir zusammen reisten, und ich verstehe immer noch nicht, warum er mich – warte – sechzehn oder siebzehn Jahre lang in dem Glauben gelassen hat, er sei tot. Viel zu lange. Und da es Brom war, der Saphiras Ei zu den Varden brachte, nachdem er Morzan in Gil'ead erschlagen hatte, konnten die Varden mir obendrein nicht von dem Ei erzählen, ohne zu verraten, dass Brom noch am Leben war. Also habe ich fast zwei Jahrzehnte in dem Glauben verbracht, dass das einzige große Abenteuer meines Lebens fehlgeschlagen war und wir dadurch unsere einzige Hoffnung auf einen Drachenreiter, der uns helfen würde, Galbatorix zu stürzen, verloren hatten. Das war keine leichte Bürde, kann ich dir sagen …«

Er rieb sich mit einer Hand die Brauen. »Als ich die Tür aufmachte und er dastand, dachte ich, die Geister meiner Vergangenheit würden mich heimsuchen. Brom sagte, er habe sich versteckt, um am Leben zu bleiben. Damit er den neuen Drachenreiter ausbilden konnte, sobald er oder sie sich zeigte. Diese Erklärung hat mich nie ganz befriedigt. Warum war es notwendig, alle, die er kannte und mochte, zu verlassen? Wovor hatte er Angst? Was wollte er beschützen?«

Er spielte mit dem Henkel seines Bechers. »Ich kann es nicht beweisen, aber ich glaube, Brom hat in Gil'ead etwas entdeckt, als er gegen Morzan und seinen Drachen kämpfte. Und es war etwas so Ungeheuerliches, dass es ihn dazu bewegt hat, sich ganz von seinem bisherigen Leben abzuwenden. Es ist eine kühne Vermutung, aber ich kann mir Broms Verhalten nicht anders erklären, als dass es da irgendetwas gab, was er keiner Menschenseele erzählen konnte.«

Jeod seufzte erneut und fuhr sich mit der Hand übers Gesicht. »Nach all den Jahren der Trennung hatte ich gehofft, wir würden noch einmal zusammen reiten, aber das Schicksal hatte offenbar andere Pläne. Ihn nur wenige Wochen später zum zweiten Mal zu verlieren, war ein harter Schlag.« Helen streifte Eragon im Vorbeigehen und stellte sich neben Jeod, die Hand auf seiner Schulter. Er lächelte sie wehmütig an und legte ihr den Arm um die schmale Taille. »Ich bin froh, dass du und Saphira … dass ihr Brom ein Grab geschenkt habt, um das ihn selbst ein Zwergenkönig beneiden würde. Das und noch mehr hat er verdient, nach allem, was er für Alagaësia getan hat. Ich habe nur den schrecklichen Verdacht, dass die Diamantgruft Grabräubern zum Opfer fallen wird, sollte sie entdeckt werden.«

»Das würde ihnen leidtun«, murmelte Eragon und nahm sich vor, bei nächster Gelegenheit Broms Grab aufzusuchen und es mit Schutzzaubern zu versehen. »Im Übrigen werden die Leute vorläufig viel zu sehr damit beschäftigt sein, goldene Lilien zu pflücken.«

»Was?«

»Ach, ist nicht so wichtig.« Schweigend tranken die drei ihren Tee. Helen knabberte an einem Keks. Schließlich fragte Eragon: »Du hast Morzan getroffen, oder?«

»Ja, habe ich, auch wenn das nie ein Anlass zur Freude war.«

»Wie war er denn?«

»Als Mensch? Das kann ich wirklich nicht sagen, auch wenn ich die Geschichten über seine Gräueltaten natürlich kenne. Jedes Mal wenn sich unsere Wege kreuzten, hat er versucht, uns umzubringen. Oder besser gesagt, gefangen zu nehmen, zu foltern und *dann* zu töten, was alles nicht gerade einer freundschaftlichen Beziehung förderlich war.« Eragon war zu wissbegierig, um über Jeods Witzelei zu lachen. »Als Krieger war Morzan grauenerregend. Soweit ich mich erinnere, haben wir eine Menge Zeit damit verbracht, vor ihm wegzulaufen – das heißt, vor ihm und seinem Drachen. Es gibt kaum etwas Schlimmeres, als von einem wütenden Drachen gejagt zu werden.«

»Wie sah er denn aus?«

»Du scheinst dich ja sehr für ihn zu interessieren.«

»Ich bin eben neugierig«, sagte Eragon augenzwinkernd. »Er war immerhin der letzte der Abtrünnigen, der sterben musste, und Brom hat ihn niedergestreckt. Und jetzt ist Morzans Sohn mein Todfeind.«

»Na dann wollen wir mal sehen«, sagte Jeod. »Er war groß, hatte breite Schultern, sein Haar war schwarz wie das Federkleid eines Raben und die Augen hatten unterschiedliche Farben. Eins war blau und das andere schwarz. Er trug keinen Bart und es fehlte ihm eine Fingerspitze; welche, hab ich vergessen. Er sah gut aus, auf eine grausame, arrogante Art, und wenn er sprach, war er außerordentlich charismatisch. Seine Rüstung war immer blank poliert, ob Kettenhemd oder Brustpanzer, als hätte er gar keine Angst, von seinen Feinden entdeckt zu werden. Ich nehme an, er hatte auch keine. Wenn er lachte, hörte es sich an, als habe er Schmerzen.«

»Was ist mit seiner Gefährtin, Selena? Hast du sie auch kennengelernt?«

Jeod lachte. »Dann säße ich heute nicht hier. Morzan mag ja ein furchterregender Schwertkämpfer gewesen sein und ein gefährlicher Magier und ein mordlüsterner Verräter. Aber nicht mal er hat so viel Angst und Schrecken verbreitet wie diese Frau. Morzan hat sie nur für Missionen eingesetzt, die so widerwärtig, schwierig oder geheim waren, dass sich niemand anderes darauf eingelassen hätte. Sie war seine Schwarze Hand, und wo sie auftauchte, drohten Tod, Folter, Verrat und jedes andere erdenkliche Grauen.« Eragon wurde ganz elend, als er diese Beschreibung seiner Mutter hörte. »Sie war äußerst skrupellos, ohne jedes Mitgefühl. Man erzählt sich, dass Morzan Selena, als sie in seine Dienste treten wollte, auf die Probe stellte. Er brachte ihr das Wort für *heilen* in der alten Sprache bei – denn sie konnte nicht nur kämpfen, sondern war auch eine Zauberin – und ließ sie dann gegen zwölf seiner besten Schwertkämpfer antreten.«

»Und wie hat sie die besiegt?«

»Sie hat sie von ihrer Angst und ihrem Hass und allem anderen geheilt, was einen Mann zum Töten treibt. Und während sie dastanden wie eine Schafherde und sich idiotisch angrinsten, ging sie hin und schnitt ihnen die Kehlen durch. – Ist alles in Ordnung, Eragon? Du bist ja kreidebleich.«

»Es geht mir gut. Woran erinnerst du dich noch?«

Jeod klopfte gegen seinen Becher. »Die liebe kleine, besorgte Selena. Sie war ein Rätsel. Bis ein paar Monate vor seinem Tod kannte niemand außer Morzan ihren Namen. Für die Allgemeinheit war und bleibt sie die Schwarze Hand. Die Schwarze Hand, die wir jetzt haben – der Haufen von Spionen, Meuchelmördern und Hexern, die seine Gaunereien ausführen –, ist Galbatorix' Versuch, sich eine Waffe zu schaffen, die so effektiv ist, wie Selena es für Morzan war. Auch unter den Varden war nur eine Handvoll Leute mit ihrem Namen vertraut und die meisten von ihnen vermodern längst in ihren Gräbern. Ich erinnere mich, dass es Brom war, der ihre wahre Identität aufdeckte. Bevor ich mit der Nachricht über den Geheimgang ins Schloss Ilirea zu den Varden ging – Ilirea, das die Elfen vor Jahrtausenden erbaut hatten und das Galbatorix zur schwarzen Zitadelle erweiterte, die heute über Urû'baen thront. Bevor ich also zu ihnen ging, hatte Brom lange Zeit damit verbracht, Morzans Landsitz auszuspionieren, in der Hoffnung, auf eine bislang unbekannte Schwachstelle zu stoßen … Ich glaube, er verschaffte sich sogar Zutritt zu Morzans Burg, indem er sich als Dienstbote verkleidete. Und so fand er dann auch heraus, was er über Selena wusste. Trotzdem erfuhren wir nie, warum sie so an Morzan hing. Vielleicht hat sie ihn ja wirklich geliebt. Auf jeden Fall war sie ihm immer treu ergeben, bis in den Tod. Bald nachdem Brom Morzan getötet hatte, erreichte die Varden die Kunde, dass der Kummer sie dahingerafft habe. Das ist, als hätte ein abgerichteter Falke so an seinem Herrn gehangen, dass er ohne ihn nicht leben konnte.«

Ganz so treu ergeben war sie ihm ja wohl doch nicht, dachte Eragon. *In meinem Fall hat sie ihm jedenfalls getrotzt, auch wenn es sie das Leben gekostet hat. Wenn sie Murtagh nur auch hätte retten können.* Eragon beschloss zu glauben, dass Selena von Natur aus eigentlich gut gewesen war und ihre Gräueltaten darauf zurückzuführen waren, dass Morzan sie verdorben hatte. Hätte er annehmen müssen, dass sein Vater und seine Mutter durch und durch böse gewesen waren, er hätte den Verstand verloren.

»Sie hat ihn geliebt«, sagte er und betrachtete versonnen die Teekrümel auf dem Becherboden. »Zu Anfang hat sie ihn geliebt, später vielleicht nicht mehr. Murtagh ist ihr Sohn.«

Jeod zog eine Augenbraue hoch. »Tatsächlich? Das hat er dir gesagt, nehme ich an?« Eragon nickte. »Nun, das erklärt ein paar Dinge, die ich mich immer gefragt habe. Murtaghs Mutter … Ich bin überrascht, dass Brom dieses Geheimnis nie herausgefunden hat.«

»Morzan hat alles getan, um Murtaghs Existenz geheim zu halten, selbst vor den anderen Abtrünnigen.«

»Wenn man den Werdegang dieser machthungrigen, hinterhältigen Schurken kennt, hat er Murtagh damit wahrscheinlich sogar das Leben gerettet. Leider.«

Nun schlich sich das Schweigen zwischen sie wie ein scheues Tier, bereit, bei der geringsten Bewegung die Flucht zu ergreifen. Eragon starrte noch immer in seinen Becher. Eine Unmenge Fragen trieb ihn um, doch er wusste, dass Jeod sie nicht beantworten konnte und wahrscheinlich auch niemand anderes. Warum hatte Brom sich ausgerechnet in Carvahall versteckt? Um ein Auge auf Eragon zu haben, den Sohn seines meistgehassten Feindes? War es ein grausamer Scherz gewesen, dass er ihm Zar'roc, das Schwert seines Vaters, gegeben hatte? Und warum hatte Brom ihm nicht die Wahrheit über seine Eltern erzählt? Seine Hand verkrampfte sich so fest um den Becher, dass er zerbrach.

Sie schraken alle drei hoch.

»Hier, ich mach das schon«, sagte Helen und beeilte sich, mit einem Lappen sein Wams abzutupfen. Verlegen entschuldigte sich Eragon mehrmals, aber Jeod und Helen versichertem ihm, es sei nicht weiter schlimm und er solle sich keine Gedanken machen.

Während Helen die Tonscherben auflas, fing Jeod an, in den Schriften und losen Blättern auf dem Feldbett herumzukramen, und sagte: »Ach, fast hätte ich's vergessen. Ich hab was für dich, Eragon, was sich einmal als nützlich erweisen könnte. Wenn ich es nur finden würde...« Mit einem freudigen Ausruf richtete er sich auf und schwenkte ein Buch, das er Eragon reichte.

Es war die *Domia abr Wyrda – Die Macht des Schicksals.* Eine Geschichte Alagaësias, verfasst von Heslant dem Mönch. Eragon hatte das Buch zum ersten Mal in Jeods Bibliothek in Teirm gesehen und nicht gedacht, dass er noch einmal Gelegenheit finden würde, darin zu blättern. Andächtig fuhr er mit den Händen über den verzierten Ledereinband, der ganz abgegriffen war. Dann schlug er das Buch auf und bewunderte die fein säuberlich mit glänzend roter Tinte gemalten Schriftzeichen. Voller Ehrfurcht vor dem enormen Wissensschatz, den er in Händen hielt, fragte er: »Du möchtest, dass ich das bekomme?«

»Ja«, erklärte Jeod und machte Helen Platz, die eine Tonscherbe unter dem Bett hervorholte. »Ich glaube, du wirst es noch mal brauchen können. Du bist in historische Ereignisse verwickelt, Eragon, und die Herausforderungen, denen du dich gegenübersehen wirst, wurzeln wiederum in anderen Ereignissen, die Jahrzehnte, Jahrhunderte und Jahrtausende zurückliegen. An deiner Stelle würde ich mich den Lektionen, die uns die Geschichte lehrt, bei jeder Gelegenheit widmen, denn sie können dir bei den Problemen von heute helfen. Mir selbst hat das Studium der Vergangenheit oft zu dem Mut und der Einsicht verholfen, den richtigen Weg einzuschlagen.«

Eragon hätte das Geschenk nur zu gern angenommen, aber er zögerte. »Brom hat gesagt, die *Domia abr Wyrda* sei das Wertvollste in deinem ganzen Haus. Und sehr selten... Außerdem, was ist mit deiner Arbeit? Brauchst du sie nicht für deine eigenen Nachforschungen?«

»Die *Domia abr Wyrda* ist tatsächlich wertvoll und selten«, sagte Jeod, »aber nur im Imperium, wo Galbatorix jedes Exemplar verbrennt, das er findet, und den unglückseligen Besitzer hängen lässt. Hier im Lager sind mir schon sechs Exemplare angeboten worden, alle von König Orrins Leuten. Dabei kann man das hier ja nicht gerade als Ort großer Belesenheit bezeichnen. Zugegeben, ich trenne mich nicht leichten Herzens davon, sondern nur weil du größeren Nutzen daraus ziehen kannst als ich. Bücher sollten dort sein, wo sie am meisten gewürdigt werden, und nicht ungelesen in irgendeinem Regal stehen und Staub ansetzen, findest du nicht auch?«

»Doch.« Eragon klappte die *Domia abr Wyrda* zu und fuhr erneut mit den Fingern über die verschlungenen Muster auf dem Einband, fasziniert von den lebendigen Formen, die in das Leder geprägt waren. »Danke. Ich werde es hüten wie einen Schatz, solange es an mir ist, darüber zu wachen.« Jeod nickte kurz und lehnte sich zurück an die Zeltwand. Er wirkte zufrieden. Eragon stellte das Buch hochkant und versuchte, die Schrift auf dem Buchrücken zu entziffern. »Wo war Heslant eigentlich Mönch?«

»Bei den Arcaena, einem kleinen geheimen Orden, der in der Gegend um Kuasta entstanden ist. Die Anhänger dieses Ordens, der schon mindestens seit fünfhundert Jahren existiert, glauben, dass alles Wissen heilig ist.« Der Anflug eines Lächelns gab Jeods Gesicht etwas Geheimnisvolles. »Sie sammeln das Wissen der Welt, um es vor der großen Katastrophe zu bewahren, die, wie sie glauben, eines Tages jede Kultur Alagaësias zerstören wird.«

»Hört sich seltsam an«, sagte Eragon.

»Sind nicht alle Religionen seltsam für diejenigen, die ihnen nicht angehören?«, konterte Jeod.

Eragon wechselte das Thema: »Ich habe auch ein Geschenk für dich oder eigentlich für Helen.« Sie neigte den Kopf und runzelte spöttisch die Stirn. »Du stammst aus einer Kaufmannsfamilie, ja?« Sie nickte. »Bist du selbst auch mit diesem Beruf vertraut?«

In Helens Augen funkelte es. »Wenn ich ihn nicht geheiratet hätte« – sie deutete mit der Schulter auf Jeod – »hätte ich die Familiengeschäfte übernommen, als mein Vater starb. Ich war das einzige Kind, und mein Vater hat mir alles beigebracht, was er wusste.«

Das hatte Eragon gehofft. Zu Jeod sagte er: »Du behauptest, dass du mit deinem Los hier bei den Varden zufrieden bist.«

»Das bin ich auch. Meistens jedenfalls.«

»Verstehe. Aber du hast einiges riskiert, um Brom und mir zu helfen, und noch mehr, um Roran und den Leuten von Carvahall zu helfen.«

»Den Palancar-Piraten.«

Eragon schmunzelte und fuhr fort: »Ohne deine Hilfe hätte das Imperium sie sicher gefangen nehmen lassen. Doch wegen dieses rebellischen Akts habt ihr alles verloren, was euch in Teirm am Herzen lag.«

»Wir hätten es sowieso verloren. Ich war bankrott und die Zwillinge hatten mich an das Imperium verraten. Es war nur noch eine Frage der Zeit, bis Fürst Risthart mich eingesperrt hätte.«

»Das mag sein, aber du hast Roran jedenfalls geholfen. Wer könnte dir vorwerfen, dass du gleichzeitig deinen eigenen Kopf gerettet hast? Tatsache ist, dass ihr euer Leben in Teirm aufgegeben habt, um mit Roran und den Dorfbewohnern die *Drachenschwinge* zu kapern. Und für dieses Opfer werde ich dir ewig dankbar sein. Das hier ist Teil meines Dankes ...«

Eragon fuhr mit dem Finger unter seinen Gürtel, holte die zweite Goldkugel hervor und reichte sie Helen, die sie zärtlich an die Brust drückte wie ein aus dem Nest gefallenes Rotkehlchen. Während sie sie verzückt betrachtete und Jeod den Hals reckte, um in ihre Hand schauen zu können, fuhr Eragon fort: »Es ist kein Vermögen, aber wenn du es geschickt anstellst, sollte es dir gelingen, es zu vermehren. Nasuadas reger Handel mit Spitze beweist, dass man im Krieg gute Geschäfte machen kann.«

»Oh ja«, sagte Helen atemlos. »Der Krieg ist für Kaufleute eine wahre Goldgrube.«

»Beispielsweise hat Nasuada gestern beim Essen erwähnt, dass den Zwergen langsam der Honigwein ausgeht. Wie du dir vorstellen kannst, können sie es sich leisten, so viele Fässer zu kaufen, wie sie wollen – selbst wenn der Preis tausendmal so hoch wäre wie vor dem Krieg. Aber das ist nur so eine Idee. Vielleicht findest du jemand anderen, der noch mehr auf einen Handel aus ist, wenn du dich nur umsiehst.«

Eragon taumelte einen Schritt zurück, als Helen auf ihn zutrat und ihn umarmte. Ihr Haar kitzelte ihn am Kinn. Plötzlich verlegen ließ sie ihn wieder los, dann überwältigte die Begeisterung sie erneut und sie hielt sich die honigfarbene Kugel vor die Nase und rief: »Danke, Eragon! Vielen Dank!« Sie zeigte auf das Gold. »Das kann ich vermehren. Ich weiß, dass ich es kann. Damit baue ich ein Geschäftsimperium auf, das noch größer ist als das meines Vaters.« Die winzige Kugel verschwand in ihrer geschlossenen Faust. »Du glaubst, meine Ambitionen übersteigen meine Fähigkeiten? Es wird kommen, wie ich es sage. Ich werde es schaffen!«

Eragon verbeugte sich vor ihr. »Das hoffe ich, und dass dein Erfolg uns allen zugutekommt.«

Als sie einen Knicks machte, bemerkte er die gespannten Sehnen in ihrem Nacken. »Du bist überaus großzügig, Schattentöter. Nochmals vielen Dank.«

»Ja, danke«, sagte Jeod und erhob sich von dem Bett. »Ich kann mir zwar nicht vorstellen, wie wir das verdient haben sollen« – er ignorierte Helens wütenden Blick – »aber es ist uns trotzdem sehr willkommen.«

Spontan erwiderte Eragon: »Und das Geschenk, das ich für dich habe, Jeod, ist nicht von mir, sondern von Saphira. Sie hat sich bereit erklärt, euch mal in einer freien Stunde auf einen kleinen Rundflug mitzunehmen.« Es schmerzte ihn, Saphira mit anderen zu teilen, und er wusste genau, sie würde es ihm übel nehmen, dass er sie nicht vorher gefragt hatte, aber nachdem er Helen das Gold gegeben hatte, war es ihm irgendwie peinlich, Jeod nicht auch etwas Besonderes zu schenken.

Ein Tränenschleier überzog Jeods Augen. Er schüttelte Eragon die Hand, und während er sie noch immer festhielt, sagte er: »Eine größere Ehre kann ich mir gar nicht vorstellen. Danke! Du weißt ja gar nicht, wie viel du für uns getan hast.«

Eragon befreite sich aus Jeods Griff, empfahl sich höflich und steuerte auf den Zeltausgang zu. Nach einer weiteren Runde von Dankesbekundungen der beiden und einem abwehrenden »Keine Ursache« schlüpfte er hinaus ins Freie.

Er wog die *Domia abr Wyrda* in den Händen und blickte hoch in die Sonne. Saphira würde bald zurück sein, aber für eine Sache blieb noch Zeit. Doch vorher musste er kurz bei seinem Zelt vorbeigehen, denn er wollte das kostbare Buch nicht die ganze Zeit mit sich herumschleppen und womöglich beschädigen.

Jetzt besitze ich also ein Buch, dachte er vergnügt.

Dann drückte er seine neue Errungenschaft an die Brust und machte sich auf den Weg. Bloëdhgarm und die anderen Elfen folgten ihm auf dem Fuß.

Kleine Schwertkunde

Nachdem er die *Domia abr Wyrda* sicher in seinem Zelt verstaut hatte, machte sich Eragon auf zum Waffenlager der Varden, einem geräumigen offenen Zelt mit Gestellen voller Speere, Schwerter, Piken, Bogen und Armbrüste. In Holzkisten lagerten Schilde und Lederrüstungen. Die wertvolleren Kettenhemden, Wämser, Kettenhauben und Beinschienen hingen an hölzernen Ständern. Hunderte konische Helme glänzten wie poliertes Silber. Dicke Pfeilbündel standen im Zelt aufgereiht, und in der Mitte saßen rund zwanzig Pfeilmacher, die damit beschäftigt waren, die Pfeile zu reparieren, deren Federn bei der Schlacht auf den Brennenden Steppen beschädigt worden waren. Ein nicht abreißender Strom von Menschen ging in dem Pavillon ein und aus, manche brachten Waffen und Rüstungen zur Reparatur, andere neue Rekruten zum Einkleiden und wieder andere holten Ausrüstungsgegenstände für die verschiedenen Teile des Lagers. Dabei schrien alle durcheinander, was ihre Lungen hergaben. Und mittendrin stand der Mann, zu dem Eragon wollte: Fredric, der Waffenmeister der Varden.

Bloëdhgarm begleitete Eragon. Sobald die beiden den Fuß unter das Zeltdach gesetzt hatten, wurde es schlagartig still und sämtliche Blicke richteten sich auf sie. Dann nahmen die Leute ihre Arbeit wieder auf, schienen sich jetzt jedoch mehr zu beeilen und sprachen mit gedämpften Stimmen.

Fredric eilte mit zum Gruß erhobenem Arm auf sie zu. Wie immer trug er seine Rüstung aus zotteligem Rinderleder – die fast so stank wie das Tier selbst wohl einmal – und quer über dem Rücken einen massiven Zweihänder, dessen Griff über seine rechte Schulter ragte. »Schattentöter!«, rief er dröhnend. »Womit kann ich dir an diesem wunderschönen Nachmittag dienen?«

»Ich brauche ein Schwert.«

Ein gutmütiges Lachen brach durch Fredrics Bart. »Soso, ich habe mich schon gefragt, wann du deswegen zu mir kommen würdest. Als du so mit leeren Händen zum Helgrind aufgebrochen bist, dachte ich, du stehst inzwischen vielleicht über diesen Dingen und kämpfst jetzt nur noch mit Magie.«

»Nein, nein, so weit ist es noch nicht.«

»Na ja, ich kann nicht gerade sagen, dass mir das leidtut. Jeder kann ein gutes Schwert gebrauchen, egal über wie viel Zauberkraft er verfügt. Am Ende trifft doch immer Stahl auf Stahl. Wirst schon sehen, auch dieser Krieg gegen das Imperium wird so enden, dass sich eine Schwertspitze in Galbatorix' vermaledeites Herz bohrt. Ich verwette einen Jahressold darauf, dass selbst Galbatorix ein eigenes Schwert besitzt und es auch *benutzt*, obwohl er dich mit einem Fingerschnippen ausnehmen könnte wie einen Fisch. Es geht doch nichts über das Gefühl von solidem Stahl in der Faust.«

Unterdessen führte er sie zu einem etwas abseitsstehenden Regal mit Schwertern. »Was für eins willst du haben? Dein Zar'roc war ein Einhänder, wenn ich mich recht erinnere. Mit einer etwa zwei Daumen breiten Klinge, die sich von der Form her ebenso zum Aufschlitzen wie zum Zustoßen eignete, nicht?« Eragon nickte, und der Waffenmeister zog murmelnd ein paar Schwerter aus dem Regal, die er durch die Luft schwenkte, nur um sie sichtlich unzufrieden gleich wieder zurückzulegen. »Elfenklingen sind häufig schmaler und leichter als unsere oder die der Zwerge, dank der Zauber, die sie hineinschmieden. Wenn wir auch so zierliche Schwerter machten, würden sie im Kampf nicht eine Minute halten, ohne sich zu verbiegen, abzubrechen oder so schnell zu zerbröseln, dass man nicht mal weichen Käse damit schneiden könnte.« Sein Blick schoss zu Bloëdhgarm hinüber. »Hab ich recht, Elf?«

»Was immer du sagst, Mensch«, antwortete der im gleichen Tonfall.

Fredric nickte und prüfte die Klinge eines weiteren Schwertes, ließ es dann aber schnaubend wieder ins Regal fallen. »Was bedeutet, dass das neue Schwert wahrscheinlich schwerer sein wird, als du es gewöhnt bist. Das sollte dir eigentlich keine Schwierigkeiten bereiten, Schattentöter. Du musst nur bedenken, dass das zusätzliche Gewicht deine Bewegungen verlangsamen wird.«

»Danke für den Hinweis«, sagte Eragon.

»Keine Ursache. Dafür bin ich ja da: um so viele der Varden vor dem Tod zu bewahren, wie ich kann, und ihnen zu helfen, so viele von Galbatorix' verdammten Soldaten zu erledigen wie möglich. Eine schöne Arbeit.« Er wandte sich von dem Regal ab und ging zu einem anderen hinüber, das hinter einem Stapel rechteckiger Schilde stand. »Für jemanden das richtige Schwert zu finden, ist eine Kunst für sich. Es soll sich anfühlen wie eine Verlängerung des eigenen Armes, als wäre es angewachsen. Man darf gar nicht darüber nachdenken müssen, wie man es führen will, sondern muss so instinktiv damit umgehen wie ein Reiher mit seinem Schnabel oder ein Drache mit den Klauen. Ein perfektes Schwert ist völlig eins mit dir: Es macht alles, was du willst.«

»Das klingt sehr poetisch.«

Bescheiden zuckte Fredric die Achseln. »Ich wähle schon seit sechsundzwanzig Jahren Waffen für Männer aus, die in den Krieg ziehen. Das geht einem nach einer Weile in Fleisch und Blut über. Man fängt an, über das Schicksal nachzudenken, und fragt sich, ob der junge Bursche, den man mit einer Pike weggeschickt hat, noch am Leben wäre, wenn man ihm stattdessen eine Keule gegeben hätte.« Fredric hielt einen Augenblick inne, während seine Hand über dem mittleren Schwert im Regal schwebte, und sah Eragon an. »Kämpfst du lieber mit oder ohne Schild?«

»Mit«, sagte Eragon. »Aber ich kann nicht die ganze Zeit einen mit mir herumtragen. Und leider scheint nie einer griffbereit zu sein, wenn ich ihn brauche.«

Fredric tippte auf das Heft des Schwertes. »Hm. Dann brauchst du also ein Schwert, das du allein benutzen kannst, das aber nicht zu lang ist, um es auch mit jeder Art von Schild zusammen zu verwenden. Das heißt, ein mittellanges, das man leicht mit einem Arm schwingen kann. Eins, das man zu jeder Gelegenheit tragen kann, elegant genug für eine Krönungsfeier und stabil genug, um eine Horde Kull in die Flucht zu schlagen.« Er verzog das Gesicht. »Dass Nasuada sich mit diesen Ungeheuern verbündet hat, ist nicht normal. Das kann nicht gut gehen. Wir und die, das passt einfach nicht zusammen…« Er schüttelte den Kopf. »Zu schade, dass du nur *ein* Schwert brauchst. Oder habe ich das falsch verstanden?«

»Nein. Saphira und ich sind viel zu viel unterwegs, um ein halbes Dutzend Schwerter durch die Gegend zu schleppen.«

»Ich schätze, du hast recht. Außerdem erwartet man von einem Krieger wie dir, dass er nur ein Schwert hat. Ich nenne das den Fluch des Schwertnamens.«

»Was ist das denn?«

»Jeder große Krieger«, sagte Fredric, »hat ein Schwert – für gewöhnlich ist es ein Schwert –, das einen Namen trägt. Entweder gibt er ihm den Namen selbst oder die Barden tun es, wenn er sein Können erst einmal unter Beweis gestellt hat. Und dann *muss* er dieses Schwert benutzen. Das erwartet man von ihm. Käme er ohne dieses Schwert zu einer Schlacht, würden ihn seine Mitstreiter danach fragen und überlegen, ob er sich seines Erfolgs schämt und sie beleidigen will, und selbst seine Feinde könnten verlangen, dass er erst sein berühmtes Schwert holt, bevor sie gegen ihn kämpfen. Du wirst schon sehen. Sobald du mit dem neuen Schwert gegen Murtagh kämpfst oder sonst etwas Bemerkenswertes damit anstellst, werden die Varden darauf bestehen, ihm einen Namen zu geben. Und von da an werden sie immer Ausschau danach halten.« Er trat zu einem dritten Regal. »Ich hätte ja nie gedacht, dass es mir einmal vergönnt sein würde, einem Drachenreiter dabei zu helfen, seine Waffe auszusuchen. Was für ein Glück. Ich habe das Gefühl, das ist die Krönung meiner Arbeit für die Varden.«

Er nahm ein Schwert heraus und reichte es Eragon. Der bewegte es hin und her und schüttelte dann den Kopf. Der Griff hatte die falsche Form für seine Hand. Der Waffenmeister wirkte trotzdem nicht enttäuscht; es schien ihn im Gegenteil eher anzuspornen, als genieße er die Herausforderung, die Eragon darstellte. Er zeigte ihm ein anderes, doch Eragon schüttelte erneut den Kopf. Das Schwert war zu kopflastig für seinen Geschmack.

»Was mir Sorgen macht«, sagte Fredric und kehrte zu dem Regal zurück, »ist, dass jedes Schwert, das ich dir geben werde, Stöße abfangen muss, die keine normale Klinge aushält. Was *du* brauchst, ist Zwergenarbeit. Ihre Schmiede sind die besten neben denen der Elfen, und manchmal übertreffen sie sie sogar.« Fredric sah Eragon nachdenklich an. »Aber warte mal, ich hab ja die falschen Fragen gestellt! Wie hat man dir beigebracht, Angriffe abzublocken und zu parieren? Kante auf Kante? Ich glaube, ich habe dich mal so etwas machen sehen, als du in Farthen Dûr gegen Arya gekämpft hast.«

Eragon runzelte die Stirn. »Na und?«

»Na und!« Fredric lachte schallend. »Bei allem Respekt, Schattentöter, aber wenn du die Kante eines Schwertes gegen eine andere schlägst, werden beide großen Schaden nehmen. Vielleicht ist das ja kein Problem bei einem verzauberten Schwert wie Zar'roc, aber das kannst du mit keinem der Schwerter machen, die ich hier habe; es sei denn, du willst deine Waffe nach jeder Schlacht austauschen.«

In Eragons Kopf flackerte das Bild von Murtaghs schartiger Klinge auf, und er fragte sich ärgerlich, wie er etwas so Offensichtliches hatte vergessen können. Er war an Zar'roc gewöhnt, das nie stumpf wurde, nie Abnutzungserscheinungen zeigte, und soweit er wusste, gegen die meisten Zauber immun war. Er war sich nicht einmal sicher, ob es überhaupt möglich war, das Schwert eines Reiters zu zerstören. »Darüber brauchst du dir nicht den Kopf zu zerbrechen. Ich werde das Schwert auf magische Weise schützen. Können wir jetzt weitermachen?«

»Noch eine Frage, Schattentöter. Hält so ein Zauber ewig?«

Eragons Stirnfalten vertieften sich. »Wenn du so fragst, nein. Nur eine einzige Elfe versteht sich auf die Kunst, ein Drachenreiterschwert zu schmieden, und sie hat mir ihr Geheimnis nicht verraten. Ich kann immer nur eine gewisse Menge an Energie in ein Schwert fließen lassen. Sie verhindert seine Zerstörung so lange, bis sie erschöpft ist. Dann kehrt das Schwert in seinen ursprünglichen Zustand zurück und bricht möglicherweise bei der nächsten Attacke.«

Fredric kratzte sich am Bart. »Das bedeutet also, Schattentöter, wenn du lange genug auf den Soldaten herumdrischst, ist der Zauber irgendwann abgenutzt, und je stärker du zuschlägst, desto schneller ist er weg. Oder?«

»Genau.«

»Dann solltest du es trotzdem vermeiden, Kante auf Kante zu schlagen, weil das mehr an deinem Schutzzauber zehren wird als irgendein anderer Streich.«

»Dafür habe ich keine Zeit«, fuhr Eragon ihn an, dessen Geduld am Ende war. »Ich kann jetzt nicht eine völlig neue Kampftechnik lernen. Das Imperium kann jeden Moment angreifen. Ich muss mich darauf konzentrieren, das zu trainieren, was ich beherrsche.«

Fredric klatschte in die Hände. »Dann hab ich genau das Richtige für dich!« Er rannte zu einer Kiste voller Waffen und wühlte vor sich hin murmelnd darin herum. »Erst *das hier,* dann *das* und dann schauen wir mal.« Ganz unten aus der Kiste förderte er einen großen schwarzen Streitkolben mit einem stachelbesetzten Kopf zutage.

Fredric klopfte mit einem Fingerknöchel dagegen. »Damit kannst du Schwerter zerbrechen, Brustpanzer zertrümmern, Helme einschlagen und alles Mögliche, ohne dass er den geringsten Schaden nimmt.«

»Das ist ja eine Keule«, protestierte Eragon. »Eine Keule aus Metall.«

»Na wenn schon. Mit deinen Kräften kannst du sie schwingen, als wäre sie so leicht wie ein Schilfrohr. Der Schrecken der Schlachtfelder wirst du damit sein.«

Eragon schüttelte den Kopf. »Nein. Dinge zu zertrümmern, entspricht nicht meinem Kampfstil. Im Übrigen hätte ich Durza nie mitten ins Herz treffen können, wenn ich anstelle eines Schwertes so ein Monstrum geschwungen hätte.«

»Dann hab ich nur noch einen Vorschlag, es sei denn, du bestehst auf einem ganz gewöhnlichen Schwert.« Aus einer anderen Ecke holte er eine Waffe, die er als Falchion bezeichnete. Es war ein Schwert, aber nicht von der Sorte, die Eragon gewöhnt war, auch wenn er es bei den Varden schon gesehen hatte. Es bestand aus einem polierten scheibenförmigen Knauf, glänzend wie eine Silbermünze, einem kurzen, mit schwarzem Leder überzogenen Holzgriff, einer geschwungenen Parierstange, die mit einer Reihe von Zwergenrunen versehen war, und einer einschneidigen Klinge, so lang wie sein ausgestreckter Arm. Auf beiden Seiten verlief in der Nähe des Rückens eine dünne Rille. Die Klinge war zunächst gerade, aber gut sechs Zoll vor dem Ende wölbte sich der Rücken und bildete eine Zacke, bevor er mit einer sanften Kurve in eine scharfe Spitze mündete. Es sah aus wie der Reißzahn eines Raubtiers. Die Verbreiterung der Klinge sollte verhindern, dass die Spitze sich verbog oder abbrach, wenn man sie durch Rüstungen trieb. Anders als ein Doppelklingenschwert hielt man das Falchion mit der Klinge und der Parierstange im rechten Winkel zum Boden. Aber das Seltsamste an der Waffe waren der halbe Zoll der Klinge, die Schneide inbegriffen, der perlgrau und wesentlich dunkler war als der spiegelglatte Stahl darüber. Die Grenze zwischen den beiden Bereichen war wellig wie ein Seidenschal, der sich im Wind kräuselt.

Eragon zeigte auf den grauen Streifen. »So was hab ich noch nie gesehen. Was ist das?«

»Die Thriknzdal«, sagte Fredric. »Eine Erfindung der Zwerge. Sie tempern die Schneide und den Rücken unterschiedlich. Die Schneide machen sie härter, als wir es mit all unseren Schwertern je wagen würden. Die Mitte der Klinge und den Rücken härten sie so, dass der Rücken weicher wird als die Schneide, so weich, dass er sich verbiegen kann und nicht im Eifer des Gefechts bricht wie eine Feile, die Frost abbekommen hat.«

»Behandeln die Zwerge alle ihre Schwerter so?«

Fredric schüttelte den Kopf. »Nur die einschneidigen und die besten ihrer zweischneidigen.« Er zögerte und in seinem Blick lag Unsicherheit. »Du verstehst, warum ich das hier für dich ausgesucht habe, Schattentöter?«

Eragon verstand. Mit der Klinge des Falchion im rechten Winkel zum Boden würde jeder Schlag die Fläche treffen und die Schneide für seine eigenen Angriffe schonen. Und die Handhabung dieses Schwertes verlangte nur eine leichte Umgewöhnung von ihm.

Er trat hinaus ins Freie und nahm eine Kampfposition ein. Dann schwang er das Krummschwert über dem Kopf und ließ es auf einen imaginären Gegner hinabsausen, fuhr herum, machte einen Satz vorwärts und schlug einen unsichtbaren Speer beiseite, sprang fünf Schritt nach links und wirbelte das Schwert hinter dem Rücken von einer Hand in die andere. Atmung und Herzschlag ruhig wie immer, kehrte er schließlich zu Fredric und Bloëdhgarm zurück. Die Wendigkeit und Ausgewogenheit des Falchion hatten Eragon beeindruckt. Es war nicht mit Zar'roc zu vergleichen, aber dennoch ein ausgezeichnetes Schwert.

»Gut ausgewählt«, sagte er.

Fredric musste aber eine gewisse Zurückhaltung bei ihm gespürt haben, denn er sagte: »Und trotzdem bist du nicht ganz zufrieden, Schattentöter.«

Eragon schwang das Krummschwert im Kreis, dann verzog er das Gesicht. »Ich wünschte bloß, es würde nicht aussehen wie ein überdimensionales Abhäutemesser. Ich komme mir damit ziemlich albern vor.«

»Ach, mach dir nichts draus, wenn deine Feinde lachen. Es wird ihnen schon vergehen, sobald du ihnen den Kopf abschlägst.«

Eragon nickte schmunzelnd. »Ich nehme es.«

»Einen Moment noch.« Der Waffenmeister verschwand im Zelt. Dann kam er mit einer schwarzen Lederscheide zurück, die mit silbernen Ornamenten verziert war. Er gab sie Eragon und fragte:

»Hast du je gelernt, ein Schwert zu schärfen, Schattentöter? Bei Zar'roc brauchtest du das ja nicht, was?«

»Stimmt«, gab Eragon zu, »aber ich weiß mit dem Wetzstein umzugehen. Ich kann ein Messer schleifen, bis es so scharf ist, dass es einen Faden, den man darauf legt, durchschneidet. Außerdem kann ich ja jederzeit ein bisschen mit Magie nachhelfen, wenn es sein muss.«

Fredric stöhnte auf und klatschte sich so fest auf die Schenkel, dass eine Handvoll Haare von seiner Lederhose aufstoben. »Nein, nein, eine rasiermesserscharfe Schneide ist genau das, was man *nicht* an seinem Schwert haben möchte. Die Kante muss dick sein, dick und kräftig. Ein Krieger muss in der Lage sein, seine Ausrüstung ordentlich instand zu halten, und dazu gehört auch, dass er weiß, wie man ein Schwert schärft.«

Dann bestand Fredric darauf, Eragon einen neuen Wetzstein zu besorgen und ihm ganz genau zu zeigen, wie man das Falchion mit einer gefechtsbereiten Schneide versah. Dabei saßen sie neben dem Pavillon auf der Erde. Als er davon überzeugt war, dass Eragon seinem Schwert eine völlig neue Schneide schleifen konnte, sagte er: »Du magst mit einer rostigen Rüstung kämpfen. Du magst mit einem verbeulten Helm kämpfen. Aber wenn du den nächsten Sonnenaufgang erleben willst, dann zieh nie mit einem stumpfen Schwert in die Schlacht. Und wenn du gerade eben mit dem Leben davongekommen und so müde bist, als hättest du einen der Beor-Berge erklommen, und dein Schwert ist nicht mehr scharf, dann setz dich hin, sobald es geht, hol deinen Wetzstein raus und schleif. So wie du dich zuerst um dein Pferd oder Saphira und dann um dich selbst kümmern würdest, sollte auch dein Schwert immer Vorrang vor deinen Bedürfnissen haben. Denn ohne es bist du nicht mehr als eine leichte Beute für deine Feinde.«

Sie saßen schon über eine Stunde lang draußen in der Abendsonne, als der Waffenmeister endlich mit seinen Anweisungen fertig war. Da glitt ein kühler Schatten über sie hinweg und Saphira landete ganz in der Nähe.

Du hast dir Zeit gelassen, sagte Eragon. *Du hast dir absichtlich Zeit gelassen! Du hättest mich längst abholen können, stattdessen lässt du mich hier sitzen, und ich muss Fredrics Vorträge über Wassersteine und Ölsteine über mich ergehen lassen und ob Leinsamenöl besser ist als ausgelassenes Fett, um Metall vor Rost zu schützen.*

Und, ist es besser?

Eigentlich nicht. Es stinkt nur nicht so. Aber das spielt keine Rolle! Warum hast du mich diesem Elend überlassen?

Eins ihrer dicken Augenlider senkte sich zu einem müden Zwinkern. *Übertreib nicht. Elend? Uns beide erwartet weitaus schlimmeres Elend, wenn wir nicht ordentlich vorbereitet sind. Das, was der Mann mit den stinkenden Sachen dir gesagt hat, schien wichtig zu sein.*

Na ja, vielleicht, gab er zu.

Sie senkte den Kopf und leckte sich die Klauen ihres rechten Vorderbeins.

Nachdem er sich bedankt und von Fredric verabschiedet hatte, vereinbarte Eragon mit Bloëdhgarm einen Treffpunkt. Dann befestigte er das Schwert am Gürtel von Beloth dem Weisen und kletterte auf Saphiras Rücken. Er jauchzte und sie brüllte, als sie die Flügel ausbreitete und zum Himmel aufstieg.

Ihm wurde etwas schwindelig. Er klammerte sich an den Zacken vor ihm und sah zu, wie Menschen und Zelte unter ihm zu flachen Miniaturen zusammenschrumpften. Von oben gesehen war das Lager ein Gitter aus dreieckigen grauen Gipfeln, deren Ostseiten in tiefen Schatten lagen, was die ganze Gegend kariert aussehen ließ. Die Befestigungsanlagen, die das Lager umgaben, wirkten wie Igelborsten; die weiter entfernten weißen Spitzen der Pfähle leuchteten in der tief stehenden Sonne. König Orrins Kavallerie war nur noch eine Ansammlung herumwimmelnder Punkte im nordwestlichen Teil. Im Osten lag tief und dunkel in der welligen Ebene das Urgal-Lager.

Sie stiegen höher.

Die kalte, klare Luft stach Eragon in die Wangen und brannte in seinen Lungen. Er atmete flach. Neben ihnen schwebte eine Wolkenbank, die so kompakt wirkte wie geschlagene Sahne. Saphira stieg in Spiralen um sie herum auf und ihr ausgefranster Schatten jagte über das bauschige Weiß. Ein nasser Wolkenfetzen klatschte Eragon ins Gesicht, sodass er sekundenlang nichts mehr sehen konnte und vor lauter Feuchtigkeit kaum Luft bekam. Prustend wischte er sich übers Gesicht.

Nun waren sie über den Wolken.

Ein roter Adler kreischte sie im Vorbeifliegen an.

Saphiras Flügelschläge wurden angestrengter und Eragon schwirrte der Kopf. Dann glitt sie mit weit ausgebreiteten Schwingen von einer günstigen Thermik zur nächsten, um die Höhe zu halten, ohne höher aufzusteigen.

Eragon schaute nach unten. Sie waren inzwischen so hoch, dass die Entfernung an Bedeutung verlor und die Dinge am Boden nicht länger real wirkten. Das Lager der Varden war ein unregelmäßig geformtes Spielbrett, überzogen von winzigen grauen und schwarzen Rechtecken. Der Fluss war ein silbriges Band, besetzt mit grünen Quasten. Im Süden bildeten die schwefeligen Wolken, die von den Brennenden Steppen aufstiegen, eine glühend orangefarbene Bergkette mit schattenhaften Ungeheuern, die ebenso schnell wieder verschwanden, wie sie auftauchten. Rasch wandte Eragon den Blick ab.

Die beiden ließen sich ungefähr eine halbe Stunde lang vom Wind treiben und genossen schweigend ihr Beisammensein. Ein kurzer Zauber schützte Eragon vor der Kälte. Endlich waren sie wieder einmal allein, so wie damals im Palancar-Tal, bevor das Imperium in ihr Leben eingebrochen war.

Saphira brach schließlich das Schweigen. *Wir sind die Herrscher des Himmels.*

Hier am oberen Ende der Welt. Eragon streckte den Arm nach oben, als könnte er die Sterne streifen.

Mit einem Abwärtsschlenker tauchte Saphira in einen wärmeren Luftstrom ein, dann stieg sie wieder auf. *Morgen wirst du Roran und Katrina vermählen.*

Eine seltsame Vorstellung. Dass Roran heiratet und ich derjenige sein soll, der sie traut. Roran als verheirateter Mann… Da fühl ich mich gleich viel älter. Eben waren wir noch kleine Jungen. Aber offenbar können selbst wir dem Lauf der Zeit nicht entrinnen. So folgt eine Generation auf die andere, und bald sind wir an der Reihe, unsere Kinder ins Land hinauszuschicken, um zu tun, was getan werden muss.

Aber nur wenn wir die nächsten paar Monate überleben.

Allerdings.

Saphira schlingerte, von einem Luftwirbel erfasst. Dann sah sie sich nach ihm um und fragte: *Fertig?*

Los!

Sie neigte sich nach vorn, legte die Flügel eng an den Körper und stieß pfeilschnell hinab. Lachend schwelgte Eragon im Gefühl der Schwerelosigkeit. Er drückte die Beine in Saphiras Flanken, um den Halt nicht zu verlieren, dann streckte er in einem Anfall von Verwegenheit die Arme in die Luft. Das Land unter ihnen drehte sich wie ein Rad, als Saphira durch die Luft kreiselte. Dann wurde sie langsamer, hörte auf zu kreiseln und machte eine Rolle nach rechts, bis sie auf dem Kopf stand.

»Saphira!«, schrie Eragon und trommelte auf ihren Schultern herum.

Während eine Rauchfahne aus ihren Nüstern stob, drehte sie sich wieder auf den Bauch und stürzte auf das Gelände unter ihnen zu, das jetzt immer näher kam. Eragons Ohren gingen zu und er bewegte den Kiefer, als der Druck noch weiter zunahm. Knapp tausend Fuß über der Erde und kurz davor, in die Zelte zu krachen und das Varden-Lager in einen einzigen blutigen Krater zu verwandeln, ließ sich Saphira den Wind unter die Flügel fahren. Der Ruck war so heftig, dass der Zacken, an dem Eragon sich festhielt, ihm fast ins Auge gestochen hätte.

Noch drei kräftige Flügelschläge und sie standen kurz in der Luft, bevor Saphira in einen sanften Gleitflug überging.

Das hat Spaß gemacht!, rief Eragon.

Es gibt nichts Aufregenderes als das Fliegen, denn wenn du dich verschätzt, bist du tot.

Ach, ich hab vollstes Vertrauen in deine Flugkünste. Du würdest uns nie in den Boden rammen.

Sie strahlte vor Freude über das Kompliment.

Als sie Kurs auf sein Zelt nahm, schüttelte sie den Kopf, wobei sie ihm einen leichten Rempler versetzte, und sagte: *Ich sollte mich ja langsam daran gewöhnt haben, aber jedes Mal wenn ich so einen Sturzflug abfange, habe ich am nächsten Tag einen solchen Muskelkater, dass ich mich kaum rühren kann.*

Er tätschelte sie. *Na, morgen musst du ja nicht fliegen. Die Hochzeit ist unsere einzige Verpflichtung, da kannst du zu Fuß hingehen.*

Sie brummte zustimmend und landete mitten in einer Staubwolke, wobei sie mit dem Schwanz ein leeres Zelt umriss.

Eragon stieg ab und überließ sie ihrer Körperpflege. Während sechs Elfen in ihrer Nähe blieben, trottete er selbst mit den anderen sechs durchs Lager, bis er die Heilerin Gertrude gefunden hatte. Von ihr ließ er sich das Trauungszeremoniell beibringen, das er am nächsten Tag brauchen würde, und übte noch eine Weile mit ihr, damit ihm im entscheidenden Moment kein peinlicher Schnitzer unterlief.

Dann kehrte er zu seinem Zelt zurück, wusch sich das Gesicht und zog sich um, ehe er mit Saphira, wie versprochen, zum Abendessen mit König Orrin und seinem Gefolge ging.

Spät in der Nacht, als das Festmahl vorüber war, schlenderten die beiden zu seinem Zelt, betrachteten den Sternenhimmel und unterhielten sich über das, was hinter ihnen lag, und das, was ihnen noch bevorstand. Sie waren beide sehr glücklich. Als sie ihr Ziel erreicht hatten, blieb Eragon stehen, schaute zu Saphira hoch und sein Herz wollte schier überfließen vor Liebe.

Gute Nacht, Saphira.

Gute Nacht, Kleiner.

Ungebetene Gäste

Am nächsten Morgen legte Eragon hinter seinem Zelt die schwere Oberkleidung ab und glitt mit fließenden Bewegungen durch die zweite Schwierigkeitsstufe des Rimgar, die von den Elfen entwickelten Kampfübungen. Schon bald keuchte er vor Anstrengung und spürte die morgendliche Kälte nicht mehr. Der Schweiß rann ihm aus allen Poren, was es schwierig machte, seine Hände und Füße richtig zu platzieren, während sein Körper sich in Stellungen verdrehte, die ihm die Muskeln von den Knochen zu reißen schienen.

Eine Stunde später war er fertig. Er trocknete sich die Hände an der Zeltplane ab, nahm sein Krummschwert und übte sich noch eine halbe Stunde im Schwertkampf. Am liebsten hätte er sich den ganzen Tag über mit der Waffe vertraut gemacht, denn er wusste, dass davon sein Überleben abhängen konnte. Aber Rorans Hochzeit stand bevor und die Dörfler konnten bei den Vorbereitungen jede Hilfe gebrauchen.

Nach einem erfrischenden Bad kleidete Eragon sich an und ging mit Saphira zu Elain, die die Zubereitung der Speisen für Rorans und Katrinas Hochzeitsmahl überwachte. Bloëdhgarm und seine Gefährten folgten ihnen in einigem Abstand; geschmeidig schlängelten sie sich dabei zwischen den Zelten hindurch.

»Ah, Eragon«, begrüßte ihn Elain. »Ich hatte gehofft, dass du kommst.« Die hochschwangere Frau stemmte sich die Hände ins Kreuz, um ihren Rücken zu entlasten. Mit einem Kopfnicken deutete sie vorbei an mehreren Feuerstellen mit Kesseln und Spießen, vorbei an einer Gruppe von Männern, die ein Schwein schlachteten, vorbei an einigen behelfsmäßigen Öfen aus Lehm und Stein und vorbei an einem Stapel Fässer auf einige aufgebockte Holzbretter, die sechs Frauen als Arbeitsfläche dienten. »Dort wartet Teig für zwanzig Laib Brot darauf, geknetet zu werden. Kümmerst du dich bitte darum?« Stirnrunzelnd blickte sie auf die dicken Schwielen an seinen Handknöcheln. »Und pass auf, dass nichts davon in den Teig kommt, ja?«

Die Frauen, unter ihnen Felda und Birgit, verstummten, als Eragon seinen Platz zwischen ihnen einnahm. Seine Versuche, ein Gespräch in Gang zu bringen, scheiterten allesamt. Aber nach einer Weile, nachdem er es endlich aufgegeben hatte und sich stattdessen auf das Teigkneten konzentrierte, begannen sie, sich zu unterhalten. Sie sprachen über Roran und Katrina und wie viel Glück die beiden gehabt hätten, über das Leben der Dorfbewohner im Lager und ihre Reise hierher, bis Felda plötzlich zu Eragon hinübersah. »Dein Teig sieht ein bisschen klebrig aus. Solltest du nicht etwas Mehl dazugeben?«

Eragon musterte die Teigmasse. »Du hast recht. Danke.«

Felda lächelte freundlich und danach bezogen die Frauen ihn in ihr Gespräch mit ein.

Während Eragon den warmen Teig durchknetete, lag Saphira ganz in der Nähe auf einer Grasfläche in der Sonne. Die Kinder aus Carvahall spielten auf ihr und um sie herum und ihr fröhliches Lachen untermalte das Stimmengewirr der Erwachsenen. Als zwei räudige Köter Saphira ankläfften, hob sie leicht den Kopf und knurrte furchterregend. Die Hunde rannten jaulend davon.

Eragon kannte all diese Leute auf der Lichtung seit seiner Kindheit. Etwas abseits von den Feuerstellen standen Horst und Fisk und zimmerten Tische für das Fest. Kiselt wischte sich gerade das Blut des geschlachteten Schweins von den Unterarmen. Albriech, Baldor, Mandel und etliche andere jüngere Männer trugen mit Bändern umwickelte Pfähle zu der Anhöhe, wo Roran und Katrina getraut werden wollten. Morn, der Schankwirt, braute den Hochzeitstrank zusammen mit seiner Frau Tara, die drei Flaschen und einen Krug für ihn bereithielt. Etwas weiter entfernt schimpfte Roran mit einem Kutscher, der die Unverfrorenheit besaß, mit seinem Maultierkarren über den Platz fahren zu wollen. Loring, Delwin und der kleine Nolfavrell standen in der Nähe und beobachteten den Streit. Mit einem lauten Fluch packte Roran schließlich das Geschirr des Maultiers und mühte sich ab, das Gefährt zu wenden. Der Anblick ließ Eragon schmunzeln. Er hatte gar nicht gewusst, dass Roran sich so aufregen konnte.

»Der mächtige Krieger scheint etwas nervös vor seiner Prüfung«, bemerkte Isold, eine der Frauen, die neben Eragon arbeiteten. Sie lachten.

»Vielleicht sorgt er sich, sein Schwert könnte sich im Kampf krümmen«, fügte Birgit hinzu, während sie etwas Wasser zum Mehl goss. Die Frauen brachen in lautes Gelächter aus. Eragon stieg die Schamesröte ins Gesicht. Er blickte starr auf den Teig vor sich und knetete ihn noch fester. Derartige Zoten waren vor Hochzeiten üblich und er hatte sich früher köstlich darüber amüsiert. Nun aber irritierte es ihn, denn diesmal zielten die Scherze auf seinen Cousin ab.

Unterdessen kreisten seine Gedanken um die Menschen, die nicht bei der Hochzeit dabei sein konnten: Byrd, Quimby, Parr, Hida, der junge Elmund, Kelby und all die anderen, an deren Tod das Imperium die Schuld trug. Vor allem aber musste er an Garrow denken. Er wünschte, sein Onkel würde noch unter ihnen weilen und könnte miterleben, wie sein von den Dörflern und Varden als Held gefeierter Sohn Katrina heiratete und endgültig zum Mann wurde.

Eragon schloss die Augen, hob das Gesicht der Mittagssonne entgegen und lächelte zufrieden. Das Wetter war herrlich. Der Duft von Hefe, Mehl, gebratenem Fleisch, aromatischem Wein, köchelnden Suppen, süßem Gebäck und anderen Naschereien wehte über die Lichtung. Seine Freunde und seine Familie waren ringsum versammelt, um zu feiern, nicht um zu trauern. Im Augenblick waren Saphira und er in Sicherheit. *So sollte das Leben sein.*

Da schallte ein einzelnes Horn übers Land.

Dann wieder.

Und ein drittes Mal.

Alle erstarrten. Keiner wusste, was das Signal zu bedeuten hatte.

Einen Moment lang herrschte Stille, bis auf die Geräusche der Tiere. Dann erklangen die dröhnenden Kriegstrommeln der Varden. Chaos brach aus. Mütter rannten zu ihren Kindern, die Köche erstickten ihre Feuer mit Erde, die restlichen Frauen und Männer eilten zu den Waffen.

Eragon rannte zu Saphira, die gerade mit einem Satz auf die Beine kam. Er sandte seinen Geist zu Bloëdhgarm aus. *Erwartet uns am Nordtor*, sagte er, sobald der Elf seinen Schutzwall gesenkt hatte.

Wir hören und gehorchen, Schattentöter.

Eragon schwang sich auf Saphira. Er saß kaum, da schnellte sie schon über vier Zeltreihen hinweg, landete wieder und stieß sich mit halb angelegten Flügeln erneut vom Boden ab. Sie flog nicht durchs Lager, sie sprang, wie ein Berglöwe einen reißenden Gebirgsbach durchqueren würde. Der Aufprall bei jeder Landung ließ Eragons Zähne klappern, sein Rückgrat wurde gestaucht und fast wäre er hinuntergestürzt. Krieger suchten erschrocken das Weite, wenn sie landeten. Eragon sandte währenddessen seinen Geist zu Trianna und den anderen Mitgliedern der Du Vrangr Gata aus und unterrichtete die Magier von der bevorstehenden Schlacht.

Jemand, der nicht zur Du Vrangr Gata gehörte, berührte seinen Geist. Er zuckte zurück, errichtete einen Schutzwall um sein Bewusstsein, bis er merkte, dass es Angela war, und den Kontakt zuließ. *Ich bin bei Nasuada und Elva,* sagte die Kräuterhexe. *Nasuada will, dass du und Saphira zum Nordtor kommt und euch dort mit ihr trefft …*

Wir sind schon unterwegs. Was ist mit Elva? Spürt sie etwas?

Schmerz. Großen Schmerz. Deinen, den der Varden. Den der anderen. Tut mir leid, sie ist im Moment nicht bei Sinnen. Es stürmt zu viel auf sie ein. Ich werde sie für die Dauer der Kampfhandlungen in einen Tiefschlaf versetzen. Angela löste die Verbindung.

Wie ein Zimmermann, der sein Werkzeug ausbreitet und durchsieht, bevor er eine neue Arbeit beginnt, prüfte Eragon die Schutzzauber, die er um sich selbst, Saphira, Nasuada, Arya und Roran gelegt hatte. Sie schienen intakt zu sein.

Rutschend kam Saphira vor seinem Zelt zum Stehen, wobei sie mit ihren Klauen die fest gestampfte Erde durchpflügte. Er sprang von ihrem Rücken und rollte sich bei der Landung ab. Mit einem Satz war er wieder auf den Beinen, stürmte ins Zelt und löste seinen Schwertgurt. Er ließ ihn mitsamt Schwert auf den Lehmboden fallen, bückte sich und zerrte seine Rüstung unter dem Feldbett hervor. Die kalten, schweren Ringe des Kettenhemdes glitten über seinen Kopf und legten sich mit einem leisen Klingeln wie von Münzen um seinen Oberkörper. Er zog die Lederhaube über, gefolgt von der Kettenhaube. Dann drückte er sich den Helm auf den Kopf. Zuletzt schlang er sich wieder den Schwertgurt um. Mit den Bein- und Armschienen in der linken Hand schob er den kleinen Finger in die lederne Armschlaufe seines Schildes, packte mit der Rechten Saphiras Sattel und stürzte wieder nach draußen.

Dort ließ er die Rüstung scheppernd zu Boden fallen und warf Saphira den Sattel über. In seiner Hast benötigte er mehr Zeit als sonst, die Riemen zuzuschnallen.

Ungeduldig trat Saphira von einem Bein auf das andere. *Beeil dich. Das dauert zu lange!*

Ja doch! Ich mach ja schon. Ich kann doch nichts dafür, dass du so groß bist!

Sie knurrte.

Im Lager herrschte helle Aufregung. Männer und Zwerge strömten in langen Kolonnen Richtung Norden, um dem Ruf der Kriegstrommeln zu folgen.

Eragon hob die restliche Rüstung vom Boden auf und schwang

sich in den Sattel. Ein kraftvoller Flügelschlag, ein wirbelnder Windstoß, ein gewaltiger Ruck, bei dem die Armschienen kreischend über den Schild schrammten, dann waren sie in der Luft. Während sie zum Nordrand des Lagers flogen, schnallte Eragon die Beinschienen an, wobei er sich nur mit der Kraft seiner Beine auf Saphira hielt. Die Armschienen hatte er zwischen seinen Bauch und dem Sattel eingeklemmt, den Schild hängte er an die Halszacke vor ihm. Als die Beinschienen angebracht waren, schob er die Füße durch die seitlich am Sattel angebrachten Lederschlaufen und zog sie fest.

Dabei streifte seine Hand den Gürtel von Beloth dem Weisen. Er seufzte, als ihm einfiel, dass er die in den Edelsteinen gespeicherte Energie im Helgrind verbraucht hatte, um Saphira zu heilen. *Verdammt! Ich hätte sie aufladen sollen!*

Wir schaffen das auch so, erwiderte Saphira.

Er legte gerade die Armschienen an, als Saphira mit hoch aufgestellten Flügeln auf dem Erdwall landete, der das Lager umgab. Nasuada erwartete sie bereits. Sie saß auf Donnerkeil, ihrem kräftigen Schlachtross. An ihrer Seite waren Jörmundur, ebenfalls zu Pferd, Arya, die unberitten war, und die diensthabenden Nachtfalken, angeführt von Khagra, einem der Urgals, den Eragon auf den Brennenden Steppen gesehen hatte. Zwischen den Zelten tauchten Bloëdhgarm und die anderen Elfen auf und postierten sich in Eragons und Saphiras Nähe. Aus einem anderen Teil des Lagers kamen König Orrin und sein Gefolge galoppiert. Als sie sich Nasuada näherten, zügelten sie ihre nervösen Rösser. Dicht hinter ihnen folgten Narheim, der Befehlshaber der Zwerge, und drei seiner Krieger auf Ponys, die mit Leder- und Kettenpanzern geschützt waren. Von den östlichen Feldern stürzte Nar Garzhvog herbei, das Dröhnen seiner Schritte eilte dem Kull voraus. Nasuada rief einen Befehl, und die Wachen am Nordtor zogen das grob gezimmerte Holztor auf, um Garzhvog Zutritt zum Lager zu gewähren, obwohl der Kull es vermutlich auch hätte einrennen können, wenn er gewollt hätte.

»Wer greift uns an?«, knurrte er, während er mit vier unmenschlich langen Schritten den Erdwall erklomm. Die Pferde scheuten vor ihm.

»Sieh selbst!« Nasuada zeigte in Richtung Jiet-Strom.

Eragon ließ seinen Blick bereits über die Angreifer schweifen. Etwa zwei Meilen entfernt waren fünf schmale pechschwarze Boote am diesseitigen Ufer des Jiet-Stroms gelandet. Aus ihnen ergoss sich ein Schwarm Männer in den Uniformen von Galbatorix' Streitmacht. Die Heerschar glitzerte wie vom Wind gekräuseltes Wasser im Sommersonnenschein, als ihre Schwerter, Speere, Schilde, Helme und Brustpanzer das Licht reflektierten.

Arya beschattete die Augen mit einer Hand und spähte zu den Soldaten. »Ich würde sagen, es sind etwa dreihundert Mann.«

»Warum so wenige?«, wunderte sich Jörmundur.

König Orrins Miene verfinsterte sich. »Galbatorix ist gewiss nicht so verrückt zu glauben, uns mit einer derartig armseligen Streitmacht vernichten zu können!« Er nahm den kronenförmigen Helm ab und tupfte sich mit einem Zipfel seines Gewandes die schweißüberströmte Stirn trocken. »Wir könnten sie auslöschen, ohne einen einzigen Mann zu verlieren.«

»Vielleicht«, erwiderte Nasuada. »Vielleicht auch nicht.«

Garzhvogs Kiefer mahlten, bis er schließlich hinzufügte: »Der Drachenkönig ist ein doppelzüngiger Verräter, aber nicht schwachsinnig – eher gerissen wie ein blutgieriges Wiesel.«

Die Soldaten bezogen Aufstellung und setzten sich in Richtung der Varden in Bewegung.

Ein Botenjunge trat zu Nasuada. Sie beugte sich in ihrem Sattel vor, lauschte und entließ ihn. »Nar Garzhvog, deine Leute haben unser Lager erreicht. Sie stehen am Osttor und warten darauf, dass du sie führst.«

Garzhvog knurrte, rührte sich aber nicht von der Stelle.

Nasuada blickte zurück zu den heranmarschierenden Soldaten. »Ich sehe keinen Grund, warum wir uns ihnen auf freiem Feld stellen sollten. Sobald sie in Reichweite sind, erledigen unsere Bogenschützen sie. Falls sie die Brustwehr erreichen, werden die Gräben und Pfähle sie aufhalten … Kein Einziger von ihnen wird lebend davonkommen.«

»Sobald sie nahe genug sind, könnte ich sie mit meinen Reitern von hinten angreifen«, sagte Orrin. »Sie werden nicht wissen, wie ihnen geschieht, und gar nicht dazu kommen, sich zu verteidigen.«

»Das Schlachtenglück mag …«, entgegnete Nasuada, als das Horn, das die Ankunft der Soldaten verkündet hatte, erneut ertönte, so laut, dass Eragon, Arya und die restlichen Elfen sich die empfindlichen Ohren zuhalten mussten.

Woher kommt das Signal?, fragte Eragon Saphira.

Die wichtigere Frage lautet doch, warum uns die Soldaten vor ihrem Angriff warnen sollten, falls sie tatsächlich für diesen Höllenlärm verantwortlich sind.

Vielleicht ist es ein Ablenkungsmanöver oder …

Eragon vergaß, was er hatte sagen wollen, als er am anderen Ufer des Jiet-Stroms hinter dem Schleier einiger Trauerweiden eine Bewegung wahrnahm. Rot wie ein in Blut getauchter Rubin, rot wie schmiedeheißes Eisen, rot wie die brennende Glut des Hasses und des Zornes tauchte Dorn über den Baumkronen auf. Und auf dem Rücken des glitzernden Drachen saß Murtagh in seiner schimmernden Rüstung, das Schwert Zar'roc hoch über den Kopf erhoben.

Sie sind unseretwegen gekommen, sagte Saphira.

Eragon krampfte sich der Magen zusammen, und er spürte, wie Saphiras Furcht seinen Geist durchströmte wie bittere Galle.

Flammender Himmel

Während Eragon beobachtete, wie Dorn und Murtagh in den nördlichen Himmel aufstiegen, hörte er Narheim »Barzûl« flüstern und Murtagh für den Mord an König Hrothgar verfluchen.

Arya wirbelte herum. »Nasuada, Euer Majestät …« Ihre Augen flogen zu Orrin. »Ihr müsst die Soldaten aufhalten, bevor sie das Lager erreichen. Ihr dürft nicht zulassen, dass sie unser Bollwerk angreifen. Sollten sie so weit kommen, werden sie wie eine Sturmflut über uns hinwegspülen und ein nie dagewesenes Blutbad anrichten, denn zwischen den Zelten können wir uns nicht verteidigen.«

»Nie dagewesenes Blutbad?«, höhnte Orrin. »Habt Ihr so wenig Vertrauen in unsere Fähigkeiten, Botschafterin? Menschen und Zwerge mögen in der Kampfkunst nicht so begnadet sein wie Elfen, aber wir werden kaum Schwierigkeiten mit diesem armseligen Haufen haben, das versichere ich Euch.«

Aryas Miene versteinerte. »Eure Tapferkeit ist ohnegleichen, Majestät. Daran hege ich keinen Zweifel. Aber hört: Das Ganze ist eine Falle. Die beiden dort«, sie deutete mit einer schwungvollen Geste auf Dorn und Murtagh, »sind gekommen, um Eragon und Saphira gefangen zu nehmen und nach Urû'baen zu verschleppen. Galbatorix hätte niemals so wenige Soldaten entsendet, wenn er nicht sicher wäre, dass sie die Varden so lange beschäftigen können, bis Murtagh Eragon überwältigt hat. Galbatorix *muss* diese Männer mit Zaubern belegt haben, die ihnen bei ihrer Mission helfen. Um welche Magie es sich dabei handelt, kann ich nicht sagen, aber eines weiß ich genau: Die Soldaten sind gefährlicher, als sie scheinen, und wir müssen verhindern, dass sie ins Lager eindringen.«

Eragon hatte sich von seinem anfänglichen Schock erholt. »Ihr solltet nicht zulassen, dass Dorn über uns hinwegfliegt. Er könnte schon bei einem einzigen Überflug die Hälfte der Zelte in Brand setzen.«

Nasuada faltete die Hände über dem Sattelknauf, und es schien, als bemerke sie den feindlichen Drachenreiter und die Soldaten gar nicht, die jetzt weniger als eine Meile entfernt waren. »Aber warum haben sie das Überraschungsmoment nicht genutzt und uns sofort angegriffen?«, wollte sie wissen. »Warum haben sie uns auf sich aufmerksam gemacht?«

Narheim beantwortete ihre Frage. »Weil sie nicht wollen, dass Eragon und Saphira in die Bodenkämpfe verwickelt werden. Wenn ich mich nicht irre, sieht ihr Plan vor, dass die beiden sich Dorn und Murtagh in der Luft stellen, während die Soldaten unsere Stellungen angreifen.«

»Ist es dann klug, ihnen den Gefallen zu tun und Eragon und Saphira sehenden Auges in die Falle tappen zu lassen?« Nasuada hob eine Braue.

»Ja«, erklärte Arya nachdrücklich, »denn wir haben einen Vorteil, von dem sie nichts wissen.« Sie deutete auf Bloëdhgarm. »Diesmal wird der Schattentöter Murtagh nicht allein gegenübertreten. Die geballte Macht von dreizehn Elfen wird ihn unterstützen. Das erwartet der Handlanger des Tyrannen nicht. Haltet die Soldaten auf, bevor sie unsere Stellungen erreichen, dann habt ihr einen Teil von Galbatorix' Plan durchkreuzt. Schickt Eragon und Saphira zum Himmel empor, während die fähigsten Magier meines Volkes die beiden stärken, dann werdet ihr auch den Rest von Galbatorix' Vorhaben vereiteln.«

»Das klingt überzeugend«, erwiderte die Anführerin der Varden. »Aber die Soldaten sind schon zu dicht herangekommen, um sie noch mit Fußsoldaten vor dem Lager abfangen zu können. Orrin ...«

Noch bevor sie den Satz beenden konnte, hatte der König bereits sein Pferd herumgerissen und galoppierte zum Nordtor. Ein Reiter aus seinem Tross gab das Hornsignal, das Orrins Kavallerie zum Angriff rief.

»König Orrin wird Hilfe benötigen«, sagte Nasuada zu Garzhvog. »Lass deine Gehörnten mit ihm in die Schlacht ziehen.«

»Nachtjägerin.« Garzhvog warf den Kopf zurück und stieß ein dröhnendes Gebrüll aus, das Eragon einen Schauder über den Rücken laufen ließ. Garzhvogs Kiefer schnappten zu und der Schrei brach ab. »Meine Männer kommen«, knurrte er und stapfte dröhnenden Schrittes zum Tor, wo sich König Orrin und seine Reiter versammelten.

Vier Varden zogen die Tore auf. König Orrin hob sein Schwert, stieß einen Schrei aus und galoppierte an der Spitze seiner Kavallerie auf die Soldaten in ihren golddurchwirkten Wämsern zu. Die Pferdehufe wirbelten eine riesige gelbe Staubwolke auf, die die Keilformation vor den Blicken des Feindes verbarg.

»Jörmundur«, sagte Nasuada.

»Ja, Herrin?«

»Schick ihnen zweihundert Schwertkämpfer und hundert Speerträger hinterher. Außerdem sollen fünfzig Bogenschützen siebzig bis achtzig Schritt vom Schlachtfeld entfernt Stellung beziehen. Ich will, dass diese Soldaten zermalmt werden, Jörmundur, ausgelöscht, in Grund und Boden gestampft. Mach unseren Männer klar, dass sie keine Gnade kennen dürfen noch erwarten können.«

Jörmundur verbeugte sich.

»Und sag ihnen auch, dass ich im Geiste bei ihnen bin, auch wenn ich sie wegen meiner Verletzungen nicht selbst in den Kampf führen kann.«

»Herrin.«

Während Jörmundur davoneilte, trieb Narheim sein Pony dichter an Nasuadas Streitross heran. »Was ist mit meinen Leuten, Nachtjägerin? Welche Rolle sollen wir spielen?«

Die Anführerin starrte auf die dichte, alles verschluckende Staubwolke, die über dem freien Feld schwebte. »Ihr helft bei der Bewachung des Lagers. Sollten die Soldaten irgendwie durchkommen ...« Sie war gezwungen zu warten, bis vierhundert Urgals – seit der Schlacht auf den Brennenden Steppen war ihre Zahl stark angewachsen – an ihr vorbei, durch das Tor, aufs Schlachtfeld hinausgestampft waren, wobei sie wilde Kampfschreie ausstießen. Als sie in der Staubwolke verschwanden, fuhr Nasuada fort: »Sollten die Soldaten durchbrechen, sind eure Streitäxte in unserer Phalanx höchst willkommen.«

Der Wind trug die Schreie sterbender Menschen und Pferde herüber, das Schaben von Metall auf Metall, das Klirren der Schwerter und die dumpfen Schläge von Speeren, die auf Schilde trafen. Doch durch all das Getöse hörten sie ein schreckliches Gelächter, das aus unzähligen Kehlen drang und gar nicht mehr verklingen wollte. *Das Gelächter von Wahnsinnigen,* dachte Eragon.

Narheim schlug mit der Faust gegen seine Hüfte. »Bei Morgothal, wir werden nicht untätig herumstehen, wenn es eine Schlacht zu schlagen gibt! Lasst uns mitkämpfen, Nasuada. Wir hacken für Euch ein paar Köpfe von feindlichen Hälsen!«

»Nein!«, rief die Anführerin der Varden. »Nein, nein und nochmals nein! Ich habe dir einen Befehl gegeben und erwarte, dass du ihn befolgst. Dieser Kampf wird von Reitern, Menschen und Urgals ausgefochten, vielleicht noch von Drachen. Das da unten ist kein Ort für Zwerge. Ihr würdet wie Kinder niedergetrampelt werden.« Als Narheim wütend fluchte, hob sie beschwichtigend die Hand. »Ihr seid Furcht einflößende Krieger. Niemand weiß das besser als ich, die an eurer Seite in Farthen Dûr gekämpft hat. Aber um es ohne Umschweife zu sagen, nach unseren Maßstäben seid ihr nun mal klein. Ich möchte das Leben deiner Krieger nicht in einer Schlacht aufs Spiel setzen, in der eure Kleinwüchsigkeit möglicherweise euer Untergang wäre. Es ist besser, wenn ihr hier oben wartet, wo ihr alle überragt, die versuchen, diesen Schutzwall zu erklimmen. Falls es jemandem gelingt, bis zu uns durchzudringen, ist er ein mächtiger Gegner, und dann will ich, dass er auf euch trifft. Denn man könnte genauso gut versuchen, einen Berg zu versetzen, wie einen Zwerg zu besiegen.«

Nicht gänzlich besänftigt, brummte Narheim eine mürrische Antwort, die Nasuada jedoch nicht verstand, da in diesem Moment die Varden durch das offene Tor des Walls hinausstürmten. Der Lärm der trampelnden Füße und das Klirren der Waffen wurde schwächer, als die Männer sich vom Lager entfernten. Der Wind dagegen frischte auf und wehte erneut das irre Gelächter vom Schlachtfeld zu ihnen herüber.

Kurz darauf überwand ein geistiger Aufschrei von ungeheurer Wucht Eragons Schutzwall, fegte durch sein Bewusstsein und erfüllte ihn mit Qual. *Ah, nein, hilf mir!*, hörte er einen Mann brüllen. *Sie sterben nicht! Angvard soll sie holen, sie wollen einfach nicht sterben!* Dann riss die Verbindung zwischen ihnen schlagartig ab, und Eragon schluckte schwer, als ihm klar wurde, dass der Mann getötet worden war.

Nasuada rutschte unbehaglich in ihrem Sattel herum. Ihre Miene war angespannt. »Wer war das?«

»Du hast ihn auch gehört?«

»Es scheint, wir alle«, meinte Arya.

»Ich glaube, es war Bärden, einer der Magier, die mit König Orrin reiten, aber …«

»Eragon!«

Dorn hatte sich immer höher in den Himmel geschraubt, während König Orrin und seine Kavallerie sich auf die Soldaten stürzten. Jetzt verharrte der Drache auf halber Strecke zwischen den Angreifern und dem Lager reglos am Himmel. Murtaghs durch Magie verstärkte Stimme schallte über die Ebene: *»Eragon!* Ich sehe dich, wie du dich dort unter Nasuadas Rock versteckst. Kämpfe gegen mich. Das ist deine Bestimmung! Oder bist du zu feige, *Schattentöter*?«

Saphira antwortete statt Eragon. Sie hob den Kopf und stieß ein Gebrüll aus, das noch lauter war als Murtaghs donnernder Ruf. Dann spie sie einen baumlangen, blau glühenden Feuerstrahl. Die Pferde neben ihr, auch Nasuadas Donnerkeil, scheuten und gingen durch, sodass Saphira und Eragon plötzlich allein mit den Elfen auf dem Wall standen.

Arya trat zu Saphira, legte Eragon eine Hand aufs Bein und schaute aus ihren schräg stehenden grünen Augen zu ihm auf. »Nimm dies von mir, Shur'tugal«, sagte sie. Er spürte, wie eine Energiewelle ihn durchströmte.

»Eka elrun ono«, murmelte er.

»Sei vorsichtig, Eragon«, erwiderte Arya, ebenfalls in der alten Sprache. »Ich möchte nicht, dass du von Murtagh besiegt wirst. Ich …« Es schien, als wollte sie noch mehr sagen, doch sie zögerte, nahm die Hand von seinem Bein und stellte sich wieder neben Bloëdhgarm.

»Fliege gut, Bjartskular!«, riefen die Elfen, als Saphira sich vom Boden abstieß und in die Luft schnellte.

Während Saphira auf Dorn zuflog, ließ Eragon seinen Geist mit ihrem verschmelzen und verband sich dann mit Arya, die als Vermittlerin zwischen ihm und den Elfenmagiern fungierte. So konnte Eragon sich auf die Gedanken von Arya und Saphira konzentrieren, die ihm so vertraut waren, dass sie ihn während des Kampfes nicht ablenken würden.

Er packte den Schild fest und zückte das Krummschwert, das er hoch erhoben hielt, damit die Klinge nicht versehentlich Saphiras auf- und abschwingende Flügel, den Hals oder ihre Schultern traf, die ebenfalls ständig in Bewegung waren. *Zum Glück habe ich die Klinge letzte Nacht noch mit Magie verstärkt,* teilte er Saphira und Arya mit.

Hoffen wir, dass der Zauber hält, erwiderte der Drache.

Vergiss nicht, dich möglichst nicht zu weit von uns zu entfernen, ermahnte ihn Arya. *Sonst wird es schwerer, die Verbindung aufrechtzuerhalten.*

Dorn machte keine Anstalten, Saphira anzugreifen, während sie auf ihn zuflog. Stattdessen drehte er ab und ließ sie auf seine Höhe aufsteigen. Dann umkreisten die Drachen sich im Abstand von knapp fünfzig Yards. Sie schlugen mit den zackenbesetzten Schwanzspitzen und zogen drohend die Lefzen hoch.

Dorn ist größer, sagte Saphira. *Unsere letzte Begegnung liegt kaum zwei Wochen zurück und seitdem ist er bestimmt vier Fuß gewachsen, wenn nicht mehr.*

Sie hatte recht. Dorn war vom Kopf bis zur Schwanzspitze länger und seine Brust breiter als bei ihrem Kampf über den Brennenden Steppen. Er war kaum älter als ein Drachenjunges, aber schon fast so groß wie Saphira.

Widerwillig ließ Eragon den Blick vom Drachen zu seinem Reiter wandern.

Murtagh war barhäuptig und sein langes schwarzes Haar wehte hinter seinem Kopf wie eine glänzende Mähne. Seine Züge waren hart, härter als Eragon es jemals gesehen hatte, und ihm wurde klar, dass Murtagh diesmal keine Gnade walten lassen würde. Seine Stimme dröhnte nicht mehr über das ganze Land, war aber immer noch unnatürlich laut: »Du und Saphira habt uns großes Leid zugefügt, Eragon. Galbatorix war außer sich vor Wut, weil wir euch entkommen ließen. Nachdem ihr auch noch die Ra'zac getötet hattet, erschlug er erst in seiner Raserei fünf Diener und ließ dann seinen Zorn an Dorn und mir aus. Euretwegen haben wir schreckliche Qualen durchlitten. Das werden wir nicht noch einmal.« Murtagh hob den Arm, als wollte er Dorn vorpreschen lassen und selbst einen magischen Angriff starten.

»Warte!«, rief Eragon. »Ich weiß, wie ihr euch von dem Schwur, der euch an Galbatorix kettet, befreien könnt!«

Über Murtaghs finsteres Gesicht huschte ein Ausdruck verzweifelter Hoffnung. Er senkte Zar'roc ein wenig. Doch dann verfinsterte sich sein Blick und er spuckte aus. »Ich glaube dir nicht! Das ist unmöglich!«

»Es ist möglich! Lass es mich dir erklären!«

Murtagh schien mit sich zu ringen, und Eragon fürchtete schon, er würde ihn nicht anhören. Dorn schwang den mächtigen Kopf zu seinem Reiter herum. Die beiden tauschten sich aus. »Verflucht sollst du sein, Eragon!«, knurrte Murtagh und legte sein Schwert quer über den Sattel. »Verflucht sollst du sein, dass du uns damit köderst! Wir hatten uns bereits mit unserem Los abgefunden, aber jetzt quälst du uns mit dem Gespenst einer Hoffnung, die wir längst aufgegeben hatten. Sollte diese Hoffnung trügerisch sein, *Bruder*, dann schwöre ich, ich werde dir die rechte Hand abschlagen, bevor wir dich zu Galbatorix bringen … Denn die brauchst du nicht für das, was dich in Urû'baen erwartet.«

Eragon wollte ebenfalls eine Drohung ausstoßen, aber er unterdrückte den Impuls und ließ das Krummschwert sinken. »Galbatorix hat es dir bestimmt nicht erzählt, aber als ich bei den Elfen war …«

Eragon!, rief Arya. *Verrate ihm nichts über uns!*

»… habe ich erfahren, dass wenn sich das Wesen eines Menschen oder Drachen wandelt, sich auch sein wahrer Name in der alten Sprache wandelt. Wer du bist, ist nicht für alle Zeiten in Stein gemeißelt, Murtagh! Wenn du und Dorn euch im Innersten eures Herzens ändert, sind eure Treuegelöbnisse nicht mehr bindend und Galbatorix verliert seine Macht über euch!«

Der rote Drache glitt näher an Saphira heran. »Warum hast du das nicht bei unserer letzten Begegnung erwähnt?«, fragte Murtagh.

»Da war ich zu durcheinander.«

Dorn und Saphira trennten jetzt noch etwa fünfzehn Yards. Der rote Drache fletschte nicht mehr die Zähne, sondern kräuselte nur warnend die Oberlippe. In seinen funkelnden roten Augen schimmerte eine tiefe Traurigkeit. Als würde er sich von Saphira oder Eragon eine Antwort darauf erhoffen, warum er das Licht der Welt erblickt hatte, nur um von Galbatorix versklavt und für dessen finstere Absichten missbraucht zu werden. Dorn zog die Nase kraus, während er Saphiras Geruch einsog. Sie schnupperte ebenfalls und schob die Zunge vor, um von seinem Duft zu kosten. Eragon und Saphira bekamen Mitleid mit dem jungen Drachen. Sie wünschten, sie könnten direkt zu ihm sprechen, aber sie wagten es nicht, ihm ihren Geist zu öffnen.

Aus dieser kurzen Distanz konnte Eragon Murtaghs gespannte Halsmuskeln und die pulsierende Ader auf seiner Stirn erkennen.

»Ich bin nicht böse!«, stieß Murtagh hervor. »Ich habe das Beste aus mir gemacht, was angesichts der widrigen Umstände möglich war. Ich bezweifle, dass du so wenig Schaden genommen hättest, wenn unsere Mutter *mich* in Carvahall versteckt und *dich* in Urû'baen zurückgelassen hätte.«

»Vielleicht.«

Murtagh schlug sich mit der Faust auf den Brustpanzer. »Genau! Und wie soll ich dann deinen Rat befolgen? Wenn ich schon ein guter Mensch bin, wenn ich mich so tapfer geschlagen habe, wie man es nur von mir erwarten konnte, wie soll ich mich dann noch ändern? Indem ich schlechter werde, als ich wirklich bin? Muss ich mich Galbatorix' Finsternis erst ganz hingeben, um mich anschließend davon befreien zu können? Das klingt mir nach keiner vernünftigen Lösung! Wenn ich meine Persönlichkeit in dieser Art veränderte, würde dir das Ergebnis sicher nicht gefallen. Du würdest mich ebenso inbrünstig verfluchen, wie du im Moment Galbatorix verfluchst!«

»Das mag sein«, erwiderte Eragon frustriert, »aber du musst weder besser noch schlechter werden, als du bist, nur anders. Es gibt viele grundverschiedene Menschen auf der Welt und zahllose Möglichkeiten, sich ehrenhaft zu verhalten. Denk an jemanden, den du bewunderst, der aber einen anderen Lebensweg eingeschlagen hat als du, und richte dein Handeln danach aus. Es kann eine Weile dauern, aber wenn der Wandel groß genug ist, kannst du Galbatorix' Fängen entkommen und das Imperium verlassen. Dann könntest du dich mit Dorn den Varden anschließen und tun, was dir beliebt.«

Was ist mit deinem Schwur, Hrothgars Tod zu rächen?, warf Saphira ein.

Eragon ignorierte sie.

Murtagh lachte höhnisch. »Du verlangst also von mir, jemand zu sein, der ich nicht bin. Wenn Dorn und ich uns retten wollen, müssen wir unsere derzeitigen Charaktere zerstören. Dein Heilmittel ist schlimmer als unser Leid!«

»Ich fordere dich nur auf zuzulassen, innerlich zu wachsen, dich zu etwas anderem zu entwickeln, als du heute bist. Ich weiß, es ist schwierig, aber die Menschen entwickeln sich ständig weiter. Überwinde zum Beispiel den Zorn, der in dir schwelt, und du kannst Galbatorix ein für alle Mal den Rücken kehren.«

»Ich soll meinen Zorn überwinden?« Murtagh lachte. »Das werde ich, wenn du deinen Zorn darüber vergisst, dass das Imperium deinen Onkel ermordet und euern Hof dem Erdboden gleichgemacht hat. Unser Zorn macht uns aus, Eragon. Ohne ihn wären du und ich nur ein Festschmaus für die Maden! Trotzdem...« Murtagh senkte die Lider und tippte auf Zar'rocs Parierstange. Die Muskeln an seinem Hals entspannten sich, aber die Ader auf seiner Stirn pochte weiter. »Der Gedanke ist verlockend, das gebe ich zu. Vielleicht können wir gemeinsam daran arbeiten, wenn wir in Urû'baen sind. Vorausgesetzt, der König erlaubt, dass wir uns sehen. Natürlich könnte er uns auch für immer voneinander trennen. Ich an seiner Stelle würde es tun.«

Eragon packte sein Schwert fester. »Du scheinst davon auszugehen, dass wir dich in die Hauptstadt begleiten.«

»Aber ja, das wirst du, *Bruder*.« Murtagh grinste schief. »Selbst wenn wir es wollten, könnten Dorn und ich uns nicht auf der Stelle ändern. Solange dies nicht geschieht, stehen wir unter Galbatorix' Bann, und er hat uns unmissverständlich befohlen, euch zu ihm zu bringen. Keiner von uns beiden ist bereit, noch einmal bei ihm in Ungnade zu fallen. Wir haben dich schon das letzte Mal besiegt. Es dürfte nicht schwer sein, es wieder zu tun.«

Eine Flamme züngelte aus Saphiras Maul, und Eragon musste sich zusammenreißen, um nicht ähnlich zornig zu reagieren. Wenn er jetzt die Beherrschung verlor, wäre ein Blutvergießen unvermeidlich. »Bitte, Murtagh, Dorn, wollt ihr nicht wenigstens versuchen, meinen Vorschlag umzusetzen? Verspürt ihr denn kein Verlangen, euch gegen Galbatorix zur Wehr zu setzen? Ihr werdet eure Ketten niemals sprengen, wenn ihr nicht bereit seid, ihm zu trotzen!«

»Du unterschätzt Galbatorix, Eragon«, knurrte Murtagh. »Er erschafft sich seit über hundert Jahren Namenssklaven und unser Vater war der erste. Glaubst du, Galbatorix ist entgangen, dass der wahre Name eines Menschen sich im Laufe seines Lebens wandelt? Er hat gewiss Vorsichtsmaßnahmen für diesen Fall ergriffen. Selbst wenn sich mein wahrer Name genau in diesem Moment ändern sollte – oder Dorns –, würde das vermutlich einen Zauber auslösen, der Galbatorix warnt und uns zwingt, auf der Stelle nach Urû'baen zurückzukehren, damit er uns erneut an sich binden kann.«

»Aber nur wenn er eure neuen Namen herausfände.«

»Er ist ein Meister dieser Praxis.« Murtagh hob sein Schwert. »Wir werden später auf deinen Vorschlag zurückkommen, aber erst nach sorgfältiger Prüfung und Vorbereitung. Dorn und ich werden unsere Freiheit nicht zurückgewinnen, nur damit Galbatorix sie uns sofort wieder entreißt.« Zar'rocs rote Klinge blitzte hell auf. »Deshalb bleibt uns keine andere Wahl, als euch nach Urû'baen zu bringen. Begleitet ihr uns freiwillig?«

Eragon konnte sich nicht länger beherrschen. »Eher würde ich mir das Herz herausreißen.«

»Du solltest besser meine Herzen herausreißen!«, gab Murtagh zurück, stieß Zar'roc in die Luft und ließ einen wilden Schlachtruf folgen.

Dorn brüllte ebenfalls und stieg mit zwei schnellen Flügelschlägen in die Höhe. Dabei kam er so nahe, dass sein Kopf sich plötzlich über Saphiras Hals befand, bereit, sie mit einem einzigen Biss außer Gefecht zu setzen.

Saphira gab ihm keine Gelegenheit dazu. Sie schoss nach unten, legte den rechten Flügel an und drehte sich blitzartig um die eigene Achse, sodass ihr Schwanz Dorns linken Flügel traf und ihn an fünf Stellen brach. Die scharfen Knochensplitter bohrten sich ihm in die Haut und blieben zwischen den blitzenden Schuppen stecken. Dampfende Drachenbluttropfen regneten auf Saphira und Eragon herab. Einer der Tropfen landete auf Eragons Kettenhaube und lief ihm in den Nacken. Es brannte wie heißes Öl. Er langte nach seinem Hals und versuchte, das Blut wegzuwischen.

Dorns Gebrüll schlug in ein schmerzerfülltes Wimmern um, als er sich nicht mehr in der Luft halten konnte und an Saphira vorbei in die Tiefe trudelte.

Gut gemacht!, rief Eragon Saphira zu, die sich wieder aufgerichtet hatte.

Dann sah er, wie Murtagh einen kleinen runden Gegenstand aus dem Gürtel zog und ihn auf Dorns Schulter presste. Es war keine Magie zu spüren, aber der Gegenstand in seiner Hand flammte auf und die gebrochenen Knochen in Dorns Flügel rückten an ihren Platz zurück und verheilten, die zerrissenen Muskeln und Sehnen fügten sich zusammen und schließlich glätteten sich auch die Wunden auf Dorns zerfetzter Haut.

Wie hat er das gemacht?, rief Eragon.

Er muss den Gegenstand vorher mit einem Heilzauber versehen haben, erklärte Arya.

An so etwas hätten wir auch denken sollen.

Nachdem seine Wunden geheilt waren, fing Dorn seinen Fall ab, wendete und kam mit wachsender Geschwindigkeit auf Saphira zugeflogen. Er stieß einen langen dunkelroten Feuerstrahl aus. Saphira tauchte darunter hinweg und stürzte sich auf den gegnerischen Drachen. Sie schnappte nach seinem Hals, den Dorn jedoch blitzschnell zurückzog, dann kratzte sie ihm mit den Klauen über die Schultern und den Brustkorb und versetzte ihm mit den Flügeln einen mächtigen Schlag. Der Rand ihrer rechten Schwinge traf Murtagh, der halb aus dem Sattel rutschte. Doch er fing sich wieder und schlug seinerseits nach Saphira. Seine Klinge fügte ihr einen fast armlangen Schnitt in der Flügelhaut zu.

Fauchend trat sie mit den Hinterbeinen nach dem roten Drachen, spie einen Feuerstrahl, der sich jedoch teilte und an Dorns Flanken vorbeischoss, ohne irgendeinen Schaden anzurichten.

Durch seine Verbindung mit Saphira spürte Eragon den pochenden Schmerz ihrer Wunde und starrte auf den blutigen Riss. Seine Gedanken überschlugen sich. Bei keinem anderen Magier hätte Eragon es gewagt, mitten im Kampf einen Zauber zu wirken, da sein Gegner sich in Lebensgefahr geglaubt und zu einem verzweifelten magischen Gegenschlag von ungeheurer Wucht ausgeholt hätte.

Mit Murtagh hingegen verhielt es sich anders. Eragon wusste, dass Galbatorix seinem Handlanger befohlen hatte, ihn und Saphira zu fangen, nicht zu töten. *Ganz gleich, was ich tue,* dachte er, *er wird nicht versuchen, mich umzubringen.* Also war es ungefährlich, Saphira zu heilen. Und da erst wurde ihm klar, dass er im Ringen gegen Murtagh auf das gesamte Arsenal seiner Zaubersprüche zurückgreifen konnte, weil sein Feind nicht mit tödlicher Macht zurückschlagen würde. Allerdings fragte er sich, warum Murtagh einen magischen Gegenstand benutzt hatte, um Dorns Wunden zu heilen, statt es selbst zu tun.

Vielleicht will er seine Energie aufsparen, vermutete Saphira. *Oder er will vermeiden, dir Angst zu machen. Es würde Galbatorix sicher nicht erfreuen, wenn Murtagh dich in Panik versetzt und du daraufhin Murtagh, Dorn oder gar dich selbst umbringst. Vergiss nicht, das Ziel des Königs ist es, uns alle vier unter seine Herrschaft zu zwingen. Tot würden wir ihm nichts nützen.*

Das muss der Grund sein, stimmte Eragon ihr zu.

Als er sich anschickte, Saphiras Flügel zu heilen, meldete sich Arya: *Warte, tu das nicht!*

Was? Warum nicht? Spürst du nicht Saphiras Schmerz?

Lass meine Brüder und mich sie heilen. Das wird Murtagh verwirren und deine Energiereserven schonen.

Bist du nicht zu weit weg, um Saphira zu heilen?

Nicht wenn wir dreizehn mit vereinten Kräften vorgehen. Und ...

Eragon? Wir raten dir, Murtagh nicht mit Magie zu bekämpfen, es sei denn, er selbst attackiert dich auf diese Weise. Er könnte stärker sein als du, selbst wenn wir dich mit all unserer Energie unterstützen. Wir wissen es einfach nicht. Messe dich nur mit ihm, wenn du keinen anderen Ausweg siehst.

Und wenn ich nicht gegen ihn bestehen kann?

Dann fällt ganz Alagaësia an Galbatorix.

Eragon nahm wahr, wie Arya sich konzentrierte. Im nächsten Moment hörte der Schnitt in Saphiras Flügel auf zu bluten, und die zerfetzten Enden der zarten himmelblauen Haut fügten sich zusammen, ohne dass eine Narbe zurückblieb. Saphiras Erleichterung war deutlich zu spüren. *Pass bitte besser auf, wenn du kannst, Bjartskular,* sagte Arya. Sie klang etwas erschöpft. *Dich zu heilen, war nicht leicht.*

Nach Saphiras Tritt war Dorn ins Schlingern geraten und hatte an Höhe verloren. Der Drache hatte wohl angenommen, dass Saphira ihn weiter in die Tiefe treiben wollte, wo er ihren Angriffen schlechter hätte ausweichen können, weshalb er eine Viertelmeile nach Westen geflüchtet war. Doch als er bemerkte, dass Saphira ihm nicht folgte, stieg er wieder auf, bis er mehr als tausend Fuß über ihr flog.

Dann legte Dorn die Flügel an und stürzte sich auf sie. Flammen schossen aus seinem Maul, die elfenbeinfarbenen Krallen hatte er ausgefahren und auf seinem Rücken schwang Murtagh Zar'roc.

Eragon hätte beinahe sein Schwert fallen lassen, als Saphira einen Flügel anzog und mit einer schwindelerregenden Drehung zur Seite wegkippte. Im nächsten Moment breitete sie den Flügel wieder aus und fing ihren Sturzflug ab. Er konnte den Boden unter sich sehen, als er den Kopf nach hinten drehte. Oder war der Boden über ihm? Er biss die Zähne zusammen und konzentrierte sich darauf, sich im Sattel zu halten.

Dorn und Saphira prallten aufeinander. Eragon hatte das Gefühl, als hätte sie einen Berg gerammt. Die Wucht des Aufpralls schleuderte ihn nach vorn, und sein Helm krachte gegen die Halszacke, die eine Delle in dem dicken Stahl hinterließ. Benommen hing er im Sattel und verfolgte, wie die Scheiben von Himmel und Erde durcheinanderwirbelten, bis er sie nicht mehr unterscheiden konnte. Er spürte, wie Saphira erbebte, als Dorn gegen ihren ungeschützten Bauch stieß. Er wünschte, sie hätten Zeit gehabt, ihr die Rüstung anzulegen, die die Zwerge ihr geschenkt hatten.

Ein rot glitzerndes Drachenbein schlang sich um Saphiras Schulter und zerfetzte sie mit blutigen Krallen. Ohne nachzudenken, drosch Eragon darauf ein, zertrümmerte Schuppen und durchtrennte Sehnen. Drei Krallen erschlafften. Er schlug erneut zu.

Fauchend ließ Dorn von Saphira ab. Er krümmte den Hals, und Eragon hörte das Rauschen der Luft, als Murtaghs Drache seine Lungen füllte. Eragon duckte sich und riss den Arm vors Gesicht. Im nächsten Moment hüllte ein lodernder Flammenball Saphira ein. Zwar konnte ihnen die Hitze des Feuers wegen Eragons Schutzzaubern nichts anhaben, doch die Helligkeit blendete sie.

Saphira wich nach links aus, weg von dem grellen Feuer. Murtagh hatte unterdessen die Verletzung an Dorns Bein geheilt und der Drache stürzte sich erneut auf Saphira. Die beiden hieben mit ihren Klauen aufeinander ein, während sie in mörderischem Tempo auf die grauen Zelte der Varden zuschossen. Es gelang Saphira, die Zähne in den Hornkamm an Dorns Hinterkopf zu schlagen, auch wenn die Knochenspitzen dabei ihre Zunge durchbohrten. Dorn brüllte auf und zappelte wie ein Fisch am Haken, um loszukommen, aber gegen Saphiras stählerne Kiefermuskeln war er machtlos. Die beiden Drachen fielen Seite an Seite vom Himmel, wie zwei aneinandergeschmiegte Blätter.

Eragon beugte sich vor und schlug zweimal auf Murtaghs rechte Schulter ein. Er wollte ihn nicht töten, sondern nur verletzen, um dem Kampf ein Ende zu bereiten. Anders als bei ihrem Duell über den Brennenden Steppen war Eragon diesmal ausgeruht und sein Schwertarm so schnell wie der eines Elfs – Murtagh hatte keine Chance gegen ihn.

Doch Murtagh hob seinen Schild und parierte Eragons Hieb.

Die Reaktion kam so unerwartet, dass Eragon zögerte und nicht rechtzeitig zurückwich, als Murtagh zum Gegenschlag ausholte. Die Klinge sang, als sie wie ein Blitz herangesaust kam und Eragons Schulter streifte. Murtagh setzte nach, zielte auf sein Handgelenk, und als Eragon Zar'roc abwehrte, fuhr die Klinge unter seinen Schild. Sie durchdrang sein Kettenhemd, das Wams und seinen Hosenbund und grub sich in Eragons linken Hüftknochen.

Der Schock des Schmerzes traf Eragon wie ein Schwall eiskaltes Wasser; gleichzeitig verlieh er seinen Gedanken eine fast übernatürliche Klarheit und schickte einen Strom frischer Kraft durch seine Glieder.

Während Murtagh sein Schwert zurückzog, schrie Eragon auf und schlug nach ihm. Geschickt fing sein Gegner das Krummschwert mit einer schnellen Drehung des Handgelenks ab. Ein unheimliches Grinsen entstellte seine Züge. Eragon riss seine Klinge zurück, täuschte einen Schlag gegen das rechte Knie seines Widersachers an, ließ seine Waffe dann in die entgegengesetzte Richtung schnellen und schlitzte Murtagh die Wange auf.

»Du hättest einen Helm aufsetzen sollen«, knurrte er.

Inzwischen befanden sie sich nur noch ein paar hundert Fuß über dem Erdboden, sodass Saphira Dorn freigeben musste. Die beiden Drachen lösten sich voneinander, bevor Eragon und Murtagh weitere Schwerthiebe austauschen konnten.

Während Saphira und Dorn emporstiegen und sich ein Wettrennen zu einer schneeweißen Wolke über den Zelten der Varden lieferten, langte Eragon unter das Wams und betastete die Wunde an seiner Hüfte. Blut sickerte heraus und tränkte den Bund seiner Hose.

Es bestürzte Eragon, von Zar'roc verletzt worden zu sein, einem Schwert, das ihn in Momenten der Gefahr niemals im Stich gelassen hatte und das er immer noch als seinen rechtmäßigen Besitz betrachtete. Es war *falsch,* dass seine eigene Waffe gegen ihn gerichtet wurde, eine Verkehrung der Dinge, gegen die sich sein Instinkt auflehnte.

Saphira schwankte wegen eines Luftwirbels. Eragon zuckte zusammen, als ihm erneut ein brennender Schmerz durch die Seite fuhr. Zum Glück kämpfen wir nicht zu Fuß, dachte er, denn seine Hüfte hätte sein Gewicht wohl kaum mehr tragen können.

Arya, fragte er, *willst du mich heilen, oder soll ich es selbst tun und riskieren, dass Murtagh mich daran hindert?*

Wir heilen dich, antwortete Arya. *Vielleicht kannst du deinen Gegner überrumpeln, wenn er glaubt, du seist noch verwundet.*

Halt, warte.

Warum?

Ich muss dir erst die Erlaubnis dazu geben, sonst wehren meine Zauberformeln dich ab. Einen Moment suchte Eragon nach den richtigen Worten, bis er schließlich in der alten Sprache flüsterte: »Ich öffne mich der Magie von Arya, Tochter von Islanzadi.«

Wir sollten über diese Schutzzauber reden, wenn du gerade nicht so abgelenkt bist. Was würde wohl geschehen, wenn du das Bewusstsein verlieren würdest? Wie sollten wir uns dann um dich kümmern?

Nachdem Murtagh uns auf den Brennenden Steppen mit seiner Magie außer Gefecht gesetzt hat, fand ich die Idee recht gut. Niemand soll uns mehr ohne unsere Zustimmung mit einem Zauber belegen.

Das ist wohl richtig, aber es gibt elegantere Lösungen als deine.

Eragon wand sich im Sattel, während die Heilkraft der Elfen wirkte und seine Hüfte anfing zu kribbeln, als wäre sie von Flohbissen übersät. Als das Jucken nachließ, fuhr er mit der Hand unter das Wams und ertastete zu seiner Freude nur glatte Haut.

Also gut, sagte er und lockerte die Schultern. *Lehren wir sie, unsere Namen zu fürchten!*

Sie hatten die schneeweiße Wolke erreicht. Saphira schwenkte nach links und flog in die Wolke, während Dorn hektisch versuchte zu wenden. Einen Moment lang war alles kalt und feucht und weiß, dann schoss Saphira auf der anderen Seite heraus, nur wenige Fuß über Dorn und ein Stück hinter ihm.

Mit einem triumphierenden Brüllen stürzte sie sich auf den roten Drachen, grub die Klauen tief in seine Schenkel und zog ihm die Krallen über das Rückgrat. Ihr Kopf zuckte vor, sie packte Dorns linken Flügel und biss zu. Mit einem scharfen Knacken schnitten ihre rasiermesserscharfen Zähne durch Knochen und Fleisch.

Dorn krümmte sich und brüllte. Eragon hatte nicht gewusst, dass Drachen so schrecklich schreien konnten.

Ich habe ihn, sagte Saphira. *Ich könnte ihm den Flügel ausreißen, aber das will ich nicht. Was auch immer du vorhast, tue es, bevor wir zu tief sinken.*

Murtaghs Gesicht war unter all dem Blut leichenblass, als Eragon das Schwert auf ihn richtete. Die Klinge erzitterte und ein seltsamer geistiger Strahl von ungeheurer Macht drang in Eragons Bewusstsein. Die fremde Präsenz tastete nach seinen Gedanken, um zuzupacken und sie Murtaghs Willen unterzuordnen. Wie schon über den Brennenden Steppen fühlte es sich an, als lauerten in Murtaghs Geist zahllose andere Wesen, die sich als wirrer Chor von Stimmen über das Gewühl seiner Gedanken legten.

Plötzlich kam Eragon die Idee, dass vielleicht eine Gruppe von Zauberern seinem Gegner half, so wie die Elfen ihm beistanden. Es war nicht leicht, doch es gelang ihm, alles bis auf das Abbild Zar'rocs aus seinem Bewusstsein zu verbannen. Er konzentrierte sich mit aller Macht auf das Schwert, versank in die Stille der Meditation, damit der Gegner keinen Halt in seinem Geist fand. Als Dorn plötzlich taumelte und Murtagh einen Moment abgelenkt wurde, ging Eragon zu einem brutalen Gegenangriff über und klammerte sich an das Bewusstsein des feindlichen Drachenreiters.

Die beiden kämpften in grimmigem Schweigen, während sie dem Boden entgegenstürzten; rangen nur in den Grenzen ihres Geistes gegeneinander. Manchmal schien Eragon die Oberhand zu gewinnen, dann wieder Murtagh, letztlich vermochte jedoch keiner den anderen zu bezwingen. Eragon sah, wie sie sich rasend schnell dem Erdboden näherten. Er begriff, dass dieser Kampf mit anderen Mitteln entschieden werden musste.

Er senkte das Krummschwert, bis sich die Waffe auf gleicher Höhe mit seinem Widersacher befand, und schrie: *»Letta!«* Derselbe Zauber, den Murtagh ihm beim letzten Duell entgegengeschleudert hatte. Die Magie war simpel, nicht mehr als eine Formel, um ihm unsichtbare Fesseln um Arme und Beine zu legen. Doch so konnten sie ihre Kräfte messen und herausfinden, wer über die größere Energie verfügte.

Murtagh schrie einen Gegenzauber, doch die Worte gingen in Dorns Gebrüll und dem Heulen des Windes unter.

Eragons Puls raste, während die Kraft aus seinen Gliedern sickerte. Als er seine Reserven fast aufgebraucht hatte und von der Anstrengung bereits geschwächt war, ließen Saphira und die Elfen die Energie von ihren Körpern in seinen strömen und hielten den Zauber für ihn aufrecht. Murtagh hatte schon sehr siegessicher gewirkt, doch als sich Eragons Bindung um ihn nicht lockerte, verdüsterte sich seine Miene und er fletschte wütend die Zähne. Und während der ganzen Zeit belagerte jeder von ihnen den Geist des anderen.

Eragon spürte, wie der Energiefluss, der von Arya ausging, schwächer wurde, einmal, dann noch einmal, und vermutete, dass zwei von Bloëdhgarms Elfenmagiern ohnmächtig geworden waren. *Murtagh kann unmöglich noch viel länger durchhalten,* dachte er und rang im nächsten Moment verzweifelt darum, die Kontrolle über seinen Geist wiederzuerlangen. Seine kurze Unaufmerksamkeit hatte dem Gegner einen unverhofften Zugang zu seinem Bewusstsein eröffnet.

Die Energie, die von Arya und den anderen Elfen zu Eragon floss, hatte sich mittlerweile halbiert und auch Saphira zitterte vor Erschöpfung. Gerade als er fürchtete, dass Murtagh die Oberhand behalten würde, stieß der einen gequälten Schrei aus und eine schwere Last schien von Eragons Schultern genommen zu werden, als der Widerstand seines Kontrahenten erlosch. Murtagh schien fassungslos über Eragons Triumph.

Und was jetzt?, fragte Eragon Arya und Saphira. *Nehmen wir die beiden als Geiseln? Sind wir dazu in der Lage?*

Jetzt, gab Saphira zurück, *muss ich erst mal fliegen.* Sie ließ Dorn los, stieß sich von ihm ab und fing mit einigen wuchtigen Flügelschlägen ihren Sturz ab. Eragon sah an ihrer Schulter vorbei nach unten. Er hatte den Eindruck, Pferde und sonnige Grasflächen rasten auf ihn zu; dann schien ein Riese ihm einen Schlag zu versetzen und ihm wurde schwarz vor Augen.

Als Eragon zu sich kam, sah er kaum eine Handbreit vor seiner Nase Saphiras Halsschuppen. Sie glänzten wie kobaltblaues Eis. Er spürte schwach, wie jemand aus weiter Ferne verzweifelt nach seinem Geist tastete. Sobald er wieder völlig bei Sinnen war, erkannte er, dass es Arya war. *Löse den Zauber, Eragon!*, sagte sie. *Wir werden alle sterben, wenn du ihn aufrechterhältst! Beende ihn. Murtagh ist schon zu weit weg! Wach auf, Eragon, sonst gleitest du ins Nichts!*

Mit einem Ruck richtete er sich im Sattel auf und bemerkte gerade so, dass Saphira auf dem Boden kauerte und von König Orrins Reitern umringt war. Arya konnte er nirgends sehen. Jetzt, wo er wieder hellwach war, spürte er, wie der Zauber, den er gegen Murtagh gewirkt hatte, ihm immer mehr Energie entzog. Ohne die Hilfe von Saphira, Arya und den anderen Elfen wäre er längst gestorben.

Eragon entließ die Magie und sah sich dann suchend nach Dorn und Murtagh um.

Dort. Saphira deutete mit ihrer Schnauze nach Nordwesten. Tief am Himmel entdeckte Eragon die funkelnde Silhouette des anderen Drachen. Er flog stromaufwärts am Jiet entlang, floh zurück zu Galbatorix' Streitmacht, die ein paar Meilen entfernt lagerte.

Wie?

Murtagh hat seinen Drachen geheilt. Dorn hatte das Glück, auf einem Hügel zu landen. Er ist den Hang hinuntergelaufen und hat sich in die Luft geschwungen, bevor du das Bewusstsein wiedererlangt hast.

Über das bergige Land schallte Murtaghs durch Magie verstärkte Stimme. »Glaubt ja nicht, ihr hättet uns besiegt, Eragon, Saphira!

Wir sehen uns wieder, das verspreche ich. Das nächste Mal werden Dorn und ich euch bezwingen, wir werden dann noch stärker sein als heute!«

Eragon umklammerte Schild und Schwert so fest, dass Blut aus seinen Fingernägeln quoll. *Glaubst du, dass du ihn einholen kannst?*

Das könnte ich, aber auf so große Entfernung könnten die Elfen dir nicht helfen. Und ich bezweifle stark, dass wir den Sieg ohne sie davontragen würden.

Wir könnten vielleicht … Eragon hielt inne und schlug sich frustriert mit der Faust aufs Bein. *Verdammt! Ich Dummkopf! Ich habe Aren vergessen. Wir hätten auf die Energie in Broms Ring zurückgreifen können, um sie zu besiegen!*

Du hattest andere Dinge im Kopf. Ein solcher Fehler hätte jedem unterlaufen können.

Mag sein, aber ich wünschte trotzdem, dass ich früher an Aren gedacht hätte. Wir könnten den Ring immer noch nutzen, um Dorn und Murtagh zu erwischen.

Und was dann?, erkundigte sich Saphira. *Wie sollen wir sie gefangen nehmen? Willst du sie unter Drogen setzen, so wie Durza es mit dir in Gil'ead gemacht hast? Oder willst du die beiden einfach nur töten?*

Das weiß ich nicht! Wir könnten ihnen helfen, ihre wahren Namen zu ändern und sich so aus der Knechtschaft zu befreien. Sie einfach ziehen zu lassen, ist zu gefährlich.

Theoretisch hast du recht, Eragon, mischte sich Arya ein. *Aber du bist genauso erschöpft wie Saphira, und mir ist es lieber, wenn Dorn und Murtagh entkommen, als dass wir euch beide verlieren, weil ihr nicht bei Kräften seid.*

Aber …

Aber wir haben keine Möglichkeit, einen Drachen und seinen Reiter über längere Zeit sicher zu verwahren. Und Dorn und Murtagh zu töten, dürfte nicht so einfach sein, wie du es dir vorstellst, Eragon. Sei dankbar, dass wir sie in die Flucht geschlagen haben.

Wir würden es wieder tun, sollten sie es noch einmal wagen, uns anzugreifen. Das muss dir genügen. Mit diesen Worten zog sich Arya aus seinem Geist zurück.

Eragon blickte Dorn und Murtagh nach, bis sie nicht mehr zu sehen waren, dann seufzte er und streichelte Saphiras Hals. *Ich könnte jetzt vierzehn Tage lang durchschlafen.*

Ich auch.

Du kannst stolz auf dich sein. Du hast Dorn nahezu jedes Mal ausmanövriert.

Ja, das habe ich wohl, hm? Sie putzte sich genüsslich. *Aber es war kein fairer Kampf. Dorn besitzt längst nicht meine Erfahrung.*

Und auch nicht dein Talent, denke ich.

Saphira drehte den Kopf und fuhr ihm mit der Zunge über den rechten Oberarm, dass das Kettenhemd rasselte. Ihre Augen glänzten.

Eragon raffte sich zu einem schwachen Lächeln auf. *Ich hätte es mir zwar denken können, aber ich bin immer noch verblüfft, dass Murtagh ebenso schnell mit dem Schwert war wie ich. Zweifellos lag das an Galbatorix' Magie.*

Warum konnten deine Schutzzauber eigentlich Zar'roc nicht abwehren? Sie haben dich doch vor weit schlimmeren Schlägen geschützt, als wir gegen die Ra'zac kämpften.

Das weiß ich nicht genau. Murtagh oder Galbatorix müssen einen Zauber ersonnen haben, gegen den ich mich nicht geschützt habe. Oder aber es liegt daran, dass Zar'roc das Schwert eines Drachenreiters ist, denn wie Glaedr sagte …

… die Schwerter, die Rhunön geschmiedet hat, zeichnen sich dadurch aus, dass sie …

… Schutzzauber aller Art durchdringen und …

… nur sehr selten …

… durch Magie beeinflusst werden können. Genau. Eragon betrachtete erschöpft die Flecken von Drachenblut auf seinem Schwert. *Wann werden wir endlich unsere Feinde allein besiegen können? Es wäre mir nie gelungen, Durza zu töten, wenn Arya den*

Sternsaphir nicht gesprengt hätte. Und diesmal konnten wir uns nur mithilfe von Arya und den zwölf Elfenmagiern gegen Dorn und Murtagh behaupten.

Wir müssen stärker werden.

Schon, aber wie? Woher rührt Galbatorix' Kraft? Hat er einen Weg gefunden, Energie aus den Körpern seiner Sklaven zu saugen, selbst wenn er Hunderte von Meilen von ihnen entfernt ist? Verdammt! Ich weiß es einfach nicht!

Ein Schweißtropfen lief ihm von der Stirn ins Auge. Er wischte ihn mit der Hand weg und blinzelte. Dann fiel sein Blick auf die Reiter, die Saphira und ihn umringten. *Was tun die hier?* Er sah sich um und stellte fest, dass Saphira nahe der Stelle gelandet war, wo König Orrin die feindlichen Soldaten abgefangen hatte. Ein Stück links von ihm rannten Hunderte von Männern, Urgals und Pferden panisch durcheinander. Gelegentlich drang das Klirren von Schwertern und der Schrei eines Verwundeten durch den Lärm, begleitet von verrücktem Gelächter.

Ich glaube, sie sollen uns beschützen, erklärte Saphira.

Uns? Vor wem? Warum haben sie die Soldaten nicht schon längst getötet? Wo …? Eragon verzichtete darauf, die Frage zu stellen, als Arya, Bloëdhgarm und vier weitere Elfen vom Lager her auf Saphira zuliefen. Eragon hob grüßend die Hand. »Arya!«, rief er. »Was ist passiert? Offenbar hat hier niemand das Kommando!«

Zu Eragons Bestürzung rang Arya so nach Luft, dass sie eine Weile nicht antworten konnte. »Die Soldaten haben sich als weit gefährlicher erwiesen, als wir angenommen haben«, keuchte sie schließlich. »Wir wissen nicht, warum. Die Du Vrangr Gata haben nur unzusammenhängende Wortfetzen von Orrins Zauberern aufschnappen können.« Arya kam allmählich zu Atem und machte sich daran, Saphiras Wunden zu untersuchen.

Bevor Eragon weiterfragen konnte, übertönte erregtes Gebrüll aus dem Gewirr von Kriegern alle anderen Kampfgeräusche. »Zurück, alle zurück!«, hörte er König Orrin schreien. »Bogenschützen, Stellung halten! Verflucht, keiner rührt sich! Wir haben ihn!«

Saphira hatte denselben Gedanken wie Eragon. Sie stieß sich vom Boden ab und sprang mit einem gewaltigen Satz über den Kreis aus Reitern, deren Pferde scheuten und durchgingen, und trampelte über das von Leichen übersäte Schlachtfeld in die Richtung, aus der König Orrins Stimme kam. Dabei fegte sie Menschen und Urgals beiseite, als wären es Grashalme. Die sechs Elfen rannten neben ihr her, die Schwerter gezückt und die Bogen schussbereit in den Händen.

Orrin saß auf seinem Schlachtross an der Spitze der dicht gedrängten Krieger und starrte einen einzelnen Soldaten knapp vierzig Fuß von ihm entfernt an. Das Gesicht des Königs war gerötet, die Augen hatte er weit aufgerissen und seine Rüstung war blutverschmiert und dreckig. Am linken Arm hatte er eine Stichwunde davongetragen, und der abgebrochene Schaft eines Speeres ragte ein Stück aus seinem linken Oberschenkel. Als er Saphira bemerkte, zeichnete sich Erleichterung auf seinen Zügen ab.

»Gut, sehr gut, da seid ihr ja«, murmelte er, während Saphira vor sein Streitross trat. »Wir hätten dich brauchen können, Saphira, und auch dich, Schattentöter.« Einer der Bogenschützen trat ein Stück vor, doch Orrin winkte ihn mit dem Schwert zurück. »Halt! Ich schlage jedem den Kopf ab, der nicht bleibt, wo er ist! Das schwöre ich bei Angvards Krone!« Dann starrte er wieder wütend auf den einzelnen Soldaten.

Eragon folgte seinem Blick. Der Mann war mittelgroß, ein purpurnes Geburtsmal leuchtete an seinem Hals, und das schweißnasse braune Haar klebte ihm am Schädel, platt gedrückt von dem Helm, den er verloren hatte. Sein Schild war zersplittert, das Schwert, von dessen Klinge eine Handbreit abgebrochen war, von Kerben übersät. Die Hose des Mannes war schlammig und aus einer tiefen Wunde zwischen seinen Rippen quoll Blut. In seinem rechten Fuß steckte ein Pfeil mit weißen Schwanenfedern, dessen Schaft zu drei Vierteln in den hart getretenen Lehm eingedrungen war und ihn am Boden festnagelte. Aus der Kehle des Mannes drang ein schreckliches gurgelndes Lachen. Es schwoll in einer trunkenen

Kadenz an und ab und wurde immer schriller, als wollte der Soldat jeden Moment vor Entsetzen kreischen.

»Was bist du?«, schrie König Orrin. Als der Mann nicht sofort antwortete, stieß der König einen Fluch aus. »Antworte!«, drohte er, »oder ich lasse meine Magier auf dich los! Bist du Mensch, Bestie oder irgendein verfluchter Dämon? In welcher Mistgrube hat Galbatorix dich und deine Kameraden gefunden? Bist du mit den Ra'zac verwandt?«

Die letzte Frage durchbohrte Eragon wie ein Pfeil; er straffte sich mit einem Ruck und seine Sinne waren plötzlich hellwach.

Das wahnsinnige Gelächter verstummte einen Herzschlag lang. »Mensch. Ich bin ein Mensch.«

»Ich kenne keine Menschen wie dich!«

»Ich wollte die Zukunft meiner Familie sichern. Ist dir das so fremd, Surdaner?«

»Sprich nicht in Rätseln, du doppelzüngiger Schuft! Sag mir, wie du zu dem wurdest, was du bist, und antworte aufrichtig, sonst lasse ich dir kochendes Blei in den Schlund gießen. Wir werden schon sehen, wie dir das gefällt!«

Das irre Kichern steigerte sich. »Du kannst mir keine Schmerzen zufügen, Surdaner. Niemand vermag das. Der König selbst hat dafür gesorgt! Im Gegenzug werden unsere Familien glücklich und zufrieden sein bis an ihr Lebensende. Du kannst dich vor uns verstecken, aber wir werden niemals aufhören, dich zu verfolgen, auch dann nicht, wenn gewöhnliche Männer vor Erschöpfung tot umfallen würden. Du kannst uns bekämpfen, gewiss, aber wir werden dir nach dem Leben trachten, solange wir noch einen Arm haben, der ein Schwert zu führen vermag. Du kannst dich uns nicht einmal ergeben, denn wir machen keine Gefangenen. Dir bleibt nur eines: zu sterben, damit dieses Land wieder Frieden findet.«

Mit einer grauenvollen Grimasse umfasste der Soldat mit der zerfetzten Schildhand den Pfeilschaft und riss ihn, mit dem schmatzenden Geräusch von reißendem Gewebe, aus seinem Fuß. An der Pfeilspitze klebten blutrote Fleischklumpen. Er schüttelte den Pfeil drohend und schleuderte ihn auf einen der Bogenschützen, der von der Pfeilspitze an der Hand geritzt wurde. Der Soldat lachte noch lauter, als er erneut angriff, den verletzten Fuß hinter sich herziehend. Er hob das Schwert zum Schlag.

»Erschießt ihn!«, blaffte Orrin.

Bogensehnen schwirrten wie schlecht gestimmte Lauten, dann fegte eine Wolke aus Pfeilen auf den Soldaten zu und traf ihn in die Brust. Zwei Pfeile prallten von dem gepanzerten Wams ab, die anderen gruben sich in seinen Brustkorb. Sein Gelächter wurde zu einem gurgelnden Glucksen, als Blut in seine Lungen sickerte, aber er schleppte sich weiter, wobei sich das Gras unter ihm leuchtend rot färbte. Die Bogenschützen feuerten erneut; Pfeile schienen aus Armen und Schultern des Soldaten zu sprießen, doch sie konnten ihn nicht aufhalten. Ein weiterer Pfeilhagel folgte. Der Soldat stolperte und stürzte zu Boden, als die Geschosse seine linke Kniescheibe zertrümmerten, beide Oberschenkel durchbohrten und ein Pfeil schließlich das Geburtsmal traf, den Hals glatt durchschlug und in einem Sprühnebel aus Blut weiter über das Schlachtfeld flog. Doch der Soldat weigerte sich immer noch zu sterben. Er kroch weiter, zog sich mit den Armen vorwärts, grinste und kicherte, als wäre das alles ein makabrer Witz, den nur er zu schätzen wusste.

Eragon überlief es bei dieser Szene eiskalt.

König Orrin fluchte unbeherrscht und der Drachenreiter nahm einen Anflug von Hysterie in seiner Stimme wahr. Orrin schwang sich von seinem Streitross, warf Schwert und Schild achtlos in den Schlamm und winkte den nächststehenden Urgal heran. »Her mit der Axt!« Der grauhäutige Urgal zögerte zunächst verblüfft, reichte dem König dann jedoch die Waffe.

König Orrin humpelte zu dem Soldaten, riss die schwere Streitaxt mit beiden Händen hoch und schlug dem Feind mit einem einzigen Streich den Kopf von den Schultern.

Das Kichern erstarb.

Die Augen im Schädel des Soldaten verdrehten sich, der Mund zuckte, dann rührte er sich nicht mehr.

Orrin packte den Kopf an den Haaren und hob ihn hoch, damit alle ihn sehen konnten. »Man kann sie also doch töten!«, erklärte er. »Sagt allen, dass man diese abscheulichen Kreaturen nur aufhalten kann, indem man sie enthauptet, ihnen den Schädel mit einer Keule einschlägt oder ihnen aus sicherer Entfernung einen Pfeil ins Auge schießt … Grauzahn, wo steckst du?« Ein stämmiger Reiter mittleren Alters trieb sein Pferd an. Orrin warf ihm den Schädel zu, den der Mann auffing. »Steck den auf eine Lanzenspitze und stell sie vor dem Nordtor des Lagers auf. Nein, spieß *alle* ihre Köpfe auf! Mögen sie Galbatorix als Botschaft dienen, dass wir seine hinterhältigen Tricks nicht fürchten und am Ende trotzdem siegen werden!« Dann schritt Orrin zu seinem Streitross zurück, drückte unterwegs dem Urgal die Streitaxt wieder in die Hand und hob seine eigenen Waffen aus dem Dreck auf.

Einige Schritte entfernt entdeckte Eragon in einer Gruppe von Kull Nar Garzhvog. Saphira näherte sich ihnen. »Waren alle Soldaten … so?«, erkundigte er sich, nachdem er und Garzhvog sich mit einem Nicken begrüßt hatten, und deutete auf den mit Pfeilen gespickten Leichnam.

»Alles Männer ohne Schmerz. Man schlägt sie nieder, hält sie für tot, kehrt ihnen den Rücken zu und sie schneiden einem die Kniekehlen auf.« Garzhvogs Miene verfinsterte sich. »Ich habe heute viele Gehörnte verloren. Wir haben schon gegen Scharen von Menschen gekämpft, Feuerschwert, aber noch nie gegen lachende Leichen. Das ist widernatürlich. Wir fürchten, sie sind von hornlosen Geistern besessen und die Götter selbst haben sich von uns abgewendet.«

»Unsinn«, schnaubte Eragon verächtlich. »Das ist nur eine Hexerei von Galbatorix. Wir werden sehr bald einen Weg finden, wie wir uns dagegen wehren können.« Trotz seiner zur Schau getragenen Zuversicht beunruhigte Eragon die Vorstellung, gegen einen Feind zu kämpfen, der keine Schmerzen kannte, genauso wie die Urgals. Garzhvogs Bemerkung ließ ihn zudem vermuten, dass Nasuada große Schwierigkeiten haben würde, die Moral der Truppen aufrechtzuerhalten, wenn sich die Kunde erst mal unter ihren Kriegern verbreitet hatte.

Varden und Urgals bargen die gefallenen Kameraden, nahmen den Toten die Ausrüstung ab, die noch zu gebrauchen war, köpften die Feinde und stapelten ihre verstümmelten Körper aufeinander, um sie zu verbrennen. Eragon, Saphira und König Orrin kehrten derweil, begleitet von Arya und den anderen Elfen, ins Lager zurück.

Unterwegs bot Eragon Orrin an, sich um sein Bein zu kümmern, doch der König lehnte ab. »Ich habe meine eigenen Heiler, Schattentöter.«

Nasuada und Jörmundur warteten bereits am Nordtor auf sie. »Was ist schiefgelaufen?«, fragte die Anführerin der Varden Orrin.

Eragon schloss die Augen, als Orrin den Angriff auf die Soldaten schilderte, der zunächst gut zu verlaufen schien. Die Reiter waren durch ihre Schlachtreihen geprescht und hatten, wie sie glaubten, tödliche Schläge ausgeteilt und dabei nur einen einzigen Mann verloren. Als sie die verbliebenen Soldaten angriffen, hatten sich jedoch viele der Gefallenen wieder erhoben und weitergekämpft. Orrin schüttelte sich. »Da haben wir den Mut verloren. Das wäre jedem so gegangen. Wir wussten nicht, ob die Soldaten unbesiegbar oder überhaupt Menschen waren. Einem Feind, der auf dich zustürmt, obwohl ihm ein Schenkelknochen aus der Wade ragt, ein Speer im Bauch steckt oder das halbe Gesicht weggeschlagen wurde – und der dich dann auch noch auslacht –, halten nur wenige Männer stand. Meine Reiter sind in Panik verfallen. Sie haben die Formation aufgelöst. In dem folgenden Chaos kam es zu einem schrecklichen Gemetzel. Als die Urgals und Eure Krieger, Nasuada, uns erreichten, verfielen sie ebenfalls diesem Wahnsinn.« Er schüttelte den Kopf. »Ich habe so etwas noch nie erlebt, nicht einmal auf den Brennenden Steppen.«

Nasuada war unter ihrer dunklen Haut sichtlich erbleicht. Sie sah Eragon an, dann Arya. »Wie konnte Galbatorix so etwas bewirken?«

Die Elfe antwortete: »Indem er das menschliche Schmerzempfinden nahezu völlig blockiert. Er lässt nur gerade genug Wahrnehmung übrig, damit die Soldaten wissen, wo sie sind und was sie tun, nicht jedoch so viel, dass Schmerzen sie außer Gefecht setzen können. Ein solcher Zauber erfordert nur wenig Energie.«

Nasuada leckte sich die Lippen. »Wisst Ihr schon, wie viele Männer wir verloren haben?«, wandte sie sich an Orrin.

Der König krümmte sich, als ein krampfhafter Schauer ihn überlief, drückte eine Hand auf das verwundete Bein und knirschte mit den Zähnen. »Dreihundert Soldaten gegen … wie groß war die Streitmacht, die Ihr ausgeschickt habt?«

»Zweihundert Schwertkämpfer, hundert Speerträger, fünfzig Bogenschützen.«

»Dazu die Urgals und meine Kavallerie … Sagen wir, um die tausend Mann. Gegen dreihundert Fußsoldaten und das auf freiem Feld. Wir haben die Soldaten bis auf den letzten Mann niedergemetzelt. Doch unsere eigenen Verluste …« Der König schüttelte den Kopf. »Genau kann ich das erst sagen, wenn wir die Toten gezählt haben. Ich hatte jedenfalls den Eindruck, dass mehr als drei Viertel Eurer Schwertkämpfer gefallen sind, noch mehr von den Speerträgern und etliche Bogenschützen. Von meinen Reitern haben ebenfalls nur wenige überlebt: fünfzig, höchstens siebzig. Viele der Gefallenen waren meine Freunde. Vielleicht sind hundert oder gar hundertfünfzig Urgals tot. Unsere Verluste insgesamt, fragt Ihr? Fünf- bis sechshundert Tote sind zu beklagen und die meisten Überlebenden verwundet. Ich weiß es nicht … Ich weiß es nicht. Ich weiß …« Orrins Kiefer erschlaffte, er sackte zusammen und wäre vom Pferd gefallen, wäre Arya nicht blitzschnell vorgesprungen und hätte ihn aufgefangen.

Mit einem Fingerschnippen rief Nasuada zwei Varden herbei, denen sie auftrug, Orrin in seinen Pavillon zu tragen und die Heiler des Königs zu holen.

»Wir haben eine schwere Niederlage erlitten, obwohl wir die Soldaten bis auf den letzten Mann ausgelöscht haben«, stieß Nasuada grimmig hervor. Sie presste die Lippen aufeinander, ein Ausdruck von Trauer und Verzweiflung in ihren Zügen. Ungeweinte Tränen schimmerten in ihren Augen. Dann straffte sie sich und musterte Eragon und Saphira mit stählernem Blick. »Wie ist es euch beiden ergangen?« Sie lauschte regungslos, während der Drachenreiter ihr die Begegnung mit Murtagh und Dorn schilderte. Als er fertig war, nickte sie. »Dass du ihren Klauen unversehrt entrinnst, war alles, was wir zu hoffen gewagt haben. Du hast jedoch viel mehr vollbracht. Du hast bewiesen, dass Galbatorix seinem Schergen nur begrenzte Macht verliehen hat und wir unsere Hoffnungen, ihn zu besiegen, nicht begraben müssen. Hätten dir mehr Magier zur Seite gestanden, wäre Murtagh dir hilflos ausgeliefert gewesen. Deshalb wird er es schwerlich riskieren, es mit Königin Islanzadis Streitmacht allein aufzunehmen. Und ich bin überzeugt, wenn wir dir genug Magier zur Seite stellen, können wir Murtagh und Dorn töten, falls sie noch einmal versuchen sollten, euch zu entführen.«

»Du willst sie also nicht gefangen nehmen?«, erkundigte er sich.

»Ich will so viele Dinge, nur fürchte ich, die wenigsten davon werden in Erfüllung gehen. Selbst wenn Murtagh und Dorn nicht versuchen, dich zu töten, müssen wir sie ohne Zögern erledigen, wenn wir die Gelegenheit dazu erhalten. Oder siehst du das anders?«

»... Nein.«

Nasuada wandte sich an Arya. »Wurde einer von deinen Magiern während des Gefechts getötet?«

»Einige haben das Bewusstsein verloren, aber sie haben sich alle erholt.«

Nasuada atmete einmal tief durch und starrte blicklos nach Norden. »Eragon, geh zu Trianna. Ich will, dass die Du Vrangr Gata einen Weg finden, einen Zauber wie den von Galbatorix zu wirken. So widerwärtig es ist, uns bleibt keine Wahl, als uns wie Galbatorix dieser Hexerei zu bedienen. Wir können es uns nicht leisten, es nicht zu tun. Natürlich werden wir uns nicht alle von jeglichem Schmerzempfinden befreien lassen, da wir uns sonst viel zu leicht verletzen würden, aber wir sollten über einige Hundert Schwertkämpfer verfügen, denen körperliches Leid nichts anhaben kann. Freiwillige, versteht sich.«

»Lehnsherrin.«

»So viele Tote.« Nasuada knetete die Zügel in den Händen. »Wir sind schon viel zu lange an einem Ort geblieben. Es wird Zeit, dass wir das Imperium wieder in die Defensive drängen.« Sie grub Donnerkeil die Sporen in die Flanken und trieb ihn weg vom Ort des Gemetzels vor dem Lager. Das Streitross warf den Kopf hoch und kaute erregt auf der Trense. »Dein Cousin, Eragon, hat mich gebeten, ihn an dem heutigen Kampf teilnehmen zu lassen. Ich habe mich wegen seiner bevorstehenden Vermählung geweigert. Es hat ihm ganz und gar nicht gefallen. Seine Braut dagegen dürfte das wohl anders sehen. Tust du mir den Gefallen und benachrichtigst mich, falls sie die Zeremonie heute noch abhalten wollen? Nach all dem Blutvergießen würde es die Varden sicherlich aufmuntern, eine Hochzeit zu feiern.«

»Ich verständige dich, sobald ich es herausgefunden habe.«

»Danke. Du kannst jetzt gehen, Eragon.«

Nachdem sie Nasuada verlassen hatten, suchten Eragon und Saphira als Erstes die Elfen auf, die während ihres Kampfes mit Murtagh und Dorn das Bewusstsein verloren hatten. Sie dankten ihnen und ihren Gefährten für ihren Beistand. Danach kümmerten sich Eragon, Arya und Bloëdhgarm um die Wunden, die Dorn Saphira zugefügt hatte, heilten Schnitte und Kratzer und versorgten auch einige der größeren Prellungen. Als sie fertig waren, berührte Eragon Trianna mit seinem Geist und richtete ihr Nasuadas Anweisungen aus.

Erst dann gingen Saphira und er zu Roran. Bloëdhgarm und seine Elfen begleiteten ihn; Arya hatte andere Aufgaben zu erledigen.

Roran und Katrina stritten erregt flüsternd hinter Horsts Zelt. Sie verstummten, als Eragon und Saphira sich ihnen näherten. Katrina verschränkte die Arme und wandte sich von Roran ab, der wütend den Hammer in seinen Gurt schob und mit dem Stiefelabsatz gegen einen Stein trat.

Eragon wartete einen Augenblick, in der Hoffnung, den Grund für ihren Zwist zu erfahren, aber stattdessen sagte Katrina: »Ist einer von euch verwundet?« Ihr Blick flog von Eragon zu Saphira und zurück.

»Nicht mehr.«

»Das ist so … merkwürdig. Wir haben in Carvahall Geschichten über Magie gehört, aber ich habe ihnen nie Glauben geschenkt. Sie erschienen mir so … fantastisch. Aber hier … hier laufen überall Zauberer herum … Hast du Murtagh und Dorn schwer verletzt? Sind sie deshalb geflohen?«

»Wir haben sie zwar vertrieben, konnten ihnen aber keine bleibenden Schäden zufügen.« Eragon wartete, doch als weder Roran noch Katrina etwas sagten, erkundigte er sich, ob sie nach wie vor an diesem Tag heiraten wollten. »Nasuada schlägt zwar vor, eure Heiratspläne wie geplant durchzuziehen, aber vielleicht wäre es besser, etwas zu warten. Die Toten müssen bestattet werden und es gibt vieles zu erledigen. Der morgige Tag wäre gewiss … angemessener.«

»Nein.« Roran trat wieder gegen den Stein, diesmal mit der Stiefelspitze. »Das Imperium kann jeden Moment erneut angreifen. Morgen ist es vielleicht schon zu spät. Wenn … wenn ich sterbe, bevor wir verheiratet sind, was soll dann aus Katrina und unserem …?« Er verstummte errötend.

Katrina wandte sich an Roran und nahm zärtlich seine Hand. »Außerdem«, meinte sie, »sind die Speisen bereitet, alles ist geschmückt und unsere Freunde haben sich für die Zeremonie versammelt. Jammerschade, wenn all diese Vorbereitungen umsonst wären.« Sie streichelte Rorans Bart. Er lächelte sie an und schlang den Arm um ihre Taille.

Ich verstehe nicht einmal die Hälfte von dem, was zwischen den beiden vorgeht, beschwerte sich Eragon bei Saphira. Laut sagte er: »Und wann soll die Vermählung stattfinden?«

»In einer Stunde«, erwiderte Roran.

Mann und Frau

Vier Stunden später stand Eragon auf einem niedrigen, von gelben Wildblumen übersäten Hügel.

Eine saftige Wiese erstreckte sich unterhalb des Hügels bis zum Jiet-Strom, der in einer Entfernung von ein paar Hundert Fuß vorbeirauschte. Es war ein strahlender, klarer Tag und die Sonne tauchte das Land in weiches Licht. Kein Windhauch rührte sich und die Luft war kühl und frisch, als hätte es gerade geregnet.

Um den Hügel hatten sich die Bewohner von Carvahall versammelt, die alle unversehrt die Schlacht überstanden hatten, sowie etwa die Hälfte der Varden. Viele Krieger hielten lange Speere in den Händen, die mit bestickten Wimpeln in allen erdenklichen Farben geschmückt waren. Trotz Nasuadas Bemühungen hatte es länger gedauert als gedacht, bis sämtliche Hochzeitsgäste versammelt waren.

Am anderen Ende der Wiese standen etliche Pferde auf einer Koppel, unter ihnen auch Schneefeuer.

Der Luftzug unter Saphiras Schwingen zerzauste Eragons vom Waschen noch feuchtes Haar, als sie über die Menge dahinglitt und flügelschlagend neben ihm landete. Er lächelte sie an und berührte sanft ihre Schulter.

Mein Kleiner.

Unter normalen Umständen wäre Eragon nervös gewesen, weil er vor so vielen Leuten sprechen und eine so feierliche und ernste Zeremonie abhalten sollte. Aber nach dem Kampf mit Murtagh erschien ihm alles irgendwie unwirklich, als wäre es nur ein besonders lebhafter Traum.

Am Fuß des Hügels standen Nasuada, Arya, Narheim, Jörmundur, Angela, Elva und andere wichtige Persönlichkeiten. König Orrin fehlte. Seine Verletzungen hatten sich als schwerer herausgestellt, als es zunächst den Anschein gehabt hatte, und seine Heiler kümmerten sich immer noch um ihn. Irwin, der Premierminister des Königs, nahm an seiner Stelle teil.

Von den Urgals waren nur die beiden von Nasuadas Leibwache anwesend. Eragon war dabei gewesen, als die Anführerin der Varden Garzhvog zu den Feierlichkeiten eingeladen hatte. Zu seiner Erleichterung war der Kull so klug gewesen abzulehnen. Die Dörfler hätten eine große Anzahl Urgals niemals bei der Hochzeit geduldet. Selbst bei ihren beiden Leibwächtern hatte Nasuada nur mit viel Überredungskunst erreicht, dass sie bleiben durften.

Kleider raschelten, als Dorfbewohner und Varden eine lange Gasse bis zum Hügel bildeten. Dann stimmten die Menschen von Carvahall die uralten Hochzeitslieder des Palancar-Tals an. Sie kündeten vom Wechsel der Jahreszeiten, von der fruchtbaren Erde, die jedes Jahr aufs Neue Getreide hervorbrachte, von Frühlingskälbern, nistenden Rotkehlchen und laichenden Fischen und von der Bestimmung der Jungen, die Alten zu verdrängen. Eine von Bloëdhgarms Magierinnen, eine Elfe mit silbernem Haar, zog eine kleine goldene Harfe aus einem Samtfutteral und begleitete den Gesang der Dörfler, schmückte die schlichten Melodien aus und verlieh der vertrauten Musik eine sehnsüchtige Note.

Am Ende der Gasse traten nun Roran und Katrina aus der Menge heraus, wandten sich dem Hügel zu und gingen, ohne sich zu berühren, gemessenen festen Schrittes auf Eragon zu. Roran trug ein neues Wams, das er sich von einem Varden geliehen hatte. Sein Haar war gebürstet, der Bart gestutzt und die Stiefel blank geputzt. Sein Gesicht strahlte vor unaussprechlicher Freude. Alles in allem fand Eragon ihn gut aussehend und würdevoll. Es war jedoch Katrina, die seine Aufmerksamkeit fesselte. Sie trug ein hellblaues

Kleid, wie es sich für eine Braut bei ihrer Hochzeit ziemte, von schlichtem Schnitt, aber mit einer zwanzig Fuß langen Schleppe aus Spitze, die von zwei Mädchen getragen wurde. Vor dem blassen Blau schimmerten ihre offenen Locken wie poliertes Kupfer. In den Händen hielt sie einen Brautstrauß aus Wildblumen. Sie sah stolz, gelassen und wunderschön aus.

Einige Frauen schnappten nach Luft, als sie Katrinas Schleppe sahen. Eragon nahm sich vor, Nasuada zu danken, denn sie musste die Du Vrangr Gata gebeten haben, das Kleid für Katrina zu schneidern.

Drei Schritte hinter Roran ging Horst, und in ähnlichem Abstand zu Katrina folgte Birgit, die sorgfältig darauf achtete, nicht auf die Schleppe zu treten.

Als Roran und Katrina die Hälfte der Strecke zur Hügelkuppe zurückgelegt hatten, stiegen zwei weiße Tauben aus den Weiden am Jiet-Strom auf. In den Krallen hielten sie einen Kranz aus gelben Narzissen. Katrina verlangsamte ihre Schritte und blieb schließlich stehen, als die Vögel sich ihr näherten. Sie umkreisten die Braut dreimal, flatterten herab und legten ihr den Kranz behutsam um den Kopf, bevor sie zum Fluss zurückflogen.

»Hast du das arrangiert?«, murmelte Eragon Arya zu.

Die Elfe lächelte nur.

Oben auf dem Hügel blieben Roran und Katrina schließlich vor Eragon stehen und warteten, bis die Dorfbewohner zu Ende gesungen hatten. Als der letzte Refrain verklungen war, hob der Drachenreiter die Hände. »Seid alle gegrüßt. Heute sind wir hier zusammengekommen, um die Vereinigung der Familien von Roran Garrowsson und Katrina Ismirastochter zu feiern. Sie genießen beide hohes Ansehen, und ich kann nach bestem Wissen und Gewissen sagen, dass weder ihre noch seine Hand bereits vergeben sind. Sollte das doch der Fall sein oder es einen anderen Grund geben, warum sie nicht Mann und Frau werden sollten, dann erhebt eure Einwände jetzt vor diesen Zeugen, auf dass wir sie prüfen können.« Eragon wartete eine angemessene Frist ab und fuhr dann fort. »Wer von den Anwesenden spricht für Roran Garrowsson?«

Horst trat vor. »Roran hat weder Vater noch Onkel, also spreche ich, Horst Ostrecsson, für ihn als einen von meinem Blut.«

»Und wer spricht für Katrina Ismirastochter?«

Birgit trat vor. »Katrina hat weder Mutter noch Tante, also spreche ich, Birgit Mardrastochter, für sie als eine von meinem Blut.« Trotz ihrer Fehde mit Roran war es nach der Tradition Birgits Recht und auch ihre Pflicht, Katrina zu vertreten, denn sie war eine enge Freundin ihrer Mutter gewesen.

»So gehört es sich. Was bringt nun Roran Garrowsson in die Ehe ein, auf dass es ihm und seinem Eheweib wohlergehe?«

»Er bringt seinen Namen ein«, erwiderte Horst, »und seinen Hammer. Er bringt ein die Stärke seiner Hände. Und er bringt weiterhin ein das Versprechen auf einen Hof in Carvahall, wo beide in Frieden leben mögen.«

Ein Raunen ging durch die Menge, als den Leuten klar wurde, was Roran da tat: Er verkündete in aller Öffentlichkeit, dass er sich vom Imperium nicht abhalten lassen würde, mit Katrina nach Hause zurückzukehren und ihr dort das Leben zu bieten, das sie ohne Galbatorix' Einmischung geführt hätten. Roran gab damit sein Ehrenwort als Mann und Gemahl, das Imperium zu stürzen.

»Nimmst du dieses Angebot an, Birgit Mardrastochter?«, fragte Eragon.

Birgit nickte. »Das tue ich.«

»Und was bringt Katrina Ismirastochter in diese Ehe ein, auf dass es ihr und ihrem Gemahl wohlergehe?«

»Sie bringt ihre Liebe und Hingabe ein, mit der sie Roran Garrowsson dienen wird, dazu ihr Geschick, einen Haushalt zu führen. Und außerdem eine Mitgift.« Überrascht sah Eragon, wie Birgit zwei Männern neben Nasuada einen Wink gab, die daraufhin vortraten. Zwischen sich trugen sie eine eiserne Kassette. Birgit öffnete das Schloss, hob den Deckel und zeigte dem Drachenreiter den Inhalt. Ihm blieb der Mund offen stehen, als er den Berg von

Schmuck sah. »Sie bringt eine goldene Halskette ein, die mit Diamanten besetzt ist. Weiterhin eine Brosche mit roten Korallen aus der südlichen See und ein mit Perlen besetztes Haarnetz. Sie bringt fünf Ringe ein, aus Gold und Elektrum. Der erste Ring …« Birgit beschrieb jeden Ring und nahm ihn dabei aus der Kassette, damit alle erkennen konnten, dass sie die Wahrheit sagte.

Eragon warf Nasuada einen verwirrten Blick zu und bemerkte auf ihrem Gesicht ein zufriedenes Lächeln.

»Nimmst du dieses Angebot an, Horst Ostrecsson?«, fragte er, nachdem Birgit ihre Aufzählung beendet, den Deckel zugeklappt und die Kassette wieder verschlossen hatte.

»Das tue ich.«

»Demgemäß werden eure Familien zu einer werden, in Übereinstimmung mit dem Gesetz dieses Landes.« Jetzt wandte sich Eragon zum ersten Mal direkt an Roran und Katrina. »Die, die für euch sprechen, haben den Bedingungen eurer Eheschließung zugestimmt. Roran, bist du zufrieden damit, wie Horst Ostrecsson in deinem Namen verhandelt hat?«

»Das bin ich.«

»Und Katrina, bist du zufrieden damit, wie Birgit Mardrastochter in deinem Namen verhandelt hat?«

»Das bin ich.«

»Roran Hammerfaust, Sohn von Garrow, schwörst du bei deinem Namen und beim Namen deiner Ahnen, dass du Katrina Ismirastochter beschützen und für sie sorgen wirst, solange ihr beide lebt?«

»Ich, Roran Hammerfaust, Sohn von Garrow, schwöre bei meinem Namen und beim Namen meiner Ahnen, dass ich Katrina Ismirastochter beschützen und für sie sorgen werde, solange wir beide leben.«

»Schwörst du, sie zu achten, ihr treu und unverbrüchlich zur Seite zu stehen in den Jahren, die da kommen, sie in Ehren zu halten und ihr ein liebevoller Ehemann zu sein?«

»Ich schwöre, ich werde sie achten, ihr treu und unverbrüchlich zur Seite stehen in den Jahren, die da kommen, sie in Ehren halten und ihr ein liebevoller Ehemann sein.«

»Schwörst du weiterhin, ihr bis zum morgigen Sonnenuntergang die Schlüssel zu all deinen Besitztümern und deiner Geldtruhe zu übergeben, damit sie sich um deine Angelegenheiten kümmern kann, wie ein Eheweib es tun sollte?«

Roran schwor es.

»Katrina, Tochter von Ismira, schwörst du, bei deinem Namen und dem Namen deiner Ahnen, dass du Roran Garrowsson lieben und für ihn sorgen wirst, solange ihr beide lebt?«

»Ich, Katrina, Tochter von Ismira, schwöre bei meinem Namen und dem Namen meiner Ahnen, dass ich Roran Garrowsson lieben und für ihn sorgen werde, solange wir beide leben.«

»Schwörst du, ihn zu achten, ihm standhaft und unverbrüchlich zur Seite zu stehen in den Jahren, die da kommen, ihm Kinder zu schenken, so du es vermagst, und ihnen eine sorgende Mutter zu sein?«

»Ich schwöre, ich werde ihn achten, ihm standhaft und unverbrüchlich zur Seite stehen in den Jahren, die da kommen, ihm Kinder schenken, so ich es vermag, und ihnen eine sorgende Mutter sein.«

»Und schwörst du, seinen Wohlstand und Besitz verantwortungsvoll zu verwalten, damit er sich auf die Pflichten konzentrieren kann, die ihm allein obliegen?«

Katrina schwor es.

Lächelnd zog Eragon ein rotes Band aus dem Ärmel. »Legt eure Handgelenke übereinander.« Roran und Katrina streckten den linken beziehungsweise rechten Arm aus und Eragon wickelte den Seidenstreifen dreimal um ihre Handgelenke und band eine Schleife. »Gemäß meinem Recht als Drachenreiter erkläre ich euch hiermit zu Mann und Frau.«

Die Menge brach in Jubel aus, der sich noch verdoppelte, als Roran und Katrina sich einander zuwandten und küssten.

Saphira senkte den Kopf zu dem strahlenden Paar, und als sie sich voneinander lösten, berührte sie Roran und Katrina mit dem Maul an der Stirn. *Lebt lange und möge eure Liebe mit jedem Jahr, das verstreicht, wachsen*, sagte sie.

Roran und Katrina drehten sich zu der Menge um und streckten die durch das rote Band vereinten Hände in den Himmel. »Lasst das Fest beginnen!«, rief Roran.

Eragon folgte dem Paar, das den Hügel hinabschritt und sich durch die dichte Menschenmenge zu den beiden Stühlen drängte, die am Kopfende einer langen Tischreihe standen. Dort nahmen Roran und Katrina ihre Plätze ein, als König und Königin ihrer Hochzeit.

Die Gäste stellten sich an, um ihnen zu gratulieren und die Hochzeitsgeschenke zu überreichen. Eragon war der Erste. Er grinste ebenso strahlend wie die beiden Frischvermählten, schüttelte Rorans freie Hand und neigte den Kopf vor Katrina.

»Danke, Eragon«, sagte Katrina.

»Ja, danke dir«, setzte Roran hinzu.

»Es war mir eine Ehre.« Er sah die beiden an und lachte plötzlich lauthals.

»Was?«, fragte Roran.

»Ihr beide! Ihr seid ja wie närrisch vor Glück!«

Katrinas Augen funkelten, als sie lachte und Roran umarmte. »Das sind wir!«

Eragon wurde wieder ernst. »Euch ist hoffentlich klar, wie glücklich ihr euch schätzen dürft, dass ihr heute beide hier seid. Roran, wenn es dir nicht gelungen wäre, die Dörfler um dich zu scharen und sie zu den Brennenden Steppen zu führen, und wenn die Ra'zac dich, Katrina, nach Urû'baen verschleppt hätten, keiner von euch wäre ...«

»Ja, aber ich habe es geschafft und sie nicht«, fiel Roran ihm ins Wort. »Wir sollten uns diesen Tag nicht mit düsteren Gedanken über das, was hätte sein können, verderben.«

»Das ist auch nicht der Grund, warum ich es anspreche.« Eragon warf einen kurzen Blick auf die Wartenden hinter ihm und überzeugte sich, dass niemand sie belauschen konnte. »Wir drei sind Feinde des Imperiums. Der heutige Tag hat gezeigt, dass wir nirgendwo sicher sind, nicht einmal hier bei den Varden. Wenn sich Galbatorix die Gelegenheit bietet, einen Streich gegen einen von uns zu führen, wird er sie ergreifen, um die anderen damit zu treffen, was dich einschließt, Katrina. Deshalb habe ich die hier für euch gemacht.« Aus der Gürteltasche zog Eragon zwei schlichte, auf Hochglanz polierte Goldringe. Er hatte sie in der vergangenen Nacht aus der letzten der drei Goldkugeln gegossen, die er aus der Erde gezogen hatte. Den größeren reichte er Roran, den kleineren Katrina.

Roran musterte den Ring, hob ihn gegen die Sonne und betrachtete mit zusammengekniffenen Augen die Zeichen der alten Sprache, die in die Innenseite des Reifs geprägt waren. »Sehr hübsch, aber wie können sie uns beschützen?«

»Sie sind mit einem dreifachen Zauber belegt«, erwiderte Eragon. »Falls ihr jemals meine oder Saphiras Hilfe benötigt, dreht den Ring einmal am Finger und sagt: ›Hilf mir, Schattentöter; hilf mir, Schimmerschuppe.‹ Wir werden euch hören und so schnell wie möglich herbeieilen. Sollte einer von euch dem Tode nahe sein, wird der Ring außerdem uns und dich, Roran, oder dich, Katrina, warnen, je nachdem wer von euch beiden in Gefahr ist. Und drittens werdet ihr euch nie verlieren, wie weit ihr auch voneinander entfernt sein mögt, solange die Ringe eure Haut berühren.« Er zögerte. »Ich hoffe«, fuhr er dann fort, »ihr seid damit einverstanden, sie zu tragen.«

»Natürlich sind wir das«, erklärte Katrina.

Rorans Brust hob sich, als er tief Luft holte. »Danke«, sagte er mit belegter Stimme. »Vielen Dank. Ich wünschte, wir hätten diese Ringe schon getragen, als Katrina und ich in Carvahall getrennt wurden.«

Da beide nur eine Hand frei hatten, streifte Katrina ihrem Mann den Ring auf den rechten Mittelfinger und er schob ihren Ring auf den Mittelfinger ihrer linken Hand.

»Ich habe noch ein Geschenk für euch«, meinte Eragon, drehte sich um und stieß einen Pfiff aus. Ein Stallbursche drängte sich durch die Menge, der Schneefeuer zu ihnen führte. Er reichte Eragon die Zügel des Hengstes, verbeugte sich und zog sich zurück. »Du wirst ein gutes Schlachtross brauchen, Roran«, erklärte Eragon. »Das hier ist Schneefeuer. Er hat Brom gehört, dann mir und jetzt schenke ich ihn dir.«

Roran ließ den Blick anerkennend über den Hengst gleiten. »Ein prachtvolles Tier.«

»Er ist der Beste. Wirst du ihn als Geschenk annehmen?«

»Mit Vergnügen.«

Daraufhin winkte Eragon den Stallburschen wieder heran, übergab Schneefeuer zurück in seine Obhut und erklärte ihm, dass Roran der neue Besitzer des Hengstes sei. Als der Mann mit dem Pferd davonging, betrachtete Eragon die lange Schlange der Gratulanten mit ihren Geschenken und sagte lachend: »Heute Morgen mögt ihr beide noch arm gewesen sein, heute Abend jedoch werdet ihr wohlhabende Leute sein. Sollten Saphira und ich uns jemals niederlassen können, werden wir bei euch in der riesigen Halle leben, die ihr für eure vielen Kinder errichten werdet.«

»Was immer wir auch bauen«, erwiderte Roran, »für Saphira dürfte es schwerlich groß genug sein.«

»Dennoch seid ihr bei uns immer willkommen«, setzte Katrina hinzu. »Ihr beide.«

Nachdem Eragon ihnen noch einmal Glück gewünscht hatte, machte er es sich an einem der Tische bequem und vertrieb sich die Zeit damit, Saphira Brathähnchen zuzuwerfen, die sie aus der Luft schnappte. Er wartete dort, bis Nasuada mit Roran und Katrina gesprochen und ihnen einen kleinen Gegenstand überreicht hatte, wobei er nicht erkennen konnte, was es war. Als die Anführerin der Varden die Feier verlassen wollte, stellte er sich ihr in den Weg.

»Was ist, Eragon?«, fragte sie. »Ich kann nicht länger bleiben.«

»Hast du Katrina das Kleid und die Mitgift gegeben?«

»Bist du damit nicht einverstanden?«

»Ich bin dankbar für diese Großzügigkeit meiner Familie gegenüber, aber ich frage mich …?«

»Ja?«

»Brauchen die Varden das Gold nicht dringender?«

»Schon«, bestätigte Nasuada, »aber nicht mehr so dringend wie früher. Nach meinem Triumph bei der Probe der Langen Messer haben mir die Nomadenstämme Treue bis in den Tod geschworen und Zugriff auf ihre Reichtümer gewährt. Dazu kommt der Handel mit magisch gefertigter Spitze. Im Moment laufen die Varden wohl weniger Gefahr zu verhungern, als in der Schlacht zu sterben, weil sie weder Schild noch Speer haben.« Ihre Lippen umspielte ein Lächeln. »Was ich Katrina gegeben habe, ist bedeutungslos im Vergleich zu den ungeheuren Summen, die es verschlingt, diese Armee zu unterhalten. Außerdem glaube ich nicht, dass ich mein Gold verschwendet, sondern etwas Wertvolles damit erworben habe. Nämlich Ansehen und Selbstachtung für Katrina und dadurch indirekt Rorans Wohlwollen. Vielleicht bin ich zu optimistisch, aber ich ahne, dass seine Loyalität sich als kostbarer erweisen wird als hundert Schilde oder Speere.«

»Du bist immer dabei, die Aussichten der Varden zu verbessern, stimmt's?«, erkundigte sich Eragon.

»Immer. Und das solltest du auch.« Nasuada wollte weitergehen, drehte sich jedoch noch einmal um. »Komm irgendwann vor Einbruch der Dämmerung zu meinem Zelt, dann besuchen wir die Männer, die heute verwundet wurden. Es wird ihnen guttun, zu sehen, dass uns ihr Wohl am Herzen liegt und wir ihr Opfer zu würdigen wissen.«

Er nickte. »Ich komme.«

»Gut.«

Stunden verstrichen, in denen Eragon lachte, aß und trank und mit alten Freunden Geschichten austauschte. Der Met floss in Strömen und das Hochzeitsfest wurde immer ausgelassener. Die Männer räumten einen Platz zwischen den Tischen frei und maßen sich im Ringkampf und Bogenschießen. Zwei Elfen, ein Mann und eine Frau, führten ihre Geschicklichkeit im Schwertkampf vor, wobei die Zuschauer ehrfürchtig die Geschwindigkeit und Anmut ihrer tanzenden Klingen bestaunten. Und Arya ließ sich sogar dazu überreden, ein Lied vorzutragen. Ihre Stimme jagte Eragon wohlige Schauer über den Rücken.

Roran und Katrina redeten während der Feier wenig, sie hatten nur Augen füreinander und nahmen ihre Umgebung kaum wahr.

Als der untere Rand der orangefarbenen Sonnenscheibe den fernen Horizont berührte, verabschiedete Eragon sich widerwillig. Begleitet von Saphira, ließ er die fröhlich lärmende Feier hinter sich und ging zu Nasuadas Pavillon. Die kühle Abendluft half ihm, den Kopf freizubekommen. Die Anführerin der Varden wartete bereits vor dem roten Kommandozelt auf ihn, umringt von ihren Nachtfalken. Ohne ein Wort machten sie sich auf den Weg zu den verletzten Kriegern in den Zelten der Heiler.

Über eine Stunde verbrachten Nasuada und Eragon bei den Männern, die Gliedmaßen oder Augen verloren oder sich im Kampf gegen das Imperium unheilbare Infektionen zugezogen hatten. Manche waren an diesem Morgen verwundet worden, andere schon auf den Brennenden Steppen. Sie hatten sich immer noch nicht erholt, trotz der gründlichen Behandlung mit Kräutern und Heilzaubern. Bevor sie zwischen die Pritschen der Verwundeten getreten waren, hatte Nasuada ihn davor gewarnt, sich nicht noch mehr zu erschöpfen, indem er jeden von ihnen zu heilen versuchte. Aber er konnte nicht anders; er musste hier und da mit einem Zauberspruch einen Schmerz lindern, einen Abszess austrocknen, einen gebrochenen Knochen richten oder eine entstellende Narbe glätten.

Einer der Männer hatte das linke Bein direkt unterhalb des Knies sowie zwei Finger der rechten Hand verloren. Er hatte einen kurzen grauen Bart und seine Augen waren mit einem schwarzen Tuch verbunden. Als Eragon ihn grüßte und sich nach seinem

Befinden erkundigte, umklammerte der Mann seinen Ellbogen mit der versehrten Hand. »Ah, Schattentöter«, stieß der Verletzte heiser hervor. »Ich wusste, dass Ihr kommen würdet. Ich habe seit dem Licht auf Euch gewartet.«

»Was meinst du damit?«

»Das Licht, das alles Fleisch erhellt. In einem einzigen Augenblick nahm ich jedes Lebewesen um mich herum wahr, vom größten bis zum kleinsten. Ich sah die Knochen durch die Haut meiner Arme schimmern. Ich erblickte die Würmer in der Erde, die Aaskrähen am Himmel, ja selbst die Milben auf den Schwingen der Krähen. Die Götter haben mich berührt, Schattentöter. Sie haben mir diese Vision aus einem bestimmten Grund geschickt. Ich sah Euch auf dem Schlachtfeld, Euch und Euren Drachen, Ihr leuchtetet wie eine gleißende Sonne in einem Wald armseliger Kerzen. Und ich sah Euren Bruder, Euren Bruder und seinen Drachen, auch sie waren wie eine Sonne.«

Eragons Nacken prickelte bei den Worten des Mannes. »Ich habe keinen Bruder«, gab er zurück.

Der Verwundete lachte auf. »Ihr könnt mich nicht täuschen, Schattentöter. Ich weiß es besser. Die Welt um mich herum steht in Flammen und aus diesem Feuer höre ich das Flüstern von Wesen, die mir Dinge verraten. Ihr verbergt Euch vor mir, aber ich kann Euch trotzdem sehen, einen Mann, der lodert wie eine gelbe Flamme, und um Eure Taille schweben zwölf Sterne und auf Eurer Hand leuchtet ein weiterer Stern heller als die anderen.«

Unwillkürlich tastete Eragon nach dem Gürtel Beloths des Weisen. Waren die zwölf eingenähten Diamanten noch darin verborgen? Sie waren es.

»Hört mir zu, Schattentöter«, flüsterte der Mann und zog Eragon zu seinem faltigen Gesicht herunter. »Ich sah Euren Bruder und er brannte. Aber er brannte nicht wie Ihr, oh nein. Das Licht seiner Seele leuchtete durch ihn *hindurch,* als käme es von woanders. *Er* war leer, nur eine Hülle. Und durch diese Hülle drang der brennende Glanz. Versteht Ihr? *Andere* erleuchteten ihn!«

»Wer waren diese anderen? Hast du sie auch gesehen?«

Der Krieger zögerte. »Ich konnte sie fühlen, sie waren nah, wüteten gegen die Welt, aber ihre Körper entzogen sich meinem Blick. Sie waren da und doch nicht da. Besser kann ich es nicht beschreiben … Ich würde mich von diesen Kreaturen fernhalten, Schattentöter. Sie sind nicht menschlich, dessen bin ich sicher, und ihr Hass war wie der gewaltigste Sturm, den Ihr Euch vorstellen könnt. Ein Sturm, den man in eine winzige Glasflasche gezwungen hat.«

»Und wenn die Flasche bricht …«, murmelte Eragon.

»Ganz genau, Schattentöter. Manchmal frage ich mich, ob es Galbatorix gelungen sein mag, die Götter selbst gefangen zu nehmen und zu versklaven. Doch dann lache ich und schimpfe mich einen Narren!«

»Aber wessen Götter? Die der Zwerge? Oder die der umherziehenden Stämme?«

»Spielt das eine Rolle, Schattentöter? Ein Gott ist ein Gott, ganz gleich, woher er kommt.«

Eragon knurrte. »Vielleicht hast du recht.«

Als er den Mann verließ, zog ihn eine Heilerin beiseite. »Verzeiht ihm, Gebieter. Der Schock seiner Verletzung hat ihm den Verstand geraubt. Er faselt unaufhörlich von Sonnen und Sternen und glühenden Lichtern, die er zu sehen glaubt. Manchmal scheint er Dinge zu wissen, die er unmöglich wissen kann. Aber lasst Euch davon nicht täuschen, er erfährt sie von den anderen Patienten. Sie tratschen die ganze Zeit. Das ist alles, was ihnen geblieben ist, den armen Teufeln.«

»Ich bin kein Gebieter«, gab Eragon zurück, »und er ist nicht verrückt. Ich kann zwar nicht sagen, was er ist, aber er besitzt eine höchst ungewöhnliche Gabe. Verständigt die Du Vrangr Gata, wenn sich sein Zustand ändert, ganz gleich, ob zum Besseren oder zum Schlechteren.«

Die Heilerin machte einen Knicks. »Wie Ihr wünscht, Schattentöter. Verzeiht mir meinen Irrtum.«

»Wie hat er sich diese Verletzungen zugezogen?«

»Ein Soldat hat ihm die Finger abgetrennt, als er versuchte, einen Schwerthieb mit bloßen Händen abzuwehren. Später landete eines der Geschosse von den Katapulten des Imperiums auf seinem Bein und hat es zermalmt. Wir mussten es amputieren. Die Männer, die neben ihm kämpften, sagen, er hätte angefangen, von dem Licht zu schreien, als er getroffen wurde. Als sie ihn wegtrugen, bemerkten sie, dass seine Augen ganz weiß geworden waren. Selbst die Pupillen waren verschwunden.«

»Ah. Du hast mir sehr geholfen, danke.«

Es war bereits dunkel, als Eragon und Nasuada die Zelte der Heiler verließen. Die Anführerin seufzte: »Jetzt könnte ich einen Becher Met vertragen.« Eragon nickte und starrte vor sich auf den Boden. Sie gingen zurück zu Nasuadas Pavillon und nach einer Weile des Schweigens fragte sie: »Was denkst du, Eragon?«

»Dass wir in einer seltsamen Welt leben und dass ich glücklich wäre, wenn ich mehr als nur einen winzigen Bruchteil davon verstehen würde.« Dann schilderte er ihr die Unterhaltung mit dem Mann, die sie ebenso faszinierend fand wie er.

»Du solltest Arya davon berichten«, schlug die Nachtjägerin vor. »Sie weiß vielleicht, wer diese ›anderen‹ sein könnten.«

Vor dem Kommandozelt verabschiedeten sie sich. Nasuada ging hinein, um noch einen Bericht zu lesen, während Eragon und Saphira weiter zu seinem Zelt gingen. Dort legte Saphira sich auf den Boden und rollte sich zum Schlafen zusammen. Eragon setzte sich neben sie und blickte zu den Sternen auf, doch alles, was er sah, war der Aufmarsch der Verwundeten, der in seinem Geist vorüberzog.

Und wieder hörte er, was viele dieser Männer zu ihm gesagt hatten: *Wir haben für dich gekämpft, Schattentöter.*

Nachtgedanken

Roran schlug die Augen auf und starrte auf die durchhängende Zeltplane über seinem Kopf. Schwaches graues Licht sickerte ins Zelt, saugte die Farben aus und verwandelte die Dinge in blasse Schatten ihrer selbst. Er fröstelte. Die Decken waren bis zu seiner Hüfte heruntergerutscht und hatten seinen Oberkörper der kalten Nachtluft ausgesetzt. Als er sie hochzog, bemerkte er, dass Katrina nicht mehr neben ihm lag.

Sie saß am Eingang des Zeltes und blickte zum Himmel hinauf. Über ihr Nachtgewand hatte sie einen Umhang geworfen. Das Haar hing ihr in einem zerzausten dunklen Strang bis zur Taille.

Bei ihrem Anblick bildete sich ein Kloß in Rorans Kehle.

In die Decke gewickelt, stand er auf und setzte sich zu ihr. Dann legte er einen Arm um ihre Schultern und sie lehnte sich an ihn. Ihr Kopf und ihr Hals lagen warm an seiner Brust. Er küsste ihre Stirn. Eine Weile betrachtete er mit ihr die funkelnden Sterne und lauschte Katrinas regelmäßigen Atemzügen; zusammen mit seinen waren sie das einzige Geräusch in der tief schlummernden Welt.

»Die Sternbilder sehen hier anders aus. Hast du das schon bemerkt?«

»Ja.« Er ließ den Arm zur Rundung ihrer Hüfte wandern und fühlte die leichte Schwellung ihres Bauchs. »Was hat dich geweckt?«

Sie erschauerte. »Ich habe nachgedacht.«

»Und?«

Das Licht der Sterne schimmerte in ihren Augen, als sie sich in seinem Arm umwandte und ihn ansah. »Ich habe über dich und uns nachgedacht … und über unsere gemeinsame Zukunft.«

»Das sind aber ernste Gedanken für diese späte Stunde.«

»Wie willst du für mich und unser Kind sorgen, jetzt, da wir verheiratet sind?«

»Sorgst du dich deswegen?« Er lächelte. »Du wirst nicht verhungern. Wir haben genug Gold. Außerdem werden die Varden dem Cousin des Drachenreiters immer Kost und Logis stellen. Und selbst wenn mir etwas zustieße, würden sie sich weiter um dich und das Baby kümmern.«

»Schon. Aber was willst *du* tun?«

Verwirrt suchte er in ihrem Gesicht nach dem Grund für ihre Unruhe. »Ich werde Eragon helfen, den Krieg zu beenden, damit wir ins Palancar-Tal zurückkehren und uns dort niederlassen können, ohne Angst haben zu müssen, von Soldaten nach Urû'baen verschleppt zu werden. Was sonst?«

»Du wirst also an der Seite der Varden kämpfen?«

»Das weißt du doch.«

»So wie du auch heute gekämpft hättest, wenn Nasuada nicht eingeschritten wäre?«

»Ja.«

»Und was ist mit unserem Baby? Ein Feldlager ist kein geeigneter Ort, um ein Kind großzuziehen.«

»Wir können nicht weglaufen und uns vor dem Imperium verstecken, Katrina. Sollten die Varden nicht gewinnen, wird Galbatorix uns aufspüren und töten, oder unsere Kinder oder unsere Kindeskinder. Und ich glaube kaum, dass die Varden den Sieg erringen werden, wenn nicht jeder sein Möglichstes gibt, um ihnen dabei zu helfen.«

Sie legte ihm einen Finger auf die Lippen. »Du bist meine einzige Liebe. Kein Mann wird je wieder mein Herz erobern. Ich werde alles tun, was in meiner Macht steht, um einen Teil der Last von deinen Schultern zu nehmen. Ich werde deine Mahlzeiten kochen, deine Kleidung flicken und deine Rüstung putzen … Aber sobald ich unser Kind zur Welt gebracht habe, werde ich das Lager verlassen!«

Roran erstarrte. »Verlassen? Das ist doch Unsinn! Wohin willst du denn gehen?«

»Vielleicht nach Dauth. Erinnerst du dich? Fürstin Alarice, die Gouverneurin, hat angeboten, uns Zuflucht zu gewähren, und einige unserer Leute sind dort geblieben. Ich wäre nicht allein.«

»Wenn du glaubst, dass ich dich und unser neugeborenes Kind schutzlos durch Alagaësia ziehen lasse, dann …!«

»Du brauchst nicht gleich zu schreien!«

»Ich schreie nicht …!«

»Doch, das tust du!« Sie nahm seine Hand und legte sie auf ihr Herz. »Hier sind wir nicht sicher. Wenn es nur um uns beide ginge, würde ich mich der Gefahr stellen, aber hier geht es um das Leben unseres Babys. Ich liebe dich, Roran, ich liebe dich so sehr. Aber das Wohlergehen unseres Kindes muss über unseren eigenen Wünschen stehen. Sonst verdienen wir es nicht, Eltern genannt zu werden.« Tränen schimmerten in ihren Augen, und Roran spürte, wie auch seine feucht wurden. »Schließlich warst du es, der mich überzeugt hat, Carvahall zu verlassen und mich im Buckel zu verstecken, als wir von den Soldaten angegriffen wurden. Das hier ist nichts anderes.«

Die Sterne verschwammen vor Rorans Augen. »Ich würde lieber einen Arm verlieren, als erneut von dir getrennt zu werden.«

Katrina brach in Tränen aus. Er spürte ihre leisen Schluchzer an seiner Brust. »Ich will dich doch auch nicht verlassen.«

Er zog sie noch enger an sich und wiegte sie sacht. Schließlich hörte sie auf zu weinen. Er flüsterte ihr ins Ohr: »Ich würde lieber einen Arm verlieren, als von dir getrennt zu werden, aber ich würde eher sterben, als zuzulassen, dass dir ein Leid geschieht … oder unserem Kind. Wenn du gehen willst, solltest du es jetzt tun, solange du noch bequem reisen kannst.«

Sie schüttelte den Kopf. »Nein. Ich möchte Gertrude als Hebamme. Sie ist die Einzige, der ich vertraue. Und falls es bei der Geburt Komplikationen gibt, wäre ich lieber hier, wo es genug Magier gibt, die sich aufs Heilen verstehen.«

»Es wird nichts schiefgehen«, meinte er. »Sobald unser Kind geboren ist, reist du nicht nach Dauth, sondern nach Aberon, dort ist es sicherer. Und sollte es dort auch zu gefährlich werden, wanderst du ins Beor-Gebirge und lebst bei den Zwergen. Und wenn Galbatorix zum Schlag gegen die Zwerge ausholt, flüchtest du zu den Elfen nach Du Weldenvarden.«

»Und wenn Galbatorix Du Weldenvarden überrennt, fliehe ich auf den Mond und ziehe unser Kind zwischen den Geistern groß, die im Himmel wohnen.«

»Und sie werden sich vor dir verneigen und dich zu ihrer Königin machen, wie du es verdienst.«

Katrina schmiegte sich dichter an ihn.

So saßen sie da und betrachteten die Sterne, die einer nach dem anderen verschwanden, ausgelöscht von der Morgenröte im Osten. Als nur noch der Morgenstern zu sehen war, meinte Roran: »Du weißt, was das bedeutet, stimmt's?«

»Was denn?«

»Ich brauche einfach nur dafür zu sorgen, dass wir Galbatorix' Soldaten bis auf den letzten Mann töten, alle Städte des Imperiums erobern, Murtagh und Dorn bezwingen und schließlich Galbatorix und seinen verräterischen Drachen köpfen, und das alles möglichst, bevor du niederkommst. Dann musst du nicht mehr weggehen.«

Sie schwieg einen Augenblick. »Wenn du das könntest«, erwiderte sie dann, »wäre ich sehr glücklich.«

Sie wollten gerade ins Zelt zurückkehren, als aus dem leuchtenden Himmel ein winziges Schiff heransegelte, das aus trockenen Gräsern geflochten war. Es schwebte vor dem Zelt, schaukelte sacht auf unsichtbaren Luftwellen und schien sie mit seinem drachenkopfförmigen Bug anzublicken.

Roran und Katrina erstarrten.

Wie ein lebendiges Wesen schoss das Schiff vor ihrem Zelt über den Weg, stieg auf, kehrte um und jagte einer verirrten Motte nach. Als die Motte ihm entkommen war, glitt es wieder zu dem Zelt zurück und schwebte direkt vor Katrinas Gesicht in der Luft.

Roran überlegte noch, ob er das Schiff aus der Luft fangen sollte, da wendete es und entschwebte in Richtung Morgenstern. Die beiden sahen dem Gefährt staunend nach, bis es in den endlosen Weiten des Himmels verschwunden war.

Befehl ist Befehl

Tief in der Nacht suchten Visionen von Tod und Gewalt seine Träume heim und drohten ihn zu überwältigen. Unruhig wälzte Eragon sich auf seinem Lager hin und her und versuchte vergeblich, sich von den Schrecken zu befreien. Bildfetzen von zustechenden Schwertern, schreienden Männern und Murtaghs hasserfülltem Gesicht blitzten vor seinen Augen auf.

Schließlich spürte er, wie Saphira in sein Bewusstsein trat. Sie rauschte wie ein mächtiger Wind durch seine Gedanken und fegte den bedrohlichen Albtraum hinweg. In der folgenden Stille hörte er ihr Flüstern: *Alles ist gut, mein Kleiner. Ganz ruhig. Du bist in Sicherheit und ich bin bei dir … Ganz ruhig.*

Ein Gefühl tiefen Friedens ergriff von Eragon Besitz. In dem tröstlichen Bewusstsein, dass Saphira bei ihm war, rollte er sich auf die Seite und versank in glücklichere Erinnerungen.

Als Eragon eine Stunde vor Sonnenaufgang die Augen aufschlug, fand er sich unter einem von Saphiras feingeäderten Flügeln wieder. Sie hatte den Schwanz um ihn geschlungen und sein Kopf ruhte an ihrer warmen Flanke. Er lächelte und kroch unter dem Flügel hervor, während sie den Kopf hob und gähnte.

Guten Morgen, begrüßte er sie.

Sie gähnte erneut und streckte sich wie eine Katze.

Eragon badete, rasierte sich mithilfe von Magie, säuberte Klinge und Scheide seines Schwertes vom Blut des gestrigen Kampfes und zog ein Elfenwams an.

Als er schließlich mit seiner Erscheinung zufrieden war und Saphira sich mit ihrer Zunge ausreichend geputzt hatte, machten sie sich auf den Weg zu Nasuada. Die diensthabenden Nachtfalken standen vor dem Kommandozelt, den üblichen grimmigen Ausdruck auf den vernarbten Gesichtern. Eragon wartete, während ein stämmiger Zwerg sie meldete. Dann trat er ein und Saphira kroch zu der Öffnung auf der Rückseite, wo sie den Kopf ins Zelt stecken und so an der Besprechung teilnehmen konnte.

Eragon verbeugte sich vor Nasuada, die auf ihrem hochlehnigen Stuhl mit den geschnitzten Distelblüten saß. »Lehnsherrin, du wolltest mit mir über meine Zukunft reden; du sagtest, du hättest, einen sehr wichtigen Auftrag für mich.«

»Das stimmt. Ich habe einen Auftrag für dich«, antwortete Nasuada. »Bitte nimm Platz.« Sie deutete auf einen Klappstuhl neben Eragon. Er schob das Schwert ein wenig zur Seite, damit es nicht störte, und setzte sich. »Wie du weißt«, fuhr Nasuada fort, »hat Galbatorix Bataillone zu den Städten Aroughs, Feinster und Belatona entsendet, um zu verhindern, dass wir sie erobern, oder falls das scheitern sollte, um zumindest unseren Vormarsch aufzuhalten und uns zu zwingen, unsere eigenen Streitkräfte aufzuteilen. Das hätte uns für einen Angriff jener Soldaten verwundbar gemacht, die nördlich von uns lagerten. Nach der gestrigen Schlacht haben unsere Kundschafter jedoch gemeldet, dass sich Galbatorix' Streitkräfte an einen unbekannten Ort zurückgezogen haben. Ich wollte das Lager schon vor Tagen angreifen, doch das konnte ich nicht ohne dich. Unsere Krieger wären Murtagh und Dorn hilflos ausgeliefert gewesen. Auch hatten wir keine Möglichkeit herauszufinden, ob die beiden bei den Soldaten waren. Nun, da du zurückgekehrt bist, hat sich unsere Lage verbessert. Allerdings nicht so sehr, wie ich erhofft hatte, weil wir uns mit Galbatorix' jüngster List herumschlagen müssen: den Soldaten, die keinen Schmerz kennen. Wenigstens habt ihr beide mithilfe von Islanzadis Magiern bewiesen, dass ihr Murtagh und Dorn zurückschlagen könnt. Auf dieser Hoffnung beruht unser Plan für den Sieg.«

Dieser rote Rüpel ist kein Gegner für mich, mischte sich Saphira ein. *Hätte Murtagh ihn nicht beschützt, hätte ich ihn vom Himmel geholt, ihn gepackt und so lange geschüttelt, bis er sich mir bedingungslos ergeben hätte.*

»Davon bin ich überzeugt«, erwiderte Nasuada lächelnd.

»Wie willst du jetzt also vorgehen?«, erkundigte sich Eragon.

»Ich habe mich für mehrere militärische Aktionen entschieden, die wir alle gleichzeitig durchführen müssen, wenn sie auch nur die geringste Aussicht auf Erfolg haben sollen. Zunächst können wir nicht weiter ins Imperium vordringen, solange wir dabei Städte hinter uns lassen, die noch unter Galbatorix' Herrschaft stehen. Wir würden Gefahr laufen, dass uns seine Truppen in die Zange nehmen, und ihn außerdem förmlich dazu einladen, während unserer Abwesenheit in Surda einzufallen und es zu erobern. Deshalb habe ich den Varden Befehl gegeben, nach Norden zu ziehen, zu der nächstgelegenen Stelle, an der wir gefahrlos den Jiet-Strom durchqueren können. Sobald wir auf der anderen Flussseite sind, entsende ich Krieger nach Süden, die Aroughs einnehmen sollen, während König Orrin und ich mit dem Rest unserer Streitkräfte auf Feinster marschieren. Die Stadt müsste uns mit deiner und Saphiras Hilfe ohne allzu große Schwierigkeiten in die Hände fallen. Doch während wir diesen mühsamen Marsch über Land auf uns nehmen, übertrage ich dir andere Aufgaben, Eragon.« Sie beugte sich vor. »Wir brauchen die uneingeschränkte Unterstützung der Zwerge. Die Elfen kämpfen im Norden von Alagaësia für uns, die Surdaner haben sich uns ebenfalls auf Gedeih und Verderb angeschlossen und selbst die Urgals haben sich auf unsere Seite gestellt. Doch wir brauchen auch die Zwerge. Ohne sie können wir nicht gewinnen. Vor allem jetzt nicht, wo wir es mit verhexten Soldaten zu tun haben.«

»Haben die Zwerge schon einen neuen König oder eine neue Königin gewählt?«

Nasuada verzog das Gesicht. »Narheim versichert mir, dass die Wahl zügig voranschreitet. Aber wie die Elfen nehmen auch die

Zwerge die Zeit anders wahr als wir. Was sie *zügig* nennen, kann mehrere Monate sorgfältige Beratungen bedeuten.«

»Ist ihnen denn die Dringlichkeit der Lage nicht bewusst?«

»Einigen schon. Aber es gibt etliche, denen die Vorstellung missfällt, uns in diesem Krieg zu unterstützen. Sie versuchen, das Verfahren in die Länge zu ziehen und einen der Ihren auf den Marmorthron von Tronjheim zu setzen. Die Zwerge leben schon so lange isoliert von den anderen Völkern, dass sie jedem Außenstehenden argwöhnisch gegenübertreten. Falls jemand den Thron besteigt, der unsere Pläne ablehnt, werden wir die Zwerge als Verbündete verlieren. Das darf nicht geschehen. Ebenso wenig können wir warten, bis die Zwerge ihre Streitigkeiten in aller Gemächlichkeit beigelegt haben. Aber …«, Nasuada hob einen Finger, »ich kann von hier aus keinen Einfluss auf ihre Politik nehmen. Und selbst wenn ich in Tronjheim wäre, könnte ich einen Erfolg nicht garantieren. Die Zwerge reagieren nicht gerade freundlich darauf, wenn sich jemand von außen in ihre Politik einmischt. Deshalb möchte ich, Eragon, dass du an meiner statt nach Tronjheim reist und alles tust, was in deiner Macht steht, damit die Zwerge schnell einen neuen Monarchen bestimmen – einen Monarchen, der unserer Sache gewogen ist.«

»Ich? Aber …!«

»König Hrothgar hat dich in den Dûrgrimst Ingietum aufgenommen. Laut ihrer Gesetze und Bräuche giltst du als Zwerg, Eragon. Du hast das Recht, an den Hallenversammlungen des Ingietum teilzunehmen. Orik ist fest entschlossen, ihr neuer Clanführer zu werden. Er ist dein Stiefbruder und zudem ein Freund der Varden. Deshalb wird er gewiss einverstanden sein, wenn du ihn zu den geheimen Ratssitzungen der dreizehn Clans begleitest, wo sie ihren Herrscher wählen.«

Eragon fand ihren Vorschlag absurd. »Was ist mit Murtagh und Dorn? Saphira und ich sind die Einzigen, die euch gegen sie verteidigen können, wenn sie zurückkommen, was sie zweifellos tun werden. Und selbst wir benötigen dabei Unterstützung. Wenn wir nicht da sind, kann keiner sie daran hindern, dich, Arya, Orrin und den Rest der Varden zu töten.«

Nasuada zog unwillig die Brauen zusammen. »Du hast Murtagh gestern eine empfindliche Niederlage bereitet. Höchstwahrscheinlich befinden Dorn und er sich genau in diesem Moment auf dem Rückweg nach Urû'baen, wo Galbatorix sie verhören und für ihr Versagen bestrafen wird. Er wird sie erst wieder angreifen lassen, wenn er sicher ist, dass sie dich bezwingen können. Murtagh dürfte jetzt verunsichert sein, was deine wahre Stärke angeht, also könnte es noch eine Weile dauern, bis es zu diesem unseligen Ereignis kommt. Ich denke, dass du bis dahin gewiss genug Zeit haben wirst, nach Farthen Dûr zu reisen und wieder zu uns zurückzukehren.«

»Du könntest dich irren«, argumentierte Eragon. »Und wie willst du verhindern, dass Galbatorix von unserer Abwesenheit erfährt und angreift, während wir weg sind? Ich bezweifle, dass du alle seine Spione in den Reihen der Varden aufgespürt hast.«

Nasuada trommelte mit den Fingern auf die Armlehnen ihres Stuhls. »Ich sagte, ich will, dass du nach Farthen Dûr reist, Eragon. Ich habe nichts davon gesagt, dass Saphira dich begleitet.« Saphira schwang den Kopf in ihre Richtung herum und stieß eine kleine Rauchwolke aus, die zur Spitze des Zeltes hinaufschwebte.

»Ich werde nicht …«

»Lass mich bitte ausreden!«

Er biss die Zähne zusammen und starrte seine Lehnsherrin finster an, während seine linke Hand den Knauf des Schwertes umklammerte.

»Du bist mir zwar nicht unterstellt, Saphira, aber ich hoffe, dass du einwilligst hierzubleiben, während Eragon zu den Zwergen reist. So können wir sowohl das Imperium als auch die Varden über den Verbleib des Drachenreiters täuschen. Wenn wir deine Abreise«, sie deutete auf Eragon, »vor den Truppen verheimlichen, kommt keiner auf die Idee, dass du gar nicht hier bist. Wir müssen uns nur eine plausible Erklärung ausdenken, warum du plötzlich tagsüber in deinem Zelt bleiben willst – vielleicht weil ihr in der Nacht

Erkundungsflüge über feindliches Territorium durchführt und du deshalb unter Tag ruhen musst.

Damit diese List funktioniert, müssen Bloëdhgarm und seine Gefährten ebenfalls hierbleiben. Einerseits um jeden Verdacht im Keim zu ersticken, andererseits um uns im Notfall zu verteidigen. Sollten Murtagh und Dorn tatsächlich auftauchen, während du fort bist, kann Arya an deiner Stelle Saphira reiten. Mit der geballten Kraft von Arya, Bloëdhgarms Elfen und den Magiern der Du Vrangr Gata sollten wir eine reelle Chance haben, Murtagh in seine Schranken zu weisen.«

»Wenn Saphira mich nicht nach Farthen Dûr fliegt«, sagte Eragon barsch, »wie soll ich dann rechtzeitig dort ankommen?«

»Indem du läufst. Du hast mir selbst erzählt, dass du den größten Teil der Strecke vom Helgrind hierher gelaufen bist. Da du dich auf deinem Weg nach Farthen Dûr nicht vor Soldaten und Bauern zu verstecken brauchst wie im Imperium, wirst du sogar viele Meilen mehr pro Tag schaffen.« Wieder trommelte Nasuada auf das polierte Holz. »Natürlich wäre es töricht, wenn du allein gingest. Selbst ein mächtiger Magier kann in der Wildnis durch einen dummen Unfall ums Leben kommen, wenn er niemanden hat, der ihm hilft. Arya könnte dich durch das Beor-Gebirge führen, aber das wäre eine Verschwendung ihrer Fähigkeiten. Wenn wiederum einer von Bloëdhgarms Gefährten fehlen würde, würden das die Leute merken. Aus diesem Grund wird dich ein Kull begleiten, da sie die einzigen Wesen sind, die dein Tempo halten können.«

»Ein Kull!«, rief Eragon aus. Er konnte nicht mehr an sich halten. »Du schickst mich in Begleitung eines Kull zu den Zwergen? Kein anderes Volk wird von den Zwergen mehr gehasst als die Urgals! Sie machen Bogen aus ihren Hörnern! Wenn ich mich in Farthen Dûr mit einem Urgal zeige, werden die Zwerge keinem meiner Worte auch nur die geringste Beachtung schenken.«

»Dessen bin ich mir sehr wohl bewusst«, erwiderte Nasuada. »Aus diesem Grund wirst du auch nicht direkt nach Farthen Dûr reisen, sondern machst zunächst halt auf der Festung Bregan auf dem Berg Thardûr, dem Ahnensitz des Ingietum. Dort triffst du Orik und dort kannst du auch den Kull zurücklassen, während du in Begleitung deines Stiefbruders nach Farthen Dûr weiterziehst.«

Eragon sah Nasuada nicht an, als er antwortete: »Und wenn ich in deinen Plan nicht einwillige? Wenn ich glaube, dass es einen besseren Weg gibt, deine Ziele zu erreichen?«

»Und wie, bitte schön, könnte der aussehen?« Nasuadas Finger schwebten reglos in der Luft.

»Ich müsste erst darüber nachdenken, aber ich bin sicher, es gibt ihn.«

»Ich *habe* darüber nachgedacht, Eragon. Und zwar gründlich. Nur mit dir als meinem Gesandten können wir hoffen, die Thronfolge der Zwerge zu beeinflussen. Ich bin unter Zwergen aufgewachsen, vergiss das nicht. Ich verstehe sie besser als die meisten anderen Menschen.«

»Ich glaube trotzdem, dass es ein Fehler ist«, knurrte er. »Schick Jörmundur an meiner Stelle oder einen anderen deiner Befehlshaber. Ich gehe nicht, solange …«

»Du gehst *nicht*?« Nasuada hob die Stimme. »Ein Vasall, der seinem Herrn nicht gehorcht, ist nicht besser als ein Soldat, der auf dem Schlachtfeld den Befehl verweigert. Und er verdient dieselbe Strafe. Als deine Lehnsherrin befehle ich dir, Eragon, nach Farthen Dûr zu laufen, ob es dir nun passt oder nicht, und dort über die Wahl des nächsten Herrschers der Zwerge zu wachen.«

Eragon schnaufte wütend durch die Nase und packte erneut den Knauf seines Schwertes.

In einem sanfteren, aber immer noch wachsamen Ton sagte Nasuada: »Wie entscheidest du dich, Eragon? Wirst du tun, was ich von dir verlange, oder willst du mich absetzen und selbst die Varden anführen? Andere Möglichkeiten hast du nicht.«

»Nein, das will ich nicht«, erwiderte er erschrocken. »Ich kann doch mit dir reden und versuchen, dich zu überzeugen.«

»Das wirst du nicht, da du mir keine Alternative bieten kannst, die ähnlich erfolgversprechend wäre.«

Er sah ihr direkt in die Augen. »Ich könnte mich deinem Befehl widersetzen und die Strafe auf mich nehmen, die du für angemessen hältst.«

Diesmal erschrak Nasuada. »Zu sehen, wie du am Pranger ausgepeitscht wirst, würde der Moral meiner Truppen einen Schlag versetzen, von dem sie sich nie wieder erholen. Außerdem würde es meine Autorität untergraben. Da wir dich nicht einfach hinrichten können wie jeden anderen Soldaten, der den Gehorsam verweigert, würden die Menschen feststellen, dass du dich mir jederzeit widersetzen kannst, ohne mehr fürchten zu müssen als ein paar Striemen, die du mit einem Zauber sofort wieder heilen kannst. Eher trete ich von meinem Posten zurück und übertrage dir den Befehl über die Varden, als zuzulassen, dass so etwas geschieht. Wenn du glaubst, du wärst besser geeignet als ich, dann übernimm meine Position, setz dich auf meinen Stuhl und erkläre dich zum Anführer dieser Streitmacht! Solange ich jedoch für die Varden spreche, ist es mein Recht, solche Entscheidungen zu treffen. Genau wie ich die Verantwortung dafür trage, wenn sie falsch waren.«

»Willst du denn nicht auf Ratschläge hören?«, fragte Eragon bekümmert. »Willst du den Varden ihren Weg einfach vorschreiben, ohne dich beraten zu lassen?«

Der Nagel ihres Mittelfingers klackte auf das Holz der Stuhllehne. »Ich höre auf Ratschläge. Ich lausche jede wache Stunde meines Lebens einem nicht enden wollenden Strom von Ratschlägen, aber manchmal komme ich zu anderen Schlussfolgerungen als meine Untergegebenen. Du musst jetzt wählen, ob du zu deinem Treuegelöbnis stehst und dich meiner Entscheidung beugst oder ob du dich zum Abbild von Galbatorix aufschwingen willst.«

»Ich will nur das Beste für die Varden«, erwiderte er.

»Ich auch.«

»Du stellst mich vor eine Wahl, die mir missfällt.«

»Manchmal ist es schwerer zu folgen, als zu führen.«

»Darf ich einen Moment darüber nachdenken?«

»Du darfst.«

Saphira?

Flecken violetten Lichts tanzten über die Zeltwände, als die Drachendame den Hals drehte und den Blick auf Eragon richtete. *Mein Kleiner?*

Soll ich gehen?

Ich glaube, du musst.

Eragon presste die Lippen zusammen. *Und du?*

Du weißt, wie sehr ich es hasse, von dir getrennt zu sein, aber Nasuadas Argumente sind wohlüberlegt. Wenn ich Murtagh und Dorn dadurch fernhalten kann, dass ich bei den Varden bleibe, sollte ich das wahrscheinlich tun.

Die Emotionen wogten zwischen ihnen hin und her, Flutwellen in einem Meer von Zorn, Erwartung, Widerwille und Zärtlichkeit. Von ihm kamen der Zorn und der Widerwille, von ihr die sanfteren Gefühle – jedoch nicht minder stark –, die ihn beruhigten und ihm halfen, die Dinge in einem anderen Licht zu sehen. Nichtsdestotrotz klammerte er sich hartnäckig an seinen Widerstand gegen Nasuadas Plan. *Wenn du mich nach Farthen Dûr fliegen würdest, wäre ich nicht so lange fort, was Galbatorix weniger Gelegenheit für einen neuen Angriff bieten würde.*

In dem Moment, in dem wir von hier wegflögen, würden ihn seine Spione von der Schwäche der Varden unterrichten.

Ich will mich aber nicht so kurz nach dem Helgrind schon wieder von dir trennen.

Unsere eigenen Wünsche dürfen niemals Vorrang vor den Bedürfnissen der Varden haben, aber mir geht es genauso wie dir. Doch erinnere dich an Oromis' Worte. Ein Drache und sein Reiter werden nicht nur daran gemessen, wie stark sie gemeinsam sind, sondern auch daran, wie gut sie sich allein schlagen. Wir beide sind reif genug, um auch unabhängig voneinander zu handeln, Eragon, obwohl uns diese Vorstellung so sehr missfällt. Das hast du bei deiner Reise durch das Imperium bewiesen.

Wäre es dir recht, mit Arya in die Schlacht zu ziehen, wie Nasuada es vorgeschlagen hat?

Bei ihr würde es mir am wenigsten ausmachen. Wir haben schon gemeinsam gekämpft, und immerhin war sie es, die mich vor nahezu zwanzig Jahren in meinem Ei durch ganz Alagaësia getragen hat. Das weißt du doch, mein Kleiner. Warum also stellst du diese Frage? Bist du etwa eifersüchtig?

Und wenn?

Ihre saphirblauen Augen funkelten amüsiert und sie stupste ihn spielerisch mit der Zunge an. *Wie süß von dir … Also, soll ich bleiben oder mitkommen?*

Es ist deine Entscheidung, nicht meine.

Aber sie betrifft uns beide.

Eragon scharrte mit der Stiefelspitze im Boden. *Wenn wir uns schon an diesem wahnwitzigen Vorhaben beteiligen müssen, sollten wir alles dafür tun, dass es glückt. Also bleib und versuch zu verhindern, dass Nasuadas dreimal verfluchter Plan sie den Kopf kostet.*

Sei guten Mutes, Kleiner. Laufe schnell, dann sind wir bald wieder vereint.

Eragon sah Nasuada an. »Also gut«, sagte er. »Ich gehe.«

Nasuada entspannte sich ein wenig. »Danke. Und du, Saphira, wirst du ihn begleiten oder bleiben?«

Saphira schickte ihren Geist zur Anführerin der Varden aus. *Ich bleibe, Nachtjägerin.*

Nasuada senkte den Kopf. »Saphira, ich bin dir für deine Hilfe sehr dankbar.«

»Hast du schon mit Bloëdhgarm darüber gesprochen?«, erkundigte sich Eragon. »Hat er dem Plan zugestimmt?«

»Nein. Ich bin davon ausgegangen, dass du ihn informieren willst.«

Eragon bezweifelte, dass die Elfen erfreut sein würden, wenn er nur in Begleitung eines Urgals nach Farthen Dûr reiste. »Darf ich einen Vorschlag machen?«

»Du weißt, dass ich immer offen für deine Vorschläge bin.«

Ihre Antwort ließ Eragon kurz stutzen. »Ich meinte, einen Vorschlag und eine Bitte.« Nasuada bedeutete ihm mit einer Geste fortzufahren. »Wenn die Zwerge ihren neuen König oder ihre neue Königin gewählt haben, sollte Saphira zu mir nach Farthen Dûr kommen. Sowohl um dem neuen Herrscher der Zwerge ihren Respekt zu erweisen als auch um das Versprechen einzulösen, das sie König Hrothgar nach der Schlacht um Tronjheim gegeben hat.«

In Nasuadas Gesicht trat der lauernde Ausdruck einer Wildkatze. »Was für ein Versprechen?«, wollte sie wissen. »Davon habt ihr mir nichts erzählt.«

»Saphira hat versprochen, den Sternsaphir, Isidar Mithrim, in seiner alten Herrlichkeit erstrahlen zu lassen als Wiedergutmachung dafür, dass Arya ihn gesprengt hat.«

Nasuada blickte Saphira mit vor Staunen aufgerissenen Augen an. »Du kannst so etwas vollbringen?«

Ja, aber ich weiß nicht, ob ich die Magie herbeirufen kann, wenn ich vor Isidar Mithrim stehe. Ich kann Zauber nicht nach Belieben wirken. Manchmal ist es, als hätte ich einen neuen Sinn entwickelt, und ich spüre das Pulsieren der Energie in meinem Körper. Wenn ich sie dann mit meinem Willen lenke, vermag ich, die Dinge so zu verändern, wie es mir gefällt. Aber zu allen anderen Zeiten kann ich genauso wenig zaubern, wie ein Fisch fliegen kann. Sollte es mir allerdings gelingen, die Bruchstücke des Sternsaphirs zu verschmelzen, wäre uns das Wohlwollen aller Zwerge sicher, nicht nur der wenigen Wissenden, die erkennen, wie wichtig das Bündnis zwischen uns ist.

»Es würde weit mehr bewirken, als du dir vorstellen kannst«, erklärte die Vardenführerin. »Der Sternsaphir nimmt einen besonderen Platz im Herzen der Zwerge ein. Zwerge lieben Edelsteine, aber keinen lieben und verehren sie so wie Isidar Mithrim; wegen seiner Schönheit, vor allem aber wegen seiner gewaltigen Größe. Wenn du den Zwergen Isidar Mithrim zurückgibst, gibst du ihnen ihren Stolz zurück.«

»Selbst wenn es Saphira nicht gelingt, die Bruchstücke des Sternsaphirs zusammenzufügen«, meinte Eragon, »sollte sie der Krönung beiwohnen. Du könntest ihre Abwesenheit sicher einige Tage verschleiern, indem du zum Beispiel verbreitest, dass wir kurz nach Aberon geflogen sind. Bis Galbatorix' Spionen auffällt, dass sie getäuscht wurden, ist es für das Imperium zu spät, noch vor unserer Rückkehr einen Angriff zu starten.«

Nasuada nickte. »Das ist eine gute Idee. Verständige mich, sobald die Zwerge einen Termin für die Krönung anberaumt haben.«

»Das werde ich.«

»Deinen Vorschlag habe ich gehört, jetzt heraus mit deiner Bitte! Was wünschst du?«

»Da du auf meiner Reise nach Farthen Dûr bestehst, möchte ich nach der Krönungszeremonie mit Saphira von Tronjheim nach Ellesméra fliegen.«

»Aus welchem Grund?«

»Um mit jenen zu sprechen, die uns während unseres Besuches in Du Weldenvarden unterrichtet haben. Wir haben versprochen, nach Ellesméra zurückzukehren und unsere Ausbildung zu beenden, sobald es die Umstände erlauben.«

Die Falte auf Nasuadas Stirn vertiefte sich. »Das ist wirklich nicht der richtige Zeitpunkt, um Wochen oder Monate in Ellesméra zu verbringen.«

»Das stimmt, aber vielleicht haben wir die Zeit für einen kurzen Besuch.«

Die Anführerin der Varden ließ den Kopf gegen die geschnitzte Rückenlehne sinken und betrachtete ihren Vasall nachdenklich. »Wer sind eure Lehrer? Mir ist aufgefallen, dass du jeder direkten Frage nach ihnen ausweichst. Wer hat euch beide in Ellesméra unterrichtet, Eragon?«

Eragon drehte den Ring Aren am Finger. »Wir haben Islanzadi einen Eid geschworen, dass wir ihre Identität nicht enthüllen werden, ohne ihre Erlaubnis, der von Arya, oder wer auch immer Islanzadi auf dem Elfenthron nachfolgen wird.«

»Bei allen Dämonen des Himmels und der Hölle!«, entfuhr es Nasuada. »Wie viele Eide haben du und Saphira eigentlich geschworen? Ihr scheint euch an jeden zu binden, der euch über den Weg läuft!«

Eragon zuckte verlegen mit den Schultern. Er setzte zu einer Antwort an, doch Saphira kam ihm zuvor. *Das ist nicht unser Bestreben. Aber wir können Galbatorix und das Imperium niemals ohne die Hilfe aller Völker Alagaësias bezwingen, und ein Schwur ist oft der Preis, den wir für die Hilfe derer zahlen, die die Macht haben.*

»Hm«, erwiderte Nasuada. »Also muss ich Arya danach fragen?«

»Das musst du wohl, aber sie wird es dir nicht verraten. Die Identität unserer Lehrer ist eines der bestgehüteten Geheimnisse der Elfen. Sie werden es nicht lüften, außer es wäre absolut notwendig, um zu verhindern, dass Galbatorix es erfährt.« Eragon starrte auf den königsblauen Stein an seinem Ring und überlegte, wie viel mehr er preisgeben durfte, ohne das Gelübde zu verletzen. »Eins jedoch darf ich dir sagen: Wir sind nicht so allein, wie wir einst geglaubt haben.«

Nasuadas Blick wurde noch aufmerksamer. »Verstehe. Gut zu wissen, Eragon … Ich wünschte nur, die Elfen wären mir gegenüber offener.« Sie spitzte die Lippen. »Warum musst du überhaupt den langen Weg nach Ellesméra auf dich nehmen? Kannst du mit deinen Lehrern nicht von hier aus Kontakt aufnehmen?«

Eragon machte eine hilflose Geste. »Wenn das nur ginge! Leider muss die Beschwörung noch erfunden werden, mit der man die Schutzzauber um Du Weldenvarden überwinden könnte.«

»Die Elfen haben nicht einmal für sich selbst ein Schlupfloch gelassen?«

»Wenn das der Fall wäre, hätte Arya Königin Islanzadi sofort verständigt, nachdem sie in Farthen Dûr wiedererweckt worden war, statt selbst nach Du Weldenvarden zu reisen.«

»Da hast du wohl recht. Aber wie konntest du dann Islanzadi in Bezug auf Sloans Schicksal zurate ziehen? Du hast behauptet, die Elfenarmee hätte sich noch in Du Weldenvarden befunden, als du mit ihr *gesprochen* hast.«

»Das stimmt«, gab er zu, »aber sie lagerte bereits an den Ausläufern, wo die Schutzzauber nicht mehr wirken.«

Die Stille im Zelt war fast mit Händen greifbar, als Nasuada über seine Bitte nachdachte. Draußen stritten die Nachtfalken darüber, ob eine Pike oder eine Hellebarde im Kampf gegen eine große Anzahl menschlicher Fußsoldaten besser geeignet sei, und im Hintergrund hörte Eragon das Rattern eines vorbeifahrenden Ochsenkarrens, während eine Abteilung Krieger mit klirrenden Rüstungen in die andere Richtung trottete. Diese und Hunderte andere undeutliche Geräusche wehten durch das Lager.

»Was genau«, fragte Nasuada schließlich, »erhoffst du dir von diesem Besuch?«

»Das weiß ich nicht!«, knurrte Eragon und schlug mit der Faust auf den Knauf seines Schwertes. »Und genau das ist der Kern des Problems: Wir wissen nicht genug! Möglicherweise kommt nichts dabei heraus, andererseits erfahren wir vielleicht etwas, was uns helfen könnte, Murtagh und Galbatorix ein für alle Mal zu vernichten. Wir haben gestern nur mit Mühe gewonnen, Nasuada. Es war sehr knapp. Ich fürchte, Murtagh wird erheblich stärker sein, wenn wir ihm und Dorn das nächste Mal gegenüberstehen. Wenn ich daran denke, dass Galbatorix' Fähigkeiten die von Murtagh noch um ein Vielfaches übertreffen, trotz der gewaltigen Kräfte, die von ihm auf meinen *Bruder* übergegangen sind, wird mir eiskalt. Der Elf, der mich unterwies, hat…« Eragon zögerte und überlegte, ob es weise war weiterzusprechen. »Er hat angedeutet«, fuhr er dann fort, »er wüsste, warum Galbatorix' Macht Jahr um Jahr wächst. Damals wollte er nicht mehr verraten, weil unsere Ausbildung noch nicht weit genug fortgeschritten war. Jetzt, nach unseren Zweikämpfen mit Dorn und Murtagh, wird er dieses Wissen mit uns teilen, denke ich. Darüber hinaus gibt es viele Gebiete der Magie, die wir noch erforschen müssen. Jedes von ihnen könnte mir das Mittel offenbaren, Galbatorix zu bezwingen. Wenn wir bei dieser Reise schon auf volles Risiko gehen müssen, Nasuada, dann lass uns nicht nur darum spielen, unsere Position zu behaupten, sondern sie zu stärken und so das Spiel zu gewinnen.«

Die Anführerin der Varden saß mehr als eine Minute lang reglos da. »Ich kann diese Entscheidung erst treffen, wenn die Zwerge ihren neuen Herrscher gekrönt haben. Ob du dann nach Du Weldenvarden reisen kannst, hängt vom Imperium ab und davon, was unsere Spione über Murtaghs und Dorns Aktivitäten berichten.«

In den nächsten zwei Stunden hielt Nasuada ihm einen Vortrag über die dreizehn Zwergenclans. Sie unterwies ihn in ihrer Geschichte und Politik, zählte die Waren und Güter auf, mit denen die jeweiligen Clans hauptsächlich Handel trieben, nannte ihm Namen und Abstammung der verschiedenen Clan-Oberhäupter und schilderte ihre Persönlichkeit. Sie ging mit Eragon eine Liste der wichtigsten Tunnel durch, die jeder Clan hatte graben lassen und die er kontrollierte, und umriss schließlich den ihrer Meinung nach besten Weg, die Zwerge dazu zu bringen, einen König oder eine Königin zu wählen, die den Varden und ihren Absichten wohlgesinnt war.

»Ideal wäre es natürlich, wenn Orik den Thron besteigen würde«, sagte sie. »König Hrothgar genoss unter den meisten seiner Untertanen hohes Ansehen und der Dûrgrimst Ingietum ist nach wie vor einer der wohlhabendsten und einflussreichsten Clans. All das spricht für Orik. Zudem hat er sich unserer Sache voll und ganz verschrieben. Er hat unter den Varden gedient, wir beide zählen ihn zu unseren Freunden und er ist dein Stiefbruder. Zweifellos besitzt er alle Eigenschaften, die ein guter Zwergenkönig mitbringen muss.« Belustigung zeichnete sich auf ihren Zügen ab. »Aber was zählt das schon? Er ist nach den Maßstäben der Zwerge noch sehr jung, und gerade auch seine enge Beziehung zu uns könnte einige Clan-Oberhäupter davon abhalten, ihn zu wählen. Ein weiteres Problem stellen die anderen großen Clans an sich dar. Dûrgrimst Feldûnost und Dûrgrimst Knurlcarathn – um nur zwei zu nennen – werden nach der einhundertjährigen Herrschaft des Ingietum alles daran setzen, dass die Krone an einen anderen Clan übergeht.

Unterstütze Orik, wenn ihm das den Thron verschafft. Sollte es jedoch offensichtlich werden, dass er zum Scheitern verurteilt ist und deine Unterstützung ein anderes Clan-Oberhaupt auf den Thron befördern kann, das uns gegenüber loyal ist, dann hilf diesem, auch wenn es Orik kränkt. Freundschaft darf politischen Überlegungen nicht im Wege stehen, nicht zum jetzigen Zeitpunkt.«

Nachdem Nasuada ihre Lektion über die Zwergenclans beendet hatte, überlegten sie zu dritt, wie sich Eragon unbemerkt aus dem Lager schleichen könnte. Nachdem sie schließlich die Einzelheiten des Plans festgelegt hatten, kehrten Eragon und Saphira zu ihrem Zelt zurück und informierten Bloëdhgarm über ihre Entscheidung.

Der Wolfkatzenelf hatte zu Eragons Überraschung keinerlei Einwände.

»Ihr billigt den Plan?«, erkundigte er sich ein wenig überrascht.

»Es steht mir nicht zu, ihn zu billigen oder zu missbilligen«, schnurrte Bloëdhgarm. »Da Nasuadas Plan keinen von euch beiden unnötig in Gefahr bringt und ihr dadurch außerdem vielleicht die Möglichkeit erhaltet, eure Ausbildung in Ellesméra fortzusetzen, sollten weder ich noch meine Gefährten einen Einwand erheben.« Er neigte den Kopf. »Wenn ihr mich jetzt entschuldigt, Bjartskular, Argetlam.« Der Elf ging um Saphira herum und verließ das Zelt. Blendend helles Sonnenlicht fiel kurz in das dämmrige Innere, als er die Plane zurückschlug.

Eragon und Saphira schwiegen eine Weile, bis er ihr schließlich die Hand auf den Kopf legte. *Sag, was du willst, aber ich werde dich vermissen.*

Ich dich auch, mein Kleiner.

Sei vorsichtig. Wenn dir irgendetwas zustoßen sollte, wüsste ich nicht …

Du auch.

Er seufzte. *Wir sind erst ein paar Tage zusammen und müssen uns schon wieder trennen. Es fällt mir schwer, Nasuada das zu vergeben.*

Sie tut, was sie tun muss. Verurteile sie nicht dafür.

Nein, aber es hinterlässt bei mir einen bitteren Nachgeschmack.

Dann beeile dich umso mehr, damit ich bald zu dir nach Farthen Dûr kommen kann.

Es würde mir weniger ausmachen, so weit weg von dir zu sein, wenn ich wenigstens deinen Geist berühren könnte. Das ist das Schlimmste daran: dieses schreckliche Gefühl der Leere. Wir können es nicht einmal wagen, durch den Spiegel in Nasuadas Zelt miteinander zu sprechen, weil die Leute anfangen würden, sich zu fragen, warum du sie so häufig ohne mich besuchst.

Saphira blinzelte, und er spürte, wie ihre Stimmung wechselte.

Was?

Ich … Sie blinzelte erneut. *Ich stimme dir zu. Ich wünschte auch, dass wir in geistiger Verbindung bleiben könnten, wenn wir weit voneinander entfernt sind. Es würde unsere Sorgen zerstreuen, unseren Kummer lindern und das Imperium in tiefe Verwirrung stürzen.*

Sie summte zufrieden, als sich Eragon neben sie setzte und die kleinen Schuppen hinter ihrem Kiefer kraulte.

Spurlos verschwunden

Mit einigen schwindelerregenden Sprüngen trug Saphira Eragon durch das Lager zu Rorans und Katrinas Zelt. Vor dem Zelt schrubbte Katrina gerade ein Nachthemd auf einem Waschbrett, das in einem Eimer mit Seifenlauge stand. Sie hob die Hand und schützte ihre Augen vor der Staubwolke, die Saphira bei der Landung aufwirbelte.

Roran trat heraus und schnallte seinen Gürtel zu. Er hustete und spähte mit zusammengekniffenen Augen durch den Staub. »Was führt dich her?«, erkundigte er sich, als Eragon abstieg.

Er erzählte den beiden hastig von seiner bevorstehenden Abreise und schärfte ihnen ein, sein Verschwinden unbedingt vor dem Rest der Dorfbewohner geheim zu halten. »Ganz gleich wie gekränkt sie sein mögen, weil ich sie angeblich nicht sehen will, ihr dürft ihnen auf keinen Fall die Wahrheit sagen. Nicht einmal Horst oder Elain. Bevor ihr auch nur ein Wort über Nasuadas Plan verliert, sollen sie mich lieber für einen unhöflichen, undankbaren Rüpel halten. Ich bitte euch zum Wohl aller, die gegen das Imperium kämpfen. Werdet ihr das tun?«

»Wir würden dich niemals verraten, Eragon«, versicherte ihm Katrina. »Daran solltest du nie zweifeln.«

Dann teilte Roran ihm mit, dass er ausrücken würde.

»Wohin?«, rief der Drachenreiter erstaunt.

»Ich habe den Befehl erst vor ein paar Minuten erhalten. Wir überfallen einen Nachschub-Konvoi des Imperiums hinter den feindlichen Linien, irgendwo im Norden.«

Eragon betrachtete sie der Reihe nach. Roran wirkte ernst und entschlossen, angespannt in Erwartung des bevorstehenden Kampfes, Katrina versuchte, ihre Besorgnis zu verbergen, und um Saphiras geblähte Nüstern flackerten kleine Flammen, die bei jedem Atemzug zischten. »Wir trennen uns also alle.« Was er nicht aussprach, schwebte wie ein Leichentuch über ihnen – die Möglichkeit, dass sie sich vielleicht nicht mehr lebend wiedersehen würden.

Roran packte Eragons Unterarm, zog seinen Cousin an sich und umarmte ihn kurz. Dann ließ er ihn wieder los und starrte ihm in die Augen. »Pass gut auf dich auf, Cousin. Galbatorix ist nicht der Einzige, der dir liebend gern ein Messer zwischen die Rippen jagen würde, wenn du gerade nicht hinsiehst.«

»Dasselbe gilt für dich. Und wenn du es mit einem Magier zu tun bekommst, renn in die entgegengesetzte Richtung davon. Die Schutzzauber, mit denen ich dich belegt habe, halten nicht ewig.«

Katrina umarmte Eragon. »Bleib nicht zu lange weg«, flüsterte sie.

»Ich versuch's.«

Anschließend gingen Roran und Katrina zu Saphira und berührten mit der Stirn ihre lange, knochige Schnauze. Aus Saphiras Kehle drang ein tiefes Summen, das ihre Brust vibrieren ließ. *Denk daran, Roran,* sagte sie, *begehe nicht den Fehler, deine Feinde am Leben zu lassen. Und Katrina, grüble nicht über das nach, was du nicht ändern kannst. Es wird deinen Schmerz nur verschlimmern.* Mit einem leisen Rascheln ihrer Schuppen breitete Saphira die Flügel aus und umfing damit Roran, Katrina und Eragon in einer warmen Umarmung, abgeschirmt vom Rest der Welt.

Als Saphira die Schwingen hob, traten Roran und Katrina zurück, während Eragon auf ihren Rücken kletterte. Mit einem Kloß im Hals winkte er dem frisch verheirateten Paar zu, und er winkte noch, als Saphira sich abstieß und in die Luft schnellte. Nur mit Mühe konnte er die Tränen zurückhalten. Er lehnte sich gegen die Rückenzacke hinter ihm und blickte in den Himmel.

Zu den Kochzelten?, wollte Saphira wissen.

Ja.

Saphira flog ein paar hundert Fuß hoch und nahm Kurs auf den südwestlichen Teil des Lagers, wo Rauchsäulen von vielen Öfen und großen, offenen Feuergruben in den Himmel aufstiegen. Der Wind rauschte sacht an ihnen vorbei, als sie zu einem freien Platz zwischen zwei offen stehenden, etwa fünfzehn Fuß langen Zelten hinabsanken. Das Frühstück war bereits zu Ende, daher waren sie menschenleer, als Saphira mit einem vernehmlichen Plumps landete.

Eragon eilte mit ihr zu den Feuern hinter den Holztischen. Die mehreren Hundert dort beschäftigten Männer unterbrachen ihre Tätigkeiten nicht, um Eragon und Saphira anzustarren. Sie kümmerten sich weiter um die Feuer, hackten Fleisch, schlugen Eier auf, kneteten Teig, rührten in eisernen Kesseln mit geheimnisvollen Flüssigkeiten, wuschen riesige Berge von schmutzigen Töpfen und Geschirr oder widmeten sich auf andere Weise der gewaltigen, nie enden wollenden Aufgabe, Mahlzeiten für die Varden zu bereiten. Was waren schon ein Drache und sein Reiter, verglichen mit dem gierigen Appetit des vielköpfigen Geschöpfs, dessen Mäuler sie zu stopfen hatten?

Ein untersetzter Mann mit einem kurz geschorenen, grau melierten Bart kam auf die beiden zu und verbeugte sich knapp. Er war so klein, dass er fast als Zwerg hätte durchgehen können. »Ich bin Quoth Merrinsson. Wie kann ich Euch dienen? Wir haben gerade Brot gebacken, Schattentöter. Möchtet Ihr?« Er deutete auf einen Tisch, auf dem eine Platte mit zwei Reihen Sauerteigbroten stand.

»Ich nehme gern einen halben Laib, wenn ihr ihn erübrigen könnt«, antwortete Eragon. »Aber wir sind nicht hergekommen, weil *ich* hungrig bin. *Saphira* möchte etwas fressen. Sonst geht sie immer auf die Jagd, aber dazu fehlt uns heute die Zeit.«

Quoth starrte an ihm vorbei auf Saphiras massigen Körper und wurde blass. »Wie viel frisst sie denn normalerweise … Ich meine, wie viel esst Ihr normalerweise, Saphira? Ich könnte Euch sofort sechs gebratene Rinderhälften bringen lassen; sechs weitere sind ungefähr in einer Viertelstunde fertig. Genügt das, oder …?« Sein Adamsapfel hüpfte, als er schluckte.

Saphira stieß ein leises Knurren aus, woraufhin Quoth mit einem spitzen Schrei zurücksprang.

»Sie würde ein lebendes Tier vorziehen, wenn es dir recht ist«, erklärte Eragon.

»Recht?«, quiekte Quoth. »Es ist mir recht.« Er nickte und zerrte mit fettigen Händen an seiner Schürze. »Vollkommen recht, Schattentöter, Drache Saphira. König Orrins Tafel wird es deshalb heute Nachmittag an nichts mangeln, oh nein.«

Und dazu ein Fass Met, sagte Saphira zu Eragon.

Als er diesen Wunsch weitergab, riss Quoth die Augen so weit auf, dass das Weiße um seine Iris leuchtete. »Ich … bedauerlicherweise haben die Zwerge fast den ganzen Vorrat an M-m-met aufgekauft. Wir haben nur noch wenige Fässer übrig und die sind alle für König …« Quoth zuckte vor dem mehr als armdicken Feuerstrahl aus Saphiras Nüstern zurück, der das Gras vor ihm versengte. Kleine Rauchsäulen kräuselten sich von den geschwärzten Halmen in die Luft. »Ich … ich … ich lasse Euch sofort ein Fass holen. Wenn Ihr mir jetzt f-folgen würdet, dann bringe ich Eu-euch zu unserem Viehbestand, wo Ihr Euch ein Tier aussuchen könnt.«

Der Koch führte sie um die Feuer, die Tische und die arbeitenden Männer herum zu einer Reihe großer Holzpferche, in denen sich Schweine, Rinder, Gänse, Ziegen, Schafe und Kaninchen drängten, außerdem einiges an Wild, das von den Jägern der Varden bei ihren Streifzügen durch die Wildnis gefangen worden war. Neben den Pferchen standen Ställe mit Hühnern, Enten, Tauben, Wachteln, Moorhühnern und anderem Geflügel. Die Kakofonie ihres Schnatterns, Zirpens, Gurrens und Krähens war so schrill, dass Eragon unwillkürlich mit den Zähnen knirschte. Um nicht von den Gedanken und Gefühlen so vieler Kreaturen überwältigt zu werden, öffnete er seinen Geist nur Saphira.

Sie blieben in einem Abstand von mehr als hundert Fuß zu den Pferchen stehen, damit Saphiras Anblick die gefangenen Tiere nicht in Panik versetzte. »Seht Ihr etwas, wonach Euch gelüstet?«, fragte Quoth. Er sah nervös zu ihr hoch und rieb sich beflissen die Hände.

Saphira ließ den Blick über die Pferche gleiten und schnaufte. *Welch eine erbärmliche Beute … So hungrig bin ich eigentlich gar nicht, weißt du? Ich habe erst vorgestern gejagt und verdaue noch die Knochen des Rehs, das ich verspeist habe.*

Aber du wächst immer noch sehr schnell. Etwas zu essen, wird dir guttun.

Nicht, wenn ich es nicht vertrage.

Dann such dir etwas Kleines aus. Ein Schwein, zum Beispiel.

Das würde wohl kaum weiterhelfen. Nein, ich nehme … die da. Sie schickte das Bild einer mittelgroßen Kuh an Eragons Geist, ein Tier mit weißen Flecken auf der linken Flanke.

Nachdem er Quoth die Kuh gezeigt hatte, rief der einigen Männern, die an den Pferchen herumlungerten, einen Befehl zu. Zwei von ihnen trennten die Kuh vom Rest der Herde, banden ihr einen Strick um den Hals und zogen das sich heftig sträubende Tier in Richtung Saphira. Als sie noch dreißig Fuß von dem Drachen entfernt war, muhte die Kuh vor Entsetzen, versuchte, das Seil abzuschütteln und zu fliehen. Bevor sie entkommen konnte, sprang Saphira mit einem gewaltigen Satz auf sie zu. Die beiden Männer, die die Kuh am Strick führten, warfen sich flach auf den Boden, als Saphira angerauscht kam, und glotzten sie fassungslos an.

Saphira erwischte die Kuh an der Flanke, als sie gerade weglaufen wollte. Sie schleuderte das Tier zu Boden und hielt es mit einer gespreizten Klaue fest. Das Rind stieß ein letztes panisches Muhen aus, bevor Saphiras Kiefer sich um seinen Hals schloss. Mit einem kurzen, heftigen Schütteln ihres Kopfes brach sie der Kuh das Genick. Dann kauerte sie über ihrer Beute und sah Eragon erwartungsvoll an.

Der schloss die Augen und tastete mit seinem Geist nach der

Kuh. Das Bewusstsein des Tieres verblasste bereits, aber sein Körper lebte noch und vibrierte vor Energie, die die Panik gerade eben freigesetzt hatte. Was Eragon jetzt tun musste, widerte ihn an, aber er ignorierte das Gefühl. Er legte eine Hand auf den Gürtel von Beloth dem Weisen und übertrug so viel Lebenskraft, wie er konnte, von der Kuh in die zwölf im Gürtel eingenähten Diamanten. Das Ganze dauerte nur ein paar Sekunden.

Dann nickte er Saphira zu. *Ich bin fertig.*

Der Drachenreiter dankte den Männern für ihre Hilfe und sie ließen ihn und Saphira allein.

Während Saphira sich satt fraß, setzte Eragon sich, lehnte sich mit dem Rücken an das Metfass und sah den Köchen bei der Arbeit zu. Jedes Mal wenn sie oder ihre Helfer ein Huhn köpften oder einem Schwein oder einem anderen Tier die Gurgel durchschnitten, übertrug er die Kraft des sterbenden Tieres in Beloths Gürtel. Er musste sich immer wieder dazu überwinden, denn die meisten Tiere lebten noch, wenn er ihr Bewusstsein berührte. Der tosende Sturm ihrer Furcht, ihrer Verwirrung und ihres Schmerzes hämmerte auf ihn ein, bis sein Herz raste, seine Stirn mit Schweiß bedeckt war und er sich nichts sehnlicher wünschte, als diese leidenden Kreaturen zu heilen. Er wusste natürlich, dass es ihr Los war zu sterben, ansonsten würden die Varden verhungern.

Bei den letzten Kämpfen hatte Eragon seine Energiereserven fast völlig erschöpft, und er wollte sie auffüllen, bevor er sich auf eine so lange und möglicherweise gefährliche Reise machte. Hätte Nasuada ihm erlaubt, nur eine Woche länger bei den Varden zu bleiben, hätte er Lebenskraft aus seinem eigenen Körper in die Diamanten übertragen können und danach noch genug Zeit gehabt, sich zu erholen, bevor er nach Farthen Dûr aufbrach. Die wenigen Stunden, die ihm bis zur Abreise blieben, genügten dafür jedoch nicht. Selbst wenn er nur im Bett gelegen hätte und das Feuer in seinen Gliedern in die Edelsteine hätte strömen lassen, hätte er nicht so viel Kraft sammeln können wie von den vielen sterbenden Tieren.

Die Diamanten im Gürtel von Beloth dem Weisen konnten eine nahezu unbegrenzte Menge Energie speichern. Irgendwann konnte er die Vorstellung, sich noch einmal in die Todesqualen eines Tieres zu versenken, nicht mehr ertragen und hörte auf. Zitternd und von Kopf bis Fuß in Schweiß gebadet, beugte er sich vor. Er stützte die Hände auf die Knie, starrte auf den Boden zwischen seinen Füßen und kämpfte gegen den aufsteigenden Brechreiz an. Erinnerungen überfielen ihn, die nicht die seinen waren, sondern Saphiras. Wie sie mit ihm über den Leona-See glitt, wie sie zusammen in das klare, kalte Wasser gestürzt waren und eine Wolke aus weißen Luftblasen an ihnen vorbei an die Oberfläche trieb; an ihre gemeinsame Freude am Fliegen, Schwimmen und Spielen.

Seine Atemzüge wurden ruhiger, und er blickte zu Saphira, die zwischen den Resten ihrer Beute saß und auf dem Schädel der Kuh herumkaute. Er lächelte und schickte ihr seinen Dank für ihre Hilfe.

Wir können jetzt gehen, sagte er dann.

Saphira schluckte. *Nimm auch meine Lebenskraft. Du kannst sie brauchen.*

Nein.

Diesen Streit wirst du nicht gewinnen. Ich bestehe darauf.

Ich ebenfalls. Ich werde dich hier nicht geschwächt und kampfunfähig zurücklassen. Wir beide müssen jederzeit kampfbereit sein. Was, wenn Murtagh und Dorn heute noch angreifen? Dann schwebst du in weit größerer Gefahr als ich, da Galbatorix und das ganze Imperium glauben, dass ich noch bei dir bin.

Schon, aber du wirst allein mit einem Kull durch die Wildnis laufen.

Ich bin genau wie du an die Wildnis gewöhnt. Es macht mir keine Angst, mich abseits der Zivilisation zu bewegen. Und was den Kull angeht … Ich weiß zwar nicht, ob ich ihn bei einem Ringkampf besiegen könnte, aber meine Schutzzauber bewahren mich vor jedem Verrat. Ich habe genug Energie gespeichert, Saphira. Du brauchst mir keine mehr zu geben.

Sie betrachtete ihn und dachte über seine Worte nach. Schließlich hob sie eine Klaue und leckte das Blut ab. *Also gut. Dann behalte ich meine Energie.* Sie schmunzelte und ließ die Klaue sinken. *Wärst du so nett, mir das Fass Met herüberzurollen?*

Stöhnend rappelte Eragon sich auf und erfüllte ihr den Wunsch. Sie fuhr eine Kralle aus und schlug damit zwei Löcher in den Deckel des Fasses. Sofort stieg das süße Aroma des Apfel-Honig-Mets in die Luft. Mit ihrem gewaltigen Kiefer packte sie das Fass, hob es hoch und ließ den Inhalt in ihren Rachen gluckern. Das leere Fass zersplitterte auf dem Boden, als sie es fallen ließ, und einer der Eisenreifen rollte ein gutes Stück weg. Ihre Oberlippe kräuselte sich, Saphira schüttelte den Kopf und schnappte kurz nach Luft, bevor sie so heftig niesen musste, dass ihre Nase auf den Boden prallte und ein Feuerstoß aus Maul und Nüstern schoss.

Eragon schrie überrascht auf und sprang zur Seite, während er hastig auf den qualmenden Saum seines Wamses klopfte. Seine rechte Gesichtshälfte brannte von der Hitze des Feuers. *Pass doch auf, Saphira!*, rief er.

Hoppla. Sie senkte den Kopf, rieb sich an einem Vorderbein den Staub von der Nase und kratzte sich dann die Nüstern. *Der Met kitzelt so.*

Also wirklich, das solltest du mittlerweile wissen, brummte er, während er auf ihren Rücken kletterte.

Nachdem sie sich noch einmal die Schnauze gerieben hatte, sprang Saphira hoch in die Luft, schwebte über dem Lager und brachte ihn zu seinem Zelt zurück. Er glitt von ihrem Rücken zu Boden und sah zu ihr hoch. Eine Weile sagten sie nichts, sondern ließen einfach nur ihre Gefühle sprechen.

Saphira blinzelte, und Eragon hatte den Eindruck, dass ihre Augen heller schimmerten als gewöhnlich. *Das ist eine Prüfung,* sagte sie. *Bestehen wir sie, werden wir danach stärker sein; als Drache und Reiter.*

Jeder von uns muss sich alleine bewähren, sonst sind wir im Vergleich zu anderen im Nachteil.

Ja. Sie pflügte mit ihren gekrümmten Klauen die Erde. *Dennoch lindert dieses Wissen nicht meinen Schmerz.* Ein Schauer lief über ihren Körper und sie schlug sanft mit den Flügeln. *Möge der Wind deine Schwingen beflügeln und die Sonne immer in deinem Rücken stehen. Reise sicher und reise schnell, mein Kleiner.*

Auf Wiedersehen, erwiderte er.

Eragon spürte, dass er es nie schaffen würde, zu gehen, wenn er noch länger bei ihr blieb, also wirbelte er herum und stürmte ohne einen Blick zurück in das dunkle Zelt. Und er durchtrennte das Band zwischen ihnen, das so sehr Teil von ihm geworden war wie die Fasern seines Körpers. Bald würden sie ohnehin zu weit voneinander entfernt sein, als dass sie den Geist des anderen noch wahrnehmen könnten, und er wollte die Qual des Abschieds nicht noch verlängern. Er blieb einen Moment stehen, umklammerte den Griff seines Schwertes und schwankte, als schwindelte ihm. Der dumpfe Schmerz der Einsamkeit durchdrang ihn bereits und ohne die tröstende Gegenwart von Saphiras Bewusstsein fühlte er sich klein und allein. *Ich habe es schon einmal geschafft und ich kann es wieder schaffen,* sagte er sich. Er zwang sich, die Schultern zu straffen und den Kopf zu heben.

Dann bückte er sich und zog unter der Pritsche den Rucksack hervor, den er sich während seiner Reise vom Helgrind gefertigt hatte. Er legte die in ein Tuch gewickelte verzierte Holzröhre hinein, in der die Schriftrolle mit dem Gedicht steckte, das er für die Blutschwur-Zeremonie verfasst und das Oromis für ihn in seiner schönsten Kalligrafie niedergeschrieben hatte. Außerdem die Flasche mit dem verzauberten Faelnirv und das Specksteindöschen mit Nalgask, ebenfalls Geschenke von Oromis. Das dicke Buch *Domia abr Wyrda,* das ihm Jeod gegeben hatte, packte er auch ein. Wetzstein und Riemen durften natürlich nicht fehlen und nach kurzem Zögern packte er auch die vielen Teile seiner Rüstung ein. *Denn,* so sagte er sich, *sollte ich sie brauchen, werde ich weit glücklicher sein, wenn ich sie dabeihabe, als es mich verdrießt, sie den ganzen Weg nach Farthen Dûr schleppen zu müssen.* Jedenfalls hoffte er das. Das Buch und die Schriftrolle hatte er eingepackt, weil er nach seinen vielen Reisen zu dem Schluss gekommen war, dass er Dinge, an denen er hing, am besten überallhin mitnahm, wenn er sie nicht verlieren wollte.

Als zusätzliche Kleidungstücke nahm er nur ein paar Handschuhe mit, die er in seinen Helm stopfte, und den schweren wollenen Umhang für den Fall, dass es kalt werden würde, wenn sie nachts rasteten. Den Rest ließ er in Saphiras Satteltaschen. *Wenn ich wirklich ein Mitglied des Dûrgrimst Ingietum bin,* dachte er, *werden sie mir sicher angemessene Kleidung zur Verfügung stellen, sobald ich in der Festung Bregan ankomme.*

Er öffnete die Gurte des Rucksacks, legte den Bogen und den Köcher obendrauf und band sie an das Gestell. Er wollte gerade das Krummschwert dazulegen, als ihm auffiel, dass die Klinge aus der Scheide rutschen könnte, wenn er sich zur Seite beugte. Deshalb befestigte er die Waffe senkrecht an der Rückseite des Rucksacks, sodass der Griff zwischen seinem Hals und der rechten Schulter herausragte. So konnte er das Schwert jederzeit ziehen.

Dann durchstieß er die Mauer um seinen Geist und fühlte, wie die Energie durch seinen Körper und die zwölf Edelsteine brandete. Er zapfte den Kraftstrom an und murmelte den Zauber, den er erst einmal gewirkt hatte: Es war jene Beschwörung, die die Reflektionen des Lichts um ihn herumlenkte und ihn dadurch unsichtbar machte. Eine leichte Müdigkeit überkam ihn.

Er sah an sich hinunter. Es war eine etwas verstörende Erfahrung, ungehindert durch seinen Oberkörper und die Beine hindurch auf seine Fußabdrücke im Sand blicken zu können.

Und jetzt zum schwierigen Teil, sagte er sich.

Er ging zur hinteren Zeltwand, schnitt mit seinem Jagdmesser einen langen Schlitz in das feste Material und zwängte sich durch die Öffnung. Bloëdhgarm wartete bereits auf ihn, geschmeidig wie eine Katze. Der Wolfkatzenelf neigte den Kopf ungefähr in seine Richtung. »Schattentöter«, murmelte er und flickte den Riss mithilfe eines halben Dutzend Wörter in der alten Sprache.

Eragon schlich den Pfad zwischen zwei Zeltreihen entlang und nutzte seine Erfahrungen bei der Jagd, um so leise wie möglich zu sein. Sobald sich jemand näherte, verließ er den Pfad und verharrte regungslos zwischen den Zelten. Er hoffte, dass niemand die Spuren im Staub und Gras bemerkte, und verwünschte die Trockenheit; seine Stiefel wirbelten kleine Staubwolken auf, auch wenn er noch so behutsam auftrat. Zu seiner Überraschung wurde sein Gleichgewichtssinn dadurch beeinträchtigt, dass er unsichtbar war: weil er seine Hände und Füße nicht sehen konnte, schätzte er Entfernungen falsch ein und stieß ständig irgendwo an, fast als hätte er zu viel Bier getrunken.

Trotz dieser Unsicherheiten erreichte er nach kurzer Zeit unbemerkt den Rand des Lagers. Hinter einem Regenfass, dessen dunkler Schatten seine Fußabdrücke verbarg, blieb er stehen und musterte die Erdwälle und die Gräben mit den spitzen Pfählen, die die östliche Flanke der Varden schützten. Es wäre äußerst schwierig gewesen, in das Lager zu gelangen, ohne dabei von einem der vielen Wachposten entdeckt zu werden, die auf den Wällen patrouillierten, selbst wenn man unsichtbar war. Da die Gräben und Wälle jedoch errichtet worden waren, um die Angreifer abzuwehren und nicht die Lagernden einzusperren, war es erheblich leichter, sie von innen zu überwinden.

Eragon wartete, bis ihm die beiden Wachposten in seiner Nähe den Rücken zukehrten, dann sprintete er los, so schnell er konnte. In nur wenigen Sekunden hatte er die etwa hundert Fuß vom Regenfass bis zum Erdwall überwunden und rannte ihn so rasch hinauf, dass er sich fast wie ein Stein vorkam, der über das Wasser hüpfte. Auf der Kuppe stieß er sich mit aller Kraft vom Boden ab und sprang mit rudernden Armen über die Verteidigungslinie der Varden. Drei Herzschläge lang flog er durch die Luft, bis er mit einem Ruck landete, der ihm durch Mark und Bein ging.

Nachdem er sich gefangen hatte, legte er sich flach auf den Boden und hielt den Atem an. Einer der Wachposten blieb stehen und sah sich um, schien jedoch nichts Ungewöhnliches zu bemerken, denn nach einem Moment setzte er seinen Gang fort. Eragon atmete erleichtert aus, flüsterte: *»Du Deloi lunaea«*, und spürte, wie der Zauberspruch die Fußspuren glättete, die er auf dem Wall hinterlassen hatte.

Nach wie vor unsichtbar stand er auf und entfernte sich langsam vom Lager, sorgsam darum bemüht, nur auf Grasbüschel zu treten, damit er nicht noch mehr Staub aufwirbelte. Je weiter er sich von den Wachposten entfernte, desto schneller lief er, bis er rascher über das Land eilte als ein galoppierendes Pferd.

Eine knappe Stunde später rutschte er mit großen Schritten die steile Böschung einer Senke hinab, die Wind und Wasser in die Steppe gegraben hatten. Am Boden floss ein Bach, dessen Ufer mit Binsen und Schilfrohr bewachsen war. Er folgte ihm flussabwärts, hielt sich aber von dem weichen Boden neben dem Wasser fern, um keine Spuren zu hinterlassen. Schließlich verbreiterte sich der Bach zu einem kleinen Weiher, an dessen Rand ein halb nackter Kull auf einem Felsbrocken saß.

Als sich Eragon durch das dichte Schilf schlängelte, verrieten das trockene Rascheln der Blätter und Binsen dem Gehörnten sein Kommen. Die Kreatur drehte den gewaltigen Schädel in seine Richtung und sog witternd die Luft ein. Es war Nar Garzhvog, der Anführer der mit den Varden verbündeten Urgals.

»Du!« Eragon löste den Zauber und wurde sichtbar.

»Sei gegrüßt, Feuerschwert«, grollte Garzhvog. Muskeln tanzten unter der grauen, in der Mittagssonne schimmernden Haut, als er seinen massigen Körper hochwuchtete und sich zu seiner vollen Größe von achteinhalb Fuß aufrichtete.

»Sei gegrüßt, Nar Garzhvog«, erwiderte Eragon. Neugierig fuhr er fort: »Was ist mit deinen Gehörnten? Wer wird sie führen, wenn du mit mir gehst?«

»Mein Blutsbruder Skgahgrezh. Er ist zwar kein Kull, aber er hat lange Hörner und einen mächtigen Nacken. Er ist ein ausgezeichneter Kriegsherr.«

»Verstehe … Und warum willst *du* mich begleiten?«

Der Urgal hob den kantigen Schädel und entblößte seinen verletzlichen Hals. »Du bist Feuerschwert. Du darfst nicht sterben oder die Urgralgra – die Urgals, wie ihr uns nennt – können keine Rache an Galbatorix nehmen und unser Volk wird untergehen. Deshalb werde ich an deiner Seite laufen. Ich bin der beste unserer Kämpfer. Ich habe zweiundvierzig Gehörnte im Kampf Mann gegen Mann besiegt.«

Eragon nickte, ganz zufrieden damit, wie sich die Dinge entwickelten. Von allen Urgals vertraute er Garzhvog am meisten. Er hatte den Geist des Kull vor der Schlacht auf den Brennenden Steppen erforscht und herausgefunden, dass Garzhvog, zumindest nach den Maßstäben seiner Spezies, ehrlich und zuverlässig war. *Solange er nicht glaubt, dass seine Ehre es verlangt, mich zum Duell zu fordern, werden wir keinen Streit bekommen.*

»Ausgezeichnet, Nar Garzhvog«, erwiderte der Drachenreiter und zog den Bauchriemen seines Rucksacks fester. »Dann lass uns zusammen laufen, du und ich, Kull und Drachenreiter, so wie es in der Geschichte Alagaësias noch nie geschehen ist.«

Ein dunkles Lachen rollte durch Garzhvogs Brust. »Lass uns laufen, Feuerschwert.«

Sie wandten sich nach Osten in Richtung Beor-Gebirge. Eragon lief leichtfüßig und schnell, brauchte aber für jeden Schritt des Kull, der die Erde zum Erbeben brachte, zwei.

Vor ihnen am Horizont sammelten sich dicke Gewitterwolken, die einen heftigen Wolkenbruch ankündeten; über ihnen stießen kreisende Falken auf ihrer Jagd nach Beute schrille Schreie aus.

Über Stock und Stein

Eragon und Nar Garzhvog rannten den Rest des Tages, die ganze Nacht hindurch, und liefen auch am nächsten Morgen ohne Pause weiter. Nur um etwas zu trinken, blieben sie stehen.

Am frühen Abend des zweiten Tages sagte der Kull schließlich: »Feuerschwert, ich muss etwas essen und schlafen.«

Keuchend lehnte Eragon sich an einen Baumstamm und nickte. Er hatte es nicht als Erster aussprechen wollen, aber er war genauso hungrig und erschöpft wie der Kull. Bald nach ihrem Aufbruch von den Varden hatte sich herausgestellt, dass er auf den ersten fünf Meilen schneller war als der Urgal, aber dass danach Garzhvogs Ausdauer ebenso groß oder sogar größer war als seine eigene.

»Ich helfe dir beim Jagen«, sagte er.

»Das ist nicht nötig. Mach du das Feuer, ich besorge das Essen.«

»Gut.«

Während Garzhvog in nördlicher Richtung auf einen Rotbuchenhain zumarschierte, öffnete Eragon den Tragegurt um seine Hüfte und stellte mit einem erleichterten Seufzer den Rucksack ab. »Verdammte Rüstung«, murmelte er. Selbst im Imperium war er nicht so lange an einem Stück mit so schwerem Gepäck gelaufen. Ihm war nicht klar gewesen, wie anstrengend es sein würde. Die Füße schmerzten, die Beine schmerzten, der Rücken schmerzte, und als er sich hinsetzen wollte, wollten seine Knie sich nicht richtig beugen.

Er versuchte, die Schmerzen zu ignorieren, und sammelte für das Lagerfeuer Gras und abgestorbene Äste, die er an einer trockenen, steinigen Stelle aufschichtete.

Sie waren irgendwo östlich der Südspitze des Sees Tüdosten. Der Boden war feucht und üppig. Auf den weiten Flächen mit sechs Fuß hohem Gras wanderten Hirschherden, Gazellen und wilde schwarze Ochsen mit breiten, nach hinten gebogenen Hörnern umher. Den Reichtum der Natur verdankte das Land dem Beor-Gebirge, über dem sich dichte Wolkenbänke sammelten, die anschließend weit auf die Ebenen hinaustrieben und über Gegenden abregneten, die ohne den Niederschlag genauso trocken gewesen wären wie die Hadarac-Wüste.

Obwohl sie bereits eine gewaltige Strecke zurückgelegt hatten, war Eragon nicht zufrieden. Zwischen dem Jiet-Strom und dem See Tüdosten hatten sie mehrere Stunden verloren, da sie sich versteckt halten und Umwege auf sich nehmen mussten, um nicht gesehen zu werden. Nachdem der See nun hinter ihnen lag, hoffte er, dass sie wieder schneller vorankommen würden. *Die Verzögerungen hat Nasuada nicht vorhergesehen, was? Natürlich nicht. Sie hat geglaubt, ich könnte nach Farthen Dûr durchrennen. Ha!* Er trat einen Ast aus dem Weg und sammelte unter mürrischem Brummeln weiter Brennholz.

Als nach einer Stunde Garzhvog zurückkehrte, brannte auf einer zwei mal drei Fuß großen Fläche ein Lagerfeuer. Eragon saß davor, starrte in die Flammen und versuchte, nicht in die Wachträume hinüberzugleiten, die ihm den Schlaf ersetzten.

Garzhvog kam heran, eine fette Hirschkuh unter dem Arm. Er hob sie so mühelos hoch wie ein leeres Stoffbündel und verkeilte ihren Kopf in der Astgabel eines Baumes, zwanzig Schritte vom Feuer entfernt. Dann holte er ein Messer hervor und begann, dem Tier die Haut abzuziehen.

Eragon stand auf, wobei sich seine Gelenke anfühlten, als wären sie versteinert, und schritt ungelenk auf den Kull zu.

»Wie hast du sie erlegt?«

»Mit meiner Schleuder«, brummte Garzhvog.

»Braten wir sie am Spieß? Oder essen Urgals ihr Fleisch roh?«

Garzhvog wandte den Kopf ein wenig und musterte ihn durch die Windungen seines einen Horns. In dem tief liegenden gelben Auge flackerte ein Ausdruck, den Eragon nicht zu deuten vermochte. »Wir sind keine Tiere, Feuerschwert.«

»Das habe ich auch nicht behauptet.«

Grollend machte der Urgal sich ans Werk.

»Am Spieß dauert es zu lange«, sagte Eragon.

»Ich dachte an einen Eintopf und den Rest braten wir auf einem Stein.«

»Ein Eintopf? Wie? Wir haben doch gar keinen Topf.«

Garzhvog wischte sich am Boden die rechte Hand ab, dann zog er ein gefaltetes Bündel aus dem Beutel an seinem Gürtel. Er warf es Eragon zu.

Der versuchte, es zu fangen, griff aber vor lauter Müdigkeit daneben und das Bündel fiel auf die Erde. Es sah aus wie ein ungewöhnlich großer Pergamentbogen. Als er es aufhob, entfaltete es sich, und Eragon erkannte, dass es eine Art Beutel war, vielleicht anderthalb Fuß breit und drei Fuß tief. Der Rand der Öffnung war mit einem Lederstreifen verstärkt, an den mehrere Metallringe angenäht waren. Er drehte den Behälter um, erstaunt, wie weich er war und dass es offenbar keine Nähte gab.

»Was ist das?«, fragte er.

»Der Magen eines Höhlenbären, den ich in dem Jahr getötet habe, als ich meine Hörner bekam. Man hängt ihn irgendwo auf oder legt ihn in eine Grube, füllt ihn mit Wasser und legt heiße Steine hinein. Die Steine erhitzen das Wasser und der Eintopf schmeckt gut.«

»Brennen die Steine keine Löcher in die Magenhaut?«

»Bis jetzt noch nicht.«

»Ist er verzaubert?«

»Keine Magie. Nur ein starker Magen.« Garzhvog schnaubte,

als er die Hüften der Hirschkuh packte und mit einem einzigen kurzen Ruck das Becken auseinanderriss. Den Brustkorb brach er mit dem Messer auf.

»Muss aber ein großer Bär gewesen sein.«

Garzhvog lachte und es klang wie ferner Donner. »Er war größer, als ich es heute bin, Schattentöter.«

»Hast du ihn auch mit deiner Schleuder erlegt?«

»Ich habe ihn mit bloßen Händen erwürgt. Waffen sind nicht erlaubt, wenn wir unseren Mut beweisen müssen, um Männer zu werden.« Garzhvog hielt einen Moment inne, sein Messer steckte bis zum Griff im Rumpf der Hirschkuh. »Kaum jemand wagt sich an einen Höhlenbären. Die meisten jagen Wölfe oder Bergziegen. Deshalb bin auch ich der Anführer und kein anderer.«

Eragon ließ den Kull das Fleisch vorbereiten, während er neben dem Feuer eine kleine Grube aushob, in die er den Bärenmagen legte. Mit Zweigen, die er durch die Metallringe in die Erde steckte, sorgte er dafür, dass er nicht verrutschen konnte. Er sammelte ein Dutzend apfelgroßer Steine und warf sie ins Feuer. Während sie langsam heiß wurden, füllte er mit Magie den Magen zu zwei Dritteln mit Wasser und fertigte dann aus zwei Weidenästen, die er mit einem Stück Leder verknüpfte, eine Greifzange.

Als die Steine rot glühten, rief er: »Sie sind so weit!«

»Dann leg sie hinein«, sagte Garzhvog.

Mit der Zange fischte Eragon den ersten Stein aus dem Feuer und ließ ihn in den Bärenmagen fallen. Heißer Dampf schoss auf, sobald der Stein mit dem Wasser in Berührung kam. Er beförderte zwei weitere Steine in den Magen, die das Wasser zum Kochen brachten.

Garzhvog kam herübergestapft und warf zwei Hände Fleisch ins Wasser. Dann würzte er den Eintopf mit einer kräftigen Prise Salz aus dem Beutel an seinem Gürtel sowie mehreren Rosmarinzweigen, Thymian und anderen Kräutern, die er während der Jagd gesammelt hatte. Anschließend schob er einen flachen Stein direkt ans Feuer. Als er heiß war, legte er Fleischstreifen zum Braten darauf.

Während das Essen gar wurde, schnitzten sich Eragon und der Kull Löffel aus dem Holz des Baumstumpfs, auf dem Eragon seinen Rucksack abgestellt hatte.

Vor lauter Hunger kam es ihm viel länger vor, aber es dauerte nur einige Minuten, bis die Mahlzeit fertig war. Sie schlangen das Essen hinunter wie hungrige Wölfe. Eragon stopfte doppelt so viel in sich hinein, wie er jemals auf einmal gegessen hatte. Was er nicht schaffte, verschlang Garzhvog, dessen Portion sechs kräftige Männer satt gemacht hätte.

Nach dem Festschmaus sank Eragon zurück und beobachtete, auf die Ellbogen gestützt, die Glühwürmchen, die zwischen den Buchen durch die Luft schwirrten. Irgendwo schrie eine Eule. Am purpurnen Himmel blinkten die ersten Sterne.

Er dachte erst an Saphira, dann an Arya und dann an beide. Er schloss die Augen, als es hinter seinen Schläfen dumpf zu pochen begann. Dann hörte er ein Knacken, machte die Augen wieder auf und sah, dass Garzhvog sich mit dem spitzen Ende eines abgebrochenen Oberschenkelknochens die Fleischreste zwischen den Zähnen herauskratzte. Eragons Blick wanderte zu den nackten Füßen des Urgals – er hatte sich vor dem Essen die Sandalen ausgezogen –, und er bemerkte überrascht, dass jeder seiner Füße sieben Zehen hatte.

»Wie bei den Zwergen«, sagte er. »Die haben auch sieben Zehen.«

Garzhvog spuckte einen Fleischbatzen ins Feuer. »Das hab ich gar nicht gewusst. Ich hab noch nie einem Zwerg auf die Füße geschaut.«

»Findest du es nicht seltsam, dass Urgals und Zwerge vierzehn Zehen haben, Menschen und Elfen aber nur zehn?«

Garzhvog verzog die wulstigen Lippen. »Zwischen uns und den hornlosen Bergratten gibt es keine Blutsbande, Feuerschwert. Beide Völker haben vierzehn Zehen, na gut. Es gefiel den Göttern so, als sie die Welt erschufen. Eine andere Erklärung gibt es dafür nicht.«

Eragon brummte daraufhin etwas Unverständliches und beobachtete wieder die Glühwürmchen. Nach einer Weile sagte er: »Erzähl mir eine Geschichte, die dein Volk gerne hört, Nar Garzhvog.«

Der Kull überlegte einen Moment, dann nahm er den Knochensplitter aus dem Mund. »Vor langer Zeit lebte eine junge Urgralgra, die Maghara hieß. Ihre Hörner schimmerten wie polierter Stein, das Haar reichte ihr bis zu den Hüften und ihr Lachen konnte die Vögel aus den Bäumen herauslocken. Aber sie war nicht hübsch. Sie war hässlich. In ihrem Dorf, da lebte ein großer Krieger, der bereits viele Feinde im Kampf besiegt und getötet hatte. Aber obwohl er durch seine Heldentaten großes Ansehen erlangt hatte, besaß er noch keine Brutpartnerin. Maghara wünschte sich nichts sehnlicher, als diese Gefährtin für ihn zu sein. Aber weil sie so hässlich war, beachtete der Krieger sie nicht. Und deshalb bemerkte er auch nicht ihre schimmernden Hörner und das lange Haar und hörte nicht ihr liebliches Lachen. Vor lauter Kummer darüber stieg Maghara auf den höchsten Berg im Buckel und rief Rahna um Hilfe an. Rahna ist unsere Große Mutter, die das Weben und die Viehzucht erfand und auf ihrer Flucht vor dem großen Drachen das Beor-Gebirge entstehen ließ. Rahna, die Göttin mit den goldenen Hörnern, erschien und fragte Maghara, weshalb sie sie gerufen habe. ›Mach mich schön, Große Mutter, damit der Gehörnte, den ich will, mich zur Brutpartnerin wählt‹, antwortete Maghara. Und die Göttin entgegnete: ›Du musst nicht schön sein, Maghara. Du hast schimmernde Hörner, langes Haar und ein liebliches Lachen. Damit kannst du einen Krieger für dich gewinnen, der nicht so töricht ist, nur dein Gesicht zu sehen.‹ Da warf Maghara sich zu Boden und rief: ›Ich will aber diesen Gehörnten, sonst kann ich nicht glücklich werden, Große Mutter. Bitte, mach mich schön.‹ Lächelnd entgegnete Rahna: ›Wenn ich dir diesen Gefallen tue, Kind, wie wirst du mich dann entlohnen?‹ Und Maghara antwortete. ›Ich gebe dir alles, was du willst.‹

Rahna nahm das Angebot an und machte Maghara schön. Als

die Urgralgra ins Dorf zurückkehrte, wunderte man sich über ihre plötzliche Schönheit. Mit dem neuen Antlitz wurde Maghara die Brutpartnerin ihres Auserwählten. Die beiden zeugten viele Kinder und lebten sieben Jahre glücklich zusammen. Dann erschien Rahna vor Maghara und sagte: ›Du hast sieben Jahre mit dem Gehörnten verbracht, den du so sehr wolltest. Hast du die Zeit genossen?‹ Die Urgralgra antwortete: ›Ja, das habe ich.‹ Und Rahna entgegnete: ›Dann fordere ich jetzt den Lohn für meine Mühe.‹ Sie schaute sich in der Steinhütte um, packte Magharas ältesten Sohn und sagte: ›Ich nehme ihn.‹ Maghara flehte die Große Mutter an, ihr nicht den ältesten Sohn zu rauben, doch die Göttin gab nicht nach. Da nahm Maghara die Keule ihres Brutpartners und schlug damit nach Rahna, aber die Keule zersprang in ihren Händen. Als Strafe nahm die Göttin Maghara die Schönheit und verschwand mit ihrem Sohn. Sie gab ihm den Namen Hegraz und machte aus ihm einen der größten Krieger, den diese Welt jemals gesehen hat. Daraus lernen wir, niemals das eigene Schicksal zu bekämpfen, weil man sonst alles verliert, was einem lieb und teuer ist.«

Eragon sah, wie über dem östlichen Horizont die schimmernde Sichel des Mondes aufging. »Erzähl mir von euren Dörfern.«

»Was denn?«

»Irgendwas. Ich bin auf Hunderte von Erinnerungen gestoßen, als ich in deinem Geist war und in dem von Khagra und Otvek. Aber ich kann mich nur an wenige erinnern und das nur bruchstückhaft. Ich möchte sie gerne verstehen.«

»Ich könnte dir vieles erzählen«, brummte Garzhvog. Er fuhr mit dem Knochensplitter um einen seiner Reißzähne und blickte versonnen in die Ferne. »Wir schnitzen die Gesichter der Bergtiere in Holzpfosten und rammen sie vor unseren Hütten in den Boden, um böse Geister fernzuhalten. Manchmal kommen mir die Gesichter fast lebendig vor. Wenn man in eines unserer Dörfer kommt, meint man, ihre Blicke auf sich zu spüren …« Der Knochen zwischen den Fingern des Urgals hielt einen Moment inne, dann setzte er sein ruckartiges Auf und Ab fort. »Über den Eingang unserer Hütten hängen wir das Namna, einen handbreiten Stoffstreifen. Die eingewebten farbigen Muster erzählen die Geschichte der Familie, die in der Hütte wohnt. Nur unsere ältesten und geschicktesten Weber dürfen ein Namna ergänzen oder ausbessern, falls es beschädigt wurde.« Der Knochensplitter verschwand in Garzhvogs Faust. »Wer einen Brutpartner hat, knüpft mit ihm in den Wintermonaten an dem Teppich, der bei uns vor der Feuerstelle liegt. Seine Herstellung dauert mindestens fünf Jahre. Wenn der Teppich fertig ist, weiß man, ob man mit seinem Brutpartner eine gute Wahl getroffen hat.«

»Ich habe nie eines eurer Dörfer gesehen«, sagte Eragon. »Sie müssen gut versteckt sein.«

»Ja, und gut verteidigt werden sie auch. Die wenigsten, die unsere Heimat sehen, überleben lange genug, um davon zu berichten.«

Eragon sah dem Kull fest in die Augen und legte etwas Schärfe in seine Stimme: »Wie hast du unsere Sprache erlernt, Garzhvog? Hat ein Mensch unter euch gelebt? Habt ihr menschliche Sklaven?«

Garzhvog hielt Eragons Blick stand. »Wir sind keine Sklavenhalter, Feuerschwert. Eure Sprache habe ich dem Bewusstsein der Männer entrissen, gegen die ich gekämpft habe, und das Wissen mit dem Rest meines Stammes geteilt.«

»Du hast viele Menschen getötet, nicht wahr?«

»Du hast viele Urgals getötet, Feuerschwert. Aus diesem Grund müssen wir Verbündete bleiben, denn sonst wird mein Volk aussterben.«

Eragon verschränkte die Arme. »Als Brom und ich die Ra'zac verfolgten, kamen wir durch Yazuac, ein Dorf am Fluss Ninor. In der Dorfmitte fanden wir einen riesigen Leichenberg. Ganz oben lag ein aufgespießtes Baby. Es war das Schrecklichste, was ich je gesehen habe. Und es waren Urgals, die dieses Blutbad angerichtet haben.«

»Bevor ich meine Hörner bekam«, erzählte Garzhvog, »nahm

mich mein Vater mit zu einem Besuch in eines unserer Dörfer in den westlichen Ausläufern des Buckels. Als wir dort ankamen, fanden wir nur noch die Leichen der Dorfbewohner. Die Menschen aus Narda hatten von der Existenz des Dorfes erfahren und einen Soldatentrupp geschickt, der die Urgals mitten in der Nacht überraschte. Niemand entkam. Sie wurden gefoltert, verbrannt, niedergemetzelt… Es ist wahr, dass wir den Kampf lieben wie kein anderes Volk, Feuerschwert, und das hat unsere Zahl immer wieder dezimiert. Unsere Frauen nehmen keinen Gehörnten als Brutpartner, solange er sich nicht in der Schlacht bewiesen und mindestens drei Feinde getötet hat. Und die Freude, die man im Kampf verspürt, gleicht keinem anderen Gefühl. Aber nur weil wir den Kampf lieben, bedeutet das nicht, dass wir uns nicht unserer Fehler bewusst sind. Galbatorix wird uns alle töten, falls er die Varden besiegt. Und solltet ihr den schlangenzüngigen Verräter stürzen, wird unser Volk von dir und Nasuada ausgelöscht, wenn wir uns nicht von Grund auf ändern. Ist es nicht so, Feuerschwert?«

Eragon nickte zögerlich. »Gut möglich.«

»Deshalb ist es falsch, ewig vergangenes Unrecht anzuprangern. Wenn wir nicht vergessen können, was sich unsere Völker in der Vergangenheit angetan haben, dann wird es zwischen Menschen und Urgals niemals Frieden geben.«

»Falls wir Galbatorix besiegen und Nasuada euch das versprochene Land gibt, was sollen wir dann tun, wenn eure Kinder in zwanzig Jahren wieder anfangen, zu morden und zu plündern, um eine Brutpartnerin für sich gewinnen zu können? Du kennst die Geschichte deines Volkes, Garzhvog, und du weißt, dass es immer so gekommen ist, wenn die Urgals ein Friedensabkommen geschlossen haben.«

Mit einem tiefen Seufzer sagte der Kull: »In diesem Fall können wir nur hoffen, dass jenseits des Ozeans noch andere Urgals leben, die klüger sind als wir, denn uns wird es dann nicht mehr geben.«

In dieser Nacht sprach keiner mehr ein Wort. Garzhvog drehte sich auf die Seite und schlief auf dem Boden ein. Eragon hüllte sich in seinen Umhang, und mit dem Rücken an den Baumstumpf gelehnt, beobachtete er den Lauf der Sterne, während er langsam in seine Wachträume hinüberglitt.

Gegen Ende des nächsten Tages kam das Beor-Gebirge in Sicht. Anfangs waren die Berge nicht mehr als geisterhafte Schatten am Horizont, gezackte weiße und purpurne Flächen. Aber als der Abend näher rückte, zeichneten sich allmählich genauere Konturen ab. Am Fuß der Berge konnte Eragon die dunklen Wälder erkennen, darüber die schnee- und eisbedeckten Steilhänge und noch weiter oben die kahlen grauen Felsgipfel. Sie lagen so hoch, dass dort keine Pflanzen mehr wuchsen und auch kein Schnee mehr fiel. Wie beim ersten Mal, als er das Beor-Gebirge erblickt hatte, überwältigte ihn seine schiere Größe. Die Berge waren im Durchschnitt zehn Meilen hoch, einige noch höher. Sein Verstand sagte ihm, dass es etwas so Gewaltiges gar nicht geben konnte, und doch wusste er, dass seine Augen ihn nicht betrogen.

Eragon und Garzhvog legten in dieser Nacht keine Pause ein, sondern rannten unentwegt weiter. Am Morgen wurde es zwar hell, aber wegen der Bergriesen dauerte es bis zum Mittag, bis zwischen den Gipfeln die ersten Sonnenstrahlen hervorbrachen und breite Lichtschneisen über das noch schattengraue Land warfen. Eragon blieb einige Minuten am Ufer eines Baches stehen und betrachtete in stiller Bewunderung das Schauspiel.

Während sie neben den Bergen entlangeilten, fühlte sich Eragon mit zunehmendem Unbehagen an seine Flucht von Gil'ead nach Farthen Dûr zusammen mit Murtagh, Saphira und Arya erinnert. Er glaubte sogar, die Stelle wiederzuerkennen, an der sie nach der Durchquerung der Hadarac-Wüste ihr Nachtlager aufgeschlagen hatten.

Die langen Tage und noch längeren Nächte vergingen zum einen unerträglich langsam, gleichzeitig aber auch überraschend schnell. Jede Stunde glich der vorangegangenen, was Eragon nicht nur das

Gefühl gab, als würde ihre Tortur niemals enden, sondern auch als hätte es sie zum großen Teil gar nicht gegeben.

Als er und Garzhvog die gewaltige Schlucht erreichten, die die Bergkette auf mehrere Meilen von Norden nach Süden spaltete, folgten sie ihr und eilten zwischen den kalten, gleichgültigen Gipfeln hindurch. Am Bärenzahnfluss – der aus dem engen Tal kam, das nach Farthen Dûr führte – wateten sie durch das eisige Wasser und hielten sich weiter nach Süden.

In der Nacht, bevor sie sich ostwärts ins eigentliche Gebirge wagen würden, schlugen sie ihr Lager an einem kleinen Teich auf und ruhten sich aus. Mit seiner Schleuder erlegte Garzhvog einen weiteren Hirsch, diesmal einen Bock, und beide konnten sich satt essen.

Später saß Eragon vornübergebeugt da und flickte ein Loch im Schaft seines Stiefels, als ihn ein unheimliches Heulen aufschreckte und seinen Pulsschlag zum Rasen brachte. Er starrte in die Dunkelheit und konnte die Umrisse eines riesigen Tieres erkennen, das am steinigen Teichufer entlangtrottete.

»Garzhvog«, flüsterte Eragon, langte nach seinen Sachen und zog das Schwert.

Der Kull legte einen faustgroßen Stein in die Schleuder, richtete sich zu seiner vollen Größe auf und brüllte seine trotzige Herausforderung in die Nacht hinaus, bis das Land davon widerhallte.

Das Tier hielt inne, dann näherte es sich langsamer, schnüffelte hier und dort am Boden. Als es ins Licht des Feuers trat, stockte Eragon der Atem. Vor ihnen stand ein graupelziger Wolf, der so groß war wie ein Pferd, mit Fängen wie Säbel und gelb glühenden Augen, die jeder ihrer Bewegungen folgten. Die Beine hatten den Umfang von Faustschilden.

Ein Shrrg!, dachte Eragon.

Als der Riesenwolf das Lager trotz seiner Größe geschmeidig und fast lautlos umkreiste, überlegte Eragon, wie die Elfen wohl mit so einem wilden Tier umgehen würden, und sagte dann in der alten Sprache: »Bruder Wolf, wir wollen dir nichts Böses. Heute

Nacht jagen wir nicht, wir wollen uns nur ausruhen. Gerne teilen wir mit dir unser Fleisch und die Wärme unseres Feuers.«

Während Eragon sprach, hielt der Shrrg inne und drehte die Ohren nach vorn.

»Feuerschwert, was machst du?«, grollte Garzhvog.

»Greif ihn nur an, wenn er es zuerst tut.«

Der Riesenwolf zuckte mit der großen feuchten Nase. Er wandte den Zottelkopf zum Feuer, offenbar an den tanzenden Flammen interessiert. Dann schlich er zu den Fleischresten und Innereien, die am Boden verstreut lagen, wo Garzhvog den Hirsch ausgenommen hatte. Er schnappte sich einen Brocken und verschwand ohne einen weiteren Blick im Dunkel der Nacht.

Eragon entspannte sich und schob sein Krummschwert zurück in die Scheide. Garzhvog hingegen blieb mit gefletschten Zähnen stehen und spähte und lauschte nach verdächtigen Bewegungen oder Geräuschen in die sie umgebende Finsternis.

Bei Tagesanbruch machten sie sich wieder auf den Weg und rannten ostwärts in das Tal, das sie zum Berg Thardûr bringen würde.

Als sie sich nun unter dem Geäst des dichten Waldes bewegten, der das Gebirgsinnere überzog, wurde es merklich kühler, und das weiche Nadelbett am Boden dämpfte ihre Schritte. Die hohen dunklen Bäume schienen sie zu beobachten, während sie sich ihren Weg zwischen den dicken Stämmen suchten und den aus der feuchten Erde ragenden Wurzeln, die sich zwei, drei, vier Fuß in die Höhe wanden. Große schwarze Eichhörnchen tollten auf den Ästen herum. Eine dicke Moosschicht bedeckte die umgestürzten Baumstämme. Farn, Fingerhutbeeren und andere Pflanzen gediehen neben Pilzen jeder Form, Farbe und Größe.

Die Welt wurde eng, sobald Eragon und Garzhvog sich vollends in dem lang gezogenen Tal befanden. Die gigantischen Berge schienen von beiden Seiten auf sie zuzustürzen und sie zu bedrängen. An den Bergrücken hingen vereinzelt Wolkenfetzen, doch der Himmel war nur ein ferner, unerreichbarer blauer Streifen.

Am frühen Nachmittag erschallte zwischen den Bäumen ein grauenvolles Gebrüll, woraufhin sie ihre Schritte verlangsamten. Eragon zog sein Schwert, Garzhvog hob einen Stein auf und lud damit seine Schleuder.

»Ein Höhlenbär und Nagran«, erklärte der Kull. Ein wütender, schriller Schrei, der dem Schaben von Metall auf Metall ähnelte, unterstrich seine Worte. »Wir müssen uns vorsehen, Feuerschwert.«

Sie gingen vorsichtig weiter und entdeckten bald die Tiere mehrere hundert Fuß entfernt am Hang. Eine Rotte rötlicher Riesenwildschweine mit dicken, geschwungenen Stoßzähnen sprang in einem kreischenden Durcheinander vor einer gewaltigen Masse silberbraunen Fells herum, die hakenförmige Krallen und weiß schimmernde Reißzähne besaß und sich mit tödlicher Schnelligkeit bewegte. Anfangs ließ Eragon sich durch die Entfernung täuschen. Doch dann verglich er die Tiere mit den Bäumen daneben, und ihm wurde klar, dass ein Shrrg neben den Wildschweinen klein gewirkt hätte und der Höhlenbär fast so groß war wie ihr Haus im Palancar-Tal. Die Nagran hatten dem Bär einige blutige Wunden zugefügt, aber das schien ihn nur noch wütender zu machen. Auf den Hinterbeinen stehend, brüllte er, fegte mit seiner massigen Pranke eines der Wildschweine um und riss ihm die borstige Haut auf. Dreimal versuchte es hochzukommen, aber der Bär schlug es immer wieder zu Boden, bis das Nagra reglos liegen blieb. Während der Koloss sich über seine Beute hermachte, verschwanden die restlichen Riesenwildschweine zwischen den Bäumen und flohen den Berg hinauf.

Beeindruckt von der Kraft des Bären, folgte Eragon Garzhvog, als der langsam zwischen den Bäumen hervortrat und dadurch in das Blickfeld des Bären geriet. Das Tier hob die blutverschmierte Schnauze und schaute aus kleinen Knopfaugen zu ihnen herab. Dann schien es zu beschließen, dass sie keine Gefahr darstellten, und fraß weiter.

»Ich glaube, selbst Saphira käme gegen solch ein Ungetüm nicht an«, murmelte Eragon.

Garzhvog knurrte leise. »Dein Drache kann Feuer speien. Ein Höhlenbär nicht.«

Die beiden ließen den Bär nicht aus den Augen, bis die Bäume ihn verdeckten, und auch dann senkten sie die Waffen nicht, da sie nicht wussten, welche Gefahren als Nächstes auf sie warteten.

Es war schon später Nachmittag, als sie ein ganz anderes Geräusch vernahmen: Lachen. Eragon und Garzhvog blieben stehen. Der Kull deutete stumm in die Richtung, aus der die Laute kamen, und schlich dann überraschend geschmeidig durch eine Wand aus dichtem Gestrüpp darauf zu. Eragon folgte dem Urgal.

Durch die Zweige eines Hartriegelstrauchs konnten sie sehen, dass jetzt ein ausgetretener Pfad die Talsohle entlangführte. Am Rand spielten drei Zwergenkinder: Sie bewarfen sich mit Stöckchen und lachten vergnügt. Erwachsene waren nirgends zu sehen. Eragon schlich leise zurück, blickte prüfend zum Himmel und entdeckte etwa eine Meile talaufwärts mehrere weiße Rauchfahnen.

Ein Ast brach, als Garzhvog sich vor ihm hinhockte, um mit ihm auf Augenhöhe zu sein. »Hier verlasse ich dich, Feuerschwert«, verkündete der Kull.

»Du begleitest mich nicht bis zur Festung Bregan?«

»Nein. Meine Aufgabe war, auf dich aufzupassen. Wenn ich mitgehe, werden die Zwerge dir nicht das nötige Vertrauen entgegenbringen. Der Thardûr ist ganz nah, und ich bin sicher, niemand wird es wagen, dich auf der kurzen Strecke bis dorthin anzugreifen.«

Eragon rieb sich den Nacken und blickte zwischen den Rauchfahnen im Osten und Garzhvog hin und her. »Läufst du direkt zurück zu den Varden?«

»Ja, aber vielleicht nicht ganz so schnell wie auf dem Hinweg«, sagte der Kull mit einem leisen Lachen.

Eragon wusste nicht so recht, was er sagen sollte. Mit der Stiefelspitze stieß er gegen das Ende eines verrotteten Baumstammes und gab damit den Blick auf zahllose weiße Larven frei, die sich unter der Rinde in ihren Gängen wanden. »Gib acht, dass dich kein

Shrrg oder Höhlenbär auffrisst, ja? Sonst müsste ich nämlich das Ungetüm jagen und töten, und dafür fehlt mir die Zeit.«

Garzhvog legte seine Fäuste an die knochige Stirn. »Mögen deine Feinde die Flucht vor dir ergreifen, Feuerschwert.« Damit erhob er sich und eilte mit langen Sätzen davon. Bald hatte der Wald die riesenhafte Gestalt verschluckt.

Eragon sog die frische Bergluft ein, dann kämpfte er sich erneut durchs Unterholz. Als er zwischen den Farnen und Hartriegelsträuchern heraustrat, erstarrten die winzigen Zwergenkinder und blickten ihn argwöhnisch an. Die Hände seitlich erhoben, sagte er: »Ich bin Eragon Schattentöter, Sohn von Niemand. Ich möchte zu Orik, Sohn von Thrifk auf der Festung Bregan. Führt ihr mich dorthin?« Nachdem die Kinder nicht reagierten, begriff er, dass sie ihn nicht verstanden hatten. »Ich bin ein Drachenreiter«, sagte er langsam und deutlich. *»Eka eddyr aí Shur'tugal ... Shur'tugal ... Argetlam.«*

Da erstrahlten die Augen der Kleinen und ihre Münder formten runde Laute des Erstaunens. »Argetlam!«, riefen sie. »Argetlam!« Mit freudigem Gebrüll rannten sie auf ihn zu, schlangen ihre kurzen Ärmchen um seine Beine und zogen an seinen Kleidern. Eragon blickte auf sie hinab und merkte, wie sich sein Gesicht zu einem breiten Grinsen verzog.

Die Kinder nahmen ihn bei den Händen und er ließ sich von ihnen den Pfad entlangziehen. Obwohl er sie nicht verstand, plapperten die Kleinen in der Zwergensprache unentwegt auf ihn ein, aber er genoss es, dem lustigen Gebrabbel zu lauschen.

Als ihm eines der Kinder – ein Mädchen, wie er vermutete – die Arme entgegenreckte, hob er es hoch und setzte sich die Kleine auf die Schultern. Ihr freudiges helles Lachen zauberte erneut ein Lächeln auf sein Gesicht. Beschwingt machte er sich mit seiner Zwergeneskorte auf den Weg zum Berg Thardûr, zur Festung Bregan und zu seinem Freund und Stiefbruder Orik.

Alles nur aus Liebe

Missmutig starrte Roran auf den flachen runden Stein in seiner Hand.

»*Stenr rïsa*«, knurrte er leise.

Der Stein rührte sich nicht.

»Was tust du da, Hammerfaust?«, fragte Carn und setzte sich neben ihn auf den Stamm.

Roran steckte den Stein rasch in seinen Gürtel und nahm das Brot und den Käse, den Carn ihm gebracht hatte. »Ach nichts. Ich bin bloß in Gedanken.«

Carn nickte. »Wie die meisten, bevor sie in die Schlacht ziehen.«

Während er aß, ließ Roran den Blick über die Männer schweifen, denen er zugeteilt worden war. Ihn eingeschlossen, bestand der Trupp aus dreißig erfahrenen Kriegern. Jeder von ihnen besaß einen Bogen und die meisten auch ein Schwert. Nur wenige hatten sich entschlossen, mit einem Speer, einer Keule oder einem Hammer zu kämpfen. Sieben oder acht der Männer waren so alt wie er, die übrigen mehrere Jahre älter. Der Älteste war ihr Hauptmann, Martland Rotbart, der frühere Graf von Thun, der schon so viele Winter erlebt hatte, dass seinen berühmten feuerroten Bart silbrige Haare durchzogen.

Zum Dienstantritt hatte Roran sich im Zelt des Hauptmanns gemeldet. Der Graf war ein klein gewachsener Mann, muskelbepackt vom jahrelangen Reiten und vielen Schwertkämpfen. Der dichte gepflegte Bart, dem er seinen Namen verdankte, reichte ihm fast bis zum Bauchnabel. Nach einer eingehenden Musterung hatte

Martland zur Begrüßung zu Roran gesagt: »Nasuada hat mir viel von dir erzählt, Junge, und auch von meinen Männern habe ich zahllose Geschichten und Gerüchte über dich gehört. Du weißt ja, wie das ist. Zweifellos hast du bemerkenswerte Heldentaten vollbracht. Die Ra'zac in ihrem Unterschlupf zu erledigen, war bestimmt eine knifflige Angelegenheit. Natürlich hat dein Cousin dir dabei geholfen, nicht?... Du magst es gewohnt sein, dass die Leute aus deinem Dorf deinen Befehlen folgen, aber jetzt bist du ein Teil der Varden, Junge. Genauer gesagt, du bist einer meiner Krieger. Wir sind nicht deine Familie oder deine früheren Nachbarn. Unsere Pflicht ist es, Nasuadas Befehle auszuführen, und das tun wir auch, ganz gleich, was wir von der jeweiligen Order halten mögen. Solange du unter mir dienst, tust du, was ich dir sage, wann ich es dir sage und genau so, wie ich es dir sage. Ich schwöre bei den Gebeinen meiner toten Mutter – möge sie in Frieden ruhen –, dass ich dir sonst persönlich die Haut vom Rücken peitsche, egal mit wem du verwandt bist. Verstanden?«

»Jawohl, Hauptmann!«

»Ausgezeichnet. Ein entschlossener Mann, der sich anständig benimmt, etwas gesunden Menschenverstand zeigt und lange genug am Leben bleibt, kann bei den Varden schnell aufsteigen. Ob dir das gelingt, Roran, hängt einzig und allein davon ab, ob ich dich für fähig halte, ein eigenes Kommando zu übernehmen. Aber sei gewarnt, glaub ja nicht, dass Schmeicheleien mich beeindrucken. Mich schert es nicht, ob du mich liebst oder hasst. Für mich zählt nur, ob du auch tust, was man dir befiehlt.«

»Verstanden, Hauptmann!«

»Ob du mich wirklich verstanden hast, Hammerfaust, wird sich noch zeigen. Nun geh und melde dich bei Ulhart, meiner rechten Hand.«

Roran schluckte den letzten Bissen Brot hinunter und spülte mit einem kräftigen Schluck aus seinem Weinschlauch nach. Er wünschte, es hätte etwas Warmes zum Abendessen gegeben, aber sie waren tief im Feindesland und Galbatorix' Soldaten hätten ein

Feuer bemerken können. Seufzend streckte er die Beine aus. Seine Knie waren wund gescheuert, denn die letzten drei Tage hatte er von morgens bis abends auf Schneefeuer gesessen.

Irgendwo in seinem Hinterkopf spürte Roran einen leichten, aber stetigen Druck, einen mentalen Reiz, der ihn Tag und Nacht in dieselbe Richtung wies: in Richtung Katrina. Die Ursache für dieses Gefühl war der Ehering, den Eragon ihm gegeben hatte. Es war für Roran tröstlich zu wissen, dass er und Katrina sich durch die Ringe überall in Alagaësia finden würden, selbst wenn sie beide blind und taub wären.

Er hörte, wie Carn neben ihm ein paar Sätze in der alten Sprache murmelte, und musste lächeln. Carn war ihr Magier und sollte gewährleisten, dass ein feindlicher Zauberer den Trupp nicht mit einem simplen Fingerschnippen auslöschen konnte. Von einigen anderen Männern hatte Roran erfahren, dass Carn kein sonderlich starker Magier war – er rang mit jedem einzelnen Zauber –, aber dass er diese Schwäche durch besonders raffinierte Zaubersprüche wettmachte und ebenso durch sein großes Talent, sich in den Geist seiner Gegner einzuschleichen. Er hatte ein schmales Gesicht mit müden Augen, war spindeldürr und hatte eine nervöse, leicht erregbare Art. Roran hatte ihn sofort gemocht.

Ihnen gegenüber saßen zwei Männer vor ihrem Zelt. Halmar erzählte Ferth: »... als die Soldaten ihn holen kamen, versammelte er alle seine Leute in seinem Anwesen und zündete das Öl an, das seine Bediensteten zuvor überall verschüttet hatten. Die Soldaten tappten in die Falle, und hinterher sah es für die Öffentlichkeit so aus, als wären sie alle miteinander bei lebendigem Leib verbrannt. Unglaublich, oder? Fünfhundert Soldaten auf einen Schlag getötet, ohne auch nur einmal das Schwert gezückt zu haben!«

»Und wie ist er entkommen?«, fragte Ferth.

»Rotbarts Großvater war ein ausgemachtes Schlitzohr. Er hatte vom Haus einen Tunnel zum nahen Fluss graben lassen. Durch den floh Rotbart mit seiner Familie und seinen Leuten. Er führte sie nach Surda, wo König Larkin sie aufnahm. Es hat ein paar Jahre gedauert, bis Galbatorix herausfand, dass sie noch am Leben waren. Wir können uns glücklich schätzen, unter Rotbart zu dienen, das steht fest. Er hat nur zwei Schlachten verloren und das auch nur aufgrund von Magie.«

Halmar verstummte, als Ulhart vor die Reihe der sechzehn Zelte trat. Der mürrisch dreinblickende Veteran baute sich breitbeinig auf, unerschütterlich wie eine tief verwurzelte Eiche, und musterte die Zelte prüfend, ob alle Krieger anwesend waren. »Die Sonne ist untergegangen, legt euch schlafen!«, rief er. »Zwei Stunden vor Tagesanbruch reiten wir los. Der Konvoi sollte sieben Meilen nordwestlich von uns stehen. Wir überraschen die Soldaten, während sie noch das Lager räumen, töten sie, setzen die Ladung in Brand und verschwinden. Hammerfaust, du reitest mit mir. Wenn du versagst, werde ich dich mit einem stumpfen Angelhaken ausnehmen.« Die Männer lachten. »So, jetzt schlaft.«

Wind peitschte Roran ins Gesicht. Das Blut rauschte in seinen Ohren und übertönte jedes andere Geräusch. Unter ihm preschte Schneefeuer in wildem Galopp dahin. Roran nahm nichts wahr außer den beiden Soldaten, die auf ihren braunen Stuten neben dem vorletzten Wagen des Konvois herritten.

Den Hammer erhoben, stieß Roran seinen Schlachtruf aus.

Die Soldaten schraken zusammen und griffen hastig nach ihren Waffen und Schilden. Einer ließ den Speer fallen und beugte sich hinunter, um ihn aufzuheben.

Roran riss an Schneefeuers Zügeln, um den Hengst abzubremsen. Er stellte sich in den Steigbügeln auf, war im nächsten Moment gleichauf mit dem ersten Soldaten und schlug ihm gegen die Schulter, sodass das Kettenhemd zerriss. Der Mann schrie auf, der Arm erschlaffte. Mit einem Rückhandschlag erledigte Roran ihn.

Der zweite Soldat hatte seinen Speer wieder und stieß damit nach ihm, zielte auf den Hals. Roran hob den Rundschild und spürte die heftige Erschütterung, als der Speer das Holz traf. Er presste Schneefeuer die Beine in die Flanken, der Hengst bäumte sich auf und trat wiehernd mit seinen eisenbeschlagenen Hufen in die Luft. Einer der Hufe traf den Soldaten am Brustkorb und riss ihm das rote Wams auf. Als Schneefeuer wieder auf die Vorderbeine kam, schwang Roran den Hammer seitlich und zerschmetterte dem Mann den Kehlkopf.

Er ließ den am Boden zuckenden Soldaten hinter sich und ritt auf den nächsten Wagen des Konvois zu, wo Ulhart es mit drei Gegnern gleichzeitig aufnahm. Jedes Fuhrwerk wurde von vier Ochsen gezogen, und als Schneefeuer an dem Gespann vorbeipreschte, neben dessen Wagen Roran soeben gekämpft hatte, warf der vorderste Ochse den Kopf herum und traf mit der Hornspitze Rorans rechtes Wadenbein und den Knöchel. Roran stöhnte auf. Es fühlte sich an, als würde man ihm ein glühendes Eisen ans Bein drücken. Er blickte hinunter und sah, dass die Stiefellasche herabhing, zusammen mit blutigen Hautfetzen und einem zerrissenen Muskel.

Mit einem erneuten Schlachtruf ritt Roran auf einen der Soldaten zu, gegen die Ulhart kämpfte, und holte ihn mit einem einzigen mächtigen Hammerschlag vom Pferd. Sein Nebenmann wich Rorans Angriff aus, riss das Pferd herum und ergriff die Flucht.

»Hol ihn dir!«, rief Ulhart, doch Roran hatte die Verfolgung schon aufgenommen.

Der flüchtende Soldat stieß seinem Pferd die Sporen in den Leib, bis es blutete, aber trotz dieser verzweifelten Grausamkeit konnte das Tier Schneefeuer nicht entwischen. Roran beugte sich über den Hals des Hengstes, während dieser schnell wie der Wind dahinflog. Als dem Soldaten klar wurde, dass er nicht entkommen konnte, zügelte er sein Pferd, wirbelte herum und schlug mit einem Säbel nach Roran. Der riss den Hammer hoch und konnte die messerscharfe Klinge gerade noch abwehren. Er konterte augenblicklich mit einem kreisenden Überkopfschlag, aber der Soldat parierte ihn und hieb zweimal nach Rorans Armen und Beinen. Der fluchte innerlich. Offensichtlich hatte sein Gegner mehr Erfahrung im Schwertkampf als er. Wenn er diese Auseinandersetzung nicht in den nächsten Sekunden gewann, würde der Soldat ihn umbringen.

Der Mann musste seinen Vorteil geahnt haben, denn er verstärkte die Angriffe und zwang Schneefeuer zurückzuweichen. Eigentlich hätte er Roran mindestens dreimal treffen müssen, aber jedes Mal krümmte die Klinge sich im letzten Moment und verfehlte ihn, abgelenkt von einer unsichtbaren Kraft. Noch nie war Roran so dankbar für Eragons Schutzzauber gewesen.

Weil er keinen anderen Ausweg sah, versuchte er es mit dem Überraschungsmoment. Er reckte den Kopf vor und brüllte: »Buh!«, als würde er jemanden in einem dunklen Korridor erschrecken. Der Soldat zuckte zusammen. Roran beugte sich vor und ließ den Hammer auf das Knie des Mannes herabsausen. Der erbleichte vor Schmerz. Bevor er sich wieder verteidigen konnte, schlug Roran ihm ins Kreuz, und als der Soldat aufschrie und sich krümmte, beendete Roran sein Leiden mit einem wuchtigen Schlag auf den Kopf.

Keuchend saß er einen Moment lang da, dann nahm er die Zügel auf, trieb Schneefeuer an und ritt in leichtem Galopp zum Konvoi zurück. Sein Blick schoss umher, angezogen von jeder Bewegung, während er die Lage sondierte. Die meisten Soldaten waren tot, ebenso die Wagenlenker. Ganz vorne standen sich Carn und ein groß gewachsener Mann im langen Gewand gegenüber. Sie rührten sich nicht von der Stelle, nur ein gelegentliches Zucken ihrer Körper kündete vom unsichtbaren Kampf zwischen ihnen. Dann kippte Carns Widersacher nach vorne um und blieb reglos liegen.

In der Mitte des Konvois hatten fünf tollkühne Soldaten die Ochsengespanne dreier Wagen losgeschnitten und die Fuhrwerke zu einem Dreieck zusammengeschoben, von wo aus sie Martland Rotbart und zehn anderen Varden erfolgreich die Stirn boten. Vier der Soldaten stießen ihre Langspeere zwischen den Wagen hindurch, der fünfte schoss Pfeile auf die Rebellen, die gezwungen waren, sich hinter einem der anderen Fuhrwerke zu verschanzen. Der Bogenschütze hatte schon mehrere Varden verwundet; einige waren von ihren Pferden gefallen, andere hatten sich lange genug im Sattel halten können, um irgendwo in Deckung zu gehen.

Roran überlegte. Sie konnten es sich nicht leisten, ewig auf einer der Hauptstraßen des Imperiums auszuharren, um nach und nach die verschanzten Soldaten auszuheben. Die Zeit arbeitete gegen sie.

Die Soldaten schauten allesamt gen Westen, in die Richtung, aus der der Angriff erfolgt war. Außer Roran war keiner der Varden auf die andere Seite des Konvois gelangt. Sie ahnten also nicht, dass er sich in ihrem Rücken näherte.

Ihm kam eine Idee. Unter anderen Umständen hätte er sie als lächerlich und unpraktisch verworfen, so aber schien ihm der Plan die einzige Möglichkeit, die Belagerung ohne weitere Verzögerung zu beenden. An die Gefahren dachte er dabei nicht. In dem Moment, in dem die Kämpfe ausgebrochen waren, hatte er jede Angst vor Tod oder Verletzung abgelegt.

Roran trieb Schneefeuer an, bis er in vollem Galopp dahinjagte. Er legte die linke Hand vorne auf den Sattel, zog die Stiefel fast vollständig aus den Steigbügeln und spannte die Muskeln an. Als der Hengst nur noch fünfzig Fuß von dem Wagendreieck entfernt war, drückte er sich in die Höhe und stellte die Füße auf den Sattel, sodass er geduckt auf Schneefeuer stand. Es bedurfte all seines Geschicks und voller Konzentration, um das Gleichgewicht zu halten. Wie erwartet, wurde der Hengst langsamer und versuchte auszuweichen, als er sich der Wagenburg näherte.

Als Schneefeuer kurz vor dem Ziel scharf abdrehte, ließ Roran die Zügel los, sprang vom Rücken des Pferdes und hechtete über das nächststehende Fuhrwerk hinweg. Sein Magen spielte verrückt. Er sah noch das überraschte Gesicht des Bogenschützen, der sich in diesem Moment zu ihm umblickte, dann krachte er auch schon gegen den Mann und stürzte mit ihm zu Boden. Der Körper seines Widersachers fing seinen Aufprall ab. Er richtete sich auf, hob seinen Schild und rammte dem Mann die eisenverstärkte Kante ins Genick.

Die anderen vier Soldaten reagierten viel zu langsam. Der Mann links von Roran beging den Fehler, seinen Speer zwischen den Wagen herausziehen zu wollen, denn in seiner Hast verklemmte sich die Waffe so, dass der Schaft splitterte. Roran stürzte sich auf ihn. Der Soldat versuchte zurückzuweichen, aber ein Wagen versperrte ihm den Weg. Mit einem aufwärts geschwungenen Hammerschlag traf Roran den Mann unter dem Kinn.

Der zweite Soldat war klüger. Er ließ seinen Speer los und packte das Schwert an seinem Gürtel, doch es gelang ihm nur, die Klinge halb herauszuziehen, bevor Roran ihm den Brustkorb zertrümmerte.

Nun aber waren die beiden verbliebenen Soldaten bereit. Mit wutverzerrten Gesichtern, die blanken Klingen erhoben, traten sie auf ihn zu. Roran versuchte, seitlich auszuweichen, doch sein zerfetztes Bein versagte ihm den Dienst. Er knickte weg und fiel aufs Knie. Der Soldat, der ihm am nächsten stand, ließ die Schwertklinge auf ihn herabsausen. Mit seinem Schild wehrte Roran den Hieb ab, dann reckte er sich vor und zertrümmerte dem Soldaten mit dem Hammer den Fuß. Der Mann ging fluchend zu Boden. Roran schlug ihm das Gesicht ein. Dann warf er sich zur Seite, weil er wusste, dass der letzte Soldat direkt hinter ihm sein musste.

Er lag auf dem Rücken und erstarrte.

Über ihm stand sein Widersacher und drückte ihm die glänzende Klinge an die Kehle.

So endet es also, dachte Roran.

Da schlang sich ein muskulöser Arm um den Hals des Soldaten und riss ihn zurück. Der Mann stieß einen erstickten Schrei aus, als eine Schwertspitze und eine Blutfontäne aus seinem Brustkorb schossen. Der Soldat brach zusammen und statt seiner stand plötzlich Martland Rotbart über Roran. Der Graf atmete schwer, sein Bart und der ganze Oberkörper waren blutbesudelt.

Martland rammte sein Schwert in den Boden, stützte sich auf den Knauf und betrachtete das Gemetzel in der Wagenburg. Er nickte anerkennend. »Du bist unser Mann, Hammerfaust.«

Roran saß auf einem der Wagen und biss die Zähne zusammen, während Carn ihm den Stiefel aufschnitt. Um sich von dem brennenden

Schmerz in seinem Bein abzulenken, starrte er zu den Geiern am Himmel auf und versetzte sich in Gedanken ins Palancar-Tal.

Er stöhnte, als Carn die Wunde berührte. »Tut mir leid«, sagte der Magier. »Ich muss die Wunde untersuchen.«

Roran antwortete nicht, hielt den Blick zum Himmel gerichtet. Nach einer Weile murmelte Carn einige Worte in der alten Sprache und Sekunden später verwandelte sich der Schmerz in Rorans Bein in ein dumpfes Ziehen. Er blickte an sich hinunter und sah, dass die Wunde verschwunden war.

Nachdem er Roran und zwei weitere Männer geheilt hatte, war Carn zittrig und aschfahl im Gesicht. Erschöpft ließ er sich gegen das Wagenrad sinken und schlang die Arme um den Leib.

»Alles in Ordnung mit dir?«, fragte Roran.

Der Magier zuckte kaum merklich die Achseln. »Ich muss mich nur kurz ausruhen. Der Ochse hat dir das Wadenbein gebrochen. Den Knochen konnte ich heilen, aber nicht den zerrissenen Muskel. Ich habe die Wundränder zusammengefügt, damit du nicht mehr blutest und nicht zu große Schmerzen hast, aber du darfst das Bein nicht zu sehr belasten, während der Muskel von selbst verheilt. Es wird eine Weile dauern.«

»Wie lange?«

»Eine Woche, vielleicht zwei.«

Roran zog die Überreste des Stiefels an. »Eragon hat verschiedene Zauber gewirkt, um mich vor Verletzungen zu schützen. Die haben mir heute einige Male das Leben gerettet. Aber warum haben sie das Ochsenhorn nicht abgelenkt?«

»Ich weiß nicht«, sagte Carn seufzend. »Man kann nicht auf alle Eventualitäten vorbereitet sein. Deshalb ist Magie ja so gefährlich. Wenn man nur eine einzige Facette einer Beschwörung übersieht, könnte sie einen sogar schwächen oder noch Schlimmeres anrichten. So etwas passiert selbst den besten Magiern. Deinem Cousin muss irgendein geringfügiger Fehler unterlaufen sein – ein falsch platziertes Wort oder ein missverständlich formulierter Satz –, der es dem Ochsen erlaubte, dich zu verletzen.«

Vorsichtig ließ Roran sich vom Wagen rutschen und humpelte zur Spitze des Konvois, um sich ein Bild vom Ausgang der Schlacht zu machen. Fünf Varden, einschließlich er selbst, waren bei den Kämpfen verletzt worden, zwei weitere waren gefallen: ein Mann, mit dem Roran kaum geredet hatte, und Ferth, mit dem er bei mehreren Gelegenheiten gesprochen hatte. Von den Soldaten und Wagenlenkern hatte kein Einziger überlebt.

Roran blieb bei den Männern stehen, die er getötet hatte, und starrte auf die Leichname hinab. Sein Speichel schmeckte bitter und ihm wurde schlecht. *Jetzt habe ich wie viele Menschen getötet? … Ich weiß es nicht mehr.* Er hatte im Schlachtgetümmel auf den Brennenden Steppen aufgehört zu zählen, wie viele Gegner er erschlagen hatte. Nun hatte er schon so vielen den Tod gebracht, dass er ihre Zahl nicht mehr wusste. Das beunruhigte ihn. *Muss ich erst Heerscharen von Männern niedermetzeln, um zurückzubekommen, was das Imperium mir geraubt hat?* Der nächste Gedanke verstörte ihn noch mehr. *Und falls es mir gelingt, wie kann ich ins Palancar-Tal zurückkehren und dort in Frieden leben, wenn meine Seele mit dem Blut von Hunderten Toten befleckt ist?*

Roran schloss die Augen, entspannte ganz bewusst jeden Muskel in seinem Körper und versuchte, sich zu beruhigen. *Das alles tue ich nur aus Liebe. Ich töte aus Liebe zu Katrina, zu Eragon und zu den Bewohnern Carvahalls und auch, weil ich die Sache der Varden befürworte und ich dieses unser Land so liebe. Aus Liebe bin ich bereit, durch einen Ozean aus Blut zu waten, selbst wenn es mich zerstört.*

»Das war wirklich unglaublich, Hammerfaust«, sagte Ulhart. Roran öffnete die Augen. Vor ihm stand der grauhaarige Krieger mit Schneefeuers Zügel in der Hand. »Niemand war bisher so verrückt, über eine Wagenburg zu hechten und gegen fünf Gegner gleichzeitig zu kämpfen. Gute Arbeit! Aber gib auf dich acht. Normalerweise überlebt man so viel Wagemut nicht lange. Sei künftig etwas vorsichtiger, dir zuliebe!«

»Ich werd's versuchen«, sagte Roran und ließ sich von Ulhart Schneefeuers Zügel reichen.

Während Roran sich von Carn hatte behandeln lassen, waren die unverletzt gebliebenen Varden von Wagen zu Wagen gegangen, hatten die Ladung inspiziert und Martland Bericht erstattet. Der schrieb auf, was sie gefunden hatten, damit Nasuada die Informationen studieren und daraus vielleicht Rückschlüsse auf Galbatorix' Pläne ziehen konnte. Roran sah zu, wie die Männer die letzten beiden Wagen durchsuchten, die Weizen und stapelweise Uniformen geladen hatten. Danach schnitten die Männer den Ochsen die Kehlen durch und tränkten die Straße mit ihrem Blut. Dass die Tiere getötet wurden, störte Roran, aber er wusste, dass es wichtig war, sie dem Imperium wegzunehmen, und er hätte selbst zum Messer gegriffen, wenn man ihn dazu aufgefordert hätte. Sie hätten die Ochsen zu den Varden gebracht, aber die Tiere waren zu langsam und schwerfällig. Das galt allerdings nicht für die Pferde der Soldaten, deshalb fingen sie so viele wie möglich ein und banden sie an ihre eigenen.

Schließlich zog einer der Männer eine mit Harz getränkte Fackel aus der Satteltasche und entzündete sie mithilfe seines Feuersteins. Er ritt an dem Konvoi entlang und hielt die Flamme an die Wagen, bis alle lichterloh brannten. Dann warf er die Fackel auf die Ladefläche des letzten Fuhrwerks.

»Aufsitzen!«, rief Martland.

Rorans verletztes Bein pochte, als er sich in den Sattel zog. Er gab Schneefeuer die Sporen und ritt zu Carn, während die übrigen Männer auf ihren Pferden in einer Doppelreihe hinter Martland Aufstellung nahmen. Die Tiere schnaubten und scharrten mit den Hufen, denn das Feuer machte sie unruhig.

Martland ritt los und der Rest des Trupps folgte ihm. Zurück blieb der brennende Wagenkonvoi auf der verlassenen Straße wie ein Leuchtfeuer der Hoffnung im Reich der Finsternis.

Der steinerne Wald

»Hurra«-Rufe schallten durch die Menge.

Eragon saß auf einer der hölzernen Tribünen, die die Zwerge rund um Bregans äußere Mauer aufgestellt hatten. Die Festung erhob sich auf dem abgeflachten Rücken des Berges Thardûr, mehr als eine Meile über der nebelverhangenen Talsohle. Von hier aus konnte man meilenweit in jede Richtung blicken oder bis die zerklüfteten Berge die Sicht versperrten. Wie Tronjheim und die anderen Zwergenstädte, die Eragon besucht hatte, bestand auch Bregan ausschließlich aus abgebautem Stein – in diesem Fall aus rötlichem Granit, der den Zimmern und Korridoren im Inneren Behaglichkeit und Wärme verlieh. Die Festung selbst war ein massiver, dickwandiger Bau, der sich über fünf Stockwerke zu einem offenen Glockenturm erhob, den eine tränenförmige Glaskugel krönte. Sie war doppelt so hoch wie ein Zwerg und wurde von vier Granitsäulen getragen, die sich zu einem spitzen Schlussstein zusammenfügten. Die Glaskugel war, wie Orik Eragon erklärt hatte, eine größere Version der flammenlosen Laternen der Zwerge, und bei gebührenden Anlässen oder im Notfall konnte man damit das gesamte Tal in goldenes Licht tauchen. Die Zwerge nannten die Kugel Az Sindriznarrvel, das Juwel von Sindri.

Rings um die Festung drängten sich zahlreiche Nebengebäude, Wohnquartiere für die Diener und Krieger des Dûrgrimst Ingietum, Ställe, Schmieden und eine Kirche, die Morgothal gewidmet war, dem Zwergengott des Feuers und dem Schutzpatron aller Schmiede. Weiter unterhalb der hohen, glatten Festungsmauern standen auf den Waldlichtungen Dutzende Bauernhöfe mit Steinhäusern, aus denen graue Rauchfahnen aufstiegen.

All das und noch vieles mehr hatte Orik ihm gezeigt und erklärt, nachdem die Zwergenkinder den Drachenreiter unter lauten »Argetlam!«-Rufen in den Innenhof der Festung geleitet hatten. Orik hatte Eragon wie einen Bruder empfangen und ihn zu den Bädern geführt. Nachdem der Neuankömmling sich gewaschen hatte, ließ der Zwerg ihm ein purpurnes Gewand und einen goldenen Stirnreif bringen.

Anschließend überraschte Orik Eragon, indem er ihm Hvedra vorstellte, eine helläugige, apfelgesichtige Zwergenfrau mit langem Haar, und voller Stolz verkündete, dass sie nun seit zwei Tagen miteinander verheiratet waren. Während Eragon sein Erstaunen zum Ausdruck brachte und ihnen gratulierte, trat Orik von einem Fuß auf den anderen und entgegnete dann: »Es schmerzt mich, dass du der Zeremonie nicht beiwohnen konntest, Eragon. Ich ließ einen unserer Magier Kontakt zu Nasuada aufnehmen und bat sie, dir und Saphira meine Einladung zu überbringen, aber sie schlug es mir ab. Sie fürchtete, es könnte dich von deinen Aufgaben abhalten. Ich kann es ihr nicht verübeln, aber ich wünschte, der Krieg hätte es dir erlaubt, bei unserer Vermählung anwesend zu sein, so wie wir gerne zur Hochzeit deines Cousins angereist wären, denn wir sind jetzt alle miteinander verwandt, wenn schon nicht durch Blut, dann doch durch das Gesetz.«

In ihrem breiten Akzent sagte Hvedra: »Betrachte mich bitte als deine Schwägerin, Schattentöter. Solange es in meiner Macht steht, wird man dich in Bregan stets wie ein Mitglied unserer Familie behandeln und dir Zuflucht gewähren, selbst wenn Galbatorix persönlich hinter dir her ist.«

Gerührt verbeugte sich Eragon. »Das ist sehr freundlich von dir.« Er machte eine Pause. »Wenn du mir die Frage erlaubst, warum habt ihr gerade jetzt geheiratet?«

»Wir wollten uns eigentlich erst im Frühjahr vermählen, aber …«

»Aber«, unterbrach Orik sie in seiner schroffen Art, »die Urgals griffen Farthen Dûr an und danach musste ich auf Hrothgars Geheiß mit dir nach Ellesméra. Als der Clan mich dann nach meiner Rückkehr zum neuen Grimstborith ernannte, hielten wir es für den perfekten Zeitpunkt, in den Stand der Ehe zu treten. Keiner von uns weiß, ob er das Jahr überleben wird, warum also länger warten?«

»So bist du wirklich Oberhaupt eures Clans geworden«, sagte Eragon.

»Ja. Eine Woche lang haben sie hin und her überlegt, aber am Ende fassten sie den fast einstimmigen Beschluss, dass ich Hrothgars Nachfolge als Grimstborith des Dûrgrimst Ingietum antreten sollte, da ich sein einziger rechtmäßiger Erbe bin.«

Nun saß Eragon neben Orik und Hvedra, aß Brot und Hammelfleisch, das die Zwerge ihm serviert hatten, und beobachtete den Wettstreit, der vor den Zuschauertribünen ausgetragen wurde. Orik hatte ihm erklärt, dass es für eine Zwergenfamilie, die das nötige Gold besitze, Sitte sei, zur Unterhaltung ihrer Hochzeitsgäste Wettkämpfe zu veranstalten. Hrothgars Familie war so reich, dass die Spiele nun schon drei Tage andauerten und sich noch vier weitere Tage hinziehen würden. Sie setzten sich aus den verschiedensten Disziplinen zusammen: Ringen, Bogenschießen, Schwertkampf, unterschiedlichen Kraftproben und der gerade stattfindenden, dem Ghastgar.

Von den gegenüberliegenden Seiten eines Grasfelds ritten zwei Zwerge, die auf weißen Feldûnost saßen, aufeinander zu. Die gehörnten Bergziegen flogen förmlich über das Gras, jeder ihrer Hüpfer trug sie mehr als siebzig Fuß weit. Der von rechts kommende Zwerg trug einen kleinen Rundschild am linken Arm, hatte aber keine Waffe. Sein Gegner hatte einen Speer, dafür aber keinen Schild.

Eragon hielt den Atem an, während die Feldûnost aufeinander zusprangen. Als sie nur noch dreißig Fuß voneinander entfernt waren, holte der Zwerg mit dem Speer aus und schleuderte ihn seinem Kontrahenten entgegen. Dieser versuchte gar nicht erst, sich mit seinem Schild zu schützen, sondern beugte sich vor und pflückte den Speerschaft mit erstaunlichem Geschick aus der Luft. Triumphierend reckte er ihn in die Höhe. Die am Feldrand versammelten Zuschauer jubelten und auch Eragon klatschte begeistert.

»Das war meisterhaft!«, rief Orik. Lachend trank er seinen Becher Met leer, sein Kettenhemd schimmerte im frühabendlichen Licht. Er trug einen mit Gold, Silber und Rubinen verzierten Helm und an den Fingern fünf große Ringe. An der Hüfte hing die allgegenwärtige Streitaxt. Hvedra war noch prächtiger herausgeputzt: Sie trug ein wallendes, kunstvoll besticktes Bordürenkleid, Perlen- und verschlungene Goldketten um den Hals und im Haar einen Schildpattkamm, der mit einem Smaragd, so groß wie Eragons Daumen, besetzt war.

Eine Reihe Zwerge erhob sich und blies in geschwungene Hörner, deren Töne blechern von den Bergen widerhallten. Dann trat ein breitschultriger Zwerg vor und verkündete, natürlich in der Sprache der Zwerge, den Gewinner der letzten Runde sowie die Namen der Kontrahenten, die als Nächstes im Ghastgar gegeneinander antreten würden.

Als der Zeremonienmeister fertig war, beugte Eragon sich zu Hvedra hinüber und fragte: »Wirst du uns nach Farthen Dûr begleiten?«

Lächelnd schüttelte sie den Kopf. »Ich kann nicht. Ich muss hierbleiben und mich um die Angelegenheiten des Clans kümmern, damit Orik bei seiner Rückkehr nicht hungernde Krieger und leere Goldtruhen vorfindet.«

Schmunzelnd hielt Orik einem der bereitstehenden Diener seinen Becher entgegen. Der Zwerg eilte herbei und füllte das Gefäß mit frischem Met aus einem Krug. An Eragon gewandt, sagte Orik stolz: »Hvedra übertreibt nicht. Sie ist nicht nur meine Gattin, sie ist… Ach, ich weiß nicht, wie ich das in deiner Sprache ausdrücken soll. Sie ist die Grimstcarvlorss unseres Clans. Grimstcarvlorss bedeutet: ›Vorsteherin eines Hauses‹. Ihre Aufgabe ist es, dafür zu sorgen, dass die Familien unseres Clans die vereinbarten Abgaben an die Festung Bregan leisten und dass unsere Herden zur rechten Zeit auf die Felder getrieben werden, dass uns die Vorräte nicht ausgehen, die Frauen des Ingietum genügend Tuch weben, unsere Krieger gut ausgerüstet sind und unsere Schmiede immer genug Erz für die Eisengewinnung haben, kurz gesagt, dass unser Clan gut geführt wird und blüht und gedeiht. Ein Sprichwort meines Volkes lautet: Eine gute Grimstcarvlorss erschafft einen Clan erst –«

»Und eine schlechte zerstört ihn«, sagte Hvedra.

Orik lächelte und nahm ihre Hand. »Und meine Hvedra ist die beste Grimstcarvlorss von allen. Es ist kein geerbter Titel. Man muss ihn sich verdienen. Und es kommt nur selten vor, dass die Frau eines Clan-Oberhaupts die Grimstcarvlorss ist. Auch in dieser Hinsicht habe ich großes Glück.« Er und Hvedra beugten sich vor und rieben die Nasen aneinander. Eragon sah woanders hin, fühlte sich plötzlich einsam und ausgeschlossen. Orik lehnte sich zurück und trank einen Schluck Met. »Es hat in unserer Geschichte viele große Grimstcarvlorssn gegeben. Es heißt immer, das Einzige, wozu wir Clan-Oberhäupter gut sind, ist, uns gegenseitig den Krieg zu erklären. Daher ist es den Grimstcarvlorssn ganz recht, wenn wir unsere Zeit mit kleinlichem Gezänk verbringen, damit wir uns nicht in ihre Arbeit einmischen können.«

»Ach was, Skilfz Delva«, schalt Hvedra. »Du weißt, dass das nicht stimmt. Zumindest wird es bei uns beiden nicht so sein.«

»Mhm«, machte Orik und legte die Stirn an Hvedras. Wieder rieben die beiden ihre Nasen aneinander.

Als die Zuschauermenge plötzlich anfing, laut zu buhen und Schmährufe auszustoßen, richtete Eragon seine Aufmerksamkeit wieder auf den Ghastgar. Er sah, dass einer der Wettkämpfer die Nerven verloren, sein Feldûnost in letzter Minute herumgerissen und die Flucht ergriffen hatte. Der Zwerg mit dem Speer verfolgte ihn, und als er nahe genug herangeritten war, stellte er sich in den

Steigbügeln auf, schleuderte die Waffe und traf seinen Gegner von hinten in die linke Schulter. Mit einem Aufschrei kippte der Zwerg von seiner Ziege, lag nun auf der Seite und packte den Speerschaft, dessen Spitze sich ihm tief ins Fleisch gebohrt hatte. Ein Heiler eilte zu ihm. Kurz darauf wandten die Zuschauer sich von dem Spektakel ab.

Orik verzog angewidert den Mund. »Bah! Es wird viele Jahre dauern, bis die Familie sich von der Schmach reingewaschen hat, die ihr Sohn ihnen durch seine Feigheit angetan hat. Es tut mir leid, dass du so eine verachtenswerte Tat mitansehen musstest, Eragon.«

»Es ist niemals schön mitzuerleben, wie jemand Schande über sich bringt.«

Während der nächsten beiden Runden saßen die drei schweigend da, dann erschreckte Orik Eragon, als er ihn unvermittelt an der Schulter packte. »Hättest du Lust, dir einen steinernen Wald anzuschauen, Eragon?«

»So etwas gibt es doch gar nicht. Außer er wurde gemeißelt.«

Orik schüttelte den Kopf, seine Augen blitzten. »Er ist nicht gemeißelt und es gibt ihn. Also noch einmal, hättest du Lust, dir einen steinernen Wald anzuschauen?«

»Falls das kein Scherz ist … ja, natürlich habe ich Lust.«

»Ah, das freut mich. Ich scherze nicht, und ich verspreche dir, dass wir morgen zwischen Bäumen aus Granit wandeln werden, bevor wir nach Farthen Dûr weiterziehen. Der steinerne Wald ist eines der großen Wunder des Beor-Gebirges. Jeder, der beim Dûrgrimst Ingietum zu Gast ist, sollte Gelegenheit haben, ihn zu besuchen.«

Am nächsten Morgen stieg Eragon aus dem zu kleinen Bett in seinem Steinzimmer mit der niedrigen Decke und den winzigen Möbeln, wusch sich mit kaltem Wasser das Gesicht und schickte aus reiner Gewohnheit seinen Geist zu Saphira aus. Er spürte nur die Gedanken der Zwerge und Tiere in der und rund um die Festung.

Schwankend beugte er sich vor und umfasste die Beckenkante, überwältigt von seiner Einsamkeit. So blieb er stehen und konnte an nichts anderes mehr denken, bis ihm schummrig wurde und vor seinen Augen rote Punkte zu tanzen begannen. Keuchend holte er Luft.

Auf dem Rückweg vom Helgrind habe ich Saphira auch schrecklich vermisst, aber da wusste ich wenigstens, dass ich sie bald wiedersehen würde. Diesmal aber führt meine Reise mich fort von ihr, und es steht in den Sternen, wann wir wieder vereint sein werden.

Er schüttelte sich, dann kleidete er sich an und durchschritt die verschlungenen Gänge der Festung. Vor den Zwergen, denen er begegnete, verbeugte er sich höflich, während sie ihn ihrerseits freudig mit »Argetlam!« begrüßten.

Er traf Orik und zwölf weitere Zwerge im Innenhof der Festung. Sie waren dabei, ihre robusten Ponys zu satteln, deren Atem weiße Dunstwölkchen in der kühlen Morgenluft bildete. Neben den kleinen, kräftigen Männern fühlte sich Eragon wie ein Riese.

Orik begrüßte ihn. »Wir haben einen Esel im Stall, falls du reiten möchtest.«

»Nein, wenn du nichts dagegen hast, gehe ich weiterhin zu Fuß.«

Orik zuckte mit den Schultern. »Wie du möchtest.«

Als sie bereit zum Aufbruch waren, kam Hvedra mit wehendem Kleid die Stufen vom Eingang zur Haupthalle der Festung herabgeeilt und reichte Orik ein mit filigraner Goldarbeit verziertes Elfenbeinhorn. »Es hat meinem Vater gehört, als er unter Grimstborith Aldhrim ritt. Ich schenke es dir, damit du mich in Farthen Dûr nicht vergisst.« Sie sagte leise ein paar Worte in der Zwergensprache, dann legte Orik seine Stirn an ihre. Danach richtete der Zwerg sich im Sattel auf, legte das Horn an die Lippen und blies hinein. Ein tiefer Ton erklang und schwoll an, bis die Luft im Innenhof zu vibrieren schien. Oben am Turm stiegen zwei schwarze Raben auf und krächzten. Der Klang des Horns machte Eragon ganz unruhig; er wollte endlich aufbrechen.

Noch einmal ruhte sein Blick auf Hvedra, dann gab Orik seinem Pony die Sporen, ritt durch das Haupttor der Festung und wandte sich nach Osten in Richtung Talschluss. Eragon und die zwölf Zwerge folgten ihm.

Während der nächsten drei Stunden folgten sie einem ausgetretenen Pfad an der Flanke des Thardûr entlang und gewannen langsam an Höhe. Die Zwerge holten aus ihren Ponys heraus, was möglich war, ohne sie zu schinden, trotzdem waren sie für Eragons Empfinden schrecklich langsam. Auch wenn es ihn frustrierte, beschwerte er sich nicht darüber. Er würde sein Tempo immer drosseln müssen, wenn er nicht gerade alleine oder in der Gesellschaft von Elfen oder Kull unterwegs war.

Fröstelnd zog er sich den Umhang enger um den Leib. Die Sonne war noch nicht über dem Beor-Gebirge aufgetaucht, daher war es unangenehm kühl, obwohl die Mittagsstunde nicht mehr fern war.

Schließlich erreichten sie ein über tausend Fuß breites Plateau aus Granit, das auf der rechten Seite von einer steil aufragenden Felswand aus natürlich entstandenen achteckigen Säulen begrenzt wurde. Wallende Nebelschwaden verbargen das ferne Ende des Steinfelds.

Orik hob den Arm. »Schau, Az Knurldrâthn.«

Eragon runzelte die Stirn. Wo er auch hinblickte, er konnte an diesem kargen Ort weit und breit nichts Interessantes entdecken. »Ich sehe keinen steinernen Wald.«

Orik stieg ab und reichte dem Krieger hinter ihm die Zügel. »Wenn du bitte mitkommen würdest, Eragon.«

Gemeinsam gingen sie auf die hellen Nebelschwaden zu, wobei Eragon seine Schritte an Oriks anpasste. Kühl und feucht strich der Dunst ihm übers Gesicht. Schließlich wurde der Nebel so dicht, dass das restliche Tal völlig verschwand und sie sich in einer konturlosen grauen Einöde wiederfanden, in der es kein oben und unten mehr zu geben schien. Orik stiefelte unbeirrt weiter. Eragon dagegen fühlte sich orientierungslos und ein bisschen unsicher.

Vorsichtig tastete er sich mit ausgestreckter Hand voran, um nicht gegen etwas zu stoßen, das sich im Nebel verbarg.

Orik blieb vor einem feinen Riss im Granitboden stehen. »Was siehst du jetzt?«, fragte er.

Eragon kniff die Augen zusammen und blickte sich um, aber der Nebel schien genauso undurchdringlich wie zuvor. Er wollte es schon aussprechen, als ihm zu seiner Rechten eine leichte Unregelmäßigkeit im Dunst auffiel, ein schwaches Muster aus Hell und Dunkel, das nicht mit den Nebelschwaden hin und her waberte. Dann bemerkte er andere Stellen, an denen das Spiel aus Licht und Schatten ebenso beständig war, ohne dass er dabei aber irgendwelche Formen hätte erkennen können.

»Ich kann nichts ...«, setzte er an, als ihm ein Windstoß das Haar zerzauste und die Nebelmassen auseinanderriss. Da fügten sich die unzusammenhängenden dunklen Flächen zu den Stämmen großer, aschfarbener Bäume mit kahlen, geborstenen Ästen zusammen. Dutzende dieser Bäume umstanden ihn und Orik; die bleichen Skelette eines uralten Waldes. Eragon legte die Hand auf einen der Stämme. Die Rinde war so hart und kalt wie Stein und von blassen Flechten überwuchert. Er verspürte ein Kribbeln im Nacken. Obwohl er sich nicht für übermäßig abergläubisch hielt, ließen der geisterhafte Nebel, das unheimliche Halbdunkel und das Auftauchen der Bäume selbst – so düster und unheilvoll und rätselhaft – ihn erbeben.

Er befeuchtete seine trockenen Lippen und fragte: »Wie ist der Wald entstanden?«

Orik zuckte mit den Schultern. »Einige behaupten, Gûntera habe ihn wachsen lassen, als er aus dem Nichts Alagaësia erschaffen hat. Andere meinen, die Bäume seien Helzvogs Werk, denn Stein ist sein bevorzugtes Element. Wieder andere sagen, nein, dies waren einst gewöhnliche Bäume. Vor Äonen wurden sie bei einer großen Katastrophe verschüttet und im Laufe der Jahre wurde aus Holz Erde und aus Erde Stein.«

»Ist so etwas möglich?«

»Das wissen nur die Götter. Wer außer ihnen kennt das Warum und Wofür der Welt?« Orik breitete die Arme aus. »Vor über tausend Jahren haben unsere Vorfahren hier beim Granitabbau die ersten versteinerten Bäume entdeckt. Dann legte Grimstborith Hvalmar Lackhand die Mine still und ließ die Steinmetze stattdessen die Bäume aus dem Stein meißeln. Als an die fünfzig Bäume freigelegt waren, wurde Hvalmar klar, dass es im Thardûr Hunderte oder gar Tausende davon geben mochte, und er stellte die Arbeiten ein. Seitdem hat dieser Ort die Fantasie meines Volkes beflügelt, und Knurlan aller Clans reisen hierher, um neue Bäume aus dem Granit zu befreien. Einige Knurlan widmen dieser Aufgabe sogar ihr ganzes Leben. Auch wurde es zur Tradition, aufmüpfige Zwergenjungen herzuschicken und sie unter der Aufsicht eines Steinmetzmeisters ein oder zwei Bäume heraushauen zu lassen.«

»Das klingt ziemlich mühselig.«

»Es gibt den Jungen Gelegenheit, ihre Missetaten zu bereuen.« Orik strich sich über den geflochtenen Bart. »Als übermütiger Junge von vierunddreißig Jahren habe auch ich hier einige Monate verbringen müssen.«

»Und, hasst du deine Missetaten bereut?«

»Eta. Nein. Dafür war die Arbeit viel zu *mühselig.* Als ich nach all den Wochen erst einen einzigen Ast aus dem Granit geborgen hatte, bin ich fortgelaufen und habe mich einer Gruppe von Vrenshrrgn angeschlossen.«

»Zwergen aus dem Vrenshrrgn-Clan?«

»Ja, genau, Knurlan aus dem Clan Vrenshrrgn, Kriegswölfe oder Wölfe des Krieges, wie auch immer man es in deiner Sprache ausdrücken will. Ich schloss mich ihnen an, betrank mich mit Bier, und als sie Nagran jagen wollten, beschloss ich, auch ein Riesenwildschwein zu töten und es Hrothgar zu schenken, um seinen Zorn auf mich zu besänftigen. Das war nicht sonderlich klug von mir. Selbst unsere fähigsten Krieger fürchten die Nagra-Jagd und ich war immer noch mehr ein Junge als ein Mann. Nachdem ich wieder nüchtern war, schalt ich mich einen Tor, aber ich hatte geschworen, ein Nagra zu erlegen, und mir blieb gar nichts anderes übrig, als meinen Schwur zu erfüllen.«

Als Orik eine Pause einlegte, fragte Eragon: »Und wie ging es aus?«

»Oh, mithilfe der Vrenshrrgn habe ich ein Nagra getötet, aber der Keiler hat mir seine Hauer in die Schulter geschlagen und mich ins Geäst des nächsten Baumes geschleudert. Die Vrenshrrgn mussten uns beide, das Nagra und mich, nach Bregan zurücktragen. Das Wildschwein erfreute Hrothgar, und ich … ich musste trotz der Bemühungen unserer besten Heiler vier Wochen das Bett hüten, wozu Hrothgar meinte, das sei Strafe genug für meinen Ungehorsam.«

Eragon musterte seinen Zwergenfreund eine Weile. »Du vermisst ihn, nicht wahr?«

Einen Moment lang senkte Orik den Blick, dann hob er die Streitaxt und schlug mit dem Schaftende auf den Granitboden. Der Schlag hallte zwischen den versteinerten Bäumen wider. »Seit der letzte Dûrgrimstvren, der letzte Clan-Krieg, unser Volk erschüttert hat, sind beinahe zweihundert Jahre vergangen, Eragon. Aber bei Morgothals schwarzem Barte, wir stehen am Rande eines neuen Krieges.«

»Ausgerechnet jetzt?«, rief Eragon erschrocken aus. »Ist es wirklich so schlimm?«

Orik sah finster drein. »Schlimmer. Die Spannungen zwischen den Clans sind größer denn je. Hrothgars Tod und Nasuadas Angriff auf das Imperium haben Begehrlichkeiten geweckt, uralte Rivalitäten wiederaufleben lassen und jene gestärkt, die es für eine Torheit halten, unser Los mit dem der Varden zu verbinden.«

»Aber wie können sie das glauben, wo Galbatorix Tronjheim doch schon mit den Urgals angegriffen hat?«

»Weil sie überzeugt sind, dass man Galbatorix nicht besiegen kann«, sagte Orik. »Und dieses Argument hat für mein Volk großes Gewicht. Könntest du mir denn versichern, dass du Galbatorix bezwingen würdest, wenn er in diesem Augenblick vor dir und Saphira erschiene?«

Eragon schnürte es die Kehle zu. »Nein.«

»Das dachte ich mir. Diejenigen unter uns, die gegen die Varden sind, verschließen die Augen vor der Wirklichkeit. Sie glauben, Galbatorix hätte keinen Grund, gegen uns Krieg zu führen, wenn wir den Varden keinen Unterschlupf gewährt und dich und Saphira nicht im schönen Tronjheim aufgenommen hätten. Sie sagen, wir hätten nichts von Galbatorix zu befürchten, wenn wir unter uns bleiben und uns in unsere Höhlen und Tunnel zurückziehen. Sie begreifen nicht, dass Galbatorix' Machthunger unersättlich ist und er keine Ruhe geben wird, bis ihm ganz Alagaësia zu Füßen liegt.« Orik schüttelte den Kopf, und an seinen Unterarmen traten die Muskeln hervor, als er das Axtblatt zwischen die dicken Finger klemmte. »Ich werde nicht zulassen, dass unser Volk sich in Tunneln versteckt wie verängstigte Hasen, bis der Wolf sich hereinwühlt und uns alle auffrisst. Wir müssen den Kampf fortführen, in der Hoffnung, dass wir einen Weg finden, Galbatorix zu töten. Und ich werde nicht zulassen, dass unser Volk sich in einem neuen Clan-Krieg aufreibt. Unter den gegenwärtigen Umständen würde ein weiterer Dûrgrimstvren die Zwergennation auslöschen und wahrscheinlich auch den Untergang der Varden nach sich ziehen.« Mit hochgerecktem Kinn wandte er sich Eragon zu. »Zum Wohle unseres Volkes werde ich selbst nach dem Thron streben. Die Dûrgrimstn Gedthrall, Ledwonnû und Nagra haben mir bereits ihre Unterstützung zugesichert. Gleichwohl stehen noch viele Clans zwischen mir und der Krone. Es wird nicht leicht werden, genügend Stimmen zu sammeln, um König zu werden. Ich muss wissen, ob du mich in dieser Sache unterstützt, Eragon.«

Mit verschränkten Armen schritt der Drachenreiter zwischen den Bäumen auf und ab. »Meine Unterstützung könnte die anderen Clans gegen dich aufbringen. Du würdest von deinem Volk nicht nur verlangen, sich weiterhin mit den Varden zusammenzutun, du würdest auch von ihnen verlangen, einen Drachenreiter als einen der ihren zu akzeptieren. Das haben sie noch nie getan, und ich bezweifle, dass sie es jetzt tun werden.«

»Ich weiß. Deine Fürsprache könnte mir schaden«, sagte Orik, »aber sie könnte mir auch die Stimmen einiger Clans einbringen. Überlass das Urteil darüber mir. Ich möchte nur wissen, ob du mich unterstützt. Eragon, warum zögerst du?«

Er wich Oriks Blick aus und starrte auf eine knorrige Wurzel, die zu seinen Füßen aus dem Granit ragte. »Du sorgst dich um das Wohl deines Volkes und das ist gut so. Aber ich muss die Dinge in einem größeren Zusammenhang sehen. Ich muss auch an die Varden, Elfen und alle anderen denken, die sich gegen Galbatorix auflehnen. Falls… falls es sich als unwahrscheinlich erweist, dass du die Krone gewinnst, und es einen aussichtsreicheren Kandidaten gibt, der einer Allianz mit den Varden nicht verständnislos gegenübersteht, dann –«

»Kein anderer Grimstborith könnte ein verständnisvollerer Freund der Varden sein als ich!«

»Das bezweifle ich ja nicht«, sagte Eragon. »Aber falls es so käme, wie ich sage, und meine Unterstützung ein Clan-Oberhaupt auf den Thron bringen könnte, das den Varden wohlgesinnt ist, sollte ich dann nicht zum Wohle deines Volkes und zum Wohle ganz Alagaësias auf den Zwerg setzen, der die besten Erfolgschancen hat?«

Mit tödlich leiser Stimme sagte Orik: »Du hast einen Blutschwur auf das Knurlnien geleistet, Eragon. Nach unserem Gesetz bist du ein Mitglied des Dûrgrimst Ingietum, sosehr das manchen auch missfallen mag. Was Hrothgar getan hat, als er dich adoptierte, ist erstmalig in unserer Geschichte. Es lässt sich auch nicht mehr rückgängig machen, außer wenn ich dich als Grimstborith aus unserem Clan verstoße. Wenn du dich gegen mich wendest, Eragon, stellst du mich vor unserem ganzen Volk bloß, und niemand wird jemals wieder meine Führerschaft anerkennen. Mehr noch, du würdest deinen Kritikern den Beweis liefern, dass wir einem Drachenreiter nicht vertrauen können. Clan-Mitglieder verraten einander nicht an andere Clans, Eragon. So etwas tut man nicht, außer man möchte eines Nachts mit einem Messer in der Brust aufwachen.«

»Drohst du mir?«, fragte Eragon ebenso leise.

Orik fluchte und schlug erneut mit der Axt auf den Granit. »Nein! Ich würde niemals die Hand gegen dich erheben, Eragon! Du bist wie ein Bruder für mich. Du bist der einzige Drachenreiter, der nicht unter Galbatorix' finsterem Einfluss steht, und verdammt noch mal, auf unseren gemeinsamen Reisen bist du mir zum Freund geworden. Aber dass ich dir niemals etwas antun würde, bedeutet nicht, dass die übrigen Mitglieder des Ingietum genauso nachsichtig wären. Das ist keine Drohung, sondern eine Feststellung. Du musst das verstehen, Eragon. Sollte der Clan erfahren, dass du einen anderen Kandidaten unterstützt, kann ich für nichts garantieren. Du bist unser Gast und die Gebote der Gastfreundschaft schützen dich. Doch wenn du dich gegen den Ingietum aussprichst, wird sich der Clan von dir hintergangen fühlen, und es ist bei uns nicht üblich, einen Verräter in unseren Reihen zu dulden. Begreifst du das, Eragon?«

»Was erwartest du von mir?«, schrie Eragon. Er warf die Arme hoch und stapfte vor Orik auf und ab. »Ich habe Nasuada gegenüber ebenfalls einen Schwur geleistet und gewisse Befehle von ihr erhalten.«

»Aber dem Dûrgrimst Ingietum bist du auch verpflichtet!«, brüllte Orik.

Eragon blieb stehen und starrte den Zwerg an. »Soll ich ganz Alagaësia dem Untergang weihen, nur damit du dein Ansehen bei den Clans nicht verlierst?«

»Beleidige mich nicht!«

»Dann verlang du nicht Unmögliches von mir! Ich unterstütze dich, falls deine Aussichten auf den Thron es rechtfertigen, und wenn nicht, dann nicht. Du sorgst dich um deinen Clan und um euer Volk als Ganzes, ich aber sorge mich um euch und um *ganz Alagaësia*.« Eragon ließ sich gegen einen kalten Baumstamm fallen. »Ach, was soll ich nur tun, Orik? Ich weiß doch, dass ich es mir nicht erlauben kann, dich oder deinen – ich meine *unseren* – Clan oder den Rest des Zwergentums zu verärgern.«

In sanfterem Ton sagte Orik: »Es gibt noch eine andere Möglichkeit, Eragon. Es wäre nicht einfach für dich, aber es würde dein Dilemma lösen.«

»Und welch erstaunliche Lösung soll das sein?«

Orik schob die Axt unter den Gürtel, trat zu Eragon, nahm seine Unterarme in die Hände und blickte unter den buschigen Brauen zu ihm auf. »Vertrau mir, dass ich das Richtige tun werde, Eragon Schattentöter. Sei mir gegenüber so loyal, als wärst du von Geburt an ein Mitglied des Ingietum. Wer mir untersteht, würde niemals auch nur erwägen, sich zugunsten eines anderen Clans gegen seinen eigenen Grimstborith zu wenden. Wie ein Clan-Oberhaupt den Fels schlägt, ist seine Sache, aber das heißt nicht, dass ich deine Sorgen nicht verstehe.« Für einen Moment senkte er den Blick. »Wenn ich nicht König werden kann, dann sei versichert, dass ich mich vom Hunger nach Macht nicht blenden lasse. Ich werde es erkennen, wenn mein Ansinnen gescheitert ist. Sollte das eintreten – was ich nicht glaube –, dann werde ich meine Unterstützung einem anderen Kandidaten gewähren, denn ich bin genauso wenig daran interessiert wie du, dass ein Grimstnzborith gewählt wird, der den Varden feindlich gesinnt ist. Und wenn ich die Macht und das Ansehen meines Clans in die Waagschale werfe, um einem anderen Grimstborith zum Thron zu verhelfen, schließt das das Gewicht deiner Person mit ein, denn du gehörst zum Ingietum. Du hättest deinen Willen und wir alle hätten das Gesicht gewahrt. Vertraust du mir, Eragon? Akzeptierst du mich als deinen Grimstborith, so wie es auch der Rest des Clans tut?«

Seufzend lehnte Eragon den Kopf gegen den rauen Baum und blickte zu den krummen, in Nebel gehüllten Ästen auf. *Vertrauen.* Von allem, um das Orik ihn hätte bitten können, konnte er ihm das am schwersten zusagen. Er mochte den Zwerg, sehr sogar. Aber sich dessen Autorität zu unterwerfen, wo so viel auf dem Spiel stand, würde bedeuten, noch mehr von seiner Freiheit aufzugeben. Das gefiel ihm ganz und gar nicht. Und mit seiner Freiheit würde er auch einen Teil seiner Verantwortung für das Schicksal Alagaësias aufgeben. Eragon kam sich vor, als hinge er über einem Abgrund, und Orik versuchte, ihn davon zu überzeugen, dass wenige Fuß unter ihm ein Fangnetz wäre, aber er – Eragon – konnte sich nicht überwinden loszulassen, weil er fürchtete, ins Verderben zu stürzen.

»Ich werde dir kein willfähriger Diener sein, den du nach Belieben herumkommandieren kannst«, sagte er. »Wenn es um Dinge geht, die unseren Clan betreffen, werde ich mich dir unterordnen, aber bei allen anderen Angelegenheiten hast du mir nichts zu sagen.«

Orik nickte mit ernster Miene. »Was mir Sorge bereitet, ist nicht die Mission, auf die dich Nasuada geschickt hat, oder wen du im Kampf gegen das Imperium alles töten wirst. Nein, was mich in der Nacht wachhält, wenn ich eigentlich so tief und fest schlafen sollte wie ein Arghen in seiner Höhle, ist der Gedanke, du könntest versuchen, beim Clan-Treffen die Wahl des neuen Zwergenkönigs zu beeinflussen. Deine Absichten sind ehrenwert, das weiß ich, aber ob ehrenwert oder nicht, du kennst dich in unserer Politik nicht aus, ganz gleich, wie gut Nasuada dich instruiert haben mag. Auf diesem Gebiet bin ich der Fachmann, Eragon. Lass mich so agieren, wie ich es für richtig halte. Darauf hat Hrothgar mich mein Leben lang vorbereitet.«

Eragon seufzte, und mit dem Gefühl, nun doch loszulassen und zu fallen, sagte er: »Na schön. Ich werde tun, was du in dieser Angelegenheit für das Beste hältst, Grimstborith Orik.«

Ein breites Lächeln erschien auf den Zügen des Zwerges. Er verstärkte den Griff um Eragons Unterarme, dann ließ er ihn los. »Ich danke dir, Schattentöter. Du weißt gar nicht, was mir das bedeutet. Du tust das Richtige, und ich werde es dir nicht vergessen, selbst wenn ich zweihundert Jahre alt werde und mein Bart so lang ist, dass er über den Boden schleift.«

Obwohl ihm nicht ganz wohl in seiner Haut war, lächelte Eragon. »Nun, ich hoffe nicht, dass er so lang wird. Du würdest ja ständig stolpern!«

»Kann schon sein«, erwiderte Orik lachend. »Im Übrigen würde Hvedra ihn mir stutzen, sobald er mir bis zu den Knien reicht. Sie hat eine genaue Vorstellung davon, wie lang ein Bart sein darf.«

Orik führte ihn durch den Nebel aus dem steinernen Wald und kehrte mit ihm zu den zwölf Zwergenkriegern zurück. Dann machten sie sich an den Abstieg. Unten angekommen, querten sie das Tal und gelangten auf der gegenüberliegenden Seite zu einem Tunneleingang, der so geschickt in der Felswand verborgen war, dass Eragon ihn allein niemals entdeckt hätte.

Mit einigem Bedauern tauschte er den hellen Sonnenschein und die frische Bergluft gegen die Dunkelheit des Berginnern ein. Der Gang war acht Fuß breit und sechs Fuß hoch – was für Eragons Verhältnisse ziemlich niedrig war –, und wie alle Zwergentunnel, die er kannte, verlief er schnurgerade, ohne eine einzige Biegung. Er schaute über die Schulter zurück und sah gerade noch, wie der Zwerg Farr die Granitplatte zuschob, die als Tür diente. Dann war es stockfinster. Im nächsten Augenblick erstrahlten vierzehn Lichter in verschiedenen Farben, als die Zwerge flammenlose Laternen aus den Satteltaschen holten. Orik reichte Eragon eine.

Dann setzten sie sich in Bewegung. Das Hufgetrappel der Ponys erfüllte den engen Gang mit donnernden Echos, die sie anzubrüllen schienen wie zornige Gespenster. Eragon verzog das Gesicht. Diesen Lärm würde er nun den ganzen Weg bis Farthen Dûr ertragen müssen, das am anderen Ende des Tunnels lag. Er zog die Schultern hoch, verstärkte den Griff um die Tragegurte seines Rucksacks und wünschte, er würde mit Saphira hoch am azurblauen Himmel fliegen.

Die lachenden Toten

Roran kauerte am Boden und spähte durch die herabhängenden Äste einer Weide.

Zweihundert Schritte entfernt saßen dreiundfünfzig Soldaten und Wagenlenker an drei Feuerstellen und aßen zu Abend, während sich die Dämmerung rasch über das Land senkte. Die Männer hatten ihr Nachtlager am breiten, grasbewachsenen Ufer eines namenlosen Flusses aufgeschlagen. Die mit Vorräten für Galbatorix' Truppen beladenen Wagen waren in einem Halbkreis um die Feuer geschoben worden. Hinter dem Lager grasten Dutzende von angepflockten Ochsen und muhten sich gelegentlich an. Etwa zwanzig Schritte flussabwärts ragte ein weicher Erdhügel aus dem Boden, der einen Angriff von dieser Seite unmöglich machte – allerdings versperrte er den lagernden Soldaten auch den Fluchtweg.

Was haben sie sich bloß dabei gedacht?, fragte sich Roran. Es war zwar vernünftig, in feindlichem Gebiet sein Nachtlager an einer Stelle aufzuschlagen, die leicht zu verteidigen war, was in der Regel bedeutete, dass man einen natürlichen Schutz im Rücken hatte. Trotzdem sollte man darauf achten, dass man bei einem Überfall fliehen konnte. So wie sich die Lage hier darstellte, würde es für Roran und die anderen Krieger unter Martlands Kommando ein Kinderspiel sein, aus den Büschen zu stürmen, in denen sie sich versteckten, die Soldaten zwischen Erdhügel und Fluss einzukesseln und sich einen nach dem anderen vorzunehmen. Es machte Roran stutzig, dass ausgebildeten Soldaten ein so offensichtlicher

Fehler unterlief. *Vielleicht stammen sie ja aus der Stadt,* überlegte er. *Oder sie sind einfach unerfahren.* Er runzelte die Stirn. *Aber warum vertraut man ihnen dann eine so wichtige Mission an?*

»Habt ihr irgendwelche Fallen bemerkt?«, fragte er. Er musste nicht den Kopf nach ihnen umwenden. Er wusste, dass Carn neben ihm hockte, genau wie Halmar und zwei weitere Männer. Roran hatte schon an der Seite aller Männer in der Gruppe gekämpft, abgesehen von den vier Schwertkämpfern, die zu Martlands Trupp gestoßen waren, um den Platz der Toten und Schwerverletzten einzunehmen, die es bei ihrem letzten Einsatz gegeben hatte. Er mochte zwar nicht jeden Einzelnen von ihnen, aber er hätte ihnen jederzeit sein Leben anvertraut, wie sie umgekehrt ihm ebenso. Es war eine Verbindung, die die Schranken von Alter und Herkunft überwand. Nach der ersten Schlacht war Roran überrascht gewesen, wie nah er sich seinen Kampfgefährten fühlte.

»Keine offensichtlichen«, murmelte Carn. »Andererseits …«

»… haben sie vielleicht neue Zauber erdacht, die du nicht aufspüren kannst, ich weiß, ich weiß. Haben sie denn einen Magier dabei?«

»Ich kann es nicht mit Sicherheit sagen, aber nein, ich glaube nicht.«

Roran schob die Äste ein Stück zur Seite, um eine bessere Sicht auf die Wagen zu haben. »Das gefällt mir nicht«, brummte er. »Den anderen Konvoi hat ein Magier begleitet. Warum nicht diesen hier?«

»Es gibt weniger von uns, als man glaubt.«

»Hm.« Roran kratzte sich am Bart, noch immer verwirrt von dem Mangel an gesundem Menschenverstand, den die Soldaten an den Tag legten. *Könnte es sein, dass sie einen Angriff provozieren wollen? Sie scheinen nicht darauf vorbereitet, aber das muss ja nichts heißen. Was für eine Falle könnten sie uns stellen? Im Umkreis von neunzig Meilen ist außer ihnen niemand und Murtagh und Dorn wurden zuletzt nördlich von Feinster gesehen.* »Gib Martland Bescheid«, sagte er. »Aber berichte ihm, mir gefällt es nicht, dass sie ihr Lager gerade hier aufgeschlagen haben. Entweder es sind Idioten oder sie werden durch Magie oder einen anderen heimtückischen Trick des Königs geschützt.«

Es folgte ein kurzes Schweigen, dann sagte Carn: »Ich habe ihm Bescheid gegeben. Martland teilt deine Sorge, aber wenn du nicht mit eingezogenem Schwanz zu Nasuada zurücklaufen willst, dann sollen wir unser Glück versuchen.«

Roran brummte etwas Unverständliches und wandte sich von den Soldaten ab. Mit einem Kopfnicken gab er den Männern ein Zeichen, dann krochen er und seine Gefährten auf allen vieren zu der Stelle zurück, wo ihre Pferde standen.

Roran schwang sich auf Schneefeuer.

»Brr, ruhig, Junge«, flüsterte er und klopfte ihm den Hals, als der Hengst den Kopf hin und her warf. Im schwindenden Abendlicht glänzten Schneefeuers Mähne und Fell wie Silber. Nicht zum ersten Mal wünschte Roran, sein Tier hätte eine weniger auffällige Farbe, vielleicht ein hübsches Kastanien- oder Rostbraun.

Er nahm den Rundschild vom Sattel und schob den linken Arm durch die Lederschlaufen, dann zog er den Hammer aus dem Gürtel. Er schluckte trocken, verspürte die vertraute Beklemmung im Brustkorb und legte sich den Hammer richtig in die Hand.

Als die fünf Männer bereit waren, hob Carn einen Finger, die Augen hatte er halb geschlossen; seine Lippen zuckten, als spräche er mit sich selbst. In der Nähe begann eine Zikade zu zirpen.

Carn schlug die Augen auf. »Vergesst nicht, den Blick gesenkt zu halten, bis sich eure Augen an die Helligkeit gewöhnt haben, und schaut selbst dann nicht zum Himmel auf.« Und dann begann er, in der alten Sprache zu singen; unverständliche, vor Macht bebende Worte.

Roran hielt sich den Schild vors Gesicht und starrte auf den Sattel, als ein reines weißes Licht, so hell wie die Mittagssonne, die Umgebung erstrahlen ließ. Es kam von einem Punkt irgendwo oberhalb des Soldatenlagers. Roran widerstand der Versuchung, genauer hinzuschauen.

Unter lautem Gebrüll gab er Schneefeuer die Sporen und beugte sich tief über den Hals des Pferdes, während es ungestüm lospreschte. Zu beiden Seiten von ihm folgten Carn und die anderen Krieger seinem Beispiel und schwangen dabei ihre Waffen. Äste schlugen Roran gegen Kopf und Schultern, dann brach Schneefeuer zwischen den Bäumen hervor und galoppierte auf das Lager zu.

Zwei weitere Reitergruppen stürmten in Richtung der Soldaten, eine von Martland, die andere von Ulhart angeführt.

Die Soldaten und Wagenlenker schrien auf und bedeckten ihre Augen. Geblendet taumelten sie umher, auf der Suche nach ihren Waffen, und versuchten, Aufstellung zu nehmen, um den Angriff abzuwehren.

Roran machte keine Anstalten, Schneefeuer abzubremsen. Vielmehr gab er dem Hengst noch einmal die Sporen, stellte sich in den Steigbügeln auf und hielt sich mit aller Kraft fest, als Schneefeuer mit einem mächtigen Satz durch die schmale Lücke zwischen zwei Wagen sprang. Bei der Landung schlugen seine Zähne aufeinander. Die vom Hengst aufgewirbelte Erde flog in eines der Lagerfeuer und ließ Funken aufsprühen.

Auch die restlichen Krieger seiner Gruppe setzten über die Wagen hinweg. In dem Wissen, dass seine Gefährten sich um die Soldaten hinter ihm kümmern würden, konzentrierte Roran sich auf die Feinde vor ihm. Er hielt mit Schneefeuer auf einen der Männer zu und brach ihm mit dem Hammerende die Nase, wobei Blut über sein ganzes Gesicht spritzte. Mit einem zweiten Hieb, diesmal auf den Kopf, tötete Roran ihn und parierte anschließend den Schwertstreich eines anderen Soldaten.

Weiter drüben sprangen nun auch Martland und Ulhart mit ihren Männern über die Wagenreihe hinweg und landeten unter lautem Getöse im Lager. Ein Pferd schrie auf, als ein Soldat dem Tier den Speer in den Bauch rammte.

Roran blockte das Schwert seines Widersachers ein zweites Mal, dann schlug er ihm mit dem Hammer auf die Führungshand, zertrümmerte ihre Knochen und zwang den Mann damit, die Waffe fallen zu lassen. Ohne innezuhalten, rammte er ihm den Hammerkopf gegen das rote Wams und zertrümmerte ihm das Brustbrein, sodass der Soldat tödlich verwundet zusammenbrach.

Roran wandte sich im Sattel um und hielt nach dem nächsten Gegner Ausschau. Seine Muskeln vibrierten vor Erregung. Jedes Detail seiner Umgebung nahm er überdeutlich wahr, fast wie durch geätztes Glas. Er fühlte sich unbesiegbar, unverwundbar. Die Zeit selbst schien sich zu dehnen, langsamer zu verstreichen, sodass eine verwirrte Motte, die an ihm vorbeiflatterte, wie durch Honig zu fliegen schien statt durch Luft.

Dann packten ihn von hinten zwei Hände am Kettenhemd und rissen ihn vom Pferd. Krachend schlug er auf dem Boden auf. Einen Moment lang wurde ihm schwarz vor Augen. Als er wieder zu sich kam, saß der erste Soldat, den er angegriffen hatte, auf ihm und war im Begriff, ihn zu erwürgen. Der Mann verdeckte die magische Lichtquelle, die Carn an den Himmel gezaubert hatte, sodass sein Gesicht – von einem hellen Schein umrahmt – im Schatten lag. Nur die gefletschten Zähne blitzten auf.

Der Soldat drückte fester zu, als Roran nach Luft schnappte. Roran tastete nach seinem Hammer, konnte ihn aber nirgends finden. Die Halsmuskeln angespannt, damit der Soldat ihm nicht vollends das Leben aus dem Leib pressen konnte, zog er den Dolch aus dem Gürtel und rammte dem Mann die Klinge durch das Kettenhemd und das ausgepolsterte Wams in die Rippen.

Der Soldat zuckte weder zusammen noch lockerte er den Griff.

Plötzlich begann der Mann gurgelnd zu lachen. Es klang so abscheulich und furchterregend, dass Roran sich vor Schreck der Magen umdrehte. Das irre Gekicher kam ihm bekannt vor: Er hatte es schon einmal gehört, als die Varden auf dem Feld am Jiet-Strom gegen die Soldaten gekämpft hatten, die keinen Schmerz kannten. Und jetzt begriff er auch, warum der Trupp einen so schlechten Lagerplatz ausgewählt hatte. *Es kümmert sie nicht, ob sie in der Falle sitzen, weil wir ihnen nichts anhaben können.*

Rorans Blickfeld färbte sich rot, gelbe Sterne tanzten vor seinen Augen. Am Rand der Bewusstlosigkeit stehend, riss er den Dolch wieder heraus, stieß ihn dem Soldaten von unten in die Achselhöhle und rührte mit der Klinge in der Wunde. Blut spritzte ihm auf die Hand, doch dem Soldaten schien das alles nichts auszumachen. Die Welt explodierte in Tausende pulsierender Farbflecke, als der Mann Rorans Kopf auf den Boden schlug. Einmal, zweimal, dreimal. Roran hob die Hüften, versuchte erfolglos, den Angreifer abzuwerfen. Blind und verzweifelt hieb er nach der Stelle, wo er das Gesicht des Mannes vermutete, und spürte, wie der Dolch sich in weiches Fleisch grub. Er zog die Klinge ein Stück zurück, stieß noch einmal seitwärts zu, bis die Klingenspitze auf einen Knochen traf.

Der Druck an Rorans Hals schwand.

Keuchend wälzte er sich auf die Seite und übergab sich. Seine Kehle brannte, als hätte er flüssiges Feuer getrunken. Noch immer röchelnd und hustend, rappelte er sich auf und sah, dass der Soldat reglos neben ihm lag. Der Dolch ragte ihm aus dem linken Nasenloch.

»Zielt auf die Köpfe!«, brüllte Roran heiser. »Auf die Köpfe!«

Er ließ den Dolch in der Nase des Soldaten stecken und hob seinen Hammer und einen Speer auf, den irgendjemand fallen gelassen hatte. Dann sprang er über den Toten hinweg und rannte auf Halmar zu, der gegen drei Soldaten gleichzeitig kämpfte. Bevor die Kerle ihn bemerkten, hieb Roran den ersten beiden mit solcher Wucht den Hammer auf die Köpfe, dass ihre Helme zersprangen. Den dritten überließ er Halmar und stürmte zu dem Soldaten, dem er den Brustkorb zertrümmert hatte. Der Mann, den er für tot gehalten hatte, saß Blut spuckend an einem Wagenrad und versuchte, seinen Bogen zu bespannen.

Roran stieß ihm den Speer ins Auge. Als er ihn wieder herauszog, hingen graue Fleischfetzen an der Klingenspitze.

Da kam Roran eine Idee. Er warf den Speer nach einem Soldaten, der hinter der nächsten Feuerstelle stand, und durchbohrte ihm damit den Rumpf. Dann schob er den Hammer unter den Gürtel, nahm den Bogen des Mannes, den er gerade getötet hatte, und hängte die Sehne ein. Den Rücken an den Wagen gelehnt, begann Roran, auf die im Lager umherrennenden Soldaten zu schießen, versuchte, sie mit gezielten Schüssen in Gesicht, Hals oder Herz zu töten oder sie zumindest bewegungsunfähig zu machen, damit seine Gefährten sie anschließend leichter erledigen konnten.

Doch die anfängliche Zuversicht, mit der sie den Feind angegriffen hatten, war in Verwirrung umgeschlagen. Die Varden waren weit verstreut und der Schock stand ihnen in die Gesichter geschrieben. Einige saßen noch auf ihren Pferden, andere stolperten zu Fuß umher; die meisten von ihnen verwundet. Soweit Roran erkennen konnte, waren mindestens fünf seiner Gefährten von tot geglaubten Soldaten hinterrücks umgebracht worden. Wie viele ihrer Widersacher noch am Leben waren, ließ sich in dem Durcheinander unmöglich abschätzen, aber Roran erkannte, dass es immer noch deutlich mehr waren als die vielleicht fünfundzwanzig verbliebenen Varden. *Sie können uns mit bloßen Händen in Stücke reißen, während wir versuchen, sie in Stücke zu zerhacken,* wurde ihm klar. Er hielt nach Schneefeuer Ausschau und entdeckte den weißen Hengst ein Stück flussabwärts unter einer Weide, die Nüstern gebläht und die Ohren flach angelegt.

Mit dem Bogen tötete Roran vier weitere Soldaten und verletzte über ein Dutzend. Als nur noch zwei Pfeile übrig waren, sah er Carn auf der anderen Seite des Lagers, wo der Magier vor einem brennenden Zelt gegen einen Soldaten kämpfte. Er spannte den Bogen, bis die Pfeilfedern ihn am Ohr kitzelten, und schoss dem Soldaten in die Brust. Der Mann strauchelte und Carn enthauptete ihn.

Roran warf den Bogen fort und rannte mit dem Hammer in der Hand zu Carn hinüber. »Kannst du sie nicht mit Magie töten?«, rief er.

Keuchend schüttelte Carn den Kopf. »Jeder Zauber wurde abgeblockt.« Das Flackern des brennenden Zelts tauchte sein Gesicht in einen goldenen Schein.

Roran fluchte. »Dann kämpfen wir zusammen weiter!«, rief er und hob den Schild.

Schulter an Schulter schritten sie auf eine achtköpfige Soldatengruppe zu, die drei Varden umstellt hatte. Die nächsten Minuten waren für Roran ein einziger Rausch aus blitzenden Klingen, zerreißendem Fleisch und plötzlich aufflammendem Schmerz. Die Soldaten ermüdeten langsamer als normale Menschen, wichen vor keinem Angriff zurück und ließen in ihren Anstrengungen selbst dann nicht nach, wenn sie die grauenhaftesten Verstümmelungen erlitten hatten. Die Strapazen des Kampfes waren so groß, dass Rorans Übelkeit zurückkehrte, und nachdem der achte Soldat gefallen war, krümmte er sich und übergab sich erneut. Er spuckte aus, um den Geschmack von Galle loszuwerden.

Einer der Varden, die er hatte retten wollen, war im Kampfgetümmel durch einen Messerstich in die Nieren gestorben; die beiden anderen schlossen sich Roran und Carn an und stürmten auf die nächste Gruppe Soldaten zu.

»Treibt sie zum Fluss!«, rief Roran. Das Wasser und der Schlamm würden die Männer in ihrer Bewegungsfreiheit einschränken und es den Varden vielleicht ermöglichen, die Oberhand zu gewinnen.

Nicht weit entfernt hatte Martland die zwölf Varden um sich geschart, die noch auf ihren Pferden saßen. Sie waren schon dabei, Rorans Plan in die Tat umzusetzen und ihre Feinde zum glitzernden Wasser zu treiben.

Die Soldaten und die wenigen Wagenlenker, die noch am Leben waren, leisteten erbitterten Widerstand. Sie rammten den zu Fuß kämpfenden Varden ihre Schilde in den Leib und stießen mit ihren Speeren nach den Pferden. Aber trotz ihrer Gegenwehr zwangen die Rebellen sie Schritt für Schritt zum Rückzug, bis die Männer in den blutroten Wämsern knietief im schnell dahinströmenden Wasser standen, noch immer geblendet vom grellen Licht, das auf sie herabschien.

»Haltet die Position!«, brüllte Martland, sprang vom Pferd und stellte sich breitbeinig ans Flussufer. »Lasst sie nicht wieder an Land!«

Roran duckte sich halb, drückte die Stiefelabsätze ins weiche Erdreich, bis er einen festen Stand gefunden hatte, und wartete auf den Angriff des Soldaten, der mehrere Fuß vor ihm durch den Fluss watete. Brüllend brach der Mann durch die Wassermassen und ließ das Schwert auf Roran herabsausen, der es mit dem Schild abwehrte. Er konterte mit einem Hammerschlag, den der Soldat jedoch seinerseits abblockte. So schlugen sie einige Sekunden lang abwechselnd aufeinander ein, ohne den anderen zu verletzen. Dann zertrümmerte Roran den Unterarm des Mannes und stieß ihn mehrere Schritte zurück. Der Soldat grinste nur und brach in ein freudloses Gelächter aus, bei dem es Roran kalt den Rücken hinunterlief.

Langsam begann er sich zu fragen, ob er oder irgendeiner seiner Gefährten diesen Abend überleben würde. *Die Kerle lassen sich schwerer töten als eine Schlange. Wie sehr wir sie auch verstümmeln, sie greifen immer wieder an. Außer wir treffen sie an einer lebenswichtigen Stelle.* Sein nächster Gedanke entschwand, als der Soldat erneut auf ihn zustürmte und sein gekerbtes Schwert im hellen Lichtschein flackerte wie eine Flammenzunge.

Danach bekam die Schlacht für Roran eine albtraumhafte Note. Das grelle Licht verlieh dem Wasser und den Soldaten etwas Unwirkliches, nahm ihnen alle Farbe und warf lange schmale Schatten auf die wogende Wasseroberfläche, während dahinter und rings um das Lager tiefe Dunkelheit herrschte. Wieder und wieder schlug er die Soldaten zurück, die aus dem Wasser herausgetaumelt kamen, um ihn zu töten, drosch auf sie ein, bis sie kaum noch als Menschen zu erkennen waren, und doch wollten sie einfach nicht sterben. Nach jedem Hieb besudelten Flecken aus schwarzem Blut die Flussoberfläche wie riesige Tintenkleckse und wurden von der Strömung fortgespült. Die tödliche Gleichförmigkeit eines jeden Schlages lähmte und entsetzte Roran. Wie sehr er sich auch abmühte, es gab immer einen neuen verstümmelten Soldaten, der sich auf ihn stürzte. Und die ganze Zeit über gluckten die Männer, die wussten, dass sie tot waren, und doch so taten, als wären sie lebendig, während die Varden ihre Körper mehr und mehr entstellten.

Und dann kehrte Stille ein.

Mit halb erhobenem Hammer duckte Roran sich hinter seinem Schild; keuchend, gebadet in Schweiß und Blut. Eine geschlagene Minute verstrich, bis ihm dämmerte, dass niemand mehr im Wasser stand. Dreimal schaute er hin und her und konnte es nicht fassen, dass die Soldaten endlich und unwiderruflich tot sein sollten. Im glitzernden Wasser trieb eine Leiche an ihm vorbei.

Ein Aufschrei entfuhr ihm, als jemand seinen Arm packte. Fauchend fuhr er herum und riss sich los. Dann sah er, dass Carn neben ihm stand. »Beruhige dich, Roran«, sagte der bleiche, blutbesudelte Magier. »Wir haben gewonnen! Sie sind tot! Wir haben sie besiegt!«

Roran ließ die Arme sinken und legte den Kopf in den Nacken. Er war so erschöpft, dass er sich nicht einmal mehr hinsetzen konnte. Er fühlte sich, als ob … als ob seine Sinne unnatürlich scharf wären, doch seine Empfindungen schienen trübe und dumpf, wie irgendwo in seinem tiefsten Inneren niedergetrampelt. Er war froh darüber; sonst, so glaubte er, wäre er verrückt geworden.

»Sammelt euch und inspiziert die Ladung!«, rief Martland. »Je schneller ihr euch aufrafft, desto eher können wir von diesem verfluchten Ort verschwinden! Carn, behandle Welmar. Mir gefällt diese Schnittwunde nicht.«

Unter Aufbietung all seiner Willenskraft wandte Roran sich um und trottete am Ufer entlang zum nächsten Wagen. Er wischte sich den Schweiß aus den Augen und sah, dass von ihrem Trupp nur noch neun Mann aufrecht stehen konnten. Er verdrängte jeden Gedanken daran. *Trauere später, nicht jetzt.*

Als Martland Rotbart durch das leichenübersäte Lager schritt, wälzte sich ein Soldat herum, den Roran für tot gehalten hatte, und schlug dem Grafen die rechte Hand ab. In einer so anmutigen Bewegung, dass sie beinahe einstudiert wirkte, trat Martland dem Mann das Schwert aus der Hand, bückte sich, presste ihm das Knie auf die Kehle, zückte mit der linken Hand seinen Dolch und stieß dem Mann die Klinge ins Ohr. Mit hochrotem, angestrengtem Gesicht klemmte er sich den Armstumpf unter die Achsel und scheuchte alle fort, die auf ihn zugerannt kamen. »Lasst mich in Ruhe! Die Wunde ist kaum der Rede wert. Kümmert euch um die Ladung! Wenn ihr Schlafmützen euch nicht beeilt, kriege ich noch einen schlohweißen Bart, bevor wir endlich verschwinden können. Jetzt macht schon!« Als Carn sich jedoch weigerte, dem Befehl zu folgen, funkelte Martland ihn an und brüllte: »Verschwinde, sonst lasse ich dich wegen Befehlsverweigerung auspeitschen!«

Carn hob Martlands abgetrennte Hand auf. »Wahrscheinlich kann ich sie wieder mit dem Gelenk verbinden, aber es wird ein paar Minuten dauern.«

»Ach, zum Henker, gib schon her!«, rief Martland und entriss Carn die Hand. Er schob sie unter sein Wams. »Hör auf, um mich herumzuscharwenzeln. Kümmer dich lieber um Welmar und Lindel. Das mit der Hand kannst du erledigen, sobald wir ein paar Meilen zwischen uns und diese Ungeheuer gebracht haben.«

»Aber dann ist es vielleicht zu spät«, sagte Carn.

»Das war ein Befehl, Magier, keine Bitte!«, polterte Martland. Während Carn davontrottete, verschnürte der Graf mit den Zähnen den Wamsärmel über dem Armstumpf und klemmte ihn sich wieder unter die Achsel. Sein Gesicht war schweißüberströmt. »Also, was ist jetzt? Welch scheußlicher Kram verbirgt sich in den verfluchten Wagen?«

»Seile!«, rief jemand.

»Whiskey!«, brüllte ein anderer.

Martland brummte: »Ulhart, schreib alles auf.«

Roran half den anderen beim Durchsuchen der Wagen und rief Ulhart zu, was sie geladen hatten. Danach schlachteten sie die Ochsen und setzten die Gefährte wie beim letzten Mal in Brand. Dann halfen sie ihren verletzten Kameraden auf die Pferde, banden sie dort fest und saßen selbst auf.

Als sie bereit zum Aufbruch waren, deutete Carn auf das grelle Licht am Himmel und murmelte ein langes, kompliziertes Wort. Dunkelheit umfing die Welt. Roran schaute auf und erblickte einen Moment lang das pulsierende Nachbild von Carns Gesicht am Firmament, dann konnte er nur noch die grauen Umrisse Tausender Motten sehen, die am Nachthimmel umherschwirrten wie die Schatten menschlicher Seelen.

Mit bleiernem Herzen gab Roran Schneefeuer die Sporen und ließ die brennenden Überreste des Wagenkonvois hinter sich.

Blutiger Fels

Entnervt stürmte Eragon aus der kreisrunden Kammer tief unter Tronjheims Zentrum. Hinter ihm fiel die Eichentür mit einem tiefen Dröhnen ins Schloss.

Er blieb unter dem Bogenportal stehen, stemmte die Fäuste in die Hüften und starrte finster auf das Bodenmosaik aus rechteckigen Achat- und Jadesteinen. Seit Orik und er vor drei Tagen in Tronjheim eingetroffen waren, hatten die dreizehn Clan-Oberhäupter nichts anderes getan, als sich über Dinge zu streiten, die Eragon für belanglos hielt. Zum Beispiel welcher Clan das Recht hatte, seine Herden auf bestimmten Weiden grasen zu lassen. Während er zuhören musste, wie die Oberhäupter über unverständliche Punkte ihrer Gesetzestexte diskutierten, hätte er ihnen oft am liebsten einfach zugerufen, dass sie blinde Narren seien, die ganz Alagaësia Galbatorix' Herrschaft ausliefern würden, wenn sie nicht endlich ihre lächerlichen Streitigkeiten begruben und ohne weitere Verzögerung einen neuen Herrscher wählten.

Tief in Gedanken versunken, schritt er durch den Tunnel, ohne auf die vier Wachen zu achten, die ihm seit seiner Ankunft überallhin folgten. Ebenso wenig nahm er die Zwerge wahr, an denen er auf seinem Weg durch die Halle vorbeikam und die ihn mehr oder weniger freundlich mit »Argetlam« grüßten. *Die Schlimmste von allen ist Íorûnn,* entschied Eragon. Die Zwergenfrau war die Grimstborith des Dûrgrimst Vrenshrrgn, eines mächtigen Kriegerclans, und hatte bei den Beratungen von Anfang an keinen Hehl daraus gemacht, dass sie den Thron für sich wollte. Nur ein Clan, die Urzhad, unterstützte sie offen in ihrem Vorhaben. Wie sie bei den Treffen der Clan-Oberhäupter immer wieder bewiesen hatte, war sie gerissen, listig und fähig, fast jede Situation zu ihrem Vorteil zu nutzen. *Sie würde eine ausgezeichnete Königin abgeben*, gestand Eragon sich ein, *aber sie ist so verschlagen, dass es unmöglich ist vorherzusagen, ob sie die Varden unterstützen wird, wenn sie den Thron erst mal bestiegen hat.* Er lächelte schief. Mit Íorûnn zu sprechen, war immer irgendwie verfänglich für ihn. Bei den Zwergen galt sie als große Schönheit und selbst nach menschlichen Maßstäben war sie eine eindrucksvolle Erscheinung. Zudem schien sie aus irgendeinem unerklärlichen Grund einen Narren an Eragon gefressen zu haben. Sie war nicht davon abzubringen, in jedem ihrer Gespräche mit ihm Anspielungen auf die Geschichte und Mythologie der Zwerge zu machen, die er nicht verstand, die jedoch Orik und die anderen ungeheuer zu amüsieren schienen.

Neben Íorûnn stellten noch zwei weitere Clan-Oberhäupter Ansprüche auf den Thron: Gannel, das Oberhaupt des Dûrgrimst Quan, und Nado vom Dûrgrimst Knurlcarathn. Als Hüter der Zwergenreligion übte der Clan Quan einen enormen Einfluss aus, trotzdem hatte Gannel sich bis jetzt nur die Unterstützung zweier anderer Clans sichern können, des Dûrgrimst Ragni Hefthyn und des Dûrgrimst Ebardac, der sich besonders den Wissenschaften widmete. Nado war es dagegen gelungen, mit den Clans Feldûnost, Fanghur und Az Sweldn rak Anhûin gleich drei Bündnispartner zu gewinnen.

Íorûnn begehrte die Krone der Zwerge offenbar nur wegen der Macht, die sie ihr verleihen würde. Gannel schien den Varden nicht grundsätzlich feindselig gegenüberzustehen, wenngleich er sie auch nicht gerade ins Herz geschlossen hatte. Nado hingegen wollte absolut nichts mit Eragon, Nasuada, dem Imperium, Galbatorix, Königin Islanzadi oder, wie Eragon vermutete, irgendeinem anderen lebendigen Wesen außerhalb des Beor-Gebirges zu schaffen haben, was er auch unmissverständlich und sehr nachdrücklich zum Ausdruck brachte. Der Knurlcarathn war der Clan der Steinmetze und der größte und reichste von allen, denn die Zwerge waren abhängig von seinen Kenntnissen im Tunnel- und Gebäudebau, und selbst der Dûrgrimst Ingietum benötigte seine Dienste, da er das Eisenerz für ihre Schmieden lieferte. Sollten Nados Bemühungen um die Krone scheitern, würden sich zweifellos die Oberhäupter unbedeutenderer Clans, die seine Ansichten teilten, darum drängen, seinen Platz einzunehmen. Zum Beispiel die Az Sweldn rak Anhûin, die von Galbatorix und den Abtrünnigen beinahe vollständig ausgerottet worden waren. Dieser Clan hatte Eragon bei seinem Besuch in der Stadt Tarnag bereits die Blutsfeindschaft erklärt und seinen abgrundtiefen Hass auf Eragon, Saphira und alles, was mit Drachen und ihren Reitern zu tun hatte, auch bei jeder Äußerung in den Clan-Versammlungen offen zur Schau gestellt. Sie hatten sogar gegen seine Anwesenheit bei den Beratungen der Clan-Oberhäupter protestiert, obwohl das selbst nach Zwergenrecht vollkommen legal war. Am Ende hatten sie eine Abstimmung erzwungen und so die Beratungen um weitere sechs unnötige Stunden verlängert.

Eines Tages, so sagte sich Eragon, *muss ich einen Weg finden, Frieden mit ihnen zu schließen. Oder aber ich muss zu Ende bringen, was Galbatorix begonnen hat. Ich will nicht mein ganzes Leben in Angst vor den Az Sweldn rak Anhûin verbringen.* Wie so oft in den letzten Tagen wartete er einen Moment auf Saphiras Antwort. Als sie ausblieb, fuhr ihm der mittlerweile vertraute Schmerz der Einsamkeit wie eine Lanze durchs Herz.

Es herrschte eine gewisse Unsicherheit, wie haltbar die Allianzen zwischen den Clans waren. Weder Orik noch Íorûnn, Gannel oder Nado genossen genug Unterstützung, um eine Abstimmung zu gewinnen. Daher waren sie alle darum bemüht, die Loyalität der Clans zu festigen, die ihnen bereits ihre Hilfe zugesagt hatten, während sie gleichzeitig versuchten, ihren Kontrahenten die Anhänger abspenstig zu machen. Obwohl er wusste, wie viel auf dem Spiel stand, ermüdete und frustrierte ihn das Ganze immer mehr.

Aus Oriks Erklärungen hatte er geschlossen, dass die Clan-Oberhäupter vor der Wahl eines Herrschers darüber abstimmen mussten, ob sie überhaupt dazu bereit waren, einen neuen König oder eine Königin zu wählen. Bei dieser Vorwahl mussten sich mindestens neun Stimmen dafür aussprechen. Bis jetzt jedoch hielt keines der Clan-Oberhäupter, einschließlich Orik, seine Position für gefestigt genug, um diese Abstimmung anzuberaumen und damit den Weg zur Königswahl zu beschreiten. Diese Phase war, wie Orik gesagt hatte, die heikelste des ganzen Wahlprozesses und konnte sich manchmal über einen zermürbend langen Zeitraum hinziehen.

Während Eragon über die Situation nachdachte, schlenderte er ziellos durch das unterirdische Labyrinth aus Kammern, bis er in einen trockenen, staubigen Raum mit fünf schwarzen Torbogen an der einen Seite kam. An der gegenüberliegenden Wand zeigte ein Flachrelief einen zwanzig Fuß hohen knurrenden Bären. Die Zähne des Tieres waren aus Gold und die runden Augen aus geschliffenen Rubinen.

»Wo befinden wir uns hier, Kvîstor?«, fragte er mit einem Blick auf die Wachen. Seine Stimme hallte durch den Raum. Er spürte zahlreiche Zwerge in den Stockwerken über ihm, wusste jedoch nicht, wie er hinaufkommen sollte.

Der Anführer der Wache, ein junger Zwerg von höchstens sechzig Jahren, trat vor. »Diese Kammern wurden vor Jahrtausenden von Grimstnzborith Korgan ausgegraben, als Tronjheim erbaut wurde. Seitdem haben wir sie nicht oft benutzt, außer wenn sich unser ganzes Volk in Farthen Dûr versammelt.«

Eragon nickte. »Kannst du mich zur Oberfläche führen?«

»Selbstverständlich, Argetlam.«

Nach einem zügigen Marsch von einigen Minuten erreichten sie eine breite Treppe mit flachen, für Zwerge passenden Stufen, die zu einem ebenerdigen Gang im südwestlichen Teil von Tronjheim hinaufführte. Von dort aus brachte Kvîstor Eragon zur südlichen der vier riesigen Haupthallen, die Tronjheim in allen Himmelsrichtungen durchzogen.

Es war dieselbe Halle, durch die Eragon und Saphira die Zwergenstadt vor mehreren Monaten zum ersten Mal betreten hatten. Als er sie jetzt durchschritt, um zum Mittelpunkt des Stadtberges zu gelangen, überkam ihn Wehmut. Er fühlte sich, als wäre er in der Zwischenzeit um mehrere Jahre gealtert.

In der breiten, vierstöckigen Halle wimmelte es von Zwergen. Sie alle bemerkten Eragon, davon war er überzeugt, aber längst nicht jeder nahm Notiz von ihm. Er war dankbar dafür, da es ihm die lästige Pflicht ersparte, ständig zurückgrüßen zu müssen.

Als eine Gruppe von Az Sweldn rak Anhûin die Halle durchquerte, erstarrte er. Die Zwerge blickten wie auf einen lautlosen Befehl alle zu ihm herüber. Ihre Gesichter wurden von den violetten Schleiern verborgen, die die Clan-Mitglieder in der Öffentlichkeit immer trugen. Der letzte von ihnen spuckte vor Eragon auf den Boden, bevor er mit seinen Brüdern oder Schwestern in einem Durchgang verschwand.

Wenn Saphira bei mir wäre, würden sie es nicht wagen, sich so unhöflich zu benehmen, dachte er.

Eine halbe Stunde später hatte er das Ende der gewaltigen Haupthalle erreicht. Obwohl er schon früher hier gewesen war, erfüllte ihn ehrfürchtiges Staunen, als er zwischen den schwarzen Onyxsäulen, deren Spitzen gelbe dreimannshohe Zirkone schmückten, hindurchschritt und die runde Kammer im Herzen Tronjheims betrat.

Ihr Durchmesser betrug mehr als tausend Fuß. Der Boden bestand aus poliertem Karneol, in den ein von zwölf Sternen umringter Hammer eingemeißelt worden war, das Wappen des Dûrgrimst Ingietum und des ersten Zwergenkönigs Korgan. Er hatte Farthen Dûr entdeckt, als er nach Gold gegraben hatte. Gegenüber und zu beiden Seiten lagen die Eingänge zu den anderen drei Haupthallen des Stadtberges. Die Kammer, in der Eragon stand, hatte keine Decke, sondern reichte bis zur mehr als eine Meile entfernten Spitze von Tronjheim. Dort öffnete sie sich zum Drachenhort, in dem Eragon und Saphira untergebracht gewesen waren, bevor Arya den Sternsaphir zertrümmert hatte. Und darüber sah man ein scheinbar unerreichbar fernes blaues Stück Himmel, eingefasst von der runden Öffnung Farthen Dûrs, des hohlen, zehn Meilen hohen Berges, der Tronjheim vor dem Rest der Welt schützte.

Bis hinunter zum Grund Tronjheims drang nur wenig Tageslicht. »Die Stadt des Ewigen Zwielichts« nannten die Elfen sie. Da so selten die Sonne in den Stadtberg schien – bis auf eine gleißend helle Stunde zur Mittagszeit im Hochsommer –, erleuchteten die Zwerge das Innere ihrer Stadt mit unzähligen flammenlosen Laternen. An jeder Säule der Bogenarkaden, die die Stockwerke des Stadtberges säumten, hing eine Laterne, und in den Arkaden selbst markierten weitere Lichter die Eingänge zu fremden, unbekannten Räumen und erhellten die Vol Turin, die *endlose Wendeltreppe,* die sich von oben bis ganz nach unten um den Stadtberg wand. Die Beleuchtung wirkte stimmungsvoll und gleichzeitig spektakulär. Die Scheiben der Laternen waren bunt, was den Eindruck erweckte, als wäre die Kammer mit glühenden Juwelen gesprenkelt.

Doch ihr Glanz verblasste neben der Pracht eines echten Juwels, des größten aller Edelsteine: Isidar Mithrim. Auf dem Boden der Kammer hatten die Zwerge aus Eichenbrettern ein Gerüst mit einem Durchmesser von sechzig Fuß errichtet, in dem sie den Sternsaphir mit akribischer Sorgfalt wiedererstehen ließen. Die Scherben, die sie noch einsetzen mussten, bewahrten sie in offenen, mit ungesponnener Wolle ausgepolsterten Kisten auf, die mit krakeligen Runen beschriftet waren. Diese Kisten nahmen den größten Teil der Westseite des gewaltigen Raumes ein. Etwa dreihundert Zwerge hockten vor ihnen und versuchten konzentriert, zueinanderpassende Bruchstücke zu finden, während eine andere Gruppe an dem zerborstenen Edelstein arbeitete und dabei ständig das Gerüst erweiterte.

Eragon sah ihnen einige Minuten bei der Arbeit zu, dann ging er zu dem Teil der Halle, den Durza aufgebrochen hatte, als er zusammen mit den Urgal-Kriegern durch die Tunnel darunter in Tronjheim eingedrungen war. Er tippte mit der Stiefelspitze auf den glatt polierten Boden. Von dem Schaden, den Durza angerichtet hatte, war nichts mehr zu sehen. Die Zwerge hatten ganze Arbeit beim Beseitigen der Spuren geleistet, die die Schlacht um Farthen Dûr hinterlassen hatte. Allerdings hoffte er, dass sie dieser Schlacht durch irgendein Mahnmal gedenken würden. Das hielt er für wichtig, damit die folgenden Generationen den Blutzoll nicht vergaßen, den Zwerge und Varden beim Kampf gegen Galbatorix gemeinsam gezahlt hatten.

Als er sich dem Gerüst näherte, nickte er Skeg zu, der auf einer Plattform über dem Sternsaphir stand. Er kannte den geschickten dürren Zwerg bereits. Skeg gehörte dem Dûrgrimst Gedthrall an, dem Clan, den König Hrothgar mit der Instandsetzung des kostbarsten Schatzes der Zwerge betraut hatte.

Skeg winkte ihn zu sich auf die Plattform. Ein Ausblick über nadelscharfe Zacken, glitzernde, papierdünne Grate und wellige Flächen erwartete Eragon, als er sich auf die rauen Bretter gehievt hatte. Die funkelnde Oberfläche des Sternsaphirs erinnerte ihn an das Eis auf dem Fluss Anora im Palancar-Tal, wenn es gegen Ende des Winters mehrfach geschmolzen und erneut gefroren war. Es zu betreten, war dann wegen der Wellen und Grate, die die Temperaturschwankungen aufgeworfen hatten, sehr gefährlich. Doch statt blau, weiß oder transparent schimmerten die Überreste des Sternsaphirs in einem zarten, von orangefarbenen Streifen durchzogenen Rosa.

»Wie geht es voran?«, erkundigte sich Eragon.

Skeg zuckte mit den Schultern und ließ die Hände wie zwei Schmetterlinge durch die Luft wedeln. »Es geht, so schnell es geht, Argetlam. Perfektion entsteht nicht durch Eile.«

»Ich habe den Eindruck, als würdet ihr gut vorankommen.«

Skeg tippte mit einem knochigen Zeigefinger gegen seine breite, flache Nase. »Arya hat die Spitze von Isidar Mithrim, die sich jetzt unten befindet, da wir ihn umgedreht haben, in große Stücke gesprengt und sie zu Boden schweben lassen. Sie kann man leicht zusammensetzen. Das untere Ende jedoch, das jetzt oben ist…« Er schüttelte trübselig den Kopf. »Die Gewalt der Explosion hat all die Bruchstücke nach unten durch die Blütenblätter der Rose geschleudert und die Verzierungen in winzige Fragmente zerschmettert. Und die Rose, Argetlam, diese Rose ist der Schlüssel zu dem Edelstein. Sie ist der filigranste und schönste Teil von Isidar Mithrim. Und ausgerechnet der ist in die meisten Stücke zerborsten. Wenn es uns nicht gelingt, sie bis auf den kleinsten Splitter zusammenzusetzen, können wir den Edelstein genauso gut unseren Goldschmieden geben, damit sie daraus Ringe für unsere Mütter schleifen.« Die Worte sprudelten aus Skeg heraus wie Wasser aus einem überströmenden Becher. Er rief in seiner Sprache einem Zwerg etwas zu, der eine Kiste durch die Kammer schleppte, und zupfte an seinem weißen Bart. »Hast du jemals die Geschichte gehört, Argetlam, wie der Isidar Mithrim zur Zeit Herrans erschaffen wurde?«

Eragon versuchte, sich an den Geschichtsunterricht in Ellesméra zu erinnern. »Ich weiß nur, dass es Dûrok war.«

»Ja«, erwiderte Skeg. »Dûrok Ornthrond – Adlerauge, wie man ihn in eurer Sprache nennt. Er hat Isidar Mithrim zwar nicht entdeckt, aber er allein hat ihn aus dem Fels geschlagen, er allein hat ihn geschliffen und er allein hat ihn poliert. Fünfundsiebzig Jahre hat er an der Sternrose gearbeitet. Der Stein hat ihn fasziniert wie nichts anderes. Er hat jede Nacht bis in die frühen Morgenstunden daran gesessen, denn die Sternrose sollte nicht nur ein Kunstwerk sein, sondern die Herzen aller berühren, die sie erblickten, und ihm einen Ehrenplatz an der Tafel der Götter einbringen. Als seine Frau ihn im zweiunddreißigsten Jahr seiner Arbeit vor die Wahl stellte, entweder die Last dieser Aufgabe mit seinen Schülern zu teilen oder sie würde seine Halle verlassen, wandte er sich wortlos ab und schliff weiter an den Konturen eines Rosenblattes, mit dem er in diesem Jahr begonnen hatte. So groß war seine Hingabe.

Dûrok arbeitete an Isidar Mithrim, bis er mit jeder Linie und jeder Kontur zufrieden war. Dann ließ er das Poliertuch fallen, trat einen Schritt von der Sternrose zurück, sagte: ‚Gûntera, beschütze mich, es ist vollbracht!‹, und fiel tot zu Boden.« Skeg schlug sich gegen die Brust, was ein dumpfes Dröhnen erzeugte. »Sein Herz versagte ihm den Dienst. Wofür hätte es auch weiterschlagen sollen? … Und das versuchen wir hier wiederherzustellen, Argetlam: fünfundsiebzig Jahre nie ermüdender, konzentrierter Arbeit eines der besten Künstler unseres Volks. Wenn es uns nicht gelingt, Isidar Mithrim *genau so* zusammenzusetzen, wie er war, würden wir Dûroks Leistung in den Augen all derer schmälern, die die Sternrose vorher nicht gesehen haben.« Skeg schlug sich mit der Faust auf den Schenkel, um seinen Worten Nachdruck zu verleihen.

Eragon beugte sich über das hüfthohe Geländer und sah zu, wie fünf Zwerge auf der anderen Seite des Edelsteins einen sechsten an Seilen hinabließen, bis er knapp über den scharfen Zacken des zerbrochenen Saphirs schwebte. Er griff in sein Wams, zog einen Splitter aus einer Ledertasche und setzte ihn mit einer winzigen Pinzette in eine schmale Lücke.

»Wenn die Krönung in drei Tagen stattfinden würde, könntet ihr Isidar Mithrim bis dahin fertigstellen?«, erkundigte er sich.

Skeg trommelte mit den Fingern eine Melodie auf das Geländer, die Eragon bekannt vorkam. »Hätte dein Drache uns nicht versprochen, ihn zu heilen, würden wir uns mit der Arbeit nicht so beeilen«, erwiderte er. »Diese Eile ist uns fremd, Argetlam. Es mag der Natur der Menschen entsprechen, wie aufgeregte Ameisen umherzuhasten, aber nicht unserer. Trotzdem werden wir unser Bestes geben, damit der Sternsaphir bis zur Krönung fertig ist. Sollte sie allerdings tatsächlich in drei Tagen stattfinden … stünden die Aussichten wohl schlecht. Wäre sie später in der Woche, könnten wir es wohl schaffen.«

Eragon dankte Skeg für die Auskunft und ging. Mit den Wachen im Schlepptau suchte er einen der vielen Speisesäle des Stadtbergs auf: einen langen, niedrigen Raum mit Reihen von Steintischen auf der einen und Zwergen auf der anderen Seite, die an Specksteinöfen beschäftigt waren.

Man brachte ihm Sauerteigbrot, einen weißfleischigen Fisch,

den die Zwerge in den unterirdischen Seen fingen, sowie Pilze und pürierte Wurzeln. Den Wurzelbrei hatte er bereits bei seinem letzten Aufenthalt in Tronjheim gekostet, doch er wusste nicht, woher die Knollen kamen. Vor dem ersten Bissen prüfte er allerdings mit den Zaubersprüchen, die Oromis ihn gelehrt hatte, ob die Speisen vergiftet waren.

Als er gerade den letzten Bissen Brot mit einem Schluck dünnem, verwässertem Frühstücksbier hinunterspülte, betrat Orik mit einem Aufgebot von zehn Kriegern den Speisesaal. Die Männer setzten sich an einen Tisch, von dem aus sie beide Eingänge im Auge behalten konnten, während Orik sich mit einem müden Seufzer auf die Steinbank Eragon gegenüber fallen ließ. Er stützte die Ellbogen auf den Tisch und rieb sich mit beiden Händen übers Gesicht.

Eragon wirkte rasch einige Zauber, die verhinderten, dass sie belauscht wurden. »Haben wir einen weiteren Rückschlag erlitten?«

»Nein, keinen Rückschlag. Aber die Diskussionen sind außerordentlich ermüdend.«

»Das habe ich bemerkt.«

»So wie alle anderen deinen Missmut bemerkt haben«, erwiderte Orik. »Du musst dich ab jetzt zusammenreißen, Eragon. Wenn wir unseren Rivalen gegenüber irgendeine Schwäche zeigen, spielen wir ihnen damit nur in die Hände. Ich…« Orik verstummte, als ein korpulenter Zwerg herangewatschelt kam und einen Teller mit dampfendem Essen vor ihn hinstellte.

Eragon starrte finster auf die Tischkante. »Bist du dem Thron ein Stück näher gekommen? Haben wir durch dieses ewige Gerede wenigstens Boden gutgemacht?«

Orik hob einen Finger, während er auf einem Bissen Brot kaute. »Wir haben sehr große Fortschritte gemacht. Schau nicht so missmutig drein! Nachdem du gegangen warst, hat Havard eingewilligt, die Steuer auf das Salz zu senken, das der Dûrgrimst Fanghur dem Ingietum liefert. Im Austausch dafür darf sein Clan im Sommer unseren Tunnel zum Nalsvrid-Mérna nutzen, damit sie das Rotwild jagen können, das sich während der warmen Monate rund um den See einstellt. Du hättest sehen sollen, wie Nado mit den Zähnen geknirscht hat, als Havard mein Angebot akzeptierte!«

»Pah!«, fauchte Eragon. »Steuern, Wild – was hat das damit zu tun, wer Hrothgar auf den Thron folgt? Sag mir ehrlich, Orik, wie stehst du im Vergleich zu den anderen Clan-Oberhäuptern da? Und wie lange wird sich das alles noch hinziehen? Mit jedem Tag, der verstreicht, wächst die Wahrscheinlichkeit, dass das Imperium unsere List durchschaut und Galbatorix die Varden angreift. Und dann bin ich nicht da, um Murtagh und Dorn zurückzuschlagen.«

Orik wischte sich den Mund mit einem Zipfel des Tischtuchs ab. »Meine Position ist gar nicht schlecht. Keiner der Grimstborithn kann genug Unterstützung vorweisen, um eine Wahl zum jetzigen Zeitpunkt zu erzwingen, aber Nado und ich haben die meisten Anhänger. Wenn einer von uns noch, sagen wir, zwei oder drei Clans für sich gewinnen kann, dürfte die Waagschale sich rasch zu dessen Gunsten neigen. Havard schwankt bereits. Ich glaube nicht, dass es noch viel braucht, damit er in unser Lager überwechselt. Heute Abend werden wir das Brot mit ihm brechen. Dabei werde ich herausfinden, wie ich mir am geschicktesten seine Stimme verschaffen kann.« Orik schob sich einen gerösteten Pilz in den Mund. »Was allerdings die Clan-Versammlung betrifft … die endet vielleicht in einer Woche, wenn wir Glück haben, oder in zweien, wenn nicht.«

Eragon fluchte leise. Er war so angespannt, dass sein Magen brannte und drohte, die Mahlzeit, die er gerade zu sich genommen hatte, wieder von sich zu geben.

Orik ergriff Eragons Handgelenk. »Weder du noch ich können etwas tun, um die Entscheidung der Clan-Versammlung zu beschleunigen. Also reg dich nicht zu sehr darüber auf. Kümmere dich lieber um das, was du ändern kannst, und lass den Dingen ansonsten ihren Lauf!« Er ließ ihn wieder los.

Eragon atmete langsam aus und beugte sich auf die Unterarme gestützt über den Tisch. »Ich weiß. Aber wir haben so wenig Zeit, und wenn wir scheitern …«

»Was geschehen soll, geschieht«, sagte Orik. Er lächelte, aber seine Augen waren traurig und leer. »Niemand kann seinem Schicksal entrinnen.«

»Könntest du den Thron nicht gewaltsam an dich reißen? Ich weiß, dass du nicht viele Truppen in Tronjheim hast, aber wer würde sich dir entgegenstellen, wenn ich an deiner Seite bin?«

Orik erstarrte. Sein Messer schwebte zwischen Teller und Mund, dann schüttelte er den Kopf und aß weiter. Zwischen zwei Bissen sagte er: »Ein solcher Plan wäre verheerend.«

»Warum?«

»Muss ich das wirklich erklären? Unser ganzes Volk würde sich gegen uns wenden, und statt der Herrschaft über das Zwergentum würde ich einen bedeutungslosen Titel erringen. Außerdem würde ich nicht einmal ein zerbrochenes Schwert darauf wetten, dass wir dann das Jahr überleben.«

»Oh.«

Orik beendete schweigend seine Mahlzeit, trank einen Schluck Bier und rülpste. Erst dann fuhr er fort. »Wir balancieren bei stürmischem Wetter auf einem schmalen Grat. Sehr viele Angehörige meines Volks hassen und fürchten die Drachenreiter wegen der Verbrechen, die Galbatorix, die Abtrünnigen und zuletzt Murtagh an uns begangen haben. Ebenso viele fürchten die Welt außerhalb der Berge, Tunnel und Höhlen, in denen wir uns verbergen.« Er schob den Bierkrug auf dem Tisch herum. »Nado und die Az Sweldn rak Anhûin verschlimmern die Situation noch. Sie spielen mit den Ängsten meines Volkes und heizen die Stimmung gegen dich, die Varden und König Orrin an. Dieser Clan verkörpert alles, was wir überwinden müssen, wenn ich den Thron gewinnen will. Irgendwie muss es uns gelingen, ihre Sorgen zu zerstreuen genau wie die von allen anderen, die so sind wie sie. Denn selbst wenn ich König werde, muss ich ihren Anliegen und Nöten mein Ohr leihen, wenn ich mir das Wohlwollen der Clans bewahren will. Jeder Zwergenherrscher ist von den Clans abhängig, ganz gleich wie stark er auch sein mag. Ebenso wie die Grimstborithn von den Familien ihrer Clans abhängen.« Orik legte den Kopf in den Nacken, leerte den Krug und knallte ihn auf den Tisch.

»Könnte ich irgendetwas tun, was Vermûnd und seine Anhänger beschwichtigen würde, zum Beispiel einer Sitte Respekt zollen oder mich einer Zeremonie unterwerfen?« Vermûnd war der derzeitige Grimstborith der Az Sweldn rak Anhûin. »Es muss doch irgendeine Möglichkeit geben, wie ich ihren Argwohn zerstreuen und diese Fehde beenden kann!«

Orik lachte und stand auf. »Du könntest sterben.«

Früh am nächsten Morgen saß Eragon wieder in der Kammer unter Tronjheim, den Rücken an die runde Wand gelehnt, zusammen mit einer Gruppe auserwählter Krieger, Ratgeber, Diener und Familienmitglieder der einzelnen Clans, die hochrangig genug waren, um an der Versammlung teilzunehmen. Die Clan-Oberhäupter selbst thronten auf massiven gedrechselten Stühlen um den runden Steintisch, der das Wappen von Korgan und dem Ingietum trug, wie die meisten Gegenstände von Bedeutung in den unteren Stockwerken des Stadtberges.

Im Moment sprach gerade Gáldhiem, Grimstborith des Dûrgrimst Feldûnost. Er war selbst für einen Zwerg klein – kaum größer als ein Arm lang – und trug eine golden, rostrot und mitternachtsblau gemusterte Robe. Im Unterschied zu den Zwergen des Ingietum stutzte er sich weder den Bart noch flocht er ihn, sodass er ihm wie ein verfilztes Gestrüpp über die Brust fiel. Er stand auf seinem Stuhl, hämmerte mit der behandschuhten Faust auf den Tisch und brüllte: »... Eta! Narho ûdim etal os isû vond! Narho ûdim etal os formvn mendûnost Brakn, az Varden, hrestvog dûr Grimstnzhadn! Az Jurgenvren qathrid né dômar oen etal ...«

»... Nein«, flüsterte Eragons Dolmetscher Hûndfast ihm ins Ohr, »das werde ich nicht zulassen. Ich werde nicht zulassen, dass diese bartlosen Narren von Varden unser Land zerstören. Der Drachenkrieg hat uns geschwächt und nicht ...«

Eragon unterdrückte ein gelangweiltes Gähnen und ließ den

Blick träge über die um den Granittisch sitzenden Zwerge wandern. Von Gáldhiem zu Nado, einem mondgesichtigen strohblonden Zwerg, der Gáldhiems donnernde Rede mit beifälligem Nicken kommentierte; dann zu Havard, der einen Dolch benutzte, um die Nägel seiner beiden verbliebenen Finger der rechten Hand zu reinigen; zu Vermûnd, dessen Miene unterhalb der düster gefurchten Stirn allerdings von dem undurchdringlichen violetten Schleier verborgen wurde; zu Gannel und Ûndin, die miteinander tuschelten, während Hadfala, eine ältliche Zwergin, Clan-Oberhaupt des Dûrgrimst Ebardac und dritte in Gannels Allianz, angestrengt das mit Runen übersäte Pergament studierte, das sie zu jeder Versammlung mitbrachte. Dann folgten Manndrâth, Oberhaupt des Dûrgrimst Ledwonnû, im Profil, was seine lange, krumme Nase gut zur Geltung brachte, und die Grimstborith des Dûrgrimst Nagra, Thordris, von der er nur ihr welliges kupferrotes Haar sah, das doppelt so lang war wie sie und sich in einem Zopf auf dem Boden ringelte. Dann kam Oriks Hinterkopf, der sich auf seinem Stuhl lümmelte, und daneben Freowin, der Grimstborith des Dûrgrimst Gedthrall. Der unglaublich fette Zwerg hatte nur Augen für einen Holzklotz, aus dem er einen kauernden Raben schnitzte. Der Grimstborith des Dûrgrimst Urzhad, Hreidamar, wirkte gegen Freowin sehnig und kräftig, hatte auffällig muskulöse Unterarme und tauchte bei jeder Versammlung in Helm und Kettenpanzer auf. Schließlich landete Eragon bei Íorûnn, deren haselnussbraune Haut nur von einer winzigen halbmondförmigen Narbe auf ihrem linken Wangenknochen verunziert wurde und deren seidig glänzendes Haar von einem silbernen Helm in Form eines knurrenden Wolfskopfes gebändigt wurde. Sie trug ein zinnoberrotes Kleid und eine Kette mit blitzenden Smaragden, deren goldene Fassungen mit uralten Runen verziert waren.

Íorûnn bemerkte seinen Blick und lächelte lasziv. Dann zwinkerte sie ihm mit ihren mandelförmigen Augen anzüglich zu.

Eragons Wangen glühten und die Spitzen seiner Elfenohren brannten. Rasch schaute er wieder zu Gáldhiem, der immer noch geschwollen daherredete und sich in die Brust warf wie ein Gockel.

Wie Orik ihn gebeten hatte, blieb Eragon während der Sitzung gelassen und gab sich aufmerksam. Als die Clan-Versammlung zum Mittagessen unterbrochen wurde, eilte er rasch zu Orik und beugte sich dicht zu ihm, damit niemand sie belauschen konnte. »Warte mit dem Essen nicht auf mich. Ich habe genug vom Sitzen und Reden. Ich werde lieber die Tunnel ein bisschen erkunden.«

Orik nickte zerstreut. »Mach, was du willst«, murmelte er, »aber sei zurück, wenn es weitergeht. Es wäre nicht gut, wenn du die Versammlung schwänzt, ganz gleich wie ermüdend die Diskussionen auch sein mögen.«

»Wie du meinst.«

Eragon drängte sich zusammen mit den Zwergen – die es eilig hatten, zum Essen zu kommen – aus der Kammer in die Halle und trat zu seinen vier Wachen, die sich die Zeit mit den Kriegern anderer Clans im Würfelspiel vertrieben hatten. Dann marschierte er mit ihnen los und überließ es seinen Füßen, den Weg zu suchen. Dabei überlegte er, wie er die zerstrittenen Fraktionen der Zwerge zu einer Einheit gegen Galbatorix zusammenschmieden konnte. Gereizt stellte er fest, dass die einzigen Methoden, die ihm einfielen, so abwegig waren, dass sie unmöglich erfolgreich sein konnten.

Er beachtete die Zwerge, die ihm begegneten, nur dann, wenn die Höflichkeit es verlangte, einen Gruß zu murmeln. Ebenso wenig verfolgte er, wo er hinging, denn er vertraute darauf, dass Kvîstor ihn zur Versammlungskammer zurückführen würde. Obwohl er für seine Umgebung kaum einen Blick übrighatte, spürte er doch dem Bewusstsein aller lebenden Wesen im Umkreis von mehreren hundert Fuß nach, bis hin zur kleinsten Spinne, die in der Ecke eines Raums in ihrem Netz auf Beute wartete. Er wollte sich nicht überraschen lassen, falls ihm jemand auflauerte.

Als er schließlich stehen blieb, fand er sich zu seiner Überraschung in derselben staubigen Kammer wieder, die er während seines Spaziergangs am Vortag entdeckt hatte. Zur Linken befanden sich die fünf schwarzen Torbogen, die zu unbekannten Höhlen führten, rechts das Flachrelief des knurrenden Bären. Verwirrt von diesem Zufall schlenderte Eragon zu der Bronzearbeit und blickte zu den glänzenden Zähnen des Bären auf, während er sich fragte, was ihn wieder hierhergezogen hatte.

Nach einem Moment trat er vor den mittleren der fünf Torbogen und blickte hinein. In dem schmalen Gang gab es keine Laternen, sodass er schon nach einem kurzen Stück im Schatten verschwand. Eragon ertastete mit seinem Geist den Tunnel sowie einige der verlassenen Kammern, die davon abgingen. Ein halbes Dutzend Spinnen und einige Motten, Tausendfüßler und Asseln waren die einzigen Bewohner. »Hallo!«, rief er und lauschte dem schwächer werdenden Echo seiner Stimme. »Kvîstor, lebt in diesem uralten Teil der Stadt niemand?«, wandte er sich an seine Wache.

»Nur wenige«, antwortete der Zwerg mit dem rosigen Gesicht. »Ein paar merkwürdige Knurlan, die die Einsamkeit der Umarmung ihrer Frauen oder dem Klang der Stimmen ihrer Freunde vorziehen. Wenn Ihr Euch erinnert, Argetlam, ein solcher Knurlag hat uns vor dem Nahen der Urgal-Armee gewarnt. Wir sprechen zwar nicht gern darüber, aber hier leben auch jene, die gegen die Gesetze unseres Landes verstoßen haben und von ihren Clan-Oberhäuptern bei Androhung der Todesstrafe verbannt wurden. Entweder für einige Jahre, oder falls ihre Vergehen besonders schwer waren, für den Rest ihres Lebens. Für uns sind es lebende Tote. In der Fremde meiden wir sie, aber wenn wir sie innerhalb unserer Grenzen erwischen, hängen wir sie auf.«

Nachdem Kvîstor zu Ende gesprochen hatte, bedeutete Eragon ihm, dass er nun bereit war, diesen Ort zu verlassen. Kvîstor ging voraus und führte ihn denselben Weg zurück, den sie hergekommen waren. Die drei anderen Zwerge folgten dicht hinter ihm. Nach einigen Schritten erhaschte Eragon ein schwaches Rascheln in seinem Rücken. Es war so leise, dass Kvîstor es offenbar nicht hörte.

Er sah sich um. In dem gelblichen Licht der flammenlosen Laternen, die zu beiden Seiten des Tunneleingangs hingen, sah er sieben ganz in Schwarz gekleidete Zwerge. Ihre Gesichter waren von dunklen Tüchern verhüllt und sie hatten Lumpen um die Füße gewickelt. Mit einer Schnelligkeit, die Eragon nur Elfen, Schatten und anderen Kreaturen zugetraut hätte, in deren Blut Magie kreiste, rannten sie auf ihn und die Wachen zu. In der Rechten hielten die Zwerge lange scharfe Messer, deren blasse Klingen schillerten, und in der Linken Rundschilde, aus deren Buckel ein spitzer Stachel ragte. Ihren Geist konnte Eragon genau wie schon bei den Ra'zac nicht wahrnehmen.

Saphira!, war sein erster Gedanke. Dann fiel ihm ein, dass er allein war.

Er fuhr zu den schwarz gekleideten Zwergen herum, packte sein Krummschwert und wollte den Wachen eine Warnung zurufen.

Sie kam zu spät.

Noch während er den ersten Laut ausstieß, warfen sich drei der unheimlichen Zwerge mit gezückten Dolchen auf den hintersten seiner Eskorte. Schneller als ein Wort oder ein bewusster Gedanke stürzte Eragon sein ganzes Sein in den Strom der Magie, und ohne auf die strukturgebende Kraft der alten Sprache zurückzugreifen, goss er die Welt in eine Form, die ihm besser gefiel. Die drei Wachen und die Angreifer flogen wie an unsichtbaren Drähten gezogen auf ihn zu und landeten neben ihm; unversehrt, aber verwirrt.

Eragon sackte nach dem plötzlichen Kraftverlust kurz zusammen.

Zwei der schwarz gekleideten Zwerge stürmten auf ihn zu und versuchten, ihm ihre nach Blut dürstenden Klingen in den Bauch zu rammen. Er parierte beide Stöße mit seinem Schwert, verblüfft von der Schnelligkeit und Wildheit der Zwerge. Eine seiner Wachen sprang vor, schrie und schwang die Axt gegen die Möchtegern-Meuchelmörder. Bevor der Drachenreiter den Zwerg am Wams packen und ihn zurückziehen konnte, fuhr eine weiße, gespenstisch lodernde Klinge durch den muskulösen Hals des Wächters. Als der Zwerg zu Boden stürzte, fiel Eragons erschreckter Blick auf das verzerrte Gesicht – es war Kvîstor. An den Wundrändern des Schnitts glühte seine Haut rot wie geschmolzenes Eisen und schien sich aufzulösen.

Sie dürfen mich damit nicht einmal ritzen, dachte er.

Ergrimmt über Kvîstors Tod, rammte er dessen Mörder das Schwert so blitzschnell in den Leib, dass der schwarz gekleidete Zwerg keine Gelegenheit hatte, dem Stoß auszuweichen, und leblos vor Eragons Füße sank.

»Bleibt hinter mir!«, brüllte er, so laut er konnte.

Feine Risse zogen sich über Boden und Wände, und Steinbrocken fielen von der Decke, als seine Stimme durch den Korridor schallte. Die Angreifer stutzten ob der entfesselten Macht seiner Stimme, stürmten dann jedoch erneut vor.

Eragon zog sich mehrere Schritte zurück, damit die Körper auf dem Boden ihn nicht behinderten, ging in die Hocke und schwang das Schwert wie eine Schlange, die bereit war, zuzuschnappen. Sein Herz schlug doppelt so schnell wie normal, und er war außer Atem, obwohl der Kampf gerade erst angefangen hatte.

Der Korridor war acht Fuß breit, was es dreien der verbliebenen sechs Feinde ermöglichte, ihn gleichzeitig anzugreifen. Sie fächerten sich auf; zwei versuchten, ihn von der Seite zu attackieren, während der dritte von vorn angriff und mit unglaublicher Schnelligkeit nach Eragons Armen und Beinen schlug.

Eragon wollte den Nahkampf mit den Zwergen vermeiden, weil sie keine gewöhnlichen Klingen schwangen. Er sprang hoch, schlug einen halben Salto, landete mit den Füßen an der Decke, wo er sich erneut abstieß, wirbelte wieder um seine Achse und landete auf Händen und Füßen einen Schritt hinter den Zwergen. Noch während sie herumfuhren, trat er vor und enthauptete die drei mit einem einzigen Rückhandstreich.

Ihre Dolche landeten einen Lidschlag vor ihren Köpfen auf dem Boden.

Der Drachenreiter hechtete über ihre Leichen, machte eine

Rolle vorwärts und landete genau dort, wo er vorher gestanden hatte.

Und das keinen Moment zu früh.

Ein Luftzug streifte seinen Hals, als die Spitze eines Dolches an seiner Kehle vorbeizischte. Eine andere Klinge zupfte an seinem Hosenaufschlag und riss ein Loch in den Stoff. Er zuckte zurück und schwang sein Krummschwert, um sich Platz zum Kämpfen zu verschaffen. *Meine Schutzzauber hätten ihre Klingen abwehren müssen!*, dachte er verwirrt.

Er schrie unwillkürlich auf, als er in einer Blutpfütze ausrutschte, das Gleichgewicht verlor und rücklings zu Boden fiel. Mit einem widerlichen Knirschen krachte er mit dem Kopf auf den Felsboden. Blaue Lichter flammten vor seinen Augen auf und er rang nach Luft.

Die drei überlebenden Wachen sprangen hastig zu ihm und schwangen synchron die Äxte über seinem Körper. Damit retteten sie ihn vor den schimmernden Dolchen.

Das gab Eragon die Zeit, die er brauchte. Er sprang auf, schalt sich, dass er nicht schon eher auf die Idee gekommen war, und schrie einen Zauberspruch, in den er neun der zwölf Todesworte flocht, die Oromis ihn gelehrt hatte. Doch unmittelbar nachdem er die Magie freigesetzt hatte, löste er sie wieder. Denn die schwarz gekleideten Zwerge waren von zahlreichen Schutzzaubern umgeben. Hätte er ein paar Minuten Zeit gehabt, hätte er sie sicher umgehen oder durchdringen können, aber Minuten waren wie Tage in einem solchen Kampf, bei dem eine Sekunde so lang schien wie eine Stunde. Da ihm die Magie nicht weiterhalf, schmiedete Eragon seine Gedanken zu einem eisenharten Speer und schleuderte ihn auf die Stelle, wo das Bewusstsein eines der Angreifer sein musste. Der Gedankenspeer prallte von einer mentalen Rüstung ab, wie Eragon sie noch nie erlebt hatte: Sie war glatt und nahtlos, scheinbar unverletzt von den Ängsten, wie sterbliche Kreaturen sie in einem Kampf auf Leben und Tod normalerweise hatten.

Jemand beschützt sie, wurde Eragon klar. *Hinter diesem Angriff stecken mehr als nur diese sieben.*

Er wirbelte herum, machte einen Ausfallschritt und rammte dem Angreifer ganz links das Schwert ins Knie. Blut spritzte, der Zwerg schwankte, dann stürzten sich Eragons Wachen auf ihn, packten den Arm des Attentäters, damit er seine grässliche Klinge nicht schwingen konnte, und hackten mit ihren Streitäxten nach ihm.

Nur noch zwei Angreifer waren am Leben. Als Eragon sich dem nächsten zuwandte, hob der den Schild in Erwartung eines Schwerthiebs. Eragon sammelte seine ganze Kraft und drosch auf den Schild ein. Er wollte ihn und den Arm, der ihn hielt, mit einem Schwertstreich durchtrennen, wie es ihm so oft mit Zar'roc gelungen war. In der Hitze des Gefechts vergaß er jedoch die unnatürliche Schnelligkeit des Zwerges. Unmittelbar bevor die Klinge den Schild traf, winkelte der Zwerg ihn ein wenig an, um den Schlag abzulenken.

Die Oberfläche des Schilds sprühte Funken, als die Klinge vom oberen Rand und dann von dem Stachel in der Mitte abprallte. Der Impuls war stärker, als Eragon erwartet hatte, und das Krummschwert donnerte mit der Schneide gegen die Wand. Der Ruck fuhr ihm durch den ganzen Arm und mit einem hellen Klirren zerbarst die Klinge in ein Dutzend Teile. Eragon blieb nur noch ein kaum handlanger Zacken am Schwertgriff.

Bestürzt ließ er die zerbrochene Waffe fallen und packte den Schildrand seines Widersachers. Er rang mit ihm und versuchte, den Schild zwischen sich und den Dolch zu halten, um den eine Aureole aus milchigen Farben schimmerte. Doch der Zwerg war unglaublich kräftig. Er widersetzte sich Eragon nicht nur, sondern es gelang ihm sogar, ihn einen Schritt zurückzudrängen. Eragon ließ los, holte aus und schlug, so fest er konnte, gegen den Schild. Seine Faust durchdrang das Metall so mühelos wie modriges Holz und aufgrund seiner Knorpelwülste spürte er keinen Schmerz.

Die Wucht des Schlags schleuderte den Zwerg gegen die gegenüberliegende Wand. Er fiel zu Boden wie eine Marionette, deren Fäden man durchtrennt hatte, wobei sein Kopf auf dem gebrochenen Hals hin und her rollte.

Eragon zog die Hand aus dem scharfkantigen Loch des Schildes, schrammte sich dabei die Haut an dem aufgerissenen Metall und zog sein Jagdmesser.

Im nächsten Moment stürzte sich der letzte der schwarz gewandeten Zwerge auf ihn. Eragon parierte mehrere Dolchstöße, griff dann selbst an und schlitzte dem Zwerg den Unterarm vom Ellbogen bis zum Handgelenk auf. Der Attentäter zischte vor Schmerz und funkelte ihn durch den Schlitz in seiner Maske aus blauen Augen an. Dann startete er eine ganze Serie von Angriffen, und der Dolch pfiff schneller durch die Luft, als das Auge ihm folgen konnte. Eragon musste sich mit einem Sprung vor der tödlichen Schneide in Sicherheit bringen, doch der Zwerg setzte nach. Eragon wich mehrere Male vor ihm zurück, bis er mit dem Absatz gegen eine Leiche stieß. Als er versuchte, den Toten zu umgehen, strauchelte er, stürzte und prellte sich die Schulter an der Wand.

Mit einem boshaften Lachen sprang der Zwerg auf ihn los und stach nach Eragons ungeschützter Brust. Eragon riss den Arm hoch und rollte sich weg. Er wusste, diesmal hatte sein Glück ihn verlassen. Er würde nicht entkommen.

Als er dem Zwerg wieder das Gesicht zuwandte, sah er den fahl schimmernden Dolch wie einen Blitz auf sich herabfahren. Da verfing sich die Spitze in einer der flammenlosen Laternen an der Wand. Eragon wartete nicht ab, was als Nächstes geschah, sondern rollte sich blitzschnell weg. Im nächsten Moment schien eine gewaltige, glühend heiße Hand seinen Rücken zu packen und schleuderte ihn gut zwanzig Fuß durch den Gang. Er landete krachend an einem Torbogen, wobei er sich noch mehr Prellungen und Kratzer einhandelte. Ein dröhnender Knall betäubte ihn. Er hatte das Gefühl, ihm würde jemand Splitter ins Trommelfell bohren. Er heulte auf, schlug die Hände auf die Ohren und kauerte sich zu einem Ball zusammen.

Als Lärm und Schmerz abgeklungen waren, ließ er die Hände

sinken und richtete sich schwankend auf. Er biss die Zähne zusammen, als seine Verletzungen sich wie eine Unzahl von Messerstichen bemerkbar machten. Erschöpft und verwirrt betrachtete er den Schauplatz der Explosion.

Schwarzer, schmieriger Ruß bedeckte einen mehr als zehn Fuß langen Abschnitt des Tunnelbodens; Ascheflocken wehten durch die Luft, die glühend heiß war wie aus einem Brennofen. Der Zwerg, der ihn hatte erdolchen wollen, wälzte sich – den Körper voller Brandwunden – am Boden, bis er sich schließlich nicht mehr rührte. Die drei überlebenden Wachen hatte die Wucht der Explosion an den Rand des Rußfelds geschleudert. Gerade als er zu ihnen hinübersah, rappelten sie sich mühsam auf. Blut tropfte aus ihren Ohren und weit aufgerissenen Mündern, ihre Bärte waren versengt und zerzaust. Die Kettenglieder ihrer Rüstungen glühten rot, aber die ledernen Unterwämser schienen sie vor den schlimmsten Folgen der Hitze bewahrt zu haben.

Er trat einen Schritt vor, blieb jedoch sofort stöhnend stehen, als ein qualvoller Schmerz zwischen seinen Schulterblättern aufloderte. Eragon versuchte, mit der Hand danach zu tasten, aber als er den Arm nach hinten drehte und die Haut sich dadurch spannte, wurde die Pein schier unerträglich. Er wäre fast ohnmächtig geworden und lehnte sich Halt suchend an die Wand. Sein Blick glitt zu dem verbrannten Zwerg. *Ich muss ganz ähnliche Verletzungen am Rücken davongetragen haben,* dachte er.

Er nahm alle Kraft zusammen, konzentrierte sich und murmelte zwei Heilzauber gegen Verbrennungen, die Brom ihn auf ihren Reisen gelehrt hatte. Als ihre Wirkung einsetzte, fühlte es sich an, wie wenn kühles, wohltuendes Wasser über seinen Rücken laufen würde. Er seufzte erleichtert und richtete sich auf.

»Seid ihr verletzt?«, fragte er die Wachen, die auf ihn zustolperten.

Der erste der beiden Zwerge runzelte die Stirn, tippte sich ans rechte Ohr und schüttelte den Kopf.

Eragon fluchte und merkte erst da, dass er seine eigene Stimme nicht hören konnte. Erneut zapfte er die Energiereserven seines Körpers an und heilte mit Magie sein Gehör und das der Zwerge. Als er die Beschwörung beendete, juckte sein Innenohr schrecklich, doch das Gefühl verebbte mit dem Zauber.

»Seid ihr verletzt?«, wiederholte er seine Frage.

Einer der Zwerge, ein stämmiger Bursche mit einem gegabelten Bart, hustete, spie Blut aus und knurrte: »Nichts, was die Zeit nicht heilen würde. Was ist mit Euch, Schattentöter?«

»Ich werde es überleben.«

Er schritt vorsichtig über die verrußte Fläche und kniete sich neben Kvîstor. Er hoffte, den Zwerg noch aus den Klauen des Todes retten zu können. Doch als er die klaffende Wunde am Hals genauer untersuchte, wusste er, dass es hoffnungslos war.

Er senkte den Kopf, als die Erinnerung an jüngstes und vergangenes Blutvergießen seine Seele verdüsterte. Dann stand er auf. »Warum ist die Laterne explodiert?«

»Sie sind mit Hitze und Licht gefüllt, Argetlam«, antwortete einer der Wachen. »Wenn sie zerbrechen, wird beides freigesetzt. Dann ist es besser, weit weg zu sein.«

Eragon deutete auf die am Boden liegenden Leichen der Angreifer. »Wisst ihr, zu welchem Clan sie gehören?«

Der Zwerg mit dem gegabelten Bart durchwühlte die schwarzen Gewänder ihrer Angreifer. »Barzûl!«, fluchte er. »Sie tragen keine Abzeichen, an denen man sie erkennen könnte, Argetlam. Dafür haben sie jedoch das hier bei sich.« Er hielt ein Armband aus geflochtenem Rosshaar hoch, in das geschliffene Amethyste eingearbeitet waren.

»Was hat das zu bedeuten?«

»Diese besondere Art von Amethyst«, der Zwerg tippte mit einem rußigen Finger auf den Stein, »kommt nur in vier Gegenden des Beor-Gebirges vor. Drei davon gehören zum Gebiet der Az Sweldn rak Anhûin.«

»Grimstborith Vermûnd hat diesen Hinterhalt befohlen?«, fragte Eragon skeptisch.

»Das kann ich nicht mit Sicherheit sagen, Argetlam. Genauso gut könnte ein anderer Clan gewollt haben, dass wir dieses Armband finden. Damit wir glauben, dass es die Az Sweldn rak Anhûin waren, und unsere wahren Feinde nicht erkennen. Aber wenn ich wetten müsste, Argetlam, würde ich eine Wagenladung Gold darauf setzen, dass der Dûrgrimst Az Sweldn rak Anhûin für diesen Anschlag verantwortlich ist.«

»Verdammt sollen sie sein!«, murmelte Eragon grimmig. »Wer auch immer das war, soll verdammt sein.« Er ballte die Fäuste, um das Zittern seiner Hände zu unterdrücken. Mit dem Stiefel tippte er gegen einen der schillernden Dolche der Meuchelmörder. »Die Zauber auf diesen Waffen und auf den … den Männern«, er deutete mit einem Nicken auf die Leichen, »Männern, Zwergen, wie auch immer; sie müssen unglaublich viel Energie verschlungen haben. Und ich kann mir nicht mal annähernd vorstellen, wie kompliziert die Formeln dafür waren. Diese Magie zu wirken, muss sehr anstrengend und sehr gefährlich gewesen sein …« Er sah die Wachen der Reihe nach an. »Vor euch als meinen Zeugen schwöre ich, dass weder dieser Mordanschlag gegen mich noch Kvîstors Tod ungesühnt bleiben wird. Welcher Clan auch immer diese heimtückischen Mörder auf uns angesetzt hat, wird sich wünschen, er hätte mich und durch mich den Dûrgrimst Ingietum niemals angegriffen. Das gelobe ich als Drachenreiter und Angehöriger des Dûrgrimst Ingietum. Sollte euch jemand fragen, gebt mein Gelübde so wieder, wie ich es vor euch geleistet habe.«

Die Zwerge verbeugten sich vor ihm. »Ihr befehlt, wir gehorchen, Argetlam«, erwiderte der mit dem gegabelten Bart. »Ihr ehrt mit Euren Worten Hrothgars Andenken.«

»Welcher Clan es auch gewesen sein mag«, meinte ein anderer der Wachen, »er hat die Gesetze der Gastfreundschaft verletzt; er hat einen Gast angegriffen. Sie stehen nicht einmal auf derselben Stufe wie Ratten, es sind Menknurlan.« Er spie aus und die beiden anderen Zwerge taten es ihm nach.

Eragon trat zu der Stelle, wo die Überreste seines Schwertes lagen. Er kniete sich auf den rußigen Boden, berührte mit der Fingerspitze einen der Splitter und fuhr mit dem Daumen über die gezackte Bruchkante. *Ich muss den Schild und die Wand so fest getroffen haben, dass ich die Schutzzauber überlastet habe, mit denen ich den Stahl verstärkt hatte.*

Ich brauche ein neues Schwert, dachte er dann.

Ich brauche das Schwert eines Drachenreiters.

Mit den Augen eines Drachen

Warmer-Morgenwind-über-der-Ebene, der sich von *Warmer-Morgenwind-über-den-Bergen* unterschied, drehte.

Saphira passte die Flügelstellung der neuen Windrichtung an und ließ sich noch höher über das sonnenüberflutete Land tragen. Sie schloss die doppelten Augenlider und räkelte sich im weichen Bett des Windes, genoss die morgendlichen Sonnenstrahlen, die auf ihren sehnigen Körper trafen. Sie stellte sich vor, wie ihre Schuppen im gleißenden Licht funkeln mussten und wie etwaige Beobachter staunten, die sie am Himmel vorbeifliegen sahen. Sie summte vor Entzücken, weil sie wusste, dass sie das schönste Geschöpf in ganz Alagaësia war. Denn wer konnte schon mit ihren azurblauen Schuppen mithalten, dem langen, spitz zulaufenden Schwanz, den anmutig geschwungenen Krallen und den scharfen weißen Reißzähnen, mit denen sie einem wilden Ochsen mit einem einzigen Biss das Genick brechen konnte? Jedenfalls nicht *Glaedr-mit-den-goldenen-Schuppen,* der beim Untergang der Drachenreiter ein Bein verloren hatte. Ebenso wenig Dorn oder Shruikan, denn beide waren Galbatorix' Sklaven und die Knechtschaft hatte ihren Verstand verwirrt. Ein Drache, der nicht frei war, zu tun, was ihm gefiel, war kein richtiger Drache. Außerdem waren es Männchen, die mit ihren Muskelbergen zwar majestätisch und furchterregend aussahen, aber bei Weitem nicht ihre anmutige Schönheit besaßen. Nein, sie war das prachtvollste Geschöpf in ganz Alagaësia, und so sollte es auch sein.

Ein wohliges Kribbeln durchströmte Saphira vom Kopf bis zur Schwanzspitze. Es war einfach ein perfekter Tag. Das Feuer der Sonne gab ihr das Gefühl, in einem Nest aus Kohlen zu liegen. Sie war satt, der Himmel war klar, und sie hatte keine weiteren Pflichten, außer nach Feinden Ausschau zu halten, die auf einen Kampf aus waren. Und das war ihr sowieso schon zur Gewohnheit geworden.

Ihr Glück wurde nur durch einen einzigen Umstand getrübt, aber der wog schwer, und umso länger sie darüber nachdachte, desto unzufriedener wurde sie. Bis sie schließlich merkte, dass ihr Hochgefühl verflogen war. Sie wünschte, Eragon wäre bei ihr – oder sie bei ihm. Knurrend stieß sie einen bläulichen Feuerstrahl aus. Dann klappte sie das Maul zu und schnitt den Strom aus flüssigem Feuer ab. Ihre Zunge kribbelte von den Flammen, die darüber hinweggelodert waren. Wann würde ihr Reiter, *Gefährte-ihres-Geistes-und-Herzens-Eragon,* sich endlich aus Tronjheim melden und Nasuada bitten, sie – Saphira – zu ihm zu schicken? Zwar hatte sie ihn dazu gedrängt, seiner Lehnsherrin zu gehorchen und in die *Berge-höher-als-ein-Drache-fliegen-kann* zu reisen, aber allmählich wurde ihr die Zeit lang und sie verspürte in sich eine kalte Leere.

Ein Schatten liegt über der Welt, dachte sie. *Das beunruhigt mich. Etwas stimmt nicht mit Eragon. Er ist in Gefahr oder war es zumindest bis vor Kurzem. Und ich kann ihm nicht helfen.* Sie war kein wilder Drache. Seit sie geschlüpft war, hatte sie ihr ganzes Leben mit Eragon verbracht, und ohne ihn fühlte sie sich nur halb. Falls er sterben würde, weil sie ihm nicht zur Seite gestanden hatte, hätte sie keinen Grund mehr weiterzuleben, außer um Rache zu nehmen. Sie würde seine Mörder in Stücke reißen und anschließend in die schwarze Stadt des *Drachenei-Räubers* fliegen, der sie so viele Jahrzehnte gefangen gehalten hatte, und alles daransetzen, ihn ins Jenseits zu befördern, auch wenn das ihren sicheren Tod bedeuten würde.

Saphira knurrte und schnappte nach einem winzigen Sperling, der leichtsinnig genug war, in Reichweite ihrer Zähne vorbeizufliegen. Aber sie verfehlte ihn. Der Vogel flatterte fröhlich weiter, was ihren Unmut noch steigerte. Einen Moment lang spielte sie mit dem Gedanken, ihn zu verfolgen, entschied dann aber, dass ein solcher Winzling die Mühe nicht lohnte. Er würde ja noch nicht mal einen ordentlichen Imbiss abgeben.

Sie neigte sich in den Wind und schwang den Schwanz dabei in die entgegengesetzte Richtung, um sich die Drehung zu erleichtern, kippte nach vorn und blickte zur Erde hinab. Sie sah die kleinen davonhuschenden Wesen, die versuchten, sich vor ihren Jägeraugen zu verstecken. Selbst aus dieser großen Höhe konnte sie die Federn auf dem Rücken eines Habichts zählen, der über die Getreidefelder westlich des Jiet-Stroms hinwegglitt. Sie sah braunes Fell aufblitzen, als ein Kaninchen rasch in seinen Bau flüchtete. Sie entdeckte die kleine Hirschherde, die am Ufer eines Nebenflusses des Jiet-Stroms unter den Zweigen der Johannisbeersträucher Schutz suchte. Und sie hörte das hohe Quieken verängstigter Tiere, die ihre Brüder vor dem Drachen am Himmel warnten. Ihre zitternden Schreie erfüllten sie mit Zufriedenheit. Es war nur berechtigt, dass ihre Nahrung sie fürchtete. Sollte es jemals anders sein, würde sie wissen, dass ihre Zeit zu sterben gekommen war.

Einige Meilen stromaufwärts drängten sich die Varden an den Jiet-Strom wie eine Rotwildherde an einen Klippenrand. Nasuadas Streitmacht hatte die Furt gestern erreicht, und seitdem hatte höchstens ein Drittel der *Menschen-die-Freunde-sind, Urgals-die-Freunde-sind* und *Pferde-die-keine-Nahrung-sind* den Fluss überquert. Sie kamen so langsam voran, dass Saphira sich oft fragte, wie Menschen angesichts ihrer kurzen Lebensdauer noch die Zeit fanden, sich mit etwas anderem außer ihren Reisen zu beschäftigen. *Es wäre viel bequemer für sie, wenn sie fliegen könnten,* dachte sie und fragte sich, warum sie es nicht taten. Fliegen war so einfach. Es verwunderte sie immer wieder, warum irgendein Geschöpf noch der Erde verhaftet blieb. Selbst Eragon hing an dem *Boden-hart-und-doch-weich,* obwohl er ihr mit einem Zauberspruch in der alten Sprache jederzeit Gesellschaft am Himmel leisten könnte. Andererseits war ihr das Verhalten der Zweibeiner oft ein Rätsel, mochten sie nun runde oder spitze Ohren oder Hörner haben oder so klein gewachsen sein, dass sie sie bequem hätte zertreten können.

Eine Bewegung im Nordosten erregte ihre Aufmerksamkeit und sie wandte sich neugierig dorthin. Sie entdeckte eine Kolonne von fünfundvierzig ausgelaugten Pferden, die in Richtung der Varden-Streitmacht trotteten. Die meisten Tiere waren reiterlos. Erst nach einer halben Stunde, als sie die Männer in den Sätteln erkennen konnte, wurde ihr klar, dass diese traurige Schar Rorans Trupp war, der von seiner Mission zurückkehrte. Saphira fragte sich, warum es nur so wenige waren, und ein Anflug von Unbehagen überkam sie. Sie empfand zwar nicht die gleiche Verbundenheit mit Roran wie mit ihrem Reiter, aber Eragon lag viel an seinem Cousin, und das war für sie Grund genug, sich um Rorans Wohlergehen zu sorgen.

Sie schickte ihr Bewusstsein suchend zu dem Durcheinander der Varden aus, bis sie das Lied von Aryas Geist vernahm. Nachdem die Elfe sie begrüßt und ihr Zugang zu ihren Gedanken gewährt hatte, sagte Saphira: *Roran wird am späten Nachmittag bei euch eintreffen. Aber sein Trupp ist stark dezimiert. Irgendein großes Unheil ist über sie gekommen.*

Danke Saphira, sagte Arya. *Ich gebe sofort Nasuada Bescheid.*

Sobald Saphira sich aus Aryas Geist zurückzog, spürte sie die fragende Berührung des *Wolfshaar-schwarz-blau-Bloëdhgarm.*

Ich bin kein Jungdrache mehr!, fuhr sie ihn an. *Du musst nicht alle paar Minuten nach mir sehen.*

Ich entschuldige mich untertänigst bei dir, Bjartskular, aber du bist nun schon eine ganze Weile unterwegs. Falls dich jemand beobachtet, wird er sich fragen, warum du und …

Ja, ja, ich weiß, knurrte sie. Mit leicht angezogenen Flügeln ging sie in den Sinkflug über und spürte dabei kaum noch ihr Gewicht, während sie in weiten Kreisen dem Fluss entgegenschwebte. *Ich bin gleich da.*

Gut tausend Fuß über dem Wasser stellte sie die Schwingen auf und spürte, wie der Wind sich in den hauchzarten Flügelhäuten sammelte. Sie bremste so weit ab, bis sie einen Moment lang fast am Himmel stand, dann breitete sie die Flügel wieder flach aus, sank bis auf hundert Fuß über das braune *Wasser-besser-nicht-trinken* hinab und flog mit gemächlichen Flügelschlägen den Jiet-Strom hinauf. Dabei achtete sie auf plötzliche Luftlöcher, die es in *Kühle-Luft-über-fließend-Wasser* häufig gab und die sie in *Bäume-scharf-spitz* oder auf *Boden-Knochen-hart* stürzen lassen konnte.

Saphira flog über die Varden hinweg, die sich am Ufer drängten, hoch genug, um ihre dummen Pferde nicht übermäßig zu erschrecken. Dann ließ sie sich weiter hinabgleiten und landete zwischen den Zelten in einer Schneise, die Nasuada für sie reserviert hatte. Anschließend stelzte sie zu Eragons verlassenem Zelt, wo Bloëdhgarm und seine Elfen sie erwarteten. Sie begrüßte sie mit einem Augenzwinkern und einem Zungenstupser, dann rollte sie sich vor dem Zelt zusammen. Sie würde ein Nickerchen halten und auf die Dunkelheit warten, ganz so, als wäre Eragon tatsächlich in dem Zelt und er und sie würden nachts Patrouillenflüge machen. Es war sterbenslangweilig, dort Tag für Tag die Zeit totzuschlagen, aber es war notwendig, um die Täuschung aufrechtzuerhalten, dass Eragon immer noch bei den Varden war. Deshalb beschwerte Saphira sich auch nicht, selbst wenn sie nach zwölf Stunden auf dem *Boden-hart-und-rau* am liebsten gegen tausend Soldaten gekämpft oder mit einem gewaltigen Feuerstrahl einen ganzen Wald gerodet hätte oder einfach so lange geflogen wäre, bis die Flügel ihr den Dienst verweigerten.

Grollend legte sie den Kopf auf die Vorderbeine und schloss die inneren Augenlider, damit sie ruhen und dennoch alle beobachten konnte, die an ihr vorbeigingen. Über ihrem Kopf summte eine Libelle – eine Drachenfliege. Saphira fragte sich nicht zum ersten Mal, was einen hirnlosen Zweibeiner dazu inspiriert haben könnte, dieses Insekt ausgerechnet nach ihrer Spezies zu benennen. *Es sieht kein bisschen aus wie ein Drache*, brummte sie gereizt und döste ein.

Das *Feuer-rund-und-groß-am-Himmel* stand dicht über dem Horizont, als Saphira die Rufe und Willkommensgrüße hörte, die bedeuteten, dass Roran und seine Krieger das Lager erreicht hatten. Sie erhob sich. Wie stets sprach Bloëdhgarm halb singend, halb flüsternd den Zauber, mit dem der Elf ein körperloses Abbild von Eragon erschuf, das aus dem Zelt trat und auf Saphiras Rücken kletterte. Dort sah es sich um. Der Doppelgänger glich Eragon aufs Haar, aber er besaß keinen Verstand. Sollte einer von Galbatorix' Spionen versuchen, Eragons Gedanken zu belauschen, würde er die Täuschung sofort bemerken. Deshalb hing der Erfolg dieser List vor allem davon ab, dass Saphira den Doppelgänger möglichst rasch durch das Lager und außer Sicht brachte. Sie hofften allerdings auch, dass Eragons Ruf furchteinflößend genug war, um heimliche Beobachter davon abzuhalten, auf der Suche nach Informationen über die Varden in seinen Geist einzudringen.

Springend durchquerte Saphira das Lager, während die zwölf Elfen in lockerer Formation neben ihr herliefen. Die Varden-Krieger machten ihnen hastig Platz. »Seid gegrüßt, Schattentöter!«, riefen sie und »Seid gegrüßt, Saphira!«, was eine wohlige Wärme in ihrem Bauch entfachte.

Als sie Nasuadas *Kokon-roter-Schmetterling* erreichte, duckte sie sich und schob den Kopf durch die dunkle Öffnung in der Zeltwand, wo die Wachen für sie ein Stück der Plane beiseitegeschoben hatten. Bloëdhgarm nahm seinen leisen magischen Gesang wieder auf, worauf der Eragon-Doppelgänger von Saphira abstieg, das Zelt betrat und sich auflöste, sobald er den Blicken möglicher Schaulustiger entschwunden war.

»Glaubt Ihr, unser Trick wurde durchschaut?«, fragte Nasuada, die auf dem hochlehnigen Stuhl saß.

Der Wolfkatzenelf verbeugte sich galant. »Das kann ich nicht mit Gewissheit sagen, Nasuada. Wir müssen abwarten, ob das Imperium versucht, Eragons Abwesenheit zu seinem Vorteil zu nutzen. Erst dann kennen wir die Antwort.«

»Danke, Bloëdhgarm. Das ist alles.«

Mit einer weiteren Verbeugung verließ der Elf das Zelt und postierte sich draußen ein Stück hinter Saphira.

Saphira legte sich auf den Bauch und leckte sich die schlammverkrusteten Schuppen zwischen den Krallen sauber. Sie erinnerte sich jetzt, bis zu den Knöcheln im Matsch gestanden zu haben, als sie ihre letzte Beute gleich am Flussufer verschlungen hatte.

Keine Minute später traten Martland Rotbart, Roran und ein ihr unbekannter Mann ins Zelt und verbeugten sich vor Nasuada. Saphira hörte auf, sich zu putzen, und schmeckte mit der Zunge die Luft. Sie witterte den scharfen Gestank getrockneten Blutes, bittersüßen Schweiß, den Geruchsmix aus Pferd und Leder, sowie schwach, aber unverkennbar das scharfe Aroma von *Menschen-Angst*. Sie betrachtete das Trio erneut und bemerkte jetzt, dass dem *Mann-mit-rotem-Bart* die rechte Hand fehlte. Dann widmete sie sich wieder ihren schmutzigen Klauen.

Sie leckte sich die Tatze, bis alle Schuppen makellos schimmerten, während zunächst Martland, dann *Mann-mit-runden-Ohren-Ulhart* und schließlich Roran eine Geschichte von Blut und Feuer und lachenden Männern erzählten, die einfach nicht sterben wollten, sondern weiterfochten, lange nachdem Angvard sie zu sich befohlen hatte. Wie gewohnt blieb Saphira stumm, während vor allem Nasuada und ihr Berater, *Mann-mit-hagerem-Gesicht-Jörmundur,* die Krieger nach Einzelheiten ihrer unseligen Mission befragten. Wie Saphira wusste, wunderte sich Eragon manchmal darüber, dass sie sich nicht intensiver an diesen Gesprächen beteiligte. Der Grund für ihr Schweigen war recht einfach. Es genügte ihr eben vollkommen, nur mit Eragon und vielleicht noch mit Arya oder Glaedr zu reden. In ihren Augen waren die meisten Gespräche sowieso nur überflüssiges Geschwätz. Ob *Rund-Ohr, Spitz-Ohr, Gehörnt* oder *Kurz,* die Zweibeiner schienen geradezu süchtig nach Palaver zu sein. Brom allerdings hatte nicht palavert und genau das hatte Saphira an ihm so gemocht. Für sie war es ganz einfach, Entscheidungen zu treffen: Wenn man etwas tun konnte, um die Lage zu verbessern, dann tat man es, und wenn nicht, dann eben nicht. Alles weitere, was zu einem Thema gesagt wurde, war nur bedeutungsloses Geplapper. Sie jedenfalls belastete sich nicht mit Gedanken an die Zukunft, außer wenn Eragon betroffen war, denn um ihn machte sie sich immer Sorgen.

Als die Männer Nasuadas Fragen beantwortet hatten, sprach sie Martland ihr Mitgefühl für den Verlust seiner Hand aus und entließ ihn und Ulhart. Zu Roran sagte sie. »Du hast deinen Wagemut einmal mehr unter Beweis gestellt, Hammerfaust. Ich bin sehr zufrieden mit dir.«

»Danke, Herrin.«

»Unsere besten Heiler werden sich um Martland kümmern, aber er wird trotzdem Zeit brauchen, sich von dieser Verletzung zu erholen. Und selbst wenn er genesen ist, kann er Einsätze wie diesen mit nur einer Hand nicht mehr anführen. Also wird er den Varden von nun an nicht mehr an der Front dienen, sondern bekommt andere Aufgaben übertragen. Vielleicht befördere ich ihn und mache ihn zu einem meiner Kriegsberater. Was hältst du von dieser Idee, Jörmundur?«

»Das ist ein ausgezeichneter Einfall.«

Nasuada nickte zufrieden. »Das bedeutet allerdings, Roran, dass ich einen anderen Hauptmann finden muss, unter dem du dienen kannst.«

»Herrin«, entgegnete Roran, »wie wäre es mit einem eigenen Kommando für mich? Habe ich mich auf den beiden Missionen und auch in der Vergangenheit nicht zu Eurer Zufriedenheit bewährt?«

»Wenn du so weitermachst wie bisher, Hammerfaust, wirst du sehr bald ein eigenes Kommando befehligen. Aber du musst noch etwas Geduld haben. Die Fähigkeiten eines Mannes zeigen sich nicht im vollen Umfang bei nur zwei Einsätzen, so beeindruckend sie auch gewesen sein mögen. Ich bin sehr bedächtig, bevor ich meine Männer jemandem anvertraue, Hammerfaust. In diesem Punkt musst du dich meinem Willen beugen.«

Roran umklammerte den Griff des Hammers in seinem Gürtel

so fest, dass die Sehnen und Adern an seiner Hand hervortraten. »Selbstverständlich, Herrin«, antwortete er dennoch höflich.

»Sehr gut. Ein Bote wird dir deinen neuen Auftrag noch heute überbringen. Ach, und sorge dafür, dass du eine reichhaltige Mahlzeit erhältst, sobald du mit Katrina euer Wiedersehen gefeiert hast. Das ist ein Befehl, Hammerfaust. Du siehst aus, als würdest du gleich umfallen.«

»Herrin.«

Als Roran gehen wollte, hielt Nasuada ihn noch einmal auf. »Roran.« Er blieb stehen. »Du hast jetzt gegen diese Soldaten gekämpft, die keinen Schmerz empfinden. Glaubst du, es wäre einfacher, gegen sie zu bestehen, wenn auch du von den Leiden des Fleisches befreit wärst?«

Roran überlegte und schüttelte dann den Kopf. »Diese Stärke ist zugleich auch ihre Schwäche. Sie lassen nicht so viel Vorsicht walten, wie sie es tun würden, wenn sie den Biss eines Schwertes oder den Stich eines Pfeils fürchten müssten. Deshalb gehen sie achtlos mit ihrem Leben um. Es stimmt zwar, dass sie weiterkämpfen, lange nachdem ein gewöhnlicher Krieger tot zu Boden gefallen wäre, was in einer Schlacht von nicht geringem Vorteil ist. Aber sie sterben auch weit zahlreicher als wir, weil sie ihre Körper nicht angemessen schützen. In ihrer dumpfen Zuversicht tappen sie blindlings in Fallen und setzen sich Gefahren aus, die wir nach Kräften vermeiden würden. Solange der Mut der Varden ungebrochen ist, glaube ich daran, dass wir mit der richtigen Taktik gegen diese lachenden Monster siegen können. Wären wir dagegen wie sie, würden wir uns gegenseitig in die Ewigkeit hacken, ohne dass es uns kümmerte, weil wir keinen Gedanken an Selbsterhaltung verschwenden würden. Das ist jedenfalls meine Meinung.«

»Danke, Roran.«

Nachdem Roran gegangen war, erkundigte sich Saphira: *Immer noch keine Nachricht von Eragon?*

Nasuada schüttelte den Kopf. »Nein, immer noch nicht. Sein Schweigen bereitet mir allmählich Sorge. Wenn er sich bis übermorgen nicht bei mir gemeldet hat, bitte ich Arya, eine Nachricht an einen von Oriks Magier zu senden, damit er uns über die Lage unterrichtet. Falls es Eragon nicht gelingt, das Ende der Clan-Versammlung alsbald herbeizuführen, kann ich die Zwerge in dem bevorstehenden Kampf leider nicht mehr zu unseren Verbündeten zählen. Das einzig Gute daran wäre, dass Eragon dann ohne Verzögerung zurückkehren könnte.«

Bevor Saphira Nasuada verließ, beschwor Bloëdhgarm erneut Eragons Doppelgänger herauf und ließ ihn auf Saphiras Rücken steigen. Anschließend zog Saphira den Kopf aus dem Zelt und setzte wie zuvor mit mächtigen Sprüngen durch das Lager. Die geschmeidigen Elfen hielten mit ihr Schritt.

Nachdem sie Eragons Zelt erreicht hatte und der *Farbige-Schatten-Eragon* darin verschwunden war, ließ sie sich nieder und ergab sich in ihr Schicksal, den Rest des Tages in bedrückender Monotonie zu verbringen. Doch bevor sie eindöste, schickte sie ihren Geist zu Roran und Katrina aus und drückte gegen Rorans Bewusstsein, bis er den Schutzwall senkte.

Saphira?

Wer denn sonst? Kennst du noch andere wie mich?

Natürlich nicht. Ich bin nur überrascht. Und ich bin gerade ... beschäftigt.

Saphira betrachtete das Farbspiel seiner Emotionen und der Katrinas. Das Ergebnis amüsierte sie. *Ich wollte dich nur willkommen heißen. Ich bin froh, dass du nicht verletzt wurdest.*

Rorans Gedanken zuckten *blitz-schnell-heiß-kalt* durch sein Bewusstsein und er schien nur mit Mühe eine zusammenhängende Antwort formulieren zu können. *Das ist sehr nett von dir, Saphira,* brachte er schließlich zustande.

Wenn du kannst, besuch mich morgen, dann können wir ausführlich miteinander reden. Das ewige Herumsitzen macht mich unruhig. Vielleicht kannst du mir mehr darüber erzählen, wie Eragon war, bevor ich für ihn ausgeschlüpft bin.

Es ... es wäre mir eine Ehre.

Sie war zufrieden, weil sie die Gesetze der Höflichkeit der *Runde-Ohren-zwei-Beine* erfüllt und Roran willkommen geheißen hatte. Und zudem erfreute sie die Aussicht, dass der folgende Tag nicht so langweilig werden würde – denn es war undenkbar, dass ihr jemand den Wunsch nach einer Audienz abschlug. Also machte Saphira es sich auf der blanken Erde so bequem wie möglich. Wie so oft sehnte sie sich nach ihrem weichen Nest in Eragons *Haus-im-Baum-vom-Wind-geschaukelt* in Ellesméra. Ein Rauchwölkchen stieg aus ihren Nüstern, als sie seufzte, einschlief und träumte, dass sie höher flog als je zuvor.

Sie schlug kräftig mit den Flügeln in der dünnen Luft, bis sie über den unerreichbaren Gipfeln des Beor-Gebirges schwebte. Sie kreiste eine Weile über den Klippen und blickte auf Alagaësia hinab, das sich in seiner ganzen Pracht unter ihr ausbreitete. Dann packte sie das unwiderstehliche Verlangen, noch höher zu steigen, um möglicherweise mehr zu sehen, und erneut peitschte sie die Luft mit den Flügeln. Binnen eines Lidschlags, so schien es ihr, flog sie am schimmernden Mond vorbei, bis nur noch sie und die silbernen Sterne am Nachthimmel hingen. Sie glitt eine Ewigkeit durch das Firmament, Königin der wie ein Juwel schimmernden Erde unter ihr. Aber dann ergriff sie plötzlich eine kalte Unruhe und sie schrie ihre Gedanken heraus:

Eragon, wo bist du?

Hoffen auf die Zukunft

Als Roran erwachte, löste er sich aus Katrinas sanfter Umarmung und setzte sich auf den Rand ihres gemeinsamen Feldbetts. Er gähnte, rieb sich die Augen und blickte auf das fahle Licht des Lagerfeuers, das durch den Spalt des Zelteingangs schimmerte. Er fühlte sich träge und benommen vor Erschöpfung. Ihn fröstelte, dennoch blieb er reglos sitzen.

»Roran?«, fragte Katrina schlaftrunken. Sie stützte sich auf einen Ellbogen. Er reagierte nicht, als sie mit der Hand seinen bloßen Rücken hinaufstrich und ihm den Nacken massierte. »Schlaf. Du brauchst Ruhe. Du musst bestimmt bald wieder ausrücken.«

Er schüttelte den Kopf, sah sie dabei aber nicht an.

»Was hast du?« Sie setzte sich auf, legte eine Decke über seine Schultern und lehnte sich gegen ihn. Ihre warme Wange ruhte an seinem Arm. »Machst du dir Sorgen wegen des neuen Hauptmanns oder wohin Nasuada dich als Nächstes schicken könnte?«

»Nein.«

Sie schwieg eine Weile. »Jedes Mal wenn du weggehst, habe ich das Gefühl, als würde weniger von dir zu mir zurückkehren. Du bist so grimmig und verschlossen geworden … Sag mir, was dich bedrückt, wie schrecklich es auch sein mag. Ich bin die Tochter eines Metzgers und ich habe schon viele Männer in der Schlacht sterben sehen.«

»Es dir sagen?«, stieß Roran erstickt hervor. »Ich will nicht einmal daran denken.« Er ballte die Fäuste und atmete stoßweise. »Ein wahrer Krieger sollte nicht so empfinden, wie ich es tue.«

»Ein wahrer Krieger«, erwiderte sie, »kämpft nicht, weil er es will, sondern weil er muss. Ein Mann, der sich nach dem Krieg sehnt, einer, der dieses Gemetzel genießt, ist ein brutales Monster. Auch noch so viel Ruhm auf dem Schlachtfeld würde den Makel nicht auslöschen, dass er nicht besser ist als ein tollwütiger Hund, der sich ebenso auf seine Freunde und Familie wie auf den Feind stürzt.« Sie strich ihm das Haar aus der Stirn und streichelte sanft seinen Kopf. »Du hast mir einmal erzählt, dass dir das *Lied von Gerand* unter allen von Broms Geschichten die liebste war. Dass du deshalb mit einem Hammer statt einem Schwert kämpfst. Weißt du noch, wie sehr Gerand das Töten verabscheute und wie widerwillig er wieder zu den Waffen griff?«

»Ja.«

»Und doch hielt man ihn für den größten Krieger seiner Epoche.« Sie legte die Hand auf seine Wange und drehte seinen Kopf zu sich herum, dass er in ihre ernsten Augen blicken musste. »Und du bist der größte Krieger, den ich kenne, Roran. Hier und anderswo.«

»Und was ist mit Eragon oder …?« Sein Mund war trocken.

»Sie sind nicht halb so tapfer wie du. Eragon, Murtagh, Galbatorix, die Elfen … sie alle marschieren mit Zaubern auf den Lippen in den Kampf und verfügen über weit mehr Macht. Du dagegen«, sie drückte ihm einen Kuss auf die Nase, »du bist nur ein Mensch. Du stellst dich deinem Feind auf deinen eigenen zwei Beinen entgegen. Du bist kein Magier und doch hast du die Zwillinge besiegt. Du bist nur so stark und schnell, wie ein Mensch es eben sein kann, und doch bist du nicht davor zurückgeschreckt, die Ra'zac in ihrem Unterschlupf anzugreifen, um mich aus ihrem Verlies zu befreien.«

Er schluckte. »Eragon hatte mich mit Zaubern geschützt.«

»Aber jetzt nicht mehr. Außerdem hattest du in Carvahall keine Schutzzauber um dich. Und, bist du dort etwa vor den Ra'zac geflohen?« Als er nicht antwortete, fuhr sie fort: »Du bist nur ein Mensch, und doch hast du Taten vollbracht, die nicht einmal Eragon oder Murtagh vollbringen können. Für mich bist du der größte Krieger von ganz Alagaësia. Ich kenne niemanden in Carvahall, der so viel riskiert hätte wie du, um mich zu retten.«

»Dein Vater«, antwortete er.

Er spürte, wie sie erschauerte. »Ja, das stimmt«, flüsterte sie. »Aber er hätte es nie geschafft, die anderen zu überzeugen, ihm zu folgen, so wie es dir gelungen ist.« Sie schlang den Arm fester um ihn. »Was auch immer du siehst oder tust, meine Liebe wirst du immer haben.«

»Mehr werde ich auch nie brauchen«, meinte er, umarmte sie und hielt sie einen Moment lang fest. Dann seufzte er. »Trotzdem wünschte ich, dieser Krieg wäre endlich zu Ende. Ich wünschte, ich könnte wieder ein Feld bestellen, Getreide säen und es ernten, wenn es reif ist. Landwirtschaft ist eine harte Arbeit, aber wenigstens ist sie ehrlich. Dieses Morden ist nicht ehrlich. Es ist Diebstahl … Diebstahl von Leben, und kein vernünftiger Mensch sollte so etwas erstrebenswert finden.«

»Wie ich sagte.«

»Wie du sagtest.« Er lächelte, obwohl es ihm schwerfiel. »Ich habe mich vergessen. Jetzt bürde ich dir auch noch meine Sorgen und Ängste auf, obwohl du doch selbst Sorgen hast.« Er legte eine Hand auf ihren rundlichen Bauch.

»Deine Sorgen sind auch meine Sorgen, solange wir leben«, murmelte sie und streichelte zärtlich seinen Arm.

»Es gibt Ängste«, erwiderte er, »die niemand anderer durchstehen sollte, schon gar nicht jene, die wir lieben.«

Sie wich eine Handbreit von ihm zurück. Roran bemerkte, dass ihre Augen schwarz und glanzlos wurden wie immer, wenn sie sich an die Zeit ihrer Gefangenschaft im Helgrind erinnerte. »Nein«, flüsterte sie. »Es gibt Ängste, die niemand anderer durchstehen sollte.«

»Ach, sei nicht traurig.« Er zog sie an sich, wiegte sie und wünschte sich aus ganzem Herzen, dass Eragon Saphiras Ei damals nicht im Buckel gefunden hätte. Als Katrina sich nach einer Weile in seinen

Armen entspannte und auch er sich nicht mehr so angespannt fühlte, liebkoste er mit den Lippen ihren zarten Hals. »Komm, küss mich, meine Liebste, und dann zurück ins Bett mit uns. Ich bin müde und will schlafen.«

Sie lachte und küsste ihn zärtlich. Dann legten sie sich auf das Feldbett. Draußen war alles still und ruhig, bis auf das Rauschen des Jiet-Stroms, der ohne Unterbrechung und ohne Ende an ihrem Lager vorbeifloss und selbst in Rorans Träume strömte. Ein Bild stieg in seinem Geist auf, wie er, mit Katrina an der Seite, am Bug eines Schiffes stand und in den Schlund des Bullenauges blickte, den gigantischen Mahlstrom.

Wie können wir hoffen, dem zu entkommen?, dachte er.

Glûmra

Hunderte Fuß unter Tronjheim öffnete sich der Fels zu einer riesigen Höhle mit einem unergründlichen schwarzen See, den ein marmornes Ufer säumte. Wasser tropfte von bräunlichen und elfenbeinfarbenen Stalaktiten an der Decke auf Stalagmiten am Boden herunter. Wo sie zusammentrafen, bildeten sie Säulen, die dicker waren als selbst die größten Bäume in Du Weldenvarden. Zwischen den Säulen türmten sich von Pilzen übersäte Komposthaufen neben niedrigen rechteckigen Steinhütten. Flammenlose Laternen glühten eisenrot neben den Türen. Außerhalb ihrer Lichtkegel herrschte tiefste Finsternis.

Eragon saß in einer der Hütten auf einem für ihn viel zu kleinen Stuhl an einem Granittisch, der ihm bis zu den Knien reichte. Der Geruch von Ziegenkäse, Pilzen, Hefe, Eintopf, Taubeneiern und Kohlenstaub war allgegenwärtig. Ihm gegenüber saß Glûmra, eine Zwergenfrau aus der Familie Mord und Mutter Kvîstors, des ermordeten Wachsoldaten. Sie beklagte den Tod ihres Sohns, riss sich an den Haaren und schlug sich mit den Fäusten gegen die Brust. Ihre Tränen hatten glitzernde Spuren auf den Wangen ihres runden Gesichts hinterlassen.

Die beiden waren allein in der Hütte. Seine vier Wachen – Thrand, ein Krieger aus Oriks Gefolge, hatte Kvîstors Platz eingenommen – warteten mit dem Dolmetscher Hûndfast draußen. Er hatte den Zwerg hinausgeschickt, nachdem er erfahren hatte, dass Glûmra seine Sprache beherrschte.

Nach dem Mordanschlag hatte Eragon seinen Geist ausgeschickt und Verbindung zu Orik aufgenommen. Der hatte darauf bestanden, dass Eragon sich zum Schutz vor weiteren Meuchelmördern so rasch wie möglich in die Räume des Ingietum flüchtete. Er hatte sich Oriks Willen gebeugt und dort auf ihn gewartet, während der Grimstborith die Clan-Versammlung gezwungen hatte, sich auf den nächsten Morgen zu vertagen, weil ein Notfall beim Ingietum seine sofortige Aufmerksamkeit erfordere. Danach war Orik mit seinen tapfersten Kriegern und einem sehr fähigen Magier zum Schauplatz des Hinterhalts marschiert, den sie mit gewöhnlichen und magischen Methoden untersuchten und die Ergebnisse protokollierten. Sobald Orik überzeugt war, dass sie alles erfahren hatten, was zu erfahren war, kehrte er in seine Gemächer zurück.

»Wir haben sehr viel zu tun«, teilte er Eragon mit, »und nur wenig Zeit. Bevor die Clan-Versammlung morgen früh zur dritten Stunde ihre Beratungen fortsetzt, müssen wir zweifelsfrei nachweisen können, wer für diesen Hinterhalt verantwortlich war. Gelingt uns das, haben wir ein Druckmittel gegen die Schuldigen in der Hand. Wenn nicht, tappen wir weiter im Dunkeln, ohne zu wissen, wer unsere Feinde sind. Wir können dieses Attentat höchstens bis zur Clan-Versammlung geheim halten. Knurlan in den Tunneln unter Tronjheim werden die Echos der Kampfgeräusche gehört haben. Bestimmt fahnden sie bereits nach der Ursache des Lärms, schon aus Angst, dass ein Stollen eingestürzt ist oder sich eine andere Katastrophe ereignet hat, die die Stadt darüber gefährden könnte.« Orik stampfte mit dem Fuß auf und verfluchte die Ahnen der Drahtzieher dieses Überfalls. Dann stemmte er die Fäuste in die Hüften. »Uns hat schon vorher ein Clan-Krieg gedroht, aber jetzt steht er direkt an unserer Türschwelle. Wir müssen schnell handeln, wenn wir dieses grauenvolle Verhängnis abwenden wollen. Wir müssen Knurlan aufspüren, Fragen stellen, bedrohen, bestechen, Schriftrollen stehlen … und das alles noch vor morgen früh.«

»Und was soll ich tun?«, erkundigte sich Eragon.

»Du solltest hierbleiben, bis wir wissen, ob der Az Sweldn rak

Anhûin oder ein anderer Clan irgendwo eine größere Streitmacht versammelt hat, um dich zu töten. Je länger wir vor deinen Feinden geheim halten können, ob du tot, lebendig oder verletzt bist, desto länger lassen wir sie im Unklaren darüber, wie sicher der Fels unter ihren Füßen ist.«

Zunächst hatte Eragon Oriks Vorschlag zugestimmt. Aber als er zusah, wie der Zwerg Befehle gab, wuchsen seine Unruhe und Hilflosigkeit. Als Orik vorbeilief, packte er ihn am Arm. »Wenn ich noch länger hier herumsitzen und die Wände anstarren muss, während du die Übeltäter suchst, beiße ich mir die Zähne bis aufs Zahnfleisch herunter. Ich muss doch irgendwas tun können, um zu helfen ... Was ist zum Beispiel mit Kvîstor? Lebt seine Familie in Tronjheim? Hat jemand seine Angehörigen benachrichtigt? Wenn nicht, möchte ich ihnen die Nachricht überbringen, denn er hat sein Leben gegeben, um mich zu verteidigen.«

Orik befragte die Wachen und erfuhr, dass Kvîstor tatsächlich Familienangehörige in, oder besser gesagt, unter Tronjheim hatte. Als er das hörte, runzelte Orik die Stirn und murmelte ein Wort in der Sprache der Zwerge. »Es sind Tiefschürfer«, erklärte er. »Knurlan, die die Welt des Lichts für ein Leben in der Tiefe aufgegeben haben und nur sehr selten nach oben gehen. Hier unter Tronjheim leben mehr von ihnen als irgendwo sonst, weil sie im Farthen Dûr nach oben kommen können, ohne wirklich das Gefühl zu haben, im Freien zu sein. Das ertragen die meisten nicht, weil sie so daran gewöhnt sind, von allen Seiten von Stein umgeben zu sein. Ich wusste nicht, dass Kvîstor zu ihnen gehörte.«

»Hast du etwas dagegen, dass ich seine Familie aufsuche?«, fragte Eragon. »Von diesen Räumen führt eine Treppe in die Tiefe, nicht wahr? Ich könnte sie benutzen, ohne dass jemand davon erfährt.«

Orik dachte einen Moment nach und nickte dann. »Du hast recht. Der Weg ist sicher und keiner würde bei den Tiefschürfern nach dir suchen. Sie würden zuerst hierherkommen, wo du sonst ja auch wärst. Geh, und komm erst zurück, wenn ich dich benachrichtigt habe. Selbst wenn die Familie von Mord dich abweist und du bis morgen früh auf einem Stalagmiten hocken musst. Aber sei vorsichtig, Eragon. Die Tiefschürfer bleiben meistens unter sich und haben ein extrem empfindliches Ehrgefühl. Außerdem pflegen sie merkwürdige Sitten. Also setze deine Schritte mit Umsicht, als würdest du dich über porösen Schiefer bewegen.«

Und so steckte sich Eragon ein kurzes Zwergenschwert in den Gürtel und ging in Begleitung seiner Wache und des Dolmetschers Hûndfast zur nächsten Treppe, um tiefer als jemals zuvor in die Eingeweide der Erde hinabzusteigen. Bald darauf fand er Glûmra und berichtete ihr von Kvîstors Tod. Jetzt saß er da und hörte ihr zu, wie sie um ihr ermordetes Kind trauerte und dabei ein unheimliches, misstönendes Zwergenlied sang, das immer wieder von Schluchzern unterbrochen wurde.

Die Tiefe ihrer Trauer machte Eragon verlegen. Er wandte den Blick von ihrem Gesicht ab und betrachtete lieber einen grünen Stuhl aus Speckstein, der an einer Wand stand und mit abgegriffenen Ornamenten geschmückt war, oder den grünbraunen Teppich vor dem Ofen, das Butterfass in der Ecke und die Vorräte, die von den Deckenbalken hingen. Schließlich musterte er den Webstuhl aus schwerem Holz, der unter einem runden Fenster mit lavendelfarbenen Scheiben stand.

Als Glûmras Wehklagen seinen Höhepunkt erreicht hatte, stand sie auf, ging zur Arbeitsplatte und legte ihre Hand auf das Schneidebrett. Ihre Blicke trafen sich. Bevor er sie daran hindern konnte, nahm sie ein Küchenmesser und schnitt sich das erste Glied des kleinen Fingers ab. Sie stöhnte auf und sank zu Boden.

Eragon stieß unwillkürlich einen Schrei aus und sprang auf. Er fragte sich, welcher Wahnsinn über die Zwergenfrau gekommen war und ob er sie zurückhalten sollte, damit sie sich nicht noch mehr Verletzungen zufügen konnte. Er wollte ihr schon anbieten, die Verletzung mit Magie zu heilen, als ihm Oriks mahnende Worte über die seltsamen Sitten und den strengen Ehrenkodex der Tiefschürfer einfielen. *Sie könnte es als eine Beleidigung auffassen,* sagte er sich. Also schloss er den Mund wieder und sank auf den viel zu kleinen Stuhl zurück.

Nach einer Minute richtete sich Glûmra auf, holte tief Luft, reinigte dann ruhig das Ende ihres verletzten Fingers mit Branntwein, schmierte eine gelbe Salbe darauf und bandagierte die Wunde. Ihr Mondgesicht war immer noch blass von dem Schock, als sie sich auf den Stuhl gegenüber von Eragon setzte. »Ich danke dir, Schattentöter, dass du mir die Nachricht vom Schicksal meines Sohnes selbst überbracht hast. Es macht mich froh, dass er einen Ehrentod gestorben ist, wie es einem Krieger geziemt.«

»Er war sehr tapfer«, erwiderte Eragon. »Er sah, dass unsere Widersacher so schnell wie Elfen waren, und hat sich trotzdem vor mich geworfen, um mich zu beschützen. Sein Opfer hat mir genug Zeit verschafft, ihren Dolchen zu entkommen, und mir außerdem die tödlichen Zauber offenbart, mit denen ihre Waffen belegt waren. Ohne ihn wäre ich jetzt wohl kaum hier.«

Glûmra nickte langsam mit gesenktem Blick und strich sich das Kleid glatt. »Weißt du, wer für diesen Angriff auf unseren Clan verantwortlich ist, Schattentöter?«

»Bisher haben wir nur einen Verdacht. Grimstborith Orik versucht gerade, die Wahrheit herauszufinden.«

»Waren es die Az Sweldn rak Anhûin?« Eragon versuchte, seine Überraschung über Glûmras Scharfsinn nicht allzu unverhohlen zu zeigen. Als er schwieg, fuhr die Zwergenfrau fort: »Wir alle wissen von ihrer Blutfeindschaft mit dir, Argetlam. Jeder Knurla in diesen Bergen weiß davon. Einige von uns haben ihre Feindseligkeit dir gegenüber mit Wohlwollen betrachtet, aber wenn sie wirklich geglaubt haben, dass sie dich einfach ermorden können, haben sie die Stimmung unter uns völlig falsch eingeschätzt und sich damit ins Verderben gestürzt.«

Eragon hob interessiert eine Braue. »Ins Verderben? Wieso?«

»Du hast Durza getötet, Schattentöter, und uns damit geholfen, Tronjheim und die Höhlen darunter vor Galbatorix zu bewahren. Solange Tronjheim steht, wird unser Volk das niemals vergessen.

Außerdem hat es sich durch die Tunnel bis zu uns herumgesprochen, dass dein Drache Isidar Mithrim heilen will.«

Eragon nickte.

»Das ist gut, Schattentöter. Du hast viel für unser Volk getan, und welcher Clan auch immer dich angegriffen hat, wir werden uns gegen ihn wenden und diese Tat rächen.«

»Ich habe es vor Zeugen geschworen«, antwortete Eragon, »und ich schwöre es auch vor dir, dass ich die Drahtzieher hinter diesem heimtückischen Attentat bestrafen werde. Wer es auch war, er wird sich wünschen, er hätte seine böse Tat nie begangen. Aber …«

»Danke, Schattentöter.«

Eragon neigte zögernd den Kopf. »Aber wir dürfen nichts tun, was einen Clan-Krieg entfesseln könnte. Nicht jetzt. Wenn wir Gewalt anwenden müssen, dann sollte Grimstborith Orik entscheiden, wann und wo wir unsere Schwerter zücken, findest du nicht?«

»Ich werde über deine Worte nachdenken, Schattentöter«, antwortete Glûmra. »Orik ist …« Die Worte blieben ihr im Hals stecken. Die schweren Lider senkten sich, sie sackte auf dem Stuhl nach vorn und presste die verstümmelte Hand gegen den Bauch. Als der Anfall vorüber war, zog sie sich an der Tischkante hoch, legte den Handrücken auf ihre Wange und schwankte. »Oh mein Sohn«, stöhnte sie. »Mein wunderschöner Sohn.«

Sie trat um den Tisch herum und taumelte zu einigen Schwertern und Äxten, die an der Wand hinter Eragon hingen, direkt neben einer Mauernische, die ein roter Seidenvorhang verbarg. In seiner Angst, Glûmra könne sich weitere Verletzungen zufügen wollen, sprang Eragon auf und warf dabei den Eichenstuhl um. Er streckte schon die Hand nach ihr aus, bemerkte jedoch im letzten Moment, dass sie zu dem Alkoven und nicht zu den Waffen trat. Blitzschnell zog er den Arm zurück, um sie nicht zu beleidigen.

Die Messingringe, die den Vorhang hielten, klirrten, als die Zwergin ihn zur Seite schob und ein tiefes, dunkles Regal enthüllte, in das Runen und Formen eingeschnitzt waren, so verschlungen und filigran, dass Eragon sie Stunden hätte anstarren können, ohne sie ganz zu erfassen. Auf dem untersten Regalbrett standen Statuen der sechs wichtigsten Zwergengötter sowie von neun anderen, die er nicht kannte. Bei allen waren Gesichtszüge und Pose überzeichnet, um die jeweilige Persönlichkeit zu verdeutlichen.

Glûmra zog ein Amulett aus Gold und Silber aus ihrem Mieder, küsste es und presste es gegen die Kehle, bevor sie sich vor die Nische kniete. Ihre Stimme hob und senkte sich in den fremdartigen Motiven der Zwergenmusik, als sie ein Klagelied in ihrer Muttersprache anstimmte. Eragon traten Tränen in die Augen. Glûmra sang eine Weile, bis sie schließlich verstummte und die Statuen anblickte. Dabei glätteten sich die tiefen Falten ihres gramverzerrten Gesichts und an die Stelle der Wut, Trauer und Verzweiflung traten Schicksalsergebenheit und erhabene Gelassenheit. Ihre Züge schienen sanft zu schimmern. Glûmras Veränderung war so vollkommen, dass Eragon sie fast nicht mehr erkannt hätte.

»Heute Nacht«, sagte sie, »wird Kvîstor in Morgothals Halle speisen. Das weiß ich.« Sie küsste das Amulett erneut. »Ich wünschte, ich könnte mit ihm das Brot brechen, zusammen mit meinem Gemahl Bauden, aber es ist noch nicht an mir, in den Katakomben von Tronjheim zu ruhen, und Morgothal lässt niemanden ein, der vor seiner Zeit kommt. Doch schon bald wird unsere Familie wieder vereint sein, einschließlich all derer, die vor uns waren, seit Gûntera die Welt aus Dunkelheit erschaffen hat. Das weiß ich.«

Eragon kniete sich neben sie. »Woher weißt du das?«, fragte er mit belegter Stimme.

»Ich weiß es, weil es so ist.« Mit langsamen und respektvollen Bewegungen berührte Glûmra die Füße der Götterstatuen mit den Fingerspitzen. »Wie könnte es anders sein? Da die Welt sich ebenso wenig selbst erschaffen haben kann wie ein Schwert oder ein Helm und da nur Wesen mit göttlicher Macht die Erde und den Himmel zu schmieden vermochten, müssen wir bei den Göttern nach Antworten suchen. Ihnen vertraue ich, dass sie die Geschicke der Welt leiten, und dieses Vertrauen befreit mich von der Last meines Fleisches.«

Sie sprach mit solcher Überzeugung, dass Eragon plötzlich das Bedürfnis verspürte, ihren Glauben zu teilen. Er sehnte sich danach, alle Zweifel und Ängste von sich zu werfen, um zu glauben, dass das Leben nicht nur ein Chaos war, wie schrecklich die Welt manchmal auch sein mochte. Er wollte die Gewissheit haben, dass er nicht einfach aufhörte zu existieren, wenn ein Schwert ihm den Kopf abschlug, sondern dass er eines Tages mit Brom, Garrow und allen anderen, die ihm wichtig gewesen waren und die er verloren hatte, wieder vereint wäre. Eine verzweifelte Sehnsucht nach Hoffnung und Trost durchdrang ihn und brachte seine Welt zum Wanken.

Und doch …

Etwas hinderte ihn daran, an die Zwergengötter zu glauben und sein ganzes Sein sowie die Verantwortung für sein Wohlergehen an etwas zu binden, was er nicht verstand. Auch konnte er nur schwer glauben, dass, falls es Götter gab, die Zwergengötter die einzigen waren. Er wusste, würde er Nar Garzhvog, ein Stammesmitglied der Nomaden oder selbst die schwarzen Priester vom Helgrind fragen, ob ihre Götter existierten, sie würden die Überlegenheit ihrer Gottheiten ebenso vehement verteidigen wie Glûmra die der ihren. *Woher soll ich wissen, welche Religion die wahre Religion ist?*, fragte er sich. *Nur weil jemand einem bestimmten Glauben anhängt, muss das nicht notwendigerweise der richtige Pfad sein … Vielleicht kennt ja keine Religion die ganze Wahrheit, sondern jede besitzt nur Bruchstücke davon, und es ist unsere Aufgabe, diese Bruchstücke zu erkennen und zusammenzusetzen. Möglicherweise haben aber auch die Elfen recht und es gibt gar keine Götter. Nur, woher soll ich das wissen?*

Mit einem tiefen Seufzer murmelte Glûmra einen Satz in ihrer Sprache, stand auf und zog den Seidenvorhang wieder zu. Eragon erhob sich ebenfalls und zuckte zusammen, als die vom Kampf wunden Muskeln gestreckt wurden. Er folgte ihr zum Tisch und setzte sich wieder auf seinen Stuhl. Die Zwergin holte zwei Zinnbecher aus einem steinernen Schrank, nahm einen Weinschlauch von einem Haken an der Decke und schenkte Eragon und sich ein. Sie hob den Becher, brachte einen Trinkspruch in der Zwergensprache aus, den Eragon nachzuahmen suchte, dann tranken sie gemeinsam.

»Es ist gut zu wissen«, meinte Glûmra, »dass Kvîstor weiterlebt und in diesem Augenblick in einem Gewand, das eines Königs würdig wäre, das Festmahl in Morgothals Halle genießt. Möge er im Dienste der Götter viel Ruhm ernten.« Sie trank einen Schluck.

Nachdem er seinen Becher geleert hatte, wollte sich Eragon von Glûmra verabschieden, aber die Zwergin kam ihm zuvor: »Hast du einen Unterschlupf für die Nacht, an dem du vor deinen Feinden sicher bist, Schattentöter?« Er erklärte ihr, dass er sich auf Oriks Geheiß unter Tronjheim versteckt halten solle, bis der Grimstborith ihm einen Boten schicken würde. Glûmra nickte knapp und entschlossen. »Dann musst du mit deinen Gefährten hier auf das Eintreffen des Boten warten, Schattentöter. Ich bestehe darauf.« Eragon begann zu protestieren, doch sie schüttelte den Kopf. »Ich würde niemals zulassen, dass die Männer, die an der Seite meines Sohnes gekämpft haben, in diesen feuchten und dunklen Höhlen schmachten, solange ich noch einen Funken Leben in den Knochen habe. Ruf deine Gefährten herein, damit wir in dieser düsteren Nacht feiern und speisen.«

Eragon begriff, dass es Glûmra verletzen würde, wenn er ihr Angebot ablehnte, also holte er die Wachen und den Dolmetscher ins Haus. Gemeinsam halfen sie Glûmra, ein Mahl aus Brot, Fleisch und Pastete zuzubereiten. Als es fertig war, aßen, tranken und redeten sie bis spät in die Nacht. Glûmra war besonders lebhaft. Sie trank am meisten, lachte am lautesten und hatte immer einen Scherz auf den Lippen. Zuerst schockierte ihr Verhalten Eragon, doch dann sah er, dass ihr Lachen nie die Augen erreichte und jede Fröhlichkeit aus ihren Zügen wich, wenn sie sich unbeobachtet glaubte. Ihre Miene wurde dann traurig und still. Diese Feier, so erkannte er, war ihre Art, ihres Sohnes zu gedenken und gegen die Trauer anzukämpfen.

Ich habe noch nie jemanden wie dich getroffen, dachte er, während er die Zwergin beobachtete.

Lange nach Mitternacht klopfte jemand an die Tür der Hütte. Hûndfast öffnete und ein Zwerg in voller Rüstung trat ein. Er schien sich unbehaglich zu fühlen und spähte ständig nervös zu den Türen, Fenstern und in die dunklen Ecken. Mit einigen Sätzen in der alten Sprache wies er sich Eragon gegenüber als Oriks Bote aus. »Ich bin Farn«, fuhr er dann fort, »Sohn von Flosi … Argetlam, Orik bittet Euch, so schnell wie möglich zu ihm zurückzukehren. Er hat wichtige Kunde, den heutigen Vorfall betreffend.«

An der Tür packte Glûmra Eragons Unterarm mit stählernem Griff, und als er in ihre schwarzen Augen blickte, sagte sie: »Vergiss deinen Schwur nicht, Schattentöter. Lass die Mörder meines Sohnes nicht ungestraft davonkommen!«

»Das werde ich nicht«, versprach er.

Clan-Versammlung

Die Zwerge, die vor Oriks Gemächern Wache standen, stießen die Doppeltüren auf, als Eragon näher kam.

In dem langen, prachtvoll geschmückten Vorraum standen drei runde, rot gepolsterte Sessel in einer Reihe in der Mitte des Raumes. Gobelins schmückten neben den obligatorischen flammenlosen Laternen die Wände, und die Decke zierte ein Relief, das eine berühmte Schlacht in der Geschichte der Zwerge zeigte.

Orik beriet sich gerade mit einer Schar Krieger und einigen graubärtigen Zwergen des Dûrgrimst Ingietum. Als Eragon eintrat, drehte er sich um. Seine Miene war grimmig. »Gut, dass du dich beeilt hast! Hûndfast, du darfst dich zurückziehen. Eragon und ich müssen uns unter vier Augen unterhalten.«

Der Dolmetscher verbeugte sich und verschwand links durch einen Torbogen, seine Schritte hallten auf dem glänzenden Achatboden. »Vertraust du ihm nicht?«, erkundigte sich Eragon, sobald der Zwerg außer Hörweite war.

Orik zuckte mit den Schultern. »Zurzeit weiß ich nicht, wem ich vertrauen kann. Je weniger Leute wissen, was wir herausgefunden haben, desto besser. Wir können nicht riskieren, dass diese Informationen vor morgen früh zu einem anderen Clan durchsickern. Es würde mit Sicherheit einen Clan-Krieg heraufbeschwören.«

Die Zwerge hinter ihm murmelten erschreckt.

»Was hast du herausgefunden?«, fragte Eragon besorgt.

Die Krieger hinter Orik traten auf seinen Wink beiseite und gaben den Blick auf drei gefesselte und blutüberströmte Zwerge frei, die in einer Ecke übereinanderlagen. Der unterste der drei stöhnte und zappelte mit den Beinen, konnte sich jedoch nicht unter den anderen Gefangenen hervorwinden.

»Wer sind die?«

»Ich habe mehrere unserer Schmiede die Dolche der Angreifer untersuchen lassen«, erwiderte Orik. »Sie haben die Handwerkskunst von Kiefna Langnase wiedererkannt, eines Schwertschmiedes unseres Clans, der bei unserem Volk großes Ansehen genießt.«

»Also kann er uns sagen, wer die Dolche gekauft hat, und somit auch, wer unsere Feinde sind?«

Orik lachte kurz. »Das wohl kaum, aber wir konnten den Weg der Dolche von Kiefna zu einem Waffenhändler in Dalgon nachvollziehen, viele Meilen von hier entfernt, der sie an eine Knurlaf verkaufte …«

»Eine Knurlaf?«

Orik runzelte die Stirn. »Eine Frau. Eine Frau mit sieben Fingern an jeder Hand hat diese Dolche vor zwei Monaten gekauft.«

»Und, habt ihr sie gefunden? Es kann ja nicht allzu viele Frauen mit dieser Anzahl von Fingern geben.«

»Eigentlich kommt das in unserem Volk recht häufig vor«, widersprach Orik. »Wie auch immer, es gelang uns unter erheblichem Aufwand, die Frau in Dalgon aufzuspüren. Meine Leute dort haben sie sehr gründlich verhört. Sie gehört zum Dûrgrimst Nagra, aber soweit wir wissen, hat sie aus eigenem Antrieb gehandelt, nicht auf Befehl ihrer Clan-Führer. Von ihr haben wir erfahren, dass ein Zwerg sie beauftragt hat, diese Dolche zu kaufen und sie anschließend einem Weinhändler zu übergeben, der sie aus Dalgon schaffen sollte. Ihr Auftraggeber hat ihr nicht gesagt, für wen die Dolche bestimmt waren, aber wir haben uns unter den Händlern der Stadt umgehört und fanden heraus, dass der Weinhändler von Dalgon auf direktem Weg in eine Stadt reiste, die zum Herrschaftsgebiet des Dûrgrimst Az Sweldn rak Anhûin gehört.«

»Also waren es tatsächlich sie!«, rief Eragon.

»Oder jemand will, dass wir das glauben. Wir brauchten mehr

Beweise, um den Az Sweldn rak Anhûin die Tat nachweisen zu können.« Oriks Augen funkelten und er hob einen Finger. »Also haben wir durch einen sehr, sehr gerissenen Zauberspruch den Weg der Attentäter durch die Tunnel und Höhlen bis zu einem verlassenen Lager im zwölften Stockwerk von Tronjheim zurückverfolgt. Es liegt direkt neben der Behelfshalle der südlichen Speiche des westlichen Viertels, neben der … ach was, das spielt keine Rolle. Aber irgendwann muss ich dir erklären, wie die Hallen und Tunnel in Tronjheim angelegt sind, damit du dich im Notfall allein in der Stadt zurechtfindest. Jedenfalls führte uns die Spur zu einem verstaubten Lagerraum, wo diese drei«, er deutete auf die gefesselten Zwerge, »sich verbargen. Sie haben uns nicht erwartet, deshalb konnten wir sie lebend gefangen nehmen, obwohl sie versucht haben, sich umzubringen. Es war nicht leicht, aber es gelang uns, den Geist von zweien zu brechen. Wir haben aus ihnen alles herausbekommen, was sie über diese Angelegenheit wussten. Den dritten werden die Grimstborithn nach eigenem Gutdünken verhören.« Orik deutete wieder auf die Gefangenen. »Sie haben die Meuchelmörder für ihren Hinterhalt mit den Dolchen und der schwarzen Kleidung ausgestattet und ihnen in der Nacht zuvor Obdach gewährt und zu essen gegeben.«

»Wer sind sie?«, wollte Eragon wissen.

»Pah!« Orik spie aus. »Sie sind Vargrimstn, Krieger, die ihre Ehre verloren haben und von ihren Clans verstoßen wurden. Niemand gibt sich mit solchem Abschaum ab, es sei denn, er führt Böses im Schilde und wünscht nicht, dass andere davon erfahren. So war es auch bei den dreien. Sie haben ihre Befehle direkt von Grimstborith Vermûnd vom Clan der Az Sweldn rak Anhûin bekommen.«

»Daran besteht kein Zweifel?«

Orik schüttelte den Kopf. »Kein Zweifel. Die Az Sweldn rak Anhûin wollten dich ermorden, Eragon. Wir werden vermutlich nie erfahren, ob noch andere Clans an dem Anschlag beteiligt waren, aber sollten wir Vermûnd und seinem Clan die Tat nachweisen können, wird das alle anderen am Komplott Beteiligten zwingen, sich von ihren ehemaligen Verbündeten loszusagen, von weiteren Angriffen auf den Dûrgrimst Ingietum zunächst abzusehen, und wenn ich mich geschickt anstelle, mir ihre Stimme für die Wahl zum König zu geben.«

Ein Bild blitzte in Eragons Geist auf, ein schillerndes Messer, das durch Kvîstors Hals fuhr, und die schmerzverzerrte Miene des Zwerges, als er sterbend zu Boden sank. »Wie werden wir die Az Sweldn rak Anhûin für dieses Verbrechen bestrafen? Sollen wir Vermûnd töten?«

»Ah«, Orik tippte sich gegen die Nase, »das überlass mir. Ich habe einen Plan. Aber wir müssen sehr vorsichtig vorgehen, denn die Lage ist äußerst heikel. Ein solcher Verrat ist schon seit sehr vielen Jahren nicht mehr vorgekommen. Als Außenstehender kannst du nicht verstehen, wie verabscheuenswürdig es für uns ist, wenn einer der unsrigen einen Gast in unseren Hallen angreift. Dass du der einzige lebende Drachenreiter bist, der sich Galbatorix entgegenstellen kann, macht dieses Vergehen nur noch schlimmer. Möglicherweise ist weiteres Blutvergießen nicht zu vermeiden, aber im Moment würde es nur einen Clan-Krieg heraufbeschwören.«

»Vielleicht ist ein Clan-Krieg ja die einzige Möglichkeit, wie wir mit den Az Sweldn rak Anhûin fertig werden können«, meinte Eragon.

»Das glaube ich nicht. Sollte ich mich jedoch irren und ein Krieg tatsächlich unausweichlich sein, müssen wir dafür sorgen, dass sich alle Clans gegen die Az Sweldn rak Anhûin zusammenschließen. Das wäre nicht so schlimm. Vereint könnten wir sie in einer Woche zerschmettern. Ein Krieg jedoch, der die Clans in zwei oder drei Lager spaltet, könnte das Ende unseres Volkes bedeuten. Deshalb ist es außerordentlich wichtig, dass wir die anderen Clans von der Schuld des Dûrgrimst Az Sweldn rak Anhûin überzeugen, bevor wir zu den Waffen greifen. Wirst du den Magiern der einzelnen Clans zu diesem Zweck erlauben, deine Erinnerungen an den Überfall zu untersuchen, damit sie sehen, dass es genauso war, wie wir sagen, und wir das Ganze nicht nur vorgetäuscht haben, um daraus unseren Vorteil zu ziehen?«

Eragon zögerte – er öffnete Fremden seinen Geist nur widerwillig – und deutete mit dem Kopf zu den gefesselten Zwergen hinüber. »Was ist mit ihnen? Genügen ihre Erinnerungen nicht als Beweis?«

Orik schnitt eine Grimasse. »Das sollten sie eigentlich, aber die Clan-Oberhäupter werden darauf bestehen, ihre Erinnerungen mit deinen abzugleichen, weil sie gründlich vorgehen wollen. Solltest du dich weigern, werden die Az Sweldn rak Anhûin behaupten, dass wir der Clan-Versammlung etwas verheimlichen und unsere Anschuldigungen nur verleumderische Hirngespinste sind.«

»Also gut«, gab Eragon nach. »Wenn es sein muss. Aber sollte sich einer der Magier, und sei es auch nur aus Versehen, irgendwohin verirren, wo er nichts zu suchen hat, habe ich keine andere Wahl, als alles, was er gesehen hat, aus seinem Gedächtnis zu löschen. Es gibt einige Dinge, die auf keinen Fall an die Öffentlichkeit dringen dürfen.«

Orik nickte. »Ja, ich denke da ganz besonders an eine dreibeinige Kunde, die uns ganz schön zu schaffen machen würde, wenn man sie im ganzen Land herumposaunte, was? Ich bin sicher, dass die Clan-Oberhäupter deine Bedingungen akzeptieren. Sie alle hüten Geheimnisse, die sie nicht herumerzählt haben wollen. Trotzdem werden sie ihren Magiern befehlen, deinen Geist zu untersuchen, wie gefährlich es auch sein mag. Dieser Vorfall könnte zu Unruhen in unserem Volk führen. Die Grimstborithn werden sich genötigt sehen, die Wahrheit ans Licht zu bringen, selbst wenn es sie ihre besten Zauberer kostet.«

Orik richtete sich zu seiner ganzen geringen Größe auf und befahl, die Gefangenen wegzuschaffen. Dann schickte er alle bis auf Eragon und sechsundzwanzig seiner besten Krieger hinaus. Mit einer schwungvollen Bewegung ergriff Orik ihn am Ellbogen und führte Eragon in die inneren Räume seiner Gemächer. »Du musst heute bei mir bleiben. Die Az Sweldn rak Anhûin würden es niemals wagen, dich hier anzugreifen.«

»Falls du vorhast zu schlafen«, sagte Eragon, »muss ich dich warnen. Ich werde heute Nacht keine Ruhe finden. Mein Blut kocht immer noch von dem Kampf und meine Gedanken sind genauso aufgewühlt.«

»Schlafe oder wache«, erwiderte Orik, »meinen Schlummer wirst du nicht stören, denn ich werde mir eine dicke Wollmütze über Augen und Ohren ziehen. Ich würde dir allerdings dringend raten, ebenfalls zu ruhen und deine Kräfte zu sammeln, vielleicht mithilfe der Techniken, die die Elfen dich gelehrt haben. Der Morgen dämmert bald, und uns bleiben nur noch ein paar Stunden, bis die Clan-Versammlung tagt. Wir sollten so frisch wie möglich sein für das, was auf uns zukommt. Was wir heute tun und sagen, wird über das Schicksal meines Volkes entscheiden, meines Landes und das von ganz Alagaësia. Ah, und schau nicht so grimmig! Du solltest es lieber so sehen: Man wird sich bis ans Ende der Zeiten daran erinnern, wie wir uns auf dieser Clan-Versammlung geschlagen haben, egal ob wir nun erfolgreich sein werden oder scheitern, und ich hoffe natürlich, dass wir siegen. Das sollte dich mit Stolz erfüllen! Die Götter sind launisch und Unsterblichkeit können wir einzig durch unsere Taten erlangen. Doch ob Ruhm oder Schande, beides ist besser, als vergessen zu werden, wenn du diese Gefilde verlässt.«

In den frühen Morgenstunden, als Eragon sich in den gepolsterten Armen eines viel zu kleinen Liegesofas hin und her wälzte, wanderten seine Gedanken ziellos umher und verloren sich in den zerstreuten Fantasien seiner Wachträume. Obwohl er das bunte Mosaik auf der gegenüberliegenden Wand wahrnahm, zogen darüber wie auf einem schimmernden Leintuch Szenen aus seinem Leben im Palancar-Tal vorbei. Sein Leben, wie es gewesen war, bevor ein launisches und blutiges Schicksal alles verändert hatte. Allerdings unterschieden sich diese Bilder von den Tatsachen und ließen ihn in Situationen eintauchen, die sich aus Fragmenten wirklicher Ereignisse zusammensetzten. In den letzten Momenten, bevor er sich aus seiner Benommenheit riss, flackerte es vor seinen Augen und die Bilder wirkten fast wie eine gesteigerte Realität.

Er war in Horsts Werkstatt, die Türen standen offen und hingen schief in den Angeln wie der schlaffe Kiefer eines Idioten. Es war eine sternenlose Nacht, und die alles verschlingende Dunkelheit drängte gegen den Lichtschein der roten Glut der Kohlen, als wollte sie alles verzehren, was sich in ihrem rötlichen Kreis befand. Neben der Esse stand wie ein Gigant Horst. Die flackernden Schatten verliehen seinem Gesicht etwas Unheimliches. Er schwang den kräftigen Arm auf und ab, und der glockenartige Klang, mit dem der Hammer auf ein gelb glühendes Stück Eisen herabsauste, ließ die Luft erzittern. Funken stoben in die Luft und erloschen auf dem Boden. Noch viermal hämmerte der Schmied das Metall glatt, dann hob er die Stange vom Amboss und warf sie in einen Trog mit Öl. Gespenstische, bläulich-durchscheinende Flammen leckten über die Oberfläche, bevor sie mit einem wütenden Fauchen verschwanden. Horst nahm die Stange aus dem Trog und sah Eragon finster an. »Was willst du hier, Eragon?«

»Ich brauche ein Schwert für einen Drachenreiter.«

»Verschwinde! Ich habe keine Zeit, dir eine solche Waffe zu schmieden. Siehst du nicht, dass ich an einem Topfhaken für Elain arbeite? Sie braucht ihn für die Schlacht. Bist du allein?«

»Das weiß ich nicht.«

»Wo sind dein Vater und deine Mutter?«

»Das weiß ich nicht.«

Eine andere Stimme ertönte, kräftig, machtvoll. »Guter Schmied«, erklärte sie, »er ist nicht allein. Er ist mit mir gekommen.«

»Und wer bist du?«, wollte Horst wissen.

»Ich bin sein Vater.«

Aus der Dunkelheit zwischen den klaffenden Türflügeln erschien eine hünenhafte, von fahlem Licht umrahmte Gestalt und trat auf die Schwelle der Schmiede. Ein roter Umhang bauschte sich über Schultern, die ausladender waren als die eines Kull. In der linken Hand des Mannes schimmerte Zar'roc, scharf wie der Schmerz.

Durch die Schlitze des glänzenden Helms bohrte sich der Blick der blauen Augen in Eragon wie ein Pfeil in einen Hasen. Der Mann streckte Eragon die leere Rechte entgegen. »Mein Sohn, komm mit mir. Zusammen können wir die Varden vernichten, Galbatorix töten und ganz Alagaësia erobern. Gib mir dein Herz, dann sind wir unbesiegbar.

Gib mir dein Herz, mein Sohn.«

Mit einem erstickten Schrei sprang Eragon von dem Sofa hoch und starrte auf den Boden. Er ballte die Fäuste, die Brust hob und senkte sich unter seinen keuchenden Atemzügen. Oriks Wachen warfen ihm fragende Blicke zu, aber er war zu aufgelöst, um seinen Ausbruch zu erklären.

Es war noch früh, deshalb machte er es sich nach einer Weile wieder auf dem Sofa bequem, vermied es jedoch aus Furcht vor den Erscheinungen, die ihn dort quälen könnten, erneut ins Reich der Träume zu versinken.

Eragon lehnte an der Wand, die Hand auf dem Knauf seines Zwergenschwertes, und sah zu, wie die Clan-Oberhäupter allmählich in dem kreisrunden Sitzungsraum tief unter Tronjheim eintrafen. Vor allem Vermûnd, Grimstborith der Az Sweldn rak Anhûin, beobachtete er scharf. Doch falls der verschleierte Zwerg überrascht war, Eragon gesund und munter anzutreffen, ließ er es sich jedenfalls nicht anmerken.

Eragon spürte, wie Orik ihn mit dem Stiefel anstieß. Ohne den Blick von Vermûnd zu nehmen, beugte er sich zu Orik hinunter. »Denk dran, links und dann der dritte Durchgang«, flüsterte der Zwerg. Dort hatte Orik ohne Wissen der Clan-Oberhäupter hundert seiner Krieger stationiert.

»Wenn schon Blut vergossen wird«, erwiderte Eragon ebenfalls flüsternd, »sollte ich die Gelegenheit beim Schopfe packen und diese heimtückische Schlange Vermûnd töten.«

»Tu das bitte nicht, es sei denn, er versucht, dich oder mich zu töten.« Orik lachte leise. »Du würdest dich bei den Grimstborithn nicht gerade beliebt machen … Ah, ich muss gehen. Bete zu Sindri, dass sie uns gewogen ist, ja? Wir sind dabei, ein glühendes Lavafeld zu betreten, das noch keiner vor uns zu beschreiten wagte.«

Eragon betete.

Als die Clan-Oberhäupter ihre Plätze am Tisch in der Mitte der Kammer eingenommen hatten, setzten sich auch die Zuschauer einschließlich Eragon auf die Stühle, die an der Wand aufgestellt waren. Doch anders als viele der Zwerge ließ er sich nicht entspannt zurücksinken, sondern hockte sich auf die Stuhlkante, bereit, beim kleinsten Anzeichen von Gefahr zu kämpfen.

Als Gannel, der schwarzäugige Kriegerpriester des Dûrgrimst Quan, sich erhob und anfing zu sprechen, trat Hûndfast neben Eragon und dolmetschte. »Seid gegrüßt, werte Clan-Oberhäupter. Ob dies ein glückliches Zusammentreffen ist oder nicht, muss sich erst noch herausstellen, denn mir sind beunruhigende Gerüchte zu Ohren gekommen. Gerüchte über Gerüchte, genauer gesagt. Es ist nur vages und verstörendes Geraune, mehr nicht, und mir liegen auch keinerlei Beweise für ein Vergehen vor. Da ich jedoch heute den Vorsitz über diese Versammlung habe, schlage ich vor, unsere wichtigen Debatten einstweilen ruhen zu lassen, damit ich, mit eurer Erlaubnis, den hier Anwesenden einige Fragen stellen kann.«

Die Clan-Oberhäupter tuschelten untereinander, bis schließlich Íorûnn, die kluge Grimstborith, mit einem Lächeln das Wort ergriff: »Ich habe keine Einwände, Grimstborith Gannel. Du hast mit deinen geheimnisvollen Andeutungen nur meine Neugier geweckt. Lass uns deine Fragen hören.«

»Ja, lass uns hören«, meinte Nado.

»Sprich sie aus«, stimmte auch Manndrâth und nach ihm der Rest der Clan-Oberhäupter zu, Vermûnd eingeschlossen.

Nachdem er die gewünschte Erlaubnis erhalten hatte, stützte Gannel sich mit den Knöcheln am Tisch ab und schwieg einen Moment, bis er sich der Aufmerksamkeit aller im Raum sicher war. »Gestern«, sagte er dann, »während wir zu Mittag gegessen haben, hörten Knurlan in den Tunneln unter dem südlichen Viertel von

Tronjheim Lärm. Die Berichte darüber, wie laut es war, gehen auseinander, aber es kann kein unbedeutender Zwischenfall gewesen sein, da so viele den Lärm an vielen verschiedenen Stellen Tronjheims gehört haben. Wie ihr habe ich die üblichen Warnungen vor einem möglichen Tunneleinbruch erhalten. Ihr wisst aber wahrscheinlich noch nicht, dass vor nur zwei Stunden…«

Hûndfast zögerte und flüsterte dann hastig: »Das Wort ist schwer in Eurer Sprache wiederzugeben. Am besten trifft es wohl *Tunnelläufer.*« Dann dolmetschte er weiter.

»…Tunnelläufer Spuren eines erbitterten Kampfes in einem der uralten Tunnel entdeckten, den unser berühmter Vorfahr, Korgan Langbart, gegraben hat. Der Boden war blutverschmiert, die Wände voller Ruß durch eine Laterne, die die Klinge eines achtlosen Kriegers zerschlagen hat. Das Gestein weist Risse auf und am Ort des Geschehens lagen die Körper von sieben verkohlten und verstümmelten Zwergen. Einiges deutet darauf hin, dass weitere Leichen weggeschafft wurden. Dies waren keineswegs die Überreste eines bislang unbekannten Scharmützels bei der Schlacht um Farthen Dûr. Nein! Denn das Blut war noch nicht getrocknet, der Ruß weich, die Risse waren neu, und wie man mir sagte, lag über dem Tatort noch die Aura mächtiger Magie. In diesem Moment versuchen gerade einige unserer fähigsten Zauberer, die Bilder von dem, was dort geschehen ist, heraufzubeschwören. Allerdings hegen sie wenig Hoffnung auf Erfolg, weil die Beteiligten von einem Gespinst teuflischer Hexerei umgeben waren. Also lautet meine erste Frage an die Versammlung wie folgt: Weiß irgendeiner von euch mehr über diesen mysteriösen Vorfall?«

Als Gannel zu Ende gesprochen hatte, spannte Eragon seine Muskeln an, bereit, sofort aufzuspringen, sollten die verschleierten Az Sweldn rak Anhûin zu ihren Waffen greifen.

Orik räusperte sich. »Ich glaube«, sagte er, »dass ich deine Neugier in einigen Punkten befriedigen kann, Gannel. Aber da meine Antwort notwendigerweise ausführlicher ausfallen wird, schlage ich vor, du stellst deine anderen Fragen, bevor ich beginne.«

Gannels Miene verfinsterte sich. Er klopfte mit den Knöcheln auf den Tisch. »Also gut«, meinte er. »Mir liegen Berichte vor, wonach zahlreiche Knurlan Tronjheim durchstreifen und sich an verschiedenen Stellen und in aller Heimlichkeit zu größeren bewaffneten Einheiten zusammenschließen. Zweifelsohne besteht hier eine Verbindung zu dem Kampf in Korgans Tunnel. Meine Agenten konnten nicht feststellen, zu welchem Clan diese Krieger gehören, aber dass einer von uns still und leise seine Streitkräfte sammelt, während wir dabei sind, den Nachfolger von König Hrothgar zu bestimmen, lässt die finstersten Absichten vermuten. Also lautet meine zweite Frage an diese Versammlung wie folgt: Wer ist dafür verantwortlich? Wenn keiner der hier Anwesenden bereit ist, seine Schuld zuzugeben, dann rege ich mit allem Nachdruck an, alle Krieger, ungeachtet ihrer Clan-Zugehörigkeit, für die Dauer der Beratungen aus Tronjheim zu verbannen und sofort einen Wächter des Rechts zu berufen, der diese Vorfälle untersucht und uns den Verantwortlichen nennt.«

Gannels Worte lösten eine hitzige Diskussion unter den Clan-Oberhäuptern aus, bei der die Vorwürfe, Unschuldsbeteuerungen und Gegenanschuldigungen immer lauter hin und her flogen. Als eine wutentbrannte Thordris einen zornesroten Gáldhiem anschrie, räusperte Orik sich erneut, woraufhin alle verstummten und ihn anstarrten.

»Auch das, so glaube ich, kann ich erklären, Gannel«, sagte Orik in besänftigendem Tonfall, »jedenfalls teilweise. Ich weiß zwar nichts über die Aktivitäten der anderen Clans, aber einige Hundert Krieger, die durch die Dienstbotenhallen in Tronjheim geschlichen sind, gehören zum Dûrgrimst Ingietum. Das gebe ich offen zu.«

Es herrschte tiefstes Schweigen, das Íorûnn schließlich brach: »Und welche Erklärung bietest du uns für dieses kriegerische Verhalten, Orik, Thrifks Sohn?«

»Wie ich schon sagte, beste Íorûnn, meine Antwort muss notwendigerweise recht ausführlich ausfallen. Also wenn du, Gannel, noch andere Fragen hast, solltest du fortfahren.«

Gannel runzelte so heftig die Stirn, dass sich seine Brauen fast berührten. »Ich werde meine anderen Fragen einstweilen für mich behalten, denn sie alle beziehen sich auf jene, die ich der Versammlung bereits gestellt habe. Es scheint, als müssten wir deine Antworten abwarten, um mehr über dieses Thema zu erfahren. Da du allerdings bis zum Hals in dieser zweifelhaften Angelegenheit zu stecken scheinst, ist mir eine neue Frage in den Sinn gekommen, die ich direkt an dich richten will, Grimstborith Orik: Aus welchem Grund hast du die gestrige Clan-Versammlung verlassen? Ich warne dich, ich werde keine Ausflüchte dulden. Du hast bereits angedeutet, Kenntnis von diesen Vorfällen zu besitzen. Nun ist es an der Zeit, uns Rechenschaft abzulegen, Grimstborith Orik.«

Orik stand auf, als sich Gannel setzte. »Es soll mir ein Vergnügen sein«, meinte er.

Er senkte den Kopf, bis sein bärtiges Kinn fast auf der Brust ruhte, schwieg einen kurzen Moment, dann begann er, mit sonorer Stimme zu sprechen. Aber er eröffnete seine Rede nicht so, wie Eragon und wohl auch der Rest der Versammlung es erwartet hatten. Statt den Mordanschlag auf Eragon zu schildern und damit zu erklären, warum er das gestrige Treffen vorzeitig aufgelöst hatte, holte Orik weit aus, bis in die graue Frühzeit der Zwergengeschichte. Er erzählte, wie das Volk der Zwerge von den einst so fruchtbaren Feldern der Hadarac-Wüste ins Beor-Gebirge abgewandert war, wo es unzählige Meilen von Tunneln gegraben und seine großartigen Städte über und unter der Erdoberfläche errichtet hatte. Dabei waren die Zwerge nie müde geworden, untereinander Kriege zu führen, genau wie gegen die Drachen, die sie Tausende von Jahren mit einer Mischung aus Hass, Furcht und widerwilliger Ehrfurcht betrachtet hatten.

Dann sprach Orik von der Ankunft der Elfen in Alagaësia, wie sie gegen die Drachen kämpften, bis sie sich gegenseitig fast ausgelöscht hatten, und die beiden Völker daher schließlich übereinkamen, die Drachenreiter zu schaffen, um mit ihnen den Frieden bis in alle Ewigkeit zu wahren.

»Und wie haben wir reagiert, als wir von ihren Absichten erfuhren?« Oriks Stimme hallte laut durch den kreisrunden Saal. »Haben wir darum gebeten, ihrem Pakt beitreten zu dürfen? Strebten wir danach, Anteil zu haben an der Macht, die den Drachenreitern verliehen wurde? Mitnichten! Wir klammerten uns an unsere alten Sitten, an unseren alten Hass, und wiesen den bloßen Gedanken an ein Bündnis mit den Drachen weit von uns, wie wir auch keinem Außenstehenden erlauben wollten, uns zu überwachen. Um unsere Selbstbestimmung zu wahren, opferten wir unsere Zukunft, denn ich bin überzeugt, dass Galbatorix niemals an die Macht gekommen wäre, hätte es Knurlan unter den Drachenreitern gegeben. In diesem Punkt mag ich mich irren, und ich will Eragons Verdienste auch nicht schmälern, der ein ausgezeichneter Reiter ist. Trotzdem hätte Saphira auch für einen von unserem Volk schlüpfen können, nicht nur für einen Menschen. Und welcher Ruhm hätte dann unser sein können?

Stattdessen hat unser Einfluss in Alagaësia ständig abgenommen, seit Königin Tarmunora und Eragons Namensvetter Frieden mit den Drachen geschlossen haben. Unser geringerer Status machte uns zunächst nicht so viel aus, und oft war es einfacher, die Lage der Dinge einfach zu leugnen, statt sie hinzunehmen. Dann jedoch kamen die Urgals, nach ihnen die Menschen, und die Elfen veränderten ihre Zauber so, dass auch Menschen Drachenreiter werden konnten. Und haben wir da versucht, in ihrem Bund aufgenommen zu werden, was durchaus möglich gewesen wäre ... was uns rechtmäßig auch zugestanden hätte?« Orik schüttelte den Kopf. »Unser Stolz ließ es nicht zu. Warum sollten wir, das älteste Volk in diesem Land, die Elfen um ihre Magie anbetteln? Wir brauchten unser Schicksal nicht wie die Elfen und Menschen an das der Drachen zu ketten, um uns vor der Vernichtung zu retten. Natürlich ignorierten wir auch die Kämpfe, die unter uns tobten. Sie seien, so argumentierten wir, unsere Privatangelegenheit und gingen niemanden etwas an.«

Die Clan-Oberhäupter wurden unruhig. Auf einigen Gesichtern

zeichneten sich Unzufriedenheit und Empörung ab, aber der Rest schien empfänglicher für seine kritischen Worte zu sein und lauschte ihnen nachdenklich.

»Während die Drachenreiter Alagaësia bewachten«, fuhr der Grimstborith fort, »erlebten wir die größte Blütezeit in den Analen unseres Reiches. Uns ging es so gut wie nie zuvor, obwohl das nicht unser Verdienst war, sondern der der Drachenreiter. Als sie untergingen, schwand auch unser Wohlstand, und wieder hatten wir nichts damit zu tun, sondern die Reiter. Beides scheint mir einem Volk von unserem Rang nicht angemessen. Wir sind weder Vasallen, die wehrlos der Willkür fremder Herren ausgeliefert sind, noch sollte jemand, der kein Nachfahr von Odgar und Hlordis ist, unser Schicksal bestimmen.«

Das war eher nach dem Geschmack der Clan-Oberhäupter, die nickten und lächelten. Selbst Havard klatschte nach dem letzten Satz Beifall.

»Betrachtet jetzt die gegenwärtige Epoche«, fuhr Orik fort. »Galbatorix herrscht, und alle Völker ringen darum, ihm nicht unterworfen zu werden. Er ist so mächtig geworden, dass wir nur deshalb noch nicht seine Sklaven sind, weil er bis jetzt nicht mit seinem schwarzen Drachen losgeflogen ist, um uns direkt anzugreifen. Würde er das tun, wir fielen wie Schösslinge unter einer Lawine. Glücklicherweise scheint er darauf zu warten, dass wir uns den Weg zu den Toren seiner Zitadelle in Urû'baen freikämpfen.

Ich möchte euch an die Zeit erinnern, bevor Eragon und Saphira durchnässt und schmutzig auf unserer Schwelle auftauchten, verfolgt von einem Haufen heulender Kull. Wir hatten damals nur eine Hoffnung im Kampf gegen den Tyrannen, nämlich dass Saphira eines Tages für ihren auserwählten Reiter schlüpfen und dieser Unbekannte – gesetzt den Fall, wir hätten mehr Glück als alle Spieler zusammen, die je beim Würfeln gewonnen haben – Galbatorix stürzen würde. Hoffnung? Was sage ich! Es war nur die Hoffnung auf Hoffnung. Als Eragon auftauchte, waren viele von uns von ihm enttäuscht, mich eingeschlossen. ›Er ist ja nur ein Junge‹, sagten wir, und: ›Saphira hätte besser einen Elf erwählt‹. Aber siehe da! Eragon hat selbst unsere kühnsten Erwartungen übertroffen! Er tötete Durza und ermöglichte uns damit, unsere viel geliebte Stadt Tronjheim zu retten. Sein Drache Saphira hat versprochen, die Sternrose wieder in ihrer alten Pracht erblühen zu lassen. Während der Schlacht auf den Brennenden Steppen hat er Murtagh und Dorn vertrieben und uns damit den Sieg erringen lassen. Und seht! Er sieht aus wie ein Elf und durch ihre fremdartige Magie hat er auch ihre Schnelligkeit und Kraft gewonnen!«

Orik erhob einen Finger, um seine Worte zu unterstreichen. »Dazu kommt, dass König Hrothgar in seiner Weisheit etwas getan hat, was kein anderer König oder Grimstborith vor ihm je wagte. Er hat Eragon angeboten, ihn in den Dûrgrimst Ingietum aufzunehmen und ihn zu einem Mitglied seiner Familie zu machen. Eragon war durch nichts verpflichtet, dieses Angebot anzunehmen. Im Gegenteil, er war sich sehr wohl bewusst, dass viele Familien des Ingietum dies ebenso missbilligten wie zahlreiche andere Knurlan. Trotzdem nahm Eragon Hrothgars Geschenk an, obwohl er bereits Nasuada die Treue gelobt hatte und obwohl er sehr genau wusste, dass es sein Leben erschweren würde. Wie Eragon mir selbst sagte, hat er den Hallenschwur auf das Steinherz geleistet, weil er sich allen Völkern Alagaësias gegenüber verpflichtet fühlt, vor allem unserem, das ihm und Saphira durch Hrothgar so viel Freundlichkeit erwiesen hat. Wir haben es Hrothgars Genialität zu verdanken, dass der letzte freie Drachenreiter von Alagaësia, unsere einzige Hoffnung im Kampf gegen Galbatorix, sich dazu entschieden hat, in allem ein Knurla zu werden außer im Blute. Seitdem hat Eragon sich nach bestem Wissen und Gewissen an unsere Gesetze und Traditionen gehalten und strebte stets danach, noch mehr über unsere Kultur zu erfahren, um seinem Schwur wahrhaftig gerecht zu werden. Als Hrothgar von dem Verräter Murtagh niedergestreckt wurde, hat Eragon mir bei allen Steinen von Alagaësia und als Angehöriger des Dûrgrimst Ingietum geschworen, seinen Tod zu rächen. Er hat mir den Respekt und den Gehorsam erwiesen, der mir als Grimstborith zusteht, und ich bin stolz darauf, ihn meinen Stiefbruder zu nennen.«

Eragon blickte verlegen zu Boden. Seine Wangen und die Spitzen seiner Ohren brannten. Er wünschte sich, Orik wäre nicht so freigiebig mit seinem Lob. Das würde es ihm in Zukunft nur schwerer machen, die in ihn gesetzten Erwartungen zu erfüllen.

Orik breitete die Arme aus. »Alles, was wir uns von einem Drachenreiter nur wünschen konnten«, rief er, »vereint Eragon! Er existiert! Er ist mächtig! Und er achtet unser Volk wie kein anderer Drachenreiter vor ihm!« Dann ließ er die Arme sinken und sprach so leise weiter, dass Eragon seine Worte nur mit Mühe verstand. »Und wie haben wir ihm seine Freundschaft vergolten? Mit Verachtung und boshaftem Gerede. Wir sind ein undankbares Volk, sage ich, und unser gutes Gedächtnis schadet uns nur … Es gibt etliche unter uns, deren gärender Hass so übermächtig geworden ist, dass sie zu Gewalt greifen, um ihren Zorn zu stillen. Vielleicht glauben sie, ihr Handeln wäre das Beste für unser Volk. Falls es so ist, ist ihr Verstand verrottet wie ein mehrere Jahre alter Käse. Denn warum sonst hätten sie versucht, Eragon zu töten?«

Die lauschenden Clan-Oberhäupter erstarrten und ihre Augen fixierten Oriks Gesicht. Sie hingen so gebannt an seinen Lippen, dass selbst der fette Grimstborith Freowin die Schnitzerei an seinem Raben unterbrach und die Hände über seinem Schmerbauch faltete. Er wirkte wie eine der Zwergenstatuen im Thronsaal.

Während die anderen ihn anstarrten, berichtete Orik der Clan-Versammlung, wie sieben schwarz gekleidete Zwerge Eragon und seine Wachen in den weitverzweigten Tunneln unter Tronjheim angegriffen hatten. Dann beschrieb er das Armband aus Rosshaar mit den eingeflochtenen Amethysten, das die Wachen bei einer der Leichen gefunden hatten.

»Glaube ja nicht, du könntest meinem Clan die Verantwortung für diesen Angriff aufgrund eines so dürftigen Beweises in die Schuhe schieben!« Vermûnd sprang auf. »Solchen Tand kann man auf fast jedem Markt in unserem Reich kaufen!«

»Ganz recht«, erwiderte Orik und nickte Vermûnd zu, der sich wieder setzte. Leidenschaftslos und zügig schilderte Orik seiner Zuhörerschaft dann, was er Eragon bereits in der vergangenen Nacht erzählt hatte. Nämlich wie seine Untertanen in Dalgon ihm bestätigt hatten, dass die seltsamen schillernden Dolche vom Schmied Kiefna stammten, und wie sie die Zwergenfrau ausfindig gemacht hatten, die die Waffen gekauft und ihren Transport von Dalgon zu einer Stadt arrangiert hatte, die von den Az Sweldn rak Anhûin kontrolliert wurde.

Vermûnd stieß einen tiefen, knurrenden Fluch aus und sprang erneut auf. »Es ist nicht erwiesen, dass diese Dolche unsere Stadt jemals erreicht haben, und selbst wenn, lässt das keinerlei Rückschlüsse zu! In den Mauern unserer Städte halten sich Knurlan aus vielen Clans auf, genauso wie in der Festung Bregan zum Beispiel. Das beweist gar nichts. Hüte deine Zunge, Grimstborith Orik, denn du hast nichts in der Hand, was eine Anklage gegen meinen Clan rechtfertigen würde!«

»Ich war derselben Meinung wie du, Grimstborith Vermûnd«, gab Orik gelassen zurück. »Aus diesem Grund haben meine Magier und ich letzte Nacht den Weg der Meuchelmörder bis zu ihrem Ausgangsort zurückverfolgt. Im zwölften Stockwerk von Tronjheim konnten wir drei Knurlan gefangen nehmen, die sich in einem unbenutzten Lagerraum versteckt hielten. Wir konnten den Geist von zweien brechen und in Erfahrung bringen, dass sie den Attentätern Verpflegung und Obdach gewährt haben. Und«, sein Tonfall wurde drohend, »wir haben außerdem die Identität ihres Herrn aufgedeckt. Grimstborith Vermûnd, ich nenne dich einen Mörder und Eidbrecher! Ich nenne dich einen Feind des Dûrgrimst Ingietum und einen Verräter an unserem Volk, denn du und dein Clan waren es, die versucht haben, Eragon zu ermorden!«

Heilloses Chaos brach aus, als bis auf Orik und Vermûnd alle Clan-Oberhäupter losschrien, wild mit den Händen herumfuchtelten oder anderweitig versuchten, sich Gehör zu verschaffen. Eragon stand auf und lockerte das geliehene Schwert in der Scheide. Er zog es einen Fingerbreit heraus, damit er es schnell zücken konnte, falls Vermûnd oder einer seiner Zwerge den Moment nutzen und angreifen würden. Vermûnd rührte sich jedoch nicht, ebenso wenig wie Orik. Sie starrten sich nur an wie zwei konkurrierende Wölfe, ohne auf den Tumult zu achten.

Schließlich gelang es Gannel, die Ordnung wiederherzustellen. »Grimstborith Vermûnd, kannst du diese Vorwürfe entkräften?«

»Ich leugne sie mit jedem Knochen in meinem Leib«, erwiderte Vermûnd emotionslos, »und fordere meine Ankläger hiermit auf, ihre Anschuldigungen vor einen Wächter des Rechts zu bringen, und sie werden nicht standhalten.«

Gannel wandte sich an Orik. »Dann lege deine Beweise vor, Grimstborith Orik, damit wir über ihre Stichhaltigkeit urteilen können. Es sind fünf Wächter des Rechts anwesend, falls ich mich nicht irre.« Er deutete auf die Wand, an der fünf weißbärtige Zwerge standen und sich jetzt verbeugten. »Sie werden dafür sorgen, dass wir bei unseren Nachforschungen die Gesetze nicht verletzen. Sind alle damit einverstanden?«

»Ich bin einverstanden«, erklärte Ûndin.

»Ich bin einverstanden«, erklärte Hadfala und nach ihr alle anderen Clan-Oberhäupter. Nur Vermûnd schwieg.

Zuerst legte Orik das Rosshaararmband mit den Amethysten auf den Tisch. Die Clan-Oberhäupter befahlen den Magiern, es zu untersuchen. Sie verwarfen es einstimmig als nicht beweiskräftig.

Dann ließ Orik von einem Gehilfen einen Spiegel auf einem bronzenen Dreibein hereinbringen. Einer der Magier seines Gefolges wirkte einen Zauber und auf der schimmernden Oberfläche erschien das Abbild einer kleinen Kammer voller Bücher. Ein Moment verstrich, dann eilte ein Zwerg in die Kammer im Spiegel und verbeugte sich im Spiegel vor der Clan-Versammlung. Etwas außer Atem stellte er sich als Rimmar vor. Nachdem er in der alten Sprache einen Eid geschworen hatte, die Wahrheit zu sagen, erzählte er den Anwesenden, wie er und seine Gehilfen zu ihren Ergebnissen bezüglich der schimmernden Dolche der Attentäter gekommen waren.

Nachdem die Clan-Oberhäupter Rimmar ausführlich befragt hatten, ließ Orik von seinen Kriegern die drei gefangenen Zwerge hereinschaffen. Gannel befahl ihnen, ebenfalls den Wahrheitseid in der alten Sprache zu leisten. Sie verfluchten ihn, spien verächtlich aus und weigerten sich. Die Magier der verschiedenen Clans vereinigten ihren Geist, drangen in das Bewusstsein der Gefangenen ein und entrissen ihnen die Informationen, die die Clan-Versammlung benötigte. Die Magier bestätigten ausnahmslos Oriks Darstellung der Ereignisse.

Als Letztes rief der Grimstborith des Dûrgrimst Ingietum Eragon als Zeugen auf.

Eragon war nervös, als er vor die dreizehn Clan-Oberhäupter trat, die ihm mit grimmigen Mienen entgegenblickten. Er starrte auf einen Wirbel in der Maserung einer Marmorsäule auf der anderen Seite des Raumes und versuchte, sein Unbehagen zu unterdrücken. Er sprach den Eid, den einer der Zwergenmagier ihm vorsagte, und schilderte den Clan-Oberhäuptern dann ohne Umschweife, wie er und seine Wachen angegriffen worden waren. Anschließend beantwortete er die Fragen der Zwerge und erlaubte zwei Magiern, die Gannel willkürlich aus den Anwesenden auswählte, seine Erinnerungen an den Zwischenfall zu untersuchen. Als Eragon den Schutzwall um seinen Geist senkte, bemerkte er die Unruhe der Magier. Das tröstete ihn ein wenig. *Gut,* dachte er. *Wenn sie mich fürchten, werden sie wohl kaum umherwandern, wo sie nichts zu suchen haben.*

Zu Eragons Erleichterung verlief die Untersuchung ohne Zwischenfälle und die Magier bestätigten den Clan-Oberhäuptern seine Version der Ereignisse.

Gannel stand auf und wandte sich an die Wächter des Rechts. »Haben euch die Beweise überzeugt, die Grimstborith Orik und Eragon Schattentöter uns vorgelegt haben?«

Die fünf weißbärtigen Zwerge verbeugten sich. »Das haben sie, Grimstborith Gannel«, erwiderte der mittlere.

Gannel knurrte, offenbar nicht sonderlich überrascht. »Grimstborith Vermûnd, du bist verantwortlich für den Tod von Kvîstor, Sohn von Bauden, und hast außerdem versucht, einen Gast zu ermorden. Dadurch hast du Schande über unser ganzes Volk gebracht. Was hast du dazu zu sagen?«

Das Clan-Oberhaupt der Az Sweldn rak Anhûin presste seine flachen Hände so fest auf den Tisch, dass die Adern an seinen braun gebrannten Unterarmen hervortraten. »Wenn dieser *Drachenreiter* ein Knurla in allem außer im Blute ist, dann ist er kein Gast. Also steht es uns frei, mit ihm zu verfahren wie mit jedem unserer Feinde aus den anderen Clans.«

»Das ist doch absurd!«, platzte Orik heraus, der vor Empörung fast zitterte. »Du kannst nicht behaupten, dass er …«

»Mäßige deine Zunge, Orik!«, unterbrach ihn Gannel. »Geschrei kann diese Angelegenheit nicht klären. Orik, Nado, Íorûnn, bitte folgt mir.«

Unruhe begann an Eragon zu nagen, als die vier Zwerge sich entfernten, um sich einige Minuten mit den Wächtern des Rechts zu beraten. *Sie werden Vermûnd doch wohl nicht wegen einer solchen Haarspalterei ungestraft davonkommen lassen!*, dachte er.

»Die Wächter des Rechts«, sagte Íorûnn, nachdem die Zwerge an den Tisch zurückgekehrt waren, »sind sich einig. Obgleich Eragon ein vereidigtes Mitglied des Dûrgrimst Ingietum ist, ist er auch außerhalb unseres Reiches eine Persönlichkeit von höchstem Rang: Er ist Drachenreiter, er ist offizieller Gesandter der Varden, der von Nasuada hierher entsandt wurde, um der Krönung unseres nächsten Herrschers beizuwohnen, und er genießt als enger Freund von Königin Islanzadi großen Einfluss beim Elfenvolk. Aus diesen Gründen haben wir ihm dieselbe Gastfreundschaft entgegenzubringen wie jedem Botschafter, Prinzen, Monarchen oder anderem hohen Besuch.« Die Zwergenfrau sah zu Eragon hinüber und ließ den Blick ihrer dunklen, blitzenden Augen ungeniert über seinen Körper wandern. »Kurz gesagt, er ist unser Ehrengast und wir sollten ihn auch so behandeln … was jedem Knurla, der keinen Höhlenkoller hat, klar sein sollte.«

»Ja, er ist unser Gast«, presste Nado zwischen zusammengebissenen Zähnen hervor und zog dabei die Wangen ein, als hätte er gerade in einen unreifen Apfel gebissen.

»Was sagst du jetzt, Vermûnd?«, wollte Gannel wissen.

Der verschleierte Zwerg erhob sich und sah die Clan-Oberhäupter der Reihe nach an. »Ich sage Folgendes und hört mir gut zu, Grimstborithn: Wenn irgendein Clan es wagen sollte, wegen dieser verleumderischen Behauptungen seine Äxte gegen den Dûrgrimst Az Sweldn rak Anhûin zu erheben, werden wir das als einen kriegerischen Akt betrachten und entsprechend reagieren. Wenn ihr mich gefangen setzt, werden wir auch das als einen kriegerischen Akt betrachten und entsprechend reagieren.« Vermûnds Schleier zuckte, und Eragon vermutete, dass der Zwerg lächelte. »Wenn ihr uns in irgendeiner Weise angreift, ob mit Stahl oder Worten, ganz gleich wie sanft eure Rüge auch sein mag, betrachten wir das als einen kriegerischen Akt und reagieren entsprechend. Wenn ihr nicht wollt, dass unser Land in tausend blutige Fetzen zerrissen wird, schlage ich vor, ihr lasst die Worte des heutigen Morgens vom Wind verwehen und denkt stattdessen darüber nach, wer als Nächstes auf dem Granitthron sitzen und herrschen soll.«

Die Clan-Oberhäupter saßen lange schweigend da.

Eragon biss sich auf die Zunge, um sich davon abzuhalten, auf den Tisch zu springen und so lange über Vermûnd zu schimpfen, bis die Zwerge ihn endlich für seine Verbrechen aufknüpften. Er rief sich sein Versprechen gegenüber Orik ins Gedächtnis, bei der Clan-Versammlung seinem Beispiel zu folgen. *Orik ist mein Clan-Oberhaupt, und ich muss ihn so antworten lassen, wie er es für angemessen hält.*

Freowin löste die Hände von seinem mächtigen Bauch und schlug mit der fleischigen Pranke auf die Steinplatte. Sein heiserer

Bariton schallte durch den ganzen Raum, obwohl er nur zu flüstern schien: »Du hast unser Volk entehrt, Vermûnd. Wir werden unsere Ehre als Knurlan verlieren, wenn wir deine Verbrechen dulden.«

Die ältliche Zwergin Hadfala schob ihre runenbekritzelten Seiten zusammen. »Was außer unserem Untergang wolltest du durch den Mord an Eragon erreichen? Selbst wenn die Varden Galbatorix ohne seine Hilfe besiegen könnten, was würde wohl der Drache Saphira aus Trauer über den Tod seines Reiters tun? Er würde über uns herfallen und Farthen Dûr in ein Meer aus Blut verwandeln.«

Vermûnd blieb stumm.

Gelächter platzte in die Stille. Weil es so unerwartet kam, erkannte Eragon zunächst nicht, dass es Orik war. Als er sich wieder beruhigt hatte, sagte der Grimstborith: »Wenn wir etwas gegen dich oder den Dûrgrimst Az Sweldn rak Anhûin unternehmen, betrachtest du das also als kriegerischen Akt, Vermûnd? Also gut, wir werden nichts gegen dich unternehmen. Gar nichts!«

Vermûnd zog die Brauen zusammen. »Und weshalb amüsiert dich das so?«

Orik lachte wieder. »Weil ich über etwas nachgedacht habe, was du übersehen hast, Vermûnd. Du willst, dass wir dich und deinen Clan in Ruhe lassen? Gut. Ich schlage der Clan-Versammlung hiermit vor, Vermûnds Wunsch nachzukommen. Hätte er aus eigenem Antrieb und nicht als Grimstborith gehandelt, würden wir ihn für seine Verbrechen bei Androhung der Todesstrafe verbannen. Lasst uns seinen Clan wie eine Person behandeln; verbannen wir die Az Sweldn rak Anhûin aus unseren Herzen und Köpfen, bis sie sich entschließen, Vermûnd durch einen gemäßigteren Grimstborith zu ersetzen, bis sie ihre Schandtaten vor der Clan-Versammlung eingestehen und Reue zeigen. Selbst wenn wir darauf tausend Jahre warten müssen.«

Die faltige Haut um Vermûnds Augen wurde blass. »Das wagst du nicht!«

Orik lächelte. »Ah, aber wir werden keinen Finger gegen dich oder deinen Clan erheben. Wir werden dich ignorieren und keinerlei Handel mit den Az Sweldn rak Anhûin treiben. Willst du uns etwa den Krieg erklären, weil wir *nichts* tun, Vermûnd? Denn falls die Grimstborithn meinen Vorschlag annehmen, tun wir genau das: Gar nichts. Willst du uns mit dem Schwert zwingen, euren Honig, euer Tuch oder eure Amethyste zu kaufen? Dafür hast du nicht genug Krieger.« Orik blickte in die Runde. »Was sagt ihr dazu?«

Die Clan-Versammlung brauchte nicht lange für ihre Entscheidung. Einer nach dem anderen standen die Clan-Oberhäupter auf und stimmten dafür, den Dûrgrimst Az Sweldn rak Anhûin zu verbannen. Selbst Nado, Gáldhiem und Havard – Vermûnds ehemalige Verbündete – unterstützten Oriks Vorschlag. Mit jeder abgegebenen Stimme wurde Vermûnds Gesicht blasser, bis er wie ein Geist in den Kleidern seines bisherigen Lebens wirkte.

Als die Abstimmung vorbei war, deutete Gannel auf die Tür. »Fort mit dir, Vargrimst Vermûnd. Verlasse noch heute Tronjheim. Keiner vom Clan der Az Sweldn rak Anhûin soll diese Versammlung stören, bis sie unsere Bedingungen erfüllt haben. Bis dahin werden wir jeden Az Sweldn rak Anhûin meiden. Aber wisse eines: Während dein Clan sich von seiner Schande reinwaschen kann, wirst du, Vermûnd, selbst im Tod ein Vargrimst bleiben. So lautet der Wille der Clan-Versammlung.« Nach dieser Erklärung setzte sich Gannel.

Vermûnd rührte sich nicht von der Stelle. Seine Schultern zitterten, Eragon konnte nicht erkennen, ob vor Wut oder Entsetzen. »Ihr seid es, die unser Volk entehrt und verraten habt!«, knurrte er. »Die Drachenreiter haben unseren Clan ausgelöscht, alle, bis auf Anhûin und ihre Leibwache. Glaubt ihr wirklich, wir könnten das vergessen? Oder verzeihen? Pah! Ich spucke auf die Gräber eurer Vorfahren. Wir haben wenigstens unseren Stolz nicht verloren. Wir werden nicht um diese Marionette der Elfen herumscharwenzeln, während unsere toten Familienangehörigen noch immer nach Vergeltung rufen!«

Grenzenlose Entrüstung packte Eragon, als die Clan-Oberhäupter schwiegen. Er wollte Vermûnd gerade einige harsche Worte entgegenschleudern, als Orik zu ihm blickte und fast unmerklich den Kopf schüttelte. Auch wenn es ihm schwerfiel, beherrschte Eragon seinen Zorn, fragte sich allerdings, warum Orik solch grässliche Beleidigungen unwidersprochen hinnahm.

Sie benehmen sich fast so, als … Oh!

Vermûnd schob seinen Stuhl zurück, stand auf, ballte die Fäuste und hob die Schultern. Er redete weiter, tobte, verhöhnte die Clan-Oberhäupter mit wachsender Leidenschaft, bis er aus voller Kehle schrie.

Doch wie niederträchtig seine Verwünschungen auch waren, die Clan-Oberhäupter zuckten mit keiner Wimper. Sie blickten in die Ferne, als brüteten sie über hochkomplexen Problemen, und ihre Blicke glitten über Vermûnd hinweg, als wäre er Luft. Als Vermûnd in seiner Raserei Hreidamars Kettenhemd packte, sprangen drei Wachen des Clan-Oberhauptes vor und zerrten ihn zurück. Dabei blieben ihre Mienen jedoch so ausdrucklos, als würden sie Hreidamar lediglich helfen, seinen Kettenpanzer zu glätten. Kaum hatten sie Vermûnd weggezogen, ließen sie ihn los und würdigten ihn keines weiteren Blickes.

Es überlief Eragon eiskalt. Die Zwerge benahmen sich, als hätte Vermûnd aufgehört zu existieren. *Das bedeutet es also, wenn man bei den Zwergen verbannt wird,* dachte er. Er wäre lieber tot, als ein solches Schicksal ertragen zu müssen, und für einen Moment empfand er fast Mitleid mit Vermûnd, das jedoch sogleich verflog, als er sich an den Todeskampf Kvîstors erinnerte.

Mit einem letzten Fluch stürmte Vermûnd hinaus, dicht gefolgt von Mitgliedern seines Clans, die ihn auf das Treffen begleitet hatten.

Die Stimmung unter den Clan-Oberhäuptern besserte sich, sobald die Türen hinter Vermûnd ins Schloss gefallen waren. Sie sahen sich offen an und berieten lautstark, was sie jetzt bezüglich der Az Sweldn rak Anhûin unternehmen sollten.

Schließlich schlug Orik mit dem Knauf seines Schwertes auf den

Tisch, und alle wandten sich ihm zu, um zu hören, was er zu sagen hatte.

»Nachdem wir die Sache mit Vermûnd erledigt haben, sollte sich die Clan-Versammlung noch einem anderen Punkt widmen. Wir haben uns hier versammelt, um Hrothgars Nachfolger zu wählen. Wir alle hatten viel dazu zu sagen, aber ich glaube, die Zeit ist reif, Taten sprechen zu lassen. Daher frage ich die Versammlung, ob wir bereit sind – und meiner Meinung nach sind wir mehr als bereit –, in drei Tagen zur endgültigen Wahl zu schreiten, wie unser Gesetz es vorschreibt. Ich selbst stimme mit Ja.«

Freowin sah Hadfala an, die wiederum Gannel anblickte, der zu Manndrâth schaute, der an seiner tropfenden Nase zupfte und Nado musterte. Der Grimstborith hockte zusammengesunken auf seinem Stuhl und kaute auf der Innenseite seiner Wange.

»Ja«, ergriff Íorûnn die Initiative.

»Ja«, folgte Ûndin.

»… Ja«, sagte schließlich auch Nado, und auch die restlichen acht Clan-Oberhäupter stimmten dafür.

Als sich die Clan-Versammlung Stunden später bis nach dem Mittagessen vertagte, kehrten Orik und Eragon in die Gemächer des Grimstborith zurück, um dort ihr Mahl einzunehmen. Keiner der beiden sagte ein Wort, bis sie die vor Lauschern geschützten Gemächer erreicht hatten. Dann lächelte Eragon. »Du hattest die ganze Zeit vor, den Clan der Az Sweldn rak Anhûin zu verbannen, stimmt's?«

Orik lächelte zufrieden und klopfte sich auf den Bauch. »Allerdings. Es war die einzige Maßnahme, die ich ergreifen konnte, ohne zwangsläufig einen Clan-Krieg heraufzubeschwören. Zu dem es natürlich nach wie vor kommen kann, aber dann ist es nicht unsere Schuld. Allerdings bezweifle ich das. Sosehr sie dich auch hassen, die meisten Angehörigen von Az Sweldn rak Anhûin dürften entsetzt darüber sein, was Vermûnd in ihrem Namen verbrochen hat. Er wird nicht mehr lange Grimstborith sein, glaube ich.«

»Und jetzt hast du auch noch dafür gesorgt, dass endlich die Wahl des neuen Königs …«

»… oder der Königin …«

»… oder der neuen Königin stattfinden kann.« Eragon zögerte, weil er Oriks Freude über seinen Triumph nicht trüben wollte. »Hast du wirklich die ausreichende Unterstützung, um den Thron zu besteigen?«, fragte er schließlich dennoch.

Orik zuckte mit den Schultern. »Vor heute Morgen hatte niemand genug Unterstützung. Jetzt hat sich die Waagschale jedoch geneigt und im Moment liegen die Sympathien der meisten Clans bei uns. Wir sollten das Eisen schmieden, solange es heiß ist; eine bessere Gelegenheit wird sich uns nicht mehr bieten. Und wir können keinesfalls zulassen, dass sich diese Clan-Versammlung noch länger hinzieht. Wenn du nicht bald zu den Varden zurückkehrst, ist vielleicht alles verloren.«

»Was machen wir bis zur Wahl?«

»Erst einmal feiern wir unseren Erfolg mit einem Fest«, erklärte Orik. »Und wenn wir gesättigt sind, machen wir so weiter wie bisher: Wir versuchen, Stimmen zu gewinnen und jene zu behalten, die uns bereits gehören.« Oriks Zähne blitzten unter seinem Bart, als er lächelte. »Aber bevor wir auch nur einen einzigen Schluck Met trinken, musst du dich um etwas kümmern, was du vollkommen vergessen zu haben scheinst.«

»Was denn?« Oriks offensichtliches Vergnügen verwirrte Eragon.

»Du musst natürlich Saphira nach Tronjheim rufen! Ob ich nun König werde oder nicht, wir werden in drei Tagen auf jeden Fall einen neuen Herrscher krönen. Wenn Saphira an der Zeremonie teilnehmen soll, muss sie sich ziemlich beeilen, um noch rechtzeitig einzutreffen.«

Mit einem stummen Aufschrei rannte Eragon los, auf der Suche nach einem Spiegel.

Ungehorsam

Die fruchtbare schwarze Erde fühlte sich kühl an unter Rorans Hand.

Er hob einen losen Klumpen auf und zerbröckelte ihn zwischen den Fingern. Die Erde war feucht, voll von vermodernden Blättern, Stängeln, Moos und anderen organischen Substanzen, die einen ausgezeichneten Nährboden für Getreide abgeben würden. Er kostete sie mit Lippen und Zunge. Sie schmeckte lebendig, nach hunderterlei verschiedenen Aromen, von fein gemahlenem Gestein über Käfer, verfaultes Holz bis zu den zarten Spitzen von Graswurzeln.

Das hier ist gutes Ackerland, dachte Roran. Er erinnerte sich an das Palancar-Tal, sah den Schein der Herbstsonne auf den Gerstenfeldern vor dem Hof seiner Familie, wo sich die endlosen Reihen goldener Ähren im Wind wiegten. Im Westen rauschte der Anora vorbei und auf der anderen Seite des Tals erhoben sich schneebedeckte Berggipfel. *Dort sollte ich sein, meine Krume bestellen und mit Katrina unsere Kinder großziehen, statt den Boden mit dem Blut von Männern zu tränken.*

»Heda!«, rief Hauptmann Edric und deutete von seinem Pferd herab auf Roran. »Hör auf zu träumen, Hammerfaust, sonst ändere ich meine Meinung und lasse dich mit den Bogenschützen Wache schieben!«

Roran rieb sich an seiner Hose die Erde von den Händen und stand auf. »Jawohl, Hauptmann. Wie Ihr befehlt, Hauptmann«, sagte er und versuchte, seine Abneigung gegen Edric zu unterdrücken. Seit er seinem Trupp zugeteilt worden war, hatte er versucht, alles über die Vergangenheit des Mannes herauszufinden. Offenbar war er ein fähiger Befehlshaber, sonst hätte Nasuada ihn nie mit einer so wichtigen Mission betraut, aber er war von aufbrausendem Naturell und bestrafte seine Männer bei der kleinsten Verfehlung. Was Roran zu seinem Verdruss bereits am ersten Tag dreimal am eigenen Leib zu spüren bekommen hatte. Diese Art der Führung untergrub seiner Meinung nach die Moral der Männer und förderte nicht gerade den Einfallsreichtum und die Erfindungsgabe der Untergebenen. *Vielleicht hat Nasuada mich ihm ja genau deshalb zugeteilt,* dachte er. *Als Prüfung. Vielleicht will sie wissen, ob ich meinen Stolz hinunterschlucken und unter einem Mann wie Edric dienen kann.*

Roran stieg wieder in Schneefeuers Sattel und ritt an die Spitze der zweihundertfünfzig Mann starken Kolonne. Ihr Auftrag war klar. Seit Nasuada und König Orrin den größten Teil ihrer Streitmacht aus Surda abgezogen hatten, nutzte Galbatorix offenbar die Gunst der Stunde und ließ das wehrlose Land verwüsten. Seine Soldaten verwüsteten Ortschaften und Dörfer, verbrannten das Getreide, das beim Feldzug gegen das Imperium zur Verpflegung der Krieger benötigt wurde. Es wäre das Einfachste gewesen, Saphira losfliegen und die Soldaten in Stücke zerfetzen zu lassen, aber mit Ausnahme der geplanten Reise nach Farthen Dûr wollten die Varden nicht so lange auf ihren Schutz verzichten. Also hatte Nasuada Edrics Kompanie ausgeschickt, um die Soldaten zu vertreiben, deren Zahl von Kundschaftern auf etwa dreihundert geschätzt worden war. Vor zwei Tagen jedoch waren Roran und die anderen Krieger zu ihrer Bestürzung auf Spuren gestoßen, die darauf hindeuteten, dass Galbatorix' Heer mehr als doppelt so groß war.

Roran zügelte Schneefeuer neben Carns Schecken und kratzte sich am Kinn, während er die Landschaft genauer betrachtete. Vor ihnen lag eine weite, wogende Grassteppe, auf der hier und da Weiden und Pappeln standen. Am Himmel kreisten jagende Falken, während sich im hohen Gras quiekende Mäuse, Kaninchen und andere Nager verbargen. Die Soldaten hatten eine breite Schneise ins Gras getrampelt, die nach Osten verlief und der einzige Hinweis darauf war, dass hier jemals Menschen durchgekommen waren.

Carn blickte zur Mittagssonne auf und kniff die Augen zusammen. »Wir sollten sie überholt haben, bevor unsere Schatten länger werden als wir selbst.«

»Dann werden wir auch wissen, ob unser Trupp groß genug ist, um sie zu vertreiben«, murmelte Roran. »Oder ob sie uns einfach niedermetzeln werden. Wenigstens einmal wäre ich meinen Feinden gerne zahlenmäßig überlegen.«

Carn lächelte grimmig. »Das geht den Varden immer so.«

»Aufstellung!«, schrie Edric, rammte seinem Pferd die Sporen in die Seiten und jagte die Schneise entlang. Roran biss die Zähne zusammen und drückte die Hacken sanft in Schneefeuers Flanken, als der Trupp seinem Hauptmann folgte.

Sechs Stunden später saß Roran auf Schneefeuer hinter einer Gruppe von Buchen am Rand eines schmalen, von Schilf und Algen überwucherten Bachlaufs. Durch die Zweige spähte Roran auf ein Dorf mit nicht mehr als zwanzig verfallenen grauen Häusern. Mit wachsendem Zorn hatte er mitansehen müssen, wie die Dorfbewohner beim Anblick der Soldaten, die sich aus Westen näherten, hastig ihre Habseligkeiten zusammenrafften und nach Süden flüchteten, weiter ins Landesinnere von Surda. Wäre es nach ihm gegangen, hätten sie sich den Dörflern gezeigt und ihnen versichert, dass sie ihre Häuser nicht verlieren würden. Jedenfalls nicht, wenn er und sein Trupp es verhindern konnten. Er erinnerte sich noch sehr gut an den Schmerz und die Hoffnungslosigkeit, die ihn durchströmten, als er Carvahall hatte verlassen müssen. Das hätte er den Menschen gern erspart. Außerdem hätte er die Männer des Dorfes aufgefordert, sich ihnen anzuschließen. Zehn oder zwanzig Schwertarme mehr konnten durchaus über Sieg oder Niederlage entscheiden, und Roran kannte die Inbrunst, mit der Menschen

Heim und Herd verteidigten, besser als die meisten anderen. Edric hatte seinen Vorschlag jedoch abgelehnt und angeordnet, dass sich die Varden in den Hügeln südöstlich des Dorfes versteckt halten sollten.

»Wir können von Glück reden, dass sie zu Fuß sind«, murmelte Carn und deutete auf die Kolonne rot gekleideter Soldaten, die sich dem Dorf näherte. »Sonst wären wir niemals vor ihnen hier eingetroffen.«

Roran sah sich nach seinen Männern um. Edric hatte ihm vorübergehend den Befehl über einundachtzig Krieger übertragen: Schwertkämpfer, Speerträger und ein halbes Dutzend Bogenschützen. Einer von Edrics Vertrauten, Sand, befehligte weitere einundachtzig Männer des Trupps, während Edric den Rest anführte. Die drei Gruppen drängten sich unter den Buchen zusammen. Ein Fehler, fand Roran. Sie würden wertvolle Zeit benötigen, sich neu zu formieren, wenn sie aus ihrer Deckung hervorbrachen und angriffen. Zeit, die den Soldaten helfen würde, ihre Verteidigung aufzustellen.

Roran beugte sich zu Carn hinüber. »Es ist keiner darunter, dem Arme oder Beine fehlen oder der andere schwere Verletzungen hat, aber das beweist noch nichts. Kannst du feststellen, ob Männer dabei sind, die keinen Schmerz empfinden?«

Carn seufzte. »Ich wünschte, ich könnte es. Dein Cousin wäre dazu vielleicht in der Lage, denn die einzigen Magier, die Eragon fürchten muss, sind Murtagh und Galbatorix. Ich dagegen bin nur ein armseliger Zauberer und wage es nicht, die Soldaten auszuspionieren. Sollten sich unter ihnen verkleidete Magier befinden, würden sie mich sofort bemerken. Und mit großer Wahrscheinlichkeit könnte ich ihren Geist nicht brechen, bevor sie ihre Kameraden vor uns warnen würden.«

»Dieses Gespräch scheinen wir vor jedem Kampf zu führen«, bemerkte Roran, der die Bewaffnung der feindlichen Soldaten eingehend prüfte und sich überlegte, wie er seine Männer am besten einsetzen sollte.

»Das stimmt«, erwiderte Carn lachend. »Ich hoffe nur, dass es auch so bleibt, denn wenn nicht …«

»… ist mindestens einer von uns tot …«

»… oder Nasuada hat uns unterschiedlichen Hauptleuten zugeteilt …«

»Und dann sind wir auch so gut wie tot, weil kein anderer uns den Rücken so gut freihält«, schloss Roran den Satz und lächelte schwach. Es war mittlerweile ein alter Scherz zwischen ihnen geworden. Dann zog er den Hammer aus dem Gürtel und zuckte zusammen, als ein Schmerz durch das Bein fuhr, das der Ochse ihm mit seinem Horn aufgerissen hatte. Stirnrunzelnd massierte er die Stelle.

Carn sah es. »Geht es dir gut?«

»Es wird mich nicht umbringen«, meinte Roran, verbesserte sich dann jedoch. »Vielleicht wird es das, aber ich will verdammt sein, wenn ich hier warte, während ihr losgeht und diese stümperhaften Idioten in Stücke hackt.«

Als die Soldaten das Dorf erreichten, marschierten sie einfach quer durch und hielten sich nur so lange auf, wie sie brauchten, um die Türen aller Häuser aufzubrechen und die Räume zu durchsuchen. Ein Hund sprang mit gesträubtem Fell hinter einem Regenfass hervor und kläffte die Soldaten an. Da trat einer der Männer vor und durchbohrte ihn mit seinem Speer.

Als die ersten Soldaten das Ende des Dorfes erreichten, packte Roran den Hammer fester, denn nun würden sie in Kürze zuschlagen. Plötzlich hörte er schrille Schreie. Eine düstere Vorahnung packte ihn. Aus der vorletzten Hütte tauchte ein kleiner Trupp Soldaten auf, die drei sich heftig wehrende Leute hinter sich herzogen. Einen dürren weißhaarigen Mann, eine junge Frau mit zerrissener Bluse und einen höchstens elfjährigen Jungen.

Roran trat der Schweiß auf die Stirn. Er begann, leise vor sich hin zu fluchen, verwünschte die drei Gefangenen dafür, dass sie nicht mit ihren Nachbarn geflohen waren, verwünschte die Soldaten für das, was sie getan hatten und noch tun würden, verwünschte Galbatorix und die Launen des Schicksals, die sie alle in diese Lage gebracht hatten. Er hörte seine Männer hinter sich wütend murren. Sie brannten darauf, die Soldaten für ihre Grausamkeit zu bestrafen.

Nachdem die Soldaten alle Häuser durchsucht hatten, kehrten sie zum Dorfkern zurück und scharten sich in einem unregelmäßigen Halbkreis um die Gefangenen.

Ja!, triumphierte Roran innerlich, als die Soldaten den Varden den Rücken zukehrten. Laut Edrics Plan sollten sie genau auf eine solche Gelegenheit warten. In Erwartung des Befehls zum Angriff richtete Roran sich gespannt in seinem Sattel auf. Er versuchte zu schlucken, aber seine Kehle war wie ausgedörrt.

Der Anführer der Soldaten, der einzige zu Pferde, stieg ab und wechselte einige Worte mit dem weißhaarigen Gefangenen, die Roran aus der Entfernung nicht hören konnte. Plötzlich zog der Soldat ohne Vorwarnung den Säbel und enthauptete den Mann. Im nächsten Moment sprang er zurück, um nicht vom Blut bespritzt zu werden. Die junge Frau schrie noch lauter als zuvor.

»Angriff«, befahl Edric.

Roran brauchte einen Herzschlag, um zu begreifen, dass dieses von Edric so ruhig ausgesprochene Wort der Befehl war, auf den er gewartet hatte.

»Angriff!«, brüllte Sand auf der anderen Seite des Hauptmanns und brach mit seinen Männern zwischen den Buchen hervor.

»Angriff!«, schrie jetzt auch Roran und presste Schneefeuer die Fersen in die Flanken. Er duckte sich zum Schutz vor den Zweigen hinter seinen Schild, dann ließ er ihn sinken, als sie unter trommelnden Hufschlägen den unbestandenen Hügel hinuntergaloppierten. Roran wollte unbedingt die Frau und den Jungen retten und trieb Schneefeuer weiter an. Mit einem Blick zurück stellte er zufrieden fest, dass seine Abteilung sich ohne Schwierigkeiten von den anderen Varden hatte lösen können und seine Männer ihm bis auf ein paar Nachzügler in kaum fünf Pferdelängen Abstand folgten. Unter der Vorhut von Edrics Trupp entdeckte Roran Carns wehenden grauen Umhang und wünschte sich erneut, der Hauptmann hätte sie zusammen reiten lassen.

Den Anweisungen entsprechend, ritt Roran nicht direkt ins Dorf, sondern schwenkte nach links um die Gebäude herum, um die Flanke der Soldaten anzugreifen. Sand tat dasselbe auf der rechten Seite, während Edric und die restlichen Varden von vorn hineinstürmten.

Eine Häuserreihe dämpfte das Waffengeklirr vor ihm, als die Hauptmacht auf den Feind traf, aber Roran hörte wüstes Gebrüll, dann ein merkwürdiges metallisches Sirren und schließlich die Schreie von Männern und Pferden.

Seine Eingeweide brannten vor Sorge. *Was bedeutet dieser Lärm? Sind das Armbrüste aus Metall? Gibt es solche Waffen?* Doch ganz gleich, welchen Grund das gequälte Wiehern der Pferde auch hatte, Roran überlief es eiskalt. Mit schrecklicher Gewissheit erkannte er, dass der Angriff fehlgeschlagen sein musste und die Schlacht vielleicht schon verloren war.

Als sie das letzte Haus passiert hatten, trieb er Schneefeuer in vollem Galopp zum Dorfplatz. Seine Männer folgten ihm. In etwa zweihundert Schritt Entfernung versperrte ihnen zwischen zwei Häusern eine dreifache Phalanx aus Soldaten den Weg. Sie schienen keine Angst vor den Pferden zu haben, die auf sie zudonnerten.

Roran zögerte. Seine Befehle waren eindeutig: Er und seine Männer sollten die westliche Flanke angreifen und sich durch Galbatorix' Truppen bis zu Sand und Edric vorkämpfen. Nur hatte der Hauptmann Roran nicht gesagt, was er tun sollte, falls sich herausstellte, dass es keine gute Idee war, einfach auf die Soldaten zuzureiten. Roran wusste, wenn er gegen seine Anweisungen verstieß, und sei es auch nur, um seine Männer vor einem Massaker zu bewahren, würde das eine Befehlsverweigerung bedeuten und von Edric entsprechend bestraft werden.

Da schlugen die Soldaten ihre weiten Umhänge zurück und hoben gespannte Armbrüste an ihre Schultern.

In diesem Augenblick entschied Roran, alles Menschenmögliche zu tun, damit die Varden diese Schlacht gewannen. Er würde nicht zulassen, dass die Soldaten seinen Trupp mit einer einzigen Armbrustsalve niederstreckten, nur um dem Zorn seines Hauptmanns über eine etwaige Befehlsverweigerung zu entgehen.

»Deckung!«, schrie er, riss die Zügel hart nach rechts und zwang Schneefeuer, hinter einer Hausecke Schutz zu suchen. Eine Sekunde später bohrte sich ein Dutzend Armbrustbolzen in das Gebäude. Roran fuhr im Sattel herum. Bis auf einen war es allen seinen Leuten gelungen, sich hinter Häuser zu flüchten, bevor die Soldaten ihre Salve abfeuerten. Der Varde, der zu langsam gewesen war, lag blutüberströmt im Dreck der Gasse. In seiner Brust steckten zwei Armbrustbolzen, die das Kettenhemd wie dünnes Tuch durchschlagen hatten. Verängstigt vom Geruch des Blutes, scheute das Pferd des Toten, schlug aus und galoppierte, eine Staubwolke hinterlassend, aus dem Dorf.

Roran hielt sich an einem Querbalken des Hauses fest, um Schneefeuer an Ort und Stelle zu halten, während er verzweifelt überlegte, was er jetzt tun sollte. Sie saßen fest. Sie konnten ihre Deckung nicht verlassen, ohne Gefahr zu laufen, von Bolzen gespickt zu werden, bis sie wie Igel aussahen.

Eine kleine Gruppe von Rorans Kriegern ritt im Schutz der Häuser zu ihm. »Was machen wir jetzt, Hammerfaust?«, fragten sie. Dass er gegen seine Befehle verstoßen hatte, schien sie nicht sonderlich zu stören. Im Gegenteil, sie blickten ihn mit neu erwachtem Vertrauen an.

Während sich seine Gedanken überschlugen, fiel sein Blick zufällig auf Bogen und Köcher am Sattel eines der Männer. Er lächelte. Es gab nur wenige Bogenschützen unter ihnen, aber grundsätzlich trugen alle Pfeil und Bogen, damit sie jagen und zur Verpflegung der Truppe beitragen konnten, wenn sie weitab vom Lager der Varden durch die Wildnis streiften und sich selbst versorgen mussten.

Er deutete auf das Haus, an dem er lehnte. »Nehmt eure Bogen und klettert hier rauf. Wenn euch euer Leben lieb ist, bleibt in Deckung, bis ich euch einen anderen Befehl gebe. Sobald ich es sage, schießt ihr so lange auf die Soldaten, bis ihr entweder keine Pfeile mehr habt oder der letzte Feind tot ist. Verstanden?«

»Jawohl!«

»Also los! Diejenigen, die auf diesem Dach keinen Platz mehr finden, suchen sich eigene Häuser, von denen aus sie die Soldaten beschießen können. Harald, informiere die anderen und bring anschließend, so schnell du kannst, unsere zehn besten Speer- und Schwertkämpfer zu mir.«

»Jawohl!«

Die Soldaten führten hastig seine Befehle aus. Die Männer, die Roran am nächsten standen, lösten ihre Bogen und Köcher von den Sätteln, stellten sich auf die Rücken ihrer Pferde und zogen sich auf das Reetdach des Hauses. Kurze Zeit später hatte sich der größte Teil von Rorans Trupp auf die Dächer von sieben Häusern verteilt, etwa acht Mann pro Dach, und Harald war mit den Speer- und Schwertkämpfern zurückgekehrt.

»Hört zu«, erklärte Roran ihnen. »Wenn ich den Befehl gebe, werden die Männer auf den Dächern anfangen zu schießen. Sobald die erste Pfeilsalve die Soldaten erreicht, reiten wir los und versuchen, Hauptmann Edric zu retten. Sollte es uns nicht gelingen, werden diese Rotröcke zumindest unsere Klingen zu schmecken bekommen. Die Bogenschützen sollten genug Verwirrung unter den Soldaten stiften, damit wir sie erreichen, bevor sie ihre Armbrüste einsetzen können. Verstanden?«

»Jawohl!«

»Also dann … Feuer!«, schrie Roran.

Mit lautem Gebrüll richteten sich die Männer auf den Dächern auf und feuerten über die Dachfirste eine Salve auf die Soldaten unter ihnen ab. Der Pfeilhagel pfiff durch die Luft wie ein Schwarm blutrünstiger Raubvögel, der sich auf seine Beute stürzt.

Einen Moment später konnten sie die Schmerzensschreie der Soldaten hören. »Jetzt! Los!«, rief Roran und trieb Schneefeuer an.

Gemeinsam galoppierten er und seine Männer um die Ecke des

Hauses und zwangen ihre Pferde dabei in eine so enge Kurve, dass die Tiere fast gestrauchelt wären. Roran vertraute auf seine Schnelligkeit und das Geschick der Bogenschützen, als er an den Soldaten vorbeipreschte, deren Formation sich aufgelöst hatte. Sie erreichten die Stelle, an der Edrics Trupp auf die Soldaten getroffen war. Der Boden war glitschig von Blut und zwischen den Häusern lagen die Leichen vieler guter Männer und edler Pferde. Die verbliebenen Varden fochten Mann gegen Mann gegen die Soldaten. Zu Rorans Überraschung war Edric noch am Leben und kämpfte Rücken an Rücken mit fünf seiner Krieger.

»Bleibt dicht hinter mir!«, schrie Roran seinen Leuten zu, als sie sich in die Schlacht stürzten.

Schneefeuer schleuderte zwei Soldaten mit Huftritten zu Boden, brach ihnen die Schwertarme und zertrümmerte ihre Rippen. Der Mut seines Hengstes feuerte Roran an und sein Hammer sauste nur so durch die Luft. Er knurrte vor Kampfeslust, als er einen Soldaten nach dem anderen tötete. Keiner der Feinde vermochte der Wildheit seiner Hiebe etwas entgegenzusetzen. »Zu mir!«, schrie er, als er Edric und die anderen Überlebenden erreicht hatte. »Zu mir!«

Der andauernde Pfeilhagel zwang die Soldaten vor ihm, sich mit ihren Schilden zu schützen, während sie gleichzeitig die Schwerter und Speere der Varden abwehren mussten. Sobald er und seine Berittenen einen Kreis um die sich zu Fuß verteidigenden Varden gebildet hatten, schrie Roran: »Zurück! Zurück zu den Häusern!« Schritt um Schritt wichen sie zurück, bis sie außerhalb der Reichweite der Schwerter der Soldaten waren. Dann drehten sie sich um und flohen zum nächstgelegenen Haus. Die Soldaten feuerten ihre Armbrüste ab und töteten drei Krieger, aber der Rest erreichte unversehrt das Gebäude.

Edric sank gegen die Hauswand und rang keuchend nach Luft. Er deutete auf Rorans Leute und japste: »Dein Eingreifen kommt gerade noch zur rechten Zeit und ist uns sehr willkommen, Hammerfaust. Aber warum sehe ich dich hier und nicht inmitten einer Attacke deiner Soldaten?«

Roran erklärte, was er getan hatte, und deutete auf die Bogenschützen auf den Dächern.

Edrics Miene verfinsterte sich bei Rorans Bericht. Der Hauptmann schalt ihn jedoch nicht wegen seines Ungehorsams, sondern sagte nur: »Hol die Männer sofort herunter. Es ist ihnen gelungen, die Reihen der Soldaten aufzubrechen. Jetzt müssen wir sie in einem ehrlichen Kampf Mann gegen Mann vernichten.«

»Wir sind zu wenige, um die Soldaten offen anzugreifen!«, protestierte Roran. »Sie sind uns zahlenmäßig um mehr als das Dreifache überlegen.«

»Dann müssen wir unsere geringere Zahl eben durch Tapferkeit ausgleichen!«, brüllte Edric. »Mir wurde gesagt, du hättest Mut, Hammerfaust, aber offenbar stimmen die Gerüchte nicht! Du bist so ängstlich wie ein verschrecktes Kaninchen. Jetzt befolge meinen Befehl und widersetze dich mir nie wieder!« Der Hauptmann deutete auf einen von Rorans Leuten. »Du da, gib mir dein Pferd.« Nachdem der Mann abgestiegen war, schwang sich Edric in den Sattel. »Die Hälfte der Reiter folgt mir. Ich werde als Verstärkung zu Sand stoßen. Alle anderen bleiben bei Roran.« Edric gab dem Pferd die Sporen und galoppierte mit den Männern davon. Sie ritten von Haus zu Haus und bahnten sich so einen Weg um die Soldaten herum, die sich in der Mitte des Dorfes zusammengerottet hatten.

Roran zitterte vor Wut, als er ihnen nachsah. Noch nie zuvor hatte jemand seinen Mut infrage gestellt, ohne dass er darauf mit Worten oder Fäusten hätte reagieren können. Aber solange die Schlacht andauerte, gab es keine Möglichkeit, den Hauptmann zur Rede zu stellen. *Also gut,* dachte er. *Ich werde Edric meinen Mut demonstrieren, der mir angeblich fehlt. Aber mehr nicht. Meine Bogenschützen werde ich auf keinen Fall in einen Nahkampf mit den Soldaten schicken, wenn sie auf den Dächern weit sicherer und wirksamer sind.*

Roran drehte sich um und inspizierte die Männer, die Edric ihm dagelassen hatte. Unter den Geretteten befand sich zu seiner

Freude auch Carn, der zwar einige blutende Schrammen davongetragen hatte, ansonsten jedoch unverletzt schien. Sie nickten sich kurz zu, bevor Roran sich an die Leute wandte: »Ihr habt Edric gehört. Ich bin nicht seiner Meinung. Wenn es nach ihm geht, liegen wir alle noch vor Sonnenuntergang auf einem Haufen, die Augen für immer geschlossen. Wir können diesen Kampf gewinnen, aber nicht, indem wir sehenden Auges in den Tod laufen! Was uns an Männern fehlt, können wir durch Gerissenheit wettmachen. Ihr wisst, wie ich zu den Varden kam. Ihr wisst, dass ich schon zuvor das Imperium bekämpft und besiegt habe, und zwar in genau so einem Dorf! Ich kann das hier schaffen, das schwöre ich euch, aber nicht allein. Folgt ihr mir? Bedenkt eure Entscheidung gut. Ich übernehme zwar die Verantwortung dafür, dass wir uns Edrics Befehl widersetzen, aber er und Nasuada können trotzdem jeden bestrafen, der mitgemacht hat.«

»Dann wären sie Narren«, knurrte Carn. »Wäre es ihnen lieber, wenn wir hier sterben? Das glaube ich nicht. Auf mich kannst du zählen, Roran.«

Roran sah, wie die Männer nach Carns Worten die Schultern strafften und trotzig das Kinn vorstreckten. In ihren Augen brannte eine neue Entschlossenheit, und Roran wusste, dass sie entschieden hatten, an seiner Seite zu kämpfen, und sei es nur, um in der Nähe des einzigen Magiers ihrer Kompanie zu bleiben. Es gab viele Varden, die ihr Leben einem Mitglied der Du Vrangr Gata verdankten, und die meisten Krieger, die Roran kannte, hätten sich eher ihr Schwert in den Fuß gerammt, als ohne Magier in die Schlacht zu ziehen.

»Auf uns kannst du ebenfalls zählen, Hammerfaust«, sagte Harald.

»Dann folgt mir!«, rief Roran. Er bückte sich, zog Carn hinter sich auf den Sattel und ritt mit den Leuten zu den Häusern zurück, von deren Dächern die Bogenschützen immer noch die Soldaten beschossen. Während Roran und seine Männer von Haus zu Haus hasteten, surrten Armbrustbolzen wie große, wütende Insekten an ihnen vorbei – einer bohrte sich sogar ein Stück durch Haralds Schild.

Sobald sie in Deckung gegangen waren, wies Roran alle Berittenen an, ihre Bogen und Köcher den Fußsoldaten zu geben, die er anschließend zu den anderen Bogenschützen auf die Dächer schickte. Während die Männer unverzüglich seinen Befehl ausführten, winkte er Carn zu sich, der von Schneefeuer gesprungen war, sobald sie angehalten hatten. »Ich brauche einen Zauberspruch. Kannst du mich und zehn weitere vor diesen Bolzen schützen?«

Carn zögerte. »Wie lange?«

»Eine Minute, eine Stunde? Wer weiß?«

»So viele Leute vor mehr als nur einer Handvoll Bolzen zu schützen, würde meine Kräfte übersteigen. Aber ich könnte die Bolzen ablenken, statt sie aufzuhalten, wenn dir das genügt ...«

»Ausgezeichnet.«

»Wen genau soll ich schützen?«

Roran deutete auf die zehn Männer und Carn fragte sie nach ihren Namen. Mit eingezogenen Schultern stand er da und begann, Sätze in der alten Sprache zu murmeln. Er war bleich und sichtlich angespannt. Dreimal versuchte er, den Zauber zu wirken, und jedes Mal scheiterte er. »Es tut mir leid«, meinte er schließlich und atmete bebend aus. »Ich kann mich wohl einfach nicht konzentrieren.«

»Verdammt, spar dir deine Entschuldigung«, knurrte Roran. »Mach es einfach.« Er sprang aus dem Sattel, nahm Carns Kopf zwischen die Hände und hielt ihn fest. »Sieh mich an! Sieh mir direkt in die Augen. Genau so. Sieh mich an! ... Gut. Und jetzt wirke den Schutzzauber!«

Carns Miene hellte sich auf, er lockerte die Schultern und sprach zuversichtlich die Beschwörung. Als er beim letzten Wort angekommen war, sackte er kurz in Rorans Griff zusammen. »Es ist vollbracht.«

Roran klopfte ihm anerkennend auf die Schulter und stieg wieder auf sein Pferd. Dann ließ er den Blick über die zehn Reiter gleiten. »Bewacht meine Flanken und meinen Rücken, aber bleibt hinter mir, damit ich ungehindert meinen Hammer schwingen kann.«

»Jawohl!«

»Vergesst nicht, die Bolzen können euch jetzt nichts mehr anhaben. Carn, du bleibst hier. Beweg dich nicht zu viel, sondern spar dir deine Kräfte. Wenn du den Zauber nicht länger aufrechterhalten kannst, gib uns ein Zeichen, bevor du ihn löst. Einverstanden?«

Carn setzte sich auf die unterste Treppenstufe des Hauses und nickte. »Einverstanden.«

Roran packte Hammer und Schild fester und atmete mehrmals tief durch, um sich zu sammeln. »Wappnet euch«, sagte er und schnalzte mit der Zunge.

Gefolgt von den zehn Männern, ritt er mitten auf die lehmige Gasse zwischen den Häusern und stellte sich den Soldaten. Auf dem Dorfplatz hatten sich etwa fünfhundert von Galbatorix' Männern zusammengeschart. Die meisten knieten oder kauerten hinter ihren Schilden, während sie ihre Armbrüste neu spannten. Manchmal richtete sich ein Soldat auf und schoss auf die Bogenschützen auf den Dächern, bevor er sich rasch duckte und Pfeile durch die Luft pfiffen, wo er eben noch gestanden hatte. Überall auf der von Leichen übersäten Grasfläche steckten Pfeile im Boden, deren Schäfte wie Getreideähren aus der blutigen Erde sprossen. Mehrere hundert Schritte entfernt auf der anderen Seite des Platzes und der Soldaten bemerkte Roran ein Kampfgetümmel. Vermutlich fochten dort Sand, Edric und der Rest ihrer Truppe gegen die Soldaten. Ob sich die Frau und der Junge noch auf dem Platz befanden, konnte er nicht erkennen.

Ein Bolzen sauste auf Roran zu. Knapp einen Schritt vor seiner Brust änderte das Geschoss abrupt die Richtung und verfehlte ihn und seine Leute. Er zuckte zusammen, doch der Bolzen war schon an ihm vorbei. Ihm schnürte es die Kehle zu und sein Herz schlug plötzlich doppelt so schnell wie zuvor.

Roran sah an einem Haus zu seiner Linken einen zerbrochenen

Wagen. Er deutete darauf. »Zieht den hierher und kippt ihn um. Blockiert so viel von der Straße, wie ihr könnt.« Dann schrie er den Bogenschützen zu: »Sorgt dafür, dass sich die Soldaten nicht um uns herumschleichen und uns von der Seite angreifen! Wenn sie sich auf uns stürzen, lichtet ihre Reihen, so gut ihr könnt. Wenn ihr keine Pfeile mehr habt, kommt zu uns herunter!«

»Jawohl!«

»Aber passt auf, dass ihr nicht aus Versehen uns trefft. Sonst, das schwöre ich, gehe ich für den Rest der Ewigkeit in euren Hallen um!«

»Jawohl!«

Wieder sausten Bolzen auf Roran und seine Leute zu, aber Carns Schutzzauber lenkte sie ab, und sie schlugen in Hauswände oder den Boden ein oder verschwanden himmelwärts.

Roran beobachtete, wie seine Leute den Karren auf die Straße zogen. Als sie fast fertig waren, hob er das Kinn, holte tief Luft und brüllte in Richtung der Soldaten. »He, ihr da, ihr feigen Aasköter! Wir sind nur elf und versperren euch doch den Weg! Ihr müsst uns schon beiseitefegen, wenn ihr hier durchwollt. Versucht es, wenn ihr den Mumm dazu habt! Was? Ihr zögert? Und so was nennt sich Männer, ihr missgebildeten Maden, ihr widerlichen, schweinsgesichtigen Mörder? Eure Väter waren sabbernde Idioten, die man nach ihrer Geburt hätte ersäufen sollen! Und eure Mütter waren pockennarbige Huren und Gespielinnen der Urgals!« Roran lächelte zufrieden, als etliche Soldaten ein Wutgeheul anstimmten und seine Beleidigungen erwiderten. Einen schien jedoch der Mut verlassen zu haben, denn er sprang auf und rannte nach Norden davon, wobei er den Schild vor sich hielt und verzweifelt Haken schlug, um den Pfeilen der Bogenschützen zu entkommen. Vergeblich. Die Varden erschossen ihn, bevor er auch nur hundert Schritte weit gekommen war. »Ha!«, rief Roran. »Feiglinge seid ihr allesamt, ihr verlausten Flussratten! Vielleicht verleiht euch das ja Rückgrat: Mein Name ist Roran Hammerfaust und Eragon Schattentöter ist mein Cousin! Tötet mich und euer mörderischer König wird euch mit einem Adelstitel belohnen, vielleicht sogar mit noch mehr. Aber ihr müsst mich mit einer Klinge niederstrecken. Eure Armbrüste können mir nichts anhaben. Kommt schon, ihr lahmen Enten, ihr Blutegel, ihr ausgehungerten, weißbäuchigen Zecken! Kommt und besiegt mich, wenn ihr könnt!«

Etwa dreißig Soldaten stießen wilde Schlachtrufe aus, ließen die Armbrüste fallen, zückten blitzende Schwerter und rannten im Schutz ihrer erhobenen Schilde auf Roran und seine Männer zu.

Hinter ihm sagte Harald: »Roran, es sind viel mehr als wir.«

»Ja.« Roran ließ die heranstürmenden Soldaten nicht aus den Augen. Vier von ihnen strauchelten und blieben, von zahlreichen Pfeilen durchbohrt, reglos liegen.

»Wenn sie uns alle auf einmal angreifen, haben wir keine Chance.«

»Stimmt, aber das werden sie nicht tun. Sieh doch, wie verwirrt und unorganisiert sie sind. Ihr Befehlshaber muss gefallen sein. Solange wir unsere Formation halten, können sie uns nicht besiegen.«

»Aber Hammerfaust, wir allein können niemals so viele Männer töten!«

Jetzt maß Roran Harald mit einem Blick. »Natürlich können wir das! Wir kämpfen für unsere Familien und um unsere Heimat und unser Land zurückzuerobern! Sie dagegen kämpfen, weil Galbatorix sie zwingt, und sind nicht mit dem Herzen dabei. Also denkt an eure Familien und an eure Heimat und vergesst nicht, was ihr verteidigt. Ein Mann, der für etwas Größeres kämpft als für sich, kann mit Leichtigkeit selbst hundert Feinde töten!« Noch während er das sagte, beschwor Roran im Geiste ein Bild von Katrina in ihrem blauen Hochzeitskleid herauf; er roch den Duft ihrer Haut und hörte ihre leise Stimme, wenn sie sich nachts unterhielten.

Katrina.

Dann waren die Soldaten bei ihnen, und eine Weile hörte Roran nichts außer das Klirren von Schwertern auf seinem Schild, das Dröhnen, mit dem sein Hammer auf die Helme der Soldaten herabsauste, und die Todesschreie der Feinde, die er mit seinen Hieben niederstreckte. Die Soldaten stürzten sich mit dem Mut der Verzweiflung auf sie, aber sie hielten ihm und seinen Männern nicht stand. Als er den letzten Angreifer erledigt hatte, lachte Roran beinahe übermütig auf. Was für eine Freude war es, diejenigen zu zerschmettern, die seiner Frau und seinem ungeborenen Kind Böses wollten!

Erleichtert stellte er fest, dass keiner seiner Leute ernsthaft verletzt worden war. Auch bemerkte er, dass während des Kampfes einige Bogenschützen von den Dächern heruntergestiegen waren, um jetzt zu Pferde an ihrer Seite zu kämpfen. Roran grinste die Neuankömmlinge an. »Willkommen in der Schlacht!«

»Danke für dieses wahrhaft herzliche Willkommen«, erwiderte einer.

Roran deutete mit dem blutverschmierten Hammer auf die rechte Seite der Gasse. »Du, du und du, stapelt die Leichen dort drüben auf. Bildet aus den Toten und dem Karren einen Trichter, damit nur zwei oder drei Soldaten zugleich zu uns durchkommen.«

»Jawohl«, erwiderten die Männer und schwangen sich von ihren Pferden.

Ein Bolzen zischte an Roran vorbei. Er beachtete ihn gar nicht und konzentrierte sich auf die Hauptmacht des Feindes. Dort sammelte sich eine Gruppe von etwa hundert Soldaten für einen zweiten Angriff. »Beeilt euch«, trieb er die Leute an, die mit den Leichen beschäftigt waren. »Sie sind fast da. Harald, hilf ihnen!«

Roran leckte sich nervös über die Lippen, während er zusah, wie seine Männer arbeiteten und die Soldaten vorrückten. Zu seiner Erleichterung zerrten die vier Varden, wenige Momente bevor die erste Welle der Soldaten zuschlug, den letzten Leichnam auf den Haufen und bestiegen wieder ihre Pferde.

Die Häuser auf beiden Seiten der Gasse, der umgekippte Karren und die grauenhafte Barrikade aus menschlichen Kadavern nahm den Angreifern den Schwung und drängte sie zusammen, sodass ihr Ansturm fast zum Erliegen gekommen war, als sie Roran erreichten. Die Soldaten standen so dicht gedrängt, dass sie den Pfeilen von den Dächern wehrlos ausgeliefert waren.

Die beiden ersten Reihen Soldaten waren mit Speeren bewaffnet, mit denen sie Roran und die Varden angriffen. Roran parierte drei Stöße und fluchte dabei unaufhörlich, weil er mit seinem Hammer nicht nah genug an die Speerkämpfer herankam. Plötzlich stach ein Feind Schneefeuer in die Schulter. Roran musste sich weit über den Hals des Tieres beugen, damit er nicht abgeworfen wurde, als der Hengst schrill wieherte und sich aufbäumte.

Als Schneefeuer wieder auf allen vieren landete, glitt Roran aus dem Sattel und hielt den Hengst zwischen sich und dem Wald speerschwingender Soldaten. Schneefeuer bockte, als ein zweiter Speer seine Haut durchbohrte. Bevor die Soldaten sein Pferd noch einmal verletzen konnten, zog Roran an seinen Zügeln und zwang ihn rückwärts, bis der Hengst zwischen den anderen Pferden genug Platz hatte, sich umzudrehen. »Ho!«, schrie Roran und schlug Schneefeuer mit der flachen Hand aufs Hinterteil, damit er aus dem Dorf galoppierte.

»Macht Platz!«, brüllte er den Varden vor sich zu und wedelte mit den Armen. Die Männer bildeten eine Gasse, Roran rannte nach vorne, um sich wieder in den Kampf zu stürzen, und schob sich dabei den Hammer in den Gürtel.

Ein Soldat zielte mit einem Speer auf Rorans Brust. Der blockte den Hieb mit dem Handgelenk ab und rieb sich an dem rauen Holz die Haut auf. Doch er packte den Speer und riss ihn dem Soldaten aus den Händen. Der Mann fiel vornüber aufs Gesicht. Roran wirbelte die Waffe herum, rammte dem Soldaten die Spitze in den Leib, sprang vor und durchbohrte zwei weitere Feinde. Er stellte sich breitbeinig hin, stemmte die Füße fest in die fruchtbare Erde der Gasse, in der er weit lieber Getreide gesät hätte, und schüttelte drohend den Speer gegen seine Feinde. »Kommt, ihr Bastarde!«, schrie er. »Tötet mich, wenn ihr könnt. Ich bin Roran Hammerfaust und fürchte keinen Sterblichen!«

Die Soldaten drängten vorwärts, drei stiegen über die Leichen ihrer gefallenen Kameraden hinweg und griffen Roran an. Roran tänzelte zur Seite, rammte dem rechten Soldaten den Speer in den Kiefer und zertrümmerte ihm die Zähne. Blut lief über das Blatt des Speers, als Roran die Waffe herauszog, in die Knie ging und dem mittleren den Speer durch die Achselhöhle trieb.

Ein Stoß erschütterte Rorans linke Schulter und sein Schild war plötzlich doppelt so schwer wie zuvor. Er erhob sich und sah, dass ein Speer im Eichenholz seines Schildes steckte und der letzte der drei Angreifer mit gezücktem Schwert auf ihn zustürmte. Roran hob den Speer hoch über den Kopf, als wollte er ihn schleudern. Der Soldat zögerte einen winzigen Moment und Roran trat ihm mit aller Kraft zwischen die Beine. Anschließend erledigte er den Feind mit einem einzigen Stoß. In der folgenden kurzen Kampfpause zog Roran den Arm aus dem nutzlosen Schild und warf ihn mitsamt dem Speer seinen Feinden vor die Füße, in der Hoffnung, sie würden darüber stolpern.

Dann drängten mehr Soldaten heran, die jedoch vor Rorans wildem Grinsen und seinen Speerstößen zurückzuckten. Der Leichenberg vor ihm wuchs. Als er ihm bis zur Hüfte ging, sprang Roran auf den blutigen Wall und blieb dort, trotz des unsicheren Stands, denn die Höhe verschaffte ihm einen Vorteil. Da die Soldaten einen Hügel aus Leichen erklimmen mussten, um ihn zu erreichen, konnte er viele töten, wenn sie über einen Arm oder ein Bein stolperten, auf den weichen Hals eines ihrer toten Kameraden traten oder auf einem Schild ausrutschten.

Von seiner erhöhten Position aus sah Roran aber auch, dass die restlichen Feinde sich dem Angriff offenbar anschließen wollten. Nur eine kleine Gruppe auf der anderen Seite des Dorfes kämpfte immer noch gegen Sands und Edrics Krieger. Ihm wurde klar, dass ihm keine Ruhepause vergönnt sein würde, bis die Schlacht entschieden war.

Während der Tag voranschritt, trug Roran Dutzende von Verletzungen davon. Viele dieser Wunden waren nicht der Rede wert –

ein Schnitt auf der Innenseite seines Unterarms, ein gebrochener Finger, ein Kratzer auf den Rippen, wo ein Dolch durch sein Kettenhemd gedrungen war – andere jedoch schon. Ein Feind hatte noch im Liegen Rorans rechte Wade mit dem Speer durchbohrt, sodass er humpelte. Kurz darauf war ihm ein fetter Soldat, dessen Atem nach Zwiebeln und Käse stank, unterlegen und hatte ihm noch im Sterben einen Armbrustbolzen in die linke Schulter gerammt. Deshalb konnte Roran den linken Arm nicht mehr über den Kopf heben. Er ließ den Bolzen jedoch in der Schulter stecken, weil er fürchtete, zu verbluten, wenn er ihn herauszog. Bald war der Schmerz seine einzige Empfindung; jede Bewegung bereitete ihm Qualen, aber innezuhalten hätte den Tod bedeutet. Also kämpfte er weiter, ungeachtet seiner Wunden und seiner Erschöpfung.

Manchmal nahm er die Varden hinter und neben sich wahr, wenn zum Beispiel ein Speer an ihm vorbei auf den Feind zuzischte oder ein Schwert an seiner Schulter aufblitzte und einen Soldaten fällte, der versucht hatte, ihn niederzustrecken. Die meiste Zeit stellte sich Roran den Soldaten jedoch allein entgegen, weil er höher als die anderen stand und zwischen dem umgestürzten Wagen und den Häuserwänden nur wenig Platz für seine Kameraden war. Die Bogenschützen auf den Dächern, die noch Pfeile hatten, feuerten eine tödliche Salve nach der anderen ab und durchbohrten mit ihren grau gefiederten Geschossen Knochen und Sehnen.

Die Schlacht war schon weit fortgeschritten, als Roran mit dem Speer gegen den Brustpanzer eines Gegners stieß und sich der Schaft der Länge nach spaltete. Der Soldat schien überrascht, noch am Leben zu sein, denn er zögerte, bevor er sein Schwert zum Gegenschlag erhob. Dieser winzige Moment des Zauderns erlaubte Roran, unter der Klinge abzutauchen, einen anderen Speer vom Boden zu reißen und den Soldaten damit zu töten. Doch zu seinem Entsetzen und seiner Wut hielt die neue Waffe kaum eine Minute, bevor sie bei einem Angriff in zwei Teile zerbrach. Er schleuderte die Bruchstücke auf die Soldaten, riss einem Toten den Schild vom

Arm und zog den Hammer aus dem Gürtel. Sein Hammer hatte ihn noch nie im Stich gelassen.

Als die letzten Soldaten vorrückten, erwies sich die Erschöpfung als gefährlichster Feind. Denn offenbar waren alle seine Gegner erpicht darauf, sich mit ihm zu duellieren. Roran spürte seine schweren Gliedmaßen kaum noch, ihm flimmerte es vor den Augen und selbst das Atmen bereitete ihm Mühe. Trotzdem konnte er sich immer wieder zusammenreißen, brachte die Energie auf, sich seinem nächsten Gegner zu stellen. Als seine Reflexe nachließen, konnten ihm die Soldaten zahlreiche Schnitte und Prellungen beibringen, was er zuvor leicht verhindert hätte.

Als schließlich in den Reihen der Soldaten Lücken aufklafften, wusste er, dass diese Prüfung ihrem Ende entgegenging. Er gewährte den letzten zwölf Männern keine Gnade, und sie baten ihn auch nicht darum, obwohl sie kaum hoffen konnten, sich den Weg an ihm *und* den restlichen Varden vorbei zu erkämpfen. Aber sie flohen auch nicht. Stattdessen stürzten sie sich auf Roran, knurrend, fluchend und nur von dem einen Wunsch beseelt, vor ihrem eigenen Abtreten den Mann zu erledigen, der so viele ihrer Kameraden getötet hatte.

In gewisser Weise respektierte Roran ihren Mut.

Pfeile sprossen vier der Männer aus der Brust und streckten sie nieder. Ein Speer, der von irgendwo hinter Roran geschleudert worden war, zerschmetterte das Schlüsselbein eines fünften Soldaten, der auf den Leichenberg fiel. Zwei weitere Speere forderten ihre Opfer, dann hatten die überlebenden Feinde Roran erreicht. Der erste Soldat holte mit einer stachelbewehrten Axt gegen ihn aus. Obwohl er spüren konnte, wie die Spitze des Armbrustbolzens an seinem Schulterknochen scheuerte, riss Roran den linken Arm hoch und blockte den Schlag mit dem Schild ab. Brüllend vor Schmerz und Wut und getrieben von dem einen Wunsch, dieses Gemetzel endlich zu beenden, ließ Roran seinen Hammer herumsausen und fällte den Feind mit einem Schlag auf den Kopf. Ohne innezuhalten, sprang Roran mit seinem gesunden Bein vor, traf den nächsten Soldaten zweimal in die Brust und brach ihm sämtliche Rippen, bevor er sich auch nur verteidigen konnte. Der dritte Feind parierte zweimal seine Hiebe, doch dann täuschte Roran ihn mit einer Finte und streckte ihn ebenfalls nieder. Die beiden letzten Soldaten näherten sich Roran von entgegengesetzten Seiten. Sie zielten mit ihren Speeren auf seine Knöchel, während sie den Leichenberg hinaufkletterten. Roran war am Ende seiner Kräfte und kämpfte eine lange, anstrengende Weile mit ihnen. Sie fügten sich gegenseitig Verletzungen zu, bis er dem einen Helm und Schädel zertrümmerte und dem anderen mit einem gezielten Schlag das Genick brach.

Roran schwankte und brach zusammen.

Er spürte, wie jemand ihn aufrichtete, und schlug die Augen auf. Harald hielt ihm einen Weinschlauch an die Lippen. »Trink das«, sagte er. »Dann fühlst du dich besser.«

Rorans Brust hob und senkte sich, während er keuchend mehrere Schlucke nahm. Der sonnengewärmte Wein brannte in seinem wunden Mund, aber er konnte spüren, wie die Kraft in seine Beine zurückkehrte. »Schon gut«, sagte er. »Du kannst mich jetzt loslassen.«

Roran stützte sich auf seinen Hammer und betrachtete das Schlachtfeld. Zum ersten Mal bemerkte er, wie gewaltig der Leichenberg war. Er und seine Gefährten standen haushoch über dem Erdboden und konnten auf die Dächer der Häuser neben sich blicken. Er sah, dass die meisten Soldaten von Pfeilen getroffen worden waren, aber ihm war klar, dass er selbst auch eine große Anzahl von ihnen erledigt hatte.

»Wie … wie viele?«, fragte er Harald.

Der blutbespritzte Krieger schüttelte den Kopf. »Nach dem Zweiunddreißigsten habe ich aufgehört zu zählen. Was du da vollbracht hast, Hammerfaust … Ich habe so etwas noch nie erlebt, jedenfalls nicht von einem Menschen. Der Drache Saphira hat gut gewählt. Die Männer aus deiner Familie sind unvergleichliche Kämpfer. Deine Tapferkeit ist unter Sterblichen ohne Beispiel, Hammerfaust. Wie viele du heute auch niedergestreckt haben magst …«

»Es waren einhundertdreiundneunzig!«, rief Carn, der den Leichenberg erklomm.

»Bist du sicher?« Roran mochte es nicht glauben.

Carn nickte, als er Roran und Harald erreichte. »Ja! Ich habe zugesehen und mitgezählt. Einhundertdreiundneunzig waren es; einhundertvierundneunzig, wenn man den mitzählt, den du mit dem Speer durchbohrt hast, bevor die Bogenschützen ihm den Rest gegeben haben.«

Diese Zahl erstaunte Roran. Nie hätte er gedacht, dass es so viele waren. Er lachte heiser. »Schade, dass keine mehr übrig sind. Sieben mehr und ich hätte die zweihundert vollgemacht.«

Die anderen Männer stimmten in sein Lachen ein.

Carns hageres Gesicht verzog sich sorgenvoll, als er nach dem Bolzen in Rorans linker Schulter griff. »Komm, lass mich deine Verletzung untersuchen.«

»Nein!« Roran schob seine Hand weg. »Andere sind vielleicht schwerer verwundet als ich. Kümmere dich zuerst um sie.«

»Roran, von diesen Wunden könnten einige tödlich sein, wenn ich die Blutungen nicht stille. Es dauert nur …«

»Mir geht's gut«, knurrte er. »Lass mich in Ruhe.«

»Sieh dich doch an, Roran!«

Er folgte der Aufforderung und wandte rasch wieder den Blick ab. »Also gut, aber mach schnell.« Roran starrte in den leeren Himmel und dachte an nichts, während Carn den Bolzen aus seiner Schulter zog und einige Heilzauber murmelte. Wo sie wirkten, spürte Roran ein Kribbeln und Jucken auf der Haut, bevor die Magie wohltuende Linderung brachte. Als Carn fertig war, hatte Roran zwar noch Schmerzen, aber sie waren nicht mehr so stark wie vorher, und auch sein Verstand war klarer.

Die Heilung hatte Carn ausgelaugt. Das Gesicht des Magiers war grau, und er musste sich auf die Knie stützen, bis das Zittern seiner Glieder nachließ. »Ich gehe …«, er rang nach Luft, »… gehe und helfe den anderen Verwundeten.« Er richtete sich auf und kletterte schwankend den Leichenberg hinunter, als wäre er betrunken.

Roran sah ihm besorgt nach. Dann fiel ihm der Rest der Truppe ein. Er blickte zur anderen Seite des Dorfes hinüber, konnte aber nichts außer reglosen Körpern im Rot des Imperiums oder Braun der Varden entdecken. »Was ist mit Edric und Sand?«, erkundigte er sich bei Harald.

»Tut mir leid, Hammerfaust, aber ich habe nicht über die Spitze meines Schwertes hinausgeblickt.«

Roran wandte sich an die restlichen Männer auf den Hausdächern. »Was ist mit Edric und Sand?«

»Das wissen wir nicht, Hammerfaust!«, antworteten sie.

Auf seinen Hammer gestützt, bahnte sich Roran seinen Weg über die Leichen nach unten und ging in Begleitung von Harald und drei anderen Männern zum Dorfplatz. Wenn sie unterwegs an einem verwundeten Soldaten vorbeikamen, töteten sie ihn. Als sie den gegenüberliegenden Rand des Platzes erreicht hatten, wo die meisten Gefallenen Varden waren, schlug Harald mit dem Schwert gegen seinen Schild. »Lebt hier noch jemand?«, schrie er.

Nach einem Moment antwortete eine Stimme hinter den Häusern: »Nennt eure Namen!«

»Harald, Roran Hammerfaust und andere Varden. Wenn ihr dem Imperium dient, ergebt euch, denn eure Kameraden sind tot und können euch nicht mehr helfen!«

Irgendwo zwischen den Häusern fiel Metall zu Boden, dann tauchten einzeln und zu zweit Krieger der Varden aus ihren Verstecken auf und humpelten auf den Platz zu. Viele stützten ihre verletzten Kameraden. Sie wirkten benommen, und einige waren so blutverschmiert, dass Roran sie im ersten Moment für gefangene Soldaten hielt. Er zählte vierundzwanzig Mann. Unter der letzten Gruppe befand sich auch Edric, der einem Mann half, der im Kampf seinen rechten Arm verloren hatte.

Roran bedeutete zweien seiner Leute, Edric die Last abzunehmen. Der Hauptmann richtete sich auf, als das Gewicht von seinen Schultern wich. Langsam trat er auf Roran zu und starrte ihm direkt in die Augen. Seine Miene war unergründlich. Keiner von beiden rührte sich und Roran wurde sich der plötzlichen Stille auf dem Platz bewusst.

Edric ergriff als Erster das Wort: »Wie viele deiner Männer haben überlebt?«

»Die meisten. Nicht alle, aber die meisten.«

Edric nickte. »Und Carn?«

»Er lebt. Was ist mit Sand?«

»Ein Soldat hat ihn während seines Angriffs angeschossen. Er ist vor einigen Minuten gestorben.« Edric sah an Roran vorbei zu dem Leichenberg. »Du hast dich meinen Befehlen widersetzt, Hammerfaust.«

»Das habe ich, ja.«

Edric streckte die Hand fordernd aus.

»Hauptmann, nein!«, rief Harald und trat vor. »Ohne Roran stünde keiner von uns hier. Ihr hättet ihn sehen sollen! Er hat fast zweihundert Feinde allein niedergestreckt!«

Haralds Worte schienen keinen Eindruck auf Edric zu machen, der nach wie vor die Hand ausgestreckt hielt. Auch Roran zeigte keinerlei Regung.

»Roran«, sagte Harald zu ihm, »Du weißt, dass die Männer dir folgen. Ein Wort genügt …«

Roran brachte ihn mit einem zornigen Blick zum Schweigen. »Sei kein Narr!«

»Wenigstens hast du deinen Verstand noch nicht völlig verloren«, presste Edric zwischen den Zähnen hervor. »Harald, halt den Mund, es sei denn, du willst auf dem gesamten Rückweg die Packpferde führen.«

Roran reichte dem Hauptmann seinen Hammer. Dann schnallte er den Gürtel mit seinem Schwert und seinem Dolch ab, die er dem Befehlshaber ebenfalls aushändigte. »Das sind alle Waffen, die ich besitze«, erklärte er.

Edric nickte grimmig und warf sich den Schwertgurt über die

Schulter. »Roran Hammerfaust, ich enthebe dich hiermit deines Kommandos. Habe ich dein Ehrenwort, dass du nicht fliehen wirst?«

»Das habt Ihr.«

»Dann kannst du dich nützlich machen, wo immer du gebraucht wirst. Ansonsten jedoch verhältst du dich wie ein Gefangener.« Edric sah sich um und deutete auf einen Krieger. »Fuller, du übernimmst Rorans Position, bis wir zur Hauptstreitmacht der Varden zurückgekehrt sind und Nasuada entscheiden kann, was mit Roran geschehen soll.«

»Jawohl, Herr«, antwortete Fuller.

Einige Stunden lang barg Roran mit den anderen Kriegern ihre Toten, die sie am Rand des Dorfs begruben. Wie sich herausstellte, waren nur neun seiner einundachtzig Männer in der Schlacht gefallen, während Edric und Sand zusammen fast einhundertfünfzig Mann verloren hatten. Edric hätte zweifellos noch mehr Verluste erlitten, wenn nicht eine Handvoll seiner Krieger bei Roran geblieben wäre, nachdem er sie vom Dorfplatz gerettet hatte.

Als sie ihre Opfer bestattet hatten, sammelten die Varden ihre Pfeile ein, dann errichteten sie auf dem Dorfplatz einen Scheiterhaufen, nahmen den Soldaten ihre Ausrüstung ab, zerrten die Körper auf den Holzstoß und zündeten ihn an. Von den brennenden Leichen stieg eine ölig-schwarze Rauchsäule hoch in den Himmel auf, hinter der die Sonne wie eine flache rote Scheibe glühte.

Von der Frau und dem Jungen, die die Soldaten ergriffen hatten, fehlte jede Spur. Da sie sich jedoch nicht unter den Toten befunden hatten, vermutete Roran, dass die beiden bei Ausbruch des Kampfes aus dem Dorf geflohen waren. Vermutlich war es das Klügste, was sie hatten tun können. Er wünschte ihnen Glück, wohin sie auch gegangen sein mochten.

Zu Rorans Freude trottete Schneefeuer, nur Minuten bevor die Varden abrückten, ins Dorf zurück. Zuerst benahm sich der Hengst scheu und abweisend und erlaubte niemandem, sich ihm zu nähern, aber schließlich gelang es Roran, ihn mit leisen Worten zu beruhigen. So konnten die Wunden des Hengstes gesäubert und seine Schulter bandagiert werden. Es wäre jedoch unklug gewesen, ihn zu reiten, bevor alles verheilt war, deshalb band Roran ihn vor die Packpferde, was dem stolzen Ross zutiefst zuwider war. Der Hengst legte die Ohren an, sein Schweif peitschte wütend hin und her, er zog die Lippen zurück und zeigte die Zähne.

»Benimm dich«, sagte Roran und streichelte dem Tier über den Hals. Schneefeuer sah ihn an, wieherte leise und richtete die Ohren ein wenig auf.

Roran zog sich mühsam auf einen Wallach, der einem der gefallenen Varden gehört hatte, und nahm seinen Platz am Ende der Abteilung ein, die sich zwischen den Häusern aufgestellt hatte. Er überging die vielen Blicke, die ihm die Krieger zuwarfen, aber das gemurmelte »Gut gemacht« aus mehreren Mündern munterte ihn auf.

Während er darauf wartete, dass Edric das Kommando zum Abrücken gab, dachte er an Nasuada und Katrina und Eragon. Furcht legte sich wie ein Schatten über seine Gedanken, als er sich ihre Reaktionen vorstellte, wenn sie von seiner Meuterei erfuhren. Eine Sekunde später jedoch schob er seine Sorgen beiseite. *Ich habe getan, was richtig und nötig war,* sagte er sich. *Ich bedauere es nicht, ganz gleich welche Folgen es haben mag.*

»Abmarsch!«, schrie Edric von der Spitze der Kolonne.

Roran trieb sein Pferd an. Die Varden setzten sich wie ein Mann in Bewegung, ritten zügig nach Westen und ließen das Dorf hinter sich, in dem die Leichen der Soldaten auf dem Scheiterhaufen zu Asche verbrannten.

Botschaft im Spiegel

Die Morgensonne schien auf Saphira und wärmte sie angenehm.

Sie lag auf einer glatten Felsplatte einige Fuß oberhalb von Eragons *Tuch-Wand-Zelt* und sonnte sich. Die Erkundungsflüge, die sie – seit Nasuada Eragon nach *Berg-groß-und-hohl-Farthen-Dûr* geschickt hatte – jede Nacht unternahm, um die Stellungen der Imperiumstruppen auszuspähen, erschöpften sie. Die Flüge waren notwendig, um Eragons Abwesenheit geheim zu halten, aber die nächtliche Routine begann, an ihr zu zehren. Sie hatte zwar im Dunkeln keine Angst, war aber von Natur aus kein nachtaktives Geschöpf. Außerdem langweilte es sie, immer wieder das Gleiche tun zu müssen, zumal die Varden so langsam vorrückten, dass sich die Landschaft, über der sie nachts kreiste, kaum veränderte. Das einzig Spannende, was sie erlebt hatte, war, als sie am vorangegangenen Morgen tief am nordöstlichen Horizont *Gedanken-krank-und-Schuppen-rot-Dorn* erspäht hatte. Er hatte aber nicht beigedreht und sie angegriffen, sondern war weiter ins Imperium zurückgeflogen. Nasuada, Arya und die Elfengarde hatten wie eine Schar aufgeschreckter Eichelhäher reagiert, hatten geschrien und gejammert, als Saphira ihnen davon berichtet hatte, und darauf bestanden, dass ab jetzt *Wolfshaar-schwarz-blau-Bloëdhgarm* als Eragons Doppelgänger mit ihr flog, was Saphira natürlich ablehnte. Es war eine Sache, Bloëdhgarm zu erlauben, ihr bei jedem Start im Varden-Lager einen *Wasser-Schatten-Geist* Eragons auf den Rücken zu setzen, aber sie würde sich niemals von jemand anderem als Eragon reiten lassen, höchstens wenn eine Schlacht bevorstand, und vielleicht nicht einmal dann.

Gähnend streckte Saphira ein Vorderbein aus und spreizte die Klauen. Sie zog sie wieder ein, legte sich den Schwanz um den Leib und schob den Kopf auf den Pfoten zurecht, während ihr Bilder von saftigen Hirschen und anderen Leckereien durch den Sinn gingen.

Nicht viel später vernahm sie Fußgetrappel, als jemand durch das Lager rannte und auf Nasuadas *Kokon-roter-Schmetterling* zuhielt. Saphira beachtete das Geräusch nicht weiter; irgendwelche Boten eilten ständig hin und her.

Sie war kurz davor einzuschlafen, als sie hörte, wie ein weiterer Läufer vorbeiflitzte und kurz darauf noch zwei. Ohne die Augen zu öffnen, streckte sie die Zungenspitze heraus und kostete die Luft. Ihr fielen keine ungewöhnlichen Gerüche auf. Sie beschloss, dass die Störung keiner näheren Untersuchung bedurfte, und versank in Träume von einem kühlen grünen See, in dem sie nach Fischen tauchte.

Zorniges Geschrei weckte Saphira.

Sie rührte sich nicht, während sie mehreren *Runde-Ohren-zwei-Beine* lauschte, die miteinander stritten. Sie waren zu weit entfernt, um etwas zu verstehen, aber am Klang ihrer Stimmen erkannte Saphira, dass sie wütend genug waren, um zu den Waffen zu greifen. Unter den Varden kam es manchmal zu Streitigkeiten, so wie in jeder großen Herde, aber sie hatte die Zweibeiner noch nie mit so viel Ausdauer und Leidenschaft herumzanken hören wie jetzt.

Saphira merkte, dass sie Kopfschmerzen bekam, während das Gebrüll immer lauter wurde. Sie krallte ihre Klauen in den Fels, auf dem sie lag, und spitze Quarzsplitter brachen aus der Oberfläche.

Ich werde jetzt bis dreiunddreißig zählen, überlegte sie. *Wenn sie bis dahin nicht aufgehört haben, sollten sie beten, dass es einen guten Grund dafür gibt, warum sie den Schlaf einer Tochter-des-Windes stören!*

Bei siebenundzwanzig verstummten die Zweibeiner. *Na endlich!* Sie machte es sich wieder bequem, um ihr Nickerchen fortzusetzen.

Metall klirrte, *Stoff-auf-Haut* raschelte und der vertraute Duft der *Kriegerin-mit-der-dunklen-Haut-Nasuada* stieg Saphira in die Nase. *Was ist denn nun schon wieder?*, fragte sie sich. Sie überlegte, ob sie laut brüllen sollte, damit alle entsetzt die Flucht ergriffen und sie in Ruhe ließen.

Saphira öffnete ein Auge und sah, dass Nasuada und ihre sechs Wachen auf sie zugerannt kamen. Als sie die Felsplatte erreicht hatten, befahl Nasuada den Männern, bei Bloëdhgarm und seinen Elfen zu bleiben, die auf einer kleinen Lichtung trainierten.

»Sei gegrüßt, Saphira«, sagte Nasuada, nachdem sie allein auf den Felsen geklettert war. Sie trug ein rotes Kleid, das vor dem Grün der Apfelbäume unnatürlich grell wirkte. Lichtsprenkel von Saphiras Schuppen lagen auf Nasuadas Gesicht.

Saphira blinzelte träge; sie hatte keine Lust zu antworten.

Nasuada blickte sich um, dann kam sie noch näher und flüsterte: »Saphira, ich muss unter vier Augen mit dir reden. Du kannst in meinen Geist eindringen, aber ich nicht in deinen. Könntest du bei unserem Gespräch bitte in meinem Kopf bleiben, damit ich dir durch meine Gedanken mitteilen kann, was ich zu berichten habe?«

Saphira schickte ihren Geist in Nasuadas *Bewusstsein-nervös-streng-müde* und ließ sie kurz ihre Verärgerung spüren, weil sie sie vom Schlafen abhielt.

Ich kann es, wenn ich will, sagte sie dann. *Aber ich würde es nie ohne deine Erlaubnis tun.*

Natürlich, antwortete Nasuada. *Ich habe nichts anderes angenommen.* Zuerst empfing Saphira von der Frau nichts außer unzusammenhängende Bilder und Empfindungen: ein Galgen mit leerer Schlinge, Blut am Boden, fauchende Gesichter, Furcht, Erschöpfung und darunter einen Strom grimmiger Entschlossenheit. *Verzeih mir, Saphira,* sagte Nasuada. *Ich hatte einen anstrengenden Morgen. Sieh es mir nach, falls meine Gedanken zu sehr herumwandern.*

Saphira blinzelte wieder. *Worüber regen sich die Varden so auf? Eine Gruppe von Männern hat mich mit ihrem lauten Gezanke geweckt, und davor habe ich gehört, wie ungewöhnlich viele Boten durch das Lager stürmten.*

Mit zusammengepressten Lippen wandte Nasuada sich von Saphira ab und verschränkte die noch immer nicht verheilten Unterarme. Die Färbung ihres Geistes wurde so schwarz wie eine Mitternachtswolke, die von Tod und Gewalt kündet. Nach einer für sie untypisch langen Pause sagte sie: *Einer der Varden, ein Mann namens Othmund, ist letzte Nacht ins Lager der Urgals geschlichen und hat drei von ihnen getötet, während sie am Feuer schliefen. Die Urgals haben ihn nicht erwischt, aber heute Morgen hat er die Tat gestanden und sich damit gebrüstet.*

Warum hat er das getan?, fragte Saphira. *Haben die Urgals seine Familie umgebracht?*

Nasuada schüttelte den Kopf. *Ich wünschte fast, das hätten sie, weil die Urgals dann nicht so wütend wären; Rache verstehen sie. Nein, das ist das Merkwürdige an der Geschichte; Othmund hasst die Kull ohne jeden Grund, einfach nur, weil sie Kull sind. Sie haben ihm oder seinen Angehörigen nichts getan und doch verachtet er sie mit jeder Faser seines Herzens. Zumindest war das mein Eindruck, als ich mit ihm gesprochen habe.*

Was wirst du mit ihm machen?

Nasuada sah Saphira mit traurigem Blick an. *Er wird dafür hängen. Als ich die Urgals als Verbündete akzeptierte, habe ich verfügt, dass jeder, der sie angreift, genauso zu bestrafen ist, wie wenn er einen Menschen angegriffen hätte.*

Bedauerst du dein Versprechen?

Nein. Die Männer müssen erkennen, dass ich solche Gräueltaten nicht billige. Sonst würden sie sich wieder gegen die Urgals wenden. Nar Garzhvog und ich haben einen Pakt geschlossen. Nun muss ich beweisen, dass ich zu meinem Wort stehe. Tue ich es nicht, wird es weitere Morde geben, und dann werden die Urgals die Sache selbst in die Hand nehmen und unsere beiden Völker sich wieder gegen-

seitig an die Kehle gehen. Es ist nur gerecht, dass Othmund für sein Verbrechen büßt … Aber, oh Saphira, den Varden wird das überhaupt nicht gefallen. Ich habe mein Blut dafür geopfert, ihre Treue zu gewinnen, doch nun werden sie mich hassen, weil ich Othmund an den Galgen bringe … Sie werden mich hassen, weil ich das Leben eines Urgals dem eines Menschen gleichsetze. Sie zupfte die Ärmel ihres Kleides zurecht. *Und ich kann es ihnen nicht mal verübeln. Ich versuche zwar, die Urgals vorurteilslos und gerecht zu behandeln und als gleichberechtigte Partner zu sehen, so wie mein Vater es getan hätte. Aber es fällt mir schwer zu vergessen, dass sie ihn getötet haben. Ebenso wenig kann ich den Anblick vergessen, wie die Urgals die Varden in Farthen Dûr niedergemetzelt haben. Ich kann die vielen Geschichten nicht vergessen, die ich als Kind gehört habe, Geschichten von Urgals, die aus den Bergen gestürmt kamen und unschuldige Menschen in ihren Betten abgeschlachtet haben. Urgals waren immer Ungeheuer, vor denen man sich fürchten musste, und jetzt habe ich unser Schicksal mit dem ihren verknüpft. Ich kann nicht aufhören, an all das zu denken, Saphira, und ich frage mich, ob ich die richtige Entscheidung getroffen habe.*

Du kannst nicht anders, du bist nun mal ein Mensch, versuchte Saphira, Nasuada zu trösten. *Trotzdem bist du nicht an das gebunden, was deine Artgenossen um dich herum glauben. Du kannst über dein Volk hinauswachsen, wenn du den Willen dazu besitzt. Wenn wir aus den Ereignissen der Vergangenheit etwas lernen können, dann, dass jene Könige und Königinnen oder anderen Anführer, die für die Versöhnung der Völker eingetreten sind, Alagaësia den größten Dienst erwiesen haben. Es sind Zwist und Zorn, vor denen wir uns in Acht nehmen müssen, nicht engere Beziehungen zu unseren ehemaligen Feinden. Bewahre dir dein Misstrauen gegenüber den Urgals, denn sie haben es verdient, aber erinnere dich auch, dass Zwerge und Drachen sich einst genauso wenig Liebe entgegenbrachten wie heute Menschen und Urgals. Und einst kämpften die Drachen gegen die Elfen, und wir hätten sie ausgelöscht, wenn es in unserer Macht gestanden hätte. Ja, einst war es so, heute nicht mehr. Weil Geschöpfe wie du den Mut besaßen, ihren Hass zu überwinden und neue Bande der Freundschaft zu knüpfen.*

Nasuada drückte die Stirn gegen Saphiras Haupt. *Du bist sehr weise, Saphira.*

Belustigt hob Saphira den Kopf von den Vorderbeinen und strich Nasuada mit der Maulspitze über die Stirn. *Ich erzähle dir nur, was ich fühle. Meinetwegen nenn es Weisheit. Allerdings glaube ich, dass du genauso weise bist wie ich. Othmund hinzurichten, mag den Varden zwar nicht gefallen, aber es bedarf mehr als das, um ihre Ergebenheit zu dir ins Wanken zu bringen. Außerdem wirst du bestimmt einen Weg finden, sie zu besänftigen.*

Ja, sagte Nasuada und wischte sich die Tränen aus den Augenwinkeln. *Das werde ich wohl müssen, denke ich.* Dann lächelte sie und ihr Gesicht war wie verwandelt. *Aber ich bin eigentlich nicht wegen Othmund zu dir gekommen. Eragon hat Kontakt zu mir aufgenommen und gebeten, dass du zu ihm nach Farthen Dûr kommst. Die Zwerge …*

Saphira legte den Hals in den Nacken und schickte einen Feuerstrahl zum Himmel. Nasuada wich erschrocken zurück, während alle anderen, die in Sichtweite standen, erstarrten und zu Saphira blickten. Ihre Müdigkeit war vergessen, blitzschnell kam sie auf die Beine, schüttelte sich und breitete die Flügel aus, um auf der Stelle loszufliegen.

Die Wachen machten Anstalten, zu Nasuada zu laufen, aber sie hielt die Männer zurück. Eine kleine Rauchwolke wehte über sie hinweg und sie hielt sich hustend den Ärmel vors Gesicht. *Dein Eifer ist lobenswert, Saphira, aber –*

Ist Eragon krank oder verletzt?, fragte Saphira. Kalte Furcht durchströmte sie, als Nasuada zögerte.

Es geht ihm so gut wie eh und je, antwortete Nasuada. *Aber gestern hat es einen … Zwischenfall gegeben.*

Was für einen Zwischenfall?

Er und seine Wachen wurden angegriffen.

Saphira stand reglos da, während Nasuada ihr in allen Einzelheiten erzählte, was Eragon ihr berichtet hatte. Dann fletschte Saphira die Zähne. *Der Dûrgrimst Az Sweldn rak Anhûin sollte dankbar sein, dass ich nicht bei Eragon war. Ich hätte sie nach dem Anschlag nicht so glimpflich davonkommen lassen.*

Deshalb ist es wohl besser, dass du hier warst, entgegnete Nasuada mit einem kleinen Lächeln.

Vielleicht, sagte Saphira. Sie stieß eine heiße Rauchwolke aus und ließ ihren Schwanz durch die Luft peitschen. *Allerdings überrascht es mich nicht. Das passiert immer. Jedes Mal wenn Eragon und ich uns trennen, greift ihn jemand an. Mir jucken schon die Schuppen, wenn ich ihn nur einige Stunden aus den Augen lasse.*

Er ist durchaus imstande, sich zu verteidigen.

Das stimmt. Aber unsere Feinde sind auch keine Anfänger. Saphira scharrte ungeduldig mit den Krallen und schlug mit den Flügeln. *Nasuada, ich bin bereit loszufliegen. Gibt es noch etwas, was ich wissen muss?*

Nein, sagte Nasuada. *Du kannst aufbrechen. Bitte verweile aber nicht zu lange in Farthen Dûr. Wenn du das Lager verlassen hast, werden uns nur wenige Tage bleiben, bis das Imperium mitbekommt, dass ich dich und deinen Reiter nicht nur auf einen kurzen Erkundungsflug geschickt habe. Galbatorix mag sich dazu entschließen, uns anzugreifen, oder auch nicht, aber die Wahrscheinlichkeit, dass er es tut, steigt mit jeder Stunde, die ihr nicht da seid. Außerdem sähe ich euch beide gerne in unseren Reihen, wenn wir gegen Feinster vorrücken. Wir könnten die Stadt auch ohne euch erobern, aber es würde uns viele Tote mehr kosten. Kurz gesagt, das Schicksal der Varden hängt von deiner Schnelligkeit ab.*

Wir werden schnell sein wie der Wind, versicherte Saphira ihr.

Nasuada verabschiedete sich und stieg von der Felsplatte, während Bloëdhgarm und seine Elfen an Saphiras Seite eilten, um ihr den *Unbequem-Leder-Sitz-Sattel* anzulegen und die Satteltaschen mit Proviant und Ausrüstung zu füllen, die sie gewöhnlich bei sich trug, wenn sie mit Eragon unterwegs war. Sie brauchte die Sachen nicht, aber um den Schein zu wahren, musste sie sie mitnehmen. Als alles fertig war, drehte Bloëdhgarm nach Art der Elfen die Hand vor der Brust und sagte in der alten Sprache: »Möge das Glück dir hold sein, Saphira Schimmerschuppe. Mögest du unversehrt mit Eragon zurückkehren.«

Möge das Glück dir hold sein, Bloëdhgarm.

Saphira wartete, bis der *Wolfshaar-schwarz-blau-Elf* einen *Wasser-Schatten-Geist* von Eragon erschuf, die Erscheinung aus dem Zelt kam und auf ihren Rücken kletterte. Sie spürte nicht die leiseste Berührung, als der körperlose Schatten von ihrem linken Vorderbein auf ihre Schultern stieg. Als Bloëdhgarm ihr durch ein Nicken signalisierte, dass der *Nicht-Eragon* auf seinem Platz saß, hob sie die Schwingen so weit über den Kopf, bis sie sich berührten, und stieß sich von der Felsplatte ab.

Mit einigen schnellen, kräftigen Flügelschlägen ließ sie die grauen Zelte und den *Boden-Knochen-hart* hinter sich, drehte in Richtung Farthen Dûr ab und stieg in die *Luft-dünn-und-kalt* auf, wo sie einen günstigen Wind für die Reise zu finden hoffte.

Sie kreiste über dem baumbestandenen Ufer, wo die Varden ihr Lager für die Nacht aufgeschlagen hatten, und platzte fast vor Freude. Endlich brauchte sie nicht länger tatenlos zu warten, während Eragon loszog und aufregende Abenteuer erlebte! Endlich musste sie nicht mehr jede Nacht über der ewig gleichen Landschaft hin und her fliegen! Und jene, die dem *Gefährten-ihres-Geistes-und-Herzens* nach dem Leben trachteten, würden nun ihrem Zorn nicht mehr entgehen können! Saphira riss das Maul auf und brüllte ihre Freude in die Welt hinaus, forderte all die Götter heraus, die es da geben mochte, denn *sie* war die Tochter von Iormûngr und Vervada, zwei der größten Drachen ihres Zeitalters!

Als ihr mehr als eine Meile über dem Lager ein kräftiger Südwestwind über die Seite strich, tauchte Saphira in den Luftstrom ein und ließ sich von ihm tragen, während sie über das sonnendurchflutete Land hinwegschoss.

Sie ließ ihr Bewusstsein vorauseilen und rief: *Ich komme, Kleiner!*

Vier mächtige Trommelschläge

Eragon lehnte sich vor, jeder Muskel in seinem Körper angespannt, während sich die weißhaarige Zwergenfrau Hadfala, das Oberhaupt des Dûrgrimst Ebardac, von ihrem Stuhl am Tisch erhob, an dem die Clan-Versammlung tagte, und einen kurzen Satz in der Zwergensprache sagte.

Hûndfast murmelte Eragon die Übersetzung ins Ohr: »Im Namen meines Clans stimme ich für Grimstborith Orik als unseren neuen König.«

Eragon atmete aus. *Eins.* Um der neue Herrscher der Zwerge zu werden, musste ein Clan-Oberhaupt die Mehrheit der Stimmen der anderen Oberhäupter auf sich vereinen. Falls dies keinem gelang, schied nach dem Zwergengesetz der Grimstborith mit den wenigsten Stimmen aus, und die Versammlung hatte bis zu drei Tage Zeit, den nächsten Durchgang abzuhalten. Dieser Prozess wurde so lange wiederholt, bis ein Clan-Oberhaupt die Mehrheit erhielt und die Versammlung daraufhin ihm – oder ihr – als dem neuen Monarchen die Treue gelobte. Aufgrund des Zeitdrucks, unter dem die Varden standen, hoffte Eragon, dass sie für die Wahl des neuen Königs nicht mehr als einen Durchgang brauchten, und falls doch, dass die Zwerge nicht darauf bestanden, bis zur nächsten Stimmabgabe mehr als ein paar Stunden verstreichen zu lassen. Sollte es dazu kommen, wäre er wohl vor lauter Ärger imstande, den Steintisch in der Mitte des Raumes zu zertrümmern.

Dass Hadfala, die als Erste ihre Stimme abgegeben hatte, sich für Orik aussprach, verhieß Gutes. Vor dem Anschlag auf Eragon hatte Hadfala noch Gannel vom Dûrgrimst Quan unterstützt. Nachdem sie das Lager gewechselt hatte, würde vielleicht auch Gannels zweiter Befürworter – Grimstborith Ûndin – für Orik stimmen.

Als Nächstes erhob sich Gáldhiem vom Dûrgrimst Feldûnost, der so klein war, dass er im Sitzen größer war als im Stehen. »Im Namen meines Clans«, verkündete er, »stimme ich für Grimstborith Nado als unseren neuen König.«

Orik wandte sich um und sagte leise zu Eragon: »Nun, das war zu erwarten.«

Eragon nickte und blickte zu Nado hinüber. Der rundgesichtige Zwerg strich sich über den blonden Bart und sah sehr zufrieden mit sich aus.

Dann sagte Manndrâth vom Dûrgrimst Ledwonnû: »Im Namen meines Clans stimme ich für Grimstborith Orik als unseren neuen König.« Orik nickte ihm dankend zu, und Manndrâth erwiderte das Nicken, wobei die Spitze seiner langen Nase tanzte.

Als der Zwerg sich gesetzt hatte, richtete sich Eragons Blick und der aller anderen auf Gannel, und es wurde so still im Raum, dass Eragon die Zwerge nicht einmal mehr atmen hörte. Als Oberhaupt des religiösen Quan-Clans und Hohepriester von Gûntera, des Königs aller Zwergengötter, besaß Gannel enormen Einfluss. Für wen auch immer er sich aussprach, an den würde die Krone voraussichtlich fallen.

»Im Namen meines Clans«, sagte Gannel, »stimme ich für Grimstborith Nado als unseren neuen König.«

Ein leises Raunen ging durch die Reihen der Zwerge, die vom Rand aus zuschauten. Nados zufriedener Ausdruck verstärkte sich. Eragon ballte die Hände zu Fäusten und fluchte leise.

»Nicht die Hoffnung verlieren, mein Freund«, murmelte Orik. »Wir können es immer noch schaffen. Es ist schon vorgekommen, dass der Sieger nicht der Favorit des Grimstborith der Quan war.«

»Und wie oft ist das schon passiert?«, flüsterte Eragon.

»Oft genug.«

»Und wann zum *letzten* Mal?«

Unbehaglich rutschte Orik auf seinem Stuhl herum. »Vor achthundertvierundzwanzig Jahren, als Königin …«

Er verstummte, als Ûndin vom Dûrgrimst Ragni Hefthyn verkündete: »Im Namen meines Clans stimme ich für Grimstborith Nado als unseren neuen König.«

Orik verschränkte die Arme. Eragon konnte sein Gesicht nur von der Seite sehen, aber es war offenkundig, dass Orik äußerst finster dreinschaute.

Eragon kaute auf der Innenseite seiner Wange herum und starrte auf den gemusterten Fußboden, zählte die abgegebenen und ausstehenden Stimmen und überlegte, ob Orik noch gewinnen konnte. Selbst wenn ab jetzt alles glatt lief, würde es extrem eng werden. Eragon ballte die Hände so fest, dass sich die Nägel in seine Handballen gruben.

Thordris vom Dûrgrimst Nagra erhob sich und legte sich den langen, dicken Flechtzopf über einen Arm. »Im Namen meines Clans stimme ich für Grimstborith Orik als unseren neuen König.«

»Damit steht es drei zu drei«, sagte Eragon leise. Orik nickte.

Als Nächstes war Nado an der Reihe. Das Oberhaupt des Dûrgrimst Knurlcarathn strich sich über den langen Bart und lächelte in die Runde, ein raubtierhaftes Funkeln in seinen Augen. »Im Namen meines Clans stimme ich für mich selbst als unseren neuen König. Wenn ihr mich wählt, werde ich unser Land von allen Fremden und ihrem unheilvollen Einfluss befreien und unser Gold und unsere Krieger zum Schutz der Zwerge einsetzen, nicht um Elfen, Menschen oder *Urgals* den Hals zu retten. Das schwöre ich bei meiner Familienehre.«

»Vier zu drei«, sagte Eragon.

»Ja«, sagte Orik. »Es wäre wohl zu viel verlangt gewesen, dass Nado für jemand anderen stimmt als für sich selbst.«

Freowin vom Dûrgrimst Gedthrall legte Messer und Schnitzholz beiseite, hievte den massigen Leib halb aus dem Stuhl und sagte mit gesenktem Blick und in seinem flüsternden Bariton: »Im Namen meines Clans stimme ich für Grimstborith Nado als unseren neuen König.« Dann ließ er sich wieder auf den Stuhl zurücksinken und schnitzte an seinem Holzraben weiter, ohne das erstaunte Gemurmel zu beachten, das sich im Sitzungsraum erhob.

Nados Lächeln wurde überheblich.

»Barzûl«, knurrte Orik. Sein Stuhl knarrte, als er die Unterarme so fest auf die Armlehnen presste, dass die Sehnen seiner Hände sich spannten. »Dieser doppelzüngige Verräter. Er hatte versprochen, für mich zu stimmen.«

Eragon verspürte ein Ziehen in der Magengrube. »Warum hat er dich verraten?«

»Er geht zweimal am Tag in Sindris Tempel. Ich hätte wissen müssen, dass er sich nicht gegen Gannels Wünsche stellt. Pah! Gannel hat die ganze Zeit mit mir gespielt. Ich ...« In dem Moment richtete sich die Aufmerksamkeit aller auf Orik, der sich rasch erhob und die Clan-Oberhäupter am Tisch einen nach dem anderen ansah. »Im Namen meines Clans stimme ich für mich selbst als unseren neuen König. Wenn ihr mich wählt, werde ich unserem Volk Gold und Ruhm und die Freiheit bringen, über der Erde zu leben, ohne fürchten zu müssen, dass Galbatorix unsere Häuser zerstört. Das schwöre ich bei meiner Familienehre.«

»Fünf zu vier«, sagte Eragon zu Orik, als er sich wieder setzte. »Und zwar gegen uns.«

Orik brummte. »Ich kann zählen, Schattentöter.«

Eragon stützte sich mit den Ellbogen auf die Knie, sein Blick sprang von einem Zwerg zum anderen. Er verspürte den Drang, irgendetwas zu tun, wusste aber nicht, was. Da so viel auf dem Spiel stand, meinte er, einen Weg finden zu müssen, der Orik auf jeden Fall zur Krone verhalf, damit die Zwerge weiterhin die Varden im Kampf gegen das Imperium unterstützten. Aber sosehr er sich auch das Hirn zermarterte, ihm fiel nichts Besseres ein, als einfach dazusitzen und abzuwarten.

Der nächste Zwerg, der sich erhob, war Havard vom Dûrgrimst Fanghur. Das Kinn aufs Brustbein gesenkt, spitzte Havard die Lippen und klopfte mit den zwei verbliebenen Fingern seiner Hand auf den Tisch. Er wirkte nachdenklich. Eragon rutschte auf dem Stuhl vor, das Herz schlug ihm bis zum Hals. *Wird er sich an die Abmachung halten?*, fragte er sich beklommen.

Havard klopfte noch einmal auf den Tisch, dann schlug er mit der flachen Hand auf den Stein. Mit hoch erhobenem Kopf sagte er: »Im Namen meines Clans stimme ich für Grimstborith Orik als unseren neuen König.«

Es verschaffte Eragon eine immense Befriedigung, zu sehen, wie sich Nados Augen weiteten, er mit den Zähnen knirschte und sein Wangenmuskel zuckte.

»Ha!«, murmelte Orik. »Das hat ihm eine Laus in den Bart gesetzt.«

Die beiden letzten Clan-Oberhäupter, die noch ihre Stimme abgeben mussten, waren Hreidamar und Íorûnn. Hreidamar, der stämmige Grimstborith der Urzhad, wirkte ein wenig unruhig, während sich Íorûnn vom Dûrgrimst Vrenshrrgn, den Kriegswölfen, über die halbmondförmige Narbe am linken Wangenknochen strich und wie eine selbstzufriedene Katze lächelte.

Eragon hielt die Luft an, während er darauf wartete, wie die beiden sich entscheiden würden. *Falls Íorûnn für sich selbst stimmt und Hreidamar ihr die Treue hält,* überlegte er, *wird es einen zweiten Wahlgang geben. Allerdings gab es keinen Grund dafür, außer um eine Verzögerung herbeizuführen. Aber soweit ich weiß, hätte sie keinen Nutzen davon. Sie kann nicht mehr darauf hoffen, Königin zu werden; ihr Name würde vor dem zweiten Wahlgang gestrichen werden. Sie ist wohl kaum so töricht, hier ihre Macht zu verschwenden, nur damit sie eines Tages ihren Enkeln erzählen kann, sie sei einst eine Kandidatin für den Thron gewesen. Aber falls Hreidamar sich ihr nicht anschließt, steht es weiterhin unentschieden und es gibt einen zweiten Wahlgang, ganz gleich … Verdammt! Wenn ich doch nur in die Zukunft sehen könnte! Was, wenn Orik verliert? Soll ich dann die Kontrolle über die Versammlung an mich reißen? Soll ich die Sitzungskammer verriegeln, damit niemand herein- oder hinauskann und dann … Aber nein, das wäre viel zu –*

Íorûnn unterbrach Eragons Gedankengänge, indem sie Hreidamar zunickte und dann Eragon unter schweren Lidern anblickte, der sich plötzlich fühlte wie ein preisgekrönter Ochse, den sie prüfend musterte. Hreidamars Kettenhemd klirrte, als er sich erhob und sagte: »Im Namen meines Clans stimme ich für Grimstborith Orik als unseren neuen König.«

Eragons Kehle war plötzlich wie zugeschnürt.

Die roten Lippen zu einem amüsierten Lächeln verzogen, glitt Íorûnn geschmeidig aus ihrem Stuhl und begann mit tiefer, rauchiger Stimme: »Anscheinend fällt es mir zu, den Ausgang der heutigen Sitzung zu entscheiden. Ich habe mir eure Argumente in aller Ruhe angehört, Nado und Orik, und teile viele eurer Ansichten zu verschiedenen Themen. Aber der wichtigste Punkt, über den wir befinden müssen, ist, ob wir weiterhin den Kampf der Varden gegen das Imperium unterstützen. Wenn es sich dabei lediglich um einen Krieg zwischen rivalisierenden Clans handeln würde, wäre es mir gleich, welche Seite gewinnt, und ich würde gewiss nicht erwägen, unsere Krieger zum Wohle der Fremdländer zu opfern. Aber darum geht es hier nicht. Ganz im Gegenteil. Falls Galbatorix diesen Krieg gewinnt, wird uns selbst das Beor-Gebirge nicht vor seinem Zorn schützen. Soll unser Reich bestehen, müssen wir alles daransetzen, Galbatorix zu stürzen. Darüber hinaus scheint es mir eines so alten und mächtigen Volkes, wie wir es sind, nicht würdig, sich in Tunneln und Höhlen zu verstecken, während andere das Schicksal Alagaësias entscheiden. Wenn dereinst die Chroniken dieses Zeitalters verfasst werden, soll dann darin stehen, dass wir an der Seite der Menschen und Elfen kämpften wie die Helden von einst, oder dass wir uns feige in unseren Hallen verkrochen haben, während vor unseren Toren die Schlacht tobte? Ich für meinen Teil kenne die Antwort.« Íorûnn warf das schwarze Haar zurück. »Im Namen meines Clans stimme ich für Grimstborith Orik als unseren neuen König!«

Der älteste der fünf Wächter des Rechts, die an der runden Steinwand standen, trat vor, stieß das Ende seines polierten Stabs auf den Boden und rief: »Es lebe König Orik, der dreiundvierzigste König Tronjheims, Farthen Dûrs und eines jeden Knurla im und unter dem Beor-Gebirge!«

»Es lebe König Orik!«, riefen die Versammelten und erhoben sich mit lautem Kleiderrascheln und klirrenden Rüstungen. Eragon schwindelte, als er ihrem Beispiel in dem Bewusstsein folgte, nun neben einem Monarchen zu stehen. Er blickte zu Nado, dessen Zwergengesicht einer Totenmaske glich.

Der weißbärtige Wächter des Rechts stieß den Stab erneut auf den Boden. »Lasst die Schreiber den Entschluss der Clan-Versammlung augenblicklich festhalten und die Nachricht im ganzen Reich verbreiten. Herolde! Unterrichtet die Magier durch ihre magischen Spiegel von dem, was sich hier heute ereignet hat. Dann gebt den Wächtern des Berges Bescheid und sagt ihnen: ›Vier Trommelschläge. Vier Schläge, und schwingt eure Schlegel, wie ihr sie noch nie geschwungen habt, denn wir haben einen neuen König. Vier Schläge von solcher Kraft, dass ganz Farthen Dûr unter der frohen Kunde erbeben möge.‹ Sagt ihnen genau das. Und nun geht!«

Nachdem die Herolde losgeeilt waren, stemmte Orik sich aus seinem Stuhl hoch und blickte die Zwerge um ihn herum an. Er schien ein wenig verwirrt, als hätte er nicht wirklich damit gerechnet, die Krone zu gewinnen. »Ich danke euch, dass ihr mir diese große Verantwortung übertragt.« Nach einer kurzen Pause sagte er: »Fortan werde ich danach streben, unsere Nation in eine neue Blütezeit zu führen, und dieses Ziel werde ich ohne Unterlass verfolgen, bis der Stein mich eines Tages wieder zu sich ruft.«

Dann traten die Clan-Oberhäupter vor, einer nach dem anderen, knieten vor Orik nieder und gelobten ihm die Treue als seine ergebenen Untertanen. Als die Reihe an Nado war, betete er die Sätze des Schwurs tonlos herunter, ohne sich irgendeine Gefühlsregung anmerken zu lassen. Die Erleichterung, die durch die Versammlung ging, als er geendet hatte, war fast mit Händen greifbar.

Nachdem jeder seinen Eid geleistet hatte, verkündete Orik, dass seine Krönung am nächsten Morgen stattfinden würde, dann zogen er und sein Gefolge sich in eine angrenzende Kammer zurück. Dort sah Eragon Orik an und der sah Eragon an, und beide sagten sie kein Wort, bis ein breites Lächeln Oriks Gesicht überzog und er anfing, befreit zu lachen. Eragon stimmte mit ein und umarmte den neuen König der Zwerge. Oriks Wachen und Berater scharten sich um ihn, klopften ihm auf die Schulter und beglückwünschten ihn überschwänglich.

Eragon ließ Orik los. »Ich hätte nicht gedacht, dass Íorûnn sich auf unsere Seite schlägt.«

»Ich weiß. Ich bin froh darüber, aber es verkompliziert die Sache auch.« Orik verzog das Gesicht. »Als Dank werde ich ihr einen Sitz in meinem Rat geben müssen; das ist wohl das Mindeste.«

»Besser hätte es doch gar nicht laufen können!«, rief Eragon, um das Stimmengewirr zu übertönen. »Wenn die Vrenshrrgn ihrem Namen gerecht werden, dann können wir sie in unseren Reihen gut gebrauchen, bis wir vor den Toren Urû'baens stehen werden.«

Orik setzte zu einer Antwort an, da hallte ein langer tiefer Ton von gewaltiger Lautstärke durch den Fußboden und die Decke, erfüllte den ganzen Raum und ließ Eragons Knochen vibrieren. »Hört!«, rief Orik und hob die Hand. Die Anwesenden verstummten.

Viermal insgesamt erhob sich das mächtige Dröhnen und erschütterte die Kammer mit jedem Mal aufs Neue, als würde ein Riese an Tronjheims Rand hämmern. Danach sagte Orik: »Ich hätte nie gedacht, dass die Trommeln von Derva einst meine Königsherrschaft verkünden würden.«

»Wie groß sind diese Trommeln?«, fragte Eragon ehrfurchtsvoll.

»Ihr Durchmesser beträgt beinahe fünfzig Fuß, wenn ich es richtig im Gedächtnis habe.«

Eragon kam der Gedanke, dass die Zwerge zwar das kleinste aller Völker waren, dennoch die größten Objekte Alagaësias schufen, was ihm merkwürdig erschien. *Vielleicht tun sie das, um sich selbst nicht so klein zu fühlen,* überlegte er. Er hätte Orik beinahe von seiner Theorie erzählt, doch ihm wurde im letzten Moment bewusst, dass der Zwerg sich gekränkt fühlen könnte, und deshalb hielt er lieber den Mund.

Die Männer seines Gefolges scharten sich nun aufgeregt um Orik und begannen, in der Zwergensprache auf ihn einzureden, sodass Eragon, der dem neuen König eine weitere Frage hatte stellen wollen, allmählich in eine Ecke der Kammer gedrängt wurde. Er versuchte, geduldig auf eine Gesprächspause zu warten, aber nach einigen Minuten wurde offenkundig, dass die Zwerge nicht so bald damit aufhören würden, Orik mit Fragen und Ratschlägen zu bombardieren.

Deshalb sagte Eragon: *»Orik Könungr«,* und verlieh dem Wort für *König* in der alten Sprache magische Kraft. Stille senkte sich über den Raum und Orik sah Eragon an und hob eine Braue. »Euer Majestät, darf ich um die Erlaubnis bitten, mich zurückzuziehen? Ich würde mich gerne um eine … Angelegenheit kümmern, falls es dafür nicht schon zu spät ist.«

Orik begriff, seine braunen Zwergenaugen strahlten. »Natürlich, geh schon! Aber du brauchst mich nicht *Majestät* zu nennen, Eragon, oder *Herr* oder irgendetwas anderes in der Art. Schließlich sind wir Freunde und Clan-Brüder.«

»Das sind wir, Euer Majestät«, entgegnete Eragon, »aber für den Moment halte ich es für angemessen, Euch mit der gleichen Ehrerbietung zu behandeln wie alle anderen. Ihr seid nun der König Eures Volkes und ebenso mein König, denn ich gehöre zum Dûrgrimst Ingietum und diese Tatsache möchte ich nicht außer Acht lassen.«

Orik musterte ihn einen Moment lang, als sähe er ihn zum ersten Mal, dann nickte er. »Wie du wünschst, Schattentöter.«

Eragon verbeugte sich und verließ die Kammer. In Begleitung seiner vier Wachen eilte er durch die Tunnel und erklomm die Treppe, die zu Tronjheims Erdgeschoss hinaufführte. Als sie die südliche der vier großen Haupthallen erreichten, wandte Eragon sich an Thrand, den Anführer des Wachtrupps. »Den Rest des Weges werde ich rennen. Da ihr wohl nicht mit mir Schritt halten könnt, schlage ich vor, dass ihr am Südtor bleibt und auf meine Rückkehr wartet.«

»Argetlam, bitte, Ihr solltet nicht allein unterwegs sein. Kann ich Euch irgendwie davon überzeugen, langsamer zu machen, damit wir Euch begleiten können? Wir mögen nicht so schnell sein wie Elfen, aber wir können von früh bis spät rennen, sogar in voller Rüstung!«

»Ich weiß deine Sorge zu schätzen«, erwiderte Eragon, »aber ich will nicht eine einzige Minute verlieren, selbst wenn hinter jeder Säule ein Attentäter lauert. Bis später!«

Dann stürmte er die breite Haupthalle hinunter und wich den Zwergen aus, die ihm im Weg standen.

Endlich wieder vereint

Der Weg bis zum Südtor Tronjheims war fast eine Meile lang. Eragon benötigte dafür nur wenige Minuten. Während er rannte und seine Schritte auf dem polierten Steinboden widerhallten, erhaschte er flüchtige Blicke auf die kunstvoll geknüpften Wandteppiche, die über den gewölbten Tunneleingängen zu beiden Seiten hingen, und auf die bizarren Statuen von Tieren und Ungeheuern, die zwischen den Säulen aus blutrotem Jaspis lauerten, die die Arkaden säumten. Die vier Stockwerke hohe Halle war so breit, dass Eragon den Zwergen, die darin umherschlenderten, mühelos ausweichen konnte, aber einmal versperrte ihm eine Reihe Knurlcarathn den Weg, sodass ihm nichts anderes übrig blieb, als über die Zwerge hinwegzuspringen, die sich duckten und erschrocken aufschrien. Er genoss ihre erstaunten Blicke, als er über sie hinwegsegelte.

Mit langen Schritten durchmaß Eragon das massive Holztor, das den südlichen Eingang in den Stadtberg schützte. »Seid gegrüßt, Argetlam!«, riefen die Wachen ihm zu, während er an ihnen vorbeiflog. Zwanzig Schritte weiter, denn das Tor war tief in das Fundament Tronjheims hineingesetzt worden, erreichte er die beiden goldenen Greife, die aus blicklosen Augen in Richtung Horizont starrten, und stürmte ins Freie hinaus.

Die Luft war kühl und feucht und roch wie nach einem ausgiebigen Regenguss. Obwohl es Vormittag war, lag immer noch graues Zwielicht über dem flachen Land, das Tronjheim umgab; Land, auf dem kein Gras wuchs, nur Moose und Flechten und gelegentlich ein paar beißend riechende Giftpilze. Um ihn herum erhob sich Farthen Dûr mehr als zehn Meilen in den Himmel, bis zu einer kleinen Öffnung, durch die blasses, trübes Licht in den gewaltigen Krater fiel. Als Eragon aufblickte, konnte er die gewaltigen Ausmaße des Berges kaum begreifen.

Während er lief, lauschte er auf den monotonen Rhythmus seiner Atemzüge und auf seine leichtfüßigen Tritte. Er war ganz allein hier draußen, abgesehen von einer neugierigen Fledermaus, die über ihm herumflatterte und dabei ein schrilles Piepsen ausstieß. Die friedliche Stimmung, die den hohlen Berg erfüllte, beruhigte ihn und befreite ihn von den vielen Sorgen, die ihn normalerweise plagten.

Er folgte dem gepflasterten Weg, der von Tronjheims Südtor zu den dreißig Fuß hohen schwarzen Toren führte, die in Farthen Dûrs Felswand eingelassen waren. Als er dort eintraf, traten zwei Zwerge aus verborgenen Wachräumen, öffneten ihm rasch die Tore, dann erstreckte sich vor ihm der scheinbar endlose Tunnel.

Eragon lief hinein. Mit Rubinen und Amethysten besetzte Marmorsäulen säumten die ersten fünfzig Fuß des Durchgangs. Danach war der Tunnel kahl und trostlos; nur einzelne flammenlose Laternen hingen alle zwanzig Schritte an der Wand und in unregelmäßigen Abständen gab es verschlossene Tore und Türen. *Wo sie wohl hinführen?*, überlegte Eragon. Dann stellte er sich die gewaltigen Felsmassen vor, die sich meilenweit über ihm auftürmten, und einen Moment lang schien der Tunnel ihm unerträglich eng. Er verdrängte den Gedanken rasch.

Dann plötzlich spürte er sie.

»Saphira!«, schrie er gleichzeitig mit seinem Geist und seiner Stimme. Ihr Name hallte von den Steinwänden wider; so ohrenbetäubend laut, als wäre er aus einem Dutzend Kehlen erklungen.

Eragon! Im nächsten Moment schlug ihm vom anderen Tunnelende der leise Donner von fernem Gebrüll entgegen.

Eragon verdoppelte seine Geschwindigkeit und öffnete seinen Geist für Saphira, senkte jeden Schutzwall, der sein Innerstes umgab, damit er und sein Drache sich verbinden konnten. Wie eine Flutwelle warmen Wassers brandete ihr Bewusstsein in ihn hinein. Eragon stöhnte auf, stolperte und wäre fast hingefallen. Ihre Gedanken umfingen sich, hielten sich mit einer Vertrautheit, wie es bei einer körperlichen Umarmung nie möglich gewesen wäre, während ihre Persönlichkeiten miteinander verschmolzen. Ihre überschwängliche Freude hatte einen einfachen Grund: Sie waren nicht länger allein. Zu wissen, dass man mit jemandem zusammen war, der einem alles bedeutete, der jede Faser des eigenen Seins verstand und einen selbst unter den verzweifeltesten Umständen niemals im Stich lassen würde, *das* war die kostbarste Beziehung, die zwei Lebewesen haben konnten, und das wussten sie.

Wenig später sah Eragon, wie Saphira ihm so rasch entgegenkam, wie sie nur konnte, ohne mit dem Kopf an die Decke zu stoßen oder sich an den Wänden die Flügel aufzureißen. Ihre Klauen schabten quietschend über den Steinboden, als sie in all ihrer funkelnden Pracht vor Eragon zum Stehen kam.

Mit einem Freudenschrei sprang Eragon auf sie zu, und ohne sich um ihre scharfkantigen Schuppen zu scheren, schlang er ihr die Arme um den Hals und drückte sie, so fest er konnte, wobei seine Füße mehrere Zoll hoch in der Luft baumelten. *Kleiner*, sagte Saphira liebevoll. Sie ließ ihn zu Boden, dann schnaubte sie und sagte: *Eragon, wenn du mich nicht erwürgen willst, dann lass mich lieber los.*

Entschuldigung. Grinsend trat er zurück, dann lachte er, legte die Stirn an ihr Maul und kraulte Saphira hinter den Backenknochen.

Ihr leises Summen erfüllte den Tunnel.

Du bist müde, sagte er.

Ich bin noch nie im Leben so schnell geflogen. Ich habe nur eine einzige Pause gemacht, nachdem ich die Varden verlassen hatte, und das auch nur, weil ich so durstig war und etwas trinken musste.

Du meinst, du hast seit drei Tagen nichts gefressen und nicht geschlafen?

Sie blinzelte und verbarg für einen Moment ihre saphirblauen Augen.

Du musst ja am Verhungern sein!, rief Eragon sorgenvoll aus. Er suchte ihren Körper nach Verletzungen ab, entdeckte aber zu seiner Erleichterung keine.

Ich bin müde, gestand sie, *aber ich habe keinen Hunger. Noch nicht. Wenn ich mich ausgeruht habe, werde ich etwas fressen. Jetzt sofort würde ich nicht einmal einen Hasen hinunterbekommen… Die Erde schwankt unter mir; ich fühle mich, als würde ich noch fliegen.*

Wenn sie nicht so lange voneinander getrennt gewesen wären, hätte Eragon sie für ihren Leichtsinn gescholten. Aber in diesem Fall war er gerührt und dankbar, dass sie sich so geschunden hatte. *Endlich,* seufzte er. *Ich weiß nicht, ob ich es noch einen Tag länger ohne dich ausgehalten hätte.*

Mir ging es genauso, Kleiner. Sie schloss die Augen und drückte den Kopf gegen seine Hände, während er sie weiter kraulte. *Außerdem wollte ich doch die Krönung nicht verpassen! Wen hat die Clan-Versammlung –*

Bevor sie die Frage beenden konnte, schickte Eragon ihr ein Bild von Orik.

Ah, seufzte sie und ihre Zufriedenheit durchströmte ihn. *Er wird ein guter König sein.*

Das denke ich auch.

Ist der Sternsaphir so weit, dass ich ihn heilen kann?

Falls die Zwerge ihn noch nicht vollständig zusammengesetzt haben, dann werden sie es bestimmt bis morgen geschafft haben.

Das ist gut. Sie hob ein schweres Lid und fixierte ihn mit ihrem durchdringenden Blick. *Nasuada hat mir von dem Anschlag erzählt, den der Az Sweldn rak Anhûin auf dich verübt hat. Immer gerätst du in Schwierigkeiten, wenn ich nicht bei dir bin.*

Sein Lächeln wurde breiter. *Und wenn du bei mir bist?*

Dann fresse ich die Schwierigkeiten auf, bevor sie dich auffressen.

Das sagst du. Was war denn, als die Urgals uns in der Nähe von Gil'ead angegriffen und mich gefangen genommen haben?

Ein Rauchwölkchen quoll zwischen Saphiras Fängen hervor. *Das zählt nicht. Da war ich noch kleiner und nicht so erfahren. Heute würde das nicht mehr passieren. Und du bist auch nicht mehr so hilflos wie damals.*

Ich war nie hilflos, protestierte er. *Ich habe nur mächtige Feinde.*

Aus irgendeinem Grund fand Saphira seine letzte Bemerkung überaus lustig. Sie begann, grollend zu lachen, und bald stimmte Eragon mit ein. Die beiden konnten gar nicht mehr aufhören, bis Eragon japsend am Boden lag und aus Saphiras Nüstern kleine Flammenzungen schossen, die sie verzweifelt zu unterdrücken versuchte. Dann machte sie ein Geräusch, das Eragon noch nie gehört hatte, ein seltsam abgehacktes Glucksen, und über die Verbindung zwischen ihnen nahm er ein äußerst sonderbares Gefühl wahr.

Saphira machte das Geräusch erneut, dann schüttelte sie den Kopf, als wollte sie eine lästige Fliege verscheuchen. *Oh weh,* sagte sie. *Ich glaube, ich hab einen Schluckauf.*

Eragon klappte die Kinnlade herunter. Einen Moment lang starrte er sie entgeistert an, dann krümmte er sich und begann, so heftig zu lachen, dass ihm die Tränen übers Gesicht liefen. Jedes Mal wenn er sich fast beruhigt hatte, hickste Saphira wieder, und ihr Kopf sprang vor wie bei einem Storch, worauf ihn sogleich der nächste Lachkrampf schüttelte. Schließlich steckte er sich die Finger in die Ohren, starrte an die Decke und rezitierte im Geiste die wahren Namen aller Metalle und Steine, die ihm einfielen.

Als er fertig war, holte er tief Luft und rappelte sich auf.

Geht's wieder?, fragte Saphira. Ihre Schultern wackelten, als der nächste Hickser sie erschütterte.

Eragon biss sich auf die Zunge. *Ja, besser… Komm mit nach Tronjheim. Du musst etwas trinken. Das hilft. Und anschließend solltest du schlafen.*

Kannst du mir den Schluckauf nicht mit einem Zauber nehmen?

Vielleicht. Wahrscheinlich. Aber weder Brom noch Oromis ha-

ben mir beigebracht, wie. Saphira nahm es brummend zur Kenntnis und hickste dann wieder. Eragon presste die Lippen aufeinander und starrte auf seine Stiefelspitzen hinab. *Sollen wir?*

Saphira streckte das rechte Vorderbein aus und Eragon kletterte freudig auf ihren Rücken und in seinen Sattel.

Gemeinsam durchquerten sie den Tunnel nach Tronjheim, beide überglücklich, endlich wieder vereint zu sein.

Gûnteras Segen

Das Dröhnen der Trommeln von Derva rief die Zwerge Tronjheims herbei, um der Krönung ihres neuen Königs beizuwohnen.

»Gewöhnlich«, hatte Orik Eragon am Vorabend erklärt, »tritt ein Regent die Herrschaft an, sobald er von der Clan-Versammlung gewählt wurde. Die Krönung selbst findet aber frühestens drei Monate später statt. Damit will man den Zwergen genug Zeit geben, um ihre Angelegenheiten zu ordnen und aus den entferntesten Winkeln unseres Reiches nach Farthen Dûr zu reisen. Es kommt nicht oft vor, dass wir einen Monarchen krönen, also machen wir ein rauschendes Fest daraus, wenn es so weit ist. Wochenlang wird geschlemmt und gesungen, es gibt die verschiedensten Spiele, in denen wir unsere Klugheit und Stärke beweisen, und Wettkämpfe im Schmieden, Meißeln und den anderen Künsten … Dies sind allerdings keine gewöhnlichen Zeiten.«

Eragon stand neben Saphira direkt vor Tronjheims zentraler Kammer und lauschte dem Klang der gigantischen Trommeln. Zu beiden Seiten der mehrere Meilen langen Halle drängten sich auf jedem Stockwerk Hunderte von Zwergen in den Arkaden und blickten mit glänzenden dunklen Augen zu Eragon und Saphira hinab.

Saphira fuhr mit ihrer rauen Zunge über die Schuppen ihrer Flanke, wie sie es schon die ganze Zeit tat, seit sie am frühen Morgen fünf ausgewachsene Schafe verschlungen hatte. Dann hob sie das linke Vorderbein und rieb das Maul daran. Außerdem hing an ihr der Geruch von verbrannter Wolle.

Hör auf, so herumzuzappeln, sagte Eragon. *Die Leute schauen schon.*

Ein leises Knurren drang aus Saphiras Brust. *Ich kann nicht anders. Mir hängt Wolle zwischen den Zähnen, mir klebt Wolle auf der Zunge. Jetzt weiß ich wieder, warum ich keine Schafe mag. Diese haarigen Biester hinterlassen Flusen im Maul und verursachen Verdauungsstörungen.*

Ich helfe dir beim Putzen deiner Zähne, wenn wir hier fertig sind. Bis dahin reiß dich bitte zusammen.

Ja, ja.

Hat dir Bloëdhgarm Feuerkraut in die Satteltaschen gepackt? Das würde deinen Magen beruhigen.

Ich weiß nicht.

Hm. Eragon überlegte einen Moment. *Falls nicht, frage ich Orik, ob sie es in Tronjheim vorrätig haben. Wir sollten –*

Er verstummte, als der letzte Trommelschlag verklang. Die Zuschauermenge erwachte aus ihrer Erstarrung und er hörte Kleiderrascheln und hier und dort ein paar leise Worte in der Zwergensprache.

Dutzende Trompeten schmetterten eine Fanfare und erfüllten den Stadtberg mit ihrem schallenden Klang, dann begann irgendwo ein Zwergenchor zu singen. Die Musik ließ Eragons Kopfhaut kribbeln und sein Blut schneller fließen, als ginge er auf die Jagd. Saphira schlug mit dem Schwanz, und er wusste, dass sie genauso empfand wie er.

Es geht los, dachte er.

Seite an Seite traten er und Saphira in die zentrale Kammer des Stadtbergs und nahmen ihren Platz zwischen den Clan-Oberhäuptern, Gildemeistern und anderen Persönlichkeiten von Rang ein, die einen Kreis in dem hohen, weitläufigen Raum gebildet hatten. In der Mitte stand der Sternsaphir, umgeben von einem hölzernen Gerüst. Eine Stunde vor der Krönung hatte Skeg Eragon und Saphira die Nachricht überbringen lassen, dass er und seine Handwerker die letzten Bruchstücke des riesigen Edelsteins zusammengefügt hätten und Isidar Mithrim nun bereit sei, von Saphira wieder zu einem Ganzen gemacht zu werden.

Der schwarze Granitthron der Zwerge war von seinem angestammten Platz unterhalb Tronjheims heraufgeschafft worden und stand nun auf einem Podium neben dem Sternsaphir. Er war zur östlichen der vier Haupthallen Tronjheims ausgerichtet, denn so wie im Osten der neue Tag anbricht, würde mit dem König ein neues Zeitalter anbrechen.

Eragon erblickte Tausende von Zwergenkriegern in polierten Rüstungen. Zwei große Gruppen waren vor dem Thron postiert, und in Doppelreihen standen sie zu beiden Seiten der östlichen Haupthalle bis hin zu Tronjheims Osttor in einer Meile Entfernung. Viele der Krieger hielten Speere, an denen Banner mit eigentümlichen Mustern hingen. Hvedra, Oriks Gemahlin, stand in vorderster Reihe der Menge. Nach Grimstborith Vermûnds Verbannung durch die Clan-Versammlung hatte Orik nach ihr geschickt, in der Erwartung, die Wahl für sich zu entscheiden. Sie war erst an diesem Morgen in Tronjheim eingetroffen.

Eine halbe Stunde lang spielten die Trompeten und der unsichtbare Chor sang, während Orik vom Osttor Tronjheims zur zentralen Kammer schritt. Sein Bart war frisch gebürstet und frisiert, und er trug geschnürte Halbstiefel aus feinstem Leder mit edlen Silbersporen an den Absätzen, dazu eine graue Wollhose, eine purpurne Seidenbluse, die im Laternenlicht glänzte, und darüber ein Kettenhemd, dessen Glieder aus reinem Weißgold geschmiedet waren. Ein langer, mit dem Wappen des Dûrgrimst Ingietum bestickter Hermelinumhang floss über seine Schultern und auf den Boden hinter ihm. Volund, der vom ersten Zwergenkönig Korgan geschmiedete Kriegshammer, hing an einem breiten rubinbesetzten Gürtel an Oriks Hüfte. In seinem prachtvollen Gewand und dem schimmernden Kettenhemd schien der Zwerg von innen heraus zu strahlen. Eragon war fast geblendet von seinem Anblick.

Zwölf Zwergenkinder folgten Orik, sechs Jungen und sechs Mädchen, zumindest ließen die Frisuren der Kleinen darauf schließen.

Die Kinder waren in rote, braune und goldene Wämser gewandet, und ein jedes trug eine sechs Zoll messende, polierte Kugel in den Händen, die jeweils aus einer anderen Steinart war.

Als Orik ins Zentrum des Stadtbergs trat, wurde das Licht in der Kammer trüber und auf allem erschien ein Muster aus Schattentupfern. Verwirrt blickte Eragon nach oben und sah mit Erstaunen, dass von Tronjheims Gipfel rosafarbene Rosenblätter herabschwebten. Sie landeten, weichen, dicken Schneeflocken gleich, auf den Köpfen und Schultern der Versammelten und auch auf dem Boden und erfüllten die Luft mit ihrem lieblichen Duft.

Die Trompeten und der Chor verstummten, als Orik vor dem Thron auf ein Knie sank und das Haupt neigte. Die Kinder blieben reglos hinter ihm stehen.

Eragon legte Saphira die Hand an die warme Flanke und teilte seine Anspannung und Aufregung mit ihr. Er wusste nicht, was als Nächstes geschehen würde, denn Orik hatte sich geweigert, ihm zu sagen, wie die Zeremonie ab diesem Punkt weiterlaufen würde.

Gannel, das Clan-Oberhaupt des Dûrgrimst Quan, trat aus dem Kreis der Anwesenden und stellte sich rechts neben den Thron. Der breitschultrige Zwerg trug ein wallendes rotes Gewand, auf dessen Borten mit metallenen Fäden gestickte Runen glänzten. In einer Hand hielt Gannel einen langen Stab, auf dessen oberem Ende ein durchscheinender spitzer Kristall saß.

Mit beiden Händen hob der Zwerg den Stab über den Kopf und stieß ihn mit einem hallenden Knall auf den Steinboden. »Hwatum il skilfz Gerdûmn!«, rief er aus. Er fuhr einige Minuten lang fort, in der Sprache der Zwerge zu reden, und Eragon lauschte ihm, ohne ihn zu verstehen, da sein Dolmetscher nicht da war. Dann veränderte sich Gannels Tonfall und Eragon erkannte Worte in der alten Sprache. Er merkte, dass Gannel einen Zauber wirkte, der Eragon allerdings gänzlich unbekannt war. Statt die Beschwörung auf einen Gegenstand oder auf ein Element zu richten, das sie umgab, beschwor der Priester in der Sprache der unerklärlichen Macht: »Gûntera, Erschaffer des Himmels, des Erdreichs und der endlosen Meere, erhöre den Ruf deines treuen Dieners! Wir danken dir für deine Großmut. Unser Volk blüht und gedeiht. In diesem wie in jedem Jahr haben wir dir die besten Böcke unserer Herden geopfert und dazu Schalen voller Würzfleisch und einen Teil unserer Ernte an Früchten, Gemüse und Weizen. Deine Tempel sind die prachtvollsten im ganzen Land, und niemand kann darauf hoffen, sich mit deinem Ruhm zu messen. Oh mächtiger Gûntera, König aller Götter, höre mein Flehen: Die Zeit ist gekommen, einen neuen sterblichen Herrscher für unsere irdischen Angelegenheiten zu ernennen. Bist du bereit, deinen Segen Orik, Sohn von Thrifks, zu gewähren und ihn in der Tradition seiner Vorgänger zu krönen?«

Zuerst dachte Eragon, Gannels Bitte würde unbeantwortet bleiben, denn er fühlte keine Welle der Magie von dem Zwerg ausgehen, als er geendet hatte. Doch dann stupste Saphira ihn an und sagte: *Schau.*

Eragon folgte ihrem Blick und bemerkte in dreißig Fuß Höhe inmitten der herabschwebenden Rosenblätter eine Stelle, wo keine Blätter fielen, als ob ihnen dort ein unsichtbarer Gegenstand im Weg wäre. Das Gebilde weitete sich aus, reichte nun bis zum Boden, und das von Rosenblättern umrahmte Nichts nahm die Gestalt eines Wesens mit Armen und Beinen an wie ein Zwerg oder Mensch oder Elf oder Urgal, aber mit Proportionen, die anders waren als bei jedem Volk, das Eragon kannte: Der Kopf war fast schulterbreit, die massigen Arme reichten bis unter die Knie, und während der Torso gewaltig schien, waren die Beine kurz und krumm.

Feine, klare Strahlen wässrigen Lichts entströmten den Umrissen, dann entstand das verschwommene Abbild eines riesigen männlichen Wesens mit struppigem Haarschopf. Der Gott, wenn er einer war, trug nichts außer einem Lendenschurz. Sein Gesicht war finster und würdevoll und wirkte gleichermaßen grausam und gütig, als könnte er zwischen diesen beiden Extremen ohne Vorwarnung hin und her wechseln.

Während er all diese Einzelheiten bemerkte, nahm Eragon außerdem die Gegenwart eines fremdartigen, allumfassenden Bewusstseins wahr, eines Bewusstseins von unergründlicher Tiefe, das aufblitzte und donnerte und in unerwartete Richtungen wogte wie ein sommerlicher Gewittersturm. Seine Haut kribbelte, ein Kälteschauer lief ihm über den Rücken. Er wusste nicht, was er da gespürt hatte, aber Angst packte ihn und er blickte Hilfe suchend zu Saphira. Sie starrte auf die riesige Erscheinung vor ihr, ein ungewöhnlich intensives Funkeln in den Augen.

Wie auf ein lautloses Kommando sanken die Zwerge auf die Knie.

Der Gott erhob seine Stimme und sie klang wie herabrollende Felsbrocken, wie der peitschende Wind über kahlen Berggipfeln und wie heranbrandende Wellen an einem steinigen Ufer. Er sprach in der Zwergensprache, und obwohl Eragon ihn nicht verstand, erschauderte er unter der Wortgewalt des Gottes. Dreimal stellte er Orik eine Frage und dreimal antwortete der Zwerg mit vergleichsweise leiser, dünner Stimme. Offenbar zufrieden mit den Antworten, streckte die Erscheinung die glühenden Arme aus und legte die Fingerspitzen an Oriks Schläfen.

Die Luft zwischen den Fingern des Gottes flirrte, und auf Oriks Haupt erschien der edelsteinbesetzte Goldhelm, den Hrothgar getragen hatte. Dann klopfte sich der Gott auf den Bauch, lachte dröhnend und löste sich auf. Die Rosenblüten schwebten nun wieder ungehindert herab.

»Ûn qroth Gûntera!«, rief Gannel aus und die Trompeten erklangen wieder.

Orik richtete sich auf, stieg auf das Podium, wandte sich den Versammelten zu und setzte sich auf den harten schwarzen Granitthron.

»Nal, Grimstnzborith Orik!«, riefen die Zwerge und schlugen mit den Streitäxten auf ihre Schilde und stampften mit den Füßen auf den Boden. »Nal, Grimstnzborith Orik! Nal, Grimstnzborith Orik!«

»Es lebe König Orik!«, rief Eragon.

Saphira krümmte den Hals und erwies dem neuen König ihre Ehrerbietung mit einem gewaltigen Brüllen und einem Feuerstrahl, der über die Zwerge hinwegfegte und eine Schneise in die herabschwebenden Rosenblüten brannte. Eragon tränten die Augen, als die Hitzewelle über ihn hereinbrach.

Dann kniete Gannel vor Orik nieder und sagte etwas in der Zwergensprache. Als er fertig war, berührte Orik das Haupt des Priesters, der sich erhob und an seinen Platz zurückkehrte. Danach trat Nado vor den Thron und sagte in etwa die gleichen Worte zu Orik, so wie auch Manndrâth und Hadfala und nach und nach alle anderen Clan-Oberhäupter, mit Ausnahme von Grimstborith Vermûnd, der von der Krönung ausgeschlossen war.

Wahrscheinlich haben sie Orik ihre Treue gelobt, sagte Eragon zu Saphira.

Haben sie das nicht schon getan?

Ja, aber nicht in der Öffentlichkeit. Eragon beobachtete, wie Thordris vor den Thron trat, und fragte dann: *Saphira, was, glaubst du, haben wir gerade gesehen? Könnte das wirklich Gûntera gewesen sein oder war es ein Trugbild? Sein Bewusstsein schien echt zu sein, und ich wüsste nicht, wie man so etwas vortäuschen könnte, aber …*

Es könnte ein Trugbild gewesen sein, sagte sie. *Soweit ich weiß, haben die Zwergengötter den Knurlan niemals auf dem Schlachtfeld oder bei anderen Ereignissen geholfen. Auch kann ich nicht glauben, dass ein Gott auf Gannels Ruf hin herbeigeeilt kommt wie ein dressiertes Hündchen. Ich würde es jedenfalls nicht tun, und sollte ein Gott nicht über einem Drachen stehen? … Andererseits gibt es viel Unerklärliches in Alagaësia. Es ist möglich, dass wir einen Schatten aus einem längst vergessenen Zeitalter gesehen haben, ein verblasster Rest, der noch heute über das Land geistert und seine Rückkehr an die Macht herbeisehnt. Wer kann das schon so genau wissen?*

Nachdem das letzte Clan-Oberhaupt vor Orik getreten war, folgten die Gildemeister. Danach gab Orik Eragon ein Zeichen.

Gemessenen Schrittes trat der Drachenreiter zwischen den Zwergenkriegern hervor, bis er den Thron erreichte, niederkniete und als Mitglied des Dûrgrimst Ingietum Orik als seinen König anerkannte und schwor, ihm zu dienen und ihn zu schützen. In seiner Funktion als Nasuadas Gesandter gratulierte er Orik im Namen der Varden und ihrer Anführerin und versprach ihm die Freundschaft der Rebellen.

Als Eragon sich zurückzog, kamen andere, um zu Orik zu sprechen, eine scheinbar endlose Folge von Zwergen, die dem neuen König ihre Treue versichern wollten.

So ging es stundenlang weiter, bis das Überreichen der Geschenke begann. Jeder Zwerg bot Orik eine Gabe seines Clans oder seiner Gilde dar: einen bis zum Rand mit Rubinen und Diamanten gefüllten Goldkelch, einen Harnisch aus magisch verstärktem Metall, das von keiner Klinge durchdrungen werden konnte, einen zwanzig Fuß langen Wandbehang, der aus den Bärten der Feldûnost-Ziegen gewebt worden war, eine Achat-Tafel mit den Namen aller Vorfahren Oriks, einen gebogenen Dolch, der aus einem Drachenzahn gefertigt worden war, und viele andere Schätze. Im Gegenzug schenkte Orik den Zwergen Ringe als Zeichen seiner Dankbarkeit.

Ganz zuletzt traten Eragon und Saphira vor den neuen König. Wieder kniete der Drachenreiter vor dem Thron nieder und holte nun das goldene Armband hervor, das er am Vorabend von den Zwergen erbeten hatte. »Das ist mein Geschenk, König Orik. Ich habe es nicht selbst hergestellt, aber ich habe es mit Zaubern belegt, die Euch schützen werden. Solange Ihr es tragt, braucht Ihr Euch nicht vor Gift zu fürchten. Falls ein Attentäter versucht, Euch zu erschlagen oder zu erstechen oder irgendeinen anderen Gegenstand nach Euch wirft, wird Euch die Waffe verfehlen. Das Armband wird Euch sogar vor feindlicher Magie abschirmen. Und es besitzt noch andere Eigenschaften, die Euch nützlich sein dürften, wenn Euer Leben in Gefahr ist.«

Orik neigte den Kopf und nahm das Armband von Eragon entgegen: »Ich weiß dein Geschenk zu schätzen, Eragon Schattentöter.« So, dass jeder es sehen konnte, streifte Orik sich das Band über das linke Handgelenk.

Als Nächstes sprach Saphira und übertrug ihre Gedanken auf alle Anwesenden. *Und das ist mein Geschenk, Orik.* Mit klackenden Klauen tappte sie am Thron vorbei, richtete sich auf und legte die Vorderbeine auf das Gerüst, das den Sternsaphir umgab. Die massiven Holzbalken ächzten unter ihrem Gewicht, aber sie trugen es. Minuten verstrichen, ohne dass etwas geschah. Saphira verharrte dort und starrte auf den riesigen Edelstein.

Die Zwerge beobachteten sie gebannt, wagten kaum zu atmen.

Bist du dir sicher, dass du es schaffst?, fragte Eragon, obwohl er ihre Konzentration nicht stören wollte.

Ich weiß es nicht. Wenn ich Magie wirke, denke ich nicht darüber nach, was ich tue. So war es jedenfalls bis jetzt immer. Ich bringe die Welt einfach dazu, sich zu verändern. Es ist kein bewusster Akt... Ich werde wohl warten müssen, bis ich spüre, dass der richtige Moment gekommen ist, um Isidar Mithrim zu heilen.

Ich helfe dir. Lass mich durch dich einen Zauber wirken.

Nein, Kleiner. Das ist meine Aufgabe, nicht deine.

Eine einzelne Stimme wehte durch die Kammer, leise und klar sang sie eine getragene, sehnsüchtige Melodie. Einer nach dem anderen fielen die Sänger des verborgenen Chors ein und erfüllten Tronjheim mit der bittersüßen Schönheit ihrer Musik. Eragon wollte sie schon bitten, ruhig zu sein, aber Saphira sagte: *Schon gut, lass sie ruhig.*

Obwohl er die Worte nicht verstand, erkannte Eragon am Klang des Liedes, dass es ein Wehklagen darüber war, dass Dinge, die einst bestanden hatten, nun nicht mehr waren, so wie der Sternsaphir. Als das Lied seinem Ende entgegenstrebte, dachte er an sein altes Leben im Palancar-Tal, und Tränen traten ihm in die Augen.

Zu seiner Überraschung spürte er bei Saphira eine ganz ähnliche Wehmut. Sowohl Trauer als auch Bedauern waren ihrem Wesen normalerweise fremd, deshalb wunderte es ihn und er hätte sie danach gefragt. Gleichzeitig spürte er jedoch, dass sich tief in ihrem Innern etwas regte: Als würde ein uralter Teil von ihr zum Leben erwachen.

Das Lied endete auf einem lang gezogenen, zitternden Ton, und während er verklang, durchflutete Saphira ein Kraftstrom – so gewaltig, dass Eragon erschrocken aufstöhnte. Sie beugte sich vor und berührte den Sternsaphir mit der Spitze ihrer Schnauze. Die zahllosen fein verästelten Risse in dem gigantischen Edelstein flackerten so hell wie Blitze, dann brach das Holzgerüst auseinander, fiel zu Boden und offenbarte Isidar Mithrim in seiner alten Pracht.

Allerdings nicht ganz wie früher. Das Rot des Edelsteins war kräftiger, intensiver als zuvor und die innersten Blüten der Rose wurden von schillernden Goldstreifen durchzogen.

Die Zwerge starrten voll Staunen auf Isidar Mithrim. Dann sprangen sie auf, jubelten Saphira zu und applaudierten mit einer solchen Inbrunst, dass es klang wie ein rauschender Wasserfall. Sie verneigte sich vor der Menge und ging dann zurück zu Eragon, wobei sie Rosenblätter unter ihren Füßen zerdrückte. *Danke,* sagte sie zu ihm.

Wofür denn?

Dafür, dass du mir geholfen hast. Es waren deine Gefühle, die mir gezeigt haben, was ich tun muss. Ohne sie hätte ich vermutlich wochenlang dort gestanden und auf eine Eingebung gewartet, um Isidar Mithrim zu heilen.

Orik hob die Arme und brachte die Menge zum Schweigen. »Im Namen meines Volkes danke ich dir für dein Geschenk, Saphira. Du hast uns den größten Stolz unseres Reiches zurückgegeben und das werden wir dir nie vergessen. Niemand soll behaupten, dass die Knurlan ein undankbares Volk seien. Von heute an bis zum Ende der Zeit wird man dich bei den Winterfesten in einem Atemzug mit unseren berühmtesten Meisterkünstlern nennen, und wenn Isidar Mithrim an seinen Platz in Tronjheims Gipfel zurückkehrt, wird dein Name in die Fassung eingraviert, die die Sternrose hält, zusammen mit dem von Dûrok Ornthrond, der das Juwel einst schuf.«

Zu beiden, Eragon und Saphira, sagte Orik: »Erneut habt ihr eure Verbundenheit zu meinem Volk demonstriert. Es erfüllt mich mit Freude, dass ihr mit euren Taten beweist, dass mein Vater recht daran getan hat, euch in den Dûrgrimst Ingietum aufzunehmen.«

Nachdem die zahllosen Rituale vollzogen waren, die der Krönung folgten, und Eragon Saphira geholfen hatte, die Wollreste zwischen ihren Zähnen loszuwerden – es war eine schleimige, stinkende Angelegenheit, nach der er erst einmal baden musste –, nahmen die beiden an dem zu Oriks Ehren stattfindenden Festbankett teil. Es wurde laut und ausgelassen gefeiert und dauerte bis spät in die Nacht. Jongleure und Akrobaten unterhielten die Gäste, ebenso eine Schauspielgruppe, die ein Stück namens *Az Sartosvrenht rak Balmung, Grimstnzborith rak Kvisagûr* zum Besten gab. *Die Sage von König Balmung aus Kvisagûr*, wie Hûndfast Eragon erklärte.

Als die Feierlichkeiten allmählich dem Ende entgegengingen und die meisten Zwerge bereits tief in ihre Krüge geblickt hatten, beugte Eragon sich zu Orik hinüber, der am Kopfende des Steintisches saß, und sagte: »Euer Majestät.«

Orik winkte ab. »Hör auf, mich ständig mit *Euer Majestät* anzusprechen, Eragon. Das will ich nicht. Solange es die Umstände nicht erfordern, rede mich mit meinem Namen an, so wie du es früher getan hast. Das ist ein Befehl.« Dabei langte er nach seinem Kelch, griff aber daneben und hätte ihn beinahe umgestoßen. Er lachte.

Lächelnd fragte Eragon: »Orik, war das wirklich Gûntera, der dich gekrönt hat?«

Oriks Kinn sank auf die Brust und er drehte mit ernster Miene den Kelch in seiner Hand. »Es war so nahe an Gûntera dran, wie wir es in Alagaësia wohl jemals erleben werden. Beantwortet das deine Frage?«

»Ich … ich glaube schon. Erscheint er immer, wenn man ihn ruft? Hat er sich jemals geweigert, einen eurer Herrscher zu krönen?«

Oriks Augenbrauen verengten sich. »Hast du jemals von den Ketzerischen Königen und Königinnen gehört?«

Eragon schüttelte den Kopf.

»Es waren die Knurlan, denen Gûnteras Segen verwehrt blieb und die nichtsdestotrotz darauf bestanden haben, den Thron zu besteigen.« Orik verzog den Mund. »Ihre Herrschaft war ausnahmslos unglücklich und von kurzer Dauer.«

Eragons Brustkorb verengte sich. »Das heißt, wenn Gûntera dich nicht gekrönt hätte, wärst du jetzt nicht König, obwohl die Clan-Versammlung dich gewählt hat?«

»Entweder das oder ich wäre König eines Volkes, das Krieg gegen sich selbst führt.« Orik zuckte mit dem Schultern. »Ich habe mir darüber keine großen Sorgen gemacht. Zum gegenwärtigen Zeitpunkt, da die Varden dabei sind, ins Imperium einzufallen, würde nur ein Wahnsinniger riskieren, unser Volk zu spalten, nur um mir den Thron zu verwehren, und *Gûntera* ist zwar vieles, aber wahnsinnig ist er nicht.«

»Aber ganz sicher warst du dir nicht?«, sagte Eragon.

Orik schüttelte den Kopf. »Nicht, bis er mir den Helm aufgesetzt hat.«

Weise Worte

»Verzeihung« sagte Eragon, als er gegen die Wasserschale stieß.

Nasuada runzelte die Stirn. Als das Wasser in der Schale kleine Wellen schlug, wurde ihr Gesicht unscharf und zog sich in die Länge. »Wofür?«, fragte sie. »Ich denke, Glückwünsche sind wohl eher angebracht. Du hast alles erreicht, weswegen ich dich nach Tronjheim entsendet habe, wenn nicht mehr.«

»Nein, ich …« Eragon verstummte, als ihm klar wurde, dass sie die Bewegung des Wassers gar nicht bemerkt hatte. Der Zauber war so gewirkt, dass Nasuada durch ihren Spiegel einen ungehinderten Blick auf Saphira und ihn hatte, nicht auf die Gegenstände, in die sie beide schauten. »Ich bin nur gegen die Schale gestoßen, das ist alles.«

»Oh. Dann möchte ich dir hiermit ausdrücklich meinen Glückwunsch aussprechen, Eragon. Indem du sichergestellt hast, dass Orik König wird …«

»Auch wenn mir das nur gelungen ist, weil ein Anschlag auf mich verübt wurde?«

Nasuada lächelte. »Ja, auch wenn es dir nur gelungen ist, weil ein Anschlag auf dich verübt wurde, hast du unser Bündnis mit den Zwergen gefestigt, und das könnte den Unterschied zwischen Sieg und Niederlage ausmachen. Jetzt stellt sich die Frage, wie lange es dauert, bis die gesamte Zwergenarmee sich unserer Streitmacht anschließt.«

»Orik hat den Kriegern bereits befohlen, sich für den Abmarsch bereit zu machen«, erklärte Eragon. »Es wird vermutlich einige Tage dauern, bis die Clans ihre Heere aufgestellt haben, aber danach werden sie unverzüglich abrücken.«

»Ausgezeichnet. Wir können ihre Unterstützung gut gebrauchen. Was mich zur nächsten Frage führt: Wann können wir mit eurer Rückkehr rechnen? In drei, vier Tagen?«

Saphira raschelte mit den Flügeln und ihr heißer Atem traf auf Eragons Nacken. Er sah sie an, dann wählte er seine Worte mit Bedacht: »Das kommt darauf an. Erinnerst du dich, was wir vor meiner Abreise besprochen haben?«

Nasuada schürzte die Lippen. »Natürlich, Eragon. Ich ...« Sie wandte sich ab und lauschte, während ein Mann zu ihr sprach. Seine Worte waren für Eragon und Saphira nur ein unverständliches Gemurmel. Dann blickte Nasuada wieder in den Spiegel. »Soeben ist Hauptmann Edrics Trupp zurückgekehrt. Es scheint viele Opfer gegeben zu haben, aber es heißt, Roran hätte überlebt.«

»Wurde er verletzt?«, fragte Eragon.

»Ich lasse es dich wissen, sobald ich es herausgefunden habe. Ich würde mir aber keine allzu großen Sorgen machen. Roran hat das Glück eines ...« Wieder richtete eine Person, die sie nicht sehen konnten, das Wort an Nasuada, und sie trat aus ihrem Blickfeld.

Eragon konnte seine Ungeduld kaum zähmen, während er wartete.

»Verzeih bitte«, sagte Nasuada, als ihr Gesicht wieder in der Wasserschale erschien. »Wir stehen nicht weit von Feinster und müssen uns ständig mit Soldatentrupps herumschlagen, die Fürstin Lorana aus der Stadt schickt, um uns das Leben schwer zu machen ... Eragon, Saphira, wir brauchen euch in dieser Schlacht. Wenn Feinsters Bewohner nur Menschen, Zwerge und Urgals vor ihren Stadtmauern sehen, glauben sie womöglich, die Stadt halten zu können, und werden sich umso heftiger wehren. Natürlich können sie Feinster nicht halten, aber das müssen sie erst noch erkennen. Wenn sie sehen, dass ein Drache und sein Reiter die Angriffe gegen sie anführen, werden sie den Willen zu kämpfen rasch verlieren.«

»Aber …«

Nasuada hob die Hand und schnitt ihm das Wort ab. »Es gibt noch andere Gründe, warum ich dich unbedingt hier haben möchte. Wegen der Verletzungen, die ich bei der Probe der Langen Messer davongetragen habe, kann ich nicht mit den Varden in die Schlacht reiten. Ich möchte, dass *du* an meiner statt reitest, Eragon, damit meine Befehle so ausgeführt werden, wie ich es für richtig halte, und um meinen Kriegern Mut zu machen. Außerdem kursieren bereits Gerüchte über deine Abwesenheit, obwohl wir alles getan haben, um das zu verhindern. Sollten Murtagh und Dorn uns angreifen oder Galbatorix die beiden als Verstärkung nach Feinster schicken … nun, selbst mit den Elfen an unserer Seite würden wir ihnen wohl kaum standhalten können. Es tut mir leid, Eragon, aber ich kann dir nicht gestatten, jetzt nach Ellesméra zurückzukehren. Es ist zu gefährlich.«

Eragon presste die Hände auf den kalten Steintisch, auf dem die Wasserschale stand, und sagte: »Nasuada, bitte. Wenn nicht jetzt, wann dann?«

»Bald. Hab Geduld.«

»Bald.« Eragon atmete tief durch, während seine Hände noch fester gegen den Stein drückten. »Wie bald denn?«

Nasuada blickte ihn missmutig an. »Das kann ich noch nicht sagen. Zuerst müssen wir Feinster einnehmen, dann müssen wir die Umgebung sichern und dann –«

»Und dann beabsichtigst du, nach Belatona oder Dras-Leona zu marschieren und anschließend nach Urû'baen«, führte Eragon ihren Satz zu Ende. Nasuada wollte etwas entgegnen, aber er gab ihr keine Gelegenheit dazu. »Und je näher du Galbatorix kommst, desto wahrscheinlicher wird es, dass Murtagh und Dorn euch angreifen oder sogar der König selbst. Dann wirst du uns noch widerwilliger ziehen lassen wollen … Nasuada, Saphira und ich verfügen nicht über die Fähigkeit, das Wissen und die Kraft, um Galbatorix zu töten. Das weißt du ganz genau! Galbatorix könnte diesen Krieg jederzeit beenden, wenn er bereit wäre, seine Burg zu verlassen und die Varden direkt anzugreifen. Wir *müssen* zu unseren Lehrmeistern zurückkehren. Sie können uns erklären, woher Galbatorix' Macht kommt, und uns vielleicht ein paar Kniffe zeigen, mit denen wir sie schlagen können.«

Nasuada senkte den Blick und musterte ihre Hände. »Dorn und Murtagh könnten uns während deiner Abwesenheit vernichten.«

»Und wenn wir nicht nach Ellesméra gehen, wird Galbatorix uns vernichten, sobald wir Urû'baen erreichen … Könntest du nicht ein paar Tage warten, bis du Feinster angreifst?«

»Gewiss, aber jeder Tag, den wir vor der Stadt stehen, kostet uns Menschenleben.« Nasuada rieb sich mit den Handballen die Schläfen. »Du verlangst viel und gibst mir wenig dafür.«

»Mag sein«, sagte er, »aber unser Untergang ist unausweichlich, wenn wir es nicht wenigstens versuchen.«

»Meinst du? Da bin ich mir nicht so sicher. Trotzdem …« Sie machte eine ungewöhnlich lange Pause und hielt den Blick dabei gesenkt. Dann nickte sie, als würde sie sich selbst etwas bestätigen. »Na schön. Ich kann unsere Ankunft in Feinster um zwei oder drei Tage verzögern. Es gibt in der Gegend einige kleinere Orte, die wir zuerst einnehmen können. Wenn wir die Stadt erreichen, kann ich noch einmal zwei oder drei Tage herausschinden, während der die Varden Belagerungsmaschinen bauen und Befestigungsanlagen errichten. Das sollte niemandem verdächtig vorkommen. Aber dann muss ich Feinster angreifen, allein schon weil wir dringend neue Vorräte brauchen werden. Eine Streitmacht, die auf feindlichem Territorium an einem Fleck verharrt, ist eine hungernde Streitmacht. Alles in allem kann ich dir höchstens sechs Tage geben, eher vier.«

Während sie sprach, stellte Eragon einige schnelle Berechnungen an. »Vier Tage reichen nicht aus«, sagte er, »und sechs vermutlich auch nicht. Saphira hat drei Tage gebraucht, um nach Farthen Dûr zu fliegen, und das ohne Ruhepausen und ohne dass sie mein Gewicht tragen musste. Wenn die Landkarten, die ich gesehen habe, stimmen, ist es von hier nach Ellesméra genauso weit oder sogar noch etwas weiter. Und von Ellesméra bis nach Feinster müssen wir noch mal die gleiche Strecke zurücklegen. Zudem kann Saphira mit mir auf dem Rücken nicht so schnell fliegen.«

Das stimmt, sagte sie zu ihm.

»Selbst wenn alles gut läuft«, fuhr Eragon fort, »wird es also eine volle Woche dauern, bis wir in Feinster eintreffen, und das würde bedeuten, dass wir nicht länger als eine Minute in Ellesméra verweilen.«

Ein Ausdruck tiefer Erschöpfung legte sich über Nasuadas Züge. »Müsst ihr denn wirklich bis nach Ellesméra fliegen? Würde es nicht genügen, eure Lehrmeister mit der Traumsicht zu kontaktieren, sobald ihr den schützenden Zauber um Du Weldenvarden passiert habt? Die Zeitersparnis könnte entscheidend sein.«

»Ich weiß nicht. Wir können es versuchen.«

Nasuada schloss einen Moment lang die Augen. Mit heiserer Stimme sagte sie: »Ich könnte unsere Ankunft in Feinster vielleicht um vier Tage verzögern ... Geht nach Ellesméra oder lasst es bleiben; die Entscheidung liegt bei euch. Falls ihr hinfliegt, dann bleibt so lange wie nötig. Du hast recht; wenn ihr keinen Weg findet, wie man Galbatorix bezwingen kann, dann gibt es keine Hoffnung auf einen Sieg. Aber seid euch bitte darüber im Klaren, welches gewaltige Risiko wir eingehen und wie viele meiner Krieger ich dafür opfere, um euch diesen Aufschub zu gewähren. Und wie viele Varden zusätzlich sterben werden, falls wir Feinster ohne euch belagern müssen.«

Eragon nickte ernst. »Ich vergesse es nicht.«

»Das hoffe ich sehr. So, und nun macht euch auf den Weg! Wartet nicht länger! Brecht sofort auf. Flieg schnell wie ein herabstoßender Falke, Saphira, und lass dich durch nichts aufhalten.« Nasuada führte die Fingerspitzen an die Lippen und drückte sie auf die unsichtbare Spiegeloberfläche, auf der, wie er wusste, sein und Saphiras Ebenbild zu sehen war. »Viel Glück, Eragon, Saphira. Ich fürchte, unser Wiedersehen wird auf dem Schlachtfeld stattfinden.«

Dann trat sie aus dem Blickfeld der beiden, Eragon löste den Zauber und das Wasser in der Schale wurde klar.

Am Schandpfahl

Roran saß kerzengerade da und starrte an Nasuada vorbei, den Blick auf eine Falte in der karmesinroten Zeltwand gerichtet.

Er spürte, wie Nasuada ihn musterte, aber er weigerte sich, sie anzusehen. Während des langen, dumpfen Schweigens, das sie einhüllte, malte er sich eine Fülle schrecklicher Strafen aus, und seine Schläfen pochten mit fiebriger Intensität. Er wünschte, er könnte das stickige Zelt verlassen und draußen die kühle Luft atmen.

»Was soll ich mit dir machen, Roran?«

Er drückte das Rückgrat noch stärker durch. »Was immer Ihr wünscht, Herrin.«

»Eine bewundernswerte Antwort, Hammerfaust, die allerdings nicht das Dilemma löst, in dem ich mich befinde.« Nasuada nahm einen Schluck aus ihrem Weinkelch. »Du hast dich zweimal einer direkten Anweisung von Hauptmann Edric widersetzt. Hättest du sie allerdings befolgt, könnten weder er noch du oder der Rest eures Trupps uns davon berichten, denn ihr wärt alle nicht mehr am Leben. Nach deiner eigenen Aussage hast du wissentlich Befehlsverweigerung begangen, und ich *muss* dich dafür bestrafen, wenn ich die Disziplin in meiner Armee aufrechterhalten will.«

»Ja, Herrin.«

Ihre Miene verdüsterte sich. »Verdammt, Hammerfaust. Wenn du nicht Eragons Cousin wärst und dein Schachzug etwas weniger erfolgreich gewesen wäre, dann würde ich dich für dein Fehlverhalten aufknüpfen und hängen lassen.«

Roran schluckte, als er sich vorstellte, wie sich die Schlinge langsam um seinen Hals zusammenzog.

Mit dem Mittelfinger der rechten Hand klopfte Nasuada immer schneller auf die Armlehne ihres hochlehnigen Stuhls, bis sie innehielt und fragte: »Möchtest du weiterhin für die Varden kämpfen, Roran?«

»Ja, Herrin«, sagte er, ohne zu zögern.

»Was würdest du auf dich nehmen, um in meiner Armee zu bleiben?«

Roran gestattete es sich nicht, darüber nachzugrübeln, was diese Frage einschloss. »Was immer es bedarf, Herrin.«

Die Anspannung auf ihrem Gesicht ließ nach und Nasuada nickte, offenbar zufrieden. »Ich hatte gehofft, dass du das sagen würdest. Die Tradition und vorangegangene ähnliche Fälle lassen mir nur drei Möglichkeiten: Erstens, ich kann dich an den Galgen bringen, aber das tue ich nicht … aus vielerlei Gründen. Zweitens, ich verurteile dich zu dreißig Peitschenhieben und entlasse dich danach aus den Reihen der Varden. Oder drittens, ich gebe dir fünfzig Peitschenhiebe und behalte dich unter meinem Kommando.«

Fünfzig Peitschenhiebe sind nicht viel mehr als dreißig, versuchte Roran, sich Mut zu machen. Er befeuchtete die Lippen. »Würde man mich vor den Augen aller auspeitschen?«

Nasuadas Brauen hoben sich. »Dein Stolz hat hier nichts zu suchen, Hammerfaust. Deine Strafe muss hart sein, damit sie andere davon abhält, dir nachzueifern, und sie muss in der Öffentlichkeit stattfinden, damit es für alle Varden von Nutzen ist. Wenn du auch nur halb so intelligent bist, wie es scheint, dann wusstest du, dass deine Befehlsverweigerung unangenehme Konsequenzen nach sich ziehen würde. Die Wahl, vor der du jetzt stehst, ist einfach: Willst du bei den Varden bleiben oder willst du deine Familie und Freunde verlassen und deinen eigenen Weg gehen?«

Roran hob das Kinn, wütend, weil sie sein Wort infrage stellte. »Ich werde Euch nicht verlassen, Herrin. Ganz gleich, wie viele Hiebe Ihr mir gebt, sie können nicht so sehr brennen wie der

Schmerz darüber, meine Heimat und meinen Vater verloren zu haben.«

»Das stimmt«, sagte Nasuada sanft. »Das können sie nicht … Ein Magier der Du Vrangr Gata wird die Auspeitschung überwachen und sich anschließend um dich kümmern, damit du keine bleibenden Schäden davonträgst. Allerdings wird man deine Wunden nicht vollständig heilen, und du darfst auch nicht aus eigenen Stücken einen Magier aufsuchen, um deinen Rücken behandeln zu lassen.«

»Ich verstehe.«

»Die Bestrafung wird vollzogen, sobald Jörmundur die Truppen aufmarschieren lassen kann. Bis dahin bleibst du in dem bewachten Zelt neben dem Schandpfahl.«

Roran war froh, dass er nicht länger warten musste. Er wollte die Last dessen, was vor ihm lag, nicht tagelang auf seinen Schultern tragen. »Herrin«, sagte er und sie entließ ihn mit einer knappen Handbewegung.

Roran machte auf dem Absatz kehrt und marschierte aus dem Pavillon. Draußen nahmen ihn zwei Wachen in Empfang und führten ihn wortlos durchs Lager, bis sie ein kleines, leeres Zelt in der Nähe des geschwärzten Schandpfahls erreichten, der auf einer Anhöhe am Lagerrand stand.

Der Pfahl war sechseinhalb Fuß hoch und hatte nahe der Spitze einen Querbalken, an den die Handgelenke der Gefangenen gefesselt wurden. Der Balken war übersät mit Kratzern von den Fingernägeln der gegeißelten Männer.

Roran zwang sich, den Blick abzuwenden, und trat in das Zelt. Das einzige Möbelstück im Innern war ein abgewetzter Holzschemel. Er setzte sich und konzentrierte sich auf seinen Atem, fest entschlossen, ruhig zu bleiben.

Nach ein paar Minuten begann Roran, das Stampfen der Stiefel und Klirren der Kettenhemden zu hören, als die Varden sich um den Pranger versammelten. Roran stellte sich vor, wie ihn Tausende Männer und Frauen anstarrten, einschließlich der Dorfbewohner aus Carvahall. Sein Pulsschlag beschleunigte sich, Schweiß trat ihm auf die Stirn.

Nach einer halben Stunde trat die Zauberin Trianna ins Zelt. Roran musste sich bis auf die Hosen ausziehen, was ihn verlegen machte, aber die Frau schien das nicht zu bemerken. Trianna untersuchte ihn und legte sogar einen zusätzlichen Heilzauber auf die linke Schulter, wo der Soldat ihn mit dem Armbrustbolzen getroffen hatte. Dann erklärte sie ihn für gesund und gab ihm ein Hemd aus Sackleinen, das er anstelle seines eigenen tragen sollte.

Roran zog sich gerade das Hemd über den Kopf, als Katrina sich ins Zelt schob. Als er sie erblickte, erfüllten Roran gleichermaßen Freude und Furcht.

Katrina blickte zwischen ihm und Trianna hin und her, dann machte sie vor der Zauberin einen Knicks. »Dürfte ich bitte allein mit meinem Gemahl sprechen?«

»Natürlich. Ich werde draußen warten.«

Sobald Trianna gegangen war, eilte Katrina zu Roran und fiel ihm um den Hals. Er drückte sie fest an sich, denn er hatte sie seit seiner Rückkehr ins Lager noch nicht gesehen.

»Ich habe dich so vermisst«, flüsterte sie ihm ins Ohr.

»Ich dich auch«, murmelte er.

Sie lösten sich gerade weit genug voneinander, um sich anschauen zu können. Katrinas Blick verfinsterte sich. »Dir geschieht Unrecht! Ich bin zu Nasuada gegangen und habe sie angefleht, dich zu begnadigen oder zumindest die Zahl der Peitschenhiebe zu verringern, aber sie wollte mich nicht erhören.«

Roran strich Katrina über den Rücken. »Ich wünschte, du hättest es nicht getan.«

»Warum nicht?«

»Weil ich ihr gesagt habe, dass ich bei den Varden bleiben will, und ich stehe zu meinem Wort.«

»Aber dir geschieht Unrecht!«, sagte Katrina wieder und packte ihn an den Schultern. »Carn hat mir erzählt, was du getan hast, Roran. Du hast beinahe zweihundert Soldaten alleine niedergestreckt und ohne deinen Heldenmut hätte keiner der Männer in deinem Trupp überlebt. Nasuada hätte dich mit Lob und Geschenken überhäufen sollen, statt dich auspeitschen zu lassen wie einen gewöhnlichen Verbrecher!«

»Es spielt keine Rolle, ob es unrecht ist oder nicht«, sagte er. »Es muss sein. An Nasuadas Stelle hätte ich genauso gehandelt.«

Katrina schauderte. »Aber fünfzig Peitschenhiebe… Warum so viele? Es gibt Männer, die dabei gestorben sind.«

»Nur wenn sie ein schwaches Herz hatten. Sorge dich nicht. Es braucht schon mehr, um mich zu töten.«

Ein gezwungenes Lächeln huschte über Katrinas Lippen, dann begann sie zu schluchzen und presste das Gesicht an seine Brust. Er nahm sie in die Arme, strich ihr übers Haar und versuchte nach Kräften, sie zu beruhigen, obwohl es ihm nicht besser ging als ihr. Nach einigen Minuten ertönte draußen ein Horn, und Roran wusste, dass es Zeit für sie war, sich voneinander zu verabschieden. Er befreite sich sanft aus ihrer Umarmung und sagte: »Es gibt etwas, was du für mich tun kannst.«

»Was denn?«

»Geh in unser Zelt und bleib dort, bis meine Bestrafung vorüber ist.«

Die Bitte schien Katrina zu empören. »Nein, ich werde dich nicht allein lassen… nicht jetzt.«

»Bitte«, sagte er. »Du solltest das nicht mit ansehen müssen.«

»Und du solltest es nicht erleiden müssen«, gab sie zurück.

»Lass das. Ich weiß, dass du bei mir bleiben willst, aber ich kann es besser ertragen, wenn ich weiß, dass du nicht zuschaust… Ich habe es mir selbst eingebrockt, Katrina, und möchte nicht, dass du auch noch leiden musst.«

Ihre Miene wirkte angestrengt. »Zu wissen, was dir widerfährt, schmerzt mich so oder so, ganz gleich, wo ich bin. Aber… ich werde deinen Wunsch erfüllen, weil es dir hilft, diese Prüfung durchzustehen… Du weißt, dass ich mich an deiner statt auspeitschen lassen würde, wenn ich könnte.«

»Und du weißt«, sagte er und küsste sie auf beide Wangen, »dass ich das niemals zulassen würde.«

Tränen traten ihr in die Augen, und sie drückte ihn so fest an sich, dass er kaum mehr Luft bekam.

Sie lagen sich immer noch in den Armen, als die Zeltplane zurückgeschlagen wurde und Jörmundur und zwei Nachtfalken hereinkamen. Katrina trat von Roran zurück, machte einen Knicks vor Jörmundur und verließ das Zelt.

»Es ist so weit«, sagte der Befehlshaber der Varden.

Roran nickte und ließ sich von Jörmundur und den Wachen zum Schandpfahl führen. Um den Pfahl standen stumm und erwartungsvoll in dichten Reihen Männer, Frauen, Zwerge und Urgals. Nach einem anfänglichen Blick auf das Heer von Zuschauern starrte Roran zum Horizont und versuchte, die Menge zu ignorieren.

Die beiden Wachen hoben Rorans Arme über den Kopf und fesselten seine Handgelenke an den Querbalken des Schandpfahls. Unterdessen ging Jörmundur um den Pfosten herum und zog ein lederumwickeltes Holzstück aus der Tasche. »Hier, beiß da drauf«, sagte er mit leiser Stimme zu Roran. »Es verhindert, dass du dich selbst verletzt.« Dankbar öffnete Roran den Mund und ließ sich von Jörmundur das Beißholz zwischen die Zähne schieben. Das gegerbte Leder schmeckte bitter wie grüne Eicheln.

Dann ertönte ein Hornsignal, begleitet von einem Trommelwirbel. Jörmundur verlas die Anklage gegen Roran und die Wachen schnitten das Sackleinenhemd auf.

Er schauderte, als ihm die kühle Luft über den nackten Oberkörper strich.

Kurz vor dem ersten Hieb hörte Roran die Peitsche zischend durch die Luft schnellen.

Es war, als hätte man ihm eine glühende Metallstange auf den Leib gepresst. Roran krümmte den Rücken und biss auf das Holzstück. Ein unbeabsichtigtes Stöhnen entrang sich seiner Kehle. Doch da das Holz das Geräusch dämpfte, glaubte er nicht, dass es jemand gehört hatte.

»Eins«, sagte der Mann, der die Peitsche schwang.

Der Schock des zweiten Hiebs ließ Roran abermals aufstöhnen, danach gab er jedoch keinen Laut mehr von sich, denn er wollte vor den Varden nicht wie ein Schwächling erscheinen.

Die Peitsche hinterließ blutige Striemen, so schmerzhaft wie die schweren Verletzungen, die Roran in den letzten Monaten erlitten hatte. Aber nach einem Dutzend Hieben hörte er auf zu kämpfen und ergab sich der Pein, die ihn in einen trüben Trancezustand versetzte. Sein Blickfeld verengte sich, bis er nur noch das verblichene Holz vor sich sah, und immer wieder wurde ihm schwarz vor Augen, bevor er für kurze Momente das Bewusstsein verlor.

Nach einer Ewigkeit, wie es schien, hörte er aus weiter Ferne eine undeutliche Stimme sagen: »Dreißig«, und blanke Verzweiflung ergriff ihn, als er sich fragte, wie in aller Welt er noch zwanzig Peitschenhiebe aushalten sollte. Dann dachte er an Katrina und ihr ungeborenes Kind und der Gedanke gab ihm neue Kraft.

Als Roran zu sich kam, lag er in dem Zelt, das er und Katrina teilten. Katrina kniete neben seinem Lager, strich ihm übers Haar und murmelte ihm etwas ins Ohr, während ihm jemand eine kalte, klebrige Substanz auf die Striemen am Rücken schmierte. Er zuckte zusammen und verkrampfte sich, als die Hände eine besonders empfindliche Stelle berührten.

»So würde *ich* niemals einen Patienten behandeln«, hörte er Trianna in überheblichem Tonfall sagen.

»Wenn du alle deine Patienten so behandelst wie Roran«, erwiderte eine zweite Frauenstimme, »überrascht es mich, dass auch nur einer von ihnen überlebt hat.« Nach einem Moment erkannte Roran die Stimme der merkwürdigen Kräuterhexe Angela mit den funkelnden Augen.

»Wie bitte?«, rief Trianna aus. »Ich lasse mich doch nicht von einer dahergelaufenen *Wahrsagerin* beleidigen, die Schwierigkeiten hat, selbst den simpelsten Zauber zu wirken.«

»Dann geh doch. Ansonsten werde ich so lange fortfahren, dich zu beleidigen, bis du zugibst, dass der Rückenmuskel *hier* endet und nicht *da*.« Roran spürte, wie ihn ein Finger an zwei unterschiedlichen Stellen, nicht weit voneinander entfernt, berührte.

»Eine Frechheit!«, schimpfte Trianna und stürmte aus dem Zelt.

Katrina lächelte Roran an, und da bemerkte er, dass ihr Gesicht tränenüberströmt war. »Roran, verstehst du mich?«, fragte sie. »Bist du wach?«

»Ich … ich denke, ja«, sagte er mit heiserer Stimme. Die Kiefermuskeln taten ihm weh, weil er so lange mit aller Kraft auf das Holzstück gebissen hatte. Er hustete, dann verzog er das Gesicht, als alle fünfzig Striemen auf seinem Rücken gleichzeitig zu pochen begannen.

»So, das war's«, sagte Angela. »Ich bin fertig.«

»Vielen Dank. Ich hätte nicht erwartet, dass du und Trianna, dass ihr so viel für ihn tut«, sagte Katrina.

»So lautete Nasuadas Befehl.«

»Nasuada? Ich dachte …«

»Da musst du sie schon selbst fragen. Sag deinem Mann, er soll möglichst nicht auf dem Rücken liegen. Und er soll ruckartige Bewegungen vermeiden, sonst könnte der Wundschorf aufreißen.«

»Danke«, murmelte Roran.

Hinter ihm lachte Angela. »Nicht der Rede wert, Roran. Oder doch, es ist der Rede wert, aber miss der Sache nicht zu viel Bedeutung bei. Ferner finde ich es lustig, sowohl deinen als auch Eragons Rücken behandelt zu haben. So, ich bin weg. Hüte dich vor Frettchen!«

Als die Kräuterhexe gegangen war, schloss Roran wieder die Augen. Katrinas sanfte Finger strichen ihm über die Stirn. »Du warst sehr tapfer, Liebster.«

»Tatsächlich?«

»Ja. Jörmundur und die anderen, mit denen ich gesprochen habe, sagten, du hättest nicht ein einziges Mal geschrien und auch nicht um Gnade gefleht.«

»Gut.« Er hätte gerne gewusst, wie ernst die Verletzungen an seinem Rücken waren, aber er wollte Katrina nicht dazu zwingen, sie zu beschreiben.

Sie schien jedoch zu ahnen, was ihm auf dem Herzen lag, denn sie sagte: »Angela glaubt, dass du mit ein bisschen Glück keine allzu schlimmen Narben zurückbehalten wirst. Und selbst wenn, kann Eragon oder ein Magier die Narben entfernen, sobald alles verheilt ist. Dein Rücken wird aussehen, als hätte es die Peitschenhiebe nie gegeben.«

»Hm.«

»Möchtest du etwas trinken?«, fragte sie. »Ich habe Schafgarbentee aufgebrüht.«

»Ja, bitte.«

Als Katrina aufstand, hörte Roran, wie jemand ins Zelt trat. Er öffnete ein Auge und sah zu seiner Überraschung Nasuada neben dem Pfosten am Eingang stehen.

»Herrin«, sagte Katrina mit rasiermesserscharfer Stimme.

Trotz der brennenden Schmerzen am Rücken stemmte Roran sich halb auf und setzte sich mit Katrinas Hilfe auf die Bettkante. Auf die Schulter seiner Gemahlin gestützt, versuchte er aufzustehen, doch Nasuada hob abwehrend die Hand. »Bleib sitzen. Ich will dir nicht noch mehr Qualen bereiten, als ich es schon getan habe.«

»Warum seid Ihr gekommen, Nasuada?«, fragte Katrina. »Roran braucht Ruhe und sollte seine Kraft nicht für unnötige Gespräche vergeuden.«

Roran legte ihr die Hand auf die Schulter. »Ist schon gut. Ich kann sprechen, wenn es sein muss.«

Nasuada trat ins Zelt, hob den Saum ihres grünen Kleides und setzte sich auf die kleine Truhe mit Habseligkeiten, die Katrina aus Carvahall mitgebracht hatte. Nachdem sie ihr Kleid glatt gestrichen hatte, sagte sie: »Ich habe eine neue Mission für dich, Roran: Es geht wieder um einen Überfall auf einen Versorgungskonvoi.«

»Wann breche ich auf?«, fragte er, verwirrt, dass sie sich die Mühe machte, ihm einen so simplen Auftrag persönlich zu erteilen.

»Morgen.«

Katrina riss die Augen auf. »Seid Ihr verrückt?«, rief sie.

»Katrina ...«, murmelte Roran und versuchte, sie zu beschwichtigen, doch sie stieß seine Hand weg.

»Der letzte Einsatz, auf den Ihr ihn geschickt habt, hätte ihn beinahe umgebracht, und gerade eben habt Ihr ihn fast totprügeln lassen! Ihr könnt ihn nicht so bald wieder in den Kampf schicken. Er würde gegen Galbatorix' Soldaten keine Minute bestehen!«

»Ich kann und ich werde«, sagte Nasuada mit solcher Autorität, dass Katrina sich auf die Zunge biss und Nasuadas Erklärung abwartete, auch wenn Roran merkte, dass ihre Wut längst nicht verflogen war. Nasuada fixierte ihn und fuhr fort: »Roran, wie du vielleicht weißt oder auch nicht, droht unser Bündnis mit den Urgals zu scheitern. Einer der unsrigen hat drei Kull umgebracht, während du unter Hauptmann Edric gekämpft hast, der übrigens, wie du bestimmt mit Freuden hören wirst, kein Hauptmann mehr ist. Nun, jedenfalls ließ ich den unseligen Kerl hängen, der die Urgals getötet hat. Trotzdem verschlechtern sich die Beziehungen zu Garzhvogs Gehörnten seit dem Zwischenfall zunehmend.«

»Was hat das mit Roran zu tun?«, wollte Katrina wissen.

Nasuada presste die Lippen zusammen. »Ich muss die Varden dazu bringen, die Urgals zu akzeptieren, ohne dafür noch mehr Blut zu vergießen. Am besten, indem ich meinen Leuten *zeige*, dass unsere beiden Völker friedlich zusammenarbeiten können, um ein gemeinsames Ziel zu erreichen. Zu diesem Zweck wird der Trupp, dem du dich anschließen sollst, zu gleichen Teilen aus Menschen und Urgals bestehen.«

»Aber das erklärt noch immer nicht, warum ...«, setzte Katrina an.

»Und ich unterstelle den Trupp *deinem* Kommando, Hammerfaust.«

»Mir?«, krächzte Roran erstaunt. »Warum?«

Nasuada lächelte verlegen. »Weil du alles, wirklich alles dafür tust, um deine Familie und deine Freunde zu schützen. In dieser

Hinsicht bist du wie ich, auch wenn meine Familie größer ist als deine, denn ich zähle alle Varden dazu. Außerdem, weil du Eragons Cousin bist und ich es mir nicht leisten kann, dass du dich noch einmal einer Befehlsverweigerung schuldig machst. Dann müsste ich dich hinrichten lassen oder verstoßen, und beides erscheint mir wenig erstrebenswert.

Ich gebe dir also ein eigenes Kommando, damit niemand über dir steht, dessen Befehl du missachten kannst, außer mir. Und falls du *mir* den Gehorsam verweigerst, dann höchstens, um Galbatorix zu töten. Kein anderer Grund wird dich vor weitaus Schlimmerem bewahren als den Peitschenhieben, die du dir heute eingehandelt hast. Und ich gebe dir gerade *dieses* Kommando, weil du bewiesen hast, dass du andere überzeugen kannst, dir auch angesichts größter Gefahren zu folgen. *Wenn* jemand einen Trupp aus Menschen und Urgals anführen kann, dann du. Ich würde Eragon damit betrauen, wenn ich könnte, aber da er nicht hier ist, fällt dir diese Aufgabe zu. Wenn die Varden hören, dass Eragons Cousin – Roran Hammerfaust, der allein fast zweihundert Soldaten getötet hat – mit den Urgals auf eine Mission gegangen ist und diese erfolgreich war, dann bleiben die Kull vielleicht für die Dauer dieses Krieges unsere Verbündeten. *Deshalb* haben Angela und Trianna sich weit mehr um dich gekümmert als vorgesehen: Nicht um deine Strafe zu lindern, sondern weil ich dich in guter Verfassung brauche. Also, was sagst du, Hammerfaust? Kann ich auf dich zählen?«

Roran sah Katrina an. Er wusste, sie wünschte sich nichts mehr, als dass er Nasuada erklärte, er könne den Trupp nicht anführen. Mit gesenktem Blick, um ihren Schmerz nicht mitansehen zu müssen, dachte Roran an die gewaltige Armee, die den Varden gegenüberstand, und flüsterte heiser: »Ihr könnt auf mich zählen, Herrin.«

Über den Wolken

Saphira flog die fünf Meilen von Tronjheim bis zur inneren Felswand Farthen Dûrs, dann betraten sie und Eragon den Tunnel, der in östlicher Richtung meilenweit durch das Fundament des gewaltigen Hohlbergs führte. Wäre er gerannt, hätte Eragon für die Strecke zehn Minuten gebraucht, aber da Saphira wegen der niedrigen Deckenhöhe weder fliegen noch springen konnte, beschränkte er sich auf einen flotten Fußmarsch.

Nach einer Stunde kamen sie im Odred-Tal heraus, das in nordsüdlicher Richtung verlief. Eingebettet zwischen den schroffen Felshügeln am oberen Ende des schmalen, mit Farn überwucherten Tals, lag der Fernoth-Mérna, ein mittelgroßer See, der zwischen den hoch aufragenden Bergen des Beor-Gebirges wie ein Tropfen dunkler Tinte aussah. Am nördlichen Seeufer entsprang der Ragni Darmn, der sich das Tal hinabwand, bis er an der Flanke von Moldûn dem Stolzen, dem nördlichsten Bergriesen des Beor-Gebirges, in den Az Ragni mündete.

Sie hatten Tronjheim lange vor Sonnenaufgang verlassen, und obwohl der Tunnel sie Zeit gekostet hatte, war es immer noch früh am Morgen. Der gezackte Streifen Himmel über ihnen wurde von blassgelben Strahlen durchzogen, wo das Sonnenlicht zwischen den Gipfeln der gewaltigen Berge hindurchströmte. Weiter unten im Tal umklammerten schwere Wolkenfetzen die Berghänge wie riesige graue Schlangen. Von der spiegelglatten Oberfläche des Sees stiegen weiße Dunstschwaden auf.

Eragon und Saphira blieben am Ufer des Fernoth-Mérna stehen, um etwas zu trinken und für den nächsten Abschnitt ihrer Reise die Wasserschläuche aufzufüllen. Es war Schmelzwasser, das von den Bergen herabfloss, und es war so eisig kalt, dass Eragons Zähne schmerzten. Er kniff die Augen zu und stampfte stöhnend mit den Füßen auf, als sich die Kälte wie ein Stachel durch seinen Schädel bohrte.

Während das Pochen allmählich verebbte, blickte er über den See. Zwischen den wabernden Nebelschwaden entdeckte er die Ruinen einer weitläufigen Festung, die auf einem kahlen Bergausläufer erbaut worden war. Dichte Efeuranken überwucherten die zerfallenden Mauern und kein Leben regte sich dort mehr. Eragon schauderte. Die verlassene Festung wirkte düster und unheimlich, als wäre sie der verwesende Kadaver eines abscheulichen Raubtiers.

Bereit?, fragte Saphira.

Bereit, antwortete er und stieg in den Sattel.

Vom Fernoth-Mérna folgte Saphira dem Lauf des Odred-Tals nordwärts und aus dem Beor-Gebirge hinaus. Das Tal führte nicht direkt auf Ellesméra zu, das weiter westlich lag, aber sie mussten im Tal bleiben, da die Pässe zwischen den Bergen mehr als fünf Meilen hoch waren.

Da Saphira lange Strecken leichter in der dünneren Höhenluft bewältigte als in der schweren, feuchten Luft in Bodennähe, flog sie so weit oben, wie Eragon es gerade noch aushalten konnte. Zum Schutz gegen die eisigen Temperaturen trug er mehrere Kleiderschichten und schirmte sich vor dem Wind mit einem Zauber ab, der den klirrend kalten Luftstrom teilte, sodass er an ihm vorbeistrich, ohne ihm etwas anhaben zu können.

Saphira zu reiten, war alles andere als erholsam, aber solange sie ruhig und gleichmäßig mit den Flügeln schlug, musste Eragon sich wenigstens nicht darauf konzentrieren, das Gleichgewicht zu halten, wie wenn sie Kurven flog oder in die Tiefe hinabstieß oder andere komplizierte Manöver durchführte. Den Großteil der Zeit verbrachte er damit, sich mit Saphira zu unterhalten, an die Ereignisse der vergangenen Wochen zurückzudenken und auf die ständig wechselnde Landschaft unter ihnen zu blicken.

Als die Zwerge dich angegriffen haben, hast du Magie eingesetzt, ohne die alte Sprache zu benutzen, sagte Saphira. *Das war ganz schön gefährlich.*

Ich weiß, aber mir blieb keine Zeit, mir erst die richtigen Worte zurechtzulegen. Du benutzt außerdem nie die alte Sprache, wenn du einen Zauber heraufbeschwörst.

Das ist etwas anderes. Ich bin ein Drache. Wir brauchen die alte Sprache nicht, um unsere Absichten zu formulieren. Wir wissen, was wir wollen. Unsere Gedanken schweifen nicht so leicht ab wie die der Elfen und Menschen.

Die orangefarbene Sonne stand eine Handbreit über dem Horizont, als Saphira aus dem Tal hinaussegelte und über das flache, verlassene Grasland flog, das an das Beor-Gebirge angrenzte. Eragon richtete sich im Sattel auf, blickte sich um und schüttelte den Kopf, erstaunt darüber, wie weit sie schon gekommen waren. *Wären wir bei unserem ersten Besuch nur auch schon geflogen,* sagte er. *Wir hätten so viel mehr Zeit bei Oromis und Glaedr verbringen können.* Saphira pflichtete ihm mit einem lautlosen Nicken des Geistes bei.

Sie flog, bis die Sonne untergegangen war, Sterne den Himmel bedeckten und die Berge hinter ihnen nur noch als dunkelvioletter Fleck zu erkennen waren. Sie wäre bis zum Morgen weitergeflogen, aber Eragon bestand darauf, eine Pause einzulegen. *Dir steckt noch die Reise nach Farthen Dûr in den Knochen. Wir werden morgen Nacht durchfliegen, und wenn nötig auch übermorgen, aber heute Nacht musst du schlafen.*

Obwohl seine Forderung Saphira nicht gefiel, gab sie nach und landete neben einer Gruppe Weiden, die entlang eines Baches wuchsen. Als Eragon abstieg, waren seine Beine so steif, dass er sich kaum aufrecht halten konnte. Er nahm Saphira den Sattel ab, dann rollte er neben ihr seine Decken aus und legte sich mit dem Rücken an ihren warmen Körper. Ein Zelt brauchte er nicht, denn sie breitete einen Flügel über ihm aus wie eine Falkenmutter, die ihre Brut beschützt. Dann sanken die beiden in ihre Träume, die sich auf seltsame und wunderbare Weise miteinander vermengten, denn ihre Gedanken blieben auch in der Traumwelt miteinander verbunden.

Als sich der erste Lichtschimmer im Osten zeigte, brachen Eragon und Saphira auf und schwangen sich hoch über die saftig grünen Wiesen.

Am Vormittag blies ein starker Gegenwind, sodass Saphira nur noch halb so schnell vorankam. Wie sehr sie sich auch abmühte, es gelang ihr nicht, über den Wind emporzusteigen. Den ganzen Tag lang kämpfte sie gegen den Luftstrom an. Es war anstrengende Arbeit, und obwohl Eragon ihr so viel von seiner Kraft gab, wie er entbehren konnte, war sie am Nachmittag völlig erschöpft. Sie stieß hinab, landete auf einem Hügel inmitten der Gräser und saß, japsend und zitternd, mit ausgebreiteten Flügeln da.

Wir sollten die Nacht hier verbringen, sagte Eragon.

Nein.

Saphira, du kannst nicht weiterfliegen. Lass uns wenigstens hier lagern, bis du dich erholt hast. Wer weiß, zum Abend hin flaut der Wind vielleicht ab.

Er vernahm das feuchte Raspeln ihrer Zunge, als sie sich über die Flanken leckte, und danach wieder ihre keuchenden Atemzüge.

Nein, sagte sie. *Hier draußen kann der Wind tage- und wochenlang weiterblasen. Wir können nicht auf Windstille warten.*

Aber –

Ich gebe nicht auf, nur weil ich Schmerzen habe, Eragon. Dafür steht zu viel auf dem Spiel …

Dann lass mich dir Kraft aus Aren geben. In dem Ring steckt mehr als genug Energie, um dich von hier nach Du Weldenvarden zu bringen.

Nein, wiederholte sie. *Heb Aren auf, bis wir keine andere Möglichkeit mehr haben. Ich kann mich im Wald ausruhen. Aren dagegen könnten wir jeden Moment brauchen; du darfst die Energie darin nicht opfern, nur um mir Linderung zu verschaffen.*

Ich ertrage es nicht, wenn es dir so schlecht geht.

Ein leises Knurren entrang sich ihr. *Meine Vorfahren, die wilden Drachen, wären vor so einer kümmerlichen Brise nicht zurückgeschreckt und ich werde es auch nicht tun.*

Und damit schnellte sie wieder in die Lüfte und stürzte sich mit ihm dem stürmischen Wind entgegen.

Als der Tag sich neigte und der Wind immer noch heulte und sich gegen Saphira stemmte, als ob das Schicksal es verhindern wollte, dass sie Du Weldenvarden erreichten, musste Eragon an Glûmra und an ihren unerschütterlichen Glauben an die Zwergengötter denken. Und zum ersten Mal im Leben verspürte er den Drang zu beten. Er löste die geistige Verbindung mit Saphira – die so müde und beschäftigt war, dass sie es gar nicht bemerkte – und flüsterte: »Gûntera, König der Götter, falls es dich gibt und du mich hören kannst, und falls du die Macht dazu hast, dann lass diesen Wind ersterben. Ich weiß, ich bin kein Zwerg, aber König Hrothgar hat mich in seinen Clan aufgenommen, und ich glaube, das gibt mir das Recht, zu dir zu beten. Gûntera, bitte, wir müssen so schnell wie möglich Du Weldenvarden erreichen, nicht nur zum Wohle der Varden, sondern auch zum Wohle deines Volkes, der Knurlan. Bitte, ich flehe dich an, lass diesen Wind ersterben. Saphira hält nicht mehr lange durch.« Danach kam er sich ein wenig dumm vor. Er tauchte ein Stück in Saphiras Bewusstsein ein und zuckte mitleidig, als er ihre brennenden Muskeln spürte.

Spät in der Nacht, als alles kalt und schwarz um sie her war, ließ der Wind plötzlich nach. Danach schlugen ihnen nur noch gelegentliche Böen entgegen.

Als der Morgen kam, blickte Eragon nach unten und sah das harte, trockene Land der Hadarac-Wüste. *Verdammt,* sagte er, denn sie waren nicht so weit gekommen, wie er gehofft hatte. *Wir werden Ellesméra heute nicht erreichen, oder?*

Nur wenn der Wind sich entscheidet, aus der entgegengesetzten Richtung zu wehen und uns auf seinem Rücken dorthin zu tragen. Saphira mühte sich ein paar Minuten schweigend ab, dann fügte sie hinzu: *Aber auch so sollten wir am frühen Abend in Du Weldenvarden sein, wenn nicht noch etwas Unvorhersehbares dazwischenkommt.*

Eragon brummte zustimmend.

An diesem Tag landeten sie nur zweimal. Während der einen Pause verschlang Saphira am Boden zwei Enten, die sie fing und mit einem schnellen Feuerstoß tötete. Davon abgesehen aß sie nichts. Um Zeit zu sparen, nahm Eragon seine Mahlzeiten im Sattel ein.

Wie von Saphira vorhergesagt, kam Du Weldenvarden kurz vor Sonnenuntergang in Sicht. Der Wald breitete sich vor ihnen als endlose grüne Fläche aus. Laubbäume – Eichen, Buchen und Ahorn – beherrschten die Randregionen des Waldes, aber weiter drinnen wichen sie beeindruckenden Kiefern, die den Großteil des Waldes ausmachten.

Die Dämmerung hatte sich über das Land gelegt, als sie am Rand Du Weldenvardens ankamen und Saphira sanft unter den weiten Ästen einer gewaltigen Eiche landete. Sie faltete die Flügel und saß eine Weile nur da, zu müde, um sich zu rühren. Die dunkelrote Zunge hing ihr aus dem Maul. Während sie sich ausruhte, lauschte Eragon dem Rauschen der Blätter, dem Schuhu der Eulen und dem Zirpen der abendlichen Insekten.

Als sie sich hinlänglich erholt hatte, erhob sich Saphira, stelzte zwischen zwei riesigen, moosüberwucherten Eichen in den Wald hinein und überquerte so zu Fuß die Grenze nach Du Weldenvarden. Nichts und niemand konnte den Wald mithilfe von Magie betreten, dafür hatten die Elfen gesorgt. Da Drachen sich beim Fliegen nicht nur auf ihre Körperkraft verließen, konnte Saphira nicht in der Luft hineingelangen, denn ihre Flügel hätten ihr den Dienst versagt und sie wäre vom Himmel gefallen.

Das sollte weit genug sein, sagte sie und blieb einige Hundert Schritte hinter dem Waldrand auf einer kleinen Lichtung stehen.

Eragon öffnete die Schnallen an den Beinriemen und glitt an Saphiras Seite hinunter. Er suchte die Lichtung ab, bis er einen Flecken bloßer Erde fand. Mit den Händen hob er ein flaches, anderthalb Fuß breites Loch aus. Er beschwor Wasser herauf, um die Grube zu füllen, und murmelte dann die Zauberworte der Traumsicht.

Das Wasser schimmerte und nahm einen weichen gelblichen Glanz an, als Eragon das Innere von Oromis' Hütte erblickte. Der silberhaarige Elf saß am Küchentisch und las in einer ramponierten Schriftrolle. Oromis blickte zu Eragon auf und nickte ihm wie selbstverständlich zu.

»Meister«, sagte Eragon und drehte die Hand vor der Brust.

»Sei gegrüßt, Eragon. Ich erwarte dich schon. Wo bist du?«

»Saphira und ich haben soeben Du Weldenvarden erreicht ... Meister, ich weiß, wir haben versprochen, nach Ellesméra zurückzukehren, aber die Varden stehen nur einige Tagereisen vor Feinster, und ohne uns sind sie verwundbar. Wir haben keine Zeit, um die ganze Strecke nach Ellesméra zu fliegen. Könntet Ihr unsere Fragen hier beantworten, durch die Traumsicht?«

Oromis lehnte sich zurück, seine Miene ernst und gedankenvoll. »Ich werde dich nicht aus der Ferne unterweisen, Eragon. Ich kann mir zum Teil denken, was du mich fragen möchtest, und es sind Dinge, über die wir von Angesicht zu Angesicht sprechen müssen.«

»Meister, bitte. Falls Murtagh oder Dorn ...«

»Nein, Eragon. Ich verstehe den Grund für deine Eile, aber deine Studien sind genauso wichtig wie deine Aufgabe, die Varden zu beschützen, vielleicht sogar wichtiger. Entweder wir machen es richtig oder wir lassen es bleiben.«

Eragon seufzte und sank nach vorn. »Ja, Meister.«

Oromis nickte. »Glaedr und ich erwarten euch. Fliegt schnell und fliegt vorsichtig. Wir haben viel zu besprechen.«

»Ja, Meister.«

Erschöpft löste Eragon den Zauber. Das Wasser versickerte wieder in der Erde. Er schlug die Hände vors Gesicht und starrte auf die feuchte Erde zwischen seinen Füßen. Neben ihm rasselte Saphiras schwerer Atem. *Dann müssen wir wohl weiterfliegen,* sagte er. *Tut mir leid.*

Ihre Atemzüge verstummten für einen Moment, als sie sich über die Flanken leckte. *Ist schon gut. Ich werde nicht gleich zusammenbrechen.*

Er schaute zu ihr hoch. *Bist du sicher?*

Ja.

Widerwillig stand Eragon auf und kletterte auf ihren Rücken. *Wenn wir schon nach Ellesméra reisen,* sagte er und zog die Riemen um die Beine fest, *sollten wir dort auch den Menoa-Baum besuchen. Vielleicht finden wir endlich heraus, was Solembum gemeint hat. Ich könnte ein neues Schwert wirklich gut gebrauchen.*

Als Eragon Solembum in Teirm zum ersten Mal begegnet war, hatte die Werkatze zu ihm gesagt: *Wenn die Zeit kommt und du eine Waffe benötigst, schau unter den Wurzeln des Menoa-Baums nach. Und wenn alles verloren scheint und deine Kräfte nicht mehr ausreichen, geh zum Felsen von Kuthian und sprich laut deinen Namen, um das Verlies der Seelen zu öffnen.* Eragon wusste noch immer nicht, wo der Felsen von Kuthian war, aber bei ihrem ersten Aufenthalt in Ellesméra hatten er und Saphira mehrfach Gelegenheit gehabt, den Menoa-Baum zu untersuchen. Sie hatten keinen Hinweis auf die Stelle entdeckt, wo die angebliche Waffe liegen sollte. Moos, Erde, Rinde und hin und wieder eine Ameise waren das Einzige gewesen, was sie zwischen den Wurzeln des Menoa-Baums gefunden hatten, und nichts deutete darauf hin, wo sie graben sollten.

Solembum hat vielleicht gar kein Schwert gemeint, merkte Saphira an. *Werkatzen lieben Rätsel genauso wie Drachen. Falls sie überhaupt existiert, könnte es sich bei der Waffe auch um ein Pergament handeln, auf dem ein Zauber geschrieben steht, um ein Buch oder ein Bild, einen spitzen Felsbrocken oder um einen anderen gefährlichen Gegenstand.*

Was immer es ist, ich hoffe, wir finden es diesmal. Wer weiß, wann wir Ellesméra wieder besuchen können.

Saphira fegte einen umgestürzten Baum beiseite, der ihr im Weg war, dann duckte sie sich und spannte ihre massigen Schultermuskeln an, bevor sie die samtigen Flügel ausbreitete. Eragon jaulte auf und packte den Sattelknauf, als sie mit unerwarteter Kraft nach vorne und oben schnellte und mit einem einzigen schwindelerregenden Satz über die Baumkronen sprang.

Über dem Meer aus wogendem Geäst wandt Saphira sich nach Nordwesten und nahm mit langsamen, schweren Flügelschlägen Kurs auf die Elfenhauptstadt.

Fäuste gegen Hörner

Der Überfall auf den Versorgungszug lief fast genau so ab, wie Roran es geplant hatte: Drei Tage, nachdem sie den Haupttrupp der Varden verlassen hatten, stürmte er mit seinen berittenen Kameraden den Hang zu einer Senke hinab und griff den Wagenkonvoi, der sich durch das Land schlängelte, seitlich an. Gleichzeitig sprangen die Urgals hinter den über die Talsohle verstreuten Felsen hervor und blockierten die Spitze des Trecks. Die Soldaten und Wagenlenker wehrten sich tapfer, aber der Überfall traf sie völlig unvorbereitet, und Rorans Trupp konnte sie bald überwältigen. Keiner der Angreifer wurde getötet und nur drei trugen Verletzungen davon, zwei Menschen und ein Urgal.

Einige Soldaten tötete Roran eigenhändig, aber die meiste Zeit über hielt er sich im Hintergrund und dirigierte die Kampfhandlungen, wie es jetzt seine Pflicht war. Ihm tat immer noch alles weh von den Peitschenhieben, und er wollte sich nicht mehr als nötig anstrengen, aus Angst, die Striemen, mit denen sein Rücken überzogen war, könnten wieder aufplatzen.

Bis dahin hatte er keine Schwierigkeiten gehabt, zwischen den zwanzig Menschen und zwanzig Urgals Disziplin zu wahren. Auch wenn offensichtlich war, dass die beiden Gruppen einander weder mochten noch trauten – was er nur zu gut verstand, denn er verspürte denselben Abscheu vor Urgals wie alle, die in der Nähe des Buckels aufgewachsen waren. Dennoch hatten sie es geschafft, während der letzten drei Tage zusammenzuarbeiten, ohne dass es auch nur zu einem Wortgefecht gekommen wäre. Das hatte allerdings, wie er wusste, wenig mit seiner Tüchtigkeit als Befehlshaber zu tun. Nasuada und Nar Garzhvog hatten die Krieger, die unter ihm dienen sollten, sorgfältig ausgewählt. Ihnen allen eilte der Ruf voraus, aufgeweckt, einsichtig und vor allem von ruhigem, ausgeglichenem Gemüt zu sein.

Doch während seine Leute nun damit beschäftigt waren, die Toten auf einen Haufen zu schichten, und Roran die Reihe der Wagen auf und ab ritt, um die Arbeiten zu überwachen, hörte er vom hinteren Ende des Konvois ein schmerzerfülltes Heulen. Weil er dachte, es wäre vielleicht zufällig ein weiterer Trupp Soldaten aufgetaucht, rief er Carn und ein paar andere zu sich und gab Schneefeuer die Sporen.

Vier Urgals hatten einen feindlichen Soldaten an den Stamm einer knorrigen Weide gebunden und vergnügten sich damit, ihn mit ihren Schwertern zu stoßen und zu stechen. Fluchend sprang Roran vom Pferd und erlöste den Mann mit einem Hammerschlag von seinem Elend.

Eine Staubwolke hüllte die Gruppe ein, als Carn mit vier anderen Kriegern auf den Baum zugaloppiert kam. Sie zügelten ihre Pferde und nahmen mit gezogenen Waffen rechts und links von Roran Aufstellung.

Der größte der Urgals, ein Gehörnter namens Yarbog, baute sich vor Roran auf. »Hammerfaust, warum hast du uns den Spaß verdorben? Er hätte bestimmt noch eine ganze Weile für uns getanzt.«

Durch zusammengebissene Zähne sagte Roran: »Solange ihr unter meinem Kommando steht, werdet ihr Gefangene nicht ohne Grund foltern. Habt ihr mich verstanden? Viele dieser Soldaten sind gegen ihren Willen gezwungen worden, Galbatorix zu dienen. Viele von ihnen sind unsere Freunde oder Angehörige oder Nachbarn, und obwohl wir gegen sie kämpfen müssen, werde ich keine unnötigen Grausamkeiten dulden. Die Menschen unter uns verdanken es nur einer Laune des Schicksals, dass wir nicht an ihrer Stelle stehen. Sie sind nicht unser Feind; Galbatorix ist es, für uns wie für euch.«

Die buschigen Augenbrauen des Urgals zogen sich zusammen,

bis sie fast seine tief liegenden gelben Augen verdeckten. »Aber du tötest sie trotzdem, nicht wahr? Warum können wir sie dann vorher nicht noch ein bisschen tanzen lassen?«

Roran fragte sich, ob der Schädel des Urgals zu dick für seinen Hammer wäre. Er rang seinen Zorn jedoch nieder und sagte: »Weil es falsch ist!« Er zeigte auf den toten Soldaten. »Was, wenn er einer von eurem Volk gewesen wäre, den Durza, der Schatten, verzaubert hätte? Hättet ihr ihn dann auch gefoltert?«

»Natürlich«, sagte Yarbog. »Sie würden doch wollen, dass wir sie ein bisschen mit den Schwertern kitzeln, damit sie ihre Tapferkeit beweisen können, bevor sie sterben. Ist das bei euch hornlosen Menschen nicht genauso? Oder vertragt ihr keinen Schmerz?«

Roran wusste nicht, wie schlimm es für einen Urgal war, als *hornlos* bezeichnet zu werden. Aber er war sicher, dass es für sie eine ebenso tödliche Beleidigung war wie für einen Menschen, wenn man an seinem Mut zweifelte. Wahrscheinlich war es für die Gehörnten sogar noch schlimmer. »Jeder Einzelne von uns könnte mehr Schmerz aushalten als du, Yarbog«, erwiderte er und packte Hammer und Schild fester. »Also gut, wenn du nicht unvorstellbare Qualen erleiden willst, gib mir dein Schwert, binde den armen Kerl los und schaff ihn zu den anderen Toten hinüber. Danach kümmerst du dich um die Packpferde. Das wird nun deine Aufgabe sein, bis wir wieder bei den Varden sind.«

Ohne eine Antwort abzuwarten, wandte sich Roran ab und griff nach Schneefeuers Zügeln, um wieder aufzusitzen.

»Nein«, knurrte Yarbog.

Roran erstarrte mit dem Fuß im Steigbügel und fluchte innerlich. Genau diese Situation hatte er gehofft, während ihres Einsatzes vermeiden zu können. Er wirbelte herum und fragte: »Nein? Verweigerst du mir etwa den Gehorsam?«

Der Urgal fletschte seine kurzen Fangzähne. »Nein. Ich fordere dich zum Zweikampf um die Anführerschaft dieses Stammes, Hammerfaust.« Damit warf er den gewaltigen Kopf in den Nacken und brüllte so laut, dass die übrigen Menschen und Urgals alles fallen ließen und angerannt kamen, bis sich sämtliche vierzig Mann um Yarbog und Roran drängten.

»Sollen wir uns um diese Kreatur kümmern?«, rief Carn mit schallender Stimme.

Roran schüttelte den Kopf und wünschte sich, weniger Zuschauer zu haben. »Nein, das mach ich schon selbst.« Trotzdem war er froh, der Front aus grauhäutigen Kolossen nicht allein, sondern an der Seite seiner Männer gegenüberzustehen. Die Menschen waren zwar kleiner als die Urgals, aber alle außer Roran saßen zu Pferde, was ihnen einen kleinen Vorteil verschaffen würde, sollte es zu einem Kampf kommen. Carns Kräfte würden ihnen in diesem Fall wenig nützen, denn die Urgals hatten einen Schamanen namens Dazhgra dabei, der, nach allem, was Roran gesehen hatte, der mächtigere Magier der beiden war, wenn auch nicht so bewandert in den geheimen Künsten.

Zu Yarbog sagte Roran: »Bei den Varden ist es nicht üblich, das Kommando als Preis für den Sieg eines Kampfes zu vergeben. Wenn du kämpfen willst, werde ich kämpfen, aber du gewinnst dadurch nichts. Wenn ich verliere, wird Carn das Kommando übernehmen, und du wirst ihm statt mir unterstehen.«

»Pah!«, sagte Yarbog. »Mir geht es nicht darum, dein Volk anzuführen. Ich fordere dich zum Zweikampf um das Recht, uns anzuführen, die Krieger des Bolvek-Stammes! Du hast dich nicht bewährt, Hammerfaust, also steht dir die Position des Stammesführers nicht zu. Wenn du verlierst, werde ich die Gehörnten hier anführen, und wir brauchen nicht mehr zu dir, Carn oder irgendeinem anderen Schwächling aufzuschauen, der unseren Respekt nicht verdient!«

Roran überdachte rasch die Lage, bevor er sich in das Unvermeidliche fügte. Selbst wenn es ihn das Leben kostete, musste er versuchen, seine Autorität gegenüber den Urgals wiederzuerlangen, ansonsten würden die Varden sie als Verbündete verlieren. Er holte tief Luft und sagte: »Bei meinem Volk ist es Sitte, dass der Herausgeforderte Zeit und Ort des Kampfes bestimmt, ebenso wie die Art der Waffen.«

Yarbog gluckste tief in der Kehle. »Die Zeit ist jetzt, Hammerfaust, der Ort ist hier. Und bei meinem Volk kämpft man im Lendenschurz und ohne Waffen.«

»Das dürfte kaum gerecht sein, da ich keine Hörner besitze«, widersprach Roran. »Bist du damit einverstanden, dass ich zum Ausgleich dafür meinen Hammer behalte?«

Der Urgal dachte darüber nach, dann sagte er: »Du kannst Helm und Schild behalten, aber nicht den Hammer. Waffen sind bei Kämpfen um die Anführerschaft nicht erlaubt.«

»Na gut … Wenn ich meinen Hammer nicht benutzen darf, verzichte ich auch auf Helm und Schild. Wie lauten die Regeln für diesen Kampf und wie stellt man den Sieger fest?«

»Es gibt nur eine Regel, Hammerfaust: Wenn du flüchtest, hast du den Kampf verloren. Gewonnen hast du, wenn du deinen Gegner zum Aufgeben zwingen kannst – aber da ich mich niemals ergeben werde, kämpfen wir bis zum Tod.«

Roran nickte. *Das wünscht er sich vielleicht, aber ich werde ihn nicht töten, wenn es sich irgendwie vermeiden lässt.* »Fangen wir an!«, rief er und schlug mit seinem Hammer gegen den Schild.

Auf seine Anweisung hin räumten die Männer und Urgals eine Fläche von zwölf mal zwölf Schritten frei und markierten sie mit Stöcken. Dann legten Yarbog und Roran ihre Kleidung ab, und zwei Urgals schmierten Yarbogs Körper mit Bärenfett ein, während Carn und Loften, einer der Männer, bei Roran dasselbe taten.

»Schmier mir, so viel du kannst, auf den Rücken«, murmelte Roran. Er wollte, dass der Schorf auf seinen Wunden so weich wie möglich war, damit sie nicht so leicht aufreißen konnten.

Carn lehnte sich vor und fragte Roran: »Warum hast du Schild und Helm abgelehnt?«

»Sie würden mich nur langsam machen. Wenn ich nicht von ihm zerquetscht werden will, muss ich flink sein wie ein verängstigter Hase.« Während die beiden ihn weiter einfetteten, musterte Roran seinen Gegner auf der Suche nach irgendeiner Schwachstelle, die ihm helfen könnte, den Urgal zu besiegen.

Yarbog war über sechs Fuß groß. Er hatte breite Schultern, einen ausladenden Brustkorb, Arme und Beine waren mit Muskelpaketen bedeckt. Er besaß einen so kräftigen Nacken wie ein Stier, um das Gewicht des Kopfes und der gebogenen Hörner tragen zu können. Drei schräge Narben zogen sich auf der linken Seite über die Taille, wo ein Tier ihm die Klauen ins Fleisch geschlagen hatte. Die gesamte Haut war mit feinen schwarzen Borsten bedeckt.

Wenigstens ist er kein Kull, dachte Roran. Er wusste, er war stark, trotzdem glaubte er nicht, dass er Yarbog mit reiner Körperkraft besiegen konnte. Es gab wohl nur wenige Menschen, die es mit einem gesunden Urgal aufnehmen konnten. Außerdem war Roran klar, dass die langen schwarzen Fingernägel, die Fangzähne und Hörner sowie die ledrige Haut Yarbog erhebliche Vorteile bei einem unbewaffneten Kampf verschafften. *Wenn möglich, werde ich es tun,* beschloss er, während er an all die gemeinen Tricks dachte, die er gegen den Urgal einsetzen könnte. Denn dieses Duell würde etwas ganz anderes sein als mit Eragon, Baldor oder einem anderen Dorfbewohner aus Carvahall zu raufen. Er war sicher, es würde eher wie der grausame und wilde Kampf zweier Bestien sein.

Immer wieder kehrte Rorans Blick zu den gewaltigen Hörnern zurück, denn sie waren das Gefährlichste an dem Urgal. Damit konnte er nach ihm stoßen und ihn aufspießen. Außerdem schützten sie Yarbogs Kopf seitlich vor den vergleichsweise harmlosen Schlägen, die Roran ihm mit bloßen Händen würde versetzen können, auch wenn sie die periphere Sicht des Urgals einschränkten. Dann erkannte Roran, dass die Hörner, die Yarbogs größter natürlicher Vorteil waren, genauso gut sein Verderben bedeuten konnten.

Roran lockerte die Schultern und wippte ungeduldig auf den Zehen. Ungeduldig wartete er darauf, dass der Wettkampf endlich begann.

Als beide von oben bis unten voll Bärenfett waren, zogen sich die Helfer zurück, und die Kontrahenten traten in das abgesteckte Viereck. Roran hielt die Knie leicht gebeugt, bereit, bei der kleinsten Bewegung des Urgals in jede Richtung auszuweichen. Der Felsboden unter seinen nackten Fußsohlen war kalt, hart und rau.

Ein leiser Windstoß ließ die Blätter der nahen Weide rascheln. Einer der Ochsen, die vor die Wagen gespannt waren, scharrte mit den Hufen im Gras und sein Geschirr knarzte.

Mit johlendem Gebrüll stürzte sich Yarbog auf Roran und überwand die Entfernung zwischen ihnen mit drei donnernden Schritten. Roran wartete, bis er fast heran war, und sprang dann mit einem Satz nach rechts. Aber er hatte Yarbogs Geschwindigkeit unterschätzt. Mit gesenktem Kopf rammte der Urgal ihm die Hörner in die linke Schulter, sodass er quer über den Platz flog.

Spitze Steine bohrten sich in Rorans Seite, als er am Boden aufschlug. Die kaum verheilten Wunden auf seinem Rücken schmerzten. Stöhnend rollte er sich ab und spürte, wie einige aufplatzten und das rohe Fleisch brannte. Winzige Steinchen und Dreck klebten an der Fettschicht, die seinen Körper bedeckte. Ohne die Füße zu heben, schlurfte er auf den knurrenden Urgal zu und ließ ihn dabei nicht aus den Augen.

Wieder griff Yarbog an, wieder versuchte Roran, zur Seite zu springen. Diesmal gelang es ihm auch und der Urgal schoss knapp an ihm vorbei, fuhr herum und rannte zum dritten Mal gegen ihn an. Wieder schaffte es Roran, ihm auszuweichen.

Da änderte Yarbog seine Taktik. Während er sich Roran im Seitwärtsschritt näherte wie ein Krebs, streckte er die langen Krallenhände nach ihm aus, um ihn in seine tödliche Umarmung zu zerren. Erschrocken wich Roran zurück. Was auch geschah, er durfte nicht zwischen Yarbogs Klauen geraten, denn dann würde der Urgal ihm mit seiner ungeheuren Kraft schnell den Garaus machen.

Die Männer und Urgals rund um den Kampfplatz sahen schweigend und mit ausdruckslosen Gesichtern zu, wie sich Roran und Yarbog im Dreck gegenseitig vor und zurück trieben.

Ein paar Minuten lang tauschten Roran und Yarbog schnelle Streifhiebe. Roran versuchte nach Möglichkeit, den Urgal nicht an sich heranzulassen, in der Hoffnung, sein Gegner würde sich müde kämpfen. Aber als der Kampf immer weiterging und Yarbog genauso frisch wirkte wie zu Beginn, wurde ihm klar, dass die Zeit nicht auf seiner Seite war. Wenn er siegen wollte, musste er den Wettkampf ohne weitere Verzögerungen zu Ende bringen.

Um den Urgal zu provozieren, zog sich Roran in die hinterste Ecke des Karrees zurück und rief spöttisch: »Ha! Du bist ja so fett und langsam wie eine Milchkuh! Fang mich doch, Yarbog, oder sind deine Beine aus Schmalz? Am besten schneidest du dir gleich die Hörner ab. Das ist doch peinlich, wie du dich von einem Menschen zum Narren halten lässt. Was sollen denn die Frauen deines Stammes dazu sagen? Willst du ihnen etwa erzählen ...«

Rorans Worte gingen im Gebrüll Yarbogs unter. Der Urgal rannte auf ihn zu und drehte sich dabei leicht, um mit vollem Gewicht in ihn hineinzukrachen. Roran sprang aus dem Weg und griff nach der Spitze des rechten Horns, verfehlte sie jedoch und fiel der Länge nach Richtung Platzmitte, wobei er sich beide Knie aufschlug. Fluchend rappelte er sich auf.

Yarbog konnte gerade noch rechtzeitig abbremsen, bevor ihn der Schwung über die Begrenzung des Feldes getragen hätte. Er drehte sich um und seine kleinen gelben Augen suchten nach seinem Gegner. »Ätsch!«, rief Roran. Er streckte dem Urgal die Zunge heraus und machte jede unflätige Geste, die ihm einfiel. »Du triffst ja nicht mal einen Baum, wenn er direkt vor dir steht!«

»Stirb, du jämmerlicher Mensch!«, brüllte Yarbog und sprang mit ausgestreckten Armen auf Roran zu.

Zwei Krallen zogen eine blutige Spur über Rorans Rippen, als er einen Satz nach links machte, aber es gelang ihm, sich an einem der Hörner festzuhalten. Schnell packte er auch das andere, bevor Yarbog ihn abschütteln konnte. Indem er die Hörner als Griffe benutzte, riss er den Kopf mit einem Ruck zur Seite und warf den Urgal unter Aufbietung seiner ganzen Kraft zu Boden. Sein Rücken quittierte die Anstrengung mit wütendem Protest.

Sobald Yarbogs Brustkorb die Erde berührte, setzte ihm Roran ein Knie auf die rechte Schulter und nagelte ihn dort fest. Yarbog schnaubte und warf sich herum, um den Griff seines Widersachers abzuschütteln, doch Roran ließ nicht los. Er stützte sich mit dem Fuß an einem Felsbrocken ab und verdrehte den Kopf des Urgals, so weit es ging, dabei zog er so kräftig, dass es einem Menschen das Genick gebrochen hätte. Allerdings drohten seine Hände wegen des Bärenfetts immer wieder von den Hörnern abzurutschen.

Yarbog ließ für einen Moment locker, dann stieß er sich mit dem linken Arm vom Boden ab, hob Roran dabei mit in die Höhe und strampelte mit den Beinen, um sie unter seinen Körper zu ziehen. Roran verzog das Gesicht und stützte sich mit aller Kraft auf Yarbogs Nacken und Schulter. Nach wenigen Sekunden knickte der linke Arm des Urgals wieder ein und er fiel auf den Bauch zurück.

Sie keuchten jetzt beide, als hätten sie ein Wettrennen hinter sich. Da, wo sie sich berührten, bohrten sich die Borsten des Urgals wie Drahtstücke in Rorans Haut. Beide Körper waren mit Staub bedeckt. Feine Blutrinnsale liefen von den Schrammen an Rorans Seite und von seinem schmerzenden Rücken hinab.

Als er wieder zu Atem gekommen war, fing Yarbog erneut an, zu treten und um sich zu schlagen, dabei zappelte er im Dreck wie ein Fisch an der Angel. Roran brauchte all seine Kraft, aber er hielt ihn fest und versuchte, die Steine, die ihm in Füße und Beine stachen, nicht zu beachten. Da Yarbog sich auf diese Weise nicht befreien konnte, ließ er seine Gliedmaßen erschlaffen und bog wieder und wieder den Kopf nach hinten, um Rorans Arme zu ermüden.

So lagen sie da und rangen miteinander, ohne dass einer von beiden sich mehr als ein paar Zoll bewegte.

Eine Fliege summte um sie herum und ließ sich auf Rorans Fußknöchel nieder.

Die Ochsen muhten.

Nach ungefähr zehn Minuten war Rorans Gesicht schweißgebadet. Er hatte das Gefühl, nicht genug Luft in die Lungen zu bekommen. Ihm brannten vor Schmerz die Arme. Die Striemen auf seinem Rücken fühlten sich an, als rissen sie auseinander. Unter den Rippen, wo ihn Yarbogs Klauen erwischt hatten, hämmerte sein Puls.

Roran wusste, dass er nicht mehr lange durchhalten würde. *Verdammt!*, dachte er, *gibt der Kerl denn nie auf?*

In diesem Augenblick zitterte Yarbogs Kopf, als sich ein Muskel in seinem Nacken verkrampfte. Der Urgal stöhnte, das erste Geräusch, das er seit mehr als einer Minute von sich gab, und murmelte mit erstickter Stimme: »Töte mich, Hammerfaust. Ich kann dich nicht besiegen.«

Roran griff noch einmal nach und zischte ebenso leise: »Nein! Wenn du sterben willst, such dir jemand anderen, der dich tötet. Ich habe die ganze Zeit nach euren Regeln gekämpft, nun wirst du dich nach meinen ergeben. Sag allen, dass du dich mir unterwirfst. Und dass du mich nicht hättest fordern sollen. Wenn du das machst, lasse ich dich los. Wenn nicht, halte ich dich fest, bis du es dir anders überlegst, egal wie lange es dauert.«

Noch einmal versuchte Yarbog, sich zu befreien, und sein Kopf zuckte unter Rorans Händen. Er schnaubte und blies eine Staubwolke in die Luft, dann knurrte er: »Das wäre eine zu große Schande, Hammerfaust. Töte mich.«

»Ich gehöre nicht zu deinem Volk und ich werde mich nicht an eure Sitten halten«, erklärte Roran. »Wenn du so um deine Ehre besorgt bist, erzähle denen, die danach fragen, dass du vom Cousin des Schattentöters besiegt wurdest. Das ist keine Schande.« Nachdem einige Minuten vergangen waren und Yarbog immer noch kein Wort gesagt hatte, rüttelte Roran an seinen Hörnern und knurrte: »Wird's bald?«

Mit lauter Stimme, sodass alle Menschen und Urgals es hören konnten, sagte Yarbog: »Gar! Svarvok soll mich verfluchen. Ich ergebe mich! Ich hätte dich nicht herausfordern sollen, Hammerfaust. Du verdienst es, unser Anführer zu sein, und ich nicht.«

Jubel brandete unter den Menschen auf und die Männer trommelten begeistert mit dem Knauf ihrer Schwerter auf ihre Schilde. Die Urgals traten verlegen von einem Bein aufs andere und sagten kein Wort.

Zufrieden ließ Roran Yarbogs Hörner los und rollte sich ein

Stück von ihm weg. Er fühlte sich fast so, als wäre er noch einmal ausgepeitscht worden. Langsam rappelte er sich hoch und humpelte aus dem Karree zu Carn hinüber.

Er zuckte zusammen, als Carn ihm eine Decke um die Schultern legte und der Stoff an seiner übel zugerichteten Haut rieb. Grinsend reichte ihm der Varde einen Weinschlauch. »Als er dich niedergeschlagen hat, dachte ich wirklich, er würde dich umbringen. Dabei sollte ich inzwischen gelernt haben, dich nie abzuschreiben, was? Ha! Das war so ungefähr der spannendste Kampf, den ich je gesehen habe. Du musst der einzige Mensch in der Geschichte sein, der mit einem Urgal gerungen hat.«

»Vielleicht auch nicht«, sagte Roran zwischen zwei Schlucken Wein. »Aber möglicherweise bin ich der Einzige, der es überlebt hat.« Er lächelte, als Carn auflachte. Dann schaute Roran zu den Urgals hinüber, die sich um Yarbog drängten und leise knurrend auf ihn einredeten, während ihm zwei seiner Brüder das Fett und den Schmutz abwischten. Sie schienen nicht wütend oder auf Rache aus zu sein, auch wenn sie betreten wirkten, soweit er das einschätzen konnte. Er war zuversichtlich, dass er jetzt keinen Ärger mehr mit ihnen haben würde.

Trotz seiner Schmerzen freute sich Roran über den Ausgang des Wettkampfes. *Das wird nicht der letzte Kampf zwischen unseren beiden Völkern gewesen sein,* dachte er, *aber sofern wir wohlbehalten zu den Varden zurückkehren, werden die Urgals uns das Bündnis nicht aufkündigen, jedenfalls nicht meinetwegen.*

Nach einem letzten Schluck stöpselte er den Weinschlauch zu und reichte ihn an Carn zurück, dann rief er: »So, jetzt steht nicht länger herum und blökt wie die Schafe, sondern macht die Bestandsliste der Wagen fertig. Loften, treib die Pferde der Soldaten zusammen, wenn sie nicht schon über alle Berge sind. Dazhgra, kümmere dich um die Ochsen. Beeilt euch! Dorn und Murtagh könnten in diesem Moment unterwegs hierher sein. Los, macht schon!

Und, Carn, wo, zum Teufel, sind meine Kleider?«

Familienangelegenheiten

Am vierten Tag nach ihrer Abreise von Farthen Dûr kamen Eragon und Saphira in Ellesméra an.

Die Sonne stand hell und klar am Himmel, als das erste Gebäude der Stadt in Sicht kam – ein schmales, gedrehtes Türmchen mit glitzernden Fenstern, das zwischen drei hohen Kiefern stand und aus ihren verschlungenen Ästen herausgewachsen war. Hinter dem borkenumhüllten Türmchen erspähte Eragon die scheinbar willkürliche Ansammlung von Lichtungen, die den Standort der weitläufigen Stadt anzeigten.

Während Saphira über die unterschiedlich hohen Baumkronen hinwegglitt, sandte Eragon seinen Geist nach Gilderien dem Weisen aus, der Ellesméra als Träger der Weißen Flamme von Vándil seit zweieinhalbtausend Jahren vor den Feinden der Elfen beschützte. Während er seine Gedanken in die Stadt vorausschickte, fragte Eragon in der alten Sprache: *Gilderien-Elda, dürfen wir passieren?*

Eine tiefe, ruhige Stimme erklang in seinem Kopf: *Ihr dürft passieren, Eragon Schattentöter und Saphira Schimmerschuppe. Solange ihr den Frieden wahrt, seid ihr in Ellesméra immer willkommen.*

Danke, Gilderien-Elda, sagte Saphira.

Ihre Klauen streiften die Kronen der dunklen Nadelbäume, die sich dreihundert Fuß über die Erde erhoben, als sie die Kiefernstadt überflog und den Hang auf der anderen Seite von Ellesméra ansteuerte. Zwischen dem Gitterwerk der Äste erhaschte Eragon kurze Blicke auf die vorbeihuschenden Schatten von Häusern aus lebendem Holz, bunte Blumenbeete, wogende Flüsse, den rötlichen Schein einer flammenlosen Laterne und ein- oder zweimal auf ein hell leuchtendes Elfengesicht, das zum Himmel aufsah.

Schließlich ging Saphira in einen Gleitflug über und ließ sich von einer Luftströmung den Hang emportragen, bis sie die Felsen von Tel'naeír erreichte, die den wogenden Zauberwald mehr als tausend Fuß überragten und sich eine Meile in jede Richtung erstreckten. Sie wandte sich nach links, glitt den Bergkamm in nördliche Richtung entlang und hielt dabei mit nur zwei Flügelschlägen ihre Geschwindigkeit und Höhe.

Am Rand des Felsmassivs tauchte eine grasbewachsene Lichtung auf. Vor den umstehenden Bäumen stand ein bescheidenes einstöckiges Haus, gewachsen aus vier Kiefern. Ein glucksender, gurgelnder Bach trat aus dem Moosbett des Waldes hervor und schlängelte sich unter den Wurzeln einer der Kiefern hindurch, bevor er wieder in Du Weldenvarden verschwand. Und neben dem Haus lag zusammengerollt der goldene Drache Glaedr, ein glitzernder Koloss, die elfenbeinfarbenen Zähne so dick wie Eragons Brustumfang, die Klauen wie Sensen, die zusammengelegten Flügel seidenweich und der muskulöse Schwanz so lang wie Saphiras gesamter Körper. Die Streifen in dem ihnen zugewandten Auge funkelten wie die Strahlen in einem Sternsaphir. Hinter seinem Körper verborgen war der Stumpf des fehlenden Vorderbeins. Vor ihm standen ein kleiner, runder Tisch und zwei Stühle. Auf dem einen direkt neben Glaedr saß Oromis, dessen silbriges Haar in der Sonne glänzte wie Metall.

Eragon beugte sich im Sattel vor, als Saphira sich aufbäumte, um abzubremsen. Dann landete sie holpernd auf der grünen Grasnarbe und lief noch ein paar Schritte mit aufgespannten Flügeln weiter, bis sie zum Stehen kam.

Mit steifen Fingern löste Eragon die Riemen an seinen Beinen und wollte an Saphiras rechtem Vorderbein hinunterklettern. Doch als er den Fuß aufsetzte, gaben seine Knie nach, und er fiel. Er riss die Hände nach oben, um sein Gesicht zu schützen, landete auf allen vieren und schrammte sich das Schienbein an einem im Gras verborgenen Felsbrocken auf. Er stöhnte vor Schmerz, und seine Glieder fühlten sich steif an wie die eines alten Mannes, als er sich aufzurappeln begann.

Da schob sich eine Hand in sein Blickfeld.

Als Eragon aufschaute, sah er Oromis vor sich stehen, ein leises Schmunzeln im zeitlosen Gesicht. In der alten Sprache sagte er: »Willkommen zurück in Ellesméra, Eragon-Finiarel. Und auch du, Saphira Schimmerschuppe, sei willkommen. Willkommen, ihr beide.«

Eragon nahm seine Hand und Oromis zog ihn ohne sichtliche Anstrengung auf die Füße. Zuerst hatte Eragon Mühe zu antworten, denn er hatte kaum geredet, seit sie Farthen Dûr verlassen hatten, außerdem trübte die Müdigkeit seinen Verstand. Er berührte mit zwei Fingern der rechten Hand die Lippen und sagte ebenfalls in der alten Sprache: »Möge das Glück dir hold sein, Oromis-Elda«, dann drehte er die Hand vor dem Brustbein in der elfischen Geste der Ehrerbietung.

»Mögen die Sterne über dich wachen, Eragon«, erwiderte Oromis.

Dann wiederholte Eragon die Begrüßungszeremonie mit Glaedr und wie immer erfüllte ihn die Berührung mit dem leuchtenden Bewusstsein des Drachen mit Ehrfurcht und Demut.

Saphira begrüßte weder Oromis noch Glaedr. Sie blieb, wo sie war, ihr Kopf sank langsam herab, bis sie mit der Nase den Boden berührte, und ihre Schultern und Lenden zitterten wie vor Kälte. Trockener gelber Schaum verklebte die Winkel ihres offenen Mauls und ihre stachlige Zunge hing schlaff zwischen ihren Fängen.

Eragon versuchte zu erklären: »Wir sind gleich am ersten Tag in einen Gegenwind geraten und …« Er verstummte, als Glaedr den gewaltigen Kopf hob und ihn über die Lichtung schwang, bis er auf Saphira, die gar keine Notiz von ihm nahm, hinabschauen konnte. Dann blies er über sie hinweg und Flammen züngelten aus seinen Nüstern. Ein Gefühl der Erleichterung ergriff Eragon, als er spürte, wie neue Energie in Saphiras Glieder strömte und sich das Zittern legte.

Die Flammen in Glaedrs Nüstern verschwanden in einer Rauchwolke. *Ich war heute Vormittag jagen,* sagte Glaedr, und die Stimme seines Geistes hallte in Eragon wider. *Die Reste meiner Beute liegen am Ende der Lichtung unter dem Baum mit dem weißen Ast. Nimm dir, was du willst.*

Saphiras Gedanken verströmten wortlose Dankbarkeit. Den schlaffen Schwanz hinter sich herziehend, schleppte sie sich zu dem Baum, den Glaedr ihr genannt hatte, ließ sich nieder und machte sich über den Hirschkadaver her.

»Komm«, sagte Oromis und zeigte auf den Tisch und die Stühle. Auf dem Tisch stand ein Tablett mit Schüsseln voller Früchte und Nüsse, einem halben Käselaib, einem Laib Brot, einer Karaffe Wein und zwei gläsernen Pokalen. Als Eragon sich gesetzt hatte, zeigte Oromis auf die Karaffe und fragte: »Wie wär's mit einem Schluck, um den Staub in deiner Kehle hinunterzuspülen?«

»Ja, gern«, sagte Eragon.

Mit einer eleganten Handbewegung öffnete Oromis die Karaffe und füllte beide Gläser. Dann reichte er Eragon eins, lehnte sich in seinem Stuhl zurück und ordnete mit langen, weichen Fingern sein weißes Gewand.

Eragon nippte an dem aromatischen Wein, der nach Kirschen und Pflaumen schmeckte. »Meister, ich …«

Oromis' erhobener Zeigefinger unterbrach ihn. »Wenn möglich, würde ich gerne warten, bis Saphira wieder bei uns ist, bevor wir uns darüber unterhalten, was dich herführt. Einverstanden?«

Nach kurzem Zögern nickte Eragon und konzentrierte sich darauf, zu essen und den erfrischenden Geschmack der Früchte zu genießen. Oromis schien damit zufrieden, ihm schweigend Gesellschaft zu leisten, seinen Wein zu trinken und über den Klippenrand hinweg in die Ferne zu blicken. Hinter ihm überwachte Glaedr wie ein lebendes goldenes Standbild die Geschehnisse.

Es verging fast eine Stunde, bevor Saphira sich von ihrem Mahl erhob, zum Bach hinüberkroch und weitere zehn Minuten lang Wasser schlabberte. Schließlich wandte sie sich von dem Flüsschen ab und streckte sich mit tropfenden Lefzen und einem tiefen Seufzer neben Eragon aus. Sie gähnte einmal herzhaft, dass ihre Zähne blitzten, dann tauschte sie mit Oromis und Glaedr Begrüßungen aus. *Unterhaltet euch ruhig*, sagte sie schläfrig, *aber erwartet nicht, dass ich viel sage. Ich kann jeden Moment einschlafen.*

Dann warten wir, bis du wieder aufwachst, sagte Glaedr.

Das ist sehr – uaaah – nett, erwiderte Saphira mit halb geschlossenen Augen.

»Noch einen Schluck Wein?«, fragte Oromis und hob die Karaffe leicht an. Als Eragon den Kopf schüttelte, stellte er das Gefäß wieder ab und legte die Fingerspitzen aneinander. Dabei schimmerten seine runden Nägel wie geschliffene Opale. »Du brauchst mir nicht zu erzählen, was dir in den letzten Wochen widerfahren ist, Eragon«, sagte er. »Arya hat Islanzadi auf dem Laufenden gehalten, seit sie den Wald verlassen hat, und Islanzadi schickt alle drei Tage einen Kurier nach Du Weldenvarden. Ich weiß also von deinem Kampf mit Murtagh und Dorn auf den Brennenden Steppen und von deiner Reise zum Helgrind und wie du den Metzger eures Dorfes bestraft hast. Und ich weiß auch, dass du an dem Clan-Treffen der Zwerge in Farthen Dûr teilgenommen hast und wie die Sache ausgegangen ist. Du brauchst also nicht zu befürchten, dass du mich erst lange über deine jüngsten Taten aufklären musst, bevor du sagen kannst, was du auf dem Herzen hast.«

Eragon ließ eine dicke Blaubeere auf seiner Handfläche herumrollen. »Wisst Ihr auch von Elva, und was passiert ist, als ich versucht habe, sie von ihrem Fluch zu befreien?«

»Ja, auch das. Du hast den Zauber vielleicht nicht ganz von ihr nehmen können, aber du hast deine Schuldigkeit getan. Mehr kann man von einem Drachenreiter nicht erwarten; er muss seine Verpflichtungen erfüllen, ganz gleich, wie unbedeutend oder schwierig sie sind.«

»Sie spürt noch immer das Leid der anderen um sie herum.«

»Aber jetzt tut sie es freiwillig«, sagte Oromis. »Dein Zauber zwingt sie nicht mehr dazu … Du bist nicht hergekommen, um meine Meinung zu Elva zu hören. Was lastet dir auf der Seele, Eragon? Frag mich, was du willst, und ich verspreche, ich werde all deine Fragen nach bestem Wissen beantworten.«

»Was«, sagte Eragon, »wenn ich die richtigen Fragen nicht kenne?«

Ein Glitzern trat in Oromis' graue Augen. »Aha, du fängst langsam an, zu denken wie ein Elf. Du musst uns als deinen Lehrern vertrauen, dass wir dir und Saphira die Dinge beibringen, von denen ihr keine Kenntnis habt. Und du musst uns auch vertrauen, dass wir wissen, wann wir sie an euch weitergeben sollten, denn bei deiner Ausbildung gibt es viele Themen, über die man nicht zur falschen Zeit sprechen darf.«

Eragon legte die Blaubeere genau in die Mitte des Tabletts, dann sagte er leise, aber bestimmt: »Mir scheint, es gibt eine ganze Menge, worüber Ihr noch nicht mit mir gesprochen habt.«

Eine Weile hörte man nichts als das Rascheln der Blätter, das Plätschern des Flüsschens und das Geschnatter der Eichhörnchen in der Ferne.

Wenn du einen Groll gegen uns hegst, Eragon, ließ sich Glaedr vernehmen, *dann spuck ihn aus und kau nicht darauf herum wie auf einem alten Knochen.*

Saphira rührte sich, und Eragon schien es, als höre er sie leise knurren. Er sah zu ihr und fragte dann mühsam beherrscht: »Wusstet Ihr bei meinem letzten Besuch, wer mein Vater war?«

»Ja«, nickte Oromis.

»Und wusstet Ihr auch, dass Murtagh mein Bruder ist?«

Oromis nickte erneut. »Ja, aber …«

»Warum habt Ihr es mir dann nicht gesagt?«, rief Eragon, sprang auf und warf dabei seinen Stuhl um. Wütend hieb er sich die Faust gegen die Hüfte, dann stapfte er ein paar Schritte davon und starrte in die Schatten des dichten Waldes. Als er sich wieder umwandte, wurde er noch zorniger, denn Oromis wirkte so ruhig wie zuvor. »Hättet Ihr es mir jemals gesagt? Habt Ihr so ein Geheimnis daraus gemacht, weil Ihr Angst hattet, es könnte mich von meiner Ausbildung ablenken? Oder hattet Ihr Angst, ich könnte so werden wie mein Vater?« Da kam ihm ein noch schlimmerer Verdacht. »Oder habt Ihr es einfach nicht für so wichtig gehalten? Und was ist mit Brom? Hat er es auch gewusst? Hat er sich meinetwegen in Carvahall versteckt, weil ich der Sohn seines Todfeindes war? Soll ich etwa glauben, dass wir beide rein zufällig nur ein paar Meilen voneinander entfernt gelebt haben und Arya mir auch rein zufällig Saphiras Ei zum Buckel geschickt hat? Das könnt Ihr nicht von mir erwarten.«

»Das mit Arya war tatsächlich ein Versehen«, versicherte Oromis. »Sie wusste damals noch gar nichts von dir.«

Eragon umklammerte den Knauf seines Zwergenschwertes und jeder Muskel in seinem Körper war zum Zerreißen gespannt. »Ich erinnere mich noch. Als Brom Saphira zum ersten Mal sah, murmelte er etwas wie, er wisse nicht genau, ob das ein Lustspiel werden würde oder eine Tragödie. Damals dachte ich, er spiele darauf an, dass ein gewöhnlicher Bauer wie ich der erste neue Drachenreiter nach über hundert Jahren sein würde. In Wirklichkeit aber hat er etwas anderes gemeint, nicht wahr? Er hat sich gefragt, ob es ein Lustspiel oder eine Tragödie ist, dass ausgerechnet Morzans jüngster Sohn das Vermächtnis der Drachenreiter antreten würde!

Habt Ihr und Brom mich lediglich als Waffe gegen Galbatorix ausgebildet, damit ich eines Tages die Schandtaten meines Vaters sühnen kann? Bin ich nichts weiter für Euch als ein Werkzeug höherer Gerechtigkeit?« Bevor Oromis antworten konnte, fuhr Eragon fluchend fort: »Mein ganzes Leben war eine einzige Lüge! Vom Augenblick meiner Geburt an hat mich niemand außer Saphira wirklich gewollt: meine Mutter nicht, Garrow nicht, Tante Marian nicht, nicht einmal Brom. Der hat sich nur wegen Morzan und Saphira für mich interessiert. Ich war allen nur lästig. Denkt von mir, was Ihr wollt, aber ich bin *nicht* mein Vater und auch nicht mein Bruder, und ich weigere mich, in ihre Fußstapfen zu treten.« Er stützte sich auf die Tischkante und lehnte sich vor. »Ich habe nicht vor, die Elfen oder die Zwerge oder die Varden an Galbatorix zu verraten, falls es das ist, was Euch Sorgen macht. Ich werde tun, was ich muss, aber von jetzt an gehören Euch meine Loyalität und mein Vertrauen nicht mehr. Ich werde …«

Erde und Luft erbebten, als Glaedr plötzlich mit gebleckten Zähnen knurrte. *Du hast mehr Grund, uns zu vertrauen, als sonst jemand, du Küken,* sagte er und seine Stimme dröhnte in Eragons Kopf. *Ohne uns wärst du längst tot.*

Da wandte sich Saphira zu Eragons Überraschung an Oromis und Glaedr: *Sagt es ihm.* Die Bedrängnis in ihren Gedanken beunruhigte ihn.

Saphira?, fragte er verwirrt. *Was sollen sie mir sagen?*

Sie beachtete ihn nicht. *Es gibt keinen Grund für diesen Streit. Hört auf, Eragon so zu quälen.*

Eine von Oromis' schräg gestellten Augenbrauen fuhr in die Höhe. »Du weißt Bescheid?«

Ich weiß es.

»*Was* weißt du?«, brüllte Eragon. Er war nahe dran, sein Schwert zu ziehen und es so lange auf sie alle zu richten, bis sie sich erklärten.

Mit einem schlanken Finger zeigte Oromis auf den umgestürzten Stuhl. »Setz dich.« Als Eragon stehen blieb, zu verärgert und verstimmt, seufzte er. »Ich verstehe, dass das für dich nicht einfach ist, Eragon, aber wenn du darauf bestehst, Fragen zu stellen, aber dann die Antworten nicht hören willst, wird dir das nur Enttäuschungen einbringen. Also setz dich bitte, damit wir uns auf zivilisierte Weise unterhalten können.«

Wütend stellte Eragon den Stuhl auf und ließ sich darauffallen. »Warum?«, fragte er. »Warum habt Ihr mir nicht gesagt, dass Morzan, der Erste der Abtrünnigen, mein Vater ist?«

»Erstens«, sagte Oromis, »können wir uns glücklich schätzen, wenn du nur halbwegs nach deinem Vater kommst, was ich tatsächlich glaube. Und was ich sagen wollte, bevor du mich unterbrochen hast: Murtagh ist nicht dein Bruder, sondern nur dein Halbbruder.«

Die ganze Welt drehte sich um Eragon, so schnell, dass er sich an der Tischkante festhalten musste. »Mein Halbbruder… Aber wer ist dann…?«

Oromis nahm sich eine Brombeere aus einer der Schüsseln, betrachtete sie nachdenklich und aß sie dann. »Glaedr und ich wollten es nicht vor dir geheim halten, aber wir hatten keine andere Wahl. Wir haben beide mit dem verbindlichsten Eid, den es gibt, versprochen, dir weder zu erzählen, wer dein Vater oder dein Halbbruder ist, noch mit dir über deine Herkunft zu reden, es sei denn, du fändest die Wahrheit selbst heraus oder die Identität deiner Verwandten brächte dich in Gefahr. Was sich zwischen dir und Murtagh während der Schlacht auf den Brennenden Steppen zugetragen hat, erfüllt diese Bedingungen ausreichend, sodass wir jetzt offen über diese Sache reden können.«

Zitternd vor Erregung fragte Eragon: »Oromis-Elda, wenn Murtagh nur mein Halbbruder ist, wer ist dann mein Vater?«

Frag dein Herz, Eragon, sagte Glaedr. *Du weißt es doch längst.*

Eragon schüttelte nur den Kopf. »Ich weiß es nicht! Ich weiß es wirklich nicht! Bitte…«

Glaedr schnaubte und eine Mischung aus Rauch und Feuer schoss aus seinen Nüstern. *Ist das nicht offensichtlich? Brom ist dein Vater.*

Eine Liebe ohne Zukunft

Eragon starrte den goldenen Drachen mit offenem Mund an.

»Wie?«, rief er. Bevor Glaedr oder Oromis antworten konnte, fuhr er zu Saphira herum und schrie mit seinem Geist und seiner Stimme gleichzeitig: »Du hast es gewusst? Du wusstest es und hast mich die ganze Zeit über in dem Glauben gelassen, Morzan wäre mein Vater, obwohl es … obwohl ich … ich …« Schwer atmend geriet er ins Stottern und brachte keinen zusammenhängenden Satz mehr heraus. Erinnerungen an Brom überfluteten ihn und spülten alle anderen Gedanken fort. Er überdachte noch einmal alles, was Brom gesagt hatte, und plötzlich hatte er Gewissheit. Es verlangte ihn noch immer nach Erklärungen, aber er brauchte sie nicht mehr, um die Aufrichtigkeit des Drachen zu prüfen. Eragon spürte, dass Glaedr die Wahrheit gesagt hatte.

Er fuhr zusammen, als Oromis ihm die Hand auf die Schulter legte. »Eragon, du musst dich beruhigen«, sagte der Elf mit sanfter Stimme. »Denk an die Meditationsübungen, die ich dir beigebracht habe. Atme bewusst und konzentriere dich darauf, alle Anspannung aus deinen Gliedern in die Erde abfließen zu lassen … ja, gut so. Und noch mal, und tief atmen.«

Eragons Hände hörten auf zu zittern und sein rasender Herzschlag beruhigte sich. Als er wieder klar denken konnte, sah er Saphira erneut an und fragte leise: »Du wusstest es?«

Der Drache hob den Kopf ein wenig an. *Ach, Eragon, ich wollte es dir sagen. Es hat mir wehgetan zu sehen, wie Murtaghs Worte dich quälten, und dir nicht helfen zu können. Ich hab es versucht – immer wieder habe ich es versucht –, aber wie Oromis und Glaedr hatte ich in der alten Sprache geschworen, Broms Identität vor dir geheim zu halten. Ich konnte meinen Schwur nicht brechen.*

»W-wann hat er es dir erzählt?«, fragte Eragon, so aufgewühlt, dass er immer noch laut sprach.

Am Tag, nachdem die Urgals uns vor Teirm angegriffen hatten, als du noch bewusstlos warst.

»Als er dir erklärt hat, wie wir in Gil'ead Kontakt zu den Varden aufnehmen können?«

Ja. Bevor ich wusste, was er mir sagen wollte, hat er mich schwören lassen, nie mit dir darüber zu reden, es sei denn, du würdest es selbst herausfinden. Bedauerlicherweise bin ich darauf eingegangen.

»Hat er dir sonst noch irgendwas erzählt?« Eragons Zorn flammte wieder auf. »Irgendwelche anderen Geheimnisse, über die ich besser Bescheid wissen sollte, zum Beispiel, dass Murtagh nicht mein einziger Bruder ist, oder vielleicht, wie man Galbatorix besiegt?«

In den zwei Tagen, als ich mit Brom hinter den Urgals her war, hat er mir sein ganzes Leben erzählt. Falls er starb und du die Wahrheit herausfinden würdest, sollte sein Sohn wissen, was für ein Mensch er war und warum er sich so verhalten hat, wie er es tat. Außerdem hat Brom mir ein Geschenk für dich gegeben.

Ein Geschenk?

Eine Erinnerung an ihn, in der er als Vater zu dir spricht und nicht als Geschichtenerzähler.

»Bevor Saphira diese Erinnerung mit dir teilt«, sagte Oromis, und Eragon wurde klar, dass sie den Elf hatte zuhören lassen, »ist es wohl am besten, wenn du erfährst, wie das alles gekommen ist. Willst du mir eine Weile zuhören, Eragon?«

Eragon war hin und her gerissen, aber schließlich nickte er.

Oromis nahm bedächtig den gläsernen Pokal und trank einen Schluck Wein, dann sagte er: »Wie du ja weißt, war sowohl Brom als auch Morzan mein Schüler. Brom, der drei Jahre jünger war, verehrte Morzan so sehr, dass er sich von ihm erniedrigen, herumkommandieren und auch sonst überaus schändlich behandeln ließ.«

Mit rauer Stimme sagte Eragon: »Schwer vorstellbar, dass Brom sich von irgendjemandem herumkommandieren ließ.«

Oromis nickte ruckartig wie ein Vogel. »Und doch war es so. Brom liebte Morzan wie einen Bruder, trotz seines Verhaltens. Erst als Morzan die Drachenreiter an Galbatorix verriet und die Abtrünnigen Broms Drachen Saphira umbrachten, erkannte er Morzans wahren Charakter. Und so groß seine Zuneigung für ihn auch gewesen war, der Hass, der an ihre Stelle trat, stand dazu wie ein Waldbrand im Vergleich zu einer Kerze. Brom schwor, Morzan zu bekämpfen, wie und wo immer er konnte, seine Pläne zu durchkreuzen und seine Bestrebungen zunichte zu machen. Ich warnte ihn vor einem Weg, der so mit Hass und Gewalt gepflastert war, aber Brom war halb wahnsinnig vor Kummer über Saphiras Tod und hörte mir gar nicht zu.

In den folgenden Jahrzehnten nahm Broms Hass nie ab, noch ließ er in seinen Anstrengungen nach, Galbatorix zu entthronen, die Abtrünnigen zu töten und vor allem Morzan zurückzuzahlen, was er ihm angetan hatte. Er war die Beharrlichkeit in Person, ein Albtraum für die Abtrünnigen und ein Hoffnungsfunke für diejenigen, die immer noch den Mut hatten, sich dem Imperium zu widersetzen.« Oromis ließ den Blick über die weiße Linie des Horizonts gleiten und nahm noch einen kräftigen Schluck Wein. »Ich bin ziemlich stolz darauf, was er allein und ohne die Hilfe seines Drachen alles erreicht hat. Für einen Lehrer ist es immer ermutigend, wenn sich einer seiner Schüler in welcher Art auch immer auszeichnet... Aber ich schweife ab. Es war vor ungefähr zwanzig Jahren, als die Varden durch ihre Spione im Imperium von den Umtrieben einer geheimnisvollen Frau erfuhren, die man nur als die Schwarze Hand kannte.«

»Meine Mutter«, sagte Eragon.

»Deine und Murtaghs Mutter«, bestätigte Oromis. »Zunächst wussten die Varden nichts über sie, außer dass sie extrem gefährlich und dem Imperium treu ergeben war. Mit der Zeit und nach viel vergossenem Blut kam man dahinter, dass sie Morzan diente und nur ihm, und dass er auf sie angewiesen war, um seinen Willen im Imperium durchzusetzen. Als Brom das erfuhr, nahm er sich vor, die Schwarze Hand zu töten und damit Morzan zu treffen. Da die Varden aber nicht voraussehen konnten, wo deine Mutter als Nächstes auftauchen würde, reiste er zu Morzans Burg und spähte sie aus, bis er einen Weg fand, sich in die Festung einzuschleusen.«

»Wo war denn Morzans Burg?«

»*Ist*, nicht *war.* Die Burg steht noch. Galbatorix nutzt sie jetzt selbst. Sie liegt in den Ausläufern des Buckels, in der Nähe vom Nordwestufer des Leona-Sees, gut versteckt vor dem Rest des Landes.«

Eragon sagte: »Jeod hat mir erzählt, dass Brom sich in die Burg eingeschlichen hat, indem er vorgab, einer der Diener zu sein.«

»Ja, und es war kein leichtes Unterfangen. Morzan hatte seine Festung mit Hunderten von Schutzzaubern versehen, um seine Feinde fernzuhalten. Außerdem zwang er seine Diener, ihm einen Treueeid zu leisten, oft bei ihrem wahren Namen. Trotzdem hat Brom nach viel Herumexperimentieren eine Schwachstelle in Morzans Beschwörungen gefunden, die es ihm ermöglichte, sich als Gärtner auf dem Anwesen zu verdingen, und dabei ist er dann deiner Mutter das erste Mal begegnet.«

Eragon blickte auf seine Hände hinab. »Und da hat er sie verführt, um Morzan eins auszuwischen, nehme ich an.«

»Ganz und gar nicht«, erwiderte Oromis. »Das hatte er anfangs vielleicht vor, aber dann ist etwas passiert, was weder er noch deine Mutter vorausgesehen haben: Die beiden haben sich ineinander verliebt. Was immer deine Mutter einst für Morzan empfunden haben mochte, war längst nicht mehr da, ausgelöscht durch seine Grausamkeit ihr gegenüber und Murtagh, ihrem neugeborenen Sohn. Ich kenne den genauen Ablauf der Ereignisse nicht, aber irgendwann enthüllte Brom ihr seine wahre Identität, und statt ihn zu verraten, fing sie an, den Varden Informationen über Galbatorix, Morzan und das restliche Imperium zu liefern.«

»Aber«, fragte Eragon, »hat Morzan sie nicht in der alten Sprache den Treueeid schwören lassen? Wie konnte sie sich gegen ihn stellen?«

Oromis' schmale Lippen verzogen sich zu einem Lächeln. »Sie konnte es, weil Morzan ihr mehr Freiheiten ließ als seinen anderen Untergebenen, damit sie beim Ausführen seiner Befehle ihre eigene Erfindungsgabe und Entschlusskraft mit einbringen konnte. In seiner Überheblichkeit glaubte er, ihre Liebe zu ihm würde sie stärker an ihn binden als jeder Eid. Auch war sie nicht mehr die Frau, die Morzan einst so hörig gewesen war. Durch die Mutterschaft und ihre Begegnung mit Brom wandelte sich ihr Charakter so stark, dass sich auch ihr wahrer Name änderte, was sie von ihren früheren Zusagen entband. Wäre Morzan vorsichtiger gewesen – hätte er zum Beispiel einen Zauber gewirkt, der ihn warnte, sollte sie jemals ihre Versprechen brechen –, hätte er genau gewusst, dass er die Kontrolle über sie verloren hatte. Aber das war schon immer Morzans Fehler: Er dachte sich irgendeinen raffinierten Zauber aus, der dann aber scheiterte, weil er in seiner Ungeduld ein entscheidendes Detail übersah.«

Eragon runzelte die Stirn. »Warum hat meine Mutter Morzan nicht verlassen, als sie die Möglichkeit dazu hatte?«

»Nach allem, was sie in Morzans Namen getan hatte, fühlte sie sich verpflichtet, den Varden zu helfen. Aber noch wichtiger war ihr Murtagh. Sie brachte es nicht über sich, ihn seinem Vater zu überlassen.«

»Hätte sie ihn denn nicht mitnehmen können?«

»Wäre sie dazu in der Lage gewesen, ich bin sicher, sie hätte es getan. Aber Morzan hatte erkannt, dass ihm das Kind enormen Einfluss über deine Mutter verlieh. Er zwang sie, Murtagh in die Obhut einer Amme zu geben, und erlaubte ihr nur hin und wieder, ihn zu sehen. Was er nicht wusste, war, dass sie dann auch Brom sah.«

Oromis drehte sich um und beobachtete ein Schwalbenpärchen, das sich am blauen Himmel umflatterte. Im Profil erinnerten seine feinen Gesichtszüge Eragon an einen Falken oder eine geschmeidige Katze. Ohne den Blick von den Schwalben zu wenden, sagte der Elf: »Nicht einmal deine Mutter konnte voraussehen, wo Morzan sie als Nächstes hinschicken würde oder wann sie wieder in die Burg zurückkäme. Deshalb musste Brom für eine ungewisse Zeit auf dem Anwesen bleiben, wenn er sie sehen wollte. Annähernd drei Jahre diente er dort als Gärtner. Ab und zu stahl er sich davon, um den Varden eine Botschaft zu übermitteln oder sich mit seinen Spionen zu besprechen, die über das ganze Imperium verstreut agierten, aber ansonsten verließ er das Burggelände nie.«

»Drei Jahre! Hatte er denn keine Angst, dass Morzan ihn sehen und erkennen könnte?«

Oromis' Blick kehrte zu Eragon zurück. »Brom war äußerst geschickt darin, sich zu verkleiden, und es war viele Jahre her, seit sich die beiden zum letzten Mal von Angesicht zu Angesicht gegenübergestanden hatten.«

»Oh.« Eragon drehte den Kelch zwischen den Fingern und sah zu, wie sich das Licht in dem Kristall brach. »Und dann?«

»Dann«, sagte Oromis, »kam einer von Broms Spionen in Teirm mit einem jungen Gelehrten namens Jeod in Kontakt, der zu den Varden wollte und behauptete, er habe Hinweise auf einen bislang geheimen Tunnel in dem Teil der Festung von Urû'baen gefunden, der von den Elfen erbaut worden war. Brom hatte zu Recht das Gefühl, dass Jeods Entdeckung zu wichtig war, um ihr nicht nachzugehen, und so packte er seine Sachen, erfand den anderen Bediensteten gegenüber irgendeine Ausrede und reiste in aller Eile nach Teirm ab.«

»Und meine Mutter?«

»Sie war einen Monat zuvor zu einer von Morzans Missionen aufgebrochen.«

Eragon versuchte nun, die einzelnen Berichte, die er bis dahin von verschiedenen Leuten gehört hatte, zu einem Ganzen zusammenzufügen. »Also dann … hat sich Brom mit Jeod getroffen, und sobald er von der Existenz des Ganges überzeugt war, hat er einen der Varden nach Urû'baen geschickt, um die drei Dracheneier zu stehlen, die Galbatorix dort aufbewahrte.«

Oromis' Gesicht verdüsterte sich. »Unglücklicherweise ist es dem Mann, einem gewissen Hefring aus Furnost, aus Gründen, die nie ganz geklärt wurden, nur gelungen, Saphiras Ei aus Galbatorix' Schatzkammer zu stehlen. Sobald er es in seinen Besitz gebracht hatte, ist er vor den Varden und vor Galbatorix' Untergebenen geflohen. Wegen seines Verrats musste Brom die nächsten sieben Monate damit verbringen, im ganzen Land nach Hefring zu suchen, um ihm Saphiras Ei wieder abzujagen.«

»Und inzwischen ist meine Mutter heimlich nach Carvahall gereist, wo sie fünf Monate später mich zur Welt brachte?«

Oromis nickte. »Du wurdest gezeugt, kurz bevor sie zu ihrer letzten Mission aufbrach. Aus diesem Grund wusste Brom nichts von ihrem Zustand, als er Hefring und Saphiras Ei verfolgte. Als er schließlich in Gil'ead Morzan gegenüberstand, fragte der ihn, ob er etwas mit dem Verschwinden seiner Schwarzen Hand zu tun habe. Verständlich, dass Morzan Brom verdächtigte, schuld daran zu sein, da Brom für den Tod mehrerer Abtrünniger verantwortlich war. Brom schloss wiederum aus Morzans Frage sofort, dass deiner Mutter irgendetwas Schreckliches zugestoßen sein musste. Später erzählte er mir, das habe ihm die Kraft gegeben, Morzan und seinen Drachen zu töten. Als die beiden tot waren, entdeckte Brom Saphiras Ei bei Morzan, denn der Abtrünnige hatte Hefring längst ausfindig gemacht und ihm das Ei entrissen. Danach verließ Brom die Stadt und hielt nur einmal kurz an, um Saphiras Ei an einem Ort zu verstecken, von dem er wusste, dass die Varden es dort finden würden.«

»Deshalb dachte Jeod also, Brom wäre in Gil'ead umgekommen«, sagte Eragon.

Oromis nickte wieder. »Von Angst getrieben, wagte er es nicht, auf seine Gefährten zu warten. Selbst wenn deine Mutter am Leben und wohlauf war, fürchtete Brom, Galbatorix könnte Selena zu seiner eigenen Schwarzen Hand machen, sodass sie nie wieder die Chance bekäme, dem Imperium zu entrinnen.«

Eragon stiegen Tränen in die Augen. *Wie sehr muss Brom sie geliebt haben, um alle zu verlassen, sobald er wusste, dass sie in Gefahr war.*

»Von Gil'ead aus ritt Brom geradewegs zu Morzans Besitz und machte nur zum Schlafen halt. Aber er kam trotzdem zu spät. Als er die Burg erreichte, erfuhr er, dass deine Mutter zwei Wochen zuvor krank und stark geschwächt von ihrer geheimnisvollen Reise zurückgekehrt sei. Morzans Heiler hatten versucht, sie zu retten, aber ihren Anstrengungen zum Trotz war sie nur wenige Stunden, bevor Brom eintraf, ins Nichts hinübergegangen.«

»Er hat sie nie wiedergesehen?«, fragte Eragon, die Kehle wie zugeschnürt.

»Nie wieder.« Oromis überlegte und sein Gesichtsausdruck wurde weich. »Sie zu verlieren, war, glaube ich, fast so schlimm für Brom wie der Verlust seines Drachen, und es hat ihm viel von seinem Feuer genommen. Trotzdem gab er nicht auf, und er wurde auch nicht wahnsinnig wie damals für eine gewisse Zeit, als die Abtrünnigen Saphiras Namensschwester ermordet hatten. Stattdessen beschloss er, die Ursache für den Tod deiner Mutter herauszufinden und jene zu bestrafen, die dafür verantwortlich waren, soweit es in seiner Macht stand. Er fragte Morzans Heiler aus und zwang sie, ihm Selenas Leiden zu beschreiben. Aus ihren Worten und dem Klatsch der Bediensteten erriet er die Schwangerschaft deiner Mutter. Erfüllt von dieser Hoffnung, ritt er zu dem einzigen Ort, der ihm einfiel: das Elternhaus deiner Mutter in Carvahall. Und dort fand er dich in der Obhut deiner Tante und deines Onkels.

Aber Brom blieb nicht in Carvahall. Sobald er sich davon überzeugt hatte, dass im Heimatort deiner Mutter niemand etwas von ihrer Vergangenheit als Schwarze Hand wusste und dir keine unmittelbare Gefahr drohte, kehrte er heimlich nach Farthen Dûr zurück und gab sich Deynor, dem damaligen Anführer der Varden, zu erkennen. Deynor war höchst überrascht, ihn zu sehen, denn bis dahin hatten alle geglaubt, er sei in Gil'ead umgekommen. Brom überredete ihn, niemandem zu verraten, dass er noch am Leben war, außer einigen Ausgewählten, und dann …«

Eragon hob die Hand: »Aber warum? Warum gab er vor, tot zu sein?«

»Brom wollte lange genug leben, um den neuen Drachenreiter auszubilden, und er wusste, er konnte einem Vergeltungsanschlag wegen Morzans Ermordung nur entgehen, indem er Galbatorix glauben machte, er sei schon tot und begraben. Außerdem wollte er keine unnötige Aufmerksamkeit auf Carvahall ziehen. Er wollte sich dort niederlassen, um in deiner Nähe zu sein, was er dann ja auch getan hat, wollte aber auf keinen Fall, dass das Imperium dadurch von deiner Existenz erfuhr.

Während er in Farthen Dûr war, half Brom den Varden, die Verhandlungen mit Königin Islanzadi zu führen. Es ging darum, wie die Elfen und Menschen sich die Aufgabe teilen würden, über das Ei zu wachen, und wie der neue Reiter ausgebildet werden sollte, falls der Drache schlüpfte. Dann begleitete er Arya, als sie das Ei von Farthen Dûr nach Ellesméra brachte. Hier angekommen, hat er Glaedr und mir alles berichtet, was ich dir jetzt erzählt habe, damit die Wahrheit über deine Herkunft nicht verloren ginge, falls er sterben sollte. Das war das letzte Mal, dass ich ihn gesehen habe. Von hier aus ist Brom nach Carvahall zurückgekehrt, wo er sich als Barde und Geschichtenerzähler ausgab. Was danach geschah, weißt du besser als ich.«

Oromis verstummte und eine Zeitlang schwiegen alle.

Eragon starrte zu Boden, überdachte noch einmal alles, was er von Oromis erfahren hatte, und versuchte, seine Gefühle zu ordnen. Schließlich sagte er: »Und Brom ist wirklich mein Vater, nicht Morzan? Ich meine, wenn meine Mutter Morzans Geliebte war, dann …« Verlegen brach er ab.

»Du bist der Sohn deines Vaters«, sagte Oromis, »und dein Vater ist Brom. Daran besteht kein Zweifel.«

»Nicht der geringste?«

Der Elf schüttelte den Kopf. »Nicht der geringste.«

Ein leichtes Schwindelgefühl erfasste Eragon, und er merkte, dass er den Atem angehalten hatte. Nachdem er ausgeatmet hatte, sagte er: »Ich denke, ich verstehe, dass« – er hielt inne, um seine Lungen wieder zu füllen – »dass Brom nichts gesagt hat, bevor ich Saphiras Ei fand. Aber warum hat er es mir *danach* nicht gesagt? Und warum hat er euch und Saphira zur Geheimhaltung verpflichtet? ... Wollte er sich nicht zu mir bekennen? Hat er sich für mich geschämt?«

»Ich kann nicht behaupten, alle Beweggründe für Broms Taten zu kennen. Aber einer Sache bin ich mir ganz sicher: Brom wünschte sich nichts mehr, als dich seinen Sohn zu nennen und dich aufzuziehen, aber er wagte es nicht, zu offenbaren, dass ihr verwandt wart, aus Angst, das Imperium könnte davon erfahren und versuchen, ihn durch dich zu treffen. Und seine Vorsicht war durchaus berechtigt. Erinnere dich, wie Galbatorix alles darangesetzt hat, deinen Cousin in die Finger zu bekommen, um dich zum Aufgeben zu zwingen.«

»Brom hätte es meinem Onkel erzählen können«, widersprach Eragon. »Garrow hätte ihn nie an das Imperium verraten.«

»Denk doch mal nach, Eragon. Wenn du bei Brom gewohnt hättest und es Galbatorix' Spionen zu Ohren gekommen wäre, dass er lebt, dann hättet ihr beide aus Carvahall fliehen und um euer Leben fürchten müssen. Davor hoffte er dich zu bewahren, indem er die Wahrheit vor dir verborgen hielt.«

»Es ist ihm nicht gelungen. Wir mussten auch so fliehen.«

»Ja«, sagte Oromis. »Auch wenn es letztendlich mehr Gutes als Schlechtes bewirkt hat, war Broms Fehler doch, dass er es nicht fertiggebracht hat, sich ganz von dir zu lösen. Wäre er stark genug gewesen, nicht nach Carvahall zurückzukehren, hättest du niemals Saphiras Ei gefunden und die Ra'zac hätten deinen Onkel nicht getötet. Viele Dinge wären geschehen, zu denen es nicht gekommen ist, und viele Dinge wären nicht geschehen, die eingetreten sind. Er konnte sich dich eben nicht aus dem Herzen schneiden.«

Eragon biss die Zähne zusammen, als ein Schauder ihn durchlief. »Und als er erfuhr, dass Saphira bei mir geschlüpft ist?«

Oromis zögerte und seine ruhige Miene überzog ein Schatten. »Ich bin nicht sicher, Eragon. Vielleicht wollte er dich immer noch vor seinen Feinden schützen, und er hat es dir aus dem gleichen Grund nicht gesagt, aus dem er auch nicht schnurstracks mit dir zu den Varden gegangen ist: weil du noch nicht so weit warst. Vielleicht wollte er es dir sagen, bevor er dich zu den Varden brachte. Aber eigentlich glaube ich, dass Brom geschwiegen hat, nicht weil er sich für dich schämte, sondern weil er sich an seine Geheimnisse gewöhnt hatte und sich nur ungern von ihnen trennte. Und weil – aber das ist nicht mehr als eine Vermutung – er sich nicht sicher war, wie du reagieren würdest. Du hast selbst gesagt, ihr hättet euch gar nicht so gut gekannt, bis du Carvahall mit ihm verlassen hast. Es ist gut möglich, dass er einfach Angst hatte, du würdest ihn hassen, sobald er sich als dein Vater zu erkennen geben würde.«

»Ihn hassen?«, rief Eragon. »Ich hätte ihn nicht gehasst. Obwohl… ich hätte ihm vielleicht nicht geglaubt.«

»Und hättest du ihm danach noch vertraut?«

Eragon biss sich auf die Innenseite seiner Wange. *Nein, das hätte ich wohl nicht.*

»Brom hat getan, was er konnte, in dieser unglaublich schwierigen Lage«, fuhr Oromis fort. »Seine wichtigste Aufgabe war, euch beide am Leben zu erhalten und dir genug beizubringen, Eragon, damit du deine Macht nicht für selbstsüchtige Zwecke missbrauchen würdest wie Galbatorix. Und das hat er mit Bravour geschafft. Er war vielleicht nicht der Vater, den du dir gewünscht hättest, aber er hat dir ein Erbe hinterlassen, wie es sich ein Sohn nur wünschen kann.«

»Das hätte er für jeden neuen Drachenreiter getan.«

»Das mindert nicht den Wert«, erklärte Oromis. »Aber du irrst dich. Brom hat viel mehr für dich getan, als er für irgendjemand anderen getan hätte. Du musst nur daran denken, wie er sich geopfert hat, um dein Leben zu retten. Dann weißt du, dass ich recht habe.«

Eragon fuhr mit dem Nagel seines rechten Zeigefingers einen der Jahresringe im Holz der Tischplatte nach. »Und dass Arya mir Saphira geschickt hat, war wirklich nicht beabsichtigt?«

»Nein«, sagte Oromis. »Aber es war auch kein reiner Zufall. Statt das Ei dem Vater zu übersenden, hat sie es den Sohn finden lassen.«

»Wie war das möglich, wo sie doch gar nichts von mir wusste?«

Oromis' schmale Schultern zuckten. »Auch nach jahrtausendelangen Studien können wir die verschlungenen Pfade, auf denen die Magie wandelt, nicht immer voraussehen oder erklären.«

Eragon kratzte noch immer an der dünnen Rille herum. *Ich habe einen Vater,* dachte er. *Ich habe ihn sterben sehen, und ich hatte keine Ahnung, was er für mich war …* »Meine Eltern«, sagte er, »haben sie heimlich geheiratet, in den drei Jahren, die mein Vater in der Burg war?«

»Ich weiß, warum du fragst, Eragon, und vielleicht wird dich meine Antwort nicht glücklich machen. Wir Elfen suchen uns einen Gefährten, aber wir heiraten nicht, und ich habe den Unterschied eigentlich nie richtig verstanden. Niemand hat Brom und Selena vermählt, aber ich weiß, dass sie in ihren eigenen Augen Mann und Frau waren. Wenn du klug bist, machst du dir keine Sorgen darüber, dass die Menschen dich einen Bastard nennen könnten, sondern bist damit zufrieden, zu wissen, dass du das Kind deiner Eltern bist und sie ihr Leben für deines gaben.«

Es überraschte Eragon, wie ruhig er war. Sein ganzes Leben lang hatte er sich gefragt, wer wohl sein Vater war. Als Murtagh behauptet hatte, es sei Morzan, hatte ihn das genauso tief erschüttert wie Garrows Tod. Auch die Wahrheit aus Glaedrs Mund hatte ihn schockiert, aber das Gefühl war schnell vergangen, vielleicht weil die Nachricht nicht so grausam war. Eragon dachte, dass er möglicherweise viele Jahre brauchen würde, um sich über die Gefühle für seine Eltern klar zu werden. *Mein Vater war ein Drachenreiter und meine Mutter war die Geliebte von Morzan und die Schwarze Hand.*

»Kann ich es Nasuada erzählen?«, fragte er.

Oromis breitete die Hände aus. »Erzähl es, wem immer du willst. Das Geheimnis gehört jetzt dir, und du kannst damit tun, was du magst. Ich bezweifle, dass es dich in eine noch größere Gefahr bringen würde, wenn die ganze Welt wüsste, dass du Broms Erbe bist.«

»Murtagh«, sagte Eragon. »Er glaubt, wir wären richtige Brüder. Das hat er mir in der alten Sprache erzählt.«

»Und ich bin sicher, Galbatorix denkt das auch. Es waren die Zwillinge, die dahintergekommen sind, dass ihr dieselbe Mutter habt, und das haben sie dem König übermittelt. Aber sie können ihm nichts von Brom erzählt haben, denn unter den Varden kannte niemand die Geschichte.«

Eragon schaute nach oben, als ein Schwalbenpaar über sie hinwegflog, und gestattete sich ein schiefes Lächeln.

»Warum lächelst du?«, fragte Oromis.

»Ich weiß nicht, ob Ihr es verstehen würdet.«

Der Elf faltete die Hände im Schoß. »Vielleicht nicht, vielleicht aber doch. Das wirst du nur herausfinden, wenn du versuchst, es mir zu erklären.«

Eragon suchte eine Weile nach den passenden Worten. »Als ich noch jünger war, bevor … das alles anfing« – er deutete auf Saphira und Oromis und Glaedr und die Welt im Allgemeinen –, »stellte ich mir aus Spaß immer vor, dass meine Mutter aufgrund ihrer großen Klugheit und Schönheit an den Höfen von Galbatorix' Adligen verkehrte. Ich stellte mir vor, wie sie von Stadt zu Stadt reiste und mit den Grafen und Gräfinnen in ihren Hallen speiste und dass … na ja, sie sich leidenschaftlich in einen reichen, mächtigen Mann verliebte, aber aus irgendeinem Grund gezwungen war, mich vor ihm zu verstecken, und mich deshalb an Garrow und Marian übergab, und dass sie eines Tages zurückkehren und mir erzählen würde, wer ich bin und dass sie mich niemals im Stich lassen wollte.«

»Das ist gar nicht so weit weg von der Wahrheit«, bemerkte Oromis.

»Nein, das stimmt… aber ich stellte mir vor, mein Vater und meine Mutter wären Persönlichkeiten von Rang und ich wäre auch jemand Bedeutendes. Das Schicksal hat mir gegeben, was ich wollte, aber die Wirklichkeit ist nicht so großartig und berauschend, wie ich es erwartet hatte… Ich schätze, ich habe über meine eigene Ahnungslosigkeit geschmunzelt und auch darüber, wie unglaublich das alles ist, was mir widerfahren ist.«

Eine leichte Brise fuhr über die Lichtung, streichelte das Gras zu ihren Füßen und bewegte sanft die Äste des Waldes um sie her. Eragon sah eine Weile zu, wie das Gras wippte, dann fragte er langsam: »War meine Mutter ein guter Mensch?«

»Das kann ich nicht sagen, Eragon. Ihre Lebensumstände waren kompliziert. Es wäre töricht und eingebildet, mir ein Urteil über jemanden anzumaßen, von dem ich so wenig weiß.«

»Ich muss es aber wissen!« Eragon verschränkte die Hände und presste die Finger zwischen die Knorpel auf seinen Knöcheln. »Als ich Brom fragte, ob er sie gekannt hätte, sagte er, sie sei stolz und würdevoll gewesen und hätte immer den Armen und weniger vom Schicksal Begünstigten geholfen. Aber wie konnte sie das? Wie konnte sie so sein und gleichzeitig die Schwarze Hand? Jeod hat mir einiges erzählt über die Dinge, die sie in Morzans Diensten getan hat – schreckliche, grauenhafte Dinge… War sie also schlecht? War es ihr egal, ob Galbatorix herrschte oder nicht? Und warum ist sie überhaupt mit Morzan mitgegangen?«

Oromis überlegte. »Liebe kann ein entsetzlicher Fluch sein, Eragon. Sie kann einen blind machen, selbst für die größten Fehler eines Menschen. Ich bezweifle, dass deine Mutter sich vollkommen über Morzans wahren Charakter im Klaren war, als sie Carvahall mit ihm verließ. Und hinterher musste sie tun, was er wollte. Sie wurde praktisch zu seiner Sklavin. Nur indem sie sich im Kern ihres Wesens wandelte, konnte sie seiner Herrschaft entkommen.«

»Aber Jeod meinte, es hätte ihr gefallen, was sie als Schwarze Hand tat.«

In Oromis' Zügen erschien eine leise Geringschätzung. »Berichte über vergangene Gräueltaten sind häufig übertrieben und verzerrt. Das solltest du dir merken. Niemand außer deiner Mutter weiß genau, was sie getan hat und warum oder wie sie sich dabei gefühlt hat, und sie kann es dir leider nicht mehr sagen.«

»Aber wem soll ich dann glauben?«, fragte Eragon verzweifelt. »Brom oder Jeod?«

»Als du Brom nach deiner Mutter gefragt hast, erzählte er dir, was er für ihre wichtigsten Eigenschaften hielt. Ich würde darauf vertrauen, dass er sie am besten gekannt hat. Und wenn das deine Zweifel nicht beseitigt, dann halte dir eines vor Augen: Was immer sie als Morzans Schwarze Hand verbrochen haben mag, am Ende hat sie sich auf die Seite der Varden geschlagen und außerordentliche Strapazen und Gefahren auf sich genommen, um dich zu schützen. In diesem Wissen solltest du dich nicht weiter mit der Frage nach ihrem Charakter quälen.«

Eine Spinne am seidigen Faden schwebte, vom Wind getrieben, an Eragon vorbei und hüpfte in den Luftwirbeln auf und ab. Als sie aus Eragons Blickfeld verschwunden war, sagte er: »Als ich zum ersten Mal in Tronjheim war, hat die Wahrsagerin Angela zu mir gesagt, dass es Broms Bestimmung war, mit allem zu scheitern, was er versuchte, nur nicht damit, Morzan zu töten.«

Oromis neigte den Kopf ein wenig. »Das könnte man denken. Jemand anderes würde vielleicht zu dem Schluss kommen, dass Brom viele schwierige und großartige Dinge erreicht hat. Das hängt ganz von dem Blickwinkel ab, aus dem man die Welt betrachtet. Die Worte von Wahrsagern sind selten einfach zu deuten. Meiner Erfahrung nach sind ihre Prophezeiungen dem Seelenfrieden nie besonders zuträglich. Wenn du glücklich sein willst, Eragon, dann denke nicht an das, was kommen wird, und auch nicht an das, worauf du keinen Einfluss hast, sondern lieber an das Jetzt und an das, was du zu ändern vermagst.«

Da fiel Eragon plötzlich etwas ein. »Blagden«, sagte er und meinte damit den weißen Raben, der Königin Islanzadi Gesellschaft leistete. »Er weiß auch über Brom Bescheid, oder?«

Oromis hob eine Augenbraue. »So? Ich habe nie mit ihm darüber gesprochen. Er ist ein launischer Bursche, auf den man sich nicht verlassen kann.«

»An dem Tag, als ich mit Saphira zu den Brennenden Steppen aufbrach, hat er mir ein Rätsel aufgegeben. … Ich erinnere mich nicht mehr an jede Zeile, aber es war irgendwas darüber, dass eins von zwei eins ist, während eins auch zwei sein kann. Vielleicht hat er ja darauf angespielt, dass Murtagh und ich nur einen gemeinsamen Elternteil haben.«

»Das ist nicht ausgeschlossen«, sagte Oromis. »Blagden war hier in Ellesméra, als Brom mir von dir erzählte. Es würde mich nicht wundern, wenn dieser krächzende schwarze Geselle bei unserer Unterhaltung zufällig in irgendeinem Baum in der Nähe gehockt hätte. Lauschen ist eine unselige Angewohnheit von ihm. Aber vielleicht war das Rätsel auch nur eine seiner sporadischen Anwandlungen von Hellsichtigkeit.«

Kurz darauf regte sich Glaedr und Oromis wandte sich um und sah den goldenen Drachen an. Dann erhob sich der Elf mit einer anmutigen Bewegung und sagte: »Obst, Nüsse und Brot sind schön und gut, aber nach der anstrengenden Reise solltest du deinen Magen mit etwas Gehaltvollerem füllen. Ich habe eine Suppe auf dem Feuer, um die ich mich kümmern muss, aber bitte, bemüh dich nicht. Ich bringe sie dir, wenn sie fertig ist.« Mit federleichten Schritten ging Oromis über das Gras und verschwand in seinem borkenumhüllten Haus. Als sich die geschnitzte Tür hinter ihm schloss, schnaufte Glaedr vernehmlich, dann schloss er die Augen, als würde er einschlafen.

Es wurde ganz still, bis auf das Rascheln der Zweige, die sich im Wind wiegten.

Broms Vermächtnis

Eragon blieb noch eine Weile an dem runden Tisch sitzen, dann stand er auf und schlenderte zum Rand der Felsen von Tel'naeír, wo er auf die wogenden Wälder tausend Fuß unter ihm blickte. Mit der Fußspitze stieß er ein Steinchen in den Abgrund und schaute ihm hinterher, bis es in den Tiefen des Blätterwaldes verschwunden war.

Ein Zweig knackte und Saphira tauchte hinter ihm auf. Sie ließ sich neben ihm nieder und folgte seinem Blick, während ihre Schuppen ihn mit Hunderten von tanzenden blauen Lichtreflexen bemalten. *Bist du mir böse?*, fragte sie.

Nein, natürlich nicht. Ich verstehe, dass du deinen Eid nicht brechen konntest. Ich wünschte nur, Brom hätte es mir selbst sagen können, statt es für nötig zu halten, die Wahrheit vor mir zu verbergen.

Sie schwenkte den Kopf zu ihm herum. *Und wie geht es dir jetzt, Eragon?*

Das weißt du so gut wie ich.

Vor ein paar Minuten wusste ich es, jetzt nicht mehr. Du bist so still geworden, und in dich hineinzuschauen, ist, wie in einen tiefen See zu blicken, dessen Grund ich nicht erkennen kann. Was geht in dir vor, Kleiner? Bist du wütend? Bist du froh? Oder empfindest du überhaupt nichts?

Ich akzeptiere die Dinge, wie sie sind, sagte er und wandte sich ihr zu. *Ich kann sie ja sowieso nicht ändern. Damit habe ich mich bereits nach den Brennenden Steppen getröstet. Es ist, wie es ist, da hilft alles Zähneknirschen nichts. Ich glaube, ich bin … froh, dass Brom mein Vater ist. Aber ich bin mir nicht ganz sicher. Es ist alles ein bisschen viel auf einmal.*

Vielleicht kann ich dir ja helfen. Möchtest du die Erinnerung sehen, die Brom für dich hinterlassen hat, oder möchtest du lieber noch damit warten?

Nein, bloß nicht warten, sagte er. *Womöglich bekommen wir sonst nie mehr die Gelegenheit dazu.*

Dann mach die Augen zu, und ich zeige dir, was einst war.

Eragon gehorchte und von Saphira brandete ihm ein Strom von Eindrücken entgegen: Bilder, Geräusche, Gerüche und mehr, alles, was sie zur Zeit der Erinnerung erlebt hatte.

Eragon sah eine Waldlichtung vor sich, irgendwo in den Ausläufern der Berge, die sich an der Westseite des Buckels aneinanderdrängten. Das Gras war fett und saftig und Schleier von gelblichgrünen Flechten hingen von den hohen moosbewachsenen Bäumen herab. Durch die häufigen Regenfälle, die vom Meer her landeinwärts zogen, waren die Wälder hier viel grüner und feuchter als im Palancar-Tal. Durch Saphiras Augen betrachtet, wirkte das Grün und Rot blasser, als es Eragon erschienen wäre, während der leiseste Hauch von Blau doppelt so kräftig leuchtete. Der Geruch von feuchter Erde und frischem Holz erfüllte die Luft.

Und mitten auf der Lichtung lag ein umgestürzter Baum und auf dem Stamm saß Brom.

Der alte Mann hatte die Kapuze seines Umhangs abgestreift und war barhäuptig. Auf seinem Schoß lag das Schwert Zar'roc. Den gedrehten runenverzierten Stab hatte er an den Baumstamm gelehnt. An Broms rechter Hand funkelte der Ring Aren.

Eine ganze Weile rührte er sich nicht. Dann schaute er mit zusammengekniffenen Augen zum Himmel auf und seine Hakennase warf einen langen Schatten über das Gesicht. Seine Stimme war rau, und Eragon schwankte, weil er das Gefühl hatte, von der Zeit zerrissen zu werden.

Dann sagte Brom: »Immer wieder zieht die Sonne ihre Bahn von

Horizont zu Horizont und immer wieder folgt ihr der Mond; die Tage vergehen und scheren sich nicht darum, dass ein Leben nach dem anderen erlischt.« Sein Blick kehrte zur Erde zurück und er sah Saphira und damit Eragon an. »So sehr sie auch dagegen ankämpfen, kein Lebewesen entrinnt dem Tod, nicht einmal die Elfen oder Geister. Alles geht einmal zu Ende. Wenn du das siehst, Eragon, dann ist mein Ende gekommen, und ich bin tot, und du weißt, dass ich dein Vater bin.«

Aus dem Lederbeutel an seinem Gürtel holte Brom seine Pfeife, stopfte sie gemächlich mit Carduskraut und entzündete sie mit einem leise gemurmelten *»Brisingr«*. Dann zog er ein paarmal an der Pfeife, ehe er fortfuhr: »Ich hoffe, wenn du das hier siehst, bist du in Sicherheit und es geht dir gut und Galbatorix ist tot. Ich weiß aber, dass das ziemlich unwahrscheinlich ist, und sei es auch nur, weil du ein Drachenreiter bist und ein Drachenreiter nicht ruhen darf, solange es im Land Unrecht gibt.« Er gluckste, und sein Bart zitterte, als er den Kopf schüttelte. »Ach, ich habe gar nicht genug Zeit, um auch nur die Hälfte von dem zu sagen, was ich dir gern sagen würde. Ich wäre glatt doppelt so alt wie jetzt, bevor ich fertig wäre. Um es kurz zu machen, gehe ich davon aus, dass Saphira dir bereits erzählt hat, wie deine Mutter und ich uns kennengelernt haben, wie Selena gestorben ist und wie es mich nach Carvahall verschlagen hat. Ich wünschte, wir beide könnten dieses Gespräch Auge in Auge führen, Eragon. Vielleicht kommt es ja noch dazu und Saphira braucht dir diese Erinnerung gar nicht zu überbringen, aber ich habe da meine Zweifel. Die Sorgen meiner Jahre drücken mich, Eragon, und ich spüre, wie mir eine Kälte in die Glieder kriecht, wie ich sie bis jetzt nicht gekannt habe. Ich glaube, es rührt daher, dass ich weiß, es ist nun an dir, das Banner zu tragen. Es gibt vieles, was ich noch zu vollenden hoffe, doch nichts davon ist für mich selbst, nur für dich. Aber du wirst alles, was ich je vollbracht habe, in den Schatten stellen, da bin ich ganz sicher. Doch ehe sich mein Grab über mir schließt, wollte ich dich wenigstens dieses eine Mal meinen Sohn nennen … Mein Sohn … Dein ganzes Leben habe ich mich danach gesehnt, dir zu offenbaren, wer ich bin. Nichts hat mich so glücklich gemacht, wie dich aufwachsen zu sehen, aber nichts hat mich auch so gequält wegen des Geheimnisses, das ich im Herzen trug.«

Brom stieß ein heiseres Lachen aus. »Nun, ich habe es nicht gerade geschafft, dich vor dem Imperium zu schützen, was? Und falls du dich immer noch fragst, wer die Schuld an Garrows Tod trägt, brauchst du nicht länger zu suchen, denn derjenige sitzt vor dir. Es war meine eigene Dummheit. Ich hätte nie nach Carvahall zurückkehren dürfen. Sieh dir doch an, wohin das Ganze geführt hat: Garrow tot und du ein Drachenreiter. Ich warne dich, Eragon, nimm dich in Acht, in wen du dich verliebst, denn das Schicksal scheint ein morbides Interesse an unserer Familie zu haben.«

Brom schloss die Lippen um den Pfeifenstiel, zog ein paarmal an dem glimmenden Carduskraut und blies den kalkweißen Rauch seitlich in die Luft. Der durchdringende Geruch stieg Saphira schwer in die Nüstern. Dann sagte Brom: »Es gibt viele Dinge, die ich bereue, aber du gehörst nicht dazu, Eragon. Du benimmst dich gelegentlich wie ein mondsüchtiger Narr – ich erinnere nur an die verdammten Urgals, die du entkommen hast lassen –, aber du bist kein größerer Dummkopf, als ich es in deinem Alter war.« Er nickte bedächtig. »Um ehrlich zu sein, ich war viel schlimmer. Ich bin stolz darauf, dass du mein Sohn bist, Eragon, stolzer, als du dir vorstellen kannst. Ich hätte nie gedacht, dass du ein Reiter werden würdest wie ich, noch habe ich mir diese Zukunft für dich gewünscht, aber wenn ich dich jetzt mit Saphira sehe, ach, dann könnte ich vor Vergnügen die Sonne ankrähen wie ein Hahn auf dem Mist.«

Er nahm noch einen Zug von der Pfeife. »Ich kann verstehen, wenn du mir böse bist, weil ich dir nichts gesagt habe. Ich wäre sicher auch nicht begeistert, den Namen meines Vaters auf diese Weise zu erfahren. Aber, ob es dir nun gefällt oder nicht, wir sind eine Familie, wir beide. Und wenn ich mich schon nicht so um dich kümmern konnte, wie es meine Pflicht als dein Vater gewesen wäre, so will ich dir das Einzige geben, was ich stattdessen für dich habe, und das sind gute Ratschläge. Hass mich, wenn du willst, Eragon, aber hör mir gut zu, denn ich weiß, wovon ich spreche.«

Mit seiner freien Hand griff Brom nach der Scheide seines Schwertes und die Venen auf seinem Handrücken traten deutlich hervor. Dann klemmte er sich die Pfeife in den Mundwinkel. »Also, mein Rat betrifft zwei Dinge. Was du auch tust, beschütze stets diejenigen, die du liebst. Ohne sie ist das Leben elender, als du es dir vorstellen kannst. Eine banale Feststellung, ich weiß, aber darum nicht weniger wichtig. Das ist der erste Teil meines Rates. Was den Rest anbelangt … Wenn du bereits das Glück hattest, Galbatorix zu töten – oder wenn *irgendjemand* dem Verräter die Kehle aufgeschlitzt hat –, dann herzlichen Glückwunsch. Wenn nicht, solltest du dir darüber im Klaren sein, dass Galbatorix dein größter und gefährlichster Feind ist. Solange er nicht tot ist, werdet ihr beide, du und Saphira, keinen Frieden finden. Sicher, du könntest dich in den entlegensten Winkel der Welt flüchten. Aber solange du dem Imperium den Frieden bringen willst, wirst du eines Tages unweigerlich Galbatorix gegenüberstehen. Tut mir leid, Eragon, aber so ist es nun mal. Ich habe gegen viele Magier und etliche der Abtrünnigen gekämpft und bis jetzt habe ich meine Gegner immer geschlagen.« Die Sorgenfalten auf seiner Stirn wurden tiefer. »Na ja, bis auf einen, aber da war ich noch nicht ausgewachsen. Jedenfalls war der Grund, warum ich immer triumphiert habe, der, dass ich im Gegensatz zu den meisten anderen meinen Verstand benutzt habe. Verglichen mit Galbatorix bin ich kein starker Magier und du bist es auch nicht, aber bei einem Zweikampf zwischen Magiern ist *Intelligenz* noch wichtiger als Stärke. Man besiegt einen Magier nicht, indem man blindlings auf seinen Geist eindrischt. Nein, um ihn zu schlagen, muss man erst herausfinden, wie er denkt und reagiert. Dann kennst du seine Schwachstellen und kannst ihn dort gezielt angreifen. Der Trick besteht nicht darin, sich einen völlig neuen Zauber auszudenken, den noch keiner kennt. Der Trick ist, einen zu finden, den dein Gegner übersehen hat, und ihn zu nutzen. Der Trick besteht nicht darin, die Barrieren in jemandes Geist mit Gewalt zu durchbrechen, der Trick ist, unter den Barrieren hindurch- oder an ihnen vorbeizuschlüpfen. Niemand ist allwissend, Eragon, vergiss das nicht. Galbatorix hat vielleicht ungeheure Macht, aber auch er kann nicht alles voraussehen. Egal was du tust, bleib immer beweglich in deinem Denken. Du darfst dich nie so in eine Idee verrennen, dass du nichts anderes mehr siehst. Galbatorix ist wahnsinnig und deshalb unberechenbar, aber seine Gedankengänge haben Lücken, die andere nicht haben. Wenn du sie findest, Eragon, dann könnt ihr ihn vielleicht vernichten.«

Mit ernster Miene ließ Brom die Pfeife sinken. »Ich hoffe, ihr schafft es. Mein größter Wunsch ist, dass ihr beide ein langes, fruchtbares Leben lebt, ohne Angst vor Galbatorix und dem Imperium. Ich wünschte, ich könnte euch vor all diesen Gefahren beschützen, aber leider liegt das nicht in meiner Macht. Ich kann dir nur diese Ratschläge geben und dir *jetzt* so viel wie möglich beibringen, solange ich noch da bin … Mein Sohn. Was auch geschieht, du sollst immer wissen, dass ich dich liebe, und das hat auch deine Mutter getan. Mögen die Sterne über dich wachen, Eragon Bromsson.«

Während Broms letzte Worte in Eragons Kopf nachhallten, löste sich die Erinnerung langsam auf und ließ nur Dunkelheit zurück. Eragon schlug die Augen auf und bemerkte verlegen, dass ihm Tränen über die Wangen liefen. Er lachte erstickt und wischte sich mit dem Hemdzipfel über die Augen. *Brom hatte tatsächlich Angst, ich würde ihn hassen,* sagte er schniefend.

Ist alles in Ordnung?, fragte Saphira.

Ja, sagte Eragon und hob den Kopf. *Wird schon wieder. Ein paar Dinge, die Brom getan hat, gefallen mir nicht, aber ich bin stolz darauf, ihn meinen Vater zu nennen und seinen Namen zu tragen. Er war ein großartiger Mensch … Ich finde es nur schade, dass ich nie die Gelegenheit hatte, mit meinen Eltern als Sohn zu reden.*

Immerhin war dir eine gewisse Zeit mit Brom vergönnt. Ich hatte weniger Glück. Meine Eltern starben lange, bevor ich geschlüpft bin. Ich kann sie höchstens in ein paar verschwommenen Erinnerungen von Glaedr sehen.

Eragon legte ihr die Hand auf den Hals, und sie trösteten sich gegenseitig, so gut es ging, während sie am Rand der Felsen von Tel'naeír standen und auf den Elfenwald hinabschauten.

Kurz darauf erschien Oromis wieder vor der Hütte und brachte zwei Schüsseln Suppe mit. Eragon und Saphira wandten sich von den Klippen ab und kehrten langsam zu dem kleinen Tisch neben Glaedrs massiger Gestalt zurück.

Geraubte Seelen

Als Eragon seine leere Schüssel wegschob, fragte Oromis: »Möchtest du ein Fairith von deiner Mutter sehen?«

Eragon erstarrte einen Moment lang, dann sagte er erstaunt: »Ja, bitte.«

Aus den Falten seines weißen Gewandes zog Oromis eine dünne graue Schieferplatte hervor und reichte sie ihm.

Der Stein fühlte sich kühl und glatt zwischen Eragons Fingern an. Er wusste, auf der anderen Seite würde er ein perfektes Abbild seiner Mutter vorfinden, das ein Elf vor vielen Jahren mittels Magie auf die mit Farbpigmenten vorbehandelte Steintafel projiziert hatte. Zitternde Unruhe ergriff ihn. Er hatte sich immer gewünscht, seine Mutter zu sehen, aber jetzt, wo es endlich so weit war, befiel ihn die Angst, er könnte enttäuscht sein.

Mit einiger Überwindung drehte er den Schiefer um und sah vor sich – so klar und deutlich, als blicke er aus einem Fenster – einen Garten mit roten und weißen Rosen im fahlen Licht der Morgendämmerung. Ein Kiesweg führte zwischen den Beeten hindurch, und mitten auf dem Weg kniete eine Frau, die eine weiße Rosenblüte zwischen den Händen hielt und mit geschlossenen Augen und einem leisen Lächeln daran roch. *Sie war wunderschön,* dachte Eragon. Ihr Gesichtsausdruck war sanft und zärtlich, auch wenn sie schwere Lederkleidung mit schwarzen Arm- und Beinschienen trug und Schwert und Dolch von ihrer Hüfte hingen. In ihren Gesichtszügen konnte Eragon eine leichte Ähnlichkeit zu sich selbst und ihrem Bruder Garrow feststellen.

Der Anblick faszinierte Eragon. Er legte die Hand auf die Oberfläche der Schiefertafel und wünschte sich, er könne in das Bild hineingreifen und sie berühren.

Mutter.

»Brom hat mir dieses Fairith zur Aufbewahrung gegeben, bevor er nach Carvahall aufgebrochen ist«, sagte Oromis, »und jetzt gebe ich es dir.«

Ohne aufzuschauen, fragte Eragon: »Würdet Ihr es auch für mich aufbewahren? Es könnte zerbrechen, wenn wir unterwegs sind und kämpfen müssen.«

Die Pause, die darauf folgte, machte Eragon stutzig. Nur widerwillig löste er den Blick vom Bildnis seiner Mutter und stellte fest, dass Oromis wehmütig und geistesabwesend wirkte. »Nein, Eragon, das kann ich nicht. Du musst dir dafür jemand anderen suchen.«

Warum?, wollte Eragon fragen, aber die Trauer in Oromis' Augen hielt ihn davon ab.

Der Elf ergriff erneut das Wort: »Deine Zeit hier ist begrenzt und wir müssen noch über viele Dinge reden. Soll ich raten, was du als Nächstes wissen willst, oder sagst du es mir?«

Nur widerwillig legte Eragon das Fairith mit dem Bild nach unten auf den Tisch. »Die beiden Male, die wir gegen Murtagh und Dorn gekämpft haben, war Murtagh mächtiger, als es irgendein Mensch sein sollte. Auf den Brennenden Steppen hat er Saphira und mich besiegt, weil wir nicht wussten, wie stark er war. Wenn er es sich nicht noch anders überlegt hätte, wären wir jetzt Gefangene in Urû'baen. Ihr habt einmal erwähnt, Ihr wüsstet, wie Galbatorix so mächtig geworden ist. Wollt Ihr es uns verraten, Meister? Wir müssen es wissen; zu unserer eigenen Sicherheit.«

»Es euch zu erzählen, steht mir nicht zu«, entgegnete Oromis.

»Wem dann?«, wollte Eragon wissen. »Ihr könnt doch nicht …«

Hinter Oromis öffnete Glaedr eines seiner goldgelben Augen, das so groß war wie ein Rundschild, und sagte: *Mir … Der Ur-*

sprung von Galbatorix' Macht liegt in den Herzen der Drachen. Von uns stiehlt er seine Kraft. Ohne unsere Hilfe wäre er längst den Elfen oder den Varden unterlegen.

Eragon runzelte die Stirn. »Das verstehe ich nicht. Warum solltet ihr Galbatorix helfen? Und wie könntet ihr es überhaupt? In Alagaësia gibt es nur noch vier Drachen und ein Ei – oder?«

Viele der Drachen, deren Körper Galbatorix und die Abtrünnigen abgeschlachtet haben, sind heute noch am Leben.

»Noch am Leben?« Eragon sah Oromis Hilfe suchend an, aber der Elf schwieg mit unergründlicher Miene. Noch mehr aber irritierte Eragon, dass Saphira seine Verwirrung nicht zu teilen schien.

Der goldene Drache drehte den Kopf, der nach wie vor auf seinen Pfoten lag, um Eragon direkt ins Gesicht blicken zu können, und seine Schuppen kratzten aneinander. *Anders als bei den meisten Lebewesen,* erklärte er, *sitzt das Bewusstsein eines Drachen nicht nur in seinem Kopf. In unserer Brust gibt es ein hartes edelsteinartiges Gebilde, das in seiner Zusammensetzung unseren Schuppen gleicht. Es wird Eldunarí genannt, was »Seelenhort« bedeutet. Wenn ein Drache aus dem Ei schlüpft, ist sein Eldunarí klar und glanzlos. Normalerweise bleibt er das ganze Leben eines Drachen hindurch so und löst sich mit dem Körper auf, wenn er stirbt. Aber wenn wir wollen, können wir unser Bewusstsein in den Eldunarí strömen lassen. Dann nimmt er dieselbe Farbe an wie unsere Schuppen und beginnt, zu glühen wie ein Stück Kohle. Wenn ein Drache sich dazu entscheidet, bleibt sein Eldunarí über den Verfall seines Körpers hinaus bestehen und sein Wesen kann auf unbestimmte Zeit weiterleben. Außerdem kann ein Drache seinen Seelenhort, auch das Herz der Herzen genannt, noch zu Lebzeiten ausspeien. Sein Körper und sein Bewusstsein können in diesem Fall unabhängig voneinander existieren, wobei sie trotzdem miteinander verbunden sind, was unter bestimmten Umständen äußerst nützlich sein kann. Allerdings setzt uns dieser Zustand einer großen Gefahr aus, denn wer auch immer über unseren Seelenstein ver-*

fügt, hält unsere Seele in Händen und kann uns für seine Zwecke benutzen, so abscheulich sie auch sein mögen.

Was Glaedr da andeutete, erstaunte Eragon. Er richtete seinen Blick auf Saphira und fragte: *Hast du das gewusst?*

Die Schuppen an ihrem Hals raschelten, als sie den Kopf in einer seltsamen schlangenartigen Bewegung hin und her wiegte. *Ich wusste, dass ich einen Seelenhort besitze, und habe ihn auch immer in mir gespürt, aber es ist mir nie in den Sinn gekommen, es dir gegenüber zu erwähnen.*

Warum nicht, wo es so unendlich wichtig ist?

Würdest du etwa auf die Idee kommen, jemandem zu erzählen, dass du einen Magen hast? Oder ein Herz oder eine Leber oder sonst irgendein Organ? Mein Eldunarí gehört zu mir wie alles andere. Ich habe seine Existenz nie für besonders erwähnenswert gehalten … zumindest nicht, bis wir das erste Mal nach Ellesméra kamen.

Also wusstest du es!

Nur teilweise. Glaedr hat so eine Andeutung gemacht, mein Seelenhort sei wichtiger, als ich dächte, und ich sollte gut darauf aufpassen, damit ich mich selbst nicht aus Versehen unseren Feinden ausliefern würde. Mehr hat er nicht gesagt, aber ich habe mir seitdem so einiges von dem zusammengereimt, was er eben erzählt hat.

Und trotzdem hast du nie etwas gesagt?, wollte Eragon wissen.

Ich wollte schon, knurrte sie, *aber so wie Brom habe ich auch Glaedr mein Wort gegeben, mit niemandem darüber zu reden, nicht einmal mit dir.*

Und damit warst du einverstanden?

Ich vertraue Glaedr und ich vertraue Oromis. Du nicht?

Stirnrunzelnd wandte sich Eragon wieder dem Elf und dem goldenen Drachen zu. »Warum habt ihr uns das nicht eher erzählt?«

Oromis schenkte sich Wein nach und sagte: »Um Saphira zu schützen.«

»Sie zu schützen? Wovor denn?«

Vor dir, erwiderte Glaedr. Eragon war so überrascht und entrüstet, dass Glaedr bereits weitersprach, bevor Eragon zu einem Protest ansetzen konnte. *In der Wildnis erfuhr ein Drache von einem Ältesten, was es mit dem Eldunarí auf sich hat, wenn er alt genug war, um richtig damit umzugehen. Auf diese Weise sollte verhindert werden, dass ein Drache sein Bewusstsein in den Seelenhort verlagert, ohne sich der vollen Tragweite seiner Handlung bewusst zu sein. Mit den Drachenreitern entstand ein neuer Brauch. Die ersten paar Jahre der Partnerschaft zwischen einem Drachen und seinem Reiter sind entscheidend für die Entwicklung einer gesunden Beziehung zwischen den beiden, und die Drachenreiter entdeckten, dass es besser war abzuwarten, bis neue Drachenreiter und Drachen sich richtig aneinander gewöhnt hatten, bevor sie ihnen von dem Eldunarí erzählten. Sonst würde ein Drache in seinem jugendlichen Überschwang womöglich beschließen, seinen Seelenstein auszuspeien, nur um seinen Reiter zu beeindrucken oder ihm einen Gefallen zu tun. Wenn wir unseren Eldunarí aufgeben, geben wir die Verkörperung unseres ganzen Seins auf. Und wenn er einmal weg ist, können wir ihn nicht wieder in unseren Körper zurückholen. Ein Drache sollte sich nicht leichtfertig von seinem Bewusstsein trennen, denn es wird sein gesamtes späteres Leben verändern, selbst wenn es noch tausend Jahre andauern sollte.*

»Trägst du deinen Seelenhort noch in dir?«, fragte Eragon ihn.

Das Gras um den Tisch herum bog sich unter dem heißen Luftstrom, der aus Glaedrs Nüstern schoss. *Es steht dir nicht zu, irgendeinem anderen Drachen außer Saphira diese Frage zu stellen. Wage es nicht, sie noch einmal an mich zu richten, Küken.*

Obwohl Glaedrs Rüge ihm die Schamesröte ins Gesicht trieb, besaß Eragon die Geistesgegenwart, angemessen zu reagieren. Er verbeugte sich und sagte: »Ja, Meister.« Dann fragte er: »Was … was passiert, wenn dein Eldunarí zerstört wird?«

Wenn ein Drache sein Bewusstsein bereits in seinen Seelenhort verlagert hat, stirbt er eines wahrhaftigen Todes. Mit einem hörbaren Klick blinzelte Glaedr: Seine inneren und äußeren Augenlider zuckten blitzartig über die Strahlenkugel seiner Iris. *Bevor wir unseren Pakt mit den Elfen schlossen, bewahrten wir unsere Seelen in Du Fells Nángoröth auf, den Bergen im Zentrum der Wüste Hadarac. Später, als sich die Drachenreiter auf der Insel Vroengard niederließen und dort eine Gruft für die Eldunarí bauten, vertrauten sowohl die Drachen mit Reitern als auch die wilden Drachen ihre Seelen der Obhut der Drachenreiter an.*

»Und dann«, sagte Eragon, »hat Galbatorix die Eldunarí geraubt?«

Entgegen seiner Erwartung war es diesmal Oromis, der antwortete: »Ja, aber nicht alle auf einmal. Es war schon so lange her gewesen, dass jemand die Drachenreiter ernsthaft bedroht hatte, dass viele von unserem Orden nachlässig geworden waren, was den Schutz der Eldunarí betraf. Zu der Zeit, als sich Galbatorix gegen uns wandte, war es nichts Ungewöhnliches, dass ein Drache sich allein aus dem Grund von seinem Eldunarí trennte, weil es einfacher war.«

»Einfacher?«

Jeder, der einen Seelenstein in Händen hält, sagte Glaedr, *kann sich mit dem Drachen, von dem er stammt, verständigen, ohne dass die Entfernung zu ihm dabei eine Rolle spielt. Wenn der Reiter den Eldunarí seines Drachen dabeihatte, konnten sie ihre Gedanken ebenso mühelos teilen wie du und Saphira jetzt, auch wenn ganz Alagaësia zwischen ihnen lag.*

»Außerdem«, ergänzte Oromis, »kann ein Magier, der einen Eldunarí besitzt, die Energie des Drachen anzapfen, um seinen Beschwörungen mehr Kraft zu verleihen, und auch hierbei ist es unerheblich, wo sich der Drache befindet. Wenn …«

Ein leuchtend bunter Kolibri schoss über den Tisch und unterbrach dadurch das Gespräch. Er labte sich, in der Luft schwirrend, kurz am Saft einer zerquetschten Brombeere und sauste dann wieder davon, um alsbald zwischen den Baumstämmen des Waldes zu verschwinden.

Oromis nahm das Gespräch wieder auf: »Als Galbatorix den ersten Reiter umbrachte, stahl er auch den Seelenstein seines Drachen. In den darauffolgenden Jahren, in denen Galbatorix sich in der Wildnis versteckte, brach er den Willen des Drachen und unterwarf ihn sich; wahrscheinlich mit Durzas Hilfe. Und als er sich dann mit Morzan an seiner Seite wahrhaftig gegen die Drachenreiter erhob, war er bereits mächtiger als die meisten von ihnen. Seine Stärke war nicht allein magischer, sondern auch geistiger Natur, denn sein Bewusstsein wurde durch das des Eldunarí erweitert.

Aber Galbatorix gab sich nicht damit zufrieden, die Drachen und ihre Reiter umzubringen. Er machte es sich zum Ziel, so viele Eldunarí zu besitzen wie möglich, entweder indem er sie den Reitern raubte oder einen Reiter so lange folterte, bis dessen Drache seinen Seelenstein ausspie. Als wir erkannten, was Galbatorix vorhatte, war er bereits zu mächtig, um ihn noch aufzuhalten. Dabei half ihm der Umstand, dass viele Drachenreiter damals nicht nur mit dem Seelenhort ihres eigenen Drachen unterwegs waren, sondern auch Eldunarí von verstorbenen Drachen mitnahmen, denen es zu langweilig war, in einer Wandnische herumzustehen, und die sich nach Abenteuern sehnten. Und als Galbatorix schließlich mit den Abtrünnigen die Stadt Dorú Areaba auf der Insel Vroengard plünderte, fiel ihm natürlich der gesamte Bestand der dort aufbewahrten Eldunarí in die Hände.

Galbatorix' Erfolg beruhte darauf, dass er die Macht und Weisheit der Drachen gegen Alagaësia einsetzte. Anfangs war er nicht in der Lage, mehr als eine Handvoll der Eldunarí zu beherrschen, die er in seinen Besitz gebracht hatte. Es ist nicht so einfach, einen Drachen zu zwingen, sich dir zu unterwerfen, ganz gleich, wie stark du bist. Aber sobald Galbatorix die Drachenreiter vernichtet und sich als König in Urû'baen eingerichtet hatte, zog er sich zurück und widmete sich ganz der Aufgabe, nach und nach die Kontrolle über die restlichen Drachenseelen zu erlangen.

Wir glauben, dass ihn das den Großteil der nächsten vierzig Jahre über beschäftigte, eine Zeit, in der er sich kaum um Staatsangelegenheiten kümmerte – deshalb konnten sich die Bewohner von Surda auch vom Imperium lossagen. Als er so weit war, tauchte Galbatorix wieder aus seiner selbst gewählten Abgeschiedenheit auf und begann, seine Herrschaft über das Imperium und die umliegenden Länder zu behaupten. Aus irgendeinem Grund zog er sich nach zweieinhalb Jahren erneuten Gemetzels und Elends wieder nach Urû'baen zurück, und dort ist er seitdem geblieben, nicht in so großer Einsamkeit wie zuvor, aber offensichtlich auf irgendein Vorhaben konzentriert, das nur er kennt. Er hat viele Laster, aber der Ausschweifung hat er sich nicht hingegeben; so viel haben die Spione der Varden herausgefunden. Mehr konnten wir leider nicht in Erfahrung bringen.«

Gedankenverloren blickte Eragon in die Ferne. Zum ersten Mal ergaben all die Geschichten, die er über Galbatorix' übernatürliche Kräfte gehört hatte, einen Sinn. Gedämpfter Optimismus stieg in ihm auf, als er sich sagte: *Ich weiß zwar noch nicht, wie, aber wenn wir es schaffen, die Eldunarí aus Galbatorix' Gewalt zu befreien, dann wäre er nicht mehr mächtiger als irgendein gewöhnlicher Drachenreiter.* So vage diese Aussicht auch war, es ermutigte Eragon zu wissen, dass der König eine verwundbare Stelle hatte, mochte sie auch noch so klein sein.

Als er weiter über die Sache nachdachte, stellte sich ihm eine andere Frage. »Wie kommt es, dass die Drachenseelen in den Geschichten und Aufzeichnungen von einst nirgendwo erwähnt werden? Wenn sie so wichtig sind, müssten die Barden und Gelehrten doch davon sprechen und schreiben.«

Oromis legte die Hand flach auf den Tisch und sagte: »Von allen Geheimnissen in Alagaësia ist dies das bestgehütete, selbst unter meinem Volk. Zu allen Zeiten waren die Drachen bestrebt, ihre Eldunarí vor dem Rest der Welt zu verheimlichen. Sie haben uns erst davon erzählt, nachdem der magische Pakt zwischen unseren beiden Völkern geschlossen war, und auch dann nur einigen Auserwählten.«

»Aber warum?«

Ach, seufzte Glaedr, *wir haben das Gebot der Verschwiegenheit oft genug missachtet, aber wenn die Existenz der Eldunarí allgemein bekannt geworden wäre, hätte jeder dahergelaufene Halunke im Land versucht, einen davon zu stehlen, und letztendlich hätten es wohl einige geschafft. Das wollten wir unbedingt verhindern.*

»Gibt es denn für einen Drachen keine Möglichkeit, seinen Eldunarí zu verteidigen?«, fragte Eragon.

Glaedrs Augen schienen heller zu funkeln denn je. *Eine berechtigte Frage. Ein Drache aus Fleisch und Blut, der seinen Eldunarí ausgespien hat, kann ihn natürlich mit Zähnen, Klauen, seinem Schwanz und seinen schlagenden Flügeln verteidigen. Aber ein toter Drache hat keine dieser Möglichkeiten mehr. Seine einzige Waffe ist sein Verstand und vielleicht, wenn der Zeitpunkt günstig ist, die Magie, die wir aber nicht willentlich kontrollieren können. Aus diesem Grund haben viele Drachen es vorgezogen, ihr Leben nicht über den Tod ihres Körpers hinaus zu verlängern. Sich nicht aus eigener Kraft fortbewegen zu können, die Welt um sich her nur über das Bewusstsein eines anderen zu erleben und den Lauf der Dinge nur mit seinen Gedanken oder mit seltenen und unvorhersehbaren magischen Schüben zu beeinflussen, wäre für jedes Lebewesen schwer zu akzeptieren, aber ganz besonders für einen Drachen, denn wir sind die freiesten aller Geschöpfe.*

»Warum haben sie es dann trotzdem getan?«, fragte Eragon.

Manchmal ist es aus Versehen passiert. In dem Moment, in dem ihr Körper versagte, kann ein Drache in Panik geraten und sich in sein Herz der Herzen flüchten. Und wenn ein Drache seinen Seelenhort ausgespien hatte, bevor sein Körper starb, blieb ihm nichts anderes übrig, als es zu ertragen. Aber meist waren die Drachen, die in ihrem Eldunarí weiterleben wollten, steinalt. Älter als Oromis und ich es jetzt sind, so alt, dass ihnen ihr Körper nichts mehr bedeutete und sie sich in sich selbst zurückgezogen hatten und den Rest der Ewigkeit damit verbringen wollten, über Fragen nachzudenken, die jüngere Lebewesen nicht begreifen können. Wir verehrten und hüteten die Seelensteine dieser Drachen wegen ihrer umfassenden Weisheit und Erfahrung. Für wilde Drachen wie für

Drachen mit Reitern und auch für die Drachenreiter war es gleichermaßen üblich, bei schwierigen Problemen ihren Rat zu erfragen. Dass Galbatorix sie versklavt hat, ist ein Verbrechen von unvorstellbarer Grausamkeit und Niedertracht.

Jetzt habe ich *eine Frage,* meldete sich Saphira und das starke Pulsieren ihrer Gedanken erfüllte Eragons Geist. *Wenn einer von uns erst mal in seinem Eldunarí eingeschlossen ist, muss er dann unbedingt weiterleben oder kann er, wenn er diesen Zustand nicht mehr erträgt, aufhören, an der Welt festzuhalten, und sich ins Dunkel fallen lassen?*

»Nicht aus eigener Kraft«, erklärte Oromis. »Es sei denn, die Magie kommt im richtigen Augenblick über ihn und gibt dem Drachen die Macht, seinen Eldunarí von innen zu zerstören, was meines Wissens äußerst selten vorgekommen ist. Die einzige andere Möglichkeit besteht darin, dass der Drache jemand anderen dazu bringt, seinen Seelenstein für ihn zu zerstören. Diese Hilflosigkeit ist ein weiterer Grund, warum die Drachen so extrem vorsichtig damit waren, ihre Seele in dieses Herz zu übertragen: Um sich nicht selbst in ein Gefängnis zu sperren, aus dem es kein Entrinnen gibt.«

Eragon konnte spüren, wie wenig Saphira diese Vorstellung behagte. Doch sie redete nicht darüber, sondern fragte: *Wie viele Eldunarí hat Galbatorix versklavt?*

»Die genaue Anzahl kennen wir nicht«, sagte Oromis, »aber wir schätzen, es sind viele Hundert.«

Ein Glitzern zog sich über ihren sich schlängelnden Körper. *Dann sind wir am Ende doch nicht vom Aussterben bedroht?*

Oromis zögerte, und es war Glaedr, der antwortete: *Kleines,* sagte er, und die Anrede erstaunte Eragon, *selbst wenn der Boden mit Eldunarí gepflastert wäre, müssten wir doch untergehen. Ein Drache in einem Eldunarí ist immer noch ein Drache, aber er hat weder fleischliche Triebe noch die Organe, sie zu befriedigen. Er kann sich nicht vermehren.*

Eragon schwirrte der Kopf und er wurde sich zunehmend seiner

Erschöpfung aufgrund der viertägigen Reise bewusst. Er konnte jetzt keinen Gedanken mehr länger als ein paar Minuten festhalten; bei der geringsten Ablenkung entglitten sie ihm.

Saphiras Schwanzspitze zuckte. *Ich bin nicht so dumm zu glauben, Eldunarí könnten Nachkommen zeugen. Trotzdem tröstet es mich zu wissen, dass ich nicht so allein bin, wie ich einst dachte … Vielleicht sind wir ja zum Aussterben verdammt, aber immerhin leben noch mehr als vier Drachen auf dieser Welt, ob sie nun in ihrer Haut stecken oder nicht.*

»Das ist wahr«, sagte Oromis, »aber sie sind ebenso Galbatorix' Gefangene wie Murtagh und Dorn.«

Sie zu befreien, gibt mir etwas, wofür ich kämpfen kann, zusammen mit der Rettung des letzten Eises, sagte Saphira.

»Es ist etwas, wofür wir beide kämpfen können«, bekräftigte Eragon. »Wir sind ihre einzige Hoffnung.« Mit dem Daumen rieb er sich die Augenbraue, dann sagte er: »Da gibt es immer noch etwas, was ich nicht verstehe.«

»So?«, fragte Oromis. »Woran rätselst du noch herum?«

»Wenn Galbatorix seine Macht aus den Seelen zieht, woher nehmen sie selbst diese Energie?« Eragon hielt inne und suchte nach einer besseren Formulierung für seine Frage. Er zeigte auf die Schwalben, die über den Himmel flitzten. »Jedes Geschöpf isst und trinkt, um sich am Leben zu erhalten, selbst die Pflanzen. Nahrung erzeugt die Energie, die unser Körper braucht, um zu funktionieren – und auch die Energie, die wir brauchen, um Zauber zu wirken, ob wir uns dabei nun auf unsere eigene Kraft stützen oder auf die von anderen. Aber wie funktioniert das bei diesen Seelensteinen? Sie haben doch keine Haut und keine Muskeln und Knochen. Und sie essen auch nicht, oder? Aber wie überleben sie dann? Woher kommt ihre Energie?«

Oromis lächelte und seine länglichen Zähne glänzten wie glasiertes Porzellan. »Von der Magie.«

»Der Magie?«

»Wenn man Magie als Steuerung von Energie definiert, was sie ja auch ist, dann ja, durch Magie. Woraus die Eldunarí sich speisen, ist sowohl uns als auch den Drachen ein Rätsel. Niemand hat je die Quelle ausfindig gemacht. Mag sein, dass sie das Sonnenlicht absorbieren wie die Pflanzen oder sich von der Lebensenergie der Wesen in ihrer Nähe ernähren. Wie auch immer die Antwort lautet, eines wissen wir mit Sicherheit: Wenn ein Drache stirbt und sein Bewusstsein in das Herz der Herzen wandert, nimmt er all die Kraft mit, die er in seinem Körper gespeichert hatte, als dieser aufhörte zu arbeiten. Danach wächst ihr Energievorrat in den nächsten fünf bis sieben Jahren stetig an, bis er seinen Höchststand erreicht hat, der tatsächlich enorm ist. Die Gesamtmenge an Energie, die ein Eldunarí enthalten kann, hängt von seiner Größe ab. Je älter ein Drache ist, desto größer ist sein Seelenstein und desto mehr Energie kann er aufnehmen.«

Eragon dachte an ihren letzten Kampf gegen Murtagh und Dorn zurück. »Galbatorix muss Murtagh mehrere Eldunarí gegeben haben«, sagte er. »Das ist die einzige Erklärung für seine ungeheure Stärke.«

Oromis nickte. »Du hattest Glück, dass Galbatorix ihn nicht mit noch mehr Seelensteinen ausgestattet hat, sonst hätte Murtagh euch beide, Arya und alle anderen Magier auf deiner Seite mühelos überwältigen können.«

Eragon erinnerte sich, dass sich Murtaghs Geist bei ihren beiden letzten Begegnungen angefühlt hatte, als sei er von einer Vielzahl von Wesen erfüllt. Er teilte die Erinnerung mit Saphira und sagte: *Das müssen die Eldunarí gewesen sein, die ich gespürt habe … Ich frage mich nur, wo Murtagh sie versteckt hatte. Dorn trug keine Satteltaschen und ich habe auch keine seltsamen Ausbeulungen an Murtaghs Kleidung bemerkt.*

Ich weiß es nicht, sagte Saphira. *Aber ist dir klar, dass Murtagh die Eldunarí gemeint haben muss, als er sagte, du solltest besser seine Herzen herausreißen, statt dir dein eigenes Herz aus der Brust zu reißen? Seine Herzen, nicht sein Herz.*

Du hast recht! Vielleicht wollte er mich ja warnen. Eragon holte tief Luft, um die Beklemmung in seiner Brust loszuwerden, und lehnte sich auf seinem Stuhl zurück. »Gibt es, abgesehen von Saphiras Seelenhort und dem von Glaedr, noch irgendwelche Eldunarí, die Galbatorix nicht erbeutet hat?«

Um Oromis' Mundwinkel erschienen dünne Linien. »Nicht dass ich wüsste. Nach dem Sturz der Drachenreiter hat sich Brom auf die Suche nach Seelensteinen gemacht, die Galbatorix übersehen haben könnte, aber ohne Erfolg. Und auch ich habe in all den Jahren, in denen ich Alagaësia mit dem Geist durchforstete, nicht mal den Hauch eines Gedankens von einem Eldunarí empfangen. Wir wussten über jeden einzelnen Eldunarí Bescheid, als Galbatorix und Morzan ihren Feldzug gegen uns begannen, und keiner davon ist spurlos verschwunden. Es ist schwer vorstellbar, dass irgendwo noch ein größerer Vorrat an Seelensteinen versteckt liegt, die darauf warten, uns zu helfen, wenn wir sie nur finden könnten.«

Auch wenn Eragon keine andere Antwort erwartet hatte, war er doch enttäuscht. »Noch eine letzte Frage. Nach dem Tod eines Drachenreiters oder seines Drachen ging der überlebende Teil der Verbindung häufig bald darauf zugrunde oder nahm sich das Leben. Und die Übrigen hat der Verlust für gewöhnlich in den Wahnsinn getrieben, hab ich recht?«

Ja, sagte Glaedr.

»Aber was passiert, wenn der Drache sein Bewusstsein in dieses Herz überträgt, kurz bevor er stirbt?«

Durch die Sohlen seiner Stiefel verspürte Eragon ein leichtes Beben, als der goldene Drache sein Gewicht verlagerte. Dann sagte er: *Wenn der Körper eines Drachen stirbt und sein Reiter lebt noch, verschmelzen sie zu einem Indlvarn. Der Übergang ist für den Drachen nicht sehr angenehm, aber es gab viele Reiter und Drachen, die sich schnell an die Veränderung gewöhnten und den anderen Drachenreitern weiterhin ehrenvoll dienten. Wenn allerdings der Reiter starb, zerstörte der Drache oft seinen Eldunarí oder ließ ihn zerstören, um seinem Reiter in die große Leere zu folgen. Aber nicht alle. Manche Drachen – und auch einige Drachenreiter so wie*

Brom – schafften es, mit ihrem Verlust fertigzuwerden, und unterstützten unseren Orden noch viele Jahre lang, sei es mit ihrem Körper oder mit ihrem Seelenstein.

Ihr habt uns viel Stoff zum Nachdenken gegeben, Oromis-Elda, sagte Saphira.

Eragon nickte, schwieg aber, denn er war vollauf damit beschäftigt zu verarbeiten, was er gehört hatte.

Die Hände eines Kriegers

Eragon knabberte an einer warmen, süßen Erdbeere, während er in die unergründlichen Weiten des Himmels starrte. Als er die Beere aufgegessen hatte, legte er den Stängel auf das Tablett vor sich, schob ihn mit dem Finger genau an die richtige Stelle und öffnete den Mund, um etwas zu sagen.

Oromis kam ihm zuvor. »Was jetzt, Eragon?«

»Was jetzt?«

»Wir haben ausführlich über all die Themen gesprochen, die dir auf dem Herzen lagen. Was kommt als Nächstes? Ihr könnt nicht lange in Ellesméra bleiben, deshalb frage ich mich, ob euer Besuch noch einem weiteren Zweck dienen soll. Oder beabsichtigst du etwa, gleich morgen früh wieder aufzubrechen?«

»Wir hatten gehofft«, erwiderte Eragon, »unsere Ausbildung nach unserer Rückkehr hierher wieder aufnehmen zu können. Offenkundig fehlt uns dafür die Zeit, aber etwas anderes würde ich gerne tun.«

»Und was wäre das?«

»Meister, ich habe Euch nicht alles erzählt, was sich ereignet hat, als Brom und ich in Teirm waren.« Dann schilderte Eragon ihm, wie die Neugier ihn in Angelas Kräuterladen geführt hatte, wo die Heilerin ihm die Zukunft vorhersagte und die Werkatze ihm jenen rätselhaften Rat gab.

Oromis strich sich nachdenklich über die Oberlippe. »Ich habe im letzten Jahr immer wieder von dieser Wahrsagerin gehört; von dir und auch in den Berichten, die Arya aus dem Lager der Varden geschickt hat. Diese Angela scheint die besondere Gabe zu haben, immer dort aufzutauchen, wo große Ereignisse bevorstehen.«

Die hat sie, bestätigte Saphira.

»Ihr Verhalten erinnert mich stark an eine menschliche Zauberin, die einst die Hallen von Ellesméra besucht hat«, fuhr Oromis fort. »Allerdings nannte sie sich nicht Angela. Ist diese Frau klein, hat dichte, wallende Locken, blitzende Augen und einen Verstand, der ebenso scharf wie befremdlich ist?«

»Ihr habt sie perfekt beschrieben«, antwortete Eragon. »Meint Ihr, es handelt sich um dieselbe Person?«

Oromis machte eine knappe Handbewegung. »Falls ja, ist sie eine höchst bemerkenswerte Frau. Was allerdings ihre Prophezeiungen betrifft … Ich würde nicht allzu viele Gedanken an sie verschwenden. Entweder sie bewahrheiten sich oder nicht. Solange wir nicht mehr wissen, können wir ohnehin den Lauf der Dinge nicht beeinflussen.

Was die Werkatze sagte, scheint mir hingegen weit mehr Beachtung zu verdienen. Bedauerlicherweise kann ich ihre Worte nicht aufklären. Von einem Verlies der Seelen habe ich noch nie gehört, und auch wenn mir der Felsen von Kuthian vage bekannt vorkommt, weiß ich nicht genau, wo ich auf den Namen gestoßen bin. Ich werde in meinen Schriftrollen nachsehen, aber mein Instinkt sagt mir, dass ich den Namen in den Aufzeichnungen der Elfen nicht finden werde.«

»Was ist mit dieser Waffe, die unter dem Menoa-Baum liegen soll?«

»Von einer solchen Waffe habe ich nie gehört, Eragon, und ich bin mit den Geschichten und Sagen dieses Waldes wohl vertraut. In ganz Du Weldenvarden gibt es höchstens zwei Elfen, die mehr über den Wald wissen als ich. Ich werde die beiden danach fragen, aber ich habe wenig Hoffnung.« Als Eragon seine Enttäuschung offen zeigte, sagte Oromis: »Ich verstehe, dass du einen würdigen Ersatz für Zar'roc brauchst, Eragon, und dabei kann ich dir helfen. Abgesehen von meiner eigenen Klinge Naegling haben die Elfen zwei weitere Schwerter der Drachenreiter über die Zeit gerettet: Arvindr und Támerlein. Arvindr wird gegenwärtig in der Stadt Nädindel aufbewahrt, doch die Reise dorthin würde zu lange dauern. Támerlein hingegen befindet sich hier in Ellesméra. Es wird in den Hallen der Valtharos wie ein Schatz gehütet, und auch wenn Lord Fiolr sich sicher nur ungern davon trennt, wird er dir das Schwert wohl anvertrauen, wenn du ihn respektvoll darum bittest. Ich sorge dafür, dass du dich morgen mit ihm treffen kannst.«

»Und wenn das Schwert nicht zu mir passt?«, fragte Eragon.

»Hoffen wir, dass es passt. Ich benachrichtige jedoch auch die Schmiedin Rhunön, dass du sie später am Tag aufsuchen wirst.«

»Sie hat doch geschworen, niemals wieder ein Schwert zu schmieden?«

Oromis seufzte. »Das stimmt, aber allein ihr Rat ist es wert, sie aufzusuchen. Wenn dir jemand die rechte Waffe empfehlen kann, dann Rhunön. Und wenn Támerlein dir gut in der Hand liegen sollte, wird sie trotzdem einen Blick auf das Schwert werfen wollen, bevor du damit in den Kampf ziehst. Es sind über hundert Jahre vergangen, seit Támerlein zuletzt in einer Schlacht gefochten hat. Möglicherweise muss die Klinge leicht aufpoliert werden.«

»Könnte mir nicht ein anderer Elf ein Schwert schmieden?«, fragte Eragon.

»Nein«, entgegnete Oromis. »Nicht wenn es ein Zeugnis höchster Schmiedekunst sein soll wie Zar'roc oder das Schwert, das Galbatorix sich aus den gestohlenen Klingen der Drachenreiter ausgesucht haben mag. Rhunön ist eine der Ältesten unseres Volkes, und es war sie allein, die die Schwerter für unseren Orden hergestellt hat.«

»Sie ist so alt wie die Drachenreiter?«, staunte Eragon.

»Sogar noch älter.«

Nach einer kurzen Pause fragte Eragon: »Und was machen wir bis morgen, Meister?«

Oromis musterte Eragon und Saphira. »Geht zum Menoa-Baum. Ich weiß doch, dass ihr vorher keine Ruhe findet. Schaut, ob ihr dort die Waffe entdeckt, die die Werkatze euch versprochen hat. Nachdem ihr eure Neugier befriedigt habt, zieht euch in euer Baumhaus zurück. Islanzadis Bedienstete halten es stets für eure Ankunft in Ordnung. Morgen werden wir tun, was wir können.«

»Aber Meister, wir haben so wenig Zeit ...«

»Und ihr seid beide viel zu erschöpft, um heute noch mehr Aufregung zu verkraften. Vertrau mir, Eragon, du wirst mehr zustande bringen, wenn du ausgeruht bist. Ich glaube, eine Ruhepause wird dir helfen, all das zu verdauen, worüber wir gesprochen haben. Selbst nach den Maßstäben von Königen, Königinnen und Drachen war das keine leichte Unterhaltung.«

Trotz Oromis' Versicherung behagte Eragon die Aussicht nicht, sich den Rest des Tages dem Müßiggang hinzugeben. Weil die Zeit so knapp war, drängte es ihn, etwas zu tun, auch wenn er einsah, dass er sich erholen musste.

Er rutschte auf seinem Stuhl herum und zeigte sein Unbehagen offenbar so deutlich, dass Oromis lächelte. »Wenn es dich beruhigt, Eragon«, meinte der Elf, »dann verspreche ich dir Folgendes: Bevor Saphira und du zu den Varden zurückkehrt, kannst du einen Bereich der Magie auswählen, der dich besonders interessiert, und ich werde dir alles darüber beibringen, was in der kurzen Zeit möglich ist.«

Eragon spielte mit dem Ring an seinem Finger und überlegte, über welches Gebiet der Magie er gerne noch etwas lernen würde. »Ich möchte wissen«, sagte er schließlich, »wie man Geister heraufbeschwört.«

Ein Schatten legte sich über Oromis' Gesicht. »Ich werde mein Wort halten, Eragon, aber dunkle Magie ist eine finstere, verderbliche Kunst. Du solltest nicht danach streben, andere Wesen für deine Zwecke zu beherrschen. Selbst wenn man die Verderbtheit der Hexerei außer Acht lässt, bleibt sie eine gefährliche und höchst komplizierte Disziplin. Ein Magier benötigt mindestens drei Jahre intensiver Studien, bevor er auch nur hoffen kann, Geister heraufzubeschwören, ohne dass sie von ihm Besitz ergreifen.

Die Hexerei ist nicht wie die restliche Magie, Eragon. Sie dient dazu, sich mächtige feindselige Wesen zu unterwerfen, die in jedem Moment ihrer Gefangenschaft darauf erpicht sind, eine brüchige Stelle in ihren Fesseln zu finden, damit sie sich auf dich stürzen und aus Rache ihrerseits unterjochen können. In der gesamten überlieferten Geschichte hat es nie einen Schatten gegeben, der auch ein Drachenreiter war. Sollte es jetzt dazu kommen, könnte das von all den Schrecken, die dieses schöne Land heimgesucht haben, der größte sein, schlimmer noch als Galbatorix. Bitte wähle ein anderes Gebiet, Eragon, eines, das für dich und deine Sache weniger gefährlich ist.«

»Könnt Ihr mir dann«, lenkte Eragon ein, »meinen wahren Namen verraten?«

»Deine Wünsche werden nur immer unerfüllbarer, Eragon-Finiarel«, erwiderte Oromis. »Ich könnte vielleicht deinen wahren Namen erraten, wenn du es verlangst.« Der silberhaarige Elf betrachtete den Drachenreiter mit einem durchdringenden, prüfenden Blick. »Ja, ich glaube, das könnte ich. Aber ich werde es nicht tun. Ein wahrer Name kann zwar aus magischer Sicht sehr bedeutsam sein, aber er ist kein Zauberspruch an sich, also ist er von meinem Versprechen ausgenommen. Wenn du dich gern besser kennenlernen möchtest, Eragon, dann versuche, deinen wahren Namen selbst herauszufinden. Wenn ich ihn dir einfach verriete, würde es dir vielleicht Nutzen bringen, aber du hättest dabei nicht die Weisheit erlangt, die du dir auf der Suche nach ihm aneignen würdest. Erleuchtung muss man sich verdienen, Eragon. Sie wird nicht von anderen an dich weitergegeben, wie ehrenwert diese auch sein mögen.«

Eragon spielte wieder mit seinem Ring, dann brummte er leise und schüttelte den Kopf. »Mir fällt nichts mehr ein ... Mir sind die Fragen ausgegangen.«

»Das bezweifle ich sehr«, bemerkte Oromis.

Eragon fiel es schwer, sich auf weitere Fragen aus dem Bereich der Magie zu konzentrieren. Seine Gedanken schweiften immer wieder zu den Eldunarí und zu Brom ab. Erneut staunte er über die seltsame Verkettung von Ereignissen, die dazu geführt hatte, dass Brom sich in Carvahall niederließ und er, Eragon, schließlich zu einem Drachenreiter wurde. *Hätte Arya nicht …* Er unterbrach sich und lächelte, als ihm ein Einfall kam. »Würdet Ihr mich lehren, einen Gegenstand ohne Zeitverlust von einem Ort zum anderen zu transportieren, wie Arya es mit Saphiras Ei getan hat?«

Oromis nickte. »Eine ausgezeichnete Wahl. Dieser Zauber ist zwar recht aufwendig, dafür aber auch sehr nützlich. Er wird dir in deinem Kampf gegen Galbatorix und das Imperium bestimmt sehr hilfreich sein. Arya, zum Beispiel, wird dir das nur bestätigen.«

Der Elf nahm seinen Kelch und hielt ihn gegen die Sonne, in deren Licht der Wein transparent schimmerte. Eine Weile betrachtete er die Flüssigkeit, dann ließ er den Arm sinken. »Bevor du in die Stadt ziehst, solltest du wissen, dass jener, den du geschickt hast, unter uns zu leben, vor einer Weile eingetroffen ist.«

Es dauerte einen Moment, bis Eragon begriff, von wem Oromis sprach. »Sloan ist in Ellesméra?«, fragte er erstaunt.

»Er lebt allein in einer kleinen Hütte an einem Fluss im Westen von Ellesméra. Er war dem Tode nahe, als er aus dem Wald getaumelt kam, aber wir haben die Wunden seines Fleisches versorgt und er ist wieder genesen. Die Elfen aus der Stadt bringen ihm Nahrung und Kleidung. Sie begleiten ihn, wo immer er hingehen möchte, und manchmal lesen sie ihm etwas vor. Die meiste Zeit zieht er es jedoch vor, allein vor seiner Hütte zu sitzen und mit niemandem zu sprechen. Zweimal hat er versucht, uns zu verlassen, aber dein Zauber hat es verhindert.«

Es überrascht mich, dass er es so schnell nach Du Weldenvarden geschafft hat, sagte Eragon zu Saphira.

Der magische Zwang, mit dem du ihn belegt hast, muss stärker gewesen sein, als du dachtest.

Wahrscheinlich. Mit leiser Stimme fragte er: »Haben die Elfen ihm schon sein Augenlicht zurückgegeben?«

»Nein, haben sie nicht.«

Der weinende Mann ist innerlich gebrochen, verkündete Glaedr. *Er sieht nicht klar genug, als dass ihm seine Augen von Nutzen wären.*

»Sollte ich ihn besuchen?«, fragte Eragon. Er wusste nicht genau, was Oromis und Glaedr von ihm erwarteten.

»Das musst du selbst entscheiden«, antwortete der Elf. »Es könnte sein, dass es ihn nur aufregt, dir erneut zu begegnen. Aber du bist für seine Strafe verantwortlich, Eragon. Es wäre falsch, ihn einfach zu vergessen.«

»Ich weiß, Meister. Das wird nicht passieren.«

Oromis nickte und stellte den Kelch auf den Tisch. Dann rückte er mit seinem Stuhl dichter an Eragon heran. »Der Tag neigt sich dem Ende zu, und ich möchte dich nicht länger aufhalten, denn du musst ruhen. Eines jedoch würde ich gerne noch tun, bevor du gehst: Darf ich mir deine Hände anschauen? Ich möchte sehen, was sie über dich verraten.« Und Oromis streckte ihm seine eigenen Hände entgegen.

Eragon legte seine mit den Handflächen nach unten hinein und schauderte, als Oromis' dünne Finger seine Gelenke berührten. Die dicken Knorpel an Eragons Knöchel warfen lange Schatten auf seine Handrücken, als Oromis sie hin und her wendete. Dann drehte der Elf sie mit festem Griff ganz um und betrachtete die Handflächen und die Unterseiten der Finger.

»Was seht Ihr, Meister?«

Oromis wendete erneut Eragons Hände und deutete auf die Knorpelwülste. »Du hast jetzt die Hände eines Kriegers, Eragon. Achte darauf, dass es nicht die Hände eines Mannes werden, der sich in der Schlacht am Blutvergießen ergötzt.«

Der Lebensbaum

Von den Felsen von Tel'naeír aus flog Saphira dicht über den wogenden Wald, bis sie die Lichtung erreichten, wo der Menoa-Baum stand. Dicker als hundert der gigantischen Kiefern, die ihn umgaben, ragte er wie ein mächtiger Pfeiler in den Himmel und das Dach seiner Baumkrone wölbte sich Tausende Fuß weit. Das knorrige Wurzelnetz breitete sich von dem massiven moosbewachsenen Stamm mehr als zehn Morgen über den Waldboden aus, bevor es sich vor den Wurzeln der kleineren Bäume tief in die Erde bohrte und verschwand. Um den Menoa-Baum war die Luft feucht und kühl, und aus dem Nadelwerk senkte sich ein feiner, beständiger Nebel herab, der die ausladenden Farne wässerte, die sich um den Stamm drängten. Eichhörnchen tobten durch die Äste des alten Baumes und das hohe Gekreisch und Gezwitscher aus Hunderten von Vogelkehlen brach aus den dunklen Tiefen seines Laubwerks hervor. Auf der ganzen Lichtung spürte man die Gegenwart einer schützenden Hand, denn der Baum hatte einst die Elfe Linnëa in sich aufgenommen, deren Geist nun über das Wachsen und Gedeihen des Menoa-Baumes und des Waldes jenseits von ihm wachte.

Eragon suchte das unebene Gelände zwischen den Wurzeln nach irgendeiner Waffe ab, aber wie schon einmal konnte er nichts entdecken, was so aussah, als könne man damit in die Schlacht ziehen. Er hob ein Stück Borke auf, das zu seinen Füßen ins Moos gefallen war, und hielt es hoch. *Was meinst du, Saphira,* fragte er, *ob ich damit einen Soldaten umbringen könnte, wenn ich es mit genügend Zauberkraft vollpumpe?*

Du könntest einen Soldaten mit einem Grashalm umbringen, wenn du es wolltest, sagte sie. *Aber was Murtagh und Dorn oder den König und seinen schwarzen Drachen angeht, könntest du anstelle dieses Stücks Borke auch gleich mit einem nassen Strang Wolle auf sie losgehen.*

Du hast recht, sagte er und warf es weg.

Ich denke, sagte sie, *du solltest dich nicht erst zum Narren machen müssen, damit sich Solembums Worte erfüllen.*

Nein, aber vielleicht sollte ich es anders angehen, wenn ich diese Waffe finden will. Du hast selbst gesagt, es könnte genauso gut ein Stein oder ein Buch sein wie eine Klinge. Ein Stab aus einem Ast des Menoa-Baumes wäre auch eine würdige Waffe, finde ich.

Aber kaum mit einem Schwert zu vergleichen.

Nein.… Außerdem würde ich es nicht wagen, ohne Erlaubnis des Baumes einen Ast abzuschlagen, und ich habe keine Ahnung, wie ich Linnëa dazu bringen sollte, mir diese Bitte zu gewähren.

Saphira bog den sehnigen Hals zurück und schaute in den Baum hinauf, dann schüttelte sie sich, um die Tropfen loszuwerden, die sich an den scharfen Rändern ihrer facettierten Schuppen gebildet hatten. Eragon kreischte auf, als ihm das kalte Wasser ins Gesicht spritzte, und machte einen Satz rückwärts. *Sollte irgendjemand es wagen, den Menoa-Baum zu verletzen,* sagte sie, *würde er wohl kaum lange genug leben, um seinen Fehler zu bereuen.*

Mehrere Stunden lang suchten die beiden die Lichtung ab. Eragon hörte nicht auf zu hoffen, dass sie zwischen den verknoteten Wurzeln auf einen Spalt stoßen würden, aus dem die Ecke einer vergrabenen Kiste ragte, in der dann ein Schwert läge. *Wenn Murtagh Zar'roc hat, das Schwert seines Vaters,* dachte Eragon, *dann müsste ich von Rechts wegen das Schwert bekommen, das Rhunön für Brom gemacht hat.*

Es hätte auch die richtige Farbe, bemerkte Saphira. *Sein Drache, meine Namensschwester, war auch blau.*

Verzweifelt sandte Eragon schließlich seinen Geist zu dem Menoa-Baum aus und versuchte, den unendlich zäh fließenden Strom seiner Gedanken zu erreichen, um ihm alles zu erklären und ihn um Hilfe zu bitten. Aber er hätte genauso gut versuchen können, mit dem Wind oder dem Regen zu reden, denn der Baum nahm nicht mehr Notiz von ihm als er von einer Ameise, wenn die ihre Fühler nach seinen Stiefeln ausstreckte.

Enttäuscht verließen sie den Menoa-Baum, als die Sonne gerade den Horizont küsste. Von der Lichtung aus flog Saphira ins Zentrum von Ellesméra, wo sie sanft im Schlafzimmer des Baumhauses landete, das ihnen die Elfen zur Verfügung gestellt hatten. Es bestand aus kugelförmigen Räumen, die in der Krone eines kräftigen Baumes Hundert Fuß über der Erde ruhten.

Eine Mahlzeit aus Früchten, Gemüse, gekochten Bohnen und Brot wartete bereits im Speisezimmer auf Eragon. Nachdem er ein wenig davon gegessen hatte, rollte er sich neben Saphira in der mit Decken ausgelegten Vertiefung im Boden zusammen. Das Bett ließ er unberührt, denn er bevorzugte Saphiras Nähe. Hellwach lag er da, während sie sofort fest einschlief. Von seinem Platz an ihrer Seite aus sah er zu, wie die Sterne über dem mondbeschienenen Wald aufgingen, und dachte an Brom und seine geheimnisvolle Mutter. Spät in der Nacht glitt er schließlich in den tranceartigen Zustand seiner Wachträume und sprach dort mit seinen Eltern. Er konnte nicht hören, was sie sagten, denn ihre Stimmen waren gedämpft und undeutlich, aber irgendwie spürte er ihren Stolz und ihre Liebe. Obwohl er genau wusste, dass sie nur Trugbilder seines ruhelosen Geistes waren, bewahrte er die Erinnerung an ihre Zuneigung seit dieser Nacht stets in seinem Herzen.

Im Morgengrauen führte ein zierliches Elfenmädchen Eragon und Saphira durch die Straßen von Ellesméra zum Anwesen der Familie Valtharos. Während sie zwischen den dunklen Stämmen der riesigen Kiefern hindurchgingen, fiel Eragon auf, wie leer und ruhig die Stadt war, verglichen mit ihrem letzten Besuch. Er entdeckte nur drei Elfen zwischen den Bäumen, hochgewachsene, anmutige Gestalten, die auf leisen Sohlen davonhuschten.

Wenn die Elfen in den Krieg ziehen, bemerkte Saphira, *bleiben nur wenige zurück.*

Wohl wahr.

Lord Fiolr erwartete sie im Innern einer gewölbten Halle, die von etlichen schwebenden Werlichtern erhellt wurde. Er hatte ein langes, strenges Gesicht, das kantiger war als bei den meisten Elfen, sodass es Eragon an einen Speer mit dünner Schneide erinnerte. Er trug ein Gewand in Grün und Gold, dessen Kragen hoch aufgestellt war wie die Halsfedern eines exotischen Vogels. In der linken Hand hielt er einen weißen Holzstab, in den Schriftzeichen aus dem Liduen Kvaedhí geschnitzt waren. Auf der Spitze saß eine glänzende Perle.

Lord Fiolr verbeugte sich steif und Eragon erwiderte die Verbeugung. Dann begrüßten sie sich auf die traditionelle Art der Elfen, und Eragon bedankte sich bei Lord Fiolr für seine großzügige Erlaubnis, sich das Schwert Támerlein anzusehen.

Schließlich sagte der Lord: »So lange ist Támerlein nun schon das hochgeschätzte Eigentum meiner Familie und es liegt ganz besonders mir am Herzen. Kennt Ihr die Geschichte von Támerlein, Schattentöter?«

»Nein«, erwiderte Eragon.

»Meine Gefährtin war die überaus weise und schöne Naudra. Ihr Bruder Arva war zur Zeit des Niedergangs Drachenreiter. Naudra war gerade bei ihm zu Besuch in Ilirea, als Galbatorix und die Abtrünnigen über die Stadt hinwegfegten wie ein Sturm aus dem Norden. Arva kämpfte an der Seite der anderen Drachenreiter, um Ilirea zu verteidigen, doch Kialandí, ein Abtrünniger, versetzte ihm einen tödlichen Stoß. Als er sterbend auf den Zinnen von Ilirea lag, gab Arva Naudra sein Schwert Támerlein, um sich damit zu verteidigen. Sie konnte sich freikämpfen und kehrte mit einem anderen Reiter und seinem Drachen hierher zurück. Jedoch starb sie bald darauf an ihren Verletzungen.«

Mit einem Finger strich Lord Fiolr über den Stab und die Perle begann leicht zu schimmern. »Támerlein ist mir so kostbar wie die

Luft in meinen Lungen. Ich würde mich eher von meinem Leben trennen als von diesem Schwert. Doch unglücklicherweise sind weder ich noch meine Verwandten würdig, diese Waffe zu führen. Támerlein ist für einen Reiter gemacht und Reiter sind wir nicht. Ich bin bereit, Euch das Schwert zu leihen, Schattentöter, um Euch in Euerm Kampf behilflich zu sein. Dennoch wird Támerlein im Besitz des Hauses Valtharos verbleiben, und Ihr müsst mir versprechen, es zurückzugeben, wann immer ich oder meine Erben es verlangen.«

Eragon gab ihm sein Wort, dann führte Lord Fiolr ihn und Saphira zu einem langen polierten Tisch, der aus dem lebenden Holz des Fußbodens herauswuchs. Am einen Ende befand sich ein reich verzierter Ständer und darauf ruhten das Schwert Támerlein und seine Scheide.

Die Klinge strahlte in einem satten Dunkelgrün, ebenso wie die Scheide. Den Knauf schmückte ein großer Smaragd. Das Heft war aus gebläutem Stahl. Die Parierstange war mit einer Reihe von Schriftzeichen verziert. Auf Elfisch stand dort: *Ich bin Támerlein, der Bringer des ewigen Schlafes.* Es hatte dieselbe Länge wie Zar'roc, aber die Klinge war breiter, die Spitze runder und das Heft massiver. Es war eine wunderschöne und tödliche Waffe, aber Eragon sah auf den ersten Blick, dass Rhunön Támerlein für jemanden mit einem anderen Kampfstil geschmiedet hatte als seinen. Dieses Schwert war ideal für einen Kämpfer, der sich hauptsächlich aufs Hauen und Stechen verließ, aber weniger geeignet für die schnelleren, eleganteren Techniken, die Brom ihm beigebracht hatte.

Sobald sich seine Finger um das Heft schlossen, merkte er, dass es für seine Hand zu groß war, und da wusste er, Támerlein war nicht sein Schwert. Anders als Zar'roc fühlte es sich nicht an wie die Verlängerung seines Armes. Und dennoch zögerte er, denn wo sonst konnte er hoffen, ein so stolzes Schwert zu finden? Arvindr, das andere Schwert, das Oromis erwähnt hatte, ruhte in einer Stadt, die Hunderte Meilen entfernt lag.

Da sagte Saphira: *Nimm es nicht. Eine Waffe, mit der du in die*

Schlacht ziehst und von der dein und mein Leben abhängt, muss vollkommen zu dir passen. Alles andere genügt nicht. Im Übrigen gefallen mir die Bedingungen nicht, die Lord Fiolr an sein Geschenk geknüpft hat.

So legte Eragon das Schwert wieder auf den Ständer zurück, entschuldigte sich bei Lord Fiolr und erklärte ihm, warum er es nicht annehmen könne. Der hagere Elf wirkte nicht besonders enttäuscht. Eragon meinte im Gegenteil eine gewisse Genugtuung in seinem grimmigen Blick zu erkennen.

Von den Hallen der Familie Valtharos suchten sich Eragon und Saphira auf eigene Faust ihren Weg durch den düsteren Wald zu dem Laubengang aus Hartriegelsträuchern, der in den Innenhof von Rhunöns Haus führte. Als sie aus dem Gang traten, hörte Eragon das Klirren eines Hammers auf einem Meißel. Rhunön saß auf einer Bank neben der offenen Schmiede, die sich mitten im Hof befand, und arbeitete an einem Stahlblock, der vor ihr lag. Was einmal daraus werden sollte, konnte er nicht erkennen, denn das Stück war noch völlig roh.

»Du lebst also noch, Schattentöter«, sagte Rhunön, ohne von ihrer Arbeit aufzublicken. Ihre Stimme war rau wie ein schartiger Mühlstein. »Oromis hat mir erzählt, dass du Zar'roc an Morzans Sohn verloren hast.«

Eragon zuckte zusammen und nickte, obwohl sie ihn gar nicht ansah. »Ja, Rhunön-Elda. Er hat es mir auf den Brennenden Steppen abgenommen.«

»Hm.« Rhunön konzentrierte sich wieder auf ihre Arbeit und ihr Hammer schlug mit übermenschlicher Geschwindigkeit auf den Meißel. Schließlich hielt sie inne und sagte: »Dann hat das Schwert ja seinen rechtmäßigen Besitzer gefunden. Es gefällt mir zwar nicht, wozu dieser – wie hieß er? Ach, ja – *Murtagh* Zar'roc benutzt, aber jeder Drachenreiter verdient das richtige Schwert und ich kann mir für Morzans Sohn kein besseres vorstellen als die Klinge seines Vaters.« Sie blickte zu ihm hoch und runzelte die

Stirn. »Versteh mich nicht falsch, Schattentöter, es wäre mir lieber, wenn *du* Zar'roc noch hättest, aber noch lieber wäre es mir, wenn du ein Schwert besäßest, das für dich gemacht wurde. Mag sein, dass Zar'roc dir gute Dienste geleistet hat, aber es hatte nicht die richtige Form für deinen Körper. Und erzähl mir bloß nichts von Támerlein. Du müsstest ein Narr sein zu glauben, du könntest damit umgehen.«

»Wie du siehst«, erwiderte Eragon, »habe ich es nicht von Lord Fiolr mitgebracht.«

Rhunön nickte und fing wieder an zu meißeln. »Dann ist es ja gut.«

»Wenn Zar'roc das richtige Schwert für Murtagh ist, wäre dann nicht Broms Schwert die richtige Waffe für mich?«

Rhunön runzelte die Stirn. »Undbitr? Wie kommst du denn darauf?«

»Weil Brom mein Vater war«, sagte Eragon und ein wohliger Schauer rieselte ihm den Rücken hinab.

»Ach, wirklich?« Die Elfe legte Hammer und Meißel aus der Hand und trat unter dem Dach ihrer Schmiede hervor, bis sie direkt vor Eragon stand. Sie war ein wenig krumm von den Jahrhunderten, die sie gebückt über ihrer Arbeit verbracht hatte, deshalb wirkte sie ein oder zwei Zoll kleiner als er. »Hm, ja, ich sehe eine gewisse Ähnlichkeit. War ein rauer Bursche, dieser Brom. Hat immer gesagt, was er dachte, und nicht lange herumgeredet. Das hat mir gefallen. Ich kann das Getue meines Volkes nicht ausstehen. Sie sind mir einfach zu höflich, zu vornehm und zu edelmütig geworden. Ha! Ich weiß noch, wie die Elfen früher gelacht und gekämpft haben, wie jedes normale Wesen. Jetzt sind sie alle so reserviert, manche zeigen tatsächlich nicht mehr Gefühl als eine Marmorstatue.«

Meinst du damit, wie die Elfen waren, bevor sich unsere Völker verbündeten?, fragte Saphira.

Rhunön wandte sich zu ihr um. »Schimmerschuppe! Sei willkommen. Ja, ich rede von der Zeit, als der Bund zwischen Elfen und Drachen noch nicht besiegelt war. Die Veränderungen, die ich seither an ihnen beobachtet habe, würdest du kaum für möglich halten, aber so ist es nun mal. Und hier sitze ich, eine der wenigen, die sich noch daran erinnern können, wie es früher einmal war.«

Ihr Blick schoss zu Eragon zurück. »Undbitr ist keine Antwort auf dein Problem. Brom hat sein Schwert beim Untergang der Drachenreiter verloren. Wenn Galbatorix es nicht seiner Sammlung einverleibt hat, ist es vielleicht zerbrochen oder es liegt irgendwo zwischen den zerfallenden Knochen eines lange vergessenen Schlachtfelds in der Erde. Selbst wenn es noch zu finden wäre, würdest du es doch nicht rechtzeitig in Händen halten, bevor du deinen Feinden wieder gegenübertreten musst.«

»Was soll ich nur machen, Rhunön-Elda?«, fragte Eragon. Dann erzählte er ihr von dem Krummschwert, das er sich bei den Varden ausgesucht und mit Beschwörungen verstärkt hatte, und wie es ihn in den unterirdischen Gängen von Farthen Dûr im Stich gelassen hatte.

Rhunön schnaubte verächtlich. »Nein, so kann das niemals funktionieren. Wenn eine Klinge erst einmal geschmiedet und gehärtet ist, kann man sie zwar mit unendlich vielen Zaubern schützen, aber das Metall selbst bleibt so schwach wie zuvor. Ein Drachenreiter braucht eine Klinge, die die härtesten Schläge aushält und fast jeder Form von Magie widersteht. Nein, man muss die Beschwörungen über dem heißen Metall aussprechen, während man es schmiedet, um die Struktur des Metalls zu verändern.«

»Und wo bekomme ich so ein Schwert her?«, wollte Eragon wissen. »Würdest du mir eins schmieden, Rhunön-Elda?«

Die feinen Linien im Gesicht der Elfe vertieften sich. Sie kratzte sich am Ellbogen und die Muskeln an ihren Unterarmen traten hervor. »Du weißt, dass ich geschworen habe, nie wieder eine Waffe zu fertigen, solange ich lebe.«

»Ja.«

»Ich bin an meinen Eid gebunden. Ich kann ihn nicht brechen, sosehr ich es mir vielleicht auch wünschen mag.« Sie kehrte zu der

Bank zurück und setzte sich wieder vor die Skulptur. »Und warum sollte ich auch, Drachenreiter? Sag mir das! Warum sollte ich noch einen Seelenräuber mehr auf die Welt loslassen?«

Eragon wählte seine Worte mit Bedacht. »Vielleicht weil du dazu beitragen könntest, Galbatorix' Schreckensherrschaft zu beenden. Wäre es nicht angemessen, wenn ich ihn mit einer Klinge tötete, die du geschmiedet hast, nachdem er und die Abtrünnigen mit deinen Schwertern so viele Reiter und Drachen erschlagen haben? Du empfindest tödlichen Abscheu vor dem, was sie mit deinen Waffen angerichtet haben. Wäre es nicht ein Stück ausgleichende Gerechtigkeit, wenn du mit deiner Kunst Galbatorix' Untergang besiegeln würdest?«

Rhunön verschränkte die Arme und blickte versonnen zum Himmel. »Ein Schwert ... ein neues Schwert. Nach so langer Zeit noch einmal mein eigentliches Handwerk ausüben ...« Ihr Blick kehrte zu Eragon zurück und sie sagte mit vorgerecktem Kinn: »Es könnte ... möglicherweise ... einen Weg geben, dir zu helfen, aber es ist müßig, darüber nachzudenken, weil ich es sowieso nicht versuchen kann.«

Warum nicht?, fragte Saphira.

»Weil ich nicht das Metall habe, das ich brauche«, knurrte Rhunön. »Ihr glaubt doch nicht, dass ich die Schwerter der Reiter aus gewöhnlichem Stahl gefertigt habe, oder? Nein! Vor langer Zeit stieß ich in Du Weldenvarden auf die Reste einer Sternschnuppe. Die Bruchstücke enthielten ein Erz, wie ich es nie zuvor gesehen hatte, und so nahm ich es mit und veredelte es. Die Stahllegierung, die ich daraus gewann, war härter, widerstandsfähiger und biegsamer als irgendein Metall irdischen Ursprungs. Ich nannte es *Sternenstahl,* wegen seines ungewöhnlichen Glanzes, und als mich Königin Tarmunora bat, das erste Drachenreiterschwert zu schmieden, verwendete ich den Sternenstahl. Danach suchte ich bei jeder Gelegenheit im Wald nach weiteren Brocken der Sternschnuppe. Ich hatte nicht oft Glück, aber wenn ich etwas fand, bewahrte ich es für die Reiter auf.

Mit den Jahrhunderten wurde es immer weniger, bis ich zuletzt schon dachte, es wäre nichts mehr da. Ich brauchte vierundzwanzig Jahre, um die letzte Stelle zu finden. Mit der Ausbeute schmiedete ich sieben Schwerter, unter anderem Undbitr und Zar'roc. Seit dem Untergang der Drachenreiter habe ich nur ein einziges Mal nach dem Sternenstahl gesucht: Das war letzte Nacht, nachdem Oromis mit mir über dich geredet hatte.« Rhunön legte den Kopf schräg und ihre wässrigen Augen bohrten sich in Eragons Blick. »Ich bin kreuz und quer durch den Wald gelaufen und habe zahllose Zaubersprüche zum Finden und Binden gesprochen, aber ich bin nicht auf ein Körnchen Sternenstahl gestoßen. Wenn du etwas auftreiben würdest, könnten wir vielleicht über ein Schwert für dich nachdenken, Schattentöter. Sonst ist dieses Gespräch nichts als sinnloses Geschwätz.«

Eragon verbeugte sich vor der Elfe und bedankte sich für ihre Zeit, dann verließ er mit Saphira den Hof durch den grünen Laubengang.

Während sie Seite an Seite auf eine Lichtung zugingen, von der Saphira abheben konnte, sagte Eragon: *Sternenstahl – das muss es sein, was Solembum gemeint hat. Unter dem Menoa-Baum muss Sternenstahl liegen.*

Woher sollte er das wissen?

Vielleicht hat es ihm der Baum selbst erzählt. Spielt das eine Rolle?

Sternenstahl hin oder her, sagte sie, *wie sollen wir an irgendetwas herankommen, was unter den Wurzeln des Menoa-Baumes liegt? Wir können doch nicht in die Wurzeln hacken. Wir wissen ja nicht mal, wo.*

Ich muss darüber nachdenken.

Von der Lichtung nahe bei Rhunöns Haus flogen sie über Ellesméra hinweg zurück zu den Felsen von Tel'naeír, wo Oromis und Glaedr auf sie warteten. Nachdem Saphira Eragon abgesetzt hatte, hob sie mit Glaedr zusammen noch einmal von den Felsen ab, und die beiden zogen weit oben am Himmel ihre Kreise, genossen die Gesellschaft des anderen, ohne ein bestimmtes Ziel zu haben.

Inzwischen brachte Oromis Eragon bei, einen Gegenstand von einem Ort zum anderen zu transportieren, ohne dass er die Strecke tatsächlich zurücklegen musste. »Für fast alle Formen der Magie gilt: Je größer die Entfernung zwischen dir und deinem Ziel ist, desto mehr Energie brauchst du zur Aufrechterhaltung der Beschwörung. Nicht so hier: Mit diesem Zauber kostet es mich genauso viel Energie, den Stein in meiner Hand ans andere Ufer des Flusses zu versetzen wie zu den südlichen Inseln. Deshalb ist er äußerst nützlich, wenn man etwas über so weite Strecken transportieren muss, dass der Energieaufwand einen normalerweise umbringen würde. Doch auch diese Magie ist kräftezehrend, und man sollte erst darauf zurückgreifen, wenn alles andere versagt. Wenn man zum Beispiel etwas so Großes wie Saphiras Ei versenden wollte, könnte man sich hinterher nicht mehr rühren.«

Dann brachte Oromis Eragon den Wortlaut der Zauberformel bei sowie einige Varianten. Als Eragon sie auswendig konnte, ließ er ihn einen Versuch mit dem Stein in seiner Hand machen.

Sobald Eragon die Worte ausgesprochen hatte, verschwand der Stein von Oromis' Handfläche und tauchte kurz darauf mit einem blauen Blitz, einem lauten Knall und inmitten einer gewaltigen Hitzewelle auf der Lichtung wieder auf. Eragon zuckte zusammen und musste sich an einem Ast festhalten, weil seine Knie nachgaben und ihm die Kälte in die Glieder fuhr. Seine Kopfhaut kribbelte, und er musste unwillkürlich an Saphiras Ei denken, als er zu dem Stein hinüberblickte, der von verkohltem, niedergedrücktem Gras umgeben war.

»Gut gemacht«, sagte Oromis. »Kannst du mir jetzt sagen, warum es so geknallt hat, als sich der Stein im Gras materialisierte?«

Eragon lauschte auf jedes Wort, das Oromis sagte, aber während der gesamten Lektion konnte er nicht aufhören, an das Problem mit dem Menoa-Baum zu denken. Er wusste, dass es Saphira nicht anders ging, während sie hoch über ihnen dahinflog. Doch die Lösung schien in immer weitere Ferne zu rücken, je länger er nachdachte.

Als Oromis fertig war, fragte er Eragon: »Bleibt ihr nun länger in Ellesméra, nachdem du das Angebot von Lord Fiolr abgelehnt hast?«

»Ich weiß nicht, Meister«, erwiderte Eragon. »Ich möchte noch einen letzten Versuch mit dem Menoa-Baum unternehmen. Aber wenn es nicht klappt, bleibt uns nichts anderes übrig, als mit leeren Händen zu den Varden zurückzukehren.«

Oromis nickte. »Kommt noch ein letztes Mal hier vorbei, bevor ihr abreist.«

»Ja, Meister.«

Während Saphira mit Eragon auf dem Rücken dem Menoa-Baum entgegensegelte, sagte sie: *Es hat bisher nicht funktioniert, warum sollte es jetzt klappen?*

Weil es einfach muss. Oder hast du vielleicht eine bessere Idee?

Nein, aber das gefällt mir nicht. Wir wissen nicht, wie sie reagieren wird. Vergiss nicht, bevor Linnëa sich in den Baum sang, hat sie ihren jungen Geliebten umgebracht, weil er sie betrogen hatte. Vielleicht wird sie ja wieder gewalttätig.

Das wird sie nicht wagen, nicht solange du bei mir bist.

Hm.

Der Wind rauschte sanft unter ihren Flügeln, als Saphira auf einer höckerartigen Wurzel mehrere Hundert Fuß vom Stamm des Menoa-Baumes entfernt landete. Die Eichhörnchen in der gigantischen Kiefer stießen Warnschreie aus, als sie sie kommen sahen.

Eragon ließ sich auf die Wurzel hinabgleiten, wischte sich die Hände an den Oberschenkeln ab und murmelte: »Gut, verschwenden wir keine Zeit.« Mit leichten Schritten und seitlich ausgestreckten Armen balancierte er die Wurzel entlang auf den Stamm zu. Saphira folgte ihm gemächlich, und die Borke, auf die sie trat, knackte und splitterte unter ihren Klauen.

Dann kauerte sich Eragon auf das glitschige Wurzelwerk und

hielt sich mit den Fingern an einem Spalt im Stamm fest, um nicht abzurutschen. Er wartete, bis Saphira hinter ihm stand, dann schloss er die Augen, atmete tief die feuchte, kühle Luft ein und sandte seine Gedanken nach dem Baum aus.

Der Menoa-Baum verschloss sich nicht vor Eragons Geist, denn Linnëas Bewusstsein war so allumfassend und fremdartig, so eng mit der restlichen Waldflora verwoben, dass sie sich nicht zu verteidigen brauchte. Jeder, der den Baum unterwerfen wollte, musste gleichzeitig die geistige Herrschaft über weite Teile von Du Weldenvarden erlangen, eine Herausforderung, die ein Einzelner niemals bewältigen würde.

Von dem Baum strömte Eragon ein Gefühl von Wärme und Licht entgegen. Er spürte die Erde, die sich im Umkreis von Hunderten Schritten an seine Wurzeln schmiegte. Er spürte den Wind, der durch die verschlungenen Äste fuhr, und das klebrige Harz, das aus einem Schnitt in der Rinde sickerte, und er empfing eine Unmenge ähnlicher Empfindungen von anderen Pflanzen, die der Menoa-Baum bewachte. Doch verglichen mit der Blutschwur-Feier, bei der er vor Kraft und Lebendigkeit vibriert hatte, schien es fast so, als würde der Baum schlafen. Die einzige Gedankenregung, die Eragon auffangen konnte, war so lang und umständlich, dass er sie unmöglich verstehen konnte.

Da sammelte er seine ganze Energie und schleuderte dem Menoa-Baum einen Hilferuf entgegen. *Bitte hör mir zu, oh ehrwürdiger Baum! Ich brauche deine Hilfe! Das gesamte Land befindet sich im Krieg, selbst die Elfen haben den Schutz von Du Weldenvarden verlassen, und ich habe kein Schwert, um mitzukämpfen. Die Werkatze Solembum hat mir geraten, unter dem Menoa-Baum zu suchen, wenn ich einmal eine Waffe brauchen sollte. Nun ist dieser Zeitpunkt gekommen! Bitte hör mir zu, oh Mutter des Waldes! Hilf mir!* Während er sprach, sandte er Bilder von Dorn und Murtagh und den Armeen des Imperiums an den Geist des Baumes. Saphira fügte den Erinnerungen weitere hinzu und unterstützte Eragons Anstrengungen mit der Macht ihres eigenen Geistes.

Doch Eragon verließ sich nicht allein auf Worte und Bilder. Aus seinem und Saphiras Innern ließ er einen beständigen Energiestrom in den Baum fließen, ein Geschenk auf Treu und Glauben, mit der er auch die Neugier des Menoa-Baumes zu wecken hoffte.

Etliche Minuten vergingen. Der Baum reagierte noch immer nicht, aber Eragon wollte nicht aufgeben. Der Baum war viel langsamer als Elfen oder Menschen, sagte er sich, und es war zu erwarten gewesen, dass er nicht sofort antworten würde.

Wir können nicht viel mehr von unserer Stärke abgeben, sagte Saphira, *sonst schaffen wir es nicht, rechtzeitig zu den Varden zurückzukehren.*

Eragon ließ widerwillig den Energiestrom versiegen.

Während sie fortfuhren, auf den Menoa-Baum einzureden, erreichte die Sonne ihren Zenit und überschritt ihn. Wolken ballten sich zusammen, schrumpften wieder und zogen über den Himmel. Vögel schossen über die Bäume hinweg, Eichhörnchen schnatterten ärgerlich, Schmetterlinge taumelten von Ort zu Ort und eine rote Ameisenkolonne marschierte an Eragons Stiefeln vorbei, winzige weiße Larven in den Kieferzangen.

Da knurrte Saphira und alle Vögel in Hörweite flogen auf. *Genug der Speichelleckerei!,* erklärte sie. *Ich bin ein Drache und lasse mich nicht ignorieren, nicht mal von einem Baum!*

»Nein, warte!«, rief Eragon, der spürte, was sie vorhatte, aber sie hörte nicht auf ihn.

Sie trat vom Stamm des Menoa-Baums zurück, kauerte sich hin, grub die Klauen tief in die Wurzel unter ihr und riss mit einem gewaltigen Ruck drei große Streifen Holz heraus. *Komm raus und rede mit uns, Elfenbaum!,* brüllte sie, bog den Hals zurück wie eine angreifende Schlange, und ein Flammenstrahl schoss zwischen ihren Fängen hervor und tauchte den Baumstamm in weiß-blaues Feuer.

Die Hände vors Gesicht geschlagen, machte Eragon einen Satz zur Seite.

»Hör auf, Saphira!«, schrie er entsetzt.

Ich höre auf, wenn sie uns zur Kenntnis nimmt.

Eine dichte Wolke aus Wassertropfen regnete herab. Eragon schaute nach oben und sah, wie die Äste der Kiefer in zunehmender Erregung bebten und hin und her schwangen. Das Ächzen von Holz, das an Holz reibt, erfüllte die Luft. Gleichzeitig streifte ein eiskalter Windstoß Eragons Wange und er meinte ein leises Rumoren unter seinen Füßen zu verspüren. Als er sich umsah, stellte er fest, dass die Bäume, die die Lichtung säumten, jetzt größer und bedrohlicher wirkten als zuvor und ihm ihre gekrümmten Äste wie Krallen entgegenzustrecken schienen.

Eragon standen die Haare zu Berge.

Saphira … Er ging in die Hocke, um entweder zu kämpfen oder wegzurennen.

Saphira klappte das Maul zu und die Flammen erloschen, dann wandte sie sich von dem Menoa-Baum ab. Als sie die anderen Bäume sah, die sie drohend umringten, stellten sich ihre Schuppen auf wie das Nackenfell einer erbosten Katze. Sie schwenkte den Kopf hin und her und knurrte den Wald an, dann entfaltete sie die Flügel und wich von dem Menoa-Baum zurück. *Schnell, steig auf.*

Bevor Eragon einen Schritt machen konnte, schoss eine Wurzel, so dick wie sein Arm, aus dem Boden und wickelte sich um seinen Knöchel. Rechts und links von Saphira erschienen noch dickere Wurzeln und hielten ihre Füße und ihren Schwanz fest. Saphira brüllte wütend und reckte den Hals, um erneut Feuer zu speien.

Doch die Flammen in ihrem Maul flackerten nur und verloschen dann, als eine träge, flüsternde Stimme in ihren Köpfen ertönte, die Eragon an raschelndes Laub erinnerte: *Wer wagt es, meinen Frieden zu stören? Wer wagt es, mich zu beißen und zu verbrennen? Nennt mir eure Namen, damit ich weiß, wen ich getötet habe.*

Eragon verzog vor Schmerz das Gesicht, als sich die Wurzel fester um seinen Knöchel schloss. Noch enger, und sie würde ihm den Fuß brechen. *Ich bin Eragon Schattentöter und das ist mein Drache Saphira Schimmerschuppe.*

Sterbt wohl, Eragon Schattentöter und Saphira Schimmerschuppe.

Warte!, sagte Eragon. *Ich bin noch nicht fertig damit, unsere Namen zu nennen.*

Nach einer längeren Pause sagte die Stimme: *Fahre fort.*

Ich bin der letzte freie Drachenreiter von Alagaësia, und Saphira ist der letzte weibliche Drache, den es gibt. Wir sind vielleicht die Einzigen, die den Verräter Galbatorix stürzen können, der die Drachenreiter vernichtet und fast ganz Alagaësia besetzt hat.

Warum hast du mir wehgetan, Drache?, krächzte die Stimme.

Saphira bleckte die Zähne, als sie erwiderte: *Weil du nicht mit uns reden wolltest, Elfenbaum, und weil Eragon sein Schwert eingebüßt hat und eine Werkatze ihm sagte, er solle unter dem Menoa-Baum nachsehen, wenn er eine Waffe braucht. Wir haben gesucht und gesucht, aber allein können wir sie nicht finden.*

Dann stirbst du umsonst, Drache, denn da ist keine Waffe unter meinen Wurzeln.

In dem verzweifelten Bemühen, das Gespräch nicht einschlafen zu lassen, fügte Eragon schnell hinzu: *Wir glauben, dass die Werkatze möglicherweise Sternenstahl gemeint hat, das Metall, aus dem Rhunön die Schwerter für die Drachenreiter geschmiedet hat. Ohne Sternenstahl kann sie mein Schwert nicht ersetzen.*

Plötzlich bebte die Erde unter der sachten Bewegung des Wurzelwerks. Die Erschütterung verscheuchte Hunderte verängstigte Karnickel, Wühlmäuse, Murmeltiere und andere Kleintiere aus ihrem Bau.

Aus dem Augenwinkel sah Eragon Dutzende von Elfen auf die Lichtung zueilen, ihre silbernen Haare wehten wie Fahnen hinter ihnen her. Lautlos wie Geister blieben sie unter den Ästen der vordersten Bäume stehen und starrten ihn und Saphira reglos an, machten jedoch keinerlei Anstalten, ihnen zu helfen.

Eragon wollte gerade im Geiste nach Oromis und Glaedr rufen, als die Stimme sich wieder meldete. *Die Werkatze wusste, wovon sie sprach. Tief unten an meinen Wurzeln ist ein Klumpen Sternen-*

stahl vergraben, aber ihr bekommt ihn nicht. Ihr habt mich verletzt. Das verzeihe ich euch nicht.

Eragons Erregung über das Erz mischte sich mit Panik. *Aber Saphira ist der letzte weibliche Drache! Du willst sie doch sicher nicht töten!*

Drachen speien Feuer, wisperte die Stimme, und ein Schauder fuhr durch die Bäume am Rand der Lichtung. *Und Feuer muss man auslöschen.*

Saphira knurrte erneut. *Wenn wir den Mann, der die Drachenreiter vernichtet hat, nicht aufhalten, dann wird er herkommen und den ganzen Wald anzünden. Auch dich wird er vernichten, Elfenbaum. Wenn du uns hilfst, können wir ihn vielleicht noch aufhalten.*

Ein Knarzen hallte zwischen den Bäumen wider, als irgendwo zwei Äste aneinanderrieben. *Wenn er versucht, meine Ableger zu töten, wird er sterben*, sagte die Stimme. *Niemand ist so stark wie der ganze Wald. Niemand kann glauben, den Wald zu besiegen, und ich spreche für den Wald.*

Reicht die Energie, die wir dir geschenkt haben, nicht aus, um deine Wunden zu heilen?, fragte Eragon. *Ist sie nicht Wiedergutmachung genug?*

Der Menoa-Baum gab keine Antwort, stattdessen erforschte er Eragons Bewusstsein und fuhr dabei wie ein Windstoß durch seine Gedanken. *Was bist du, Drachenreiter?*, fragte der Baum. *Ich kenne alle Wesen, die in diesem Wald leben, aber jemand wie du ist mir noch nicht begegnet.*

Ich bin weder Elf noch Mensch, sagte Eragon. *Ich bin etwas dazwischen. Die Drachen haben mich bei der Blutschwur-Feier verwandelt.*

Warum, Drachenreiter?

Damit ich stärker bin im Kampf gegen Galbatorix und das Imperium.

Ich erinnere mich, ich spürte während der Zeremonie, wie sich die Fugen der Welt verzogen, aber ich habe es nicht für wichtig ge-

halten ... so wenig kommt mir noch wichtig vor, außer Sonne und Regen.

Eragon sagte: *Wir heilen deine Wurzel und deinen Stamm, wenn du willst, aber können wir bitte das Erz haben?*

Die anderen Bäume stöhnten und ächzten wie verlorene Seelen, dann ließ sich die Stimme wieder vernehmen, diesmal sanft und schmeichelnd: *Wirst du mir als Gegenleistung das geben, was ich verlange, Drachenreiter?*

Ja, sagte Eragon, ohne zu zögern. Wie hoch der Preis auch sein mochte, für das Schwert eines Reiters würde er ihn mit Freuden zahlen.

Nun wurde die Krone des Menoa-Baums ruhig und minutenlang herrschte Stille auf der Lichtung. Dann bebte die Erde, und die Wurzeln zu Eragons Füßen fingen an, sich zu winden, zu knirschen und dabei Borkenstücke abzuwerfen, während sie sich zurückzogen und ein nacktes Fleckchen Erde sichtbar wurde, aus dem etwas auftauchte, was aussah wie ein verrosteter Eisenklumpen von rund zwei Fuß Länge und einem halben Fuß Breite. Als das Erz oben auf dem Erdreich lag, verspürte Eragon ein leichtes Stechen im Unterbauch. Er krümmte sich und rieb sich die Stelle, aber da war der Schmerz schon wieder vorbei. Die Wurzel um seinen Fußknöchel löste sich und verschwand im Boden. Auch die Wurzeln, die Saphira gehalten hatten, gaben sie frei.

Da habt ihr euer Erz, wisperte der Menoa-Baum. *Nehmt es und geht ...*

Aber ...

Geht schon ... wiederholte der Menoa-Baum, und seine Stimme wurde immer schwächer. *Geht ...* Nach und nach verließ der Baum Eragons und Saphiras Bewusstsein und zog sich immer tiefer in sich selbst zurück, bis Eragon ihn kaum noch spüren konnte. Die Kiefern am Rande des Waldes hatten ihre bedrohliche Haltung verloren und sahen aus wie immer.

»Aber ...«, murmelte Eragon jetzt laut, verwirrt, dass der Menoa-Baum nicht gesagt hatte, was er für die Gabe verlangte.

Kopfschüttelnd ging er zu dem Erz hinüber, schob die Hand unter die Kante des metallhaltigen Steins und hievte den Brocken ächzend hoch. Er hob ihn sich vor den Brustkorb, wandte sich von dem Menoa-Baum ab und machte sich auf den langen Fußmarsch zu Rhunöns Haus.

Saphira gesellte sich zu ihm und beschnüffelte den Stein neugierig. *Du hattest recht,* sagte sie, *ich hätte sie nicht angreifen sollen.*

Wenigstens gehört der Sternenstahl jetzt uns, sagte Eragon, *und Linnëa … also, ich weiß nicht, was sie bekommen hat, aber wir haben, was wir wollten, und das ist die Hauptsache.*

Die Elfen sammelten sich neben dem Pfad, den Eragon sich ausgesucht hatte, und starrten ihn und Saphira so entgeistert an, dass Eragon seine Schritte beschleunigte, weil ihm die Haut im Nacken kribbelte. Sie sprachen kein Wort, sondern blickten ihn nur aus ihren schräg stehenden Augen an wie ein gefährliches Tier, das durch ihre Häuser schleicht.

Ein Rauchwölkchen stieg aus Saphiras Nüstern. *Ich glaube,* sagte sie, *wenn Galbatorix uns nicht vorher umbringt, werden wir das noch einmal bereuen.*

Triumph des Geistes

»Wo hast du das her?«, wollte Rhunön wissen, als Eragon in den Innenhof ihres Hauses stolperte und den Sternenstahl-Brocken vor ihr auf den Boden fallen ließ.

So knapp wie möglich erzählte er ihr von Solembum und den Ereignissen am Menoa-Baum.

Rhunön kauerte sich neben den Erzklumpen, strich zärtlich über die schartige Oberfläche und betastete die Metalleinschlüsse in dem Stein. »Du warst entweder sehr dumm oder sehr mutig, den Menoa-Baum herauszufordern. Mit ihm ist nicht zu spaßen.«

Reicht das Erz für ein Schwert?, wollte Saphira wissen.

»Für mehrere Schwerter, wenn ich meiner Erfahrung trauen darf«, antwortete Rhunön und richtete sich auf. Dann schaute sie zu der offenen Schmiede in der Mitte des Innenhofs und klatschte in die Hände. In ihren Augen leuchtete Eifer und Entschlossenheit. »Machen wir uns an die Arbeit! Du brauchst also ein Schwert, Schattentöter? Wohlan denn, ich werde dir ein Schwert geben, eines, wie Alagaësia es noch nicht gesehen hat!«

»Und was ist mit deinem Schwur?«, erkundigte sich Eragon.

»Daran werden wir erst denken, wenn es so weit ist. Wann müsst ihr beiden zurück zu den Varden?«

»Wir hätten bereits am Tag unserer Ankunft hier wieder aufbrechen sollen«, erwiderte Eragon.

Rhunön schwieg nachdenklich. »Dann muss ich mich beeilen, wobei ich mich normalerweise nicht beeile, und mit Magie schaffen, was sonst wochenlange Handarbeit erfordert. Du und Schimmerschuppe werdet mir helfen.« Es war keine Frage, doch Eragon nickte zustimmend. »Wir werden heute Nacht nicht ruhen, aber ich verspreche dir, Schattentöter, dass du morgen früh dein Schwert in Händen halten wirst.« Sie ging in die Knie, hob scheinbar mühelos den Erzbrocken vom Boden auf und trug ihn zu der Werkbank, auf der die Skulptur stand, an der sie gerade arbeitete.

Eragon zog Wams und Hemd aus, um die Kleidung bei der bevorstehenden Arbeit nicht zu verderben. Rhunön gab ihm eine enge Jacke und eine Schürze aus einem feuerfesten Material. Rhunön trug dasselbe. Als Eragon sie nach Handschuhen fragte, lachte sie und schüttelte den Kopf. »Nur ein ungeschickter Schmied braucht Handschuhe.«

Dann führte Rhunön ihn in eine niedrige, grottenähnliche Kammer im Stamm eines der Bäume, aus denen ihr Haus gewachsen war. In der Kammer befanden sich Säcke mit Holzkohle und ein Haufen weißlicher Lehmziegel. Mit einem Zauberspruch hoben Eragon und Rhunön mehrere Hundert der Steine an und transportierten sie nach draußen, neben die offene Esse. Danach waren die mannshohen Holzkohlesäcke an der Reihe.

Sobald das Material zu Rhunöns Zufriedenheit angeordnet war, stellte sie mit Eragon einen Schmelzofen für das Erz her. Die Bauweise des Ofens war kompliziert, und Rhunön weigerte sich, Magie zu Hilfe zu nehmen, sodass sie fast den ganzen Nachmittag dafür brauchten. Zuerst gruben sie ein rechteckiges Loch von fünf Fuß Tiefe in die Erde, das sie mit mehreren Schichten Sand, Kies, Lehm, Holzkohle und Asche füllten. Dazwischen legten sie zahlreiche Kammern und Tunnel an, durch die die Feuchtigkeit entweichen konnte, damit sie das Schmelzfeuer nicht abkühlte. Als die Grube bis zum Rand gefüllt war, errichteten sie über den Schichten einen Trog aus den Lehmziegeln. Als Mörtel benutzten sie Wasser und ungebrannten Lehm. Rhunön verschwand kurz in ihrem Haus und kehrte mit zwei Blasebälgen zurück, die sie an den Löchern am unteren Rand des Trogs anbrachten.

Sie unterbrachen die Arbeit für ein paar Bissen Brot und Käse.

Nach der kurzen Erholungspause warf Rhunön einige Handvoll Zweige in den Trog, entzündete sie mit einem gemurmelten Wort in der alten Sprache und legte, als das Holz ordentlich brannte, ein paar mittelgroße Scheite gut abgelagertes Eichenholz darauf. Fast eine Stunde lang kümmerte sie sich mit der gleichen Sorgfalt, mit der ein Gärtner seine Rosen züchtete, um das Feuer, bis das Holz schließlich zu einem gleichmäßigen Bett aus Kohle heruntergebrannt war. Dann nickte sie Eragon zu. »Jetzt.«

Eragon hob den Erzbrocken hoch und senkte ihn vorsichtig in den Trog ab. Sobald die Hitze an seinen Fingern unerträglich wurde, ließ er den Brocken los und sprang hastig zurück, als Funken hochstoben wie ein Schwarm aufgeschreckter Glühwürmchen. Über die Kohle und den Erzbrocken schaufelte er eine dicke Schicht Holzkohle als Brennstoff für das Feuer.

Eragon klopfte sich den Kohlenstaub von den Händen, packte die beiden Griffe eines Blasebalgs und begann zu pumpen, so wie es Rhunön auf der anderen Seite des Schmelzofens tat. Gemeinsam versorgten sie das Feuer mit einem ständigen Strom frischer Luft, sodass es noch heißer brannte.

Die Schuppen auf Saphiras Brust und ihrem Hals funkelten im Licht der tanzenden Flammen. Sie kauerte einige Schritte entfernt von dem Schmelzofen auf dem Boden, den Blick starr auf das Herz des glühend heißen Feuers gerichtet. *Ich könnte euch dabei helfen, wisst ihr?*, sagte sie. *Ich bräuchte kaum eine Minute, um den Sternenstahl zu schmelzen.*

»Schon«, erwiderte Rhunön, »aber wenn wir ihn zu schnell schmelzen, verbindet sich das Metall nicht mit der Holzkohle und wird nicht hart und zugleich biegsam genug für ein Schwert. Spar dir dein Feuer, Drache. Wir werden es später noch brauchen.«

Eragon war von der Hitze des Schmelzofens und der Anstrengung am Blasebalg schon bald in Schweiß gebadet; seine nackten Arme glänzten im Licht des Feuers.

Ab und zu hörte Rhunön auf zu pumpen und schaufelte frische Kohlen auf das Feuer.

Es war eine monotone Arbeit und Eragon verlor schon bald jedes Zeitgefühl. Er nahm nur noch das ständige Fauchen des Feuers, den Blasebalg in seinen Händen, die stetig strömende Luft und Saphiras wachsame Gegenwart wahr.

Deshalb überraschte es ihn, als Rhunön sagte: »Das genügt. Du kannst aufhören.«

Eragon wischte sich den Schweiß von der Stirn. Dann half er ihr, die glühenden Kohlen aus dem Schmelzofen in ein Wasserfass zu schaufeln. Die Kohlen zischten, und ein beißender Qualm stieg auf, wenn sie ins Wasser tauchten.

Als sie schließlich das weißglühende Metall am Boden des Trogs freigelegt hatten – Schlacke und andere Unreinheiten waren während des Prozesses abgelaufen –, bedeckte Rhunön das Metall mit einer fingerdicken Schicht feiner weißer Asche, lehnte ihre Schaufel an den Schmelzofen und setzte sich auf die Bank vor der Esse.

»Was jetzt?«, wollte Eragon wissen, als er sich neben ihr niederließ.

»Jetzt warten wir.«

»Worauf?«

Rhunön deutete zum Himmel empor, wo die untergehende Sonne die vereinzelten Wolken rot, violett und golden färbte. »Es muss dunkel sein, wenn wir das Metall bearbeiten, damit wir seine Farbe genau erkennen können. Außerdem braucht der Sternenstahl Zeit, um abzukühlen. Damit er weich wird und leichter zu formen ist.«

Rhunön löste das Band, das ihr Haar aus dem Gesicht hielt, strich sich die silberne Mähne zurück und band sie wieder zusammen. »Bis es so weit ist, sprechen wir über dein Schwert. Wie kämpfst du – mit einer Hand oder mit beiden?«

Eragon dachte kurz nach. »Das kommt darauf an. Wenn ich die Wahl habe, schwinge ich mein Schwert lieber mit einer Hand und halte in der anderen einen Schild. Aber die Umstände waren nicht immer so günstig und ich musste oft ohne Schild kämpfen. Dann halte ich mein Schwert gern mit beiden Händen, damit ich härter zuschlagen kann. In solchen Fällen war der Schwertknauf von Zar'roc zwar auch noch groß genug für meine linke Hand, aber die Fassung des Rubins war unbequem und gab mir keinen sicheren Halt. Es wäre schön, einen etwas längeren Griff zu haben.«

»Ich nehme an, du möchtest kein echtes Zweihandschwert?«

Eragon schüttelte den Kopf. »Nein. Es wäre bei einem Kampf in engen Räumen zu unhandlich.«

»Das hängt zwar von der Gesamtlänge des Schwertes ab, aber ganz allgemein gesprochen hast du recht. Würde dir ein Anderthalbhänder gefallen?«

Murtaghs altes Schwert blitzte vor seinem inneren Auge auf und er lächelte. *Warum nicht?*, dachte er. »Ja, ein Anderthalbhänder wäre perfekt, glaube ich.«

»Und wie lang soll die Klinge sein?«

»Nicht länger als die von Zar'roc.«

»Hm. Möchtest du eine gerade oder eine gebogene Klinge?«

»Eine gerade.«

»Hast du bestimmte Vorlieben, was die Parierstange angeht?«

»Nein.«

Rhunön verschränkte die Arme, senkte das Kinn auf die Brust und schloss halb die Augen. Ihre Lippen zuckten. »Und die Breite der Klinge? Vergiss nicht, wie schmal sie auch ist, sie wird nicht brechen.«

»Vielleicht könnte sie an der Parierstange etwas breiter sein als bei Zar'roc.«

»Warum?«

»Ich denke, das würde besser aussehen.«

Rhunön entfuhr ein heiseres Lachen. »Aber wie sollte das die Funktion des Schwertes verbessern?«

Eragon schwieg verlegen und rutschte auf der Bank herum.

»Bitte mich niemals, Änderungen an einer Waffe vorzunehmen, nur um ihr Aussehen zu verbessern«, ermahnte Rhunön ihn. »Ein Schwert ist ein Werkzeug, und wenn es schön ist, dann weil es nützlich ist. Ein Schwert, das seine Aufgabe nicht erfüllt, ist in meinen

Augen hässlich, ganz gleich wie edel es erscheinen mag oder wie kostbar die Edelsteine und kunstvoll die Gravuren sind, mit denen es verziert ist.« Die Elfe schürzte nachdenklich die Lippen. »Ein Schwert also, das sich sowohl für das hemmungslose Blutvergießen auf dem Schlachtfeld als auch für die Verteidigung in den schmalsten Tunneln unter Farthen Dûr eignet. Ein Schwert für alle Gelegenheiten, von mittlerer Länge, bis auf das Heft, das länger als gewöhnlich sein soll.«

»Ein Schwert, das Galbatorix töten kann«, setzte Eragon hinzu.

Rhunön nickte. »Deshalb muss es sehr gut gegen Magie geschützt sein.« Ihr Kinn sank wieder auf die Brust. »Im letzten Jahrhundert haben sich die Rüstungen entscheidend verbessert, also muss die Spitze schmaler sein, als ich sie früher schmiedete, damit sie besser durch Harnische und Kettenhemden fahren und in die Lücken zwischen den einzelnen Teilen dringen kann. Hm.« Rhunön zog einen mit mehreren Knoten versehenen Strick aus einer Gürteltasche und maß damit Eragons Hände und Arme ab. Anschließend zog sie einen Schürhaken neben der Esse heraus und warf ihn Eragon zu. Er fing ihn mit einer Hand auf und sah die Elfe fragend an. Sie deutete mit einem Finger auf ihn. »Steh auf und zeig mir, wie du dich mit einem Schwert bewegst.«

Er trat gehorsam unter dem Dach der offenen Schmiede hervor und zeigte ihr einige Übungen, die Brom ihn gelehrt hatte. Nach einer Minute hörte er das Klirren von Metall auf Stein und Rhunöns Hüsteln. »Das ist hoffnungslos«, sagte sie und trat mit einem anderen Schürhaken in der Hand vor ihn. Ihre Miene verfinsterte sich, als sie den Haken zum Gruß hob und rief: »Zum Kampf, Schattentöter!«

Rhunöns schwerer Schürhaken pfiff durch die Luft, als sie einen heftigen Schlag gegen Eragon führte. Er tanzte zur Seite und parierte den Angriff. Der Haken vibrierte heftig in seiner Hand, als die beiden Eisenstäbe aufeinanderprallten. Sie kämpften eine ganze Weile. Obwohl Rhunön sich ganz offensichtlich schon länger nicht im Schwertkampf geübt hatte, war sie ein beeindruckender Gegner. Schließlich mussten sie aufhören, weil sich das weiche Eisen der Schürhaken verbogen hatte, sodass sie so krumm waren wie Zweige einer Eibe.

Rhunön nahm Eragon den Haken ab und warf die beiden traktierten Eisenteile auf einen Haufen mit kaputtem Werkzeug. Als sie danach wieder zu ihm trat, hob sie das Kinn. »Jetzt weiß ich genau, welche Form dein Schwert haben muss.«

»Aber wie willst du es schmieden?«

»Gar nicht«, erwiderte Rhunön mit einem amüsierten Funkeln in den Augen. »Das wirst du an meiner statt tun, Schattentöter.«

Eragon starrte sie einen Moment ungläubig an. »I-ich?«, stammelte er dann. »Aber ich war nie bei einem Schmied oder gar Waffenschmied in der Lehre. Ich könnte nicht mal ein einfaches Schnitzmesser schmieden!«

Das Funkeln in Rhunöns Augen verstärkte sich. »Trotzdem wirst du derjenige sein, der dieses Schwert herstellt.«

»Aber wie? Willst du neben mir stehen und mir Anweisungen erteilen, wie ich das Metall bearbeiten muss?«

»Wohl kaum«, erwiderte Rhunön. »Nein, ich werde deine Bewegungen durch deinen Geist steuern, damit deine Hände vollbringen, was meine nicht dürfen. Die Lösung ist zwar nicht perfekt, aber ich wüsste keine andere Möglichkeit, wie ich mein Gelübde einhalten und dennoch mein Handwerk ausüben könnte.«

Eragon runzelte die Stirn. »Ob du mir nun die Hände führst oder das Schwert selbst schmiedest, was für einen Unterschied macht das?«

Rhunöns Miene verfinsterte sich. »Willst du das Schwert, Schattentöter, oder nicht?«

»Ich will es.«

»Dann hör auf, mich mit solchen Fragen zu belästigen. Das Schwert durch dich zu schmieden, ist deshalb etwas anderes, weil ich glaube, dass es anders ist. Glaubte ich das nicht, würde mein Gelübde mir verbieten, mich an diesem Vorhaben überhaupt zu beteiligen. Falls du also nicht mit leeren Händen zu den Varden zurückkehren willst, wärst du gut beraten, kein Wort mehr darüber zu verlieren.«

»Ja, Rhunön-Elda.«

Sie gingen wieder zum Schmelzofen, wo Rhunön Saphira anwies, die noch warme Masse aus erstarrtem Sternenstahl aus dem Ziegeltrog zu heben.

»Jetzt zerbrich es in faustgroße Stücke«, befahl Rhunön und brachte sich mit einigen Schritten in Sicherheit.

Saphira hob ihr Vorderbein und ließ es mit aller Kraft auf die wellige Platte aus Sternenstahl krachen. Die Erde bebte und der Stahl zerbrach in mehrere Stücke. Noch dreimal trat Saphira das Metall, bis Rhunön mit dem Ergebnis zufrieden war.

Die Elfe legte die scharfkantigen Klumpen in ihre Schürze und trug sie zu einem niedrigen Tisch neben der Esse. Dort sortierte sie das Metall nach seiner Härte, die sie, wie sie Eragon erklärte, an der Farbe und Struktur der Bruchstücke erkennen konnte. »Einige Stücke sind zu hart, andere zu weich. Ich könnte das zwar ändern, wenn ich wollte, aber dazu müsste ich sie erneut einschmelzen. Deshalb verwenden wir nur die Stücke, die sich bereits für ein Schwert eignen. Die Schneiden der Klinge werden aus etwas härterem Stahl bestehen«, sie legte die Hand auf mehrere Brocken, die glitzerten und funkelten, »um die Schärfe zu verbessern. Die Klingenmitte dagegen fertigen wir aus einem weicheren Stahl«, sie deutete auf einen Haufen, der grauer und etwas matter war. »Das erhöht die Biegsamkeit des Schwertes, das so den Aufprall eines Schlages besser abfedern kann. Doch bevor das Metall in Form geschmiedet werden kann, müssen wir es erst von den verbliebenen Verunreinigungen befreien.«

Wie geht das?, wollte Saphira wissen.

»Das wirst du gleich sehen.« Rhunön ging zu einem der Pfosten, auf dem das Dach der Esse ruhte, setzte sich mit dem Rücken dagegen, kreuzte die Beine und schloss die Augen. Ihre Miene war ruhig und konzentriert. »Bist du bereit, Schattentöter?«

»Das bin ich«, erwiderte Eragon, obwohl sein Bauch sich vor Anspannung verkrampfte.

Als sich ihre Geister berührten, nahm er von Rhunön als Erstes die tiefen Akkorde wahr, die durch die dunkle und verwirrende Landschaft ihrer Gedanken hallten. Diese Musik floss leise und gemächlich dahin, war aber in einer so fremdartigen und beunruhigenden Tonart gehalten, dass sie an seinen Nerven zerrte. Eragon war sich nicht sicher, was diese unheimliche Melodie über Rhunöns Charakter aussagte, aber sie ließ ihn daran zweifeln, ob es weise war, ihr die Kontrolle über seinen Körper zu geben. Doch dann dachte er an Saphira, die neben der Esse saß und auf ihn aufpasste, und seine Furcht schwand. Schließlich senkte er die letzten Barrieren um sein Bewusstsein.

Er hatte das Gefühl, als kratzte ein Kleidungsstück aus rauer Wolle über seine Haut, als Rhunön mit ihrem Geist in seinen eindrang und sich bis in die geheimsten Ecken seines Wesens ausbreitete. Er erschauerte bei der Berührung und hätte sich ihr fast entzogen, da ertönte Rhunöns raue Stimme in seinem Kopf. *Entspann dich, Schattentöter, dann wird alles gut.*

Ja, Rhunön-Elda.

Rhunön begann, seine Arme zu heben, bewegte seine Beine, ließ seinen Kopf auf den Schultern rollen und experimentierte mit den Fähigkeiten seines Körpers. Es kam Eragon schon merkwürdig vor, dass sich sein Kopf und seine Gliedmaßen ohne sein Zutun bewegten, doch noch viel sonderbarer fühlte es sich an, als seine Augen plötzlich wie von allein von einer Stelle zur anderen zuckten. Das Gefühl von Hilflosigkeit versetzte ihn kurz in Panik. Als Rhunön ihn einige Schritte vorwärtsgehen ließ, stieß er mit dem Fuß gegen die Ecke der Esse und drohte zu stürzen. Sofort übernahm Eragon wieder die Kontrolle über seinen Körper und hielt sich am Horn des Ambosses fest, um sich abzufangen.

Greif nicht ein!, fuhr Rhunön ihn an. *Wenn du während des Schmiedens im falschen Moment die Nerven verlierst, könntest du dir nicht wiedergutzumachenden körperlichen Schaden zufügen.*

Du auch, wenn du nicht aufpasst!, konterte Eragon.

Hab Geduld, Schattentöter. Bis zum Einbruch der Dunkelheit sollte ich den Umgang mit deinem Körper beherrschen.

Während sie darauf warteten, dass das letzte Licht am samtblauen Himmel verblasste, bereitete Rhunön die Esse vor und übte sich darin, verschiedene Werkzeuge zu bedienen. Ihre anfängliche Unbeholfenheit im Umgang mit Eragons Körper verschwand schnell, auch wenn sie einmal seine Fingerspitzen gegen die Tischplatte rammte, als sie ihn nach einem Hammer greifen ließ. Der Schmerz trieb Eragon die Tränen in die Augen. Rhunön entschuldigte sich mit den Worten: *Deine Arme sind länger als meine.*

Als sie einige Minuten später mit der Arbeit beginnen wollten, bemerkte sie: *Es ist ein Glück, dass du die Geschwindigkeit und Kraft eines Elfs besitzt, Schattentöter, sonst könnten wir nicht hoffen, dieses Werk heute Nacht zu vollenden.*

Rhunön legte die Stücke aus hartem und weichem Stahl, die sie benutzen wollte, auf die Esse. Auf ihre Anweisung hin erhitzte Saphira den Stahl, indem sie den Kiefer nur einen Fingerbreit öffnete, sodass die blauen und weißen Flammen als gebündelter Strahl aus ihrem Maul traten und nicht auf die ganze Werkstatt übergriffen. Das Feuer tauchte den Innenhof in ein grelles blaues Licht, in dem Saphiras blaue Schuppen strahlend hell funkelten.

Rhunön ließ Eragon den Sternenstahl mit einer langen Zange aus dem Feuerstrahl nehmen, sobald das Metall kirschrot glühte. Sie legte es auf den Amboss und trieb die Stücke mit mehreren schnellen Hammerschlägen zu Platten, die nicht dicker als ein viertel Zoll waren. Auf der Oberfläche des rot glühenden Stahls glitzerten jetzt helle Partikel. Wenn sie mit einer Platte fertig war, warf Rhunön sie in einen Trog mit Wasser.

Als schließlich der ganze Sternenstahl getrieben war, fischte Rhunön die Platten aus dem Wasser, das warm über Eragons Arme floss. Danach schliff sie jede Platte mit einem Stück Sandstein ab, um die schwarzen Flecken zu entfernen, die sich auf der Oberfläche des Metalls gebildet hatten. Dadurch trat die kristalline Struktur deutlich zutage, die Rhunön aufmerksam prüfte. Sie sortierte das Metall ein zweites Mal anhand der Kristallbildung nach Härte und Reinheit.

Durch ihre unmittelbare geistige Nähe war Eragon Zeuge von Rhunöns Gedanken und Gefühlen. Ihr umfassendes Wissen beeindruckte ihn. Sie sah Dinge in dem Metall, von deren Existenz er nicht einmal etwas geahnt hatte, und die Gedanken, die sie sich über die Behandlung des Metalls machte, überstiegen bei Weitem sein Fassungsvermögen. Er spürte auch, dass sie unzufrieden damit war, wie sie den Schmiedehammer beim Treiben des Metalls geschwungen hatte.

Rhunöns Verdrossenheit wuchs, bis sie schließlich sagte: *Pah! Sieh dir diese Dellen an! So kann ich keine Klinge schmieden. Meine Kontrolle über deine Arme und Hände reicht nicht aus, um ein Schwert zu schaffen, das diesen Namen verdient.*

Bevor Eragon ihr gut zureden konnte, mischte sich Saphira ein. *Das Werkzeug macht nicht den Künstler, Rhunön-Elda. Gewiss findest du einen Weg, dieses kleine Hindernis zu überwinden.*

Kleines Hindernis?, schnaubte Rhunön verächtlich. *Meine Koordination ist nicht besser als die eines Lehrlings. Ich bin eine Fremde in einem fremden Haus.* Grummelnd vertiefte sie sich in Überlegungen, die Eragon nicht verstand. *Also gut,* meinte sie schließlich. *Ich habe vielleicht eine Lösung, aber ich warne dich: Ich werde nicht mit der Arbeit fortfahren, wenn ich nicht fähig bin, mein übliches Niveau an Handwerkskunst abzuliefern.*

Wie ihre Lösung aussah, erklärte sie weder Eragon noch Saphira, sondern legte eine Stahlplatte nach der anderen auf den Amboss und zertrümmerte sie zu Stücken, die nicht größer als Rosenblätter waren. Die Hälfte der Plättchen aus härterem Sternenstahl schichtete sie zu einem Barren auf, den sie mit Lehm beschmierte und in Birkenrinde packte, um ihn zusammenzuhalten. Diesen Barren legte sie auf eine massive Eisenschaufel mit einem sieben Fuß langen Stiel, die ähnlich aussah wie die Brotschieber der Bäcker.

Rhunön platzierte die Schaufel in der Mitte der Esse und ließ Eragon so weit zurücktreten, wie er konnte, ohne den Stiel loszulassen. Dann bat sie Saphira, Feuer zu speien, und erneut erstrahlte der Innenhof in bläulichem Licht. Die Hitze war so gewaltig, dass Eragon das Gefühl hatte, seine nackte Haut würde knusprig gebraten. Selbst die Granitsteine der Esse glühten hellgelb.

In einem Holzkohlenfeuer hätte der Sternenstahl frühestens nach einer halben Stunde die richtige Temperatur erreicht, aber in dem Inferno von Saphiras Drachenfeuer dauerte es nur ein paar Minuten. Sobald der Sternenstahl weiß glühte, wies Rhunön Saphira an aufzuhören. Als sie das Maul schloss, senkte sich Dunkelheit über die Werkstatt.

Rhunön trieb Eragon zur Eile an, der den glühenden Sternenstahl in der Lehmkruste zum Amboss trug, wo sie die Stahlplättchen mit einem Hammer zu einem Ganzen verband. Unablässig ließ sie den Hammer auf das Metall hinabsausen, bis sie es zu einem länglichen Block getrieben hatte, den sie in der Mitte durchschnitt. Die beiden Stücke legte sie aufeinander und schmiedete sie zusammen. Der glockenhelle Ton des Hammers auf dem Metall hallte von den uralten Bäumen rund um den Innenhof wider.

Nachdem der Sternenstahl von weiß auf gelb abgekühlt war, trug Eragon ihn auf Rhunöns Anweisung zur Esse zurück, wo Saphira das Metall wieder mit ihrem Feuer überzog. Sechsmal erhitzte und faltete Rhunön den Sternenstahl, und jedes Mal wurde das Metall glatter und geschmeidiger, bis es sich schließlich biegen ließ, ohne zu brechen.

Während Eragon unter Rhunöns Kontrolle den Stahl bearbeitete, begann die Elfe zu singen, sowohl mit ihrer eigenen als auch mit Eragons Stimme. Gemeinsam brachten sie eine durchaus angenehme Melodie zustande, die sich dem Rhythmus der Hammerschläge anpasste. Eragon lief ein Schauer über den Rücken, als er spürte, welche Kraft in den gesungenen Worten lag, und er begriff, dass das Duett ein Zauber des Machens, Formens und Bindens war. Mit den beiden Stimmen besang Rhunön das Metall auf dem Amboss, beschrieb seine Eigenschaften und veränderte diese dabei auf eine Art, die Eragons Verständnis überstieg. Sie belegte den Sternenstahl mit einem dichten Netz von Beschwörungen, die ihn stärker und widerstandsfähiger machten als jedes andere Metall. Rhunön sang auch von dem Hammer in Eragons Fäusten, und unter dem sanften Einfluss ihrer Stimme landete jeder Schlag, den sie mit seinem Arm führte, genau an der richtigen Stelle.

Rhunön löschte den Stahl nach dem sechsten und letzten Falten ab und ließ Eragon den gesamten Vorgang mit der anderen Hälfte des harten Sternenstahls wiederholen, aus der er einen länglichen Block formte wie aus der ersten Hälfte. Dann sammelte sie die Bruchstücke des weicheren Stahls zusammen, die sie zehnmal faltete und hämmerte, bevor sie sie zu einem kurzen, dicken Keil trieb.

Als Nächstes ließ die Elfe Saphira die beiden harten, länglichen Stahlstücke erneut erhitzen. Rhunön legte die glänzenden langen Stücke nebeneinander auf den Amboss, packte sie mit zwei Greifzangen und wickelte sie siebenmal umeinander. Funken stoben in die Luft, als sie den Metallzopf zu einem Stück Metall zusammenschmiedete. Diesen Sternenstahl faltete, schmiedete und hämmerte sie weitere sechs Mal. Als sie mit dem Zustand des Metalls zufrieden war, trieb Rhunön den Sternenstahl zu einer dicken rechteckigen Platte, die sie mit einem scharfen Meißel der Länge nach zerteilte. Jede der beiden Hälften bog sie dann so zurecht, dass sie jeweils ein V bildeten.

All das, staunte Eragon, *hat sie in anderthalb Stunden geschafft.* Er bewunderte die Schnelligkeit der Elfe, obwohl es sein Körper war, der die Handgriffe ausführte. Noch nie zuvor hatte er einen Schmied Metall mit einer solchen Leichtigkeit bearbeiten sehen. Wofür Horst Stunden gebraucht hätte, dazu benötigte Rhunön wenige Minuten. Und egal wie anstrengend die Arbeit war, die Elfe sang, umwebte den Sternenstahl mit ihren Beschwörungen und führte gleichzeitig Eragons Arm mit unfehlbarer Präzision.

Eragon versank in einen Rausch aus Feuer und Funkensprühen, Hämmern und Verausgabung, aus dem er nur auftauchte, als Rhunön seinen Blick durch den Innenhof gleiten ließ und er am Rand des Hofs drei schlanke Gestalten auszumachen glaubte. Einen Herzschlag später bestätigte Saphira seine Vermutung. *Eragon, wir sind nicht allein.*

Wer ist das?, erkundigte er sich.

Saphira schickte ein Bild der kleinen ergrauten Werkatze Maud an sein Bewusstsein, die in ihrer menschlichen Gestalt zwischen zwei hellhäutigen Elfen stand, die kaum größer waren als sie selbst. Es waren ein Elf und eine Elfe, die beide selbst an den Maßstäben der Elfen gemessen außerordentlich schön waren. Ihre ernsten, tropfenförmigen Gesichter wirkten gleichzeitig weise und unschuldig, was es Eragon unmöglich machte, ihr Alter zu schätzen. Ihre Haut glänzte schwach silbern, als wären die beiden Elfen so erfüllt von Energie, dass sie durch die Haut hindurchdrang.

Eragon fragte Rhunön, wer die Elfen seien, als sie seinem Körper eine kleine Ruhepause gönnte. Rhunön sah kurz zu ihnen hinüber, und ohne ihr Lied zu unterbrechen, sagte sie in seinem Geist: *Das sind Alanna und Dusan, die einzigen Elfenkinder in Ellesméra. Als sie vor zwölf Jahren empfangen wurden, haben wir ein großes Fest gefeiert.*

Sie sind anders als alle Elfen, die ich bisher kennengelernt habe, stellte Eragon fest.

Unsere Kinder sind etwas Besonderes, Schattentöter. Sie sind mit speziellen Gaben gesegnet, Gaben der Anmut und der Macht, mit denen kein erwachsener Elf je mithalten könnte. Während wir altern, verwelkt unsere Blüte ein wenig, wenngleich uns auch die Magie der frühen Jahre nie vollkommen verlässt.

Rhunön verschwendete keine Zeit mehr mit Gerede. Sie ließ Eragon den Keil aus weicherem Stahl zwischen die beiden v-förmigen Streifen legen und den Stahl so lange bearbeiten, bis die Streifen den Keil fast ganz umhüllten und die Spannung die drei Stücke zusammenhielt. Dann schmiedete Rhunön die Stücke zu einem Ganzen, zog das noch heiße Metall in die Länge und formte den groben Umriss eines Schwertes. Der weiche Stahl bildete das Rückgrat der Klinge, die beiden härteren Streifen die Seiten, die Schneiden und die Spitze. Sobald die Form die Länge des fertigen Schwertes fast erreicht hatte, widmete Eragon sich auf Rhunöns Geheiß dem Griffzapfen und hämmerte langsam die Klinge hinauf, wobei er die endgültigen Proportionen des Schwertes festlegte.

Danach sollte Saphira einzelne Abschnitte der Klinge erhitzen, die jeweils nicht breiter als sechs oder sieben Zoll waren, was sie dadurch erreichten, dass Rhunön die Klinge über eine Drachennüster hielt, aus der Saphira dann einen einzelnen Feuerstrahl schnaubte. Immer wenn ihr Feuer aufflackerte, flohen zahllose Schatten zum Rand des Innenhofs.

Eragon sah staunend zu, wie sich der grobe Klumpen Metall unter seinen Händen in eine elegante Kriegswaffe verwandelte. Mit jedem Schlag wurden die Umrisse des Schwertes deutlicher, als *wollte* der Sternenstahl ein Schwert sein und könnte es kaum erwarten, die Form anzunehmen, die Rhunön für ihn vorgesehen hatte.

Schließlich näherte sich die Schmiedearbeit dem Ende, und auf dem Amboss lag eine lange schwarze Klinge, die, auch wenn sie noch rau und unvollendet war, eine tödliche Zielstrebigkeit ausstrahlte.

Rhunön erlaubte Eragon, seine müden Arme auszuruhen, während das Schwert an der Luft abkühlte. Dann brachte sie es durch ihn zu einer anderen Ecke der Werkstatt, wo sechs verschiedene Schleifräder standen. Auf einer Werkbank daneben lag eine Sammlung von Feilen, Schabmessern und Wetzsteinen. Sie fixierte das Schwert zwischen zwei Holzblöcken und verbrachte die nächste Stunde damit, die Seiten des Schwertes mit einem Abziehmesser zu glätten und die Konturen mit Feilen zu formen. Wie beim Hämmern schien jede Bewegung mit Messer und Feile doppelt so stark zu wirken wie normalerweise; als wüssten die Werkzeuge genau, wie viel Stahl zu entfernen war, und hielten sich daran.

Als Rhunön mit dem Feilen fertig war, entzündete sie ein Holzkohlenfeuer in der Esse, und während sie darauf wartete, dass es richtig brannte, rührte sie einen Brei aus feinkörnigem dunklem Lehm, Asche, pulverisiertem Bimsstein und kristallisiertem Wacholdersaft an. Sie bestrich die Klinge mit dem Brei, wobei sie auf dem Rückgrat der Klinge doppelt so viel davon auftrug wie auf den Schneiden und der Spitze. Je dicker die Breischicht war, desto langsamer würde das Metall darunter abkühlen, wenn es später abgelöscht wurde, und desto weicher würden diese Stellen des Schwertes werden.

Der Lehm wurde heller, als Rhunön ihn mit einem kurzen Zauberspruch trocknete. Dann ging Eragon auf Anweisung der Elfe zur Esse. Er legte das Schwert flach auf das Bett aus glühenden Kohlen und zog es langsam wieder heraus, während er mit der freien Hand den Blasebalg bediente. Sobald die Spitze des Schwertes aus dem Feuer auftauchte, drehte Rhunön es um und wiederholte die Prozedur. Sie fuhr fort, die Klinge durch das Feuer zu ziehen, bis die Schneiden orange und das Rückgrat des Schwertes hellrot glühten. Dann zog Rhunön das Schwert in einer fließenden Bewegung aus den Kohlen, schwang die rot glühende Stahlklinge durch die Luft und tauchte sie in den Wassertrog neben der Esse.

Eine fauchende Dampfwolke stieg auf und um die Klinge herum zischte und brodelte das Wasser. Nach einer Minute beruhigte es sich und Rhunön holte das nun perlgraue Schwert heraus. Sie legte es erneut in die niedrige Hitze des Feuers, um die Sprödigkeit der Schneiden herabzusetzen, und löschte die Klinge anschließend wieder ab.

Eragon hatte erwartet, dass Rhunön seinen Körper freigeben würde, nachdem sie die Klinge geschmiedet, gehärtet und getempert hatten, aber zu seiner Überraschung verharrte sie in seinem Geist und behielt die Kontrolle über seinen Körper.

Rhunön wies ihn an, die Esse mit Wasser zu löschen, dann dirigierte sie ihn zu der Werkbank mit den Feilen und Schleifsteinen. Dort setzte sie ihn hin und machte sich daran, mit noch feineren Wetzsteinen die Klinge zu polieren. Aus Rhunöns Erinnerungen erfuhr Eragon, dass sie normalerweise eine Woche oder mehr auf das Polieren einer Klinge verwendete, aber durch das Lied, das sie mit ihm sang, konnte sie diese Aufgabe in nur vier Stunden bewältigen. Die Zeit reichte sogar, die Hohlkehle auf beiden Seiten des Schwertes einzuschmieden. Umso ebenmäßiger der Sternenstahl wurde, desto mehr offenbarte das Metall seine Schönheit. Eragon erkannte ein schimmerndes, seilartiges Muster darin, dessen Linien jeweils den Übergang zwischen zwei Schichten des samtigen Stahls markierten. Und an den beiden Schneiden des Schwertes schimmerte ein weißes Band, das aussah, als würden dort gefrorene Flammen züngeln.

Die Muskeln seines rechten Arms versagten Eragon den Dienst, als Rhunön gerade dabei war, den Griffzapfen mit einem dekorativen Kreuzmuster zu versehen. Die Feile rutschte von dem Zapfen ab und glitt ihm aus den kraftlosen Fingern. Es überraschte ihn, wie ungeheuer erschöpft er war, da er sich bis zu diesem Zeitpunkt ausschließlich auf das Schwert konzentriert hatte.

Genug!, sagte Rhunön und zog sich kurzerhand aus Eragons Geist zurück.

Ihr plötzliches Fehlen ließ Eragon auf seinem Hocker schwanken, und fast wäre er zu Boden gestürzt, bevor er seine rebellischen Gliedmaßen wieder unter Kontrolle hatte. »Aber wir sind doch noch nicht fertig!«, protestierte er. Ohne Rhunöns Gesang kam ihm die Nacht unnatürlich still vor.

Rhunön erhob sich von ihrem Platz am Pfosten, an dem sie die ganze Zeit mit gekreuzten Beinen gesessen hatte, und schüttelte den Kopf. »Ich brauche dich nicht mehr, Schattentöter. Geh und träume bis zum Morgengrauen.«

»Aber …«

»Du bist erschöpft, und trotz meiner Magie würdest du die Waffe vermutlich ruinieren, wenn du weiter daran arbeiten würdest. Nun, da die Klinge fertig ist, kann ich die restliche Arbeit beenden, ohne mein Gelübde zu brechen. Also geh! Im zweiten Stock meines Hauses steht ein Bett. Falls du hungrig sein solltest, findest du alles Nötige in der Speisekammer.«

Eragon zögerte. Er wollte nicht gehen, nickte dann aber und schlurfte von der Werkbank weg. Als er an Saphira vorbeikam, strich er mit der Hand über ihren Flügel und wünschte ihr eine gute Nacht. Mehr bekam er vor lauter Müdigkeit nicht heraus. Sie zerzauste ihm mit einem warmen Atemstoß das Haar. *Ich werde zuschauen und mich für dich erinnern, mein Kleiner,* antwortete sie.

Auf der Schwelle von Rhunöns Haus blieb Eragon stehen und blickte suchend über den schattigen Innenhof. Maud und die beiden Elfenkinder standen immer noch an derselben Stelle. Er hob grüßend die Hand und Maud entblößte lächelnd ihre scharfen spitzen Zähne. Ein Kribbeln lief Eragon über den Nacken, als die Elfenkinder ihn ansahen. Ihre großen, schräg stehenden Augen schimmerten in der Dämmerung. Als sie sich nicht weiter rührten, zog er den Kopf ein und trat ins Haus. Er freute sich schon auf eine weiche Matratze.

Die Weisheit des Feuers

Wach auf, Kleiner, sagte Saphira. *Die Sonne ist schon aufgegangen und Rhunön wird ungeduldig.*

Eragon richtete sich mit einem Ruck auf und warf die Decke so mühelos von sich, wie er aus seinen Träumen glitt. Arme und Schultern schmerzten von der nächtlichen Anstrengung. Er zog seine Stiefel an und war fast zu aufgeregt, um sich die Schnürsenkel zu binden. Dann schnappte er sich die schmutzige Schürze vom Boden und sprang die kunstvoll geschnitzten Stufen zum Eingang von Rhunöns geschwungenem Haus hinab.

Am Himmel leuchtete das erste Licht des Tages, doch der Innenhof lag noch im Schatten. Eragon entdeckte Rhunön und Saphira an der offenen Schmiede und lief zu ihnen hinüber, während er sich mit den Fingern durchs Haar fuhr. Rhunön lehnte an der Werkbank. Sie hatte dunkle Schatten unter den Augen und die feinen Linien in ihrem Gesicht waren tiefer als am Tag zuvor.

Vor ihr lag, verborgen unter einem weißen Tuch, das Schwert.

»Ich habe das Unmögliche vollbracht!« Rhunöns Stimme klang heiser und trocken. »Ich habe ein Todeswerkzeug geschmiedet, obwohl ich gelobt hatte, es nicht zu tun. Mehr noch, ich habe es an einem einzigen Tag gefertigt und dazu mit Händen, die nicht die meinen waren. Dennoch ist das Schwert weder plump noch schäbig. Nein! Es ist die schönste Waffe, die ich je hergestellt habe. Ich hätte zwar lieber weniger Magie für die Fertigung eingesetzt, aber das ist meine einzige Sorge. Und sie bedeutet nichts, verglichen mit dem Ergebnis. Schaut her!«

Rhunön packte einen Zipfel des Tuchs und zog es zurück.

Eragon stieß ein überraschtes Keuchen aus. Er hatte angenommen, dass die wenigen Stunden, die Rhunön geblieben waren, nachdem er sich niedergelegt hatte, nur für ein einfaches Heft, eine schlichte Parierstange und vielleicht noch eine Holzscheide gereicht hätten. Aber das Schwert, das vor ihm lag, war so prachtvoll wie Zar'roc, Naegling und Támerlein – in seinen Augen war es noch schöner.

Die Klinge steckte in einer Scheide von demselben dunklen Blau wie Saphiras Rückenschuppen. Die Farbe schillerte leicht wie das von Laubwerk gesprenkelte Licht am Grunde eines klaren Waldsees. Das Ortband der Scheide zierte ein Beschlag aus gebläutem Sternenstahl in Form eines Blattes, während um das Scheidenmundblech stilisiertes Weinlaub verlief. Die gebogene Parierstange war ebenfalls aus gebläutem Sternenstahl, ebenso wie die vier Rippen, die den großen Saphir am Knauf hielten. Das Heft des Anderthalbhänders war aus hartem Ebenholz geschnitzt.

Ehrfürchtig griff Eragon nach dem Schwert, hielt dann aber inne und sah Rhunön an. »Darf ich?«

Sie neigte den Kopf. »Bitte. Ich schenke es dir, Schattentöter.«

Eragon hob das Schwert behutsam von der Werkbank. Die Scheide und der Holzgriff fühlten sich kühl an. Einige Minuten lang bewunderte er die Details auf Scheide, Parierstange und Knauf. Dann packte er das Heft fester und zog die Waffe aus der Scheide.

Auch die Klinge war blau, wenngleich etwas heller als der Rest des Schwertes. Es war eher das Blau von Saphiras Halsschuppen als das ihrer Rückenschuppen. Und wie bei Zar'roc changierte diese Farbe. Als Eragon das Schwert leicht drehte, schillerte die Klinge in allen Blautönen, die Saphiras Schuppen nur aufwiesen. Bei diesem Farbspiel blieben jedoch die seilartigen Linien im Stahl und die blassen Bänder an den Schneiden sichtbar.

Mit einer Hand schwang Eragon das Schwert durch die Luft und lachte vor Freude darüber, wie leicht und schnell es sich anfühlte.

Es schien fast lebendig. Dann packte er es mit beiden Händen und stellte entzückt fest, dass sie problemlos um das längere Heft passten. Er sprang vor und stach auf einen imaginären Feind ein. Zufrieden trat er zurück: Der Stich hätte sicherlich jeden Gegner auf der Stelle getötet.

»Hier.« Rhunön deutete auf drei Eisenstangen, die vor der Schmiede senkrecht in der Erde steckten. »Probier es daran aus.«

Eragon konzentrierte sich einen Moment, dann machte er einen langen Satz, schlug mit einem lauten Schrei zu und durchtrennte alle Stangen sauber in der Mitte. Die Klinge erzeugte einen einzelnen reinen Ton, der langsam verhallte. Eragon untersuchte die Schneide an der Stelle, wo sie die Stangen getroffen hatte, fand jedoch keinerlei Spuren von dem Aufprall.

»Findet die Waffe deine Zustimmung, Drachenreiter?«, fragte Rhunön.

»Mehr als das, Rhunön-Elda«, gab Eragon mit einer Verbeugung zurück. »Ich weiß nicht, wie ich dir für dieses Geschenk danken soll.«

»Danke mir, indem du Galbatorix tötest. Wenn es einem Schwert bestimmt ist, diesen wahnsinnigen König niederzustrecken, dann diesem hier.«

»Ich werde mein Bestes geben, Rhunön-Elda.«

Die Elfe nickte, offensichtlich zufrieden. »Nun hast du endlich dein eigenes Schwert, so wie es sein soll. Jetzt bist du ein wahrer Drachenreiter.«

»Ja.« Eragon hob das Schwert bewundernd in die Höhe. »Jetzt bin ich ein wahrer Drachenreiter.«

»Vor deiner Abreise bleibt dir nur noch eine letzte Sache zu tun«, meinte Rhunön.

»Welche?«

Sie deutete mit einem Finger auf das Schwert. »Du musst ihm einen Namen geben, damit ich Klinge und Scheide mit dem entsprechenden Symbol versehen kann.«

Eragon ging zu Saphira. *Was meinst du?*

Nicht ich trage dieses Schwert. Nenne es, wie du es für richtig hältst.

Sicher, aber du hast doch bestimmt einen Vorschlag!

Sie senkte den Kopf, schnupperte an dem Schwert und sagte dann: *Blauer-Edelstein-Zahn würde ich es nennen. Oder Blaue-Klaue-Blut.*

Das klingt lächerlich für Menschenohren.

Wie wäre es dann mit Schnitter oder Eingeweideschneider? Oder vielleicht Schlachtklaue oder Glitzerdorn oder Gliedhacker? Du könntest es auch Terror oder Schmerz oder Armbeißer oder Immerscharf oder Kräuselschuppe nennen: wegen des Musters im Stahl. Dann wären da noch Zunge des Todes oder Elfenstahl oder Sternenmetall.

Ihre plötzliche Redseligkeit verblüffte Eragon. *Du hast wirklich ein Talent dafür,* meinte er.

Beliebige Namen zu ersinnen, ist einfach. Doch den richtigen Namen zu finden, kann selbst die Geduld eines Elfs auf die Probe stellen.

Wie wäre es mit Königsmörder?, schlug er vor.

Und wenn es uns tatsächlich gelingt, Galbatorix zu töten? Was dann? Willst du danach nichts Bedeutsames mehr mit deinem Schwert vollbringen?

Hm. Er hielt das Schwert neben Saphiras linkes Vorderbein. *Es hat dieselbe Farbe wie deine Schuppen … Ich könnte es nach dir benennen.*

Ein tiefes Knurren rollte durch Saphiras Brust. *Nein.*

Eragon verkniff sich ein Grinsen. *Wirklich nicht? Stell dir vor, wir wären mitten im Kampf und …*

Sie grub ihre Klauen in die Erde. *Nein. Ich bin kein Ding, mit dem du herumfuchteln und über das du dich lustig machen kannst.*

Ja, du hast recht. Entschuldige. … Wenn ich es in der alten Sprache »Hoffnung« nenne? Zar'roc bedeutet »Kummer«. Wäre es da nicht passend, wenn ich ein Schwert führte, das schon dem bloßen Namen nach den Kummer vertreibt?

Ein nobler Gedanke, sagte Saphira. *Aber willst du deinen Feinden wirklich Hoffnung schenken? Willst du Galbatorix mit Hoffnung durchbohren?*

Es wäre ein amüsantes Wortspiel, erwiderte Eragon lachend.

Einmal vielleicht, dann nicht mehr.

Ratlos verzog Eragon das Gesicht und rieb sich das Kinn, während er beobachtete, wie sich das Licht auf der Klinge brach. Als er sich in den Stahl vertiefte, fiel sein Blick zufällig auf das flammenartige Muster, das den Übergang zwischen dem weichen Kern des Schwertes und dem harten Metall der Schneide markierte. Das Wort fiel ihm ein, das Brom in Saphiras Erinnerung benutzt hatte, um seine Pfeife anzuzünden. Dann dachte er daran, wie er in Yazuac zum ersten Mal Magie angewendet hatte, und an sein Duell mit Durza in Farthen Dûr. Und in diesem Moment wusste er ohne jeden Zweifel, dass er den richtigen Namen für sein Schwert gefunden hatte.

Er beriet sich kurz mit Saphira, und als sie ihm zustimmte, hob er das Schwert in Schulterhöhe und sagte: »Ich habe mich entschieden. Schwert, ich nenne dich Brisingr!«

Mit einem Rauschen ging das Schwert in Flammen auf und saphirblaues Feuer umhüllte die rasiermesserscharfe Klinge.

Eragon stieß einen Schrei aus, ließ das Schwert fallen und sprang zurück, aus Angst, sich zu verbrennen. Die Klinge loderte auf dem Boden weiter und die durchscheinende Flamme versengte die Grasbüschel dicht neben der Waffe. Endlich begriff Eragon, dass er dieses unnatürliche Feuer mit seiner Energie nährte. Er löste die Magie rasch, und als das Feuer um das Schwert erlosch, hob er die Waffe auf. Es verwirrte ihn, dass er unabsichtlich einen Zauber hatte wirken können. Er tippte vorsichtig mit dem Finger gegen die Klinge. Sie war nicht heißer als vorher.

Rhunön kam mit finsterer Miene auf ihn zu, nahm ihm das Schwert aus der Hand und untersuchte es von der Spitze bis zum Knauf. »Du hast Glück, dass ich es bereits mit Schutzzaubern gegen Hitze und Beschädigungen belegt habe, andernfalls hättest du gerade die Parierstange zerkratzt und die Härte der Klinge zerstört. Lass es nicht wieder fallen, Schattentöter, selbst wenn es sich in eine Schlange verwandelt! Sonst nehme ich es dir wieder weg und gebe dir stattdessen einen ausrangierten Schmiedehammer.« Eragon entschuldigte sich, und Rhunön gab ihm, offenbar besänftigt, das Schwert zurück. »Hast du es absichtlich in Brand gesetzt?«, erkundigte sie sich.

»Nein.« Er konnte sich auch nicht erklären, wie das passiert war.

»Sag es noch einmal«, befahl ihm Rhunön.

»Was?«

»Den Namen, den Namen des Schwertes. Wiederhole ihn.«

Eragon hielt das Schwert so weit von seinem Körper weg, wie er konnte. »Brisingr!«, rief er.

Sofort umhüllte eine flackernde Flammensäule die Klinge des Schwertes, die Hitze wärmte sein Gesicht. Diesmal bemerkte Eragon ein leichtes Schwinden seiner Kraft durch den Zauber. Nach einem Moment löschte er das rauchlose Feuer.

Dann rief er wieder »Brisingr!« und erneut umzüngelten gespenstische blaue Flammen die Klinge.

Na, das ist mal ein passendes Schwert für einen Drachenreiter und seinen Drachen, meinte Saphira entzückt. *Es speit so leicht Feuer wie ich.*

»Aber ich habe keinen Zauber gewirkt«, protestierte Eragon. »Ich habe nur *Brisingr* gesagt und ...« Er jaulte auf und fluchte, als das Schwert erneut in Flammen aufging und er den Brand ein viertes Mal löschen musste.

»Darf ich?« Rhunön streckte Eragon die Hand entgegen. Er reichte ihr das Schwert.

»Brisingr!«, sagte die Elfe. Ein Zittern schien durch die Klinge zu gehen, aber ansonsten rührte sich nichts. Rhunön gab Eragon die Waffe nachdenklich zurück. »Ich habe zwei mögliche Erklärungen für dieses Wunder«, sagte sie. »Du warst an seiner Entstehung beteiligt und hast dabei womöglich einen Teil deiner Persönlichkeit in das Schwert fließen lassen, wodurch es auf deine Wünsche abgestimmt wurde. Das ist die eine Erklärung. Die andere lautet, dass du den wahren Namen des Schwertes entdeckt hast. Vielleicht trifft sogar beides zu. Auf jeden Fall hast du eine gute Wahl getroffen, Drachenreiter. Brisingr! Ja, das gefällt mir. Es ist ein guter Name für ein Schwert.«

Ein sehr guter Name, stimmte Saphira zu.

Dann legte Rhunön ihre Hand auf die Mitte von Brisingrs Klinge und murmelte einen lautlosen Zauberspruch. Im nächsten Moment erschien das elfische Symbol für Feuer auf beiden Seiten der Klinge. Dasselbe wiederholte sie mit der Scheide.

Erneut verbeugte sich Eragon vor der Elfe, und sowohl er als auch Saphira versicherten der Schmiedin ihre Dankbarkeit. Ein Lächeln erschien auf Rhunöns betagtem Gesicht und sie berührte mit ihrem schwieligen Daumen beide an der Stirn. »Ich bin froh, dass ich den Drachenreitern noch dieses eine Mal helfen konnte. Geh, Schattentöter, geh, Schimmerschuppe. Kehrt zu den Varden zurück, und mögen eure Feinde die Flucht ergreifen, wenn sie das Schwert sehen, das du jetzt schwingst.«

So wünschten auch Eragon und Saphira ihr Lebewohl und verließen zusammen Rhunöns Haus. Eragon trug Brisingr in den Armen wie ein Vater sein neugeborenes Kind.

In vorderster Front

Das Innere des grauen Zelts wurde von einer einzelnen Kerze erhellt; ein armseliger Ersatz für das Strahlen der Sonne.

Roran stand mit ausgestreckten Armen da, während Katrina die Seiten des gepolsterten Wamses verschnürte, das sie ihm angepasst hatte. Als sie fertig war, zog sie den Stoff am Saum glatt. »Das wär's. Ist es zu eng?«

Er schüttelte den Kopf. »Nein.«

Sie nahm die Beinschienen von ihrem gemeinsamen Lager und kniete sich im flackernden Kerzenlicht vor ihn. Roran sah zu, wie sie ihm die Schienen um die Unterschenkel schnallte. Sie legte die Hand um seine Wade, als sie die zweite Schiene festmachte, und er spürte ihre Wärme durch den Stoff der Hose.

Dann stand Katrina auf, trat erneut zu ihrem Lager und holte die Armschienen. Roran hielt ihr die Arme hin und sah ihr tief in die Augen. Sie erwiderte seinen Blick. Langsam und sorgfältig legte sie ihm die Armschienen an und ließ ihre Finger dann von seiner Armbeuge zu den Handgelenken gleiten, bis er ihre Hände umfasste.

Lächelnd löste sie sich aus seinem zärtlichen Griff.

Dann hob sie das Kettenhemd vom Boden neben dem Lager auf. Sie stellte sich auf die Zehenspitzen, hob das Hemd über seinen Kopf und hielt es dort einen Moment, während er mit den Händen in die Ärmel fuhr. Die Ketten klirrten wie Eis, als sie das Hemd losließ und es über seine Schultern nach unten fiel, bis der Saum in Kniehöhe hing. Dann setzte sie ihm die Lederkappe auf und verschnürte die Bänder unter seinem Kinn. Einen Moment hielt sie sein Gesicht zwischen den Händen und küsste ihn auf den Mund. Schließlich holte sie den spitzen Helm und schob ihn behutsam über die Lederkappe.

Als Katrina wieder zu dem Feldbett hinübergehen wollte, schlang Roran seinen Arm um ihre füllige Taille und hielt sie fest. »Hör zu«, sagte er, »mir wird nichts passieren.« Er versuchte, seine ganze Liebe in seine Stimme und seinen Blick zu legen. »Aber sitz hier nicht die ganze Zeit allein rum, versprich mir das. Geh zu Elain. Sie könnte Hilfe gebrauchen. Sie ist krank und die Geburt ihres Kindes ist überfällig.«

Katrina hob das Kinn und in ihren Augen schimmerten Tränen. Er wusste, sie würde sie erst vergießen, wenn er gegangen war. »Musst du denn unbedingt in vorderster Front kämpfen?«, flüsterte sie.

»Irgendjemand muss es tun«, antwortete er. »Wen würdest du an meiner Stelle schicken?«

»Jeden … jeden anderen.« Katrina verstummte, senkte den Blick und zog dann ein rotes Halstuch aus dem Mieder ihres Kleides. »Hier, nimm das als Beweis meiner Gunst, damit die ganze Welt sieht, wie stolz ich auf dich bin.« Sie knotete das Halstuch um seinen Schwertgurt.

Roran küsste sie zweimal, dann ließ er sie los. Sie holte Speer und Schild vom Feldbett. Er küsste sie ein drittes Mal, als er ihr die Waffen abnahm, und schob seinen Arm durch die Schlaufe seines Schilds.

»Falls mir etwas zustößt …«, begann er.

Katrina legte ihm einen Finger auf die Lippen. »Schhh. Sprich nicht darüber, das bringt Unglück.«

»Na schön.« Er umarmte sie ein letztes Mal. »Pass auf dich auf!«

»Und du auf dich!«

Roran konnte sich kaum von ihr losreißen, doch schließlich wandte er sich um und trat aus dem Zelt in das blasse Licht der

Morgendämmerung. Männer, Zwerge und Urgals strömten durch das Lager Richtung Westen zu dem niedergetrampelten Feld, auf dem sich die Varden sammelten.

Roran sog tief die kühle Morgenluft ein und folgte den anderen. Er wusste, sein Trupp wartete schon auf ihn. Auf dem Feld suchte er Jörmundurs Abteilung und meldete sich bei ihm. Dann bahnte er sich einen Weg an die vorderste Front und stellte sich neben Yarbog auf.

Der Urgal warf ihm einen Seitenblick zu. »Ein guter Tag für eine Schlacht.«

»Ja, ein guter Tag.«

In dem Moment, als die Sonne sich über den Horizont schob, ertönte ein schmetterndes Hornsignal. Wie alle anderen Krieger um ihn herum stürmte Roran mit erhobenem Speer los und brüllte aus Leibeskräften, während ein Pfeilhagel auf sie herabprasselte und Steinbrocken über ihre Köpfe hinwegflogen. Vor ihm erhob sich eine achtzig Fuß hohe Steinmauer.

Die Belagerung von Feinster hatte begonnen.

Abschied

Von Rhunöns Haus flogen Eragon und Saphira zurück zu ihrem Baumhaus. Dort packte Eragon seine Sachen zusammen, sattelte Saphira und nahm dann seinen gewohnten Platz zwischen ihren Schultern ein.

Bevor wir zu den Felsen von Tel'naeír fliegen, sagte er, *muss ich noch eine Sache in Ellesméra erledigen.*

Musst du?

Ich wäre nicht mit mir im Reinen, wenn ich es nicht täte.

Saphira sprang aus dem Baumhaus und stieg über den Wald auf. Sie flog nach Westen, bis die Zahl der Häuser abnahm, dann stieß sie hinab und landete auf einem schmalen moosbedeckten Pfad. Nachdem sie einen Elf, der in den Ästen eines Baumes in der Nähe saß, nach dem Weg gefragt hatten, marschierten Eragon und Saphira durch den Wald, bis sie eine kleine, windschiefe Hütte erreichten, die aus dem Stamm einer Tanne herausgewachsen war.

Links davon erhob sich ein Hügel, der Eragon um mehrere Fuß überragte. Ein Bächlein floss dort herab, bildete unten einen kleinen Teich und schlängelte sich dann in den Wald hinein. Weiße Orchideen säumten das Wasser. Am nahen Ufer ragte inmitten der schlanken Blumen eine knollige Baumwurzel aus dem Boden, auf der mit überkreuzten Beinen Sloan saß.

Eragon hielt den Atem an; er wollte nicht, dass der Mann ihn bemerkte.

Der Metzger trug ein Gewand nach Art der Elfen in Orange und Braun. Das schmale schwarze Tuch um seinen Kopf verbarg seine leeren Augenhöhlen. Auf dem Schoß ruhte ein abgelagertes Stück Holz, an dem er mit einem kleinen Messer herumschnitzte. Sein Gesicht war faltiger, als Eragon es in Erinnerung hatte, und an den Händen und Armen hatte er zahlreiche frische Narben, die sich bläulich von der Haut abhoben.

Warte hier, sagte Eragon zu Saphira und sprang von ihrem Rücken.

Als er auf Sloan zutrat, ließ der Metzger das Schnitzmesser sinken und legte den Kopf schräg. »Geh weg«, krächzte er.

Da er nicht wusste, wie er reagieren sollte, blieb Eragon stehen und schwieg.

Sloans Kiefermuskeln mahlten, während er noch ein paar Späne aus dem Holz schnitt. Dann klopfte er mit der Klingenspitze gegen die Baumwurzel und sagte: »Verdammt. Könnt ihr mich nicht für ein paar Stunden mit meinem Leid allein lassen? Mir ist nicht danach, einem eurer Barden oder Spielmänner zu lauschen. Und egal wie oft ihr mich fragt, ich ändere meine Meinung nicht. Und jetzt verschwinde, wer immer du bist.«

Mitleid und Zorn stiegen in Eragon auf. Zugleich kam es ihm fast unwirklich vor, dass ein Mensch, der ihn hatte aufwachsen sehen und vor dem er so oft Angst gehabt hatte, so tief gesunken war. »Fühlst du dich wohl hier?«, fragte er im melodischen Tonfall der alten Sprache.

Sloan brummte missmutig. »Ihr wisst, dass ich eure Sprache nicht verstehe und sie auch nicht lernen will. Die Worte klingen mir länger in den Ohren, als mir lieb ist. Rede in der Sprache meines Volkes oder rede gar nicht mit mir.«

Eragon schwieg, ging aber nicht.

Sloan fluchte und schnitzte weiter. Nach jedem zweiten Streich fuhr er mit dem Daumen über das Holz und prüfte, ob die Form seiner Vorstellung entsprach. Einige Minuten verstrichen, dann sagte er mit sanfterer Stimme: »Ihr hattet recht. Mit meinen Händen zu arbeiten, beruhigt meine Gedanken. Manchmal … manchmal vergesse ich fast, was ich verloren habe. Aber die Erinnerung kehrt immer wieder zurück, und dann fühle ich mich, als würde ich daran ersticken … Ich bin froh, dass ihr mir das Messer geschärft habt. Die Schneide eines Mannes sollte immer scharf sein.«

Eragon beobachtete ihn noch einige Minuten, dann wandte er sich ab und kehrte zu Saphira zurück. *Sloan scheint sich nicht sehr verändert zu haben,* sagte er, als er sich in den Sattel zog.

Man kann nicht erwarten, dass in so kurzer Zeit ein anderer Mensch aus ihm wird, entgegnete Saphira.

Nein, aber ich hatte gehofft, dass er hier in Ellesméra weiser werden und seine Verbrechen bedauern würde.

Wenn er sich seine Fehler nicht eingestehen will, Eragon, dann kann ihn nichts dazu zwingen. So oder so hast du für ihn getan, was du konntest. Nun liegt es an ihm, sich mit seinem Schicksal zu versöhnen. Wenn er das nicht kann, mag er in den Gedanken an den ewigen Tod Trost finden.

Von einer Lichtung in der Nähe von Sloans Hütte schwang sich Saphira in den Himmel und flog nach Norden zu den Felsen von Tel'naeír. Die Morgensonne stand über dem Horizont, und die Lichtstrahlen, die über die Baumwipfel hinwegströmten, erzeugten lang gezogene dunkle Schatten, die wie purpurne Fahnen nach Westen wiesen.

Saphira hielt im Sinkflug auf die Wiese neben Oromis' Kiefernhütte zu, wo Glaedr und der Elf sie schon erwarteten. Überrascht sah Eragon, dass zwischen zwei der gewaltigen Rückenzacken Glaedrs ein Sattel ruhte und Oromis in ein schweres Reisegewand in Blau und Grün gekleidet war, über dem er einen goldenen Brustpanzer und Armschienen trug. Auf den Rücken hatte er sich einen hohen diamantförmigen Schild geschwungen, in der Armbeuge hielt er einen altertümlichen Helm und an der Hüfte hing sein bronzefarbenes Schwert Naegling.

Mit aufgestellten Flügeln landete Saphira auf der Wiese. Sie schob die Zunge vor und kostete die Luft, während Eragon zu Boden rutschte. *Fliegt Ihr mit uns zu den Varden?,* fragte sie. Vor lauter Aufregung zuckte ihre Schwanzspitze.

»Wir begleiten euch bis zum Rand von Du Weldenvarden, aber dort werden sich unsere Wege trennen«, erklärte Oromis.

»Kehrt Ihr anschließend nach Ellesméra zurück?«, fragte Eragon enttäuscht.

Oromis schüttelte den Kopf. »Nein, Eragon, wir fliegen nach Gil'ead weiter.«

Saphira zischte überrascht und auch Eragon war verblüfft. »Warum denn nach Gil'ead?«

Weil Islanzadi mit ihrer Armee von Ceunon nach Gil'ead marschiert ist und sie die Stadt belagern wird, sagte Glaedr, als die seltsam glänzende Oberfläche seines Geistes über Eragons Bewusstsein strich.

Aber wolltet Ihr Eure Existenz nicht vor dem Imperium geheim halten?, fragte Saphira.

Oromis schloss für einen Moment die Augen, sein Gesichtsausdruck war entrückt und rätselhaft. »Die Zeit des Versteckens ist vorbei, Saphira. Glaedr und ich haben euch alles beigebracht, was in der kurzen Zeit, die ihr unter uns studiert habt, möglich war. Es war eine armselige Ausbildung, verglichen mit dem, was ihr in früheren Epochen gelernt hättet. Aber unter den gegebenen Umständen können wir uns glücklich schätzen, euch überhaupt in so vielen Dingen unterwiesen zu haben. Glaedr und ich sind davon überzeugt, dass wir nun alles an euch weitergegeben haben, was ihr für euren Kampf gegen Galbatorix wissen müsst.

Da es unwahrscheinlich ist, dass ihr vor Ende dieses Krieges die Gelegenheit bekommt, eure Studien bei uns fortzusetzen, und da es noch unwahrscheinlicher ist, dass wir jemals einen anderen Drachen und Reiter unterrichten werden, solange Galbatorix unter den Lebenden weilt, haben wir beschlossen, dass es keinen Grund mehr gibt, in der Abgeschiedenheit von Du Weldenvarden zu verharren. Es ist wichtiger, dass wir Islanzadi und den Varden helfen, Galbatorix zu stürzen, als hier unsere Tage in Müßiggang zu verbringen und darauf zu warten, dass uns irgendwann ein anderer Reiter und ein Drache aufsuchen.

Wenn Galbatorix erfährt, dass wir noch am Leben sind, wird es seine Zuversicht mindern, weil er nicht weiß, ob möglicherweise noch weitere Drachen und Reiter überlebt haben, trotz seiner Versuche, den Orden auszulöschen. Außerdem wird unser Anblick den Zwergen und Varden neuen Mut geben und dem Schlag, den Murtaghs und Dorns Erscheinen auf den Brennenden Steppen ihrer Moral versetzt hat, viel von seiner Kraft nehmen. Und es könnte dazu führen, dass sich noch mehr Menschen aus dem Imperium den Varden anschließen.«

Eragon blickte auf das Schwert Naegling an Oromis' Hüfte. »Meister, Ihr habt doch sicher nicht vor, selbst in die Schlacht zu ziehen?«

»Und warum sollten wir das nicht?«, entgegnete der Elf, den Kopf zur Seite geneigt.

Eragon wusste nicht so recht, was er antworten sollte, ohne Oromis und Glaedr zu kränken. Schließlich sagte er: »Verzeiht, Meister, aber wie wollt Ihr kämpfen, wenn Ihr keinen Zauber wirken könnt, der mehr als eine kleine Menge Energie erfordert? Und was ist mit den Anfällen, die Euch manchmal heimsuchen? Sollte es Euch mitten in der Schlacht treffen, könnte das tödlich sein.«

»Mittlerweile solltest du wissen, dass bloße Kraft nur selten über den Sieg in einem Duell zwischen zwei Magiern entscheidet«, antwortete Oromis ihm. »Außerdem steckt alle Energie, die ich benötige, hier drin, im Juwel an meinem Schwert.« Er legte die rechte Hand auf den gelben Diamanten an Naeglings Knauf. »Seit über hundert Jahren speichern Glaedr und ich jeden Funken an überschüssiger Energie in diesem Edelstein und auch andere haben diesen Quell gespeist: Zweimal in der Woche besuchen mich Elfen aus Ellesméra und übertragen so viel von ihrer Lebenskraft in den Diamanten, wie sie entbehren können, ohne zu sterben. Die Menge an Energie in diesem Stein ist überwältigend, Eragon. Ich könnte damit einen ganzen Berg versetzen. Deshalb wird es ein Leichtes sein, Glaedr und mich vor Schwertern, Speeren und Pfeilen zu schützen, sogar vor den Geschossen eines Katapults. Und was meine Anfälle betrifft: Ich habe den Stein von Naegling mit verschiedenen Schutzzaubern verbunden, die mich vor Schaden bewahren, falls mich ein Anfall auf dem Schlachtfeld kampfunfähig machen sollte. Wie du siehst, Eragon, sind Glaedr und ich alles andere als hilflos.«

Beschämt senkte Eragon das Haupt. »Ja, Meister«, murmelte er.

Oromis' Miene wurde etwas sanfter. »Ich weiß es zu schätzen, dass du besorgt um mich bist, Eragon, und nicht zu Unrecht. Der Krieg ist ein gefährliches Unterfangen und selbst den erfahrensten Kämpfer kann in der Hitze des Gefechts der Tod ereilen. Doch wir streiten für eine würdige Sache. Wenn es sein muss, werden Glaedr und ich bereitwillig in den Tod gehen, denn mit unserem Opfer würden wir dazu beitragen, Alagaësia von Galbatorix' Joch zu befreien.«

»Aber falls Ihr sterbt«, sagte Eragon und fühlte sich ganz klein, »und wir Galbatorix trotzdem töten und das letzte Drachenei befreien, wer soll dann diesen Drachen und seinen Reiter ausbilden?«

Zu Eragons Überraschung streckte Oromis den Arm aus und ergriff seine Schulter. »Falls das eintreten sollte«, sagte der Elf mit ernster Miene, »dann obliegt es dir, Eragon, und dir, Saphira, den neuen Drachen und seinen Reiter in die Lehren unseres Ordens einzuweihen. Oh, keine Angst, Eragon, du müsstest diese Aufgabe ja nicht allein bewältigen. Islanzadi und Nasuada würden zweifellos dafür sorgen, dass die klügsten Gelehrten unserer beiden Völker dich unterstützen.«

Eine seltsame Beklommenheit ergriff von Eragon Besitz. Er hatte sich oft danach gesehnt, mehr wie ein Erwachsener behandelt zu werden. Trotzdem fühlte er sich längst noch nicht bereit dazu, Oromis' Platz einzunehmen. Diesen Gedanken auch nur zuzulassen, kam ihm falsch vor. Zum ersten Mal wurde ihm bewusst, dass er früher oder später nicht mehr der jungen Generation angehören würde und er dann keinen Mentor mehr hätte, auf dessen Führung er sich verlassen konnte. Er schluckte.

Oromis nahm die Hand von Eragons Schulter und deutete auf Brisingr in Eragons Armen. »Der ganze Wald hat gebebt, als du den Menoa-Baum erweckt hast, Saphira, und halb Ellesméra hat mich und Glaedr bestürmt, Linnëa zu Hilfe zu eilen. Obendrein mussten wir bei Gilderien dem Weisen ein gutes Wort für dich einlegen, um ihn davon abzuhalten, dich für dein brutales Vorgehen zu bestrafen.«

Dafür werde ich mich nicht entschuldigen, sagte Saphira. *Sanftes Zureden hätte zu lange gedauert.*

Oromis nickte. »Das weiß ich und ich kritisiere dich auch nicht. Ich wollte nur, dass du dir der Konsequenzen deines Handelns bewusst bist.« Auf seine Bitte hin reichte Eragon ihm das neugeschmiedete Schwert und hielt Oromis' Helm, während der Elf die Waffe begutachtete. »Rhunön hat sich selbst übertroffen«, erklärte Oromis. »Nur wenige Waffen – Schwerter und andere – reichen an dieses Meisterwerk heran. Du kannst dich glücklich schätzen, so eine Klinge zu schwingen, Eragon.« Eine von Oromis' spitzen Brauen hob sich leicht, als er die Buchstaben auf der Schneide las. »Brisingr… ein äußerst treffender Name für das Schwert eines Drachenreiters.«

»Ja«, sagte Eragon. »Aber aus irgendeinem Grund schießt jedes Mal, wenn ich seinen Namen ausspreche…« Er zögerte. Statt *Feuer,* was ja in der alten Sprache *Brisingr* hieß, sagte er: »… schießen jedes Mal *Flammen* aus der Klinge.«

Oromis' Braue wölbte sich noch höher. »Tatsächlich? Hatte Rhunön eine Erklärung für dieses einzigartige Phänomen?« Der Elf gab Eragon Brisingr zurück und nahm dafür seinen Helm wieder an sich.

»Ja, Meister«, antwortete Eragon und erzählte Oromis von den beiden Theorien, die Rhunön aufgestellt hatte.

Als er geendet hatte, murmelte Oromis: »Ich frage mich…«, und sein Blick wanderte vorbei an Eragon zum Horizont. Dann schüttelte er den Kopf und sah wieder den Drachenreiter und Saphira an. Seine Miene wurde noch ernster. »Ich fürchte, aus mir hat der

Stolz gesprochen. Glaedr und ich mögen zwar nicht hilflos sein, aber wie du ganz richtig bemerkt hast, Eragon, sind wir auch nicht völlig gesund. Glaedr fehlt ein Bein und ich habe meine eigenen … Beeinträchtigungen. Man nennt mich nicht ohne Grund den unversehrten Krüppel.

Das alles wäre kein Hindernis, wenn unsere einzigen Feinde gewöhnliche Sterbliche wären. Selbst in unserem gegenwärtigen Zustand könnten wir mühelos hundert Menschen niederstrecken – oder Hunderte oder Tausende, es würde keine Rolle spielen. Allerdings handelt es sich bei unserem Feind um den gefährlichsten Gegner, dem wir oder dieses Land je gegenübergestanden sind. So ungern ich es auch zugebe, Glaedr und ich sind im Nachteil, und es ist durchaus möglich, dass wir die bevorstehende Schlacht nicht überleben werden. Wir beide hatten ein langes, erfülltes Leben, aber die Last der Jahrhunderte ruht schwer auf uns. Ihr hingegen seid jung und gesund und voller Hoffnung. Ich glaube wirklich, eure Aussichten, Galbatorix zu besiegen, sind größer als die eines jeden anderen.«

Oromis warf Glaedr einen Blick zu und seine Miene wurde besorgt. »Um euer Überleben zu sichern, und als Vorsichtsmaßnahme für den Fall unseres Todes, hat Glaedr mit meinem Segen beschlossen …«

Ich habe beschlossen, sagte der alte Drache, *euch meinen Seelenhort zu übergeben, Saphira Schimmerschuppe, Eragon Schattentöter.*

Saphiras Erstaunen war so groß wie Eragons. Gemeinsam starrten sie zu dem majestätischen goldenen Drachen auf, der über ihnen emporragte. *Meister Glaedr … Ihr ehrt uns über alle Maßen, aber … seid Ihr sicher, dass Ihr uns wirklich Euren Eldunarí anvertrauen wollt?*

Ja, das bin ich, Saphira, sagte Glaedr und senkte den massiven Kopf, bis er dicht über Eragon schwebte. *Ich bin mir aus verschiedenen Gründen sicher. Wenn ihr mein Herz der Herzen, meinen Seelenstein, bei euch tragt, könnt ihr mit Oromis und mir reden –*

ganz gleich, wie weit wir voneinander getrennt sind. Außerdem kann ich euch mit meiner Kraft unterstützen, wann immer ihr in eine gefährliche Situation geratet. Und falls Oromis und ich fallen sollten, stünden euch unser Wissen, unsere Erfahrung und meine Stärke weiterhin zur Verfügung. Ich habe lange über diese Entscheidung nachgedacht und glaube, es ist die richtige.

»Aber falls Oromis sterben sollte«, sagte Eragon sanft, »würdest du dann wirklich ohne ihn weiterleben wollen, gefangen in deinem Eldunarí?«

Glaedr wandte den Kopf zur Seite und richtete eines seiner riesigen Augen auf Eragon. *Ich möchte nicht von Oromis getrennt sein, aber was immer geschieht, ich werde nicht aufhören, alles in meiner Macht Stehende zu tun, um Galbatorix vom Thron zu stürzen. Das ist unser einziges Ziel, und nicht einmal der Tod kann uns davon abhalten, dafür zu kämpfen. Die Vorstellung, Saphira zu verlieren, erfüllt dich mit Grauen, Eragon, zu Recht. Oromis und ich dagegen hatten viele Jahrhunderte Zeit, uns an den Gedanken zu gewöhnen, dass der Tag kommen wird, an dem wir uns voneinander verabschieden müssen. Ganz gleich wie vorsichtig wir sind, wenn wir lange genug leben, wird einer von uns sterben. Es ist kein schöner Gedanke, aber es ist die Wahrheit. So ist der Lauf der Welt.*

Oromis reckte den Kopf und sagte: »Ich kann nicht behaupten, dass es mir gefällt, aber der Sinn des Lebens besteht nicht darin, zu tun, was wir wollen, sondern zu tun, was getan werden muss. Das ist, was das Schicksal von uns verlangt.«

Deshalb frage ich nun euch, sagte Glaedr, *Saphira Schimmerschuppe und Eragon Schattentöter, nehmt ihr mein Geschenk und alles, was damit einhergeht, an?*

Ja, sagte Saphira.

Ja, antwortete Eragon nach kurzem Zögern.

Da legte Glaedr den Kopf zurück. Seine Bauchmuskeln wölbten sich und zogen sich mehrere Male ruckartig zusammen, danach begann seine Kehle zu zucken, als stecke dort etwas fest. Der goldene Drache stellte sich breitbeinig auf und streckte den Hals in voller

Länge nach vorn. Dabei trat jede Sehne und jeder Muskelstrang deutlich unter dem funkelnden Schuppenpanzer hervor. Glaedrs Kehle verkrampfte und entspannte sich immer schneller, bis er schließlich den Kopf senkte, sodass er auf einer Höhe mit Eragon war, und das Maul öffnete. Heiße, säuerlich riechende Luft entströmte seinem Rachen. Eragon blinzelte und versuchte, nicht zu würgen. Als er tief in Glaedrs Maul hineinschaute, konnte er erkennen, wie die Kehle des Drachen sich ein letztes Mal zusammenzog, dann erschien zwischen den feuchten blutroten Fleischfalten ein goldenes Schimmern. Im nächsten Moment rollte Glaedr ein kohlkopfgroßer, runder Gegenstand so schnell über die Zunge, dass Eragon ihn beinahe nicht aufgefangen hätte.

Als seine Hände sich um den glitschigen, mit Speichel überzogenen Eldunarí schlossen, stöhnte Eragon auf und taumelte zurück, denn plötzlich teilte er alle Gedanken, Emotionen und körperlichen Eindrücke Glaedrs. Die Fülle an Empfindungen war überwältigend, genau wie ihre extreme Nähe. Eragon hatte so etwas erwartet, aber trotzdem erschütterte es ihn zu wissen, dass er Glaedrs gesamtes Wesen in Händen hielt.

Glaedr zuckte zusammen und warf den Kopf hin und her, als hätte ihn etwas gestochen. Dann schirmte er rasch seinen Geist vor Eragon ab. Trotzdem konnte der immer noch das Flackern von Glaedrs Gedanken und die Farben seiner Emotionen wahrnehmen.

Der Eldunarí selbst sah aus wie ein riesiges goldenes Juwel. Die Oberfläche war warm und mit Hunderten scharfkantigen Facetten bedeckt, die in ihrer Größe variierten und teilweise sonderbar schräg herausragten. Aus dem Zentrum des Seelenhorts drang ein mattes Glühen wie bei einer abgeblendeten Laterne, das langsam und gleichmäßig pulsierte. Auf den ersten Blick wirkte das Licht einheitlich, aber je länger Eragon hinsah, desto mehr Details konnte er erkennen: ein wild bewegtes Durcheinander aus verschlungenen Strudeln, die scheinbar willkürlich in alle Richtungen schossen, dunklere Teilchen, die sich kaum bewegten, und glitzernde, stecknadelkopfgroße Blitze, die kurz aufflammten und dann wieder mit dem darunterliegenden Lichtfeld verschmolzen. Der Eldunarí war ein lebendiges Wesen.

»Hier«, sagte Oromis und reichte Eragon einen robusten Leinensack.

Zu Eragons Erleichterung erlosch seine Verbindung zu Glaedr, sobald er den Seelenstein in dem Sack verstaut hatte und seine Hände nicht mehr dessen Oberfläche berührten. Noch immer aufgewühlt, drückte Eragon den Eldunarí an die Brust. Die Vorstellung, Glaedrs gesamtes Wesen in den Armen zu halten, erfüllte ihn mit Ehrfurcht. Gleichzeitig fragte er sich beklommen, was wohl passieren würde, wenn er den Stein fallen ließ.

»Danke, Meister«, brachte Eragon heraus und neigte den Kopf vor Glaedr.

Wir werden Euren Eldunarí mit unserem Leben beschützen, fügte Saphira an.

»Nein!«, brauste Oromis auf. »Nicht mit eurem Leben! Genau das darf nicht geschehen. Lasst nicht zu, dass Glaedrs Seelenhort durch irgendeine Achtlosigkeit eurerseits ein Unglück widerfährt, aber opfert euch auch nicht auf, um ihn oder mich oder jemand anderen zu beschützen. Ihr müsst um jeden Preis am Leben bleiben, sonst zerschlagen sich alle unsere Hoffnungen und die Dunkelheit regiert.«

»Ja, Meister«, sagten Eragon und Saphira gleichzeitig, er mit seiner Stimme, sie mit ihrem Geist.

Da du Nasuada Treue gelobt hast, Eragon, schuldest du ihr deine Loyalität und deinen Gehorsam, sagte Glaedr. *Deshalb darfst du ihr von meinem Seelenhort erzählen, aber nur wenn es unbedingt sein muss. Zum Wohle der wenigen Drachen, die es noch gibt, darf die Existenz der Eldunarí nicht allgemein bekannt werden.*

Dürfen wir es Arya erzählen?, fragte Saphira.

»Und was ist mit Bloëdhgarm und den anderen Elfen, die Islanzadi zu meinem Schutz geschickt hat?«, fragte Eragon. »Ich habe ihnen Zugang zu meinem Geist gewährt, als Saphira und ich das letzte Mal gegen Murtagh gekämpft haben. Sie werden deine Gegenwart bemerken, Glaedr, wenn du uns in der Schlacht hilfst.«

Du kannst Bloëdhgarm und seinen Elfenmagiern von dem Eldunarí erzählen, aber erst nachdem sie geschworen haben, das Geheimnis zu wahren.

Oromis setzte den Helm auf. »Arya ist Islanzadis Tochter, daher halte ich es für zulässig, wenn sie es erfährt. Allerdings gilt für sie dasselbe wie für Nasuada: Offenbart es ihr nur, wenn es absolut notwendig ist. Ein Geheimnis, das alle kennen, ist kein Geheimnis mehr. Wenn ihr es schafft, denkt möglichst nicht an den Eldunarí. Dann kann niemand das Wissen aus eurem Bewusstsein stehlen.«

»Ja, Meister.«

»Nun lasst uns aufbrechen«, sagte Oromis und streifte dicke Schutzhandschuhe über. »Ich habe von Islanzadi erfahren, dass Nasuada mit der Belagerung Feinsters begonnen hat und die Varden eure Hilfe brauchen.«

Wir haben zu viel Zeit in Ellesméra verbracht, rief Saphira.

Vielleicht, sagte Glaedr. *Aber ihr habt sie gut genutzt.*

Mit einem kurzen Anlauf sprang Oromis auf Glaedrs verbliebenes Vorderbein und kletterte von dort auf den zackenbesetzten Rücken. Er setzte sich im Sattel zurecht und begann, die Beinriemen festzuziehen. »Während des Fluges«, rief der Elf zu Eragon hinunter, »gehen wir noch einmal die Liste der wahren Namen durch, die du bei deinem ersten Besuch gelernt hast!«

Eragon ging zu Saphira und kletterte vorsichtig auf ihren Rücken, wickelte den Eldunarí in eine Decke und verstaute das Bündel in einer Satteltasche. Dann legte auch er die Riemen um seine Beine an. Hinter ihm konnte er das unaufhörliche Pochen des Energiestroms spüren, der von dem Seelenhort ausging.

Glaedr trat zum Rand der Felsen von Tel'naeír und breitete die gewaltigen Schwingen aus. Die Erde erbebte, als der goldene Drache dem wolkenverhangenen Himmel entgegensprang, und die Luft donnerte und vibrierte, als seine Flügelschläge ihn vom Ozean der Bäume unter ihm wegtrugen. Eragon packte die Zacke vor ihm, als Saphira hinter dem goldenen Drachen in die Leere sprang und sich mehrere Hundert Fuß in die Tiefe fallen ließ, bevor sie zu Glaedr aufstieg.

Glaedr übernahm die Führung, als die beiden Drachen in südwestlicher Richtung davonflogen. Mit unterschiedlich schnellen Flügelschlägen schossen sie über den wogenden Wald hinweg.

Saphira reckte den Hals vor und stieß einen fauchenden Schrei aus. Vor ihr antwortete Glaedr auf die gleiche Weise. Ihr furchterregendes Gebrüll schallte durch die Weiten des Himmels und erschreckte die Vögel und Tiere unter ihnen.

Wettflug gegen die Zeit

Von Ellesméra aus flogen Saphira und Glaedr ohne Unterbrechung über den uralten Elfenwald hinweg, hoch über den riesigen dunklen Kiefern. Manchmal tat sich im endlosen Grün eine Lücke auf und Eragon sah einen See oder einen gewundenen Flusslauf. Oft stand eine kleine Herde Rehe am Wasser und die Tiere hielten beim Trinken inne und blickten zu den vorbeirauschenden Drachen auf. Den überwiegenden Teil der Zeit aber achtete Eragon nicht auf die Landschaft, weil er im Geiste jedes einzelne Wort in der alten Sprache aufsagte, das Oromis ihm beigebracht hatte. Wenn ihm eines nicht einfiel oder er es falsch aussprach, ließ sein Lehrmeister es ihn so lange wiederholen, bis er sich das Wort richtig eingeprägt hatte.

Am späten Nachmittag des ersten Tages erreichten sie den Rand von Du Weldenvarden. Dort, über der im Schatten liegenden Grenze zwischen den Bäumen und dem anschließenden Grasland, umkreisten Glaedr und Saphira einander und der goldene Drache sagte zu ihr: *Achte darauf, dass deine Seele keinen Schaden nimmt und meine auch nicht.*

Das werde ich, Meister, entgegnete sie.

Und Oromis rief ihnen von Glaedrs Rücken aus zu: »Mögen euch günstige Winde beschieden sein! Und unser nächstes Treffen soll vor den Toren Urû'baens stattfinden.«

»Mögen euch ebenfalls günstige Winde beschieden sein!«, rief Eragon zurück. Dann drehte Glaedr ab und flog am Waldrand entlang nach Westen, der sie zur Nordspitze des Isenstar-Sees und von dort aus nach Gil'ead führen würde, während Saphira den bisherigen Kurs in südwestlicher Richtung beibehielt.

Saphira flog die ganze Nacht durch und landete nur, um etwas zu trinken und damit Eragon sich die Beine vertreten konnte. Anders als während des Hinflugs hatten sie diesmal keinen Gegenwind. Die Luft blieb ruhig und klar, als wolle selbst die Natur, dass sie so schnell wie möglich zu den Varden zurückkehrten.

Als am zweiten Tag die Sonne aufging, befanden sie sich bereits tief in der Hadarac-Wüste und flogen an der Ostgrenze des Imperiums entlang geradewegs nach Süden. Und als die Dunkelheit abermals das Land und den Himmel umfangen hielt, lag die sandige Einöde schon weit hinter Eragon und Saphira, und sie flogen über die grünen Wiesen des Imperiums hinweg. Ihr Kurs auf dem Weg nach Feinster führte sie über das zwischen Urû'baen und dem See Tüdosten liegende Gebiet.

Nachdem Saphira zwei Tage und Nächte geflogen war, ohne zu schlafen, brauchte sie dringend eine Pause. Sie landete neben einem kleinen Birkenhain an einem Teich, rollte sich im Schatten der Bäume zusammen und schlief ein paar Stunden. Eragon hielt währenddessen Wache und machte mit Brisingr einige Schwertkampfübungen.

Seit sie sich von Oromis und Glaedr getrennt hatten, wurde er von einer beständigen Besorgnis gequält, wenn er sich ausmalte, was Saphira und ihn in Feinster erwartete. Er wusste, dass sie beide besser als die meisten anderen vor Tod und Verletzungen geschützt waren. Aber dann dachte er an die Brennenden Steppen und an die Schlacht von Farthen Dûr zurück, an die Blutfontänen, die aus abgetrennten Gliedmaßen spritzten, an die Schreie der Verwundeten und den weiß glühenden Schmerz einer Klinge, die durch sein Fleisch fuhr. In diesen Momenten drehte sich Eragon der Magen um, und seine Muskeln begannen, vor aufgestauter Energie zu zittern, und er wusste nicht, ob er sich wünschte, mit jedem einzelnen Soldaten im Land zu kämpfen oder doch lieber die Flucht zu ergreifen und sich in irgendeinem dunklen Loch zu verstecken.

Sein Schrecken wuchs noch, als er und Saphira ihre Reise fortsetzten und sie auf den Feldern unter ihnen Heerscharen bewaffneter Männer marschieren sahen. Hier und dort stiegen blasse Rauchschwaden aus geplünderten Dörfern auf. Der Anblick so viel mutwilliger Zerstörung bereitete ihm Übelkeit. Den Blick abgewendet, packte er die Zacke vor ihm und kniff die Augen zu, bis er zwischen den Wimpern nur noch verschwommen die weißen Knorpel auf seinen Knöcheln sah.

Kleiner, sagte Saphira; ihre Gedanken waren langsam und müde. *Wir haben das alles doch schon erlebt. Lass nicht zu, dass es dich so mitnimmt.*

Er bedauerte, sie vom Fliegen abgelenkt zu haben. *Es tut mir leid … Wenn wir da sind, wird es mir wieder gut gehen. Ich möchte nur, dass es vorbei ist.*

Ich weiß.

Eragon schniefte und wischte sich die Nase am Wamsärmel ab. *Manchmal wünschte ich, das Kämpfen würde mir genauso viel Vergnügen bereiten wie dir. Dann wäre es viel leichter.*

Und die ganze Welt würde sich vor uns im Staub winden, einschließlich Galbatorix, entgegnete sie. *Nein, es ist gut, dass du meine blutrünstigen Vorlieben nicht teilst. Wir gleichen einander aus, Eragon … Allein sind wir unvollständig, aber gemeinsam bilden wir ein Ganzes. So, und jetzt verdränge diese Gedanken, die deinen Geist vergiften, und gib mir ein Rätsel auf, das mich wach hält.*

Na gut, sagte er nach einem Moment. *Es gibt mich in Rot und Blau und Gelb und allen anderen Farben des Regenbogens. Ich bin lang und kurz, dick und dünn, und oft liege ich zusammengerollt da. Ich kann hundert Schafe nacheinander fressen und trotzdem noch hungrig sein. Was bin ich?*

Ein Drache natürlich, sagte sie, ohne zu zögern.

Nein, ein Wollteppich.

Pah!

Der dritte Reisetag verging unerträglich langsam. Die einzigen Geräusche waren das Schlagen von Saphiras Flügeln, das gleichmäßige Keuchen ihrer Atemzüge und das Rauschen des Windes in Eragons Ohren. Vom langen Sitzen taten ihm die Beine und der Rücken weh, aber all das war nichts verglichen mit Saphiras Schmerzen, deren Flugmuskeln höllisch brannten. Trotzdem hielt sie durch, beschwerte sich nicht und lehnte sein Angebot ab, ihr Leid mit einem Zauber zu lindern. *Du wirst deine ganze Kraft brauchen, wenn wir gelandet sind,* sagte sie.

Einige Stunden nach Sonnenuntergang geriet Saphira plötzlich ins Wanken und sackte ein Dutzend Fuß in die Tiefe. Beunruhigt straffte Eragon den Rücken und schaute sich nach der möglichen Ursache für die Turbulenzen um, aber unter sich sah er nur Schwärze und über sich das funkelnde Sternenmeer.

Ich glaube, wir haben den Jiet-Strom erreicht, sagte Saphira. *Die Luft hier ist kühl und feucht, wie es über einem Gewässer üblich ist.*

Dann sollte Feinster nicht mehr allzu weit entfernt sein. Bist du sicher, dass du die Stadt im Dunkeln findest? Wir könnten hundert Meilen nördlich oder südlich von ihr sein.

Nein, könnten wir nicht. Mein Orientierungssinn mag zwar nicht unfehlbar sein, aber er ist auf jeden Fall besser als deiner oder der eines jeden anderen erdgebundenen Geschöpfs. Wenn die elfischen Landkarten, die wir studiert haben, stimmen, dann befinden wir uns höchstens fünfzig Meilen nördlich oder südlich von Feinster, und aus unserer Flughöhe werden wir die Stadt auf diese Entfernung mühelos erkennen. Wir riechen wahrscheinlich sogar den Rauch aus den Schornsteinen.

Und so war es auch. Tief in der Nacht – der Sonnenaufgang war nur noch wenige Stunden entfernt – erschien ein mattrotes Glühen am westlichen Horizont. Als Eragon es entdeckte, drehte er sich um, holte seine Rüstung aus den Satteltaschen und zog das Kettenhemd, die ausgepolsterte Lederkappe, den Helm und die Arm- und Beinschienen an. Er wünschte, er hätte seinen Schild dabei, aber den hatte er bei den Varden gelassen, bevor er mit Nar Garzhvog zum Berg Thardûr gerannt war.

Mit einer Hand durchwühlte Eragon seine Taschen, bis er den Faelnirv fand, den Oromis ihm geschenkt hatte. Das Metallfläschchen lag kühl in seiner Hand. Eragon trank einen kleinen Schluck von dem verzauberten Elfenschnaps aus zerstampften Holunderbeeren und gesponnenen Mondstrahlen. Die Flüssigkeit brannte in seinem Mund, Hitze stieg ihm ins Gesicht. Sekunden später begann seine Erschöpfung zu weichen, als die belebende Wirkung des Faelnirv einsetzte.

Eragon schüttelte das Fläschchen probehalber und bemerkte besorgt, dass es sich anfühlte, als wäre bereits ein Drittel des kostbaren Schnapses aufgebraucht. Obwohl er, seit er ihn besaß, nur zwei winzige Schlucke davon getrunken hatte. *Ich muss künftig noch sparsamer damit umgehen*, dachte er.

Als er und Saphira sich der Stadt näherten, löste das rötliche Glühen am Horizont sich allmählich in Tausende einzelne Lichter auf, von Laternen über Fackeln und Kochfeuer bis hin zu weiten Flächen brennenden Pechs, von denen ölige schwarze Rauchschwaden zum Nachthimmel aufstiegen. Im rötlichen Lichtschein der Feuer erkannte Eragon ein Meer aus blitzenden Speerspitzen und glänzenden Helmen, das der gut befestigten Stadt entgegenbrandete. Auf der Brustwehr wimmelte es von winzigen Gestalten, die Pfeile auf das Heer unter ihnen abschossen, Kessel kochenden Öls zwischen den Zacken der Brüstung hinabgossen, Seile kappten, die über die Mauern geflogen kamen, und die wackeligen Holzleitern zurückstießen, die die Belagerer immer wieder gegen die Wälle lehnten. Laute Rufe und Schreie waren zu hören, sowie das Dröhnen eines Rammbocks, der gegen die eisenbeschlagenen Stadttore krachte.

Der letzte Rest von Eragons Müdigkeit verflog, während er auf das Schlachtfeld hinunterblickte und die Anordnung der Krieger, Gebäude und der Kriegsmaschinerie studierte. Vor Feinster drängten sich Hunderte von wackeligen Hütten, zwischen denen kaum Platz für ein Pferd war: die Behausungen der Armen, die sich keine Wohnstätte innerhalb der Stadt leisten konnten. Die meisten der Hütten schienen verlassen zu sein, und man hatte eine breite Schneise durch die Siedlung geschlagen, sodass die Varden mit aller Macht auf die Stadtmauern zustürmen konnten. Mindestens ein Dutzend der elenden Hütten stand in Flammen, und das Feuer breitete sich rasch aus, da es von einem Strohdach zum nächsten übersprang. Östlich der Behausungen durchzogen gewundene schwarze Linien das Erdreich, wo die Varden Gräben ausgehoben hatten, um ihr Lager vor Gegenangriffen zu schützen. Auf der Westseite der Stadt befanden sich die Hafenanlagen, die jenen ähnelten, die Eragon von Teirm her kannte, und dahinter erstreckte sich der ruhelose dunkle Ozean scheinbar bis in die Unendlichkeit.

Ein Gefühl wilder Erregung durchfuhr Eragon, und er spürte, wie im selben Moment Saphira unter ihm erschauderte. Er packte Brisingrs Knauf. *Sie scheinen uns noch nicht bemerkt zu haben. Sollen wir unsere Ankunft verkünden?*

Saphira antwortete ihm mit einem Brüllen, dass ihm die Zähne klapperten, und einem gewaltigen Feuerstrahl, der den Nachthimmel vor ihnen blau färbte.

Am Boden hielten die Varden vor der Stadtmauer und die Verteidiger auf der Brustwehr inne. Einen Moment lang umfing Stille das Schlachtfeld. Dann begannen die Rebellen zu jubeln und klopften mit Speeren und Schwertern auf ihre Schilde, während von den Menschen der Stadt verzweifeltes Ächzen und Stöhnen heraufdrang.

Verdammt! Eragon blinzelte. *Ich wünschte, du hättest das nicht getan. Jetzt kann ich nichts mehr sehen.*

Entschuldige.

Noch immer blinzelnd, sagte er: *Als Erstes sollten wir für dich ein Pferd finden, das gerade gestorben ist, oder ein anderes Tier, damit ich seine Lebenskraft auf dich übertragen kann.*

Du brauchst mir keine –

Saphira verstummte, als ein anderer Geist den ihren berührte. Nach einem panischen Augenblick erkannte Eragon das Bewusstsein von Trianna. *Eragon! Saphira!*, rief die Zauberin. *Ihr kommt gerade zur rechten Zeit. Arya und ein anderer Elf haben die Stadtmauer erklommen, aber jetzt sind sie von einer großen Soldatenschar umstellt. Sie überleben keine Minute mehr, wenn ihnen niemand hilft. Beeilt euch!*

Brisingr!

Saphira legte die Flügel eng an den Körper, ging in einen Sturzflug über und raste den dunklen Gebäuden der Stadt entgegen. Eragon duckte sich zum Schutz vor dem Wind, der an seinem Gesicht zerrte. Die Welt drehte sich um sie, als Saphira sich nach rechts rollte, um den Bogenschützen am Boden kein leichtes Ziel zu bieten.

Eragons Gliedmaßen wurden schwer, als Saphira ihren Sturzflug abrupt abfing. Dann schwebte sie waagerecht in der Luft und das erdrückende Gewicht auf ihm verschwand. Wie schlanke, kreischende Falken zischten die Pfeile an ihnen vorbei; einige verfehlten sie ohnehin, die übrigen lenkte Eragons Schutzzauber ab.

Saphira sauste im Tiefflug über die Stadtmauer und fegte dabei mit ihren Klauen und dem Schwanz Dutzende schreiender Männer von der achtzig Fuß hohen Brustwehr.

Am Ende der Südmauer stand ein hoher viereckiger Wehrturm mit vier Wurfmaschinen. Die riesigen Bogengeschütze schleuderten zwölf Fuß lange Speere auf die Varden, die sich vor den Stadttoren drängten. Innerhalb der Stadtmauern entdeckten Eragon und Saphira eine Gruppe von hundert Soldaten oder mehr, die zwei einzelne Krieger umzingelt hatten. Die beiden standen Rücken an Rücken am Fuß des Wehrturms und versuchten verzweifelt, das Dickicht der zustoßenden Klingen abzuwehren.

Selbst im Halbdunkel und von weit oben erkannte Eragon einen der Kämpfer als Arya.

Saphira stieß hinab und landete inmitten der Soldaten, wobei sie einige von ihnen unter ihren Klauen zermalmte. Die übrigen schrien überrascht auf und ergriffen panisch die Flucht. Enttäuscht darüber, dass ihre Beute entwischte, brüllte Saphira, peitschte mit dem Schwanz über den Boden und erledigte ein weiteres Dutzend Soldaten. Ein Mann versuchte, an ihr vorbei zu entkommen. Schnell wie eine Schlange stieß sie zu, schnappte ihn sich mit einem Biss und warf den Kopf hin und her, um dem Mann das Rückgrat zu brechen. Vier seiner Gefährten erledigte sie ebenso. Dann waren die übrigen Männer zwischen den Gebäuden verschwunden.

Eragon löste rasch die Beinriemen und sprang zu Boden. Wegen der schweren Rüstung fiel er bei der Landung hart auf ein Knie und richtete sich ächzend auf.

»Eragon!«, rief Arya und rannte auf ihn zu. Sie atmete schwer und war schweißüberströmt. Ihre Rüstung bestand lediglich aus einem gepolsterten Lederwams und einem leichten Helm, der schwarz angemalt war, um keine ungewollten Lichtreflexe zu erzeugen.

»Willkommen, Bjartskular. Willkommen, Schattentöter«, schnurrte Bloëdhgarm neben ihr. Seine orangefarbenen kurzen Fangzähne glänzten im Fackelschein, die gelben Augen glühten. Am Rücken und im Nacken des Elfs sträubte sich das Fell, was ihn noch wilder erscheinen ließ als sonst. Er und Arya waren blutüberströmt, doch Eragon konnte nicht erkennen, ob es ihr eigenes Blut war.

»Seid ihr verletzt?«, fragte er.

Arya schüttelte den Kopf und Bloëdhgarm sagte: »Nur ein paar Kratzer, nichts Ernstes.«

Was tut ihr hier ohne Verstärkung?, fragte Saphira.

»Die Tore«, keuchte Arya. »Drei Tage lang haben wir versucht, sie niederzureißen, aber Magie prallt an ihnen ab und der Rammbock hat in dem Holz kaum eine Delle hinterlassen. Deshalb habe ich Nasuada überredet …«

Als Arya verstummte, um Atem zu schöpfen, erzählte Bloëdhgarm für sie weiter. »Arya hat Nasuada überredet, heute Nacht diesen Angriff zu führen, damit wir uns währenddessen unbemerkt in die

Stadt schleichen können, um die Tore von innen zu öffnen. Leider trafen wir auf ein Trio von Zauberkundigen. Sie blockierten unseren Geist und hinderten uns daran, Magie zu gebrauchen. Gleichzeitig riefen sie Soldaten herbei, um uns durch ihre schiere zahlenmäßige Überlegenheit zu überwältigen.«

Während Bloëdhgarm erzählte, legte Eragon einem der getöteten Soldaten seine Hand auf die Brust und übertrug dessen verbliebene Lebenskraft erst auf sich und dann weiter auf Saphira. »Wo sind diese Magier jetzt?«, fragte er und ging weiter zum nächsten Leichnam.

Bloëdhgarms fellbedeckte Schultern hoben und senkten sich. »Sie scheinen vor Angst geflohen zu sein, als sie Euch sahen, Shur'tugal.«

Recht so, knurrte Saphira.

Eragon entzog noch drei weiteren Soldaten Energie und dem Letzten nahm er außerdem den hölzernen Schild ab. »Nun denn«, sagte er und richtete sich auf, »lasst uns den Varden die Tore öffnen.«

»Ja, und zwar auf der Stelle«, stimmte Arya zu. Sie eilte los, dann warf sie einen Seitenblick auf Eragon. »Du hast ein neues Schwert.« Es war keine Frage.

Er nickte. »Rhunön hat mir geholfen, es zu schmieden.«

»Und wie heißt Eure Klinge, Schattentöter?«, fragte Bloëdhgarm.

Eragon wollte gerade antworten, da stürmten aus einer dunklen Gasse vier Soldaten mit gesenkten Speeren auf sie zu. In einer einzigen fließenden Bewegung zog er Brisingr aus der Scheide, schnitt durch den Speerschaft des vordersten Angreifers und enthauptete den Mann. Brisingr schien vor wilder Freude zu schillern. Arya sprang vor und erstach zwei weitere Männer, bevor diese reagieren konnten, während Bloëdhgarm zur Seite hechtete, den letzten Soldaten packte und ihn mit dessen eigenem Dolch tötete.

»Beeilt euch!«, rief Arya und rannte in Richtung des Stadttors.

Eragon und Bloëdhgarm stürmten ihr nach, dicht gefolgt von

Saphira, deren Klauen laut auf die gepflasterte Straße schlugen. Von der Brustwehr schossen Bogenschützen auf sie und noch dreimal stürzten Soldaten hinter verschiedenen Gebäuden hervor und griffen sie an. Ohne langsamer zu werden, mähten Eragon, Arya und Bloëdhgarm die Angreifer nieder, oder Saphira erledigte sie mit einem lodernden Feuerstrahl.

Das Dröhnen des Rammbocks wurde immer lauter, während sie auf die beiden vierzig Fuß hohen Stadttore zuliefen. Vor den eisenbeschlagenen Toren entdeckte Eragon drei in dunkle Gewänder gehüllte Gestalten, zwei Männer und eine Frau. Sie sangen in der alten Sprache und schwenkten die hochgereckten Arme hin und her. Als sie ihn und seine Gefährten bemerkten, verstummten die Magier und rannten mit flatternden Roben Feinsters Hauptstraße hinauf, die zur Festungsanlage am anderen Ende der Stadt führte.

Eragon hätte sie am liebsten verfolgt, aber im Moment war es wichtiger, die Varden in die Stadt zu lassen, damit sie nicht länger den Soldaten auf der Brustwehr ausgeliefert waren. *Ich frage mich, was sie im Schilde führen,* dachte er, während er den Magiern besorgt nachblickte.

Bevor Eragon, Arya und Bloëdhgarm die riesigen Holztore erreichten, strömten fünfzig Soldaten in glänzenden Rüstungen aus den beiden Wachtürmen und nahmen vor den gewaltigen Holztoren Aufstellung.

Einer der Soldaten schlug mit dem Schwertknauf gegen seinen Schild und brüllte: »An uns kommt ihr nicht vorbei, ihr widerlichen Dämonen! Dies ist unsere Stadt, und wir werden niemals zulassen, dass Urgals, Elfen und andere Ungeheuer diesen Ort betreten! Verschwindet, denn auf euch wartet in Feinster nichts als Blut und Leid!«

Arya deutete auf die Wachtürme und murmelte Eragon zu: »Die Winden zum Öffnen der Tore sind da drin.«

»Dann los«, sagte Eragon. »Du und Bloëdhgarm, ihr schleicht euch an den Männern vorbei und schlüpft in die Türme. Solange lenken Saphira und ich die Soldaten ab.«

Arya nickte, dann verschwanden sie und der Wolfkatzenelf hinter Eragon in den tintenblauen Schatten der Häuser.

Durch seine Verbindung mit Saphira spürte er, wie sie sich sammelte, um sich auf den Soldatentrupp zu stürzen. Er legte ihr die Hand ans Vorderbein. *Warte,* sagte er. *Ich möchte zuerst etwas anderes versuchen.*

Wenn es nicht funktioniert, darf ich die Männer dann in Stücke reißen?, fragte Saphira und leckte sich die Fänge.

Ja, dann kannst du mit ihnen machen, was du willst.

Eragon ging langsam auf die Soldaten zu, Schwert und Schild seitlich von sich gestreckt. Von oben kam ein Pfeil auf ihn zugeflogen, fiel aber drei Fuß vor seiner Brust zu Boden. Eragon betrachtete die furchterfüllten Gesichter der Soldaten, dann rief er mit lauter Stimme: »Ich bin Eragon Schattentöter! Vielleicht habt ihr schon von mir gehört, vielleicht auch nicht. So oder so sollt ihr Folgendes wissen: Ich bin ein Drachenreiter und habe geschworen, den Varden zu helfen, Galbatorix vom Thron zu stürzen. Und jetzt sagt mir: Hat irgendjemand von euch Galbatorix oder dem Imperium in der alten Sprache die Treue geschworen?«

Derselbe Soldat, der zuvor gesprochen hatte, offenbar der Hauptmann, erwiderte: »Wir würden dem König niemals die Treue schwören, selbst dann nicht, wenn er uns eine Klinge an die Kehle setzte! Unsere Loyalität gehört Fürstin Lorana. Sie und ihre Familie herrschen seit vier Generationen über uns und haben uns immer gut geführt!«

Die anderen Soldaten murmelten zustimmend.

»Dann schließt euch uns an!«, rief Eragon. »Ihr könnt nicht hoffen, Feinster gegen die geballte Macht der Varden, Surdaner, Zwerge und Elfen zu halten. Legt die Waffen nieder, und ich verspreche, dass euch und euren Familien nichts geschieht.«

»Das sagst du«, rief einer der Soldaten. »Aber was, wenn Murtagh und dieser rote Drache wieder auftauchen?«

Eragon zögerte, dann sagte er mit fester Stimme: »Er ist mir und den Elfen, die aufseiten der Varden kämpfen, nicht gewachsen. Wir haben ihn schon einmal in die Flucht geschlagen.« Er sah, wie Arya und Bloëdhgarm links von den Soldaten hinter der Steintreppe hervorhuschten, die zur Brustwehr führte, und mit lautlosen Schritten auf den näheren der beiden Wachtürme zuschlichen.

Der Soldatenhauptmann erklärte: »Wir sind zwar nicht dem König verpflichtet, aber Fürstin Lorana ist es. Was werdet ihr unserer Fürstin antun? Sie töten? Einkerkern? Nein, wir werden ihr die Treue nicht brechen. Wir werden weder euch durchlassen noch die Monster, die sich in unsere Mauern krallen. Du und die Varden, ihr bedeutet nichts anderes als den Tod für jene, die gezwungen wurden, dem Imperium zu dienen! Warum musstest du dich einmischen, Drachenreiter? Warum bist du nicht geblieben, wo du warst? Dann hätte der Rest von uns in Frieden weiterleben können. Aber nein, die Verlockung von Ruhm, Ehre und Reichtum war zu groß für dich. Du musstest Leid und Unglück über uns bringen, um deinen Ehrgeiz zu befriedigen. Nun, dafür verfluche ich dich, Drachenreiter! Ich verfluche dich aus ganzem Herzen! Mögest du Alagaësia verlassen und nie mehr zurückkehren!«

Eragon fröstelte. Mit ganz ähnlichen Worten hatte der letzte Ra'zac im Helgrind ihn verflucht, und er erinnerte sich, wie Angela ihm genau dieses Schicksal prophezeit hatte. Er zwang sich, diese Gedanken beiseitezuschieben. »Ich möchte euch nicht töten«, sagte er, »aber ich werde es tun, wenn es sein muss. Legt die Waffen nieder!«

Geräuschlos öffnete Arya die Tür des linken Wachturms und schlüpfte hinein. Verstohlen wie eine Raubkatze auf der Jagd glitt Bloëdhgarm hinter den Soldaten auf den anderen Turm zu. Hätte einer der Männer sich umgedreht, er hätte den Elf gesehen.

Der Hauptmann spuckte Eragon vor die Füße. »Du siehst selbst nicht mal mehr aus wie ein Mensch! Du bist ein Verräter an deinem Volk, jawohl!« Und damit hob der Mann seinen Schild und das Schwert und kam langsam auf Eragon zu. »Ein Schattentöter?«, knurrte der Soldat. »Dass ich nicht lache! Du bist ja noch nicht mal trocken hinter den Ohren. Da könnte ich genauso gut daran glauben, dass der zwölfjährige Sohn meines Bruders einen Schatten getötet hat.«

Eragon wartete, bis der Hauptmann ihn fast erreicht hatte. Dann trat er einen Schritt vor und stieß Brisingr mitten durch den gehämmerten Schild des Mannes, durch den Arm dahinter und in die Brust, bis die Klinge am Rücken wieder austrat. Der Mann zuckte einmal, dann regte er sich nicht mehr. Während Eragon das Schwert aus dem Leichnam zog, erhob sich in den Wachtürmen plötzlich dröhnender Lärm, als die Winden und Ketten sich in Bewegung setzten und die massiven Querbalken, die die Stadttore verriegelten, sich zu heben begannen.

»Legt die Waffen nieder oder sterbt!«, rief Eragon.

Mit lautem Gebrüll stürzten zwanzig Soldaten mit gezückten Schwertern auf ihn zu. Die übrigen flohen entweder ins Herz der Stadt oder folgten Eragons Rat: Sie warfen ihre Schwerter, Speere und Schilde auf die grauen Pflastersteine, knieten sich am Straßenrand auf den Boden und legten die Hände auf die Oberschenkel.

Eine feine rote Blutwolke umhüllte Eragon, während er sich durch die Soldaten kämpfte. Schneller als sie reagieren konnten, tänzelte er von einem zum nächsten. Saphira schleuderte zwei ihrer Widersacher zu Boden und briet dann mit einem kurzen Flammenstoß zwei andere in ihrer Rüstung. Den Schwertarm noch erhoben von dem Streich, den er gerade geführt hatte, kam Eragon rutschend mehrere Fuß hinter dem letzten Soldaten zum Stehen und wartete, bis er hörte, wie der Mann zu Boden fiel – erst die eine Hälfte, dann die andere.

Arya und Bloëdhgarm traten aus den Wachtürmen, gerade als die Tore ächzend nach außen schwangen und den Blick auf das stumpfe, gesplitterte Ende des massiven Rammbocks der Varden freigaben. Oben auf der Brustwehr schrien die Bogenschützen auf und zogen sich auf besser zu verteidigende Positionen zurück. Dutzende Hände packten die Tore und zogen sie weiter auseinander. Eragon erblickte eine Masse grimmig dreinblickender Varden, Menschen und Zwerge, die sich durch den Torbogen drängten.

»Schattentöter!«, riefen sie und »Argetlam!« und »Willkommen! Heute ist ein guter Tag zum Jagen!«

»Die da sind meine Gefangenen!«, sagte Eragon und deutete mit Brisingr auf die Soldaten, die neben der Straße knieten. »Fesselt sie und behandelt sie anständig. Ich habe versprochen, dass man ihnen nichts antun würde.«

Sechs Krieger befolgten eilig seinen Befehl.

Die Varden stürmten in die Stadt und ihre klirrenden Rüstungen und stampfenden Stiefel erfüllten die Gassen mit einem gleichmäßig rollenden Donner. Erfreut entdeckte Eragon in der vierten Reihe der Krieger Roran und Horst und mehrere andere Männer aus Carvahall. Er grüßte sie. Roran hob zum Gruß seinen Hammer und schob sich zu ihm durch.

Eragon packte Rorans rechten Unterarm und zog ihn in eine raue Umarmung. Dann löste er sich von ihm und bemerkte, dass Rorans Augen tief in den Höhlen lagen.

»Das wurde auch Zeit«, brummte Roran. »Wir sind zu Hunderten gestorben, seit wir versuchen, diese Mauern zu erstürmen.«

»Saphira und ich sind so schnell gekommen, wie wir konnten. Wie geht es Katrina?«

»Es geht ihr gut.«

»Wenn alles vorbei ist, musst du mir erzählen, wie es dir während meiner Abwesenheit ergangen ist.«

Roran presste die Lippen aufeinander und nickte. Dann deutete er auf Brisingr. »Wo hast du das Schwert her?«

»Von den Elfen.«

»Und wie heißt es?«

»Bris-«, setzte Eragon an, da stürzten die restlichen elf Mitglieder seiner Elfengarde aus der Kriegerschar auf ihn zu und umringten sie. Auch Arya und Bloëdhgarm schlossen sich ihnen wieder an. Die Elfe wischte gerade ihre schlanke Schwertklinge sauber.

Bevor Eragon weiterreden konnte, ritt Jörmundur durchs Tor und begrüßte ihn. »Schattentöter! Der Zeitpunkt hätte nicht besser sein können.«

Eragon erwiderte den Gruß und fragte: »Was sollen wir als Nächstes machen?«

»Was du für richtig hältst«, entgegnete Jörmundur und zügelte sein braunes Schlachtross. »Wir müssen uns zur Festungsanlage durchschlagen. Allerdings sieht es nicht so aus, als würde Saphira zwischen den Häusern hindurchpassen, deshalb fliegt besser über der Stadt und greift den Feind an, wo ihr könnt. Falls ihr in die Burganlage eindringen und Fürstin Lorana gefangen nehmen könntet, wäre das eine große Hilfe.«

»Wo ist Nasuada?«

Jörmundur deutete über seine Schulter. »Sie steht am Ende der Streitmacht und koordiniert gemeinsam mit König Orrin die Truppenbewegungen.« Er blickte über die Köpfe der hereinströmenden Krieger hinweg, dann sah er wieder Eragon und Roran an. »Hammerfaust, du solltest bei deinen Männern sein und nicht hier mit deinem Cousin plaudern.« Damit trieb Jörmundur sein Pferd an, ritt die düstere Straße entlang, nach allen Seiten Befehle brüllend.

Als Roran und Arya sich anschickten, ihm zu folgen, packte Eragon seinen Cousin an der Schulter und klopfte mit seinem Schwert gegen Aryas Klinge. »Wartet!«

»Was ist denn?«, fragten Arya und Roran wie aus einem Mund.

Ja, was?, wiederholte Saphira. *Wir sollten hier nicht stehen und reden, während die Beute auf uns wartet.*

»Mein Vater«, rief Eragon aus, »war nicht Morzan, sondern Brom.«

Roran blinzelte. »Brom?«

»Ja, Brom!«

Sogar Arya schien überrascht. »Bist du sicher, Eragon? Woher weißt du das?«

»Natürlich bin ich sicher! Ich erkläre es euch später, aber ich konnte die Wahrheit nicht länger für mich behalten.«

Roran schüttelte den Kopf. »Brom … darauf wäre ich nie gekommen, aber ich schätze, es ergibt Sinn. Du bist bestimmt froh, Morzans Erbe los zu sein.«

»Mehr als froh«, erwiderte Eragon grinsend.

Roran klopfte ihm auf den Rücken. »Pass auf dich auf, ja?« Dann zog er mit Horst und den anderen Dörflern weiter.

Arya wollte in dieselbe Richtung, aber bevor sie zwei Schritte gemacht hatte, rief Eragon ihren Namen. »Der unversehrte Krüppel hat Du Weldenvarden verlassen und sich Islanzadi in Gil'ead angeschlossen«, erzählte er ihr.

Aryas grüne Augen weiteten sich. Sie öffnete die Lippen, als wollte sie eine Frage stellen, doch die Welle der hereinflutenden Krieger riss sie mit und spülte sie in die Stadt hinein.

Bloëdhgarm schob sich näher an Eragon heran: »Schattentöter, warum hat der trauernde Weise den Wald verlassen?«

»Er und sein Gefährte hielten die Zeit für gekommen, das Imperium anzugreifen und sich Galbatorix zu zeigen.«

Das Fell des Wolfkatzenelfs kräuselte sich. »Das sind in der Tat bedeutsame Nachrichten.«

Eragon kletterte auf Saphiras Rücken. »Schlagt euch zur Festungsanlage durch. Wir treffen uns dort«, rief er Bloëdhgarm und seinen anderen Wachen zu.

Ohne eine Antwort abzuwarten, sprang Saphira auf die breite Steintreppe und stelzte zur Brustwehr empor. Von dort schwang sie sich mit einem mächtigen Satz in die Luft und flog mit raschen Flügelschlägen, um an Höhe zu gewinnen, über die brennenden Holzhütten vor Feinsters Toren hinweg.

Arya muss uns erst die Erlaubnis geben, bevor wir jemand anderem von Oromis und Glaedr erzählen können, sagte Eragon und erinnerte sich an das Schweigegelübde, das er, Orik und Saphira Königin Islanzadi bei ihrem ersten Besuch in Ellesméra geleistet hatten.

Das wird sie sicher, wenn sie unseren Bericht gehört hat, sagte Saphira.

Ja.

Sie flogen über Feinster hinweg und landeten überall dort, wo sie einen Soldatentrupp erblickten oder eine Gruppe Varden, die in die Enge getrieben worden war. Wenn ihre Widersacher nicht sofort angriffen, versuchte Eragon, sie zum Aufgeben zu überreden. Es gelang ihm so oft, wie es ihm misslang, aber er fühlte sich trotzdem besser dabei, es wenigstens zu versuchen, denn viele der Männer auf Feinsters Straßen waren gewöhnliche Bürger, keine ausgebildeten Soldaten. Zu allen sagte Eragon: »Nicht ihr, sondern das Imperium ist unser Feind. Wenn ihr nicht die Waffen gegen uns erhebt, habt ihr nichts zu befürchten.« Einige Male sah Eragon eine Frau oder ein Kind durch die dunkle Stadt rennen, denen er befahl, sich im nächsten Haus zu verstecken. Sie gehorchten ihm ohne Ausnahme.

Eragon tastete mit seinem Geist nach dem Bewusstsein der Menschen in seiner und Saphiras Umgebung, immer auf der Suche nach feindlichen Magiern. Doch es blieb bei den drei Zauberern, auf die er bereits getroffen war, und sie schirmten ihre Gedanken erfolgreich vor ihm ab. Es beunruhigte ihn, dass sie nicht mehr aktiv an den Kampfhandlungen teilzunehmen schienen.

Vielleicht wollen sie aus der Stadt fliehen, sagte er zu Saphira.

Würde Galbatorix sie mitten in einer Schlacht ziehen lassen?

Ich bezweifle, dass er je freiwillig auf einen seiner Magier verzichten würde.

Genau. Wir müssen vorsichtig sein. Wer weiß, was sie vorhaben?

Eragon zuckte mit den Schultern. *Fürs Erste ist es das Beste, wenn wir den Varden helfen, die Stadt so schnell wie möglich einzunehmen.*

Sie pflichtete ihm bei und landete auf einem Platz, wo ein Handgemenge im Gang war.

In einer Stadt zu kämpfen war etwas anderes als auf freiem Gelände, wie Eragon und Saphira es gewohnt waren. Die engen Gassen und dicht beieinanderstehenden Häuser schränkten Saphiras Bewegungsfreiheit ein und machten es schwierig, auf Angriffe des Gegners zu reagieren, auch wenn Eragon die Männer lange vor ihrer Ankunft spüren konnte. Ihre Zusammenstöße mit den Soldaten wurden zu kurzen, erbitterten Kämpfen, nur gelegentlich unterbrochen von Feuerstößen oder Magie. Mehr als einmal brachte Saphira mit einem achtlosen Schwanzschlenker eine Häuserfront zum Einsturz. Trotzdem gelang es ihnen immer wieder – mit einer Mischung aus Glück, Geschick und Eragons Schutzzaubern –, schwereren Verletzungen zu entgehen. Allerdings agierten sie in der ungewohnten Umgebung vorsichtiger und waren noch angespannter als normalerweise in einer Schlacht.

Als nach dem fünften Gefecht die Soldaten die Flucht ergriffen – so wie sie es am Ende immer taten –, war Eragon so wütend, dass er sie verfolgte, fest entschlossen, jeden Einzelnen von ihnen zu töten. Zu seiner Überraschung verließen sie die Straße und stürmten durch die verbarrikadierte Tür eines Hutmachers.

Eragon sprang ihnen über die Trümmer der Tür hinterher. Im Inneren des Geschäfts war es stockfinster und es roch nach Hühnerfedern und schalem Parfüm. Er hätte den Raum mit Magie erhellen können, aber da er wusste, dass die Dunkelheit für die Soldaten von größerem Nachteil war als für ihn, ließ er es bleiben. Eragon spürte ihre Gegenwart, hörte ihre keuchenden Atemzüge, aber er war sich nicht sicher, was zwischen ihm und seinen Widersachern lag. Schritt für Schritt tastete er sich tiefer in das Dunkel hinein. Er hielt seinen Schild vor sich und Brisingr hoch erhoben, bereit, augenblicklich zuzuschlagen.

Leise wie ein zu Boden fallender Bindfaden hörte Eragon einen Gegenstand durch die Luft fliegen.

Er zuckte zurück und taumelte, als eine Keule oder ein Hammer auf seinen Schild krachte und ihn in Stücke brach. Lautes Gebrüll erhob sich. Ein Mann stieß einen Stuhl oder Tisch um und irgendetwas flog gegen eine Wand. Eragon stach zu und spürte, wie Brisingr in einen Körper drang und auf einen Knochen traf. Ein Gewicht zog an seiner Klinge. Eragon riss sie heraus, und der Mann, den er niedergestreckt hatte, sank vor ihm zu Boden.

Eragon wagte einen kurzen Blick zurück zu Saphira, die auf der engen Straße wartete. Da erst bemerkte er, dass draußen am Straßenrand eine Laterne an einem Eisenpfahl hing, in deren Licht er für die Soldaten deutlich zu erkennen sein musste. Blitzschnell hechtete er fort von der offenen Tür und warf die Überreste seines Schildes weg.

Wieder hallte ein Krachen durch den Laden, gefolgt von hastigen Schritten, als die Soldaten aus dem Raum stürmten und eine Treppe hochrannten. Eragon stürzte ihnen nach. Im ersten Stock wohnte die Familie, der das Hutgeschäft gehörte. Mehrere Leute schrien, und ein Baby begann zu weinen, als Eragon durch ein Labyrinth kleiner Zimmer preschte, doch er hatte nur seine Beute im Kopf und beachtete sie nicht. Schließlich stellte er die Männer im letzten, von einer einzelnen Kerze erhellten Zimmer.

Eragon tötete die vier Soldaten mit vier Schwertstreichen und zuckte zusammen, als ihr Blut auf ihn spritzte. Einem der Männer nahm er den Schild ab. Dann hielt er inne und betrachtete die Leichname. Er fand, es schicke sich nicht, sie mitten in der Wohnstube liegen zu lassen, also warf er sie kurzerhand aus dem Fenster.

Als er zur Treppe zurückeilte, trat hinter einer Wand eine Gestalt hervor und stieß mit einem Dolch nach ihm. Die Klingenspitze stoppte einen Fingerbreit vor Eragons Rippen, aufgehalten von seinen Schutzzaubern. Erschrocken riss er Brisingr hoch und wollte dem Angreifer schon den Kopf von den Schultern schlagen, als er sah, dass es sich um einen Jungen von höchstens dreizehn Jahren handelte.

Eragon erstarrte. *Das könnte ich sein,* dachte er. *An seiner Stelle hätte ich genauso gehandelt.* Er sah an dem Jungen vorbei und entdeckte einen Mann und eine Frau im Nachthemd. Die beiden klammerten sich aneinander und starrten voller Furcht zu ihm herüber.

Ein Beben durchfuhr Eragon. Er senkte Brisingr und nahm dem Jungen den Dolch ab. »Wenn ich du wäre«, sagte er und es erschreckte ihn, wie laut seine Stimme klang, »würde ich nicht nach draußen gehen, bis die Schlacht vorbei ist.« Zögernd fügte er hinzu: »Es tut mir leid.«

Beschämt eilte er aus dem Geschäft und kehrte zu Saphira zurück. Gemeinsam schritten sie die Straße entlang.

Unweit des Hutladens stießen Eragon und Saphira auf mehrere von König Orrins Männern. Sie schleppten goldene Kerzenleuchter, Silberteller, Juwelen und verschiedene Einrichtungsgegenstände aus einem prunkvollen Herrenhaus, in das sie eingebrochen waren.

Eragon schlug einem Mann mehrere zusammengerollte Teppiche aus dem Arm. »Bringt diese Sachen zurück!«, schrie er die ganze Gruppe an. »Wir sind hier, um diesen Menschen zu *helfen*, nicht um sie zu bestehlen! Sie sind unsere Brüder und Schwestern, unsere Mütter und Väter. Dieses eine Mal lasse ich euch laufen, aber sagt allen, dass ich jeden Mann auspeitschen lasse, den ich ab jetzt beim Plündern erwische!« Mit einem lauten Knurren unterstrich Saphira seine Worte. Unter ihren wachsamen Blicken trugen die reuigen Krieger ihre Beute in das mit Marmor verkleidete Haus zurück.

So, sagte Eragon zu Saphira, *vielleicht können wir jetzt …*

»Schattentöter! Schattentöter!«, brüllte ein Mann, der aus dem Zentrum der Stadt auf sie zugerannt kam. An Waffen und Rüstung konnte man erkennen, dass er ein Varde war.

Eragon verstärkte seinen Griff um Brisingr. »Was ist?«

»Wir brauchen deine Hilfe, Schattentöter! Und deine auch, Saphira!«

Sie folgten dem Krieger durch Feinster, bis sie ein großes Steingebäude erreichten. Mehrere Varden hockten geduckt hinter einer Mauer, die das Gebäude umgab. Sie schienen erleichtert, als sie Eragon und Saphira kommen sahen.

»Geht in Deckung!«, rief ihnen einer der Männer zu und gestikulierte wild. »Da drinnen sitzt ein ganzer Trupp Soldaten und zielt mit Bogen auf uns.«

Eragon und Saphira blieben außer Sichtweise des Hauses stehen.

»Wir kommen nicht an sie ran«, erklärte der Krieger, der sie hergeführt hatte. »Die Türen und Fenster sind verbarrikadiert, und wenn wir versuchen, sie aufzubrechen, nehmen uns die Soldaten unter Beschuss.«

Eragon sah Saphira an. *Willst du oder soll ich*?

Ich kümmere mich darum, sagte sie und stieg mit ein paar schnellen Flügelschlägen in die Luft.

Das Haus erbebte und Fensterscheiben zerbrachen, als Saphira auf dem Dach landete. Ehrfürchtig sahen Eragon und die anderen Krieger zu, wie sie die Klauen in die Mörtelfugen zwischen den Steinen grub und unter angestrengtem Fauchen das Gebäude auseinanderriss, bis die schreckensbleichen Soldaten zum Vorschein kamen, die sie tötete wie ein Terrier ein paar Ratten.

Als Saphira sich wieder zu Eragon gesellte, wichen die Varden vor ihr zurück. Offensichtlich machte ihnen ihre Wildheit Angst. Saphira ignorierte sie, leckte sich die Pfoten und säuberte ihre Schuppen vom Blut.

Habe ich dir je erzählt, wie froh ich bin, dass wir beide keine Feinde sind?, fragte Eragon.

Nein, aber das ist sehr lieb von dir.

Überall in der Stadt leisteten die Soldaten mit einer Zähigkeit Widerstand, die Eragon beeindruckte. Sie zogen sich nur zurück, wenn die Übermacht des Feindes erdrückend war, und taten ansonsten alles, um den Vormarsch der Varden aufzuhalten. So zeigte sich am Himmel schon das erste Morgenrot, als die Rebellen schließlich die Westseite Feinsters erreichten, wo sich die Burganlage befand.

Es war ein imposantes Bauwerk, hoch und rechtwinklig, das mehrere verschieden hohe Türme zierte. Das Dach war aus Schiefer, damit Angreifer es nicht in Brand schießen konnten. Vor der eigentlichen Burg lag ein weitläufiger Hof, in dem sich einige niedrige Wirtschaftsgebäude duckten und vier Katapulte standen. Die gesamte Anlage wurde von einer dicken, mit mehreren Wachtürmen versehenen Steinmauer umschlossen. Hunderte von Soldaten hielten die Brustwehr besetzt und auch im Hof wimmelte es von

Männern. Der einzige Zugang auf das Gelände führte durch einen breiten Torbogen, den ein eisernes Fallgatter und zwei hohe Eichentüren versperrten.

Tausende von Varden drängten gegen die Außenmauer und versuchten, das Fallgatter mit dem vom Haupttor herbeigeschleppten Rammbock zu durchbrechen oder die Mauer mit Seilen und Sturmleitern zu erklimmen, die die Verteidiger aber immer wieder zurückstießen. Pfeilhagel zischten in beide Richtungen über die Mauer hinweg. Keine Seite schien sich einen Vorteil verschaffen zu können.

Das Tor!, rief Eragon und deutete nach unten.

Saphira stieß hinab und räumte die Brustwehr oberhalb des Fallgatters mit einem Feuerstrahl leer. Während ihr der Rauch noch aus den Nüstern quoll, ließ sie sich auf die Mauer fallen – der Aufprall ging Eragon durch Mark und Bein – und sagte: *Na los! Ich kümmere mich um die Katapulte, bevor sie Steine auf die Varden abschießen.*

Sei vorsichtig. Er rutschte von ihrem Rücken auf die Brustwehr hinunter.

Die anderen sollen lieber vorsichtig sein!, entgegnete sie und fauchte die Pikenträger an, die an den Katapulten standen. Die Hälfte von ihnen fuhr herum und rannte in eines der Gebäude.

Die Mauer war zu hoch, als dass Eragon zur Straße hätte hinunterspringen können, deshalb schob Saphira den Schwanz über die Mauer und ließ ihn zwischen zwei Zacken nach unten hängen. Eragon schob Brisingr in die Scheide, dann kletterte er hinab, wobei er die Schwanzzacken als Leitersprossen benutzte. Als er die Schwanzspitze erreichte, hielt er kurz inne. Dann sprang er die letzten zwanzig Fuß bis zum Boden. Als er inmitten der Varden landete, rollte er sich ab, um die Wucht des Aufpralls abzufangen.

»Seid gegrüßt, Schattentöter«, sagte Bloëdhgarm und trat mit den anderen Elfen aus der Kriegerschar heraus.

»Seid gegrüßt.« Eragon zückte Brisingr wieder. »Warum habt ihr das Tor nicht längst für die Varden geöffnet?«

»Weil es durch zahlreiche Zauber geschützt ist, Schattentöter. Es würde erhebliche Kraft kosten, es zu durchbrechen. Meine Gefährten und ich sind hier, um Euch und Saphira zu beschützen, und wir können unserer Pflicht nur nachkommen, wenn wir uns nicht bei anderen Aufgaben verausgaben.«

Eragon unterdrückte einen Fluch. »Würdet Ihr es lieber sehen, wenn Saphira und ich uns verausgaben, Bloëdhgarm? Wäre das vielleicht sicherer für uns?«

Der Elf starrte Eragon einen Moment lang an, seine gelben Augen unergründlich, dann neigte er leicht den Köpf. »Wir werden das Tor auf der Stelle öffnen, Schattentöter.«

»Nein, lasst es bleiben«, brummte Eragon. »Wartet hier.«

Eragon schob sich durch die Menge und ging auf das Fallgatter zu. »Macht Platz!«, rief er. Die Varden wichen zurück und bildeten einen kleinen Halbkreis um ihn. Ein Speer, abgeschossen von einer der Wurfmaschinen, kam über die Mauer geflogen, prallte an Eragons Schutzzauber ab und fiel klappernd zu Boden. Im Innern des Hofes ertönte Saphiras Gebrüll und dann das Geräusch von berstendem Holz und reißenden Seilen.

Das Heft jetzt mit beiden Händen gepackt, hob Eragon das Schwert über den Kopf und rief: »Brisingr!« Blaues Feuer flammte an der Klinge auf und die Krieger hinter ihm brachen in Rufe des Erstaunens aus. Eragon trat vor und schlug mit dem Schwert gegen eine der Eisenstangen des Fallgatters. Ein greller Blitz erhellte die Mauer und die umliegenden Gebäude, als die Klinge mühelos durch das dicke Metall schnitt. Gleichzeitig spürte Eragon, wie seine Erschöpfung wuchs, als Brisingr die Beschwörungen brach, die das Fallgatter schützten. Er lächelte. Wie er gehofft hatte, war die Magie, mit der Rhunön Brisingr umwoben hatte, mehr als ausreichend, um die Zauber zu überwinden.

Mit schnellen, gleichmäßigen Bewegungen schnitt Eragon ein mannshohes Loch in das Fallgatter und trat zur Seite, als das lose Gitterstück scheppernd zu Boden fiel. Er stieg darüber hinweg und ging auf die massiven Eichentüren zu, die ein Stück dahinter in die

Mauer eingelassen waren. Er setzte Brisingrs Spitze auf den haarfeinen Spalt zwischen den Türflügeln, stemmte sich mit seinem ganzen Gewicht gegen das Schwert und schob die Klinge durch die enge Lücke hindurch. Dann ließ er noch mehr Energie in die Flammen strömen, die die Klinge umloderten, bis sie so heiß war, dass sie so mühelos durch das harte Holz glitt wie ein Messer, das durch frisches Brot schneidet. Die Klinge umwallte dichter Rauch, der in der Kehle brannte und Eragons Augen tränen ließ.

Eragon führte das brennende Schwert nach oben durch den gewaltigen Holzbalken, der die Tore auf der anderen Seite verriegelte. Als er merkte, dass Brisingrs Klinge kaum noch auf Widerstand traf, zog er die Waffe zurück und löschte die Flammen. Da er dicke Schutzhandschuhe trug, konnte er die glühende Türkante packen. Mit einem mächtigen Ruck zog er sie auf. Im nächsten Moment schwang auch der andere Türflügel auf, scheinbar wie von Geisterhand. Dann sah Eragon, dass Saphira ihn aufgestoßen hatte. Sein Drache saß gleich neben dem Eingang und sah ihn aus funkelnden blauen Augen an. Hinter Saphira lagen die vier Wurfmaschinen in Trümmern.

Eragon stellte sich zu ihr, während die Varden unter lauten Schlachtrufen in den Hof stürmten. Ausgelaugt von der Anstrengung, legte Eragon die Hand auf den Gürtel von Beloth dem Weisen und frischte seine Kräfte mit der in den zwölf Diamanten gespeicherten Energie auf. Den Rest bot er Saphira an, die genauso erschöpft war wie er, aber sie lehnte ab. *Spar sie dir lieber auf. Du hast nicht mehr so viel übrig. Abgesehen davon: Was ich wirklich brauche, sind eine Mahlzeit und viel Schlaf.*

Eragon lehnte sich an sie; ihm fielen fast die Augen zu. *Bald*, sagte er. *Bald wird das alles vorbei sein.*

Das will ich auch hoffen, entgegnete sie.

Unter den hereinströmenden Kriegern war auch Angela in ihrer sonderbaren grün-schwarzen Rüstung und mit ihrem Hûthvír, der mit zwei Klingen versehenen Holzstange, die gewöhnlich nur Zwergenpriester trugen. Die Kräuterhexe blieb vor Eragon stehen und meinte schelmisch: »Beeindruckend, deine Darbietung. Aber findest du nicht, dass du ein bisschen übertreibst?«

Eragon runzelte die Stirn. »Wie meinst du das?«

Sie hob eine Braue. »Komm schon, war es wirklich nötig, das Schwert in Brand zu setzen?«

Eragons Miene entspannte sich, als er Angelas Bedenken verstand. Er lachte. »Für das Fallgatter nicht, aber es hat Spaß gemacht. Außerdem kann ich nichts dafür. Ich habe das Schwert *Feuer* genannt – in der alten Sprache –, und jedes Mal wenn ich den Namen ausspreche, geht die Klinge in Flammen auf wie ein trockener Ast in einem Scheiterhaufen.«

»Dein Schwert heißt *Feuer?*«, rief Angela ungläubig. »Was ist das denn für ein langweiliger Name? Da hättest du es ja gleich *Lodernde Klinge* nennen können. Feuer! Pfff. Hättest du nicht lieber ein Schwert, das Schafbeißer heißt oder Sonnenblumenspalter oder etwas ähnlich Einfallsreiches?«

»Einen Schafbeißer hab ich schon«, sagte Eragon und legte eine Hand auf Saphira. »Warum sollte ich noch einen brauchen?«

Ein Lächeln erschien auf Angelas Gesicht. »Du kannst ja richtig witzig sein! Anscheinend gibt es doch noch Hoffnung für dich.« Und damit tänzelte sie zum Festungsturm davon, ließ das Doppelschwert an ihrer Seite kreisen und murmelte: »Feuer? Pfff.«

Ein leises Knurren drang aus Saphiras Kehle. *Kleiner, pass auf, wen du hier Schafbeißer nennst, sonst könnte es passieren, dass dich gleich jemand beißt.*

Ja, Saphira.

Schatten des Untergangs

Inzwischen hatten sich auch Bloëdhgarm und seine Gefährten zu Eragon und Saphira in den Hof gestellt, aber er schenkte ihnen keine Beachtung, sondern hielt Ausschau nach Arya. Als er sie entdeckte, wie sie neben dem berittenen Jörmundur herlief, rief er nach ihr und hob seinen Schild, um sie auf sich aufmerksam zu machen.

Arya bemerkte ihn und kam zu ihm herüber, ihre Bewegungen so anmutig wie die einer Gazelle. Sie hatte sich inzwischen einen Schild, einen Vollhelm und ein Kettenhemd beschafft, und das Metall glänzte im grauen Dämmerlicht, das über der Stadt lag.

Als sie vor ihm stehen blieb, sagte er: »Saphira und ich wollen von oben in den Festungsturm eindringen und versuchen, Fürstin Lorana gefangen zu nehmen. Willst du mitkommen?«

Arya nickte knapp.

Eragon sprang auf eines von Saphiras Vorderbeinen und kletterte von dort in den Sattel. Die Elfe folgte ihm und setzte sich dicht hinter ihn, sodass die Glieder ihres Kettenhemds gegen seinen Rücken drückten.

Saphira breitete die samtigen Schwingen aus und hob ab. Bloëdhgarm und die anderen Elfen schauten ihr entgeistert hinterher.

»Du solltest deine Leibwächter nicht so leichtfertig zurücklassen«, murmelte Arya in Eragons linkes Ohr. Dann schlang sie ihren Schwertarm um seine Taille und hielt sich an ihm fest, während Saphira über den Hof schwebte.

Bevor Eragon antworten konnte, spürte er die Berührung von

Glaedrs gewaltigem Geist. Einen Moment lang verschwand die Stadt unter Eragon, und er sah und fühlte nur noch, was Glaedr sah und fühlte.

Hornissen-Pfeile-klein-und-stechend prallten von seinem Bauch ab, als er über die verstreuten Holz-Höhlen der Runde-Ohren-zwei-Beine aufstieg. Die Luft unter seinen Flügeln war gleichmäßig und kräftig, ideal für den Flug, den er vor sich hatte. Der Sattel rieb an seinen Schuppen, als Oromis seine Position veränderte.

Glaedr ließ die Zunge herausschnellen und kostete das verlockende Aroma von Verbranntes-Holz-verschmortes-Fleisch-verspritztes-Blut. Er war schon oft an diesem Ort gewesen. In seiner Jugend hatte er noch nicht Gil'ead geheißen und damals waren die einzigen Bewohner die Ernstes-Lachen-flinke-Zunge-Elfen und die Freunde der Elfen gewesen. Er hatte seine bisherigen Besuche immer genossen, aber jetzt schmerzte ihn die Erinnerung an seine beiden Nest-Gefährten, die hier gestorben waren, umgebracht von den Gedanken-krank-Abtrünnigen.

Die Sonne schwebte dicht über dem Horizont. Im Norden lag das Wasser-groß-und-breit-Isenstar wie ein gekräuseltes Blatt aus glänzendem Silber. Unter ihm hatte die Herde der Spitz-Ohren, angeführt von Islanzadi, die Stadt-zertrampelter-Ameisenhaufen umstellt. Ihre Rüstungen glitzerten wie zerstoßenes Eis. Über der ganzen Gegend hing eine blaue Rauchwolke, so dick wie kalter Morgendunst.

Und von Süden her flog Spitzklaue-klein-und-wütend-Dorn auf Gil'ead zu und brüllte angriffslustig. Auf seinem Rücken saß Morzan-Sohn-Murtagh und hielt in seiner rechten Hand Zar'roc, das glänzte wie ein polierter Nagel.

Trauer erfüllte Glaedr beim Anblick der beiden jämmerlichen Küken. Er wünschte, Oromis und er könnten sie verschonen. Einmal mehr müssen Drache gegen Drache und Reiter gegen Reiter kämpfen, *dachte er,* und alles bloß wegen Drachenei-Räuber-Galbatorix. *Grimmig schlug er mit den Flügeln und spreizte die Klauen, um seine sich nähernden Feinde zu zerreißen.*

Eragons Kopf wurde in den Nacken geschleudert, als Saphira auf eine Seite taumelte und zwanzig Fuß absackte, bevor sie ihr Gleichgewicht wiederfand. *Hast du das auch gesehen?*, fragte sie.

Habe ich. Besorgt drehte sich Eragon nach den Satteltaschen um, wo er Glaedrs Eldunarí aufbewahrte, und fragte sich, ob sie versuchen sollten, Glaedr und Oromis zu helfen. Dann beruhigte er sich damit, dass es unter den Elfen zahlreiche Magier gab. Seine Meister würden keine Unterstützung brauchen.

»Was ist los?«, fragte Arya und ihre Stimme dröhnte in seinem Ohr.

Oromis und Glaedr stehen kurz vor einem Kampf gegen Dorn und Murtagh, erklärte Saphira.

Eragon spürte, wie die Elfe erstarrte. »Woher wisst ihr das?«, fragte sie.

»Das erklär ich dir später. Ich hoffe nur, dass sie nicht verletzt werden.«

»Ich auch«, sagte Arya.

Saphira flog hoch über der Burganlage, schwebte dann auf lautlosen Flügeln abwärts und ließ sich auf der Spitze des höchsten Turms nieder. Als Eragon und Arya auf das steile Dach kletterten, sagte Saphira: *Ich warte weiter unten auf euch. Das Fenster hier ist zu klein für mich.* Sie hob ab und der Luftzug ihrer Schwingen schlug ihnen ins Gesicht.

Eragon und Arya ließen sich über die Dachkante hinuntergleiten und landeten auf einem schmalen Mauervorsprung acht Fuß tiefer. Eragon tastete sich Stück für Stück den Sims entlang, ohne sich über den Fall aus schwindelerregender Höhe Gedanken zu machen, der ihn erwartete, sollte er abrutschen. Er erreichte ein kreuzförmiges Fenster, durch das er sich in einen großen viereckigen Raum zog. An den Wänden standen Bündel aus Bolzen und Gestelle voller schwerer Armbrüste. Wenn sich hier noch irgendjemand aufgehalten hatte, als Saphira gelandet war, so hatte er inzwischen die Flucht ergriffen.

Arya kletterte hinter ihm durchs Fenster. Sie sah sich um, zeigte dann auf die Treppe am anderen Ende des Raumes und schlich hinüber, ohne dass ihre Lederstiefel auf dem Steinboden auch nur das geringste Geräusch verursacht hätten.

Als Eragon ihr folgte, nahm er unter ihnen eine eigenartige Vereinigung von Energieströmen wahr sowie das Bewusstsein von fünf Menschen, deren Gedanken ihm versperrt waren. In Erwartung eines geistigen Angriffs errichtete er einen Wall um sein Bewusstsein und konzentrierte sich darauf, ein paar Zeilen aus einem Elfengedicht zu rezitieren. Er tippte Arya auf die Schulter und flüsterte: »Spürst du das?«

Sie nickte. »Wir hätten Bloëdhgarm mitnehmen sollen.«

Gemeinsam schlichen sie möglichst leise die Stufen hinab.

Das nächste Turmzimmer war viel größer als das erste. Die Wände waren mehr als dreißig Fuß hoch, und von der Decke hing eine Laterne mit geschliffenen Glasscheiben herab, in der eine gelbe Flamme loderte. Hunderte von Ölgemälden bedeckten die Wände: Porträts bärtiger, prunkvoll gewandeter Männer und ausdrucksloser Frauen, die im Kreis einiger Kinder saßen; düstere, sturmumtoste Seelandschaften mit ertrinkenden Seeleuten und Kampfszenen, in denen Menschen Horden bizarrer Urgals abschlachteten. Eine Reihe hölzerne Fensterläden an der nördlichen Wand zeigte auf einen Balkon mit steinerner Balustrade. Vor der Wand gegenüber dem Fenster standen etliche runde, mit Schriftrollen übersäte Tische, drei Polstersessel und zwei übergroße Messingvasen mit vertrockneten Blumensträußen. Eine stämmige grauhaarige Frau in einem lavendelfarbenen Kleid saß in einem der Sessel. Sie hatte große Ähnlichkeit mit einigen der porträtierten Männer. Ihr Haupt wurde von einem mit Jade und Topas verzierten silbernen Diadem geschmückt.

Mitten im Zimmer standen mit zurückgestreiften Kapuzen die drei Magier, die Eragon zuvor in der Stadt gesehen hatte. Die beiden Männer und die Frau hatten sich im Dreieck aufgestellt und die Arme seitlich ausgestreckt, sodass sich ihre Fingerspitzen berührten. Sie wiegten sich im Einklang hin und her und murmelten dabei eine unbekannte Beschwörung in der alten Sprache. Im Zentrum des Dreiecks saß ein Mann im gleichen Gewand; schweigend und das Gesicht schmerzverzerrt.

Eragon stürzte sich auf den Geist eines der drei Männer, doch der Magier war so auf seine Aufgabe konzentriert, dass es Eragon nicht gelang, in sein Bewusstsein einzudringen und ihn so seinem Willen zu unterwerfen. Der Mann schien den Angriff nicht einmal zu bemerken. Arya musste es ebenfalls versucht haben, denn sie flüsterte: »Sie sind gut ausgebildet.«

»Weißt du, was sie da machen?«, fragte er leise.

Sie schüttelte den Kopf.

In diesem Moment schaute die Frau in dem lavendelfarbenen Kleid auf und entdeckte Eragon und Arya auf den Stufen. Zu Eragons Überraschung schrie sie nicht um Hilfe, sondern legte den Finger an die Lippen und winkte sie heran.

Eragon sah Arya verblüfft an. »Es könnte eine Falle sein.«

»Höchstwahrscheinlich«, sagte sie.

»Was machen wir jetzt?«

»Ist Saphira in der Nähe?«

»Ja.«

»Dann lass uns unsere Gastgeberin begrüßen.«

Nebeneinander nahmen sie die restlichen Stufen und schlichen quer durch die Kammer, wobei sie die in ihren Singsang versunkenen Magier nicht aus den Augen ließen.

»Seid Ihr Fürstin Lorana?«, fragte Arya mit leiser Stimme, als sie vor dem Sessel stehen blieben.

Die Frau neigte den Kopf. »Das bin ich, holde Elfe.« Dann richtete sie ihren Blick auf Eragon und fragte: »Und Ihr seid der Drachenreiter, von dem wir in letzter Zeit so viel gehört haben? Ihr seid Eragon Schattentöter?«

»Der bin ich«, sagte Eragon.

Ein Ausdruck der Erleichterung erschien auf den edlen Zügen der Frau. »Ah, ich hatte gehofft, Ihr würdet kommen. Ihr müsst sie aufhalten, Schattentöter.« Sie deutete auf die Magier.

»Warum befehlt Ihr ihnen nicht, aufzuhören?«, flüsterte Eragon.

»Ich kann nicht«, sagte Lorana. »Sie gehorchen nur dem König und seinem neuen Drachenreiter. Ich habe Galbatorix Treue gelobt – ich hatte keine andere Wahl –, also kann ich gegen ihn oder seine Diener nicht die Hand erheben. Sonst hätte ich schon selbst für ihre Vernichtung gesorgt.«

»Warum?«, wollte Arya wissen. »Wovor fürchtet Ihr Euch so sehr?«

Die Haut um Loranas Augen spannte sich. »Sie wissen, dass sie die Varden allein nicht vertreiben können, und Galbatorix hat uns keine Verstärkung geschickt. Darum versuchen sie, einen Schatten heraufzubeschwören, in der Hoffnung, dass sich das Ungeheuer gegen die Varden wendet und Schrecken und Leid in euren Reihen verbreitet.«

Eragon packte das Grauen. Er konnte sich nicht vorstellen, gegen einen zweiten Durza kämpfen zu müssen. »Aber ein Schatten könnte sich genauso leicht gegen sie und alle anderen in Feinster wenden wie gegen die Varden.«

Lorana nickte. »Das ist ihnen egal. Sie wollen nur noch so viel Leid und Zerstörung anrichten wie möglich, ehe sie sterben. Sie sind wahnsinnig, Schattentöter. Bitte, Ihr müsst sie aufhalten, um meines Volkes willen!«

Als sie geendet hatte, landete Saphira auf dem Balkon, wobei sie mit dem Schwanz die Balustrade einriss. Mit einem einzigen Prankenhieb fegte sie die Läden vor den Fenstern beiseite, zerbrach die Rahmen, als wären sie Zunder, und steckte dann knurrend Kopf und Schultern in den Raum.

Die Magier sangen weiter und schienen sie gar nicht zu bemerken.

»Oh weh«, klagte Fürstin Lorana und umklammerte die Sessellehnen.

»Also los«, sagte Eragon. Er schwang Brisingr und stürzte im selben Moment auf die Magier zu, in dem sich auch Saphira in Bewegung setzte.

Die Welt wirbelte um Eragon und wieder sah er sie durch Glaedrs Augen.

Rot. Schwarz. Pulsierende gelbe Blitze. Schmerz … Schmerz-Knochen-schmelzend in seinem Bauch und in der Schulter seines linken Flügels. Schmerz, wie er ihn seit über hundert Jahren nicht mehr verspürt hat. Dann Erleichterung, als der Gefährte-seines-Lebens-Oromis seine Verletzungen heilte.

Als er sein Gleichgewicht wiedererlangt hatte, sah sich Glaedr nach Dorn um. Der Würger-klein-und-rot war durch Galbatorix' Einmischung stärker und schneller, als er angenommen hatte.

Dorn krachte in Glaedrs linke Seite, seine schwache Seite, wo er das Vorderbein verloren hatte. Sie wirbelten umeinander herum und stürzten dabei auf die Erde-Flügel-zertrümmernd zu. Glaedr wehrte sich mit Zähnen und Klauen, um den kleineren Drachen zur Unterwerfung zu zwingen.

Mich wirst du nicht kleinkriegen, Jüngelchen, *schwor er sich.* Ich war schon alt, als du noch gar nicht geboren warst.

Klauen-wie-Dolche-weiß schrammten über Glaedrs Rippen und Bauch. Er krümmte den Schwanz und ließ ihn Lang-Zahn-Faucher-Dorn übers Bein peitschen, wobei sich eine seiner Schwanzzacken tief in Dorns Oberschenkel grub. Der erbitterte Kampf hatte längst ihre Zauber-Schilde-unsichtbar erschöpft, sodass sie nun auf jede Weise verwundbar waren.

Als die rotierende Erde nur noch ein paar Tausend Fuß entfernt war, holte Glaedr tief Luft und zog den Kopf zurück. Er straffte den Hals, spannte den Bauch und ließ den Feuer-Brei aus den Tiefen seiner Eingeweide aufsteigen. Die Flüssigkeit entzündete sich, als sie sich mit der Luft in seiner Kehle verband. Er öffnete das Maul sperrangelweit und hüllte den roten Drachen in einen knisternden Kokon. Der Strom der Flammen-gierig-zehrend-züngelnd kitzelte die Innenseite seiner Wangen.

Als er und der sich krümmende, kreischende Drache-mit-Klauen-scharf voneinander abließen, verschloss er die Kehle und erstickte den Feuerstrom. Von seinem Rücken herab hörte er Oromis sagen: »Ihre Kraft lässt nach. Ich sehe es an ihrer Haltung. Noch ein paar Minuten und Murtaghs Konzentration lässt ihn im Stich. Dann kann ich die Kontrolle über seine Gedanken übernehmen. Entweder das oder wir erlegen sie mit Schwert und Klauen.«

Glaedr knurrte zustimmend und war gleichzeitig verärgert, dass er und Oromis es nicht wagen konnten, sich wie sonst auf geistiger Ebene zu verständigen. Von Warmer-Wind-über-beackerter-Erde ließ er sich höher tragen. Dann wandte er sich dem bluttriefenden Dorn zu, brüllte und schickte sich an, abermals mit ihm zu kämpfen.

Völlig desorientiert starrte Eragon an die Decke. Er lag im Turm der Festungsanlage auf dem Rücken. Neben ihm kniete Arya mit besorgter Miene. Sie packte seinen Arm, zog ihn in die Höhe und stützte ihn, als er schwankte. Am anderen Ende des Raums sah er Saphira den Kopf schütteln und spürte ihre Verwirrung.

Die drei Magier standen noch immer mit ausgestreckten Armen da, wiegten sich und sangen in der alten Sprache. Die Worte ihrer Beschwörung vibrierten vor Kraft und schwebten noch in der Luft, lange nachdem sie eigentlich hätten verklungen sein müssen. Der Mann in der Mitte hielt die Knie umschlungen, zitterte am ganzen Leib und warf den Kopf hin und her.

»Was ist passiert?«, fragte Arya leise. Sie zog Eragon näher heran und raunte: »Wie kannst du über eine so weite Entfernung an Glaedrs Gedanken teilhaben, wo sein Geist während des Kampfes selbst Oromis verschlossen bleibt? Verzeih mir, dass ich ohne deine Erlaubnis in dein Bewusstsein eingedrungen bin, aber ich habe mir Sorgen um dich gemacht. Welches Band knüpft dich und Saphira an Glaedr?«

»Später«, sagte er und richtete sich auf.

»Hat Oromis dir ein Amulett oder irgendeinen anderen Gegenstand gegeben, mit dem du Verbindung zu Glaedr aufnehmen kannst?«

»Es würde zu lange dauern, es dir zu erklären. Später, ich versprech's dir.«

Arya zögerte, dann nickte sie. »Ich werde dich daran erinnern.«

Gemeinsam gingen Eragon, Saphira und Arya auf die Magier los und stachen jeder auf einen anderen ein. Ein metallisches Klingen erfüllte den Raum, als Brisingr zur Seite wirbelte und Eragon dabei die Schulter verdrehte, bevor es sein Ziel erreicht hatte. Auch Aryas Schwert prallte von einem Schutzschild ab, ebenso wie Saphiras Vorderpranke. Ihre Klauen kreischten über den Steinfußboden.

»Konzentriert euch auf den da!«, rief Eragon und zeigte auf den größten der drei Magier, einen bleichen Mann mit verfilztem Bart. »Schnell, bevor die Geisterbeschwörung gelingt.« Zwar hätten Eragon und Arya versuchen können, die Schutzschilde der drei mit Gegenzaubern zu umgehen oder zu brechen. Es war jedoch immer gefährlich, Magie gegen einen anderen Magier einzusetzen, dessen Bewusstsein man nicht kontrollierte, und sie wollten nicht riskieren, von einem Schutzzauber getötet zu werden, von dem sie bis jetzt nicht einmal etwas ahnten.

Abwechselnd stachen und hieben Eragon, Saphira und Arya auf den Bärtigen ein, ohne dass sie den Mann auch nur berührt hätten. Dann, endlich, bemerkte Eragon, wie etwas unter Brisingr nachgab und das Schwert ungehindert seinen Weg nahm, bis es dem Magier den Kopf abschlug. Die Luft vor Eragon flimmerte. Im selben Augenblick spürte er, wie ihm Kraft entzogen wurde, als seine Schutzschilde ihn gegen einen Angriffszauber verteidigten. Der Ansturm brach nach ein paar Sekunden ab und ließ ihn leicht benommen zurück. Ihm knurrte der Magen. Er verzog das Gesicht und stärkte sich mit Energie aus dem Gürtel von Beloth dem Weisen.

Die einzige Reaktion der verbliebenen Magier bestand darin, ihre Beschwörung noch intensiver voranzutreiben. Gelber Schaum verklebte ihre Mundwinkel, Speichel spritzte von ihren Lippen und man sah das Weiße in ihren Augen. Aber immer noch machten sie keinerlei Anstalten, zu flüchten oder sich zu wehren.

Nun stürzten sie sich auf den nächsten Magier, einen dicken

Mann mit Ringen auf den Daumen, und droschen wieder so lange auf ihn ein, bis seine Schutzschilde erschöpft waren. Es war Saphira, die den Mann umbrachte, indem sie ihn mit den Klauen packte und quer durch den Raum fliegen ließ. Er stieß gegen die Treppe und brach sich an einer Stufe den Schädel. Diesmal folgte kein magischer Vergeltungsschlag.

Als Eragon auf die Magierin zutrat, schoss eine Wolke vielfarbiger Lichter durch die zerbrochenen Fensterläden ins Zimmer und hüllte den Mann ein, der auf dem Boden kauerte. Die flackernden Geister wirbelten mit wütender Bösartigkeit um den Mann herum und bildeten dabei eine undurchdringliche Mauer um ihn. Er riss abwehrend die Arme hoch und schrie. Die Luft summte und knisterte vor Energie, die die flimmernden Kugeln ausstrahlten. Ein säuerlicher, metallischer Geschmack legte sich auf Eragons Zunge und seine Haut kribbelte. Der Magierin standen die Haare zu Berge. Ihr schräg gegenüber machte Saphira fauchend einen Buckel, jeder Muskel in ihrem Körper zum Zerreißen gespannt.

Eragon fuhr die Angst in die Glieder. *Nein!*, dachte er und ihm wurde schlecht. *Nicht jetzt. Nicht nach allem, was wir durchgemacht haben.* Er war stärker als damals, als er Durza in Tronjheim gegenübergestanden hatte. Doch dafür war es ihm jetzt umso bewusster, wie gefährlich ein Schatten sein konnte. Nur drei Krieger hatten es je überlebt, einen Schatten zu töten: die Elfe Laetri, der Drachenreiter Irnstad und er selbst – und er war sich nicht sicher, ob er diese Heldentat noch einmal vollbringen konnte. *Bloëdhgarm, wo seid ihr?*, rief er verzweifelt. *Wir brauchen eure Hilfe!*

Und dann blendete sich alles um ihn her aus und er sah stattdessen:

Weiß. Nichts als Weiß. Das Wasser-des-Himmels-kalt-und-weich tat gut nach der erdrückenden Hitze des Kampfes. Glaedr streckte die Zunge-trocken-und-klebrig heraus und labte sich an dem frischen Nass.

Er schlug noch einmal mit den Flügeln und das Himmels-Was-

ser teilte sich vor ihm und enthüllte die Sonne-sengend-grell und die Erde-grün-braun-neblig. Wo ist er denn?, *dachte Glaedr und hielt nach Dorn Ausschau. Der Würger-klein-und-rot hatte sich in schwindelnde Höhen geflüchtet, in die kein Vogel aufstieg, wo die Luft dünn war und der Atem Wasser-Rauch.*

»Glaedr, hinter uns!«, rief Oromis.

Glaedr wirbelte herum, aber er war nicht schnell genug. Der rote Drache krachte in seine rechte Schulter und ließ ihn schwanken. Knurrend schlang Glaedr sein verbliebenes Vorderbein um das Küken-wild-schnappend-und-kratzend und versuchte, das Leben aus Dorns zappelndem Körper zu quetschen. Der rote Drache brüllte, befreite sich halb aus der eisernen Umarmung und schlug Glaedr die Klauen in die Brust. Glaedr bog den Hals nach unten, grub die Zähne in Dorns Hinterlauf und hielt ihn fest, obwohl der rote Drache sich wand und um sich schlug wie eine Wildkatze in der Falle. Blut-heiß-und-salzig strömte in Glaedrs Maul.

Im Fallen hörte Glaedr das Klirren von Schwertern auf Schilden, als Oromis und Murtagh sich einen kurzen Schlagabtausch lieferten. Dorn krümmte sich und Glaedr erhaschte einen Blick auf Morzan-Sohn-Murtagh. Auf Glaedr wirkte der Mensch verängstigt, aber er war sich nicht sicher. Obwohl er schon so lange mit Oromis verbunden war, fiel es ihm immer noch schwer, in den weichen, flachen Gesichtern der Keine-Hörner-zwei-Beine zu lesen; vor allem da sie auch keinen Schwanz hatten.

Das Klirren brach ab und Murtagh rief: »Sei verflucht dafür, dass du dich nicht eher gezeigt hast! Sei verflucht! Du hättest uns helfen können! Du hättest …« Einen Moment lang schien Murtagh an seiner Zunge zu würgen.

Glaedr stöhnte, als eine unsichtbare Kraft ihren Sturz so abrupt abfing, dass ihm Dorns Bein fast aus dem Maul gerissen wurde, und sie dann alle vier aufwärtstrug, immer höher und höher, bis die Stadt-zertrampelter-Ameisenhaufen unter ihnen nur noch ein verschwommener Fleck war und selbst Glaedr in der dünnen Luft kaum noch atmen konnte.

Was macht das Jüngelchen da?, *fragte sich Glaedr besorgt.* Will er sich etwa umbringen?

Da ergriff Murtagh wieder das Wort, und seine Stimme klang voller und tiefer als zuvor und hallte, als stünde er in einem leeren Saal. Glaedr standen die Schuppen an den Schultern zu Berge, als er die Stimme ihres Erzfeindes erkannte.

»Ihr seid also noch am Leben, Oromis, Glaedr«, sagte Galbatorix. Seine Worte waren geschliffen und klar wie die eines glänzenden Redners und sein Tonfall war von ausgesuchter Liebenswürdigkeit. »Schon lange habe ich vermutet, dass die Elfen einen Drachen oder Reiter vor mir verstecken. Wie erfreulich, dass sich mein Verdacht jetzt bestätigt.«

»Fort mit dir, elender Schwur-Brecher!«, rief Oromis. »Du sollst an uns wenig Freude haben!«

Galbatorix lachte in sich hinein. »Was für eine schroffe Begrüßung. Schäm dich, Oromis-Elda! Wo bleibt die berühmte Höflichkeit der Elfen? Ist sie euch in den letzten hundert Jahren etwa abhandengekommen?«

»Du verdienst nicht mehr Höflichkeit als ein tollwütiger Hund.«

»Aber, aber, Oromis. Denk an das, was du zu mir gesagt hast, als ich vor dir und den anderen Ältesten stand: ›Zorn ist ein Gift. Du musst es aus deinem Herzen verbannen, sonst verdirbt es das Gute in dir.‹ Du solltest deine eigenen Ratschläge beherzigen.«

»Du kannst mich nicht mit deiner Schlangenzunge aus der Fassung bringen, Galbatorix. Du bist ein Ungeheuer, und wir werden dich auslöschen, selbst wenn es uns das Leben kostet.«

»Aber warum sollte es das, Oromis? Warum willst du dich gegen mich auflehnen? Es stimmt mich traurig, dass dein Hass deine Weisheit verzerrt, denn du warst einmal weise, Oromis, vielleicht das weiseste Mitglied unseres Ordens. Du warst der Erste, der den Wahnsinn erkannte, der meine Seele zerfraß, und du warst es auch, der die anderen Elfen überredet hat, meinen Wunsch nach einem neuen Drachenei abzulehnen. Das war sehr klug von dir, Oromis. Vergeblich, aber klug. Und irgendwie hast du es geschafft, Kialandí

und Formora zu entkommen, obwohl sie dich bereits gebrochen hatten. Dann hast du dich so lange versteckt, bis all deine Feinde tot waren, bis auf einen. Auch das war klug von dir, Elf.«

Nach einer kurzen Pause sprach er weiter: »Es gibt keinen Grund mehr, mich zu bekämpfen. Ich gebe freimütig zu, dass ich in meiner Jugend schreckliche Verbrechen begangen habe. Aber das ist lange vorbei, und wenn ich an das vergossene Blut denke, quält mich mein Gewissen. Aber was soll ich deiner Meinung nach tun? Ich kann meine Taten nicht ungeschehen machen. Mein ganzes Streben gilt nur einem Zweck, meinem Reich Frieden und Wohlstand zu bringen. Siehst du nicht, dass mein Durst nach Rache versiegt ist? Die Raserei, die mich so viele Jahre angetrieben hat, ist zu Asche verbrannt. Wer ist denn für den Krieg verantwortlich, der über Alagaësia hinwegfegt, Oromis? Doch nicht ich! Die Varden haben diesen Konflikt heraufbeschworen. Ich wäre damit zufrieden gewesen, mein Volk zu regieren und die Elfen, Zwerge und Surdaner sich selbst zu überlassen. Aber die Varden haben einfach keine Ruhe gegeben. Sie sind es, die Saphiras Ei gestohlen haben und die Erde mit Leichenbergen übersäen. Nicht ich. Du warst einmal weise, Oromis, besinne dich auf diese Weisheit. Gib deinen Hass auf und komm mit mir nach Ilirea. Gemeinsam können wir diesen Konflikt beenden und ein Zeitalter des Friedens einläuten, das für tausend Jahre und länger Bestand haben wird.«

Glaedr war nicht überzeugt. Er biss so fest mit seinen Fängen-malmend-und-bohrend zu, dass Dorn aufjaulte. Der Schmerz-Schrei schien unerträglich laut nach Galbatorix' schmeichelnden Worten.

Mit fester, klarer Stimme sagte Oromis: »Nein. Du kannst uns nicht mit deinen honigsüßen Lügen einlullen und deine Gräueltaten vergessen machen. Gib uns frei! Du hast nicht die Mittel, uns hier oben noch viel länger festzuhalten, und ich weigere mich, weitere Belanglosigkeiten mit einem Verräter wie dir auszutauschen.«

»Pah! Du bist ein seniler alter Trottel«, sagte Galbatorix und seine Stimme war jetzt hart und verärgert. »Du hättest mein An-

gebot annehmen sollen. Du wärst der Erste unter meinen Sklaven geworden. Dein törichtes Festhalten an dem, was du Gerechtigkeit nennst, wird dir noch leidtun. Übrigens irrst du dich. Ich kann euch hier so lange hängen lassen, wie ich will, denn ich bin so mächtig wie ein Gott und niemand kann mich aufhalten!«

»Du wirst nicht über uns triumphieren«, sagte Oromis. »Selbst Götter bleiben nicht ewig bestehen.«

Galbatorix stieß einen wüsten Fluch aus. »Deine Philosophie zwingt mich nicht in die Knie, Elf! Ich bin der mächtigste aller Magier und bald werde ich noch mächtiger sein. Der Tod wird mir nichts mehr anhaben können. Du jedoch wirst sterben. Aber erst wirst du leiden. Ihr werdet beide unvorstellbare Qualen erleiden. Dann werde ich dich töten, Oromis, und dir werde ich deinen Seelenhort entreißen, Glaedr, damit du mir bis ans Ende aller Tage dienst.«

»Niemals!«, rief Oromis.

Und Glaedr hörte erneut Schwerter klirren.

Glaedr hatte seinen Geist für die Dauer des Kampfes vor Oromis verschlossen, doch ihre Verbindung ging tiefer als das bewusste Denken, und so spürte er, wie sich der Elf plötzlich unter dem sengenden Schmerz seiner Knochen-Brand-Nerven-Fäulnis krümmte. Erschrocken ließ Glaedr Dorns Bein los und versuchte, den roten Drachen von sich wegzustoßen. Dorn brüllte, blieb jedoch, wo er war. Galbatorix' Verwünschung fesselte die beiden an Ort und Stelle, sodass sie sich nicht mehr als ein paar Flügelschläge in jede Richtung bewegen konnten.

Oben traf erneut Metall auf Metall, dann sah Glaedr, wie Naegling an ihm vorbei in die Tiefe fiel. Das goldene Schwert blitzte und schimmerte, während es dem Erdboden entgegentaumelte. Zum ersten Mal spürte Glaedr den eiskalten Würgegriff der Angst. Der größte Teil von Oromis' Wort-Wille-Magie ruhte in seinem Schwert und seine Schutzzauber waren mit der Klinge verbunden. Ohne die Waffe war er wehrlos.

Glaedr warf sich gegen die Schranken von Galbatorix' Zauber und versuchte, mit aller Kraft freizukommen, doch es war vergeb-

lich. Und gerade als Oromis anfing, sich zu erholen, spürte Glaedr, wie Zar'roc ihn von der Schulter bis zur Hüfte aufschlitzte.

Glaedr brüllte.

Er brüllte, wie Oromis gebrüllt hatte, als Glaedr sein Bein verlor.

Gnadenlose Wut ballte sich in Glaedrs Bauch zusammen. Ohne zu überlegen, ob er überhaupt fähig dazu war, setzte er eine magische Explosion frei, die Dorn und Murtagh davonfliegen ließ wie Blätter im Wind. Dann legte er die Flügel an und stürzte auf Gil'ead hinab. Wenn er schnell genug dort ankam, würden Islanzadi und ihre Magier Oromis noch retten können.

Doch die Stadt war zu weit entfernt. Oromis' Bewusstsein wankte … wurde schwächer … entglitt ihm …

Glaedr leitete seine eigene Kraft in Oromis' vernichteten Körper, um ihn am Leben zu halten, bis sie den Boden erreichten.

Aber er konnte die Blutung nicht stillen, die schreckliche Blutung.

Glaedr … lass mich, *murmelte Oromis in seinen Gedanken.*

Und kurz darauf flüsterte er mit noch schwächerer Stimme: Traure nicht um mich.

Und dann glitt der Gefährte von Glaedrs Leben in die große Leere hinüber.

Fort.

Fort!

FORT!

Dunkelheit. Leere.

Er war allein.

Ein roter Schleier legte sich über die Welt, der im Rhythmus seines Blutes pulsierte. Er schlug mit den Flügeln und drehte um, auf der Suche nach Dorn und seinem Reiter. Er würde sie nicht entkommen lassen. Er würde sie in der Luft zerreißen und zu Asche verbrennen, bis er sie vom Angesicht der Erde getilgt hatte.

Als Glaedr den Würger-klein-und-rot auf sich zukommen sah, brüllte er seine Trauer heraus und verdoppelte sein Tempo. Dorn wich im letzten Moment aus, um ihm in die Flanke zu fallen, aber er war nicht schnell genug, um Glaedr zu entkommen, der ausholte, zuschnappte und dem roten Drachen die letzten drei Fuß von seinem Schwanz abbiss. Eine Blutfontäne spritzte aus dem Stumpf. Dorn heulte auf vor Schmerz, wand sich davon und schoss in Glaedrs Rücken. Glaedr wollte sich zu ihm umdrehen, aber der kleinere Drache war flinker und wendiger. Glaedr spürte einen stechenden Schmerz im Nacken, dann flackerte seine Sehkraft und schwand.

Wo war er?

Er war allein.

Er war allein in der Finsternis.

Er war allein in der Finsternis, er war blind und er konnte sich nicht rühren.

Er spürte die Gedanken anderer Lebewesen in seiner Nähe, aber es waren nicht Dorn und Murtagh, sondern Arya, Eragon und Saphira.

Und da wusste Glaedr, wo er sich befand. Grauen erfasste ihn und er brüllte in die Dunkelheit. Brüllte und brüllte und ergab sich besinnungslos seinem Schmerz. Für ihn gab es keine Zukunft, denn Oromis war tot und er war allein.

Ganz allein!

Ruckartig kam Eragon wieder zu sich.

Er lag zusammengekrümmt auf dem Boden. Sein Gesicht war tränenüberströmt. Keuchend rappelte er sich auf und blickte sich nach Saphira und Arya um.

Er brauchte einen Moment, um zu begreifen, was er sah.

Eben war er noch im Begriff gewesen, die Magierin anzugreifen; jetzt lag sie vor ihm, von einem einzigen Schwerthieb niedergestreckt. Die Geister, die sie und ihre Gefährten gerufen hatten, waren nirgends zu sehen. Fürstin Lorana saß noch immer reglos in ihrem Sessel. Am anderen Ende des Turmzimmers kämpfte sich Saphira auf die Beine. Und der Mann, der zwischen den drei Magiern auf dem Boden gesessen hatte, stand neben ihm und hielt Arya an der Kehle in die Höhe.

Seine Haut hatte alle Farbe verloren und war knochenweiß. Das ehemals braune Haar leuchtete rot, und als der Mann ihn ansah und lächelte, bemerkte Eragon, dass seine Augen kastanienbraun geworden waren. Er erinnerte ihn stark an Durza.

»Unser Name ist Varaug«, sagte der Schatten. »Wir werden euch das Fürchten lehren.« Arya trat nach ihm, aber er schien es nicht einmal zu bemerken.

Der Geist des Schattens bohrte sich glühend heiß in Eragons Bewusstsein und versuchte, seinen Schutzwall niederzureißen. Die Gewalt des Angriffs lähmte Eragon. Er vermochte kaum die tastenden Fühler abzuwehren, geschweige denn, zu gehen oder ein Schwert zu schwingen. Aus irgendeinem Grund war Varaug noch stärker als Durza, und Eragon wusste nicht, wie lange er dem Schatten würde standhalten können. Dann sah er, dass auch Saphira unter Beschuss stand. Sie saß steif und reglos in der Nähe des Balkons mit einem Zähnefletschen, das wie gemeißelt schien.

Die Adern an Aryas Stirn traten vor und sie wurde langsam puterrot. Ihr Mund stand offen, aber sie atmete nicht. Mit der rechten Handkante hieb sie gegen Varaugs Ellbogen und brach ihm das Gelenk mit einem vernehmlichen Knacks. Sein Arm sackte herab und Aryas Zehen berührten kurz den Boden, doch im nächsten Augenblick sprangen die Knochen wieder zurück und der Schatten hob sie höher als zuvor.

»Ihr werdet sterben«, knurrte Varaug. »Ihr werdet alle sterben, dafür dass ihr uns in den kalten, harten Lehm gesperrt habt.«

Das Wissen, dass Arya und Saphira in Lebensgefahr schwebten, erfüllte Eragon mit einer wilden Entschlossenheit, die jedes andere Gefühl auslöschte. Mit Gedanken, so klar und scharf wie eine Glasscherbe, stürzte er sich auf das brodelnde Bewusstsein des Schattens. Varaug war zu mächtig, und die Geister, die ihn erfüllten, waren zu unterschiedlich, als dass Eragon sie in seine Gewalt hätte bringen können, also versuchte er, den Schatten abzuschirmen. Er umgab Varaugs Bewusstsein mit seinem eigenen: Immer wenn der Schatten sich nach Saphira oder Arya ausstreckte, fing Eragon den Angriff ab, und immer wenn Varaug eine Bewegung machen wollte, sandte Eragon ihm einen Gegenbefehl.

Sie kämpften gedankenschnell und trieben sich gegenseitig vor und zurück, immer am Rand von Varaugs Geist entlang, der so irre und bizarr war, dass Eragon Angst hatte, verrückt zu werden, wenn er zu lange daraufblickte. Er verlangte sich das Äußerste ab und versuchte stets, die nächsten Schritte des Schattens vorauszuahnen, auch wenn er wusste, dass dieser Zweikampf nur mit seiner eigenen Niederlage enden konnte. So schnell er auch sein mochte, am Ende würden sich die zahllosen Intelligenzen, die in Varaug hausten, als schneller erweisen.

Schließlich ließ Eragons Konzentration nach, und Varaug nutzte die Gelegenheit, um tiefer in seinen Kopf einzudringen, ihn in die Falle zu locken ... zu lähmen ... seine Gedanken zu unterjochen, bis Eragon den Schatten nur noch in stummer Wut anstarren konnte. Ein unerträgliches Prickeln bemächtigte sich seiner Glieder, als die Geister durch jeden einzelnen Nerv seines Körpers rasten.

»Dein Ring ist voller Licht!«, rief Varaug und seine Augen flackerten gierig. »Schönes Licht! Davon werden wir lange zehren!«

Dann knurrte er wütend, als Arya sein Handgelenk packte und in drei Teile brach. Sie entwand sich seinem Griff, bevor er sich heilen konnte, und ließ sich, nach Luft schnappend, zu Boden fallen. Varaug trat nach ihr, doch sie rollte sich weg und langte nach ihrem heruntergefallenen Schwert.

Eragon zitterte, während er darum rang, die erdrückende Gegenwart des Schattens abzuschütteln.

Aryas Hand schloss sich um das Heft ihres Schwertes. Ein wortloser Schrei entfuhr dem Schatten. Er stürzte sich auf sie und sie wälzten sich über den Boden. Als Varaug die Hand nach der Waffe ausstreckte, schrie Arya auf und donnerte ihm den Schwertknauf gegen die Schläfe. Er erschlaffte für einen Moment. Arya robbte rückwärts und stieß sich vom Boden ab, um auf die Beine zu kommen.

Blitzschnell befreite sich Eragon von Varaug. Ohne an sich zu denken, ging er erneut zum Angriff auf das Bewusstsein seines Gegners über, erfüllt von dem einen Ziel, ihn lange genug außer Gefecht zu setzen.

Varaug erhob sich auf ein Knie, schwankte jedoch, als Eragon seine Anstrengung verdoppelte.

»Schnapp ihn dir!«, rief er.

Arya machte einen Satz vorwärts, ihr dunkles Haar flatterte …

Und dann stieß sie dem Schatten das Schwert ins Herz.

Eragon zuckte zusammen und zog sich aus Varaugs Geist zurück, genau in dem Moment, als der Schatten von Arya zurückzuckte und dabei von ihrer Klinge glitt. Varaug öffnete den Mund und stieß einen schrillen Klagelaut aus, der die Glasscheiben in der Laterne über ihnen zum Zerspringen brachte. Er streckte die Hand nach Arya aus, kam schwankend auf sie zu und blieb schließlich stehen. Seine Haut verblasste, wurde durchsichtig und gab den Blick auf die zahllosen glitzernden Geister in seinem Innern frei. Die Geister pulsierten und schwollen an, dann platzte Varaugs Haut über den Muskeln auf. Mit einem letzten Aufflammen sprengten die Geister den Schatten und flohen aus dem Turmzimmer, als wären die Wände Luft.

Nach und nach beruhigte sich Eragons Herzschlag. Mit dem Gefühl, sehr alt und sehr müde zu sein, ging er zu Arya, die an einem Sessel lehnte und sich mit der Hand den Hals hielt. Sie hustete und spuckte Blut. Da sie offenbar nicht sprechen konnte, legte Eragon die Hand auf ihre und sagte: *»Waíse heill.«* Als die heilende Energie aus ihm herausströmte, wurden ihm die Knie weich und er musste sich am Sessel abstützen.

»Besser?«, fragte er, als die Beschwörung ihr Werk getan hatte.

»Ja«, flüsterte Arya und schenkte ihm ein schwaches Lächeln. Sie deutete auf die Stelle, wo Varaug eben noch gestanden hatte. »Wir haben ihn getötet … Wir haben ihn getötet und sind nicht tot.« Sie hörte sich überrascht an. »So wenige haben einen Schatten niedergestreckt und es überlebt.«

»Sie haben allein gekämpft, nicht zusammen wie wir.«

»Ja, nicht so wie wir.«

»In Farthen Dûr hast du mir geholfen und hier habe ich dir geholfen.«

»Ja.«

»Nun muss ich wohl *dich* Schattentöter nennen.«

»Wir sind beide …«

Sie schraken zusammen, als Saphira plötzlich ein herzzerreißendes Wehklagen anstimmte und mit ihren Klauen tiefe Furchen in den Steinboden grub. Ihr Schwanz peitschte hin und her, zertrümmerte die Möbel und fegte die finsteren Bilder von den Wänden. *Fort!*, jammerte sie. *Fort! Für immer fort!*

»Saphira, was fehlt dir?«, rief Arya. Als der Drache nicht antwortete, richtete sie die Frage an Eragon.

Eragon hasste die Worte, die zu sagen waren. »Oromis und Glaedr sind tot. Galbatorix hat sie umgebracht.«

Arya wankte, als hätte man sie geohrfeigt. »Oh!«, wimmerte sie und umklammerte die Sessellehne so fest, dass ihre Handknöchel weiß hervortraten. Ihre schräg stehenden Augen füllten sich mit Tränen, die ihr die Wangen hinabliefen. »Eragon.« Sie streckte die Hand aus und berührte ihn an der Schulter, und ohne dass er recht wusste, wie es dazu kam, nahm er sie in die Arme. Dann wurden auch ihm die Augen feucht. Aber er biss die Zähne zusammen, um die Tränen zurückzudrängen, denn wenn er erst einmal anfing zu weinen, würde er nicht mehr aufhören.

So aneinandergeschmiegt standen sie eine ganze Weile da und trösteten sich gegenseitig, dann löste sich Arya von ihm und fragte: »Wie ist das passiert?«

»Oromis hatte einen seiner Anfälle, und während er gelähmt war, hat Galbatorix Murtagh dazu benutzt …« Eragons Stimme brach und er schüttelte den Kopf. »Ich erzähle es dir und Nasuada zusammen. Sie sollte davon erfahren und ich will es nicht mehr als einmal erzählen müssen.«

Arya nickte. »Dann lass uns zu ihr fliegen.«

Ein neuer Tag

Als Eragon und Arya Fürstin Lorana aus dem Turmzimmer nach unten begleiteten, kamen ihnen Bloëdhgarm und der Rest der Elfengarde entgegengerannt, immer vier Stufen auf einmal nehmend.

»Schattentöter! Arya!«, rief eine Elfe mit langem schwarzem Haar. »Seid ihr verletzt? Wir haben Saphiras Klageruf gehört und dachten, einer von euch sei vielleicht tot.«

Eragon warf Arya einen fragenden Blick zu. Fürstin Lorana stammte nicht aus Du Weldenvarden, deshalb durfte er in ihrer Gegenwart nicht über Oromis oder Glaedr sprechen. So verlangte es das Schweigegelübde, das er Königin Islanzadi gegenüber abgelegt hatte. Nur sie, Arya oder wer auch immer Islanzadi auf den Thron in Ellesméra folgen würde, konnte es ihm erlauben.

Arya nickte und sagte: »Ich entbinde dich von deinem Eid, Eragon, euch beide. Du kannst über sie reden, mit wem du willst.«

»Nein, wir sind nicht verletzt«, sagte Eragon. »Aber Oromis und Glaedr sind gerade gestorben, gefallen im Kampf über Gil'ead.«

Wie aus einem Munde schrien die Elfen auf und fingen an, Eragon mit Dutzenden von Fragen zu überhäufen. Arya hob eine Hand. »Haltet euch zurück. Dies ist weder die Zeit noch der Ort, eure Neugier zu befriedigen. Es streifen immer noch Soldaten umher, und wir wissen nicht, wer uns vielleicht zuhört. Haltet eure Trauer in euren Herzen verborgen, bis wir in Sicherheit sind.« Sie hielt inne und sah Eragon an. »Ich werde euch über die Umstände ihres Todes unterrichten, sobald ich sie selbst kenne.«

»Nen ono weohnata, Arya Dröttningu«, murmelten sie.

»Habt Ihr meinen Hilferuf empfangen?«, fragte Eragon den Wolfkatzenelf.

»Habe ich«, sagte Bloëdhgarm. »Wir sind gekommen, so schnell wir konnten, aber viele Soldaten waren uns im Weg.«

Eragon drehte nach Elfenart die Hand vor der Brust. »Ich muss mich entschuldigen, dass ich euch einfach zurückgelassen habe, Bloëdhgarm-Elda. Die Hitze des Gefechts hat mich übermütig und leichtsinnig gemacht und dieser Fehler hätte uns beinahe das Leben gekostet.«

»Ihr braucht Euch nicht zu entschuldigen, Schattentöter. Auch wir haben heute einen Fehler gemacht. Er wird sich nicht wiederholen, das verspreche ich. Von jetzt an werden wir ohne Vorbehalt an Eurer Seite kämpfen und an der Seite der Varden.«

Gemeinsam marschierten sie die Treppe zum Hof hinunter. Die Varden hatten die meisten feindlichen Soldaten in der Burganlage getötet oder gefangen genommen, und die wenigen, die noch kämpften, ergaben sich, als sie sahen, dass sich Fürstin Lorana in Gewahrsam der Varden befand. Da das Treppenhaus für Saphira zu eng war, hatte sie es vorgezogen, sich von ihren Schwingen nach unten tragen zu lassen, und wartete schon auf sie.

Eragon blieb mit Saphira, Arya und Fürstin Lorana im Hof stehen, während einer der Varden Jörmundur holte. Als der Befehlshaber der Varden zu ihnen trat, unterrichteten sie ihn über die Ereignisse im Festungsturm – die ihn in höchstes Erstaunen versetzten – und übergaben ihm dann Fürstin Lorana.

Jörmundur verbeugte sich vor ihr. »Seid versichert, Fürstin, dass wir Euch mit dem Eurer Stellung gebührenden Respekt behandeln werden. Wir mögen Eure Feinde sein, aber wir sind doch zivilisiert.«

»Ich danke Euch«, erwiderte sie. »Es erleichtert mich, das zu hören. Aber meine Hauptsorge gilt jetzt der Sicherheit meiner Untertanen. Wenn es ginge, würde ich deshalb gerne mit eurer Anführerin Nasuada sprechen, um zu erfahren, was sie mit ihnen vorhat.«

»Ich denke, dass sie ebenfalls mit Euch sprechen möchte.«

Zum Abschied sagte Lorana: »Ich bin Euch äußerst dankbar, Elfe, und auch Euch, Drachenreiter, dass Ihr das Ungeheuer getötet habt, bevor es Elend und Zerstörung über Feinster bringen konnte. Das Schicksal hat uns in dieser Auseinandersetzung auf entgegengesetzte Seiten gestellt, doch das bedeutet nicht, dass ich Eure Tapferkeit und Euren Mut nicht bewundern könnte. Vielleicht sehen wir uns nie wieder, deshalb lebt wohl, alle beide.«

Eragon verbeugte sich und erwiderte: »Lebt wohl, Fürstin Lorana.«

»Mögen die Sterne über Euch wachen«, fügte Arya hinzu.

Bloëdhgarm und sein Elfentrupp begleiteten Eragon, Saphira und Arya, während sie sich auf die Suche nach Nasuada machten. Sie fanden sie auf ihrem Hengst irgendwo in Feinsters grauen Straßen, wo sie die Schäden an der Stadt inspizierte.

Sie begrüßte Eragon und Saphira mit offensichtlicher Erleichterung. »Ich bin froh, dass ihr endlich zurück seid. Wir hätten euch hier in den letzten Tagen gebraucht. Wie ich sehe, hast du ein neues Schwert, Eragon. Das Schwert eines Drachenreiters. Haben die Elfen es dir gegeben?«

»Auf indirekte Weise, ja.« Sein Blick streifte die Umstehenden und er sprach leiser: »Nasuada, wir müssen allein mit dir reden. Es ist wichtig.«

»In Ordnung.« Sie musterte die Gebäude in der Straße und zeigte dann auf ein Haus, das leer zu stehen schien. »Gehen wir dort hinein.«

Zwei ihrer Nachtfalken liefen voraus und verschwanden im Haus. Kurz darauf tauchten sie wieder auf und verbeugten sich vor Nasuada. »Es ist verlassen, Herrin.«

»Gut. Danke.« Sie stieg ab, übergab die Zügel einem ihrer Männer und ging hinein. Eragon und Arya folgten ihr.

Die drei streiften durch das heruntergekommene Haus, bis sie einen Raum fanden – die Küche –, dessen Fenster groß genug war, dass Saphiras Kopf hindurchpasste. Eragon stieß die Fensterläden auf und sie legte ihr Kinn auf den hölzernen Arbeitstisch. Ihr Atem erfüllte die Küche mit dem Geruch nach verschmortem Fleisch.

Nachdem sie einen Zauber gewirkt hatte, der sie vor Lauschern schützte, verkündete Arya: »Jetzt können wir unbesorgt reden.«

Nasuada rieb sich fröstelnd die Hände. »Was hat das alles zu bedeuten, Eragon?«

Eragon schluckte und wünschte, er müsste nicht darüber sprechen, was Oromis und Glaedr widerfahren war. »Nasuada ... Saphira und ich waren nicht allein ... Noch ein anderer Drache und sein Reiter kämpften gegen Galbatorix.«

»Ich wusste es«, hauchte Nasuada mit glänzenden Augen. »Es war die einzig sinnvolle Erklärung. Sie waren eure Lehrer in Ellesméra, nicht wahr?«

Ja, das waren sie, sagte Saphira, *aber jetzt nicht mehr.*

»Nicht mehr?«

Eragon presste die Lippen aufeinander und schüttelte den Kopf, Tränen verschleierten seinen Blick. »Sie sind heute Morgen über Gil'ead gestorben. Galbatorix hat Murtagh und Dorn benutzt, um sie zu töten. Ich habe gehört, wie er mit Murtaghs Zunge zu ihnen sprach.«

Die Erregung wich aus Nasuadas Gesicht, stattdessen breitete sich eine dumpfe Leere darauf aus. Sie sank auf den nächstbesten Stuhl und starrte in die Asche des kalten Kamins. Stille senkte sich über die Küche. Schließlich fragte sie: »Bist du sicher, dass sie tot sind?«

»Ja.«

Nasuada wischte sich mit dem Ärmel über die Augen. »Erzähl mir von ihnen, Eragon. Bitte.«

Also erzählte Eragon die nächste halbe Stunde von Oromis und Glaedr. Er erklärte, wie sie den Untergang der Drachenreiter überlebt und warum sie sich anschließend versteckt gehalten hatten. Er schilderte ihre jeweiligen Gebrechen und beschrieb ausführlich ihre Persönlichkeiten und wie es gewesen war, von ihnen zu lernen. Das Herz wurde ihm noch schwerer, als er an die vielen Tage dachte, die er mit Oromis auf den Felsen von Tel'naeír verbracht hatte, und an alles, was der Elf für ihn und Saphira getan hatte. Als er bei ihrem Kampf über Gil'ead angelangt war, hob Saphira den Kopf und stimmte erneut ihr leises, nicht endendes Klagelied an.

Seufzend erklärte Nasuada: »Ich wünschte, ich hätte Oromis und Glaedr kennengelernt, aber es sollte leider nicht sein … Eins verstehe ich immer noch nicht, Eragon. Du sagst, du hättest *gehört*, wie Galbatorix mit ihnen geredet hat. Wie war das möglich?«

»Ja, das wüsste ich auch gern«, sagte Arya.

Eragon sah sich suchend nach etwas zu trinken um, aber in der Küche gab es weder Wasser noch Wein. Er räusperte sich und stürzte sich dann in den Bericht über ihren letzten Besuch in Ellesméra. Saphira machte hin und wieder eine Zwischenbemerkung, doch zum größten Teil überließ sie ihm das Erzählen. Er begann mit der Wahrheit über seine Herkunft und fasste dann in schneller Folge die Ereignisse während ihres Aufenthalts zusammen: Wie sie den Sternenstahl unter dem Menoa-Baum entdeckt und daraus mit Rhunöns Hilfe Brisingr geschmiedet hatten bis hin zu seinem Besuch bei Sloan. Zu guter Letzt erzählte er Arya und Nasuada vom Seelenhort der Drachen.

»So«, sagte Nasuada, stand auf und schritt einmal die gesamte Länge der Küche ab und wieder zurück. »Du bist also Broms Sohn, und Galbatorix saugt die Seelen der Drachen aus, deren Körper gestorben sind. Es ist fast zu viel, um es zu begreifen …« Sie rieb sich erneut die Hände. »Immerhin kennen wir jetzt die Quelle von Galbatorix' Macht.«

Arya stand wie betäubt da und rührte sich nicht. »Die Drachen leben noch«, hauchte sie und faltete ehrfürchtig die Hände vor der Brust. »Sie leben noch nach all den Jahren. Ach, könnten wir es dem Rest meines Volkes nur offenbaren. Wie groß wäre ihre Freude! Und wie schrecklich ihr Zorn, wenn sie von der Versklavung der Eldunarí erführen. Wir würden geradewegs nach Urû'baen laufen und nicht eher ruhen, bis wir die Seelen aus Galbatorix' Gewalt befreit hätten, ganz gleich wie viele von uns dabei umkämen.«

Aber wir können es ihnen nicht offenbaren, sagte Saphira.

»Nein«, erwiderte Arya und senkte den Blick. »Aber ich wünschte, wir könnten es.«

Nasuada sah sie an. »Bitte nimm es mir nicht übel, aber ich wünschte, deine Mutter, Königin Islanzadi, hätte es für angebracht gehalten, dieses Wissen mit uns zu teilen. Es hätte uns schon einige Male genützt.«

»Stimmt«, sagte Arya stirnrunzelnd. »Auf den Brennenden Steppen hat Murtagh euch beide besiegt, weil ihr nicht ahnen konntet, dass Galbatorix ihm einige Eldunarí mitgegeben hatte, und deshalb nicht vorsichtig genug wart. Hätte sich Murtaghs Gewissen nicht geregt, wärt ihr jetzt Galbatorix' hilflose Sklaven. Oromis und Glaedr und auch meine Mutter hatten triftige Gründe dafür, das Geheimnis der Eldunarí zu bewahren. Aber ihre Verschwiegenheit wäre fast unser Verderben gewesen. Bei der nächsten Gelegenheit werde ich mit meiner Mutter darüber reden.«

Nasuada schritt zwischen dem Kamin und dem Fenster auf und ab. »Du hast mir viel Stoff zum Nachdenken gegeben, Eragon ...« Sie tippte mit der Stiefelspitze auf den Boden. »Zum ersten Mal in der Geschichte der Varden wissen wir von einem Weg, Galbatorix zu töten, der tatsächlich erfolgreich sein könnte. Wenn wir ihn von diesen Eldunarí trennen, verliert er den größten Teil seiner Macht, und dann können du und unsere anderen Magier ihn überwältigen.«

»Ja, aber wie sollen wir das machen?«, fragte Eragon.

Nasuada zuckte mit den Schultern. »Das kann ich dir nicht sagen, aber ich bin sicher, dass es möglich ist. Von nun an arbeitest du daran, einen Plan zu entwickeln. Das ist wichtiger als alles andere.«

Eragon bemerkte, dass Arya ihn aufmerksam betrachtete. Er sah sie fragend an.

»Ich habe oft darüber nachgedacht«, sagte sie, »warum Saphiras Ei bei dir aufgetaucht ist und nicht irgendwo auf einem leeren Acker. Es schien mir immer zu bedeutsam für einen bloßen Zufall zu sein, aber ich habe nie eine plausible Erklärung dafür gefunden. Jetzt ist mir alles klar. Ich hätte darauf kommen müssen, dass du Broms Sohn bist. Ich habe ihn zwar nicht besonders gut gekannt, aber ich kannte ihn, und du siehst ihm in gewisser Weise ähnlich.«

»Wirklich?«

»Du kannst stolz darauf sein, dass Brom dein Vater ist«, sagte Nasuada. »Nach allem, was ich gehört habe, war er ein bemerkenswerter Mann. Ohne ihn gäbe es die Varden nicht. Nichts wäre passender, als dass du sein Werk fortführst.«

Dann fragte Arya: »Eragon, dürfen wir Glaedrs Eldunarí sehen?«

Eragon zögerte, dann ging er nach draußen und holte den Beutel aus Saphiras Satteltasche. Sorgsam darauf bedacht, den Eldunarí nicht zu berühren, knotete er den Beutel auf und ließ den Stoff an dem goldenen Stein hinabgleiten. Anders als beim letzten Mal war Glaedrs Seelenhort nur von einem fahlen, matten Schimmern erfüllt, so als wäre der Drache kaum noch bei Bewusstsein.

Nasuada beugte sich vor und blickte ins flimmernde Zentrum des Steins. In ihren Augen tanzten funkelnde Lichtreflexe. »Und Glaedr ist wirklich da drin?«

Ja, sagte Saphira.

»Kann ich mit ihm sprechen?«

»Du kannst es versuchen, aber ich bezweifle, dass er reagieren wird. Er hat gerade seinen Reiter verloren. Vielleicht erholt er sich nie mehr von diesem Schock, auf jeden Fall wird es viel Zeit brauchen. Lass ihn bitte in Ruhe, Nasuada. Wenn er mit dir sprechen wollte, hätte er es bereits getan.«

»Natürlich. Es war nicht meine Absicht, ihn in seiner Trauer zu stören. Ich werde so lange warten, bis er sich gefasst hat.«

Arya rückte näher an Eragon heran und hielt die Hände dicht an den Eldunarí. Sie betrachtete den Stein ehrfürchtig und schien sich in seinen Tiefen zu verlieren. Dann flüsterte sie etwas in der alten Sprache. Glaedrs Bewusstsein reagierte mit einem schwachen Aufflackern.

Sie ließ die Hände sinken und sagte: »Eragon, Saphira, euch wurde die Verantwortung für ein anderes Leben übertragen. Das ist eine schwere Bürde. Was auch geschieht, ihr müsst Glaedr beschützen. Jetzt, wo Oromis nicht mehr da ist, brauchen wir seine Kraft und Weisheit mehr als je zuvor.«

Mach dir keine Sorgen, Arya, wir werden ihn vor allem Unheil bewahren, versprach Saphira.

Eragon zog den Stoff wieder über den Seelenstein und versuchte sich an einem Knoten, aber die Erschöpfung machte ihn unbeholfen. Die Varden hatten einen wichtigen Sieg errungen und die Elfen hatten Gil'ead eingenommen, doch er konnte sich darüber nicht so recht freuen. Er sah Nasuada an und fragte: »Und jetzt?«

Nasuada reckte das Kinn. »Jetzt«, erklärte sie, »marschieren wir Richtung Norden nach Belatona, und wenn wir es eingenommen haben, ziehen wir weiter und erobern Dras-Leona. Von dort geht es nach Urû'baen, um Galbatorix zu stürzen oder zu sterben. Das machen wir jetzt, Eragon.«

Nachdem sie sich von Nasuada und Arya getrennt hatten, beschlossen Eragon und Saphira, nicht in Feinster zu bleiben, sondern ins Lager der Varden zu gehen, wo sie sich abseits vom Lärm der Stadt ausruhen konnten. Umgeben von Eragons Elfengarde, machten sie sich auf den Weg zum Haupttor Feinsters. Eragon hielt noch immer Glaedrs Seelenstein im Arm und keiner von beiden sagte ein Wort.

Eragon starrte auf den Boden vor seinen Füßen. Er achtete nicht auf die Männer, die an ihnen vorbeikamen. Seine Rolle in dieser Schlacht war zu Ende und er wollte sich nur noch hinlegen und das Leid dieses Tages vergessen. Die letzten Empfindungen, die er von Glaedr empfangen hatte, hallten noch immer durch seinen Geist: *Er war allein. Allein in der Finsternis … Allein!* Ihm stockte der Atem, als eine Welle der Übelkeit in ihm aufstieg. *So fühlt es sich also an, seinen Reiter oder seinen Drachen zu verlieren. Kein Wunder, dass Galbatorix darüber wahnsinnig geworden war.*

Wir sind die Letzten, sagte Saphira.

Eragon runzelte die Stirn, denn er verstand nicht, was sie meinte.

Der letzte freie Drache und sein Drachenreiter, erklärte sie. *Außer uns ist keiner mehr übrig. Wir sind …*

Allein.

Ja.

Eragon stolperte über einen losen Pflasterstein. Vom Elend überwältigt, schloss er für einen Moment die Augen. *Allein schaffen wir das nicht,* dachte er. *Wir schaffen es nicht! Wir sind noch nicht so weit.* Saphira pflichtete ihm bei und ihre Trauer und Angst, zusammen mit seiner eigenen, waren beinahe zu viel für ihn.

Bei den Stadttoren angekommen, blieb Eragon stehen, denn er schreckte davor zurück, sich durch die Menschenmenge zu schieben, die sich dort drängte, in dem Versuch, aus Feinster zu fliehen. Er hielt nach einem anderen Weg Ausschau, und als sein Blick über die äußere Stadtmauer glitt, packte ihn ein plötzliches Verlangen, die Stadt bei Tageslicht zu sehen.

Er ließ Saphira stehen und lief eine Treppe hinauf, die auf die Mauer führte. Saphira knurrte verdrossen und folgte ihm. Die Flügel halb geöffnet, sprang sie mit einem Satz von der Straße auf die Brustwehr.

Dort standen sie fast eine Stunde lang und blickten auf die Stadt, während die Sonne aufging. Die fahlen goldenen Lichtstrahlen von Osten streiften einer nach dem anderen über die grünen Felder und beleuchteten die unzähligen Staubkörnchen, die durch die Luft schwebten. Wo die Lichtstrahlen auf eine Rauchsäule trafen, glühte der Rauch rot und orange und stieg mit neuer Heftigkeit auf. Die Feuer zwischen den Hütten außerhalb der Stadtmauern waren größtenteils erloschen. Doch seit Eragons und Saphiras Ankunft waren durch die Kämpfe zwanzig oder mehr Häuser in Brand geraten, und die Flammen, die aus den einstürzenden Gebäuden emporschlugen, verliehen der Stadt eine schauerliche Schönheit. Im Hintergrund erstreckte sich das schimmernde Meer bis zum fernen Horizont, wo gerade die Segel eines Schiffes auftauchten, das auf dem Weg nach Norden durch die Wellen pflügte.

Während die Sonne Eragon durch seine Rüstung hindurch wärmte, verschwand seine Traurigkeit nach und nach wie die Nebelfetzen über dem Wasser. Er atmete tief ein und aus und seine Muskeln entspannten sich.

Nein, sagte er, *wir sind nicht allein. Ich habe dich und du hast mich. Und dann sind da Arya und Nasuada und Orik und noch viele andere, die uns auf unserem Weg zur Seite stehen werden.*

Und Glaedr, sagte Saphira.

Ja.

Eragon sah auf den Eldunarí hinab, der eingehüllt in seinen Armen lag, und große Zuneigung für den in seinem Seelenhort gefangenen Drachen erfüllte ihn sowie der brennende Wunsch, ihn zu beschützen. Er presste den Stein fester an die Brust und legte Saphira die Hand auf den Hals, dankbar, dass sie zusammen waren.

Wir können es schaffen, dachte er. *Galbatorix ist nicht unverwundbar. Er hat einen Schwachpunkt und den werden wir gegen ihn verwenden … Wir können es schaffen.*

Wir können und wir müssen, sagte Saphira.

Für unsere Freunde und unsere Familie …

… und für ganz Alagaësia …

müssen wir es schaffen.

Eragon hob Glaedrs Eldunarí hoch über seinen Kopf und streckte ihn der Sonne und dem neuen Tag entgegen, und er lächelte, begierig auf die kommenden Schlachten – begierig darauf, dass er und Saphira am Ende Galbatorix gegenüberstehen und das Schicksal des finsteren Königs besiegeln würden.

Über den Ursprung der Namen

Dem beiläufigen Beobachter mögen die verschiedenen Namen, denen ein unerschrockener Reisender in Alagaësia begegnet, wie eine willkürliche Sammlung von Bezeichnungen ohne jede Einheitlichkeit, Kultur und Geschichte vorkommen. Wie in jedem Land, das wiederholt von verschiedenen Völkern besiedelt wurde, haben sich in Alagaësia jedoch die Namen und Bezeichnungen der Elfen, Zwerge, Menschen und sogar der Urgals rasch zu einem bunten Wörter-Gemisch vermengt. Deshalb findet man in einem nur wenige Quadratmeilen großen Gebiet das Palancar-Tal (ein Name der Menschen), den Fluss Anora und den Wachturm Ristvak'baen (elfische Namen) und den Berg Utgard (ein Name der Zwerge).

Während dies zwar von großem historischen Interesse ist, führt es im Alltag oft zu Verwirrung hinsichtlich der korrekten Aussprache. Leider gibt es keine festen Regeln, an die sich der geneigte Anfänger halten könnte. Man muss jeden einzelnen Namen für sich genommen lernen, außer man erkennt sofort, aus welcher Sprache er ursprünglich stammt. Die Sache wird noch verwirrender, wenn man bedenkt, dass an vielen Orten die Schreibweise und die Aussprache fremder Wörter von den dort lebenden Menschen verändert worden sind. Der Fluss Anora ist dafür ein gutes Beispiel: Ursprünglich wurde er *Äenora* geschrieben, was in der alten Sprache »breit« bedeutet. Die Menschen haben dies zu *Anora* vereinfacht und den Doppelvokal *äh-eh* in das simplere *ah* abgeändert und damit den Namen erschaffen, der in Eragons Zeit gebräuchlich ist.

Um dem Leser allzu viele Missinterpretationen zu ersparen, wurde die nachstehende Liste erstellt, wobei es sich nur um einen groben Leitfaden für die tatsächliche Aussprache handelt. Linguistische Enthusiasten seien hiermit ermutigt, die Herkunftssprachen zu studieren, um die vielen Feinheiten zu meistern.

AUSSPRACHE

Aiedail – AI-e-dähl
Ajihad – AH-dschi-had
Alagaësia – al-la-GÄ-si-a
Arya – AH-ri-a
Bloëdhgarm – BLOEED-garm
Brisingr – BRISS-ing-gerr
Carvahall – CAR-va-hall
Dras-Leona – DRAHS-le-OH-na
Du Weldenvarden – du WELL-den-VAR-den
Ellesméra – el-les-MEH-ra
Eragon – EHR-a-gon
Farthen Dûr – FAR-sen DUR
Galbatorix – gal-ba-TO-ricks
Gil'ead – GILL-i-ad
Glaedr – GLEY-dar
Hrothgar – ROSS-gar
Islanzadi – IS-lan-ZAH-di
Jeod – DSCHOHD
Murtagh – MUR-tag
Nasuada – NA-su-AH-dah
Nolfavrell – NOLL-fa-wrell
Oromis – OR-ro-miss
Ra'zac – RAH-zack
Saphira – sa-FI-ra
Shruikan – SCHRUH-kan

Sílthrim – SIEHL-trim
Skgahgrezh – Ska-GAH-grehts
Teirm – TIRM
Trianna – tri-AN-nah
Tronjheim – TRONSCH-heim
Urû'baen – UH-ruh-behn
Vrael – VRAIL
Yazuac – YA-suh-ack
Zar'roc – ZAR-rock

Die alte Sprache

Adurna – Wasser
Adurna rïsa. – Wasser, erhebe dich.
Agaetí Blödhren – Blutschwur-Zeremonie
Aiedail – der Morgenstern
Argetlam – Silberhand
Älfa-kona – Elfe; respektvolle Anrede einer elfischen Frau
Äthalvard – eine Vereinigung der Elfen, die sich der Bewahrung elfischer Lieder und Gedichte verschrieben hat
Atra du Evarínya ono varda, Däthedr-Vodhr. – Mögen die Sterne über dich wachen, verehrter Däthedr.
Atra Esterní ono thelduin, Eragon Shur'tugal. – Möge das Glück dir hold sein, Eragon Drachenreiter.
Atra Esterní ono thelduin, Mor'ranr lífa unin Hjarta onr, un du Evarínya ono varda. – Möge das Glück dir hold sein, mögest du Frieden im Herzen tragen und mögen die Sterne über dich wachen.
Atra Gülai un Ilian tauthr ono un atra ono Waíse skölir frá Rauthr. – Mögen Glück und Zufriedenheit dir folgen und mögest du das Unheil anderer auf dich nehmen.
Atra Gülai un Ilian tauthr ono un atra ono Waíse sköliro frá Rauthr. – Mögen Glück und Zufriedenheit dir folgen und möge das Unheil deinen Weg meiden.

Atra nosu waíse vardo fra eld Hórnya. – Mögen wir geschützt sein vor Mithörern.
audr – hoch; nach oben; aufwärts
Bjartskular – Schimmerschuppe
Bloëdhgarm – Wolfkatzenelf
blöder – anhalten; stehen bleiben
Brakka du Vanyalí sem huildar Saphira un eka! – Vermindere die Magie, die Saphira und mich festhält!
Brisingr – Feuer
Brisingr, iet tauthr. – Werlicht, folge mir.
Brisingr raudhr! – Rotes Feuer! (Befehl zum Heraufbeschwören eines Werlichts)
Dagshelgr – der Heilige Tag
deyja – sterben
Draumr kópa – Traumsicht
Dröttningu – Prinzessin
Du Deloi lunaea – den Erdboden glätten
Du Fells Nángoröth – Die glühenden Berge
Du Fyrn Skulblaka – Der Drachenkrieg
Du Namar Aurboda – Die Verbannung der Namen
Du Völlar Eldrvarya – Die Brennenden Steppen
Du Vrangr Gata – Der wandelnde Pfad
Du Weldenvarden – Der schützende Wald
Dvergar – Zwerge
Ebrithil – Meister
Edur – länglicher Felsberg
Eka aí Fricai un Shur'tugal! – Ich bin ein Drachenreiter und ein Freund!
Eka eddyr aí Shur'tugal… Shur'tugal… Argetlam. – Ich bin ein Drachenreiter… Drachenreiter… Silberhand.
Eka elrun ono. – Ich danke dir/Euch.
Elda – geschlechtsneutrale, sehr respektvolle Anrede
Eldhrimner O Loivissa nuanen, Dautr abr Deloi / Eldhrimner nen ono weohnataí medh Solus un Thringa / Eldhrimner un fortha onr

Fëon Vara / Wiol allr sjon. – Wachse, o schöne Loivissa, Tochter der Erde / Wachse so wie im Sonnenschein und Regen / Wachse und öffne deine Frühlingsblüten / damit jeder dich sieht.

Eldunarí – der Seelenhort, der Seelenstein, das Herz der Herzen

Erisdar – flammenlose Laternen der Elfen und Zwerge (benannt nach dem Elf, der sie erfunden hat)

Eyddr Eyreya onr! – Verschließe die Ohren!

Faelnirv – Schnaps aus zerstampften Holunderbeeren und gesponnenen Mondstrahlen

Fairith – Wunschbild; ein mit magischen Mitteln erschaffenes Gemälde

Fell – Berg

Finiarel – respektvolle Anrede für einen vielversprechenden jungen Mann

flauga – fliegen

fram – vorwärts, nach vorne

Fricai Andlát – Toter Freund (ein Giftpilz)

Fricai onr eka eddyr. – Ich bin dein Freund.

gánga – gehen; laufen

gánga aptr – rückwärts laufen

gánga fram – vorwärts laufen

Gala O Wyrda brunhvitr. Abr Berundal vandr-fódhr. Burthro Laufsblädar ekar undir. Eom kona Dauthleikr … – Singe, oh du weises Schicksal. Von Berundal, dem Unheilgeweihten. Geboren im Eichenlaub. Einem sterblichen Weibe …

Garjzla letta! – Licht verlösche!

Gath sem Oro un Lam iet. – Pfeil, komm in meine Hand zurückgeflogen.

Gedwëy Ignasia – Schimmernde Handfläche

Gëuloth du Knífr! – Klinge, werde stumpf!

Haldthin – Dornenapfel

Helgrind – das Tor zur Finsternis; auch bekannt als: die Pforten des Todes

hlaupa – rennen

hljödhr – still
Indlvarn – die Verschmelzung der Seelen von Drache und Reiter
jierda – zerbrechen; zuschlagen
kodthr – fangen
Könungr – König
Kuldr, rïsa Lam iet un malthinae unin Böllr. – Gold, steig in meine Hände und verdichte dich zu einer Kugel.
Kvetha Fricai – Sei gegrüßt, Freund.
Kveykva – Gleißendes Licht
Lámarae – weicher Stoff aus über Kreuz gesponnenen Woll- und Nesselfäden
Lethrblaka – die fledermausartigen Flugrösser der Ra'zac (wörtlich: Lederschwinge)
letta – stoppen, anhalten
Letta orya Thorna! – Diese Pfeile sollen erstarren!
Liduen Kvaedhí – das Alphabet der Poesie; geschriebene Form der alten Sprache
Loivissa – blaue, langstielige Lilie, die im Imperium wächst
Losna Kalfya iet! – Gib meine Waden frei!
maela – ruhig, still
malthinae – festbinden, fesseln
naina – erhellen
Nalgask – Creme aus Bienenwachs und Haselnussöl zum Einfetten der Haut
Nen ono weohnata, Arya Dröttningu. – Wie Ihr wünscht, Prinzessin Arya.
Osthato Chetowä – Der trauernde Weise
Reisa du Adurna. – Wasser, erhebe dich.
rïsa – erheben
Seithr – Hexe
Sé Mor'ranr ono finna. – Mögest du Frieden finden.
Sé onr Sverdar sitja hvass! – Mögen eure Klingen scharf bleiben!
Sé orúm Thornessa hávr Sharjalví lífs. – Möge diese Schlange zum Leben erwachen.

Shur'tugal – Drachenreiter
skölir – abschirmen
Skölir nosu fra Brisingr! – Schirme uns von dem Feuer ab!
sköliro – abgeschirmt, geschützt
Skulblaka – Drache (wörtlich: Schuppenwedler)
Slytha – Schlaf
Stenr rïsa! – Stein, erhebe dich!
Stydja unin Mor'ranr, Hrothgar Könungr. – Ruhe in Frieden, König Hrothgar.
Svit-kona – respektvolle Anrede für eine sehr weise Elfe
Talos – Kaktus, der am Helgrind wächst
thaefathan – verdicken, dicker werden, anschwellen
Thorta du Ilumëo! – Sprich die Wahrheit!
thrysta – zustoßen, zusammendrücken
Thrysta Vindr! – Press die Luft zusammen!
Togira Ikonoka – Der unversehrte Krüppel
vakna – erwachen
Varden – die Wächter
Vel Eïnradhin iet ai Shur'tugal. – Mein Wort als Drachenreiter.
Vinr Älfakyn – Elfenfreund
Vodhr – respektvolle Anrede für einen Mann von mittlerem Ansehen
Vor – Anrede für einen männlichen Freund
Waíse heill! – Werde gesund!
Wiol ono – für dich
Wyrda – Schicksal; Bestimmung
Wyrdfell – Elfen-Bezeichnung für die Abtrünnigen
Yawë – das Band des Vertrauens
Zar'roc – Kummer

Die Sprache der Zwerge

Akh Sartos oen Dûrgrimst! – Für Familie und Clan!
Ascûdgamln – Stahlfäuste
Astim Hefthyn – Schutz vor der Traumsicht (Gravur auf einer Halskette, die Eragon geschenkt wurde)
Az Ragni – ein Fluss
Az Knurldrâthn – Der steinerne Wald
Az Ragni – der Fluss
Az Sartosvrenht rak Balmung, Grimstnzborith rak Kvisagûr. – Die Sage von König Balmung aus Kvisagûr.
Az Sindriznarrvel – Das Juwel von Sindri
Az Sweldn rak Anhûin – Anhûins Tränen
Azt jok jordn rast. – Dann dürft ihr passieren.
Barzûl! – ein Fluch; hier etwa: Verflucht sollst du sein!
Barzûl knurlar! – Verflucht sollen sie sein!
Barzûln! – Steigerung von *Barzûl*
Beor – Höhlenbär (ein ursprünglich elfisches Wort)
Delva – bei den Zwergen gebräuchliches Kosewort; ebenso eine bestimmte Art von Goldader im Beor-Gebirge
dûr – unser
Dûrgrimst – Clan (wörtlich: unsere Halle, unsere Heimat)
Dûrgrimstvren – Clan-Krieg
eta – nein
Eta! Narho ûdim etal os isû vond! Narho ûdim etal os formvn mendûnost Brakn, az Varden, hrestvog dûr Grimstnzhadn! Az Jurgenvren qathrid né dômar oen etal… – Nein! Das werde ich nicht zulassen! Ich werde nicht zulassen, dass diese bartlosen Narren von Varden unser Land zerstören. Der Drachenkrieg hat uns geschwächt und nicht…
Etzil nithgech! – Stehen bleiben!
Fanghur – Flugwesen aus dem Beor-Gebirge, die kleiner und weniger intelligent sind als die artverwandten Drachen

Farthen Dûr – Unser Vater
Feldûnost – wörtlich: Frostbart; eine im Beor-Gebirge beheimatete Ziegenart, die den Zwergen als Reittier dient
Formv Hrethcarach … formv Jurgencarmeitder nos eta goroth bahst Tarnag, Dûr encesti rak kythn! Jok is warrev az Barzûlegûr dûr Dûrgrimst, Az Sweldn rak Anhûin, môgh tor rak Jurgenvren? Né ûdim etal os rast knurlag. Knurlag ana … – Dieser Schattentöter … dieser Drachenreiter hat in unserer heiligen Stadt Tarnag nichts verloren! Habt ihr den Fluch vergessen, der seit dem Drachenkrieg auf unserem Clan, Anhûins Tränen, lastet? Wir lassen ihn nicht passieren. Er ist …
Gáldhiem – heller/schimmernder Kopf; Kahlkopf
Ghastgar – Wettstreit im Speerwerfen, ausgetragen auf den Rücken der Feldûnost
Gramarye – Magie, ein ursprünglich elfisches Wort
Grimstborith – Clan-Oberhaupt; Mehrzahl: Grimstborithn
Grimstcarvlorss – Vorsteherin eines Hauses
Grimstnzborith – Herrscher der Zwerge; entweder König oder Königin
Gûntera Arûna – Gûnteras Segen
Hert Dûrgrimst? Fild rastn? – Welcher Clan? Wer kommt des Weges?
Hírna – Abbild; Statue
Hûthvír – Eine Holzstange mit eingeschraubten Schwertklingen in den Enden. Mitglieder des Dûrgrimst Quan benutzen dieses Doppelschwert.
Hwatum il skilfz Gerdûmn! – Hört auf meine Worte!
Ignh az Voth! – Bringt die Speisen!
Ilf gauhnith! – Ein spezieller Zwergenausdruck, der in etwa bedeutet: »Es ist ungefährlich und schmeckt gut.«
Gemeinhin vom Gastgeber eines Festmahls gesprochen, ist es ein Überbleibsel aus der Zeit, in der die Clans sich noch gegenseitig vergiftet haben.
Ingietum – Metallarbeiter; Meisterschmied

Isidar Mithrim – der Sternsaphir
Jok is frekk Dûrgrimstvren? – Wollt ihr einen Clan-Krieg?
Knurl – Stein; Fels
Knurla – Zwerg (wörtlich: einer aus Stein); Mehrzahl: Knurlan
Knurlaf – Frau / sie / ihr
Knurlag – Mann / er / ihn
Knurlag qana qirânû Dûrgrimst Ingietum! Qarzûl ana Hrothgar oen volfild... – Man hat ihn in den Clan der Ingietum aufgenommen! Verflucht seien Hrothgar und alle, die...
Knurlagn – Männer
Knurlcarathn – Steinmetz
Knurlgrim! – wörtlich: Steinkopf; saloppe Anrede
Knurlnien – steinernes Herz
Ledwonnû – Kílfs Halskette; wird auch als allgemeiner Ausdruck für *Halskette* gebraucht
Menknurlan – Personen, die nicht dem Stein entstammen (die schlimmste Beleidigung in der Zwergensprache; lässt sich nicht direkt übersetzen)
Mérna – See, Teich, Wasserbecken
Nagra – Riesenwildschwein; beheimatet im Beor-Gebirge; Mehrzahl: Nagran
Nal, Grimstnzborith Orik! – Seid gegrüßt, König Orik!
oeí – ja
Orik Thrifkz Menthiv oen Hrethcarach Eragon rak Dûrgrimst Ingietum. Wharn, az Vanyali-Carharûg Arya. Né oc Ûndinz Grimstbelardn. – Orik, Thrifkzs Sohn, und Schattentöter Eragon vom Dûrgrimst Ingietum. Außerdem die Elfenbotschafterin Arya. Wir sind Gäste in Ûndins Halle.
Ornthrond – Adlerauge
Os il dom qirânû carn dûr Thargen, Zeitmen, Oen grimst vor formv edaris rak skilfz. Narho is belgond... – Mögen unser Fleisch, unsere Ehre und unsere Halle sich vereinen durch diese Gabe meines Blutes. Ich gelobe...
Otho – Vertrauen; Glaube

Ragni Darmn – ein Schwarm roter Fische
Ragni Hefthyn – Die Flusswächter
Shrrg – Riesenwolf; beheimatet im Beor-Gebirge
Skilfz Delva – Mein Goldstück
Smer Voth! – Richtet die Speisen an!
Thriknzdal – Linie auf einer Klinge, die getempert wurde
Tronjheim – Helm der Riesen
Ûn qroth Gûntera! – So sprach Gûntera!
Urzhad – riesiger Höhlenbär
Vanyali – Elf (Die Zwerge haben dieses Wort der alten Sprache entlehnt, in der es »Magie« bedeutet.)
Vargrimst – Verbannter, ohne Clan
Vor Hrothgarz Korda! – Bei Hrothgars Hammer!
Vrenshrrgn – Kriegswölfe
Vrron! – Das reicht!
Werg – ein Ausruf des Abscheus (das Zwergen-Äquivalent für »Igitt!«)

Die Sprache der Nomaden

no – eine Höflichkeitsbezeichnung für jemanden, den man respektiert

Die Sprache der Urgals

Ahgrat ukmar. – So soll es sein.
Drajl – Madenbrut
Herndall – Urgal-Mütter, die über ihre Stämme herrschen
Namna – ein Stoffstreifen, in den die Geschichte einer Urgal-Familie eingewebt ist und der über dem Eingang ihrer Hütte hängt
Nar – geschlechtsneutraler, sehr angesehener Titel
Urgralgra – die Gehörnten; Urgal-Bezeichnung für sie selbst

Danksagung

Kvetha Fricäya!

Die Weisheit des Feuers zu schreiben, hat großen Spaß gemacht, obwohl es anstrengend und zuweilen schwierig war. Am Anfang kam es mir so vor, als wäre die Geschichte ein riesiges dreidimensionales Puzzle, das ich ohne Anhaltspunkte oder Anleitung zusammenzusetzen hatte. Ich empfand diese Erfahrung als extrem befriedigend, trotz der Hindernisse, die es immer wieder zu überwinden galt.

Wegen seiner Komplexität wurde *Die Weisheit des Feuers* deutlich länger als erwartet – genau genommen so viel länger, dass ich die Reihe von drei auf vier Bücher erweitern musste. Dadurch hat sich die Drachenreiter-Trilogie in einen Drachenreiter-Zyklus verwandelt. Ich freue mich darüber, denn auf diese Weise kann ich die Charaktere und ihre Beziehungen zueinander eingehender beleuchten und den Dingen ihren natürlichen Lauf lassen.

So wie *Das Vermächtnis der Drachenreiter* und *Der Auftrag des Ältesten* hätte ich auch *Die Weisheit des Feuers* niemals fertigstellen können ohne die Unterstützung zahlreicher kluger Menschen, denen mein grenzenloser Dank gilt. Es sind:

Zu Hause: Meine Mutter für das leckere Essen, die guten Ratschläge, für ihre Anteilnahme und ihren Optimismus; mein Vater für seinen einzigartigen Blick auf die Dinge und seine scharfsinnigen Bemerkungen zu Handlung und Sprache, dafür, dass er mir half, den Titel für dieses Buch zu finden, und für die glorreiche Idee, Flammen aus Eragons Schwert schießen zu lassen, immer wenn er seinen Namen sagt (sehr cool); und natürlich meine einzigartige Schwester Angela, die es mir nach wie vor erlaubt, sie als Kräuterhexe zu porträtieren, und bereit war, jederzeit ihr umfangreiches Wissen über Namen, Pflanzen und alles, was mit Wolle zu tun hat, mit mir zu teilen.

Bei Writers House: Mein Agent Simon Lipskar für seine Freundschaft, für seine harte Arbeit und für den dringend benötigten Tritt in den Allerwertesten, den er mir verpasst hat, als ich am Anfang nicht so recht von der Stelle kam (ohne ihn hätte ich vermutlich zwei Jahre länger gebraucht, um das Buch fertigzuschreiben); und sein Assistent Josh Getzler für alles, was er für Simon und den Drachenreiter-Zyklus tut.

Bei Knopf Books for Young Readers: Meine Lektorin Michelle Frey, der meine ganze Bewunderung gilt für die Art und Weise, wie sie mich darin unterstützt hat, das Manuskript zu überarbeiten und zu straffen (die erste Fassung war *viel* länger); ihre Assistentin Michele Burke, die sich ebenfalls mit viel Hingabe dem Lektorat gewidmet hat und überdies half, den Rückblick auf die beiden ersten Bände zusammenzustellen; Judith Haut, die Publicity-Zauberin, die von Anfang an die Kunde von der Drachenreiter-Saga durchs Land getragen hat; Presse-Chefin Christine Labov; die Chef-Grafikerin Isabel Warren-Lynch und ihr Team, weil sie dafür gesorgt haben, dass dieses Buch genauso toll aussieht wie die ersten beiden Bände; John Jude Palencar für das majestätische Umschlagmotiv (ich weiß gar nicht, wie er das beim vierten Band noch übertreffen will!); der Endredakteur Artie Bennett, dafür dass er mit aufopferungsvoller Akribie jedes einzelne Wort in *Die Weisheit des Feuers,* egal ob von mir erfunden oder nicht, überprüft hat; Chip Gibson, der Chef der Kinderbuchabteilung von Random House; Nancy Hinkel, die exzellente Verlegerin, für ihre fortwährende Unterstützung; Joan DeMayo, die

Vertriebsleiterin, und ihr Team (Hurra und tausend Dank!); John Adamo, Chef der Marketing-Abteilung, dessen Mannschaft die beeindruckenden Werbemittel entworfen hat; Linda Leonard, Neue Medien, für ihre Mühen beim Online-Marketing; Linda Palladino, Milton Wackerow und Carol Naughton, Herstellung; Pam White, Jocelyn Lange und der Rest des Teams für Auslandslizenzen, die unglaublich gute Arbeit geleistet und den Drachenreiter-Zyklus in zahllose Länder und Sprachen verkauft haben; Janet Renard, Korrektur; und alle anderen bei Knopf, die mich unterstützt haben.

Bei Listening Library: Gerard Doyle, der die Welt Alagaësia mit seiner Stimme zum Leben erweckt; Taro Meyer, der die Modulation meiner Sprachen perfekt hinbekommt; Orli Moscowitz, bei dem alle Fäden zusammenlaufen; und Amanda D'Acierno, die Verlegerin der Listening Library.

Dank euch allen.

In dem Buch *Japanische Schwertschmiedekunst* von Leon und Hiroko Kapp und Yoshindo Yoshihara habe ich viel von dem nachgelesen, was ich brauchte, um den Schmelz- und Schmiedeprozess im Kapitel »Triumph des Geistes« genau zu beschreiben. Ich möchte das Buch jedem ans Herz legen, der mehr über die Herstellung von Schwertern (besonders von japanischen) erfahren möchte. Wusstet ihr zum Beispiel, dass japanische Schmiede ihre Feuer entzündeten, indem sie so lange auf das Ende einer Eisenstange hämmerten, bis es glühte, und es dann an ein mit Schwefel überzogenes Zedernholz hielten?

Und allen, die die Anspielung auf einen »einsamen Gott« verstanden haben, als Eragon und Arya am Lagerfeuer sitzen, möchte ich sagen: Meine einzige Entschuldigung ist, dass der Doktor überall hinreisen kann, sogar in fiktive Welten.

Hey, auch ich bin ein Fan!

Zu guter Letzt möchte ich vor allem euch danken. Danke, dass ihr *Die Weisheit des Feuers* gelesen habt. Danke, dass ihr dem Drachenreiter-Zyklus seit Jahren die Treue haltet. Ohne eure Unterstützung hätte ich diese Reihe niemals schreiben können, und ich kann mir nichts vorstellen, was ich lieber täte.

Wieder einmal sind Eragons und Saphiras Abenteuer vorbei und wieder einmal haben wir das Ende dieses verschlungenen Pfades erreicht … Allerdings nur für den Augenblick. Es liegt noch ein langer Weg vor uns. Das vierte Buch wird erscheinen, sobald ich die Arbeit daran abgeschlossen habe. Und ich kann euch versprechen, es wird das Aufregendste im ganzen Drachenreiter-Zyklus. Ich kann es kaum erwarten, dass ihr es lest!

Sé onr Sverdar sitja hvass!

Christopher Paolini
20. September 2008

Ein Junge, ein Drache –
eine Welt voller Abenteuer!

Roman. 608 Seiten. Übersetzt von Joannis Stefanidis
ISBN 978-3-442-37010-8

Roman. 800 Seiten. Übersetzt von Joannis Stefanidis
ISBN 978-3-442-37011-5

Lesen Sie mehr unter: **www.blanvalet.de**